D1545345

ENCICLOPEDIA FAMILIAR
EVEREST
DE LA SALUD

ENCICLOPEDIA FAMILIAR EVEREST DE LA SALUD

Redacción:
Eva Ambros, Adriane Andreas, Doris Birk, Reinhard Brendli,
Katrin Ritter, Christine Schottdorf-Timm

Autores:
Dr. Eva Ambros, Dr. Claudia Eberhard-Metzger,
Martina Gast (diplomada en Psicología),
Cornelia Heberhold (Dra. en Medicina),
Gabi Hoffbauer (Dr. en Medicina), Gerhard Jäger, Dr. Doro Kammerer,
Dr. Gabriele Kautzmann, Maren Killmann (Dra. en Medicina),
Peter M. Königs (Dr. en Medicina), Dr. Andrea Koppenleitner,
Sibylle Kroll (diplomada en Psicología),
Ingeborg Lackinger-Karger (Dra. en Medicina),
Bettina Landeck (Dra. en Medicina), Dr. Petra Neumayer,
Dr. Susanne Priehn-Küpper, Dr. Katrin Ritter,
Dr. Roland Rottenfusser, Ruth Sandmann (Dra. en Medicina),
Dr. Adelinde Schmidt, Jürgen Schottdorf,
Christine Schottdorf-Timm (Dra. en Medicina), Dr. Karin Schutt,
Barbara Schweighofer (Dra. en Ciencias naturales),
Hans Sperl (Dra. en Medicina), Jens Thomsen (Dr. en Medicina),
Christian Timm (Dr. en Medicina)

EVEREST

Redacción:
Ariane Andreas, Reinhard Brendli
Coordinación editorial:
Eva Ambros, Andrea Koppenleitner, Katrin Ritter
Concepto:
Doris Birk, Dr. Christine Schottdorf-Timm
Asesoramiento médico:
Dr. Christine Schottdorf-Timm
Selección de imágenes:
Christoph Born, Christine Majcen-Kohl
Producción:
Ina Hochbach, Monika Pamp
Maqueta:
Medien-Desing, Horst Moser
Diseño:
Erich Gebhardt
Fotografías:
Image Bank

Título original:
Der Neue Grosse Familien-Ratgeber Gesundheit
Traducción:
Guillermo Raebel Gumá
Fernando Martínez Bernaldo de Quirós
María Ángeles Marne Martínez
Revisión técnica:
Dr. Carlos Cebada Ramos
Dr. Manuel C. Fernández Fernández
Revisión estilística:
Eugenio-O. Álvarez

SEGUNDA EDICIÓN

Carretera León-La Coruña km 5 - LEÓN
ISBN: 84-241-2378-6
Depósito Legal: LE: 36-2001
Printed in Spain - Impreso en España

EDITORIAL EVERGRÁFICAS, S. L.
Carretera León-La Coruña km 5, LEÓN (ESPAÑA)

Nota importante

Los conocimientos de Medicina están sometidos a cambios continuos por efecto de la investigación y de la experiencia clínica. Los autores y especialistas de esta obra han puesto el máximo cuidado en que los datos aquí incluidos se correspondan con el estado actual de la Ciencia, pero el carácter de este libro es meramente divulgativo y no el de dar explicaciones y aclaraciones exhaustivas. Esta enciclopedia presenta las enfermedades y afecciones más frecuentes en la vida cotidiana, describe el tratamiento médico habitual y da -en la medida de lo posible- consejos que hagan posible la autoayuda. Si usted no está seguro del tratamiento de una afección o hay circunstancias concomitantes, ¡necesariamente ha de consultar con su médico! Cada lector o lectora deberá decidir con responsabilidad si debe utilizar o no las medidas preventivas y los remedios naturales descritos en esta obra.

La Editorial declina cualquier tipo de responsabilidad que pudiera derivarse de los comentarios, opiniones, recomendaciones o exposición general de esta obra, así como de la aplicación, interpretación o de otra clase que pudiera desprenderse de su lectura o visión.
Cualquier aspecto referente a la salud, individual o colectiva, siempre se debe poner en conocimiento de la autoridad médica competente para que adopte las medidas oportunas.

Asesoramiento científico

Peter Alken, doctor y profesor de Medicina.
Director de la clínica urológica del Centro clínico de la ciudad de Mannheim, Universidad de Heidelberg.

Robert M. Bachmann, doctor en medicina.
Médico jefe de la Clínica Allgäu de medicación naturista; encargado de curso de medicina natural en la Universidad Ludwig Maximilian (Múnich).

Christine Bender-Götze, doctora y profesora de Medicina.
Médico jefe del departamento de hematología de la Policlínica infantil, Universidad Ludwig Maximilian (Múnich)

Volker Bühren, doctor y profesor de Medicina; Rudolf Beisse, doctor en Medicina.
Director médico y médico jefe de la clínica de urgencias de la Asociación para la prevención y seguro de accidentes laborales de Murnau.

Wolfgang Eiermann, doctor y profesor de Medicina.
Médico jefe de la Clínica ginecológica de la Cruz Roja (Múnich).

Stefanie Förderreuther, doctora y profesora de Medicina.
Directora de la clínica neurológica del Centro clínico Grosshadern, Universidad Maximilian (Munich).

Elmar Hellwig, doctor y profesor de Medicina.
Director médico de la Clínica universitaria de estomatología, Universidad Albert Ludwig (Friburgo).

Reinhardt J. Kau, doctor y profesor de Medicina.
Médico jefe y director de la clínica de otorrinolaringología del centro clínico "Rechts der Isar", Universidad Técnica de Múnich.

Christian Kinzel, doctor en Filosofía y diplomado en Psicología.
Director de la Asociación Milton Erickson para la hipnosis clínica (Múnich).

Michael M. Kochen, doctor y profesor de Medicina.
Director del Departamento de medicina general del centro clínico de la Universidad Georg August (Göttingen).

Hartwig Lauter, doctor en Medicina.
Médico jefe del hospital Kloster Grafschaft, especializado en neumología y alergología.

Thomas Löscher, doctor y profesor de Medicina.
Director del Instituto de enfermedades infecciosas y tropicales de la Universidad Ludwig Maximilian (Múnich).

Helmut Lydtin, doctor y profesor de Medicina.
Médico jefe de la clínica médica del hospital Starnberg, Universidad Ludwig Maximilian (Múnich).

Volker Meier, doctor y profesor de Medicina.
Director de los laboratorios de isotopia de la clínica médica de la Universidad de Ulm.

Helmut Pillau, doctor y profesor de Medicina.
Encargado de curso de medicina general de la Universidad Ludwig Maximilian (Múnich).

Rolando Rossi, doctor en Medicina.
Médico jefe del departamento de anestesia y medicina intensiva del hospital municipal de Ansbach.

Maximilian Schmauss, doctor y profesor de Medicina.
Director médico de la clínica de psiquiatría y psicoterapia del hospital territorial de Augsburgo.

Thomas Schmidt, doctor y profesor de Medicina.
Médico jefe de la clínica oftalmológica del centro clínico Rechts der Isar, Universidad Técnica de Múnich.

Wolffram Sterry, doctor y profesor en Medicina.
Director de la clínica dermatológica y policlínica del Centro Clínico Universitario Charité, Universidad Humboldt (Berlín).

Hans-Joachim Trappe, doctor y profesor de Medicina.
Director de la Clínica médica del centro clínico universitario del Hospital Herne, Universidad Ruhr (Bochum).

Jürgen Wahrendorf, doctor y profesor de Medicina.
Director del departamento de epidemiología en el Centro alemán de investigación del cáncer (Heidelberg).

Guía

Temas que trata este libro

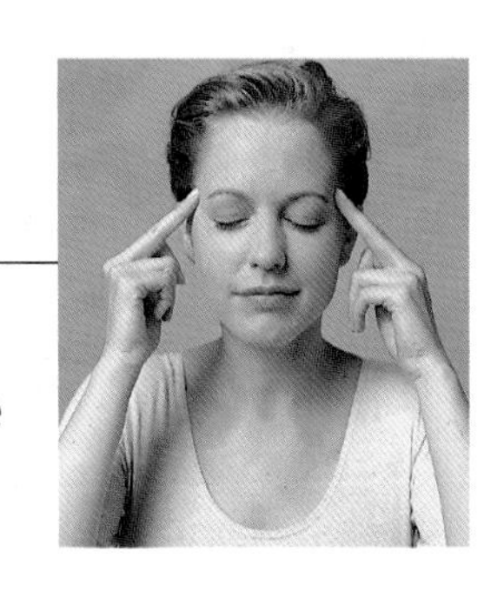

Cómo encontrar rápidamente lo que busca

Si usted o alguien de su familia padece una afección, podrá saber de qué enfermedad se trata y obtener información sobre ella con sólo seguir los siguientes pasos.

Consulte el sumario de la página 9. En el capítulo "Reconocer los síntomas y actuar correctamente", busque su afección principal y pase a la página del libro que se indica. Allí encontrará usted, en un resumen perfectamente articulado, la descripción exacta de las afecciones y sus síntomas (→ página 90). Conocerá de qué enfermedad puede tratarse, en qué páginas podrá encontrar información más precisa y cuándo deberá acudir al médico.

Por ejemplo: *Un ojo le llora, escuece y está enrojecido.* En el sumario de la página 9, capítulo "Reconocer los síntomas y actuar correctamente", encontrará el epígrafe "Afecciones oculares" y, al lado, la página 95. En esta página hallará usted una lista de síntomas como "con lagrimeo" y debajo "enrojecimiento, irritación, escozor, prurito". Sabrá, pues, que puede tratarse de una conjuntivitis, de la que se da amplia información en la página 154, y que sería aconsejable acudir al oculista.

Para obtener información sobre un tema o enfermedad determinada,

Existen tres posibilidades:

• Busque el epígrafe en el **índice alfabético** (→ página 806). El número de página allí indicado le llevará hasta la información deseada.
Por ejemplo: *si usted padece de migraña y quisiera saber más sobre el particular*, busque el epígrafe "Migraña" en el índice alfabético y allí encontrará la página de referencia donde se trata este tema.

• Consulte el **sumario** (ordenado por temas) **de la página 8**, busque en él el concepto principal correspondiente y debajo encontrará el epígrafe y número de página donde se explica.
Por ejemplo: *si está interesado por las causas de la alopecia*, en el sumario encontrará el capítulo denominado "El cuerpo y sus enfermedades" y bajo el título "Piel y cabello", su epígrafe "Alopecia", acompañado del número de página donde puede encontrar la información deseada.

• También es posible buscar en el **sumario** sólo el comienzo del capítulo sobre el tema de su interés; pase a la hoja del libro indicada, y en ella encontrará otro pequeño sumario que le llevará hasta el tema elegido.
Por ejemplo, si *usted quiere hacer algo para mantenerse en forma,* en el sumario correspondiente encontrará el capítulo "Autoayuda en casa". En esa página aparece un pequeño sumario que le llevará hasta el apartado titulado "Manténgase en forma mediante el ejercicio". Allí encontrará muchos ejercicios prácticos y consejos que le ayudarán a mantenerse en forma y conservar así mejor su salud.

Sumario

Salud y bienestar

Sexualidad y familia

Reconocer los síntomas y actuar correctamente

El cuerpo y sus enfermedades

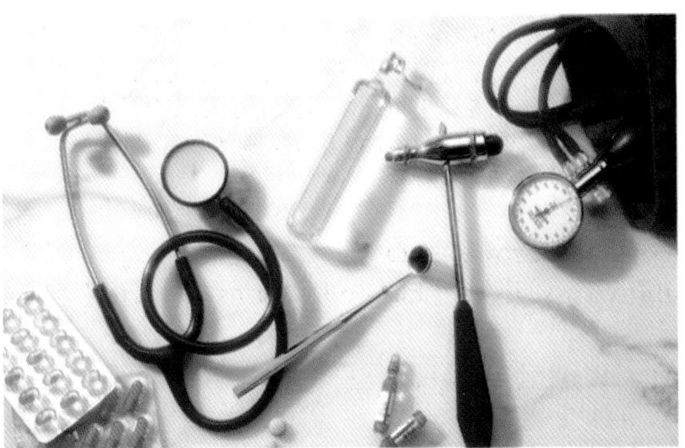

Hormonas y metabolismo

COSAS QUE INTERESA SABER SOBRE LAS HORMONAS

Temas especiales

▶ Diagnóstico y terapia

Autoayuda en casa

Primeros auxilios

Para consultar

Salud y bienestar

Sumario

¿Qué es la salud?
Equilibrio entre cuerpo y mente

Nos deseamos salud unos a otros en los encuentros y despedidas, en los cumpleaños, en toda jubilación o ante el mero hecho de estornudar. La salud ocupa siempre el primer lugar de nuestros mejores deseos. Es la base de la salud y del bienestar; es, según la voz popular, "nuestro bien más preciado". Y esta vieja sabiduría del refranero popular, se está imponiendo de nuevo en la moderna sociedad de consumo. La salud como bienestar físico ocupa un lugar preeminente en nuestra vida. Las campañas publicitarias que aparecen en los medios de comunicación giran siempre en torno a la idea de la juventud como fuente de salud y a la de estar en forma. La salud se convierte así en un fin en sí mismo, en un estado permanente que también puede conservarse mediante medidas apropiadas.

La ciencia descubre cada poco nuevos "remedios milagrosos" y se promocionan revolucionarios métodos para mantenerse en forma, que nos ayudarán a conservar la salud y la eterna juventud. Pero también, según las últimas investigaciones, cada vez son más las personas jóvenes que tienen problemas de salud prematuros que les ocasionan múltiples trastornos.

Hoy día niños y jóvenes padecen dolores de espalda, alergias y trastornos cardiovasculares y digestivos que antes no eran tan habituales. ¿Qué significado tiene la salud en un mundo cambiante, marcado por el constante aumento de la presión social en aras de un mayor rendimiento y donde se relega a la persona más y más hasta abandonarla a su propia suerte? ¿Qué significado tienen estos conceptos en cada caso particular y en las diferentes fases de la vida?

Toda persona que desee estar sano tendrá pues que dedicarse más tiempo para "alcanzar" lo que parece haberse convertido en una exigencia social: la salud.

Para disfrutar de la salud, tiene que ser completa

En general, la salud se considera el estado contrario al de enfermedad. La persona que asegura que está sana, quiere decir que no padece ningún trastorno físico que le impida llevar una vida cotidiana normal. Pero la salud completa no puede limitarse sólo al estado físico: también el estado anímico influye decisivamente en nuestro bienestar.

Quien tenga problemas psíquicos nunca podrá sentirse del todo bien físicamente, o comprobará que enferma con cierta frecuencia. Por otra parte, el organismo y la psique sufren las imposiciones individuales del entorno, debidas a las influencias del medio ambiente y a la organización que hemos dado a nuestra vida –cómo nos alimentamos, cómo trabajamos, cómo pasamos nuestro tiempo libre y qué relaciones sociales mantenemos–. Visto así, la salud depende de todos los ámbitos de la vida humana.

Cuerpo, mente y medio ambiente constituyen un todo

A esta reflexión se debe el que, en el año 1949, la Organización Mundial de la Salud (OMS) definiera el concepto de "salud" en un sentido mucho más amplio: "Salud es estar en perfecto estado físico, psíquico, anímico y social". Pero esta definición ha sido criticado a menudo por considerarla demasiado idealista pues, a lo largo de la vida, nadie podrá encontrarse en ese estado ideal. Sin embargo, este principio encierra en sí mismo todo un programa, una línea de conducta válida para todas las normativas y disposiciones estatales y sociales, pero que asimismo resulta orientativa a nivel individual. Además de ayudar a reconocer acciones recíprocas, también posibilita el descubrimiento personal para influir en la manera de organizar la propia vida.

El procedimiento para estar sano

Es posible que la definición de la OMS induzca a pensar que la salud pueda considerarse como un "estado permanente". Pero nada más lejos de la realidad. La salud de una persona está influenciada por la fase de la vida en la que se encuentra, su edad e incluso los distintos estados de ánimo por los que pasa a lo largo del día. Por eso se suele preferir utilizar el concepto, mucho más dinámico, de "estar sano" frente al rígido y estático de "salud".

Además de describir el estado físico del momento, la salud hace referencia a una experiencia vital básica que incluye tanto el bienestar físico como el psíquico. En un sentido amplio, la salud no excluye la enfermedad: "toda persona sana, enferma de vez en cuando". Y los enfermos crónicos también suelen aprender a "estar enfermos de manera sana", es decir, aprenden a "convivir" con su enfermedad y a sentirse relativamente bien física y psíquicamente, a pesar de los impedimentos físicos que puedan tener. La salud de una persona se basa en un equilibrio dinámico, semejante al concepto físico de "equilibrio dinámico", que está constantemente interrelacionado con el medio ambiente y con el mundo interior.

Bienestar físico

Nuestro cuerpo también dispone en su interior de unos sistemas dinámicos que se encargan de dirigir todas las funciones importantes tales como la respiración, la digestión, la circulación sanguínea o la regulación hormonal; cuando estos sistemas funcionan sin contratiempos, el cuerpo está sano y nos sentimos bien físicamente. Y quien se siente bien físicamente, está contento con su estado físico, tiene vitalidad y le gusta cansarse con todo tipo de actividad para recuperarse de inmediato. Después de un trastorno, ese bienestar se recobra cuando se inicia un proceso de curación y se restablece el equilibrio normal.

La enfermedad como desafío

Sin que apenas nos percatemos de ello, algunos tipos de trastornos pueden afectar ligeramente al organismo; otros, en cambio, le exigen demasiado y pueden originar algunos síntomas patológicos. Así, la enfermedad propiamente dicha no suele ser más que la manifestación –la fiebre, por ejemplo– del cuerpo por intentar suprimir o eliminar el trastorno que la ocasiona.

En el equilibrio físico intervienen e influyen innumerables causas externas y procesos internos. Por ejemplo, los trastornos que perjudican las funciones del cuerpo; entre otros, las formas de vida que someten al organismo a sobrecargas durante largo tiempo, la inactividad o sedentarismo, realizar grandes esfuerzos continuados, una alimentación desequilibrada, demasiado alcohol o el fumar en exceso. Sin embargo, hay agentes patógenos que influyen en el ser humano y que no pueden evitarse aunque se lleve una vida sana. Entre ellos se cuentan las influencias negativas derivadas del medio ambiente, los problemas profesionales o las exigencias que plantea la competencia cada vez mayor; pero también ciertas cargas hereditarias, las enfermedades infecciosas o los accidentes.

Ciertas medidas terapéuticas y sanitarias permiten protegernos –en parte– del contagio (por ejemplo, del sida), o prevenirlo con campañas de vacunación. El bienestar saludable puede mantenerse, hasta cierto punto, mediante un cambio en los hábitos de vida. Pero en la mayoría de las enfermedades o accidentes graves no es posible el restablecimiento del equilibrio perdido, si no es mediante intervenciones externas o la aplicación de terapias concretas. A veces, la enfermedad puede llegar a ser una fatalidad de la que la persona afectada no puede evadirse. Entonces tendrá que aceptarla como un desafío y aprender a convivir con ella.

El concepto de la salud en el transcurso del tiempo

La idea de que sobre la salud influyen todos los ámbitos de la vida, surgió ya en la Antigüedad. Dentro de la filosofía, la "dietética" era para los griegos la ciencia encargada de sanear y mantener un orden vital: el ser humano estaba en armonía con la naturaleza interna y externa.

Estar sano era una virtud, y cada uno debía asumir la responsabilidad de conservar su propia salud. Hipócrates (460 a. de C.) ya hacía referencia en sus escritos a que cada persona debía ayudarse a sí mismo en la enfermedad, y comprender e interpretar la indicaciones del médico.

La doctrina cristiana también parte de que el cuerpo y el alma forman una sola unidad. Estar sano significa vivir en equilibrio tanto con el orden natural como con el divino. La medicina tradicional basaba sus principios en los remedios naturales, pero también en los ejercicios espirituales, la oración, la meditación y el concepto ético de la vida.

Trataba, ante todo, de fortalecer las fuerzas curativas individuales.

Conquistas de las ciencias naturales

Al comienzo de la edad moderna se separó el concepto de lo "natural" de lo "divino". Gracias a la investigación de las ciencias naturales y a los avances técnicos, el ser humano pudo influir en su propia vida como nunca hasta entonces había sido capaz. En lugar de las antiguas doctrinas sobre el mantenimiento de la salud, la medicina introdujo el concepto de "patología".

La medicina académica, la ciencia médica enseñada en las universidades y basada en las ciencias naturales, se impuso sobre los métodos curativos tradicionales. Los descubrimientos médicos del siglo XIX en el campo de las enfermedades infecciosas, junto a la gran difusión de normas higiénicas, fue lo que propicio el que un gran número de enfermedades infecciosas que hasta entonces eran mortales para el ser humano dejaran de serlo.

El descubrimiento de la penicilina, el perfeccionamiento de las vacunas, pero también los procesos en cirugía, constituyeron todo un hito histórico. Se erradicaron muchas enfermedades, el estado general de salud de la población de las naciones industriales occidentales mejoró y la "esperanza de vida" se incrementó notablemente.

Pero, por otra parte, la forma de vida que impuso la industrialización fomentó la aparición de nuevas enfermedades y dolencias, que los medios técnicos y químicos de una medicina orientada exclusivamente a tratar el cuerpo humano eran incapaces de curar. Así, se comprobó que muchas enfermedades tenían su origen en causas psíquicas.

Entre tanto, la medicina académica fue prestando cada vez más atención a lo que se conoce como "psicosoma" (*soma*: "cuerpo"). También se descubrió que muchas terapias tenían efectos secundarios no deseados, y que algunas personas se hacían adictas a los medicamentos.

Nuevo descubrimiento de la globalidad

Esto motivó el que, en las últimas décadas, muchos médicos orientaran sus esfuerzos en intentar potenciar las fuerzas de curación espontánea mediante remedios y métodos naturales no traumáticos. Y la medicina naturista recobró la fuerza que tenía antaño. Se desarrolló una nueva forma global de entender la salud, que incluía la posibilidad de superar el conflicto.

Este nuevo entendimiento de la medicina se orienta principalmente hacia los pacientes mayores y al fomento de la salud en todos los ámbitos de la vida humana.

El papel de los genes

Cada célula del organismo humano contiene en su núcleo los genes, encargados de transmitir la herencia genética. Se presentan formando los cromosomas, 46 estructuras de aspecto típico individualizado. Se heredan, a partes iguales, del padre y de la madre. Cada célula recibe unas 100 000 señales genéticas, que le dan instrucciones de funcionamiento. Los genes son como tarjetas perforadas químicas, donde se almacena la información genética.

El carácter específico de cada persona se debe al código genético y a la estructura de los cromosomas, que se encargan de determinar sexo, tamaño y apariencia externa; establecen la inteligencia y la salud, y también algunas enfermedades. La causa de las enfermedades hereditarias, capaces de manifestarse en cualquier momento, se debe a los defectos de los genes. Un sistema inmunológico débil puede estar condicionado genéticamente, según haya sido la combinación de los genes heredados.

Pero una carga hereditaria determinada (alergias, diabetes, cáncer, etcétera), no significa que el afectado tenga que padecer ciertas enfermedades. La enfermedad está latente, y sólo se manifestará si concurren diversos factores internos y externos.

En este aspecto, las condiciones de vida desempeñan un papel importante. Así, si en los orígenes familiares se dieran antecedentes de alguna carga hereditaria (un debilitamiento orgánico, por ejemplo), se podría reorientar la vida de tal modo que se contrarrestase ese punto débil con la mayor fuerza adquirida en otros ámbitos.

La influencia de la psique en el comportamiento humano

A diferencia de las máquinas, el cuerpo humano requiere algo más que un mantenimiento regular para que funcione bien. Así, las funciones físicas están influenciadas por las vivencias psíquicas.

El sistema nervioso es el "puente" entre la psique y el cuerpo. Éste consta de una zona que funciona a nuestro libre albedrío y dirige los actos conscientemente, y de otra no influenciable por la voluntad –encargada de regular las funciones internas del cuerpo como respiración, digestión, metabolismo y actividad cardíaca– y que se conoce como "sistema nervioso vegetativo".

Pero a pesar de que los procesos psíquicos se escapen al control de la voluntad, influyen de igual modo en las funciones físicas a través del sistema nervioso.

Tensión y relajación

Para que las funciones físicas se produzcan, se precisa que se den estímulos externos que exciten al organismo. Todos los acontecimientos que el ser humano percibe como amenaza o desafío, activan el sistema nervioso vegetativo, y se denominan "excitaciones estresantes". Tienen el efecto de activar el nervio del estrés (nervio simpático) y provocan la secreción de hormonas (la adrenalina y la cortisona), que producen una aceleración del pulso, la subida de la tensión arterial, el aumento del nivel de glucosa y de lípidos en la sangre y el incremento de la facultad coagulante sanguínea. Los músculos se tensan, la respiración se acelera, la digestión se bloquea y se reduce la percepción del entorno inmediato. El cuerpo hace acopio de la energía precisa para hacer frente al aumento de actividad.

En la prehistoria, el ser humano empleaba esa reacción estresante para la huida o para el ataque. Las fases de estrés son, en cierta medida, necesarias para que el cuerpo se mantenga sano y resistente. La falta de estímulo y el esforzarse lo menos posible, debilitan las funciones físicas en la misma medida que el esfuerzo físico excesivo. Cuando a un estado de tensión le sigue una fase de calma, se recuperan las energías perdidas y se entra en una fase de relajación que restablece el equilibrio.

Este estrés saludable recibe el nombre de "euestrés". Si no concurren fases de sosiego, se mantiene el estado de sobreexcitación y el esfuerzo excesivo y si, además, faltan estímulos como ejercicio físico y alimentación integral, la situación puede derivar en un estrés permanente y nocivo, el "disestrés".

Por lo tanto, para que el bienestar físico sea permanente se requiere una alternancia adecuada entre la tensión y la relajación.

El ejercicio físico reduce el estrés.

Bienestar psíquico

Investigaciones realizadas en Alemania y EE UU, pusieron de manifiesto que considerar a algunas personas "sanas" no implicaba que llevaran una vida sin problemas; lo normal era que tuvieran que superar diferentes tipos de crisis y golpes.
Tampoco vivían en las condiciones más favorables, pero todas mostraban una actitud optimista ante la vida y tenían gran confianza para enfrentarse con éxito a cualquier dificultad y desafío. Después de cada revés, recuperaban de inmediato su equilibrio psíquico.

Autoconfianza y alegría de vivir

Además de por sus intereses y bienestar personal, las personas sanas se preocupan e interesan por otras personas mostrando un espíritu abierto y su empatía al adaptarse y "hacer suyo" cualquier cambio de situación. Pero, ante todo, son capaces de una cosa primordial: disfrutar de la vida.
Tienen la habilidad de renovar sus energías a partir de experiencias positivas y de momentos felices vividos. Llevan siempre los destinos de su vida con plena responsabilidad, lo que también significa percatarse y atender las propias necesidades y ser capaz de obrar siempre noblemente ante cualquier situación.
Quien se siente bien psíquicamente, no vive obsesionado por su salud, tiene su propia autoestima y se encuentra a gusto con su cuerpo y con lo que le rodea.

Actividad psíquica

La persona que es capaz de adaptarse a cualquier tipo de situación, también suele estar dispuesto a fomentar su desarrollo psíquico para aprender cosas nuevas y para procurarse experiencias enriquecedoras.
Cosas todas ellas que nada tienen que ver con la hiperactividad. Quien tiene una actividad exagerada, corre el peligro de frenar su desarrollo psíquico debido a sus muchas exigencias personales.
Y es precisamente en las horas de ocio y fases de relajación cuando nos llegan soluciones e ideas que, después, podemos aplicar en las horas de estrés y productividad. En el ámbito psicoanímico, también rige la antinomia tensión-relajación.

Salud y sociedad

Con el paso del tiempo, los progresos de la Medicina han impuesto la equívoca idea de que el uso masivo de medicamentos puede hacer remitir todo tipo de enfermedades y recuperar así la salud. Precisamente esta actitud expectante es la que ha venido marcando la relación médico-paciente.
Pero en esta relación ha influido de manera especialmente beneficiosa la implantación de la profilaxis, es decir, el conjunto de medidas encaminadas a preservar las enfermedades de las personas mediante vacunaciones, exámenes médicos periódicos, medidas de seguridad en el trabajo y otros tratamientos preventivos. La exigencia del paciente a su curación y a la prevención de enfermedades, mediante el establecimiento de medidas terapéuticas preventivas ante la posibilidad de contraer cualquier tipo de dolencia, se ha ido extendiendo paulatinamente al sistema de "sanidad pública".
Así, después de la Segunda Guerra Mundial en algunos países europeos se crearon sistemas sanitarios ejemplares que aseguraban la asistencia médica a todos los sectores de las distintas capas sociales. Sin embargo, esta circunstancia tuvo una reacción adversa ya que el ciudadano llegó a tener la convicción de que el médico era el único responsable de su bienestar.
Muchos creyeron que las altas cotizaciones que pagaban les daba derecho a exigir el disfrute de una "buena" salud, dejando la propia responsabilidad relegada a un segundo plano. Entre tanto, la sanidad pública tuvo que enfrentarse a sus propias limitaciones. Los seguros no estaban en condiciones de asumir los altos costes. La asistencia médica generalizada tampoco conseguía los éxitos esperados.
Todo esto hizo necesario buscar nuevos modelos, donde la responsabilidad individual ocupara un papel preponderante.
En este sentido se orienta la acción combinada, tantas veces puesta en práctica, de la familia, los seguros, los centros sociales y los grupos de autoayuda de enfermos crónicos, como diabéticos, alérgicos, escleróticos múltiples, minusválidos o enfermos del riñón y de Alzheimer.
El sistema público sanitario debe ser capaz de encontrar la fórmula que equilibre lo que aporta la comunidad y el individuo, respectivamente, para conseguir el restablecimiento y el mantenimiento de la salud de cada persona.

En armonía con el entorno

Otro factor que determina nuestra salud es el contacto con el entorno en el que se desenvuelve nuestra vida. El ambiente, las personas con las que nos relacionamos y con las que convivimos, los hechos cercanos y lejanos son aspectos todos que influyen en nuestra vida.

Bienestar social

Las relaciones sociales activas con otras personas, tienen una importancia vital. En estudios realizados a personas que, pese haber crecido en condiciones de extrema dificultad conservaron el equilibrio físico-psíquico, se puso de manifiesto que durante su infancia al menos tuvieron una relación seria y estable con una persona. El cariño y la dedicación son aspectos que no sólo son importantes para el desarrollo de los niños. También los adultos superan mejor los avatares de la vida si pueden confiar en otras personas y se interesan los unos por los otros. El peligro de patologías cardiovasculares es mucho mayor en personas introvertidas. Los diagnósticos de estrechamiento de las arterias se dan más frecuentemente en personas solitarias, obligadas a solucionar cualquier problema sin ayuda ante situaciones de estrés. Los éxitos conseguidos por los grupos de autoayuda demuestran lo positivo e importante que son las relaciones sociales para la salud. Las probabilidades de curación de enfermedades tan graves como el cáncer, son mucho más grandes si los pacientes tienen ocasión de intercambiar impresiones con otros afectados.

Por otro lado, también son causantes de enfermedades las relaciones infelices de pareja, caracterizadas por continuos y agotadores conflictos que dificultan la convivencia y donde cada uno vive su vida independientemente del otro o se siente despreciado. Este aspecto se da tanto en la vida familiar, como en la vida de pareja o dentro de la actividad profesional.

Una relación de pareja en la que ambos miembros se encuentran a gusto, también contribuye al mantenimiento de la salud.

Entorno y forma de vida

Nuestra salud no sólo se ve influenciada por las relaciones sociales, también lo está por las que se derivan del medio ambiente en el que vivimos. Entre ellas pueden destacarse especialmente las condiciones de trabajo y de vivienda, así como la contaminación medioambiental que ocasiona la polución del aire, la baja calidad del agua o los ruidos de todo tipo.

Pero también actúan sobre el estado de salud las influencias del clima o la disminución de la capa de ozono atmosférica: en las últimas décadas ha sido patente el considerable aumento de casos de asma, alergias, enfermedades de la piel y afecciones oculares relacionadas con la contaminación ambiental. Estas influencias ambientales negativas se suelen agravar por una forma de vida insana, unido a un estado permanente de irritación y al continuo aumento de la presión existencial en la vida privada y en el trabajo.

Lo que hace enfermar a las personas no es una sustancia nociva determinada o una costumbre insana concreta. Pero ante esta diversidad de influencias, la persona no siempre se muestra impotente. Mediante una planificación responsable, existen muchas posibilidades de influir sobre su propia forma de vida y sobre el mundo que le rodea. En este sentido, la Conferencia sobre la Salud Mundial organizada por la OMS en el año 1986 definió el concepto de salud con mayor precisión: «La salud de los seres humanos se forja en el ambiente en el que viven: donde juegan, aprenden, trabajan y aman.

La salud surge cuando nos ocupamos de nosotros mismos y de los demás, cuando estamos en situación de tomar nuestras propias decisiones y de controlar nuestra forma de vida; también depende de que la sociedad cree la condiciones para que sus ciudadanos puedan vivir de una manera sana».

Componentes de la salud

La alegría de vivir

Desde los albores de la historia, el ser humano ha tratado de responsabilizar de sus debilidades y sufrimientos al mundo que le rodea. En la Antigüedad se echaba la culpa a los dioses; y en los tiempos modernos, al Estado, a las circunstancias de la vida y a las condiciones generales del medio ambiente. Sin embargo, el llamamiento hecho por la Organización Mundial de la Salud en 1986 lo expresa con claridad: «la salud hay que "vivirla"». Depende de la calidad de vida y de la decisión personal, pero también de la manera en que cada uno se preocupe de sí mismo y de su medio ambiente.
Dedicarle un tiempo a la salud personal, nada tiene que ver con obstinación, austeridad o pedantería. Muy al contrario: las limitaciones y obligaciones impuestas que se adopten pueden alterar el equilibrio individual del mismo modo que lo hacen los abusos.

Cuidar de la propia salud significa fomentar la alegría de vivir. Las personas sanas descubren constantemente nuevas fuentes para mantener su bienestar. Y lejos de disfrutar por el ansia de placer, lo hacen al comprobar el esmerado trato que ellos mismo dispensan a su vida con gran amplitud de miras. También saber apreciar las pequeñas alegrías cotidianas, y eliminan todo rastro de estrés y las influencias negativas dándose algún placer que otro durante el día.
La capacidad de disfrute es propio e inherente a la vida del ser humano. Todos los comportamientos y sensaciones en las que basa su existencia, están relacionados con el placer. Entre ellos se tienen el comer, la sexualidad, la actividad física, la relajación, el aseo corporal, la satisfacción de necesidades psíquicas e intelectuales y las relaciones con los demás.

Buscar el equilibrio

Mantener el equilibrio personal significa considerarse a sí mismo como un todo –una unidad de cuerpo, espíritu y mente–, que posibilita encontrar el equilibrio interno en medio de los contrastes mundanos. Entre los "componentes" de la salud se cuentan:

- La actividad física y la relajación posterior.
- La alternancia de la concentración y el esfuerzo en el trabajo con el descanso y el disfrute de la Naturaleza.
- Acontecimientos tensos, satisfacción en las decisiones, éxitos profesionales y privados y fases de reposo y calma en la rutina familiar.
- La vida en pareja, el trato social, la alegría en la tranquilidad del hogar y la posibilidad de intimidad.

Cuidar el cuerpo

Una alimentación sana, el ejercicio físico moderado, la higiene y cuidar la salud de modo natural hacen posible lograr un estado físico óptimo, vitalidad y resistencia. Pero la "alegría de vivir", consiste en dejar a un lado la moderación y la sensatez de vez en cuando. Una vez se ha aprendido a percibir las limitaciones del cuerpo, la persona establece sus propios límites y, del mismo modo, disfruta al recuperar el equilibrio perdido.

Alimentación sana

La alimentación sana está relacionada con el placer de comer. Deleitarse ante un plato o recrearse en su preparación, pueden suscitar sentimientos de felicidad. Además, una dieta variada proporciona todos los nutrientes vitales. Pero muchas veces una alimentación monótona, el comer sin medida o cambiar cada poco de una dieta a otra sin éxito, hace que sean muchas las personas que ya no disfrutan del placer de comer.
Para conseguir el peso ideal debe adoptarse una alimentación rica y variada, procurando establecer el equilibrio entre opulencia (abstenerse de preparar a diario el asado de los días festivos) y sencillez. Más adelante se recogen las normas y principios para llevar una alimentación sana y equilibrada en la dieta diaria.

Mantenerse en forma mediante el ejercicio

La actividad del cuerpo humano se manifiesta a través del movimiento. Durante su transcurso notamos cada una de las partes del cuerpo y percibimos la tensión y las limitaciones de nuestra resistencia.
Si a la tensión física le sucede un tiempo de relajación, nos sentimos profundamente satisfechos. La persona que hace ejercicio con regularidad no sólo activa las funciones de su cuerpo y fortalece sus músculos y articulaciones, sino que también puede proporcionarle una sensación física muy positiva. Todo esto se puede conseguir tanto con el deporte de fuerza y compensación, como con la gimnasia y la danza. Lo importante es entrenar todas las partes del cuerpo.
Sentirse bien físicamente, contribuye a generar autoconfianza y ayuda a aparecer más radiante: mejora la circulación sanguínea del cerebro en general y, si el entrenamiento es íntegro, estimula los hemisferios cerebrales. El ejercicio físico sirve para que la persona que lo practica se desconecte por completo, psíquica y físicamente, de todo su entorno durante un cierto período de tiempo. Esto fomenta la creatividad y el aumento de la energía vital.

Cómo cuidarse con esmero

Usted también puede influir positivamente sobre su bienestar físico mediante un razonable cuidado corporal y la manera de tratar sus afecciones y enfermedades. Muchas personas intentan encubrir sus trastornos y problemas con fármacos, o bien haciéndose adictos al alcohol u otras sustancias.
Cuidar el cuerpo, también incluye exigirle sólo lo necesario. Usted puede aprender a fortalecer su resistencia psíquica y física, y a curar sus afecciones leves aplicando remedios caseros de eficacia probada. Más adelante, en otro apartado de este libro, hallará propuestas sobre este particular.

Una dieta sana es una satisfacción física y psíquica.

Cuidar el espíritu y la mente

¿Qué significa sentirse bien espiritual y mentalmente? A esta pregunta cada persona responderá de forma distinta, según sea su temperamento y su formación cultural. Algunos prefieren la actividad, necesitan cambios y nuevas vivencias y desafíos. Otros están a gusto llevando una vida tranquila y sin sobresaltos, anhelan la seguridad y desean cierta estabilidad en su mundo sentimental. Pero en definitiva lo que influye positivamente, tanto en lo espiritual como en lo mental, es el equilibrio entre tensión y relajación y una actitud positiva ante la vida que haga posible su disfrute.
La persona que se siente satisfecha con lo que hace, quien es capaz de concentrarse al máximo en esa tarea y entusiasmarse con su realización, pero que también es capaz de desconectarse para "volver" al mundo que le rodea y recomenzar con energías renovadas, será quien se mantenga sano y saludable siempre.

Reconocer las necesidades psíquicas

Muchas personas se olvidan de satisfacer sus propias necesidades psíquicas. Su vida está regida por las normas exteriores, por las exigencias de la vida profesional y por los deseos y las esperanzas del prójimo. En esta situación, suele resultarles difícil contestar a las preguntas: «¿Qué espero de mí y de mi vida? ¿Qué esperan de mí, o qué creo yo que esperan de mí?». Pero no siempre es fácil descubrir qué es lo importante. Y cuando se descubre, a veces se suele sentir más satisfacción si se opta por realizar otras actividades. Resulta más fácil comprometerse, pero también se sabe lo que se puede hacer personalmente para sacar nuevas fuerzas de flaqueza y aumentar la propia autoestima.

El cuerpo, la llave de acceso al espíritu

Tal vez usted ya haya advertido que cuando se halla bajo presión, tiene estrés profesional o discute con su pareja, suele notar unos síntomas: aprieta los dientes, la respiración se hace fatigosa, le duele el estómago y padece bronquitis o afecciones circulatorias.
El cuerpo reclama de esta manera unas particulares necesidades psíquicas. Observe qué síntomas se manifiestan después de soportar grandes cargas, de tener disgustos y de vivir momentos de angustia; también, si se siente mejor cuando el estrés disminuye o cesa. Trate de averiguar bajo qué circunstancias se siente mejor, en qué actividad, en qué momentos y con qué personas. Existen muchos métodos para aumentar la autoconfianza, para superar el estrés y para escapar de la monótona rutina. Más adelante encontrará diversas propuestas sobre este tema.

Cuando los problemas nos hacen enfermar

No obstante, si tiene problemas psíquicos serios, cae enfermo o está abatido, sufre depresiones agudas o problemas de anorexia o bulimia, además de someterse al tratamiento médico correspondiente será necesario que también lo haga a una psicoterapia.
Bajo ningún concepto esto supone una señal de debilidad; muy al contrario, demuestra su gran sentido de la responsabilidad en el reconocimiento de su propia autoestima y en el trato en relación con los demás. Pida información en su centro de salud o consulte con su médico de familia o de cabecera, para que le prescriba la terapia más adecuada a su caso.

En la vida cotidiana y en el disfrute del tiempo libre, las alegrías compartidas son mucho más intensas.

La familia y los amigos

La vida social es uno de los factores más importantes para mantener la salud. La familia y las amistades son gratificantes y dan una sensación inigualable de protección. Nos sirven de apoyo y ayuda en momentos críticos y en los contratiempos de la vida cotidiana. La familia y los amigos son nuestros mejores interlocutores. Investigaciones recientes demuestran que conversar con los demás es de suma importancia para la salud. Si cualquier persona deja que algo "le corroa" en su interior, esta preocupación hará que irremisiblemente acabe enfermando.
Pero un ambiente grato de trabajo con los compañeros, suele ser reconfortante y tranquilizador ante situaciones de estrés. Un éxito social del equipo que formamos, de nuestro pueblo o de cualquier otro grupo o asociación a la que pertenezcamos, suele producir más satisfacción que el obtenido en solitario.
Quien se compromete en la vida de los demás, suele tener más alegría de vivir que quien sólo busca su interés y disfrute personal.

La contribución a la mejora del entorno

El ambiente en el que vivimos y trabajamos influye decisivamente en el estado general de nuestra salud, pero también la forma y la manera de adaptar nuestra vida a ese ambiente. Muchas personas no tienen opción de elegir libremente el sitio donde quieren vivir, ni la de cambiar las condiciones de su puesto de trabajo. Pero si cada uno personalmente tiene en cuenta su propio bienestar, incluso en condiciones ciertamente desfavorables puede equilibrar en alguna medida estos inevitables condicionamientos.
Quien aleja de su pensamiento el sentimiento de estar abandonado a su propia suerte e intenta conseguir toda suerte de mejoras, sin hacer responsable al Estado, a la sociedad o a su propia familia de sus desgracias y avatares suele sentirse mejor física y psíquicamente. Un poco de tranquilidad puede ayudarle a desestimar su obsesiva lucha contra todos los peligros imaginables que parecen acecharle. Obsesión y pusilanimidad sólo conducen a la atrofia interior y a la sobrecarga de cuerpo y mente.

Vivienda y trabajo

Usted puede conseguir, por ejemplo, una calidad de vida mucho mejor si utiliza en la decoración interior de su casa materiales no tóxicos de cierta calidad; también, si procura la protección ambiental de su vivienda de influencias exteriores.
En el campo laboral, puede contribuir a una mejora en las condiciones de seguridad e higiene en el trabajo solicitándolas y colaborando con su empresa. Algunos ejercicios gimnásticos y de relajación, un entrenamiento físico equilibrado, contribuirán en buena parte a contrarrestar los efectos perjudiciales de un trabajo monótono. Después de una jornada de duro trabajo, suele ser beneficioso practicar alguna de nuestras aficiones favoritas o asistir a alguna clase nocturna que además de como entretenimiento, nos ayudará en nuestra formación.
Tanto en el lugar de trabajo como durante el tiempo libre se trata, ante todo, de romper la monotonía y de crear un ambiente saludable, alternando los períodos de tensión con otros de relajación.

Nuevo concepto de salud

En la sociedad actual que vivimos, impregnada de constantes cambios de estímulos e informaciones, tener salud y conservarla representa para la persona responsable un esfuerzo individual cada vez mayor. La mejor manera de cuidar de la propia salud es llevar una vida en la que reine la armonía entre las propias necesidades y el entorno inmediato.
El cuidado de la salud tenido como el "arte de vivir", tal como lo trasmitieron los médicos y filósofos antiguos, significa tener conciencia del mundo y disfrutar de lo que nos ofrece. La persona que no se obsesiona con una sola cosa, como por ejemplo la búsqueda exclusiva de la satisfacción personal en su actividad profesional o en la vida en pareja, sino que está dispuesto a adentrarse en nuevos campos de experiencia, crea unas mayores expectativas de equilibrio y tiene mejores perspectivas para superar los reveses de los diferentes ámbitos de la vida.
La predisposición a estar informado y a una formación continua, también forma parte de una manera de vivir encaminada a conservar la salud.

El uso de los conocimientos adquiridos

La cultura y los conocimientos adquiridos pueden ayudarle a encontrar la solución a los múltiples retos que ha de afrontar en la vida diaria. Esto es asimismo aplicable en los casos de enfermedad.
El nuevo concepto de salud ofrece mayores posibilidades curativas al paciente emancipado y responsable de sí mismo y de sus actos.
Quien está informado sobre las enfermedades y los tratamientos alternativos, suele ser más realista con su estado, manifiesta menos temores y no se siente amenazado por algo enigmático. Así, hará lo posible por recuperarse cuanto antes e intentará conservar la salud a largo plazo.

Sexualidad y familia

Sumario

La sexualidad plena

El disfrute del amor y el placer

Además de para perpetuar la especie, la sexualidad del ser humano supone la máxima entrega e identificación entre dos personas. Esta es la razón por la que el deseo de satisfacer la sexualidad no se limite a los períodos de fertilidad. Tanto las mujeres como los hombres tienen necesidades sexuales, y deben poder gozar con la sexualidad sin importarles que puedan concebir o procrearse. La edad tiene mucho menos influencia de lo que se piensa. El goce de la sexualidad en toda su plenitud y con el máximo placer, depende en gran medida del estado físico y psíquico en que se encuentre la persona y de su propia situación personal y de pareja.

Durante los años jóvenes, la atracción física desempeña un papel fundamental en la sexualidad. Más tarde también juegan gran importancia otros factores emocionales, como la comprensión mutua. Esto no quiere decir que sentir amor y placer sea exclusivo de la etapa de juventud, pues también las personas mayores pueden vivir la sexualidad con intensidad.

La aparición de la "píldora", cambió de manera radical la actitud social frente a la sexualidad. Mediante la repercusión de las campañas de divulgación en los medios de comunicación, el tema de la sexualidad se liberó de muchos tabúes. La mayor tolerancia hizo que los sentimientos de miedo y culpa que acompañaban muchas relaciones de pareja, fueran liberándose poco a poco. Esto permitió que muchas personas pudieran gozar del amor y de el placer en toda su plenitud y sin preocupaciones. Sin embargo, el discriminado tratamiento que se ha dado a la sexualidad de palabra e imagen ha hecho que, en muchos casos, se asocie con exigencias y fantasías de todo tipo.

Pretensiones y expectativas

Muchas personas tienen entre sus objetivos primeros la sexualidad, y en ella buscan la compensación a sus problemas y exigencias de la vida cotidiana. Están tan obsesionados con sus pretensiones, que no se dan cuenta de que la plena satisfacción de toda relación requiere un componente espiritual. Las estadísticas sobre la frecuencia de los coitos y orgasmos, o sobre técnicas amorosas, carecen de importancia. Muchas veces pueden producir el efecto contrario, obligando a muchos hombres y mujeres a rendir más en sus relaciones amorosas con la consiguiente merma del placer sexual.

Además, algunos hombres pueden llegar a dudar de su potencia sexual, pues se supone que un hombre tiene que "poder hacerlo" en todo momento. Y muchas mujeres se sienten obligadas a tener un orgasmo siempre, porque no desean pasar por frígidas.

Por otro lado, son muchas las personas que consideran indecoroso o poco atractivo el moverse en la cama con libertad. Sin embargo, para que el hombre y la mujer puedan disfrutar el amor con auténtico placer y satisfacción tiene que darse una valoración positiva de la propia autoestima y el vivo interés por la pareja, dejando a un lado las influencias externas.

La tolerancia va en aumento

Los debates públicos, los documentales y una mayor difusión social han contribuido al aumento de la tolerancia con aquellas personas que no encontrando satisfacción en las relaciones heterosexuales optan por formar parejas homosexuales.

También las técnicas amorosas consideradas en otro tiempo como "prácticas perversas", como el sexo oral o la penetración anal, se admiten hoy como una posibilidad más para conseguir la satisfacción sexual. Sin embargo, otras como el sadomasoquismo no se sabe a muy bien a qué circunstancias obedecen.

No obstante, la desaparición de ciertos tabúes sexuales no es óbice para que exista una incomprensión generalizada de las parejas en el campo de la sexualidad. Eso sí, cada vez son más las personas que buscan ayuda cuando están descontentas con su vida sexual o padecen impedimentos físicos o psíquicos de cualquier tipo. Lo realmente importante es poder vivir la sexualidad plenamente, es decir, que ambos miembros de la pareja tengan autoconfianza. Esto supone conocerse a fondo uno mismo, estar seguro de sus deseos y sentimientos personales y hacérselos saber a su pareja para el máximo placer y disfrute común.

El despertar del apetito sexual en la pubertad

A una edad más temprana que lo hicieran sus padres, los niños y jóvenes de hoy se interesan por la sexualidad. Pero nada tiene de extraño, pues la sociedad ha sufrido una "sexualización" a través de los medios de comunicación, la publicidad o la música. Así, los jóvenes piensan que el sexo es una de las cosas más importantes. Sin embargo, las sonrisas que surgen tras las bromas suelen ocultar una gran inseguridad en muchos casos.

El humano es un ser sexual ya al nacer. Desde muy pequeños, los bebés tienen sensaciones genitales placenteras. No obstante, la atracción sexual hacia otra persona comienza a despertarse y a adquirir un papel importante en la pubertad.

Pero al principio aún hay muchos jóvenes que no pueden o quieren satisfacer sus deseos físicos, ni desahogar sus fantasías sexuales con otras personas; y ello, a pesar de que en la mayoría de los casos sus sentimientos les impulsan a hacerlo. De momento, recurren a la autosatisfacción (masturbación, onanismo) para eliminar las tensiones que soportan en esta época. Por otro lado, la creencia de que la autoexcitación sexual producía daños físicos o psíquicos ha sido rebatida y desechada sin ninguna clase de dudas. Los jóvenes que lo desean, se conocen mejor sexualmente por medio de la autosatisfacción; también, adquieren cierta seguridad de cara a su primera relación sexual.

Es muy importante que los padres respeten la intimidad de sus hijos, y que estén dispuestos a dialogar sobre el tema. Los jóvenes han de vivir sus propias experiencias y, al mismo tiempo, conocer las medidas para evitar embarazos indeseados, protegerse contra enfermedades de transmisión sexual como el sida y resaltar la importancia de los sentimientos para una vida sexual feliz.

Lo que sucede en el cuerpo

Cuanto más contentos estemos con nosotros mismos y aceptemos nuestro propio cuerpo, tanto más positiva y placentera será la vivencia de la sexualidad en pareja durante el trascurso de nuestra vida.
Para alcanzar el máximo placer sexual, no existen normas estrictas que garanticen este punto ni que determinen cómo se debe actuar. La sexualidad es individual, pero evoluciona, se transforma, da cabida a la imaginación y a la intuición y aumenta la sensibilidad del propio cuerpo y el de la pareja.
El hombre y la mujer viven el acto sexual en fases distintas, aunque para la pareja es satisfactorio hablar de lo que sienten, de lo que les excita y de la manera en que quisieran ser amados.
El gráfico de la página siguiente muestra las distintas fases de excitación y orgasmo.

Excitación creciente

A menudo basta una excusa que excite los sentidos (un vestido escotado, fotografías eróticas, la mirada de la pareja o una fragancia), para que se despierten nuestras sensaciones sexuales. Los estímulos sexuales producen un efecto mucho mayor a los hombres que a las mujeres. Pero éstas también se excitan con imágenes y películas eróticas, aunque el trato que normalmente les dispensa la sexualidad explícita les suele producir el efecto contrario.
Las caricias íntimas, realizadas delicadamente en las zonas consideradas erógenas, suelen ser casi siempre el preludio placentero que hace posible la excitación general que conduce al acto amoroso.
Se consideran zonas erógenas aquellas partes de especial sensibilidad: unas comunes y, otras, específicas de cada sexo. Entre las primeras se cuentan la nuca, la cara interna de los muslos y las regiones cutáneas de los alrededores de la boca y del ano. Las del hombre son: el pene, el glande, los testículos y las tetillas. Y las específicas de la mujer, los pezones, los labios menores de la vulva y el clítoris.
Aparte de los órganos genitales, la excitación sexual afecta a todas las partes del cuerpo. A medida que los abrazos y las caricias son más y más apasionados, los brazos y las piernas comienzan a vibrar, la musculatura de todo el cuerpo se pone en tensión y la frecuencia cardiorrespiratoria y la tensión arterial aumentan. La excitación del contacto físico hace que la piel se vuelva más sensible a los roces y las caricias, y la circulación sanguínea se intensifica. Pero la mayor afluencia del riego sanguíneo tiene lugar tanto en los genitales de la mujer como en los del hombre.

La fase de excitación en la mujer

Tanto los labios internos como los externos de la mujer se vuelven más gruesos y tersos debido a un mayor riego sanguíneo, al igual que el clítoris. En los pechos: los pezones se ponen erectos y se endurecen; la vagina produce líquido lubricante y las paredes vaginales se humedecen. También el músculo pubococcígeo, que rodea la abertura de la vagina, se agranda al aumentar de tamaño debido al flujo sanguíneo que circula más intensamente por sus numerosos vasos.
La fase de excitación en las mujeres suele ser algo más larga que en los hombres. La voluntad sólo logra controlar la excitación física de forma muy limitada. Muchas mujeres suelen reaccionar sensiblemente a los “factores perturbadores”. Una palabra desafortunada de su pareja, el olor corporal o los ruidos procedentes de la habitación de los niños suele bastar para provocar un rápido descenso en la curva de excitación. Para muchas mujeres, también es muy importante que haya un ambiente adecuado y sentirse incondicionalmente aceptadas como amantes y compañeras.

La fase de excitación del hombre

La intrincada red de diminutos vasos sanguíneos que componen los llamados cuerpos cavernosos del pene, hacen posible que durante la excitación sexual se llenen de sangre y el flujo sanguíneo endurezca y ponga erecto el miembro masculino. Por lo general, los hombres se excitan más fácilmente que las mujeres; también, les resulta más difícil ocultar su excitación. Asimismo, el estrés, el rechazo o la obsesión por “cumplir bien” pueden llegar a producir algún grado de inestabilidad en la potencia masculina.

El punto culminante del placer

El aumento progresivo de la tensión en la fase de excitación desemboca en la “fase plana”, que precede al punto culminante en el que esa tensión decae. La vagina segrega un líquido lubricante, que facilita la introducción del pene, el útero se eleva y la vagina se comprime. Pero algunas mujeres se mantienen en esta fase y no llegan al orgasmo.
La culminación sexual u orgasmo es la fase de máximo placer y, en la mayoría de las personas, suele durar unos pocos segundos. Una vez alcanzado este punto culminante, el hombre eyacula el líquido seminal y la mujer tiene una constricción rítmica de los músculos de la pelvis y del pubococcígeo.
El cosquilleo que recorre el cuerpo está provocado por la segregación de endorfinas, sustancias endógenas que actúan como analgésicos y producen una gran euforia.

Desde el punto de vista físico, para llegar al orgasmo es indiferente que sea como consecuencia del coito o acto sexual, que sea provocado por una estimulación mutua, que lo sea con la boca, con el juego erótico o mediante la masturbación. Sin embargo, desde el punto de vista psíquico tanto los hombres como las mujeres están de acuerdo en que el orgasmo alcanzado en solitario es menos satisfactorio.

Fases de excitación del hombre y de la mujer

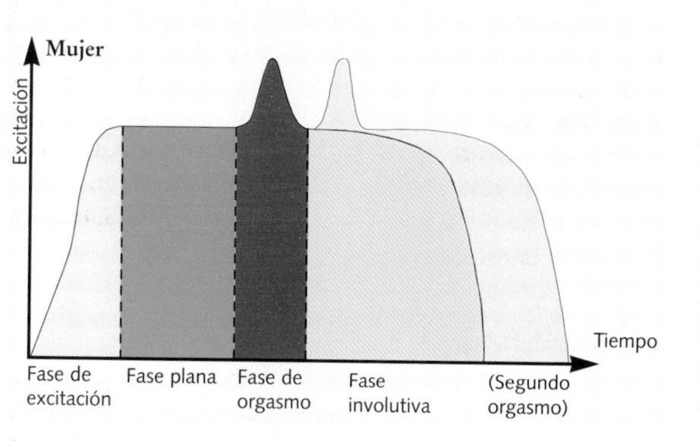

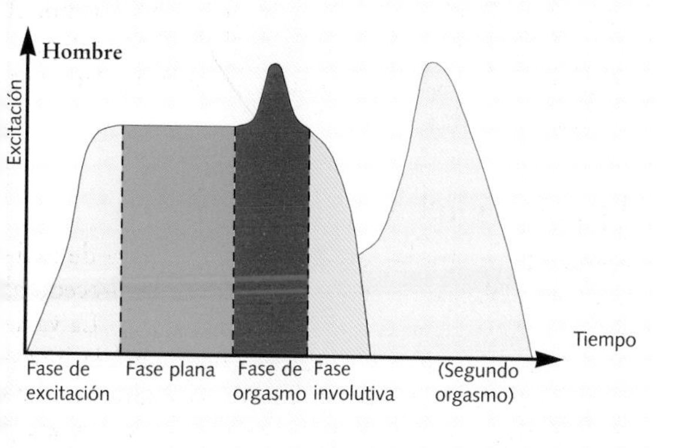

Las curvas de las fases de excitación de hombres y mujeres, demuestran lo distinta que es la vivencia en unos y otras. Después del orgasmo, los primeros suelen retornar súbitamente al "nivel normal"; en las segundas, la curva va ascendiendo poco a poco para, alcanzado el punto culminante, descender del mismo modo. Esta es la causa de que algunas mujeres puedan tener varios orgasmos. Las fases de excitación y orgásmica, suelen transcurrir de forma muy diferente en ambos casos.

La fase orgásmica de la mujer

Mientras la mayor parte de los hombres no tienen dificultad para alcanzar el orgasmo durante el coito, los movimientos del acto resultan insuficientes para que algunas mujeres lo alcancen.
Muchas de ellas necesitan estimulación adicional para llegar al orgasmo, como puede ser la excitación del clítoris con la mano o con la boca. No obstante, la satisfacción psíquica y el placer sexual de muchas mujeres se basa en el contacto físico con el hombre y en sentirle dentro de sí. El grado de excitación que necesita cada mujer para sentir placer es diferente según sea cada caso particular. Durante el acto sexual, una mujer puede llegar a tener varios orgasmos.

La deliciosa relajación posterior

Después del orgasmo, la sangre que se había concentrado en los genitales retoma su cometido normal y produce una sensación de calor al recorrer de nuevo otras partes del cuerpo.
La fase involutiva transcurre más rápidamente en los hombres que en las mujeres. La mujer permanece aún durante algún tiempo en la fase plana. Por eso es tan importante que el hombre siga acariciando delicadamente a su pareja después del orgasmo, para que el juego erótico finalice gradualmente y también constituye una experiencia agradable para ella.

Trastornos sexuales

Los trastornos sexuales de origen orgánico suelen ser muy raros. Lo más frecuente es que se deban a conflictos de pareja, al historial personal, a los problemas cotidianos, al estrés, a las presiones y a la falta de confianza en uno mismo. En los hombres, los trastornos sexuales más frecuentes suelen deberse a problemas causados por la impotencia y por la eyaculación precoz. Por su parte, la mayoría de las mujeres manifiestan su incapacidad para llegar al orgasmo.
Esta es una de las causas del creciente número de personas que buscan asesoramiento y ayuda en las consultas de médicos y sexólogos. Los problemas de erección y orgasmo suelen solucionarse tomando una postura positiva ante la sexualidad y mediante la adopción de determinados ejercicios.
Vivir la sexualidad de una manera satisfactoria no depende, en la mayoría de los casos, de que se den unas condiciones físicas previas o de unas prácticas determinadas, sino de la forma de relación que existe dentro de la vida en común de la pareja, del trato que existe entre ambos componentes y de cómo les va la vida tanto en el ámbito social como en el privado.

Sexualidad y pareja

Para la mayoría de las personas, tener una pareja estable es la condición indispensable para llevar una vida sexual satisfactoria.
Pero para poder entregarse de lleno, ambos necesitan calor emocional, seguridad y confianza mutua. Sin embargo, en el campo de la sexualidad es donde una pareja, por muy bien que se conozca, suele tener más dificultades para compartir sus inquietudes y comprender las reacciones del otro. Además, por lo general, la vida sexual de todas las personas suele ocultar, la mayoría de las veces, demasiados deseos y necesidades inconfesables.

La relajación con el propio cuerpo

En muchos aspectos, hombres y mujeres viven la vida de forma diferente. Tampoco los deseos y sentimientos en el campo sexual suelen coincidir. Por eso la importancia de intercambiar impresiones sobre los sentimientos y las sensaciones de unos y otras, para así buscar puntos comunes de encuentro y de unión que en ningún caso supongan la negación de la "forma de ser" individual de cada persona.
Para muchos hombres el pene es, además de su parte más erógena, el punto donde se concentra su identidad. Incluso hay quien le atribuye "poderes", lo que podría inducir a pensar que posee connotaciones mágicas. Pero la concentración en el pene de todas estas circunstancias, hace que muchos hombres echen la culpa de sus fracasos personales a esta pequeña"parte" corporal. El tamaño del pene también ha sido objeto de consideraciones. Quienes lo tienen pequeño, piensan que no se les tendrá en cuenta y que las mujeres no querrán saber nada de ellos.
Sin embargo, para las mujeres lo importante del hombre es el hecho de que pueda satisfacer sus deseos mediante la combinación del "arte de conquistar" y un cortejo amoroso cariñoso.
Zonas del cuerpo como los pechos, los muslos o los glúteos representan para muchas mujeres un papel tan importante como el tamaño del pene para los hombres. Consideradas por ellas normalmente como "zonas problemáticas", el valor que les dan de cara a la vistosidad de su figura suscita una pugna continua contra las formas supuestamente poco atractivas.
Sin embargo, los presuntos cánones ideales femeninos revisten para los hombres una menor importancia de lo que las mujeres se imaginan en un principio. Lo que el hombre anhela es una compañera que se ajuste a sus ideales sexuales y personales, para así poder disfrutar ambos intensamente su erotismo.

El pasado deja huella

Independientemente de todo lo relacionado con el sexo, las necesidades sexuales individuales de cada persona –así como su manera de percibirlas y de satisfacerlas– son la viva muestra de su propio carácter y de su personalidad.
Su educación, la relación familiar y las primeras experiencias con el sexo opuesto marcan durante toda su vida el comportamiento sexual y la elección de pareja. A muchas personas les sirve de gran ayuda identificar las vivencias personales que han influido reiteradamente en su forma de conducta, lo que les facilita el fortalecimiento con las positivas y superar las negativas.

La fusión de dos mundos diferentes

Incluso aquellas parejas que se sienten más felices son incapaces de satisfacer siempre mutuamente y por completo todas las necesidades y deseos que se suscitan en su interior.
El que un hombre se comporte siempre como un apasionado conquistador de su propia compañera y, al mismo tiempo, como ejemplar y responsable "amo" de la casa es poco menos que imposible. Tampoco hay ninguna mujer que personifique la deseada combinación de amante seductora, trabajadora y ama de casa ideal. Igualmente, hombres y mujeres se diferencian también por la idea que tienen sobre el lugar que las relaciones sexuales ocupan dentro de una determinada escala de valores.
Antes de entregarse físicamente en toda su plenitud, la mujer necesita sentirse amada y totalmente comprendida; al contrario, el hombre suele preferir primero el contacto físico con la mujer antes de confiarse a ella plenamente.
La pareja sólo podrá vivir su sexualidad en toda su dimensión, si ambos componentes procuran que las diversas vivencias individuales sean motivo de encuentro y no de conflicto y de separación.
Este encuentro será tanto más factible cuanto más se fomente la sinceridad, posibilitando la confianza del uno con el otro y el hablar sin ningún tipo de cortapisas ni tapujos. Lo importante es que la pareja se libere de las ideas preconcebidas sobre lo que se puede y lo que no se puede hacer, tanto en lo referente al papel que cada uno debe desempeñar dentro de la pareja como a las ideas, deseos y tiempo libre individuales.
Cuantos menos prejuicios e impedimentos haya para que cada uno pueda verse a sí mismo y al otro con una personalidad independiente marcada por sus propias necesidades, tanto más encanto y emoción reinará en sus relaciones sexuales. Cada pareja debe encontrar su propia manera de disfrutar de la vida y del amor.

Dar y recibir

Para mantener una relación de pareja "viva" a lo largo del tiempo, además de que reine el principio tanto de dar como de recibir, el trato mutuo debe estar marcado por la comprensión y la sinceridad. Así, la base de la sexualidad plenamente satisfecha entre hombre y mujer está en el equilibrio que inexorablemente ha de existir entre el dar y el recibir.

En el juego del amor no basta sólo con mostrarse ardoroso para después sentirse querido por su pareja, sino que hay que ser capaz de abandonarse por completo al otro y a sus caricias. Para los hombres este aspecto suele resultar difícil de entender, pues piensan que ellos deben llevar siempre la iniciativa. Por su parte, la mayor parte de las mujeres tienen miedo a comenzar el juego amoroso y a poner en práctica sus fantasías más deseadas en sus relaciones sexuales.

Dar significa acercarse a su pareja con imaginación y entrega, para hacer todo lo posible en aras de la sensación placentera de ésta. Pero esto también implica respetar los límites del otro y los de uno mismo. Asimismo, dar está relacionado con el desarrollo de la propia personalidad: exteriorizar las facultades propias y respetar los intereses personales, pero también mostrarse seductor para mantener la llama del amor y la atracción en pareja.

¿Armonía a cualquier precio?

Para vivir la sexualidad en toda su intensidad hay que ser una persona vital, equilibrada y llena de confianza; pero también se necesita que se dé cierta cantidad de emoción y decisión.

La pareja que nunca discute, suele vivir una sexualidad anodina y poco feliz. Además, dos personas que tienen vivencias comunes al vivir bajo un mismo techo, es casi imposible que no discutan de vez en cuando a causa de algún conflicto surgido de la propia convivencia.

Muchas personas reprimen, casi siempre inconscientemente, sus deseos y necesidades por miedo a suscitar una discusión. Pero coartar nuestras reacciones interiores más espontáneas significa inhibir la vitalidad y, sin ella, la vida sexual se convierte en un simple "cumplimiento del deber". Cuanto más pronto aflore la propia personalidad, tanto más grande será la fuerza de atracción mutua en la pareja.

Tener decisión personal no significa causar dolor al otro, o subestimarle y herirle, sino que la vida sexual plenamente satisfecha ha de acompañarse siempre de libertad de acción y del placer de tomar la iniciativa. Cuando en una relación se reprime todo conato de enfado o cólera, la pasión también se llega a paralizar irremediablemente.

Influencia de la forma de vida en la sexualidad

La vida sexual es, en la mayoría de los casos, fiel reflejo del desarrollo de la vida cotidiana de las personas que componen la pareja. Una buena vida en pareja no llega "caída del cielo". Las parejas que viven felices desde hace tiempo han tenido que "librar muchas batallas" en diversos frentes, han aprendido a perdonar y a comprender lo que significa dar y recibir. Han sabido superar reiteradamente la rutina que se cierne a diario sobre la vida cotidiana y la vida sexual, y han ampliado con el tiempo su repertorio de juegos eróticos. Han evitado caer en la trampa de hacer responsable el uno al otro de los "malos momentos", reflexionando para aportar cada uno lo que está en su mano para cambiar la situación.

Las parejas que pierden su equilibrio sentimental ante la llegada de los hijos, saben resolver favorablemente la situación dedicándose algún tiempo. Poco a poco se adaptan a la nueva situación, para reafirmarse en que siguen siendo una pareja enamorada pese a la gran responsabilidad de su tarea como padres.

Disfrutar juntos jugando de vez en cuando y haciéndose cariñosas carantoñas, contribuye a acrecentar el cariño mutuo.

Cuando el apetito sexual se retrae

Es evidente que la inapetencia sexual observada en algunas épocas cercanas, no fue sólo un fenómeno pasajero. Científicos y sexólogos confirmaron que ésta fue una etapa de inapetencia sexual a nivel mundial. En cambio, en nuestra sociedad las relaciones sexuales exigen un placer y una pasión cada vez mayores.

Grandes expectativas en la pareja

Antaño, la situación económica solía ser la causa de que se formaran parejas para toda la vida. Sin embargo, hoy día cualquiera puede cuidarse –en teoría– por sí solo. La mayoría de personas suele tener unos ingresos fijos, y hoy son cada vez más las mujeres que están presentes en el mercado laboral.

Quien no tiene ingresos, puede solicitar ayuda al Estado. Así, matrimonio y familia dejan de ser indispensables para asegurarse la existencia. De ahí que las relaciones personales se caractericen cada vez más por el aumento del componente erótico y sentimental.

Pero está demostrado que los sentimientos son inestables, como indica el aumento de divorcios y el mayor número de personas que asisten a terapias de pareja. Una de las causas del fracaso en las relaciones de pareja suele ser la creencia de que el apasionamiento sexual es una constante para toda la vida. Así, muchas personas consideran la pasión sexual como un deber; y viven períodos de languidez sexual que son, al mismo tiempo, señal irrefutable del fracaso de su relación.

Reducción en la tensión en la vida diaria

Casi todas las parejas tienen la experiencia de que tras una etapa de amor apasionado, viene una etapa más tranquila. Esto es muy normal. Y, a pesar de todo, son muchas las personas que consideran que vivir en un estado de apasionamiento permanente es lo normal. También es verdad que esta opinión se debe, en gran parte, al tratamiento que los medios de comunicación dan en general al tema de la sexualidad.

Cuando en otros tiempos el hombre y la mujer dependían en mayor medida el uno del otro, a nadie se le pasaba por la mente la idea de pedir consejo sobre su lánguida vida sexual.

Sin embargo, hoy día todo el mundo considera que una vida sexual plenamente satisfactoria es un derecho.

Pero lo cierto es que el mantenimiento de la intensidad de la relación sexual en el tiempo suele ser, hasta en una relación estable, más bien una excepción. Estar juntos todos los días, convivir en común, dormir, comer y disfrutar del tiempo libre con la misma persona suele ser algo que afecta al ánimo de muchas personas hasta el punto de que más que el acercamiento físico lo que anhelan es el distanciamiento y la independencia. Es muy cierto que una sexualidad placentera necesita confidencialidad, pero en una proporción semejante necesita ciertas dosis de misterio y singularidad.

Rutina contra apetito sexual

El exceso de trabajo o el aburrimiento inhiben el placer sexual. Esta extraña disparidad salpica la vida actual, tan saturada de estímulos y, no obstante, tan carente de sentido. Los mayores enemigos del placer sexual son: el estrés profesional y el familiar.

En el primero se incluyen los trabajos monótonos y poco valorados; en el segundo, la dejadez del otro, la indiferencia y la carga que representan los hijos. También puede influir en alguna medida la compenetración con la pareja, que puede llegar a hacer predecir las reacciones y pareceres del otro. Se sabe de antemano cómo va a reaccionar la otra persona ante una situación determinada, lo que va a decir, cómo se va a comportar y qué actitud adoptará ante un beso o una caricia inesperada.

Aunque algunas personas llegan a la conclusión de que la camaradería es lo único que cuenta dentro de la pareja, las reacciones ante la falta de apetito sexual y la inhibición producidas por la rutina diaria son de muy diversa índole.

Otras acaban resignándose y siguen soportando la triste carga de una vida cotidiana aburrida y monótona, sin atreverse a romper con ella. También hay quienes caen en la tentación de combatir su insatisfacción por medio de la infidelidad.

Conflictos ocultos

Por un lado, la falta de apetito sexual se puede considerar como un fenómeno muy extendido entre las parejas que llevan muchos años juntas. Por otro, también puede desvelar que existe algún conflicto de pareja no aclarado a su tiempo.

La falta de apetito sexual puede deberse, por ejemplo, a un posible menosprecio por razón del sexo. Negarse a satisfacer al otro, puede ser una sutil forma de venganza. La inapetencia sexual en el hombre puede deberse a que se siente poco valorado por su pareja, o a que no está a la altura de la actitud dominante de ella.

Cuando es la mujer la que da muestras de inapetencia sexual, puede tener su causa en que no se siente aceptada como corresponde o al exceso de trabajo. A veces,

las causas de que una pareja pierda el apetito sexual puede estar en algunas experiencias negativas de la infancia o en una educación sexual equivocada.
Cuanto más confianza exista entre la pareja, tanto antes podrán despejarse los temores vividos y la influencia negativa en la forma de vida que necesariamente impone la sociedad actual. La inapetencia sexual evita el posible enfrentamiento a estos temores. Pero si los trastornos sexuales perduran mucho tiempo, será conveniente acudir a un terapeuta.

Los secretos más profundos de su pareja, despiertan el apetito sexual de nuevo

Si usted quiere mantener viva la relación sexual con su pareja y recomenzar una nueva vida, puede probar distintas formas de hacerlo. Algunas parejas vuelven a disfrutar del mundo del placer físico mediante conversaciones eróticas sobre sus deseos sexuales. Otras muchas recuperan este aspecto en un curso de baile, donde experimentan la voluptuosa sensación que producen los movimientos acompasados que realizan juntos. También hay parejas que se animan y prueban nuevos juegos amorosos inspirándose en algún libro o película erótica.
Algunos sexólogos aplican con gran éxito un método muy excitante. Se denomina "sensualidad enfocada", y los 13 grados en que está dividido se basan en la concentración de las sensaciones físicas producidas por las caricias del otro. Cada ejercicio requiere una dedicación de 30 minutos, la mitad para cada uno. El ambiente para su realización ha de ser agradable, sensual y tranquilo:

Descubrir hasta los secretos más profundos de su pareja, contribuye a mantener viva la pasión.

- El primer grado tiene como objetivo "dedicarle" al otro toda suerte de caricias y besuqueos, pero evitando tocar la región genital y los pechos femeninos. Los dos componentes de la pareja hablan entre sí y se comunican cuáles son los tocamientos que más les gustan, los que no les gustan tanto y los que les desagradan profundamente.
- En la segunda fase, el juego puede extenderse por los pechos femeninos y por los genitales masculinos, pero debe interrumpirse la excitación si existe la posibilidad de alcanzar el punto culminante o clímax.
- La tercera fase también incluye la relación sexual. Sin embargo, lo realmente importante es que cada uno disfrute siempre con las sensaciones del momento y que el orgasmo no se tenga como la única meta que se desea alcanzar. Aunque no se llegue al punto culminante, el juego amoroso de pareja tiene el mismo valor.

Esta sensualidad focal tiene como objetivo principal alcanzar un mejor conocimiento del propio cuerpo y el de nuestra pareja.
Mediante la práctica de este método, muchas personas se dan cuenta de lo poco que conocen sus respectivos cuerpos y de lo mucho que todavía les queda por descubrir.

Anticoncepción

El afán por evitar tener hijos no deseados es tan antiguo como la propia humanidad. Los científicos han quedado sorprendidos al observar los profundos conocimientos que sobre el control de la natalidad tenían en épocas remotas. Muchas culturas antiguas sabían preparar recetas de pomadas, tinturas y ungüentos a base de hierbas con efectos anticonceptivos.

Planificación familiar moderna

En nuestra sociedad, cada vez son más las personas que desean poder decidir libremente cuántos hijos quieren tener y cuándo; o si no desean tener ninguno. Muchas parejas se resisten a aceptar los cambios y las cargas económicas que suelen traer consigo la llegada de los hijos, y anteponen el ascenso profesional a la paternidad y maternidad respectivas como meta más importante de su vida. Es frecuente que muchas mujeres, para tener hijos, tengan que enfrentarse a la decisión personal de interrumpir su trayectoria profesional o asumir la obligación de sobrellevar cargas dos o tres veces superiores a las que venían soportando.
Así, la paternidad responsable se ha convertido en algo determinante. Precisamente porque se toman muy en serio su tarea, la mayoría de los potenciales padres se lo piensan muy bien antes de optar por tener hijos.

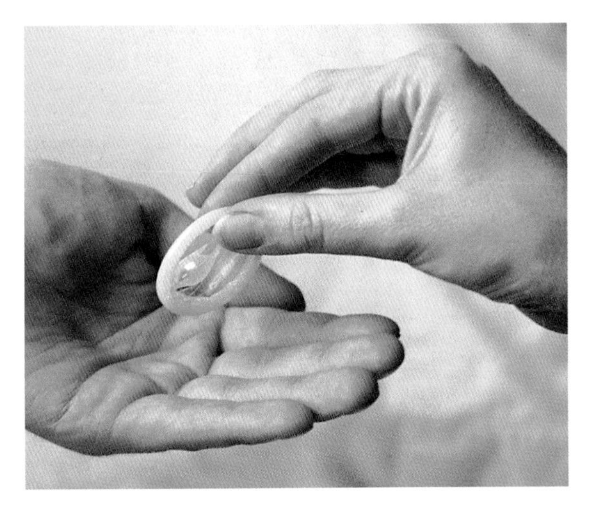

El ser padres requiere una planificación familiar responsable de la vida de muchas personas.

Anticoncepción segura

Lo tradicional hasta ahora era que la mujer fuese la encargada de tomar medidas contra el embarazo. Esta opinión está hoy muy extendida todavía, ya que la "píldora" se tiene por el método anticonceptivo más eficaz y seguro que se conoce. Pero desde que se diera la propagación del sida, la mayoría de los hombres también adoptan sus medidas para disfrutar de la sexualidad con total seguridad.
El preservativo es, además de un método de protección frente al contagio de enfermedades de trasmisión sexual, una forma de anticoncepción por parte del hombre. No obstante, a las parejas jóvenes les preocupa la anticoncepción y, frecuentemente, buscan el asesoramiento médico o en centros de planificación familiar. Lo importante es que el método anticonceptivo elegido ofrezca las garantías precisas en el momento cumbre de la pareja.
El porcentaje de fallos de un método se mide por el llamado "índice de Pearl", que indica el número de embarazos por cada 100 mujeres después de utilizar el método en cuestión durante un año. La mayor seguridad la brinda la anticoncepción hormonal (la "píldora"), seguida de la espiral y, al mismo nivel que ésta, la combinación del uso del preservativo y la aplicación de una crema espermicida.
En cuanto a los métodos anticonceptivos naturales, sólo son recomendables cuando la mujer tiene una regla absolutamente regular y, además del coito, la pareja tiene experiencia en otras prácticas sexuales.

La anticoncepción no es un aborto

La razón de que muchas parejas que querían evitar el embarazo se opusieran a la utilización de la espiral, radicaba en que estaban en contra del aborto. Pero la afirmación de que las espirales no hacen sino impedir la anidación del óvulo fecundado ya no se sostiene hoy en día, al menos en lo que se refiere a los pesarios intrauterinos (DIU).
Las espirales contienen sustancias espermicidas, por lo que no se produce la fecundación. Los únicos métodos que impiden la anidación del óvulo fecundado son los que se utilizan a continuación del acto sexual realizado sin protección, o como medida preventiva tras un lapso de tiempo: "la píldora del día después" y la implantación posterior de la espiral. Pero, siempre existe una pequeña posibilidad de embarazo.

Métodos anticonceptivos

El óvulo maduro sólo puede ser fecundado en el transcurso de las 10 horas siguientes. Sin embargo, los espermatozoides mantienen su capacidad de fecundación hasta cuatro días y, durante este tiempo, pueden permanecer a la espera del óvulo en las trompas de Falopio. Así pues, la mujer tiene un total de cinco días fértiles durante el ciclo menstrual. No obstante, esos días fértiles no se pueden determinar con total seguridad en todas las mujeres.

Para determinar el método anticonceptivo más apropiado, habrá que sopesar todos los pros y los contras que concurran según sea el estado físico y psíquico de la mujer y del hombre, o según en qué situación o fase vital de la vida se encuentren uno y otro.

Métodos anticonceptivos hormonales

Una de cada dos mujeres toman la "píldora" en su fase vital fecunda. Esto significa que el método anticonceptivo hormonal es el empleado con más frecuencia. Consiste en la inhibición de la ovulación mediante una hormona fabricada en laboratorio (progesterona sintética) que, casi siempre en combinación con estrógenos (hormona sexual femenina) producidos artificialmente, simula un embarazo en el organismo.

Aunque estos preparados son seguros y fáciles de usar, muchas mujeres no toleran la "píldora" y, por lo tanto, deben prescindir de ella. Así, por ejemplo, los métodos anticonceptivos hormonales están contraindicados en casos de hipertensión, nivel excesivo de lípidos en sangre y afecciones hepáticas. Dado que el riesgo de trombosis aumenta ligeramente con la administración de la "píldora", debe ser el médico quien establezca qué pacientes pueden tomar este tipo de preparados.

La "minipíldora" contiene gestágenos, que se encargan de impermeabilizar la mucosa del cuello uterino y de evitar la entrada de espermatozoides. Pero no impiden la ovulación. La minipíldora hay que tomarla siempre a la misma hora y es apropiada, sobre todo, para diabéticas y madres en período de lactancia.

Inyección trimestral

Tan segura como la "píldora", evita la ovulación. Es el ginecólogo quien se encarga de su administración cada tres meses y, frecuentemente, supone la pérdida de la menstruación.

Una vez suspendido el tratamiento, puede pasar hasta un año antes de que tenga lugar una nueva ovulación. De ahí que esta inyección esté indicada para las mujeres que quieran tener hijos dentro de unos años, o aquéllas que no quieran tener más descendencia.

Interrupción de embarazo

Desde el punto de vista médico, la interrupción voluntaria del embarazo que contempla la ley no supone una intervención de riesgo, aunque sí puede representar una carga psíquica para muchas mujeres. Por esto, es importante que se asesore. La interrupción voluntaria del embarazo, por diversas causas, no está penalizada hasta la duodécima semana.

Sin embargo, la embarazada está obligada a acudir a un centro de asesoramiento oficial al menos tres días antes de la intervención y a que sea realizada por un especialista. Los organismos sanitarios estatales se harán cargo de los gastos cuando concurran las siguientes causas: la salud de la madre puede resultar perjudicada (indicación médica), existe o se teme daños en el feto o malformaciones (indicación embrional) o el embarazo ha sido fruto de una violación denunciada (indicación criminológica).

La duración total de la intervención quirúrgica es de unos 10 minutos, y se puede realizar tanto con anestesia total como con anestesia local. En ella se procede a la dilatación del orificio y del cuello uterinos, respectivamente, y se procede a la absorción de la mucosa y del óvulo anidado mediante un instrumento especial.

Si desde el punto de vista médico la interrupción del embarazo se realiza correctamente, las complicaciones físicas son muy raras.

El mayor riesgo que se corre es la posibilidad de una inflamación que pueda producir esterilidad. En casos aislados pueden producirse hemorragias difíciles de atajar, o trombosis a causa de una lesión en la pared uterina. Lo que aún no está claro del todo es por qué puede surgir una propensión a partos prematuros o fallidos.

«Espiral» (pesario intrauterino)

Con el fin de impedir embarazos no deseados, las espirales (pesarios intrauterinos) se introducen y colocan en el útero de la mujer.
Tienen forma de "T", y han de ser sustituidas por otras nuevas a los tres o cinco años. Los pesarios se han desarrollado y disponen de un depósito de gestágenos (progesterona). Pequeñas cantidades de esta hormona en el útero (cérvix), impermeabilizan la mucosa e impiden la entrada de espermatozoides. Tanto los iones de cobre como los gestágenos impiden que las células espermáticas prosigan su marcha hacia el óvulo.
La espiral debe ser colocada siempre por un ginecólogo. Este método está contraindicado en aquellas mujeres que padezcan inflamaciones del orificio uterino o alergias al látex.

Métodos de barrera

Los métodos de barrera tienen como objetivo impedir que los espermatozoides accedan al óvulo, bien sea por procedimientos mecánicos o de naturaleza química. Solamente se utilizan en caso necesario, y son inapropiados como anticonceptivos de larga duración. Entre ellos se pueden citar: el preservativo –masculino o femenino–, el diafragma, la caperuza del hocico de tenca y la esponja.
Los *preservativos*, que han de ser siempre de calidad contrastada, deben llevar impresa el la caja una garantía de haber superado las más rigurosas pruebas de control de calidad; y, también, indefectiblemente, la fecha de caducidad. Para que durante su utilización no reviente, es preciso asegurarse de que al colocarlo el depósito del líquido seminal no se llene de aire (debe presionarlo con las yemas de los dedos) y que su capacidad sea lo suficientemente grande; también, al retirar el miembro hay que sujetarlo con la mano para evitar que el esperma pueda desparramarse. Además, si se utiliza como es debido, el preservativo también protege contra posibles enfermedades de trasmisión sexual o el sida.
Mucho menos usado, es el *preservativo femenino*. De tamaño más grande, tiene dos aros que han de colocarse sobre el cuello uterino y a la entrada de la vagina.
El *diafragma* es un anillo en espiral, que posee una semiesfera abultada en el extremo y que la mujer puede colocar introduciéndolo en la vagina. Debe ser utilizado conjuntamente con un espermicida y no puede retirarse hasta que hayan transcurrido al menos seis horas a partir de la finalización de la relación sexual.
Lo mismo cabe decir de la *caperuza del hocico de tenca*, que es más pequeña y más fuerte que el diafragma. De similares efectos, está realizada en goma de látex y tapa por completo el orificio uterino por efecto de succión. Esta peculiaridad la hace especialmente adecuada para aquelllas mujeres que padecen prolapso uterino o hundimiento vaginal.
Si se quiere que tanto los diafragmas como las caperuzas de tenca ofrezcan seguridad, antes de adquirirlos hay que ajustar su tamaño a cada persona. En los centros de salud y de planificación familiar, además de darle las explicaciones pertinentes, se los ajustarán a su tamaño. En estos últimos, incluso los tienen para su venta al público.
La *esponja artificial*, impregnada en una sustancia espermicida, se la coloca la mujer en la vagina antes de la relación sexual y con ella tapa el orificio uterino. Los espermicidas pueden ser en forma de aerosol, espuma, gel y supositorios. En todo caso, la esponja debe estar bien colocada y el espermicida en contacto, lo más estrecho posible, con el orificio uterino.

Métodos anticonceptivos naturales

Para poder prevenir el embarazo de forma natural, la mujer deberá obtener información de sus días fértiles aprendiendo a comprobar a diario la composición de su mucosa uterina. Si se desea obtener una mayor seguridad, muchas parejas emplean el método de la temperatura. Éste consiste en medirse a diario la llamada temperatura basal.
Como la temperatura sube después de la ovulación, la pareja puede determinar el momento en que ha tenido lugar ésta. Este método no contempla efectos secundarios de ningún tipo, pero sólo es apropiado para parejas que tengan cierta paciencia y dedicación.
La red de centros de planificación familiar y otros centros de asesoramiento, realizan a menudo cursillos especializados sobre este tema que pueden servirle de gran utilidad. La mayoría de ellos están dirigidos a parejas, pues la planificación natural (PFN) sólo puede ser segura y satisfactoria si la pareja toma la decisión conjuntamente.

Coitus interruptus

Hay dos razones que desaconsejan seriamente la "interrupción del coito" para evitar el embarazo. La primera es su poca seguridad, pues retirar el miembro de la vagina de la mujer poco antes de eyacular no garantiza –en modo alguno– que tanto en ésta como en el orificio uterino se hallen presentes ya algunos espermatozoides, pues algunos hombres los producen incluso antes de que fluya el semen.
La segunda es que el parón brusco de la actividad sexual sin llegar al clímax, puede resultar una vivencia muy decepcionante para la pareja.

Esterilización

La esterilización puede ser una opción muy interesante en aquellas parejas que estén firmemente decididas a no tener más hijos.
Sin embargo, lo definitivo de semejante decisión ha de ser fruto de una reflexiva meditación, ya que tanto la ligadura de las trompas de Falopio como la excisión del conducto deferente son procesos que –respectivamente– pueden resultar irreversibles a pesar del alto grado de refinamiento alcanzado en los avances y métodos quirúrgicos. Y ello porque, a menudo, las circunstancias de la vida cambian y muchas personas esterilizadas anhelan de nuevo volver a ser padres y madres.

Anticoncepción posterior

Después de haber realizado el coito sin protección, o cuando el anticonceptivo falla, aún queda la posibilidad de tomar –dentro de las 48 horas posteriores al acto sexual– una dosis elevada de un preparado hormonal que evite la concepción. A veces suelen aparecer efectos secundarios (náuseas, vómitos y fuerte acumulación de líquidos), pero éstos cesan de inmediato.
Como anticonceptivo "poscoital" (anticoncepción posterior), puede utilizarse un pesario intrauterino. Asimismo esta medida requiere su adopción enseguida y, desde luego, a más tardar en el transcurso del quinto día después de realizado el acto sexual sin protección.

Cuadro sinóptico de los métodos anticonceptivos modernos

Método	Efecto	Ventajas	Riesgos	Índice*
Píldora	Simulación de un embarazo. Se inhibe la maduración del óvulo y la ovulación.	Ningún preparativo para el sexo; apenas dolores en la regla.	Agravación de los trastornos circulatorios.	0,1-0,9
Minipíldora	La mucosa uterina se vuelve impermeable a los espermatozoides. Se reduce la movilidad de las trompas uterinas.	Tan sólo es una hormona, no impide la ovulación.	Hemorragias lubricantes o esporádicas.	0,4-2,5
Espiral	Debilitamiento de los espermatozoides, evitando que alcancen la trompa uterina.	Ninguna preocupación más por los anticonceptivos durante 2 años.	Menstruación más intensa y dolorosa.	1-4
Preservativo	Los espermatozoides quedan atrapados en una envoltura de goma.	Manejo fácil, protege contra el peligro de contagio.	Precaución con las alergias al látex	2-5
Diafragma	Impide que los espermatozoides accedan al orificio uterino.	No hay alteraciones hormonales.	Ninguno.	2-5
Gel, crema	Disuelve la capa externa protectora de los espermatozoides.	Cierta protección contra bacterias y hongos.	Prurito o sensación de calor desagradable.	9-50
Anticoncepción natural	Observación del cuerpo, determinación de los días fértiles y abstinencia.	Conocimiento preciso del propio cuerpo; nada de química.	Ninguno.	1-5
Esterilización	Excisión de las trompas y del conducto deferente.	No tiene mayores preocupaciones.	Ninguno.	0-0,1

* Embarazos por cada 100 mujeres al cabo de un año.

Embarazo y parto

El deseo incumplido de tener hijos

Hoy día, las posibilidades de evitar un embarazo no deseado son muy diversas y seguras, y se trabaja para descubrir métodos que permitan ayudar a otras parejas que, deseando tener hijos, no han cumplido sus deseos. Las razones de la esterilidad no están muy claras del todo, pues son muy variadas y de diversa índole. La fertilidad de las mujeres disminuye a partir de los 30 años debido a causas de naturaleza ambiental, lo avanzado de la edad y de naturaleza psíquica que juegan un papel fundamental. Pero también influye una forma de vivir insana, así como la ingesta de determinados medicamentos que pueden resultar nocivos en la faceta procreadora del hombre o que alteran sensiblemente el componente hormonal de la mujer.

A pesar de las impresionantes posibilidades que ofrece la Medicina en el apartado de la "fertilidad", todavía son muchas las parejas que en la actualidad no obtienen solución a sus problemas. Si la causa está en una deficiencia hormonal, hoy día es posible tratarla adecuadamente con medicamentos, aunque éstos suelen producir casi siempre efectos secundarios: náuseas, propensión a la aparición de quistes, problemas circulatorios o, a veces, un gran aumento de peso.

Las probabilidades de quedarse embarazada mediante una "inseminación heterológica" (introducción de espermatozoides del hombre en el útero de la mujer) o mediante la "fertilización in vitro" (fertilización, en una probeta que contiene una solución nutritiva, de un óvulo extraído de la matriz de la mujer) son mucho menores de lo que en un principio se esperaba de estos métodos. También es frecuente que las parejas sometidas a un tratamiento de fertilización artificial padezcan un gran estrés psíquico, cuyos efectos muchas veces perdura durante un largo tiempo.

Causas psíquicas

Junto a las causas orgánicas que provocan una esterilidad, subsisten también otras de naturaleza psíquica (debidas, entre otras, a los trastornos de la menstruación). Conflictos psíquicos o cargas excesivas pueden alterar de tal modo el componente hormonal de las mujeres, que haga del todo imposible el embarazo. Los expertos incluso van más allá, afirmando que el estrés puede hacer contraer las trompas uterinas y evitar el transporte del óvulo. También el semen masculino puede perder su capacidad procreadora bajo situaciones de tensión psíquica. Una vez superada la fase de estrés, el esperma suele recuperar su normalidad. Cuando los médicos intuyen que el bloqueo de la fertilidad se debe a conflictos internos, estrés y miedos, son cada vez más los que se limitan a concertar entrevistas con las parejas que quieren tener hijos. En las mayoría de las consultas sobre esterilidad que se realizan en las clínicas y en los hospitales, a las parejas se les facilita la dirección de los psicoterapeutas especializados en este tema.

A menudo los conflictos psíquicos que impiden el embarazo suelen ser producto del inconsciente, resultando casi imposible descubrirlos si no se cuenta con la ayuda de un profesional. Pero una vez se consigue sacar a la luz todo lo que estaba oculto en el subconsciente, el trauma pierde su razón de ser y puede ser superado sin problemas.

Cómo pueden las parejas que desean tener hijos favorecer la fertilidad

Adoptar otras posturas en el juego amoroso

Para que los espermatozoides encuentren fácilmente el camino hasta el óvulo, es aconsejable que la mujer –colocada en el acto sexual bajo el hombre con los muslos abiertos– mantenga elevada la pelvis poniendo unos cojines debajo de su cuerpo y que, después del coito, mantenga esta posición unos 20 minutos.

Amarse más a menudo

Realizar el acto sexual con frecuencia, aumenta las probabilidades de que la mujer quede embarazada. Pero es preciso que ninguno de los dos se sienta presionado a hacerlo. Cuando se "practica" el amor físico con el único objetivo de la procreación, existe el peligro de que el amor se deje a un lado y surja el distanciamiento. Y esto, puede ser la causa de que se forme una barrera psíquica que impida el embarazo.

Llevar una vida sana

La forma de vida también influye en la fertilidad. Uno de los factores más importantes para llevar una vida sana consiste en prescindir de la nicotina, ya que su consumo puede afectar a los ovarios. Una alta concentración de nicotina en la mucosa del cuello uterino puede dificultar, e incluso impedir, la fertilización del óvulo y su anidación en el útero.

Mantenerse en el peso ideal

La sangre de las mujeres con sobrepeso suele tener un exceso de hormonas sexuales masculinas, que pueden perturbar el funcionamiento de los ovarios. Al contrario, la falta de peso corporal suele producirles trastornos de tipo menstrual y una ovulación deficiente.

Procurar dormir las horas precisas

Dormir poco o hacer turnos nocturnos aumenta la producción de la hormona melatonina, que puede provocar trastornos menstruales. El insomnio o la vigilia produce nerviosismo, irritabilidad y disminución de la resistencia al estrés.

Conservar la calma

Mantener la propia autoestima y demostrar el cariño a su pareja aunque no todo salga como se había planeado, contribuye a fomentar la armonía interna.

La relajación practicada regularmente, favorece unas condiciones óptimas de convivencia tanto si se tienen hijos como si no.

Los cuidados que requiere la paternidad

La forma de vida también influye en la calidad de las células espermáticas.

El consumo continuado de alcohol reduce la densidad seminal e incrementa el número de malformaciones de los espermatozoides. El sobrepeso o los pantalones demasiado estrechos pueden provocar un calentamiento excesivo de las glándulas germinativas, lo que también puede alterar la producción de espermatozoides.

El embarazo

Para la pareja que espera un hijo comienza un capítulo de su vida nuevo y excitante. Durante el embarazo, la Naturaleza da tiempo a la madre para que se adapte a la presencia del recién llegado.

El embarazo será también un acontecimiento conmovedor para el futuro padre si participa atentamente en el desarrollo del aún no nacido. En el óvulo fertilizado se encuentran las cargas genéticas de dos personas, y allí da comienzo un programa evolutivo fascinante: el surgimiento de un ser humano nuevo, cuyas características son únicas.

Qué sucede en la concepción

Es la capacidad para fertilizar uno de los 400 óvulos maduros que llegan hasta las trompas uterinas en cada fase fértil de la vida de una mujer, por los alrededor de 300 millones de espermatozoides que eyacula un hombre sano –aunque, muchos de ellos carecen de capacidad para fertilizar– durante el acto sexual y que se dirigen en tromba hacia el óvulo. En el momento de la ovulación –dos días antes como máximo–, el óvulo femenino espera la fertilización en un tramo determinado de la trompa uterina.

El viaje de los espermatozoides

Los espermatozoides tiene un aspecto similar al de las larvas de las ranas o renacuajos. Con la ayuda de una larga cola o flagelo, se mueven rápidamente hacia adelante. Sin embargo, más de la mitad de ellos perecen en el medio ácido de la vagina y otros muchos no logran sobrevivir en su caminar a través del orificio uterino y el útero.

Se calcula que alrededor de 1 000 espermatozoides –como máximo– consiguen acercarse al óvulo en la trompa uterina, pero sólo los más robustos permanecen ahí al cabo de seis a diez horas.

Y sólo el más rápido y fuerte de todos ellos conseguirá, al formar una enzima especial, penetrar y atravesar con su cabeza la envoltura del óvulo. Y como el flagelo ya no es necesario para la traslación, se desprende y se pierde. Sólo la cabeza del espermatozoide porta toda la importante información genética. Nada más producirse la fecundación, la envoltura del óvulo se hace impermeable y no deja pasar a otros espermatozoides. Así, un segundo espermatozoide no puede fecundar un óvulo ya fecundado

El camino hacia el nido

El núcleo que forma la cabeza del espermatozoide en el óvulo, se une al núcleo celular femenino y ambos dan origen a una nueva célula o cigoto. Esta nueva célula recibe todo el material genético de los futuros padres.

El óvulo así fecundado necesita entre cuatro y cinco días para llegar hasta la cavidad uterina desde las trompas de Falopio; pero durante este trayecto no permanece inactivo, y pronto se divide en dos células hermanas que, al cabo de unos días, producen un aglomerado celular de forma esférica (*mórula*).

Al cuarto día se dan otras divisiones importantes: en el aglomerado celular, la que formará después la placenta y el cordón umbilical, y en las células, que servirá para el desarrollo del embrión.

Una vez que la esfera celular o blastocito, compuesta ahora por unas 100 células, llega a la cavidad uterina, queda alojada literalmente en la blanca y esponjosa mucosa que la recubre y, al poco tiempo, los vasos sanguíneos que la irrigan facilitan su conexión a la circulación sanguínea materna con el fin de que siga su proceso de desarrollo en el desarrollo en el útero materno.

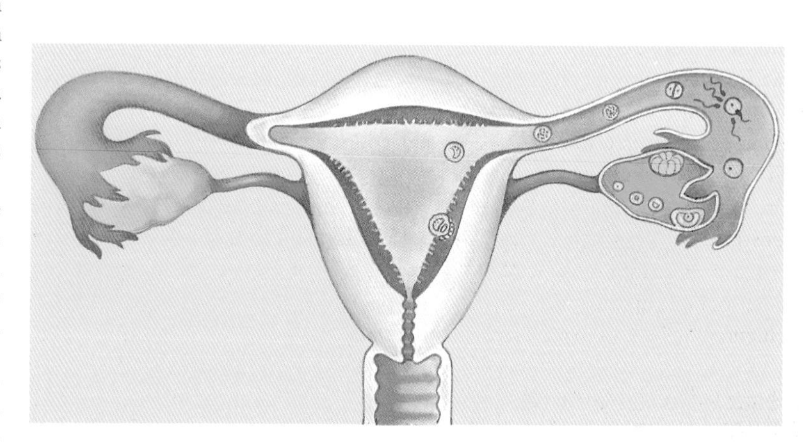

En las trompas uterinas, los espermatozoides salen al encuentro del óvulo cuando éste se dirige desde el ovario al útero. El óvulo así fecundado "anida" después en la mucosa uterina.

El sexo del hijo

El óvulo fecundado contiene 46 cromosonas (corpúsculos filamentosos que portan los genes, o información genética que rige el desarrollo, funcionamiento y reproducción de los seres vivos), de los que dos de ellos son los que determinan el sexo de las personas: dos cromosomas X en los gametos femeninos, y uno X y otro Y en los gametos masculinos. La mitad de este conjunto cromosómico se encuentra en el óvulo y la otra mitad en el espermatozoide. El óvulo contiene siempre un cromosoma X, mientras que entre los espermatozoides hay portadores tanto del cromosoma X como del Y. Hoy sabemos que los espermatozoides con el cromosoma Y son más veloces, pero tienen una vida más corta que los espermatozoides con cromosoma X. Este es el principal motivo de que se haya extendido la creencia de que el acto sexual o coito realizado en el momento de la ovulación es el más favorable para la concepción del niño, en tanto que la probabilidad de concebir una niña es mayor a los dos o tres días de la ovulación. Sin embargo este método no resulta del todo muy seguro, pues prácticamente es imposible determinar la acción de los factores que pueden alterar la menstruación. Así pues, aunque la investigación permite avanzar constantemente en el conocimiento las influencias del ser humano siguen siendo limitadas.

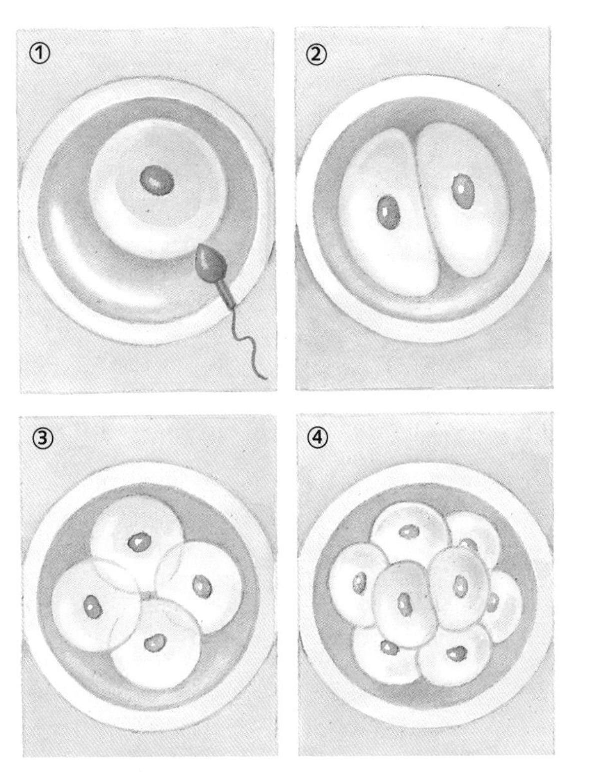

Pocas horas después de unirse los núcleos de la célula espermática y el óvulo (1), el óvulo fecundado se divide en dos células hermanas (2). Éstas siguen dividiéndose (3) hasta que, al cabo de tres días, se forma un cúmulo de células de forma esférica (4) que pasan al útero a través de la trompa uterina.

Desarrollo a través de estímulos externos

Para que el organismo infantil se desarrolle, es preciso que se den estímulos externos. El ejemplo más impresionante de este mecanismo es la maduración del oído. Todo el órgano auditivo, también la parte que afecta al cerebro, no madura por completo hasta que se cumplen los 20 meses de vida. Pero para ello también es preciso que exista la posibilidad de captar estímulos auditivos a través del oído externo y medio, que el oído interno podrá "procesar" y transmitir al cerebro. Lo importante es captar el mayor número de señales auditivas (conversaciones o ruidos) en el seno materno. El desarrollo genético no puede transcurrir normalmente, si no existen estímulos continuados desde el exterior.

Por este motivo, aunque un óvulo pueda ser fecundado en una probeta y mantenido con vida varias semanas, por suerte no es posible que siga desarrollándose en un medio totalmente artificial, ya que el complejo entorno del seno materno es imposible reproducirlo en un laboratorio.

Los movimientos de la madre, su metabolismo, la actividad gastrointestinal o el ritmo cardíaco son tan importantes para el desarrollo del niño como su alegría, sus temores, su cansancio, su relajación y demás reacciones psíquicas que se dan en una futura madre.

Alojado en el nido materno

Transcurridos unos 12 días después de acaecida la fecundación del óvulo, cuando el blastocito ha anidado en la mucosa uterina, la gozosa pareja ya puede anunciar a sus amistades la feliz noticia: «¡Vamos a tener un hijo!». La mucosa uterina envuelve al germen humano, llamado «embrión», y la producción de hormonas está destinada primordialmente a asegurar el posterior desarrollo del susodicho embrión. La madre también irá experimentando, poco a poco, los cambios que este proceso supone.

Tiempo de cambios

Tanto el cuerpo como la mente de la mujer tienen que adaptarse continuamente ante la nueva situación que representa un embarazo.

No se trata tan sólo de alimentar al pequeño ser humano que lleva en su seno y de proporcionarle oxígeno, también es importante la aceptación del nuevo ser por parte del organismo materno sin ningún tipo de rechazos. Así, la futura madre se ve obligada a luchar continuamente contra sentimientos contrapuestos.

La adaptación del cuerpo

En el momento de la anidación, el futuro ser humano tiene un tamaño de medio milímetro. Pero ya es capaz de introducir los cambios previstos que establecen las condiciones ideales para su desarrollo: la producción hormonal aumenta y en la sangre materna se aprecia enseguida un alto nivel de progesterona, de estrógenos y de Gonadotropina Coriónica (HCG) y Lactógeno Placentario (HPL) Humanos.

Cómo actuan las hormonas ahora

Cada hormona tiene que realizar una función muy concreta, orientada en primer lugar a impedir cualquier posible alteración del proceso evolutivo del hijo. La progesterona, por ejemplo, hace posible que la pared uterina no se comprima antes de tiempo con la consiguiente expulsión del aún "no nacido". Al mismo tiempo, entre otras cosas, aumenta la frecuencia respiratoria y la temperatura del cuerpo.

De este modo, la aceleración del metabolismo materno es condición indispensable que asegura el suministro

Comprobación segura del embarazo

La falta de la regla, la tersura de los pechos y una cierta «tirantez» en el bajo vientre pueden ser síntomas que preavisan de un posible embarazo. Además, algunas mujeres padecen también náuseas matinales, son muy sensibles a los olores, padecen cansancio y se les antoja comer las cosas más inverosímiles.

En estos casos, los test bioquímicos suelen aportar el primer indicio fidedigno de un embarazo. En la actualidad, las pruebas disponibles de este tipo están encaminadas a detectar la presencia de la hormona HCG (Gonadotropina Coriónica Humana). Esta hormona se produce en la placenta, y su presencia en la orina y la sangre confirma el embarazo.

También existen diversos preparados para realizar el test personalmente en casa. Algunos test ofrecen la posibilidad de conocer los resultados desde el mismo día en que falta la regla. La prueba puede realizarse en el curso del día o por la noche, sin necesidad de tener que esperar para hacerla con la orina de la mañana. Si, por el contrario, usted desea que sea el médico quien le realice la prueba, su seguro de enfemedad privado o el seguro social correrán con los gastos.

Además del análisis de orina, el médico podrá controlarle también el nivel de HCG, mucho más seguro y, sobre todo, mucho más rápido. Sin embargo, el elevado coste de este análisis hace que se reserve su empleo para los casos en que se precisa un diagnóstico rápido del embarazo.

Médicamente, la duración del embarazo se cuenta por semanas una vez establecidos los meses que restan. Así, el plazo previsto para el alumbramiento se calcula sumando siete días al primer día de la última menstruación y restando tres meses de esa misma fecha del año siguiente. Ejemplo: el primer día de la última menstruación fue el 8 de septiembre; luego, 8 + 7 = 15. El 15 de septiembre menos tres meses, da como resultado el 15 de junio del próximo año.

Con los test modernos se puede comprobar un embarazo desde una fecha muy temprana.

de nutrientes y oxígeno a la nueva vida. Pero, por otro lado, la progesterona es responsable de trastornos tales como el estreñimiento, ardor de estómago y cambios en el estado de ánimo general.

Al igual que la progesterona, los estrógenos son hormonas de origen femenino. Se encargan de regular el crecimiento de la musculatura uterina durante el embarazo, para que tenga fuerza más tarde, cuando llegado el parto necesite comprimirse y hacer presión para facilitar la salida del útero materno. El aumento del nivel de estrógenos contribuye a la formación de las glándulas mamarias.

El que la futura madre tenga el aspecto de estar en la «flor de la vida» se debe a la acción sobre el organismo del alto nivel de estrógenos al transformar el colágeno y las sustancias de la piel para que el tejido se vuelva más suave y flexible. Cualidades éstas que facilitan las contracciones y el parto mismo.

Pero no todo son ventajas, pues esta distensión del tejido favorece la aparición de varices y reduce la resistencia y tersura de ligamentos y articulaciones. En muchas mujeres se manifiesta en forma de dolores de espalda o, incluso, con un ligero encorvamiento de ésta. Por último, decir que las hormonas HCG y HPL se ocupan de generar energía adicional para el desarrollo adecuado del feto. Y, al igual que los estrógenos, contribuyen al aumento de los pechos y al desarrollo de las glándulas mamarias para facilitar la crianza del bebé. En ciertas circunstancias, la influencia de la HPL puede producir la diabetes mellitus durante el embarazo (→ página 396), sobre todo en mujeres que tienen propensión a padecer este tipo de enfermedad.

Vómitos del embarazo

Casi una de cada dos embarazadas tiene náuseas y vomitos matinales, entre la sexta y la décima semana del embarazo. Actualmente se supone que es debido al alto nivel hormonal presente en la sangre materna, que activa el centro de emeticidad del cerebro.

Aunque la mayoría de las mujeres sienten este tipo de náuseas solamente por la mañana, también las hay que las padecen durante todo el día.

Comidas frugales, frecuentes y de bajo contenido en calorías, como, por ejemplo, fruta cruda o verduras, bollitos de pan integral o yogures desnatados, pueden aliviar en gran medida estos síntomas.

Pero, sobre todo, para no agravar aún más las dolencias, la mujer embarazada ha de intentar llevar una vida relajada sin que concurran en ella el estrés ni las cargas de tipo psíquico.

La psique también ha de adaptarse

El embarazo, sobre todo el primero, es una época en la que la mujer se ve desde un punto de vista diferente. Su aspecto físico femenino muestra también ahora, mucho más nítidamente, aquellas partes que hay que cuidar y proteger. Del mismo modo, el desarrollo hormonal influye en la psique de la mujer: sus necesidades y sentimientos se orientan en este momento hacia el mantenimiento y protección de la nueva vida. Para que el hijo se desarrolle con normalidad, por la cabeza de la madre pasan infinidad de pensamientos sobre el modo de mantener sano su propio cuerpo y la necesidad de prescindir de ciertos placeres mundanos como fumar y consumir alcohol.

Al principio, la futura madre difícilmente es capaz de superar este proceso psíquico y mental. Y es frecuente que la embarazada mantenga una lucha interna debido a la contraposición de sus sentimientos.

Pero si es capaz de admitir y de mentalizarse de que, pese a su alegría por la nueva vida engendrada, tendrá momentos en los que se sienta inquieta e incluso amenazada, este convencimiento jugará a su favor en su armonía interior.

Cuál es el papel del futuro padre

La mujer embarazada tiene momentos en los que se siente fuerte; otros, necesita de cierto apoyo. Y aunque es cierto que muchas mujeres hoy día disponen de medios económicos propios y que toman sus propias decisiones sin depender de nadie, también es incuestionable de que desean sentirse protegidas y cuidadas. Este es un comportamiento natural que tiene hondas raíces biológicas. Cualquier mujer en avanzado estado de gestación, cualquier parturienta o cualquier madre de un niño pequeño, tanto si le da el pecho como si no, necesita cuidados y protección para llevar a cabo su cometido con dedicación y esmero.

A muchos hombres les resulta difícil participar en la realidad de su pareja y se sienten excluidos de la comunidad que forman madre e hijo. Otros, sienten miedo ante la nueva responsabilidad que se les viene encima. Si su pareja procura hablarles abiertamente de sus impresiones y sentimientos, les resultará mucho más fácil enfrentarse a los cambios que se avecinan.

Al futuro padre puede servirle de gran ayuda acariciar a menudo el vientre de su compañera, acercar el oído para percibir la nueva vida y notar los movimientos del bebé; y, cómo no, acompañar a su pareja al ginecólogo en las visitas programadas para su examen.

Cómo se desarrolla el aún no nacido

Durante las primeras semanas, después de la anidación del embrión en el útero, tiene lugar una evolución espectacular. Cuando la mujer embarazada se entera de que va a ser madre –por lo general, lo más pronto a partir de la cuarta semana del embarazo–, ya hace algunos días que el diminuto corazón late y bombea sangre para irrigar el pequeño cuerpecito.

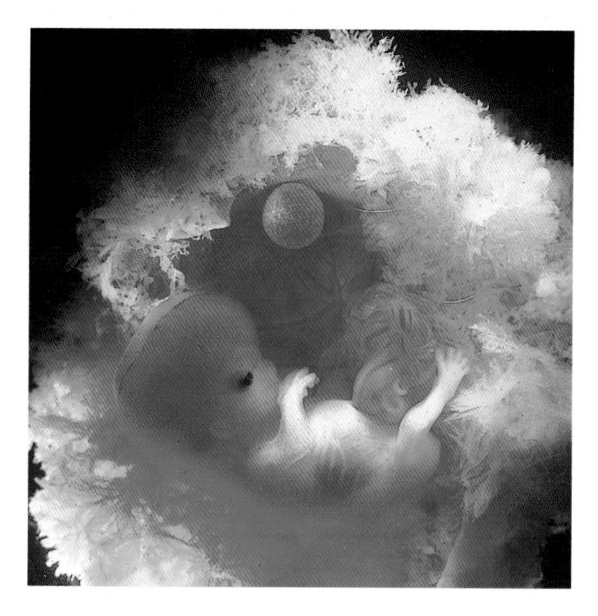

Poco después de que el embrión tenga 10 semanas de vida, se podrá saber si es niño o niña.

Las 12 semanas primeras

El hijo engendrado en el útero materno tiene varias fases en su desarrollo, que se dividen en los siguientes períodos:

• Semanas de la 1.ª a la 4.ª: *blastogénesis*. El óvulo fecundado se desarrolla hasta que el corazón comienza a latir. Se forman los primeros vasos sanguíneos, así como los enzimas y las proteínas.

• Semanas de la 5.ª a la 8.ª: *período embrionario*. Comienza la formación de los órganos. Aparecen las conexiones nerviosas que unen la piel a la médula espinal, y las que llegan hasta las células de los músculos y los sentidos. El bebé comienza a reaccionar y se mueve. En este período pueden apreciarse el esbozo de los brazos y el contorno de la cabeza y la boca. Al final de la octava semana, el embrión ya mide 1,5 centímetros.

• Semanas de la 9.ª a la 12.ª: *período fetal inicial* (fetación inicial). Este período supone la fase más crítica del embarazo, la formación de los órganos está en su máximo apogeo. Se originan los órganos internos. Los órganos sexuales están definidos hacia el final de la semana duodécima, ya puede distinguirse con claridad si es niño o niña (aunque no siempre se puede apreciar con ultrasonidos).

Empieza a formarse la sangre del aún no nacido. Los pulmones a pesar de que ya están formados no podrán ponerse en funcionamiento hasta la semana trigésimo sexta. Permanecen inactivos hasta el primer hálito del bebé. En esta fase es posible apreciar las primeras reacciones reflejas ante el dolor, pero no la sensación misma de dolor. Comienza a aumentar la frecuencia cardíaca y la tensión arterial, el feto comienza la producción de sus propias hormonas. Al final de la semana duodécima, el bebé mide unos cinco centímetros.

Evitar las influencias nocivas

Muchas mujeres, desconocedoras de su estado de gestación, toman medicamentos que pueden resultar nocivos o beben alcohol sin ser conscientes de que pueden perjudicar a su hijo.

Pero la naturaleza tiene previsto todo para que la futura madre tenga tiempo de adaptar su vida a la nueva situación. Así, durante las dos primeras semanas después de la fecundación, las influencias nocivas pueden o bien causar la muerte del germen humano o bien no afectarle en absoluto.

Pero en cuanto se confirme el embarazo, la mujer deberá llevar una vida sana. Y ello porque al entrar en la quinta semana (tercera semana después de la ovulación), comienza la formación de los órganos e influencias nocivas de medicamentos o sustancias tóxicas pueden provocar malformaciones.

Semanas 13.ª a 24.ª: período fetal intermedio (fetación media)

A partir de la decimocuarta semana, más o menos, el bebé tiene la facultad de poder realizar movimientos complejos, tragar saliva, respirar, hacer muecas, chuparse el dedo pulgar y fruncir la frente. Su reflejo prensil también se encuentra desarrollado del todo.

El delicado esqueleto del bebé, muy flexible todavía, comienza a osificarse entre las semanas decimoséptima y vigésima. En este período de tiempo, la mayoría de las futuras madres sienten por primera vez –con toda claridad– que algo vive dentro de ellas y se desarrolla.

No precisamente por el peso, ya que el bebé pesa ahora unos 250 gramos, sino porque la madre empieza a notar sus primeros movimientos.
En este preciso instante el bebé ha completado su aspecto físico externo, estando el mentón y la frente cubiertos de lanugo (el vello del aún no nacido).
Hacia la vigésima tercera semana del embarazo, el no nacido ya puede sentir dolor. En este momento, es posible medir ya las primeras corrientes cerebrales. El bebé reacciona ante la luz intensa con un cierre de párpados reflejo. Durante la exploración con ultrasonidos, el médico puede observar cómo el bebé deglute en el mismo momento en que echa un trago de líquido amniótico. Un movimiento suave y rítmico indica a la madre que su hijo no nacido está tragando en su vientre. Si el padre pone el oído sobre el vientre de su pareja y se concentra, también podrá advertir los golpecitos que ya da el bebé. Al final de la semana vigésimo cuarta del embarazo, el no nacido pesa ya alrededor de unos 530 gramos y mide por término medio unos 28 centímetros de la cabeza a los pies. El útero ya se ha dilatado hasta la altura del ombligo y es hora de adoptar un vestuario más cómodo.

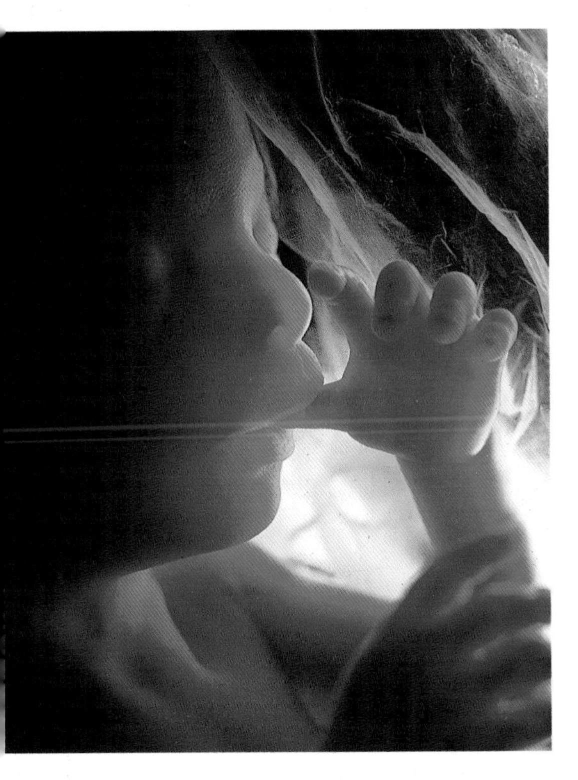

A la decimoctava semana, el feto comienza a ejercitar sus músculos y pronto la madre siente sus movimientos.

Semanas 25.ª a 36.ª: período fetal tardío (Fetación y maduración avanzada)

El lanugo, o vello, cubre todo el cuerpo del bebé. Comienza a percibir el sonido de la música y se asusta ante un ruido fuerte y repentino.
Después de advertir este ruido, se muestra "agitado" en el vientre de la madre durante algún tiempo. Primeros síntomas que demuestran la influencia del estrés aún antes de nacer.
En la vigésimoctava semana el no nacido pesa ya alrededor de un kilogramo (1 100 a 1 200 gramos por término medio), y tiene una longitud próxima ya a los 14 centímetros. Todavía es demasiado pronto para garantizar totalmente su venida al mundo, pero si se da el acontecimiento existen ya grandes posibilidades de que sobreviva gracias a la moderna medicina intensiva con que cuentan los hospitales en sus secciones de niños prematuros.
Después de la semana vigésimoctava, el niño ya puede distinguir voces y hasta fijar la mirada en un punto determinado. Si por algún motivo sufriera algún daño, reaccionaría con un típico gesto de dolor. También tiene ya bien definidas las fases de sueño y de vela.
La mayoría de los no nacidos, al final de la trigésima segunda semana del embarazo suelen pesar alrededor de 1 800 gramos y medir unos 40 centímetros. Algunas mujeres comienzan ya a sentir algunos dolores prematuros de parto, que suelen silenciar en lo posible. El útero materno sigue siendo, por estas fechas, la "residencia" ideal para el bebé.
A partir de esta fecha, si se han gestado mellizos, habrá que tener en cuenta la posibilidad de que el alumbramiento sobrevenga en cualquier momento, pues el útero materno puede resultar demasiado estrecho y, en determinadas circunstancias, la disposición de alimentos procedentes de la placenta pudiera resultar incluso escasa.

Semana 37.ª a 40.ª: maduración final

Durante las últimas cuatro semanas del embarazo, el no nacido se prepara para abandonar el vientre materno y ver la luz primera del mundo exterior.
En esta etapa todavía formará tejido adiposo debajo de su piel, y los pulmones se disponen para realizar su función con normalidad creciendo aún varios centímetros. En el momento del parto el bebé medirá aproximadamente 50 centímetros y pesará 3,5 kilogramos por término medio.
Esta última maduración antes del parto, predispone al bebé para afrontar con éxito su nacimiento y hacerse oír con un fuerte grito nada más salir al exterior

Consejos que benefician a la madre y al hijo

Cuando recuerdan lo pasado, muchas mujeres piensan que el embarazo ha sido la época más hermosa de su vida. Es bueno y divertido ocuparse de una misma y de la vida que se lleva dentro. Por lo general, las mujeres embarazadas pueden atender sus ocupaciones diarias hasta poco antes del parto. Sin embargo, es preciso adoptar ciertas medidas preventivas para protegerse a sí misma y al bebé.

Pasar los controles preventivos

En cuanto se confirma el embarazo, la futura madre recibe la "cartilla de maternidad". En ella se irán anotando todos los datos médicos relevantes relativos a su nuevo estado. La embarazada debe llevar siempre consigo esta cartilla, para que, en caso de urgencia, el médico pueda hacerse enseguida una idea de la situación.
Por lo general, la mujer embarazada debe acudir a la consulta de su ginecólogo cada cuatro semanas. Los controles médicos preventivos tienen gran importancia tanto para la madre como para el hijo. Entre éstos han de incluirse tres reconocimientos con ultrasonidos, como mínimo, que suministrarán datos importantes sobre el sano desarrollo del niño e informaciones para proteger a la madre sobre posibles infecciones que puedan poner en peligro al bebé.

Dedicarse toda clase de cuidados durante el embarazo, supone una bella experiencia.

Adoptar una alimentación más sana

La recomendación que solía hacerse de comer por dos durante el embarazo, ya está superada. La mujer embarazada necesita, más que antes, un mínimo de calorías. El aumento de peso debe ser de 1,5 kilogramos mensuales por término medio, lo que supone un aumento total de 8 a 12,5 kilogramos al final del embarazo.
Dado que el bebé obtiene los nutrientes que necesita a través de la sangre materna, es importante que ésta tome hidratos de carbono, proteínas, minerales y vitaminas en cantidades suficientes.
Una dieta equilibrada que incluya muchos productos integrales (vitamina B, magnesio y fibras), carne magra (hierro), pescado (yodo), leche y productos lácteos (calcio, proteínas), patatas (ácido fólico), fruta en abundancia (vitamina C) y verduras (carotina) procura todo lo que necesitan la madre y el hijo.
Debe prescindirse de tomar todos aquellos alimentos que contengan sustancias nocivas, sobre todo hígado, fiambres y embutidos, debido a sus residuos en metales pesados y fármacos; también, al excesivo contenido en vitamina A, que puede dañar al no nacido u ocasionar su aborto.
Lo mejor es hacer comidas ligeras pero frecuentes, pues además de aliviar las náuseas y ardores de estómago evitan la disminución del nivel de glucosa en sangre.

Conducir y viajar

Una futura madre puede conducir, pero debe hacerlo con moderación y tomando precauciones. Viajar durante horas –hasta es posible que bajo el ardiente sol del verano– o en la vorágine que impone el caótico tráfico de las grandes ciudades, además de desagradable puede estresar a la embarazada de tal manera que el útero sufra una ligera compresión.
La obligación de ponerse el cinturón de seguridad, incluye a las embarazadas. Para no estrangular al bebé en caso de accidente, la parte inferior del cinturón que protege la pelvis ha de pasarse "por debajo del vientre" (es decir, en el límite que marca el vello púbico).
La mejor época para viajar es entre la semana decimotercera (náuseas) y la trigésima (sólo algunas molestias) del embarazo. Pero no conviene hacerlo a países tropicales, ya que en muchas regiones hay grandes riesgos de infección, la asistencia médica suele ser deficiente y el cambio no siempre sienta bien a las embarazadas.

Disfrutar la sexualidad

Si la mujer embarazada no tiene hemorragias lubricantes o contracciones prematuras y su pareja está sana, ambos pueden disfrutar de su sexualidad como antes. Incluso, si el embarazo transcurre sin problemas, pueden hacerlo hasta poco antes del parto. A muchas mujeres embarazadas les resulta ahora mucho más placentero: su embarazo les hace sentirse más femeninas y se olvidan de temas como la anticoncepción o, al contrario, el deseo imperioso de tener hijos.

Hacer deporte con moderación

Si le gusta la actividad física, el embarazo en sí no es impedimento para que siga haciendo deporte. Y esta bien que lo haga, pues algunos deportes como la gimnasia, la natación, montar en bicicleta y dar buenos paseos estimulan la circulación a la vez que fortalecen la musculatura.
Además, los movimientos rítmicos de la madre mecen suavemente al recién nacido. Otros deportes con peligro de caídas (equitación, esquí, *jogging*, tenis) y los de fondo no son apropiados en este estado. Por otra parte, debe tenerse en cuenta que una futura madre en ningún caso debe rebasar los límites de su resistencia física.
Tampoco es aconsejable entrenar los músculos abdominales, pues la musculatura se puede dilatar y, después del alumbramiento, será muy difícil recuperar la tersura inicial por mucho entrenamiento que se haga.

Cuidar la vida psíquica

Los estados de ánimo que la madre manifiesta a través de su voz, los latidos del corazón, los ruidos intestinales o sus movimientos influyen en gran medida en el no nacido. El nerviosismo, el enfado o la depresión son factores que pueden producir diversos cambios físicos en el bebé.
La adrenalina u hormona del estrés llega a la sangre del no nacido a través de la placenta, pudiendo acelerar los latidos de su corazón y causar tensión muscular. Pero la futura madre no debe preocuparse si se siente triste y abatida en algún momento y durante cierto tiempo, sin que llegue a ser crónico. O cuando se excita ligeramente, a causa de su temperamento. Cuando el aún no nacido percibe los cambios de estado de ánimo de su madre, está adquiriendo experiencias muy importantes para su vida. Si el estado de ánimo general es positivo y estable, muchos expertos están convencidos de que las sensaciones negativas dentro del útero carecen de efecto alguno sobre el no nacido.

¡Cuidado con los medicamentos y las sustancias tóxicas!

Al comienzo del segundo mes de embarazo, la futura madre debe dejar de automedicarse. Debe prescindir de los remedios caseros en caso de dolor de cabeza, resfriados o trastornos del sueño, sin antes consultar con su médico. Ni tan siquiera los laxantes están excluidos de esta consideración, pues bajo determinadas condiciones pueden producir contracciones. También, a no ser que los haya prescrito el médico una vez embarazada, debe suspenderse la toma de preparados vitamínicos. No obstante, son aptos aquellos medicamentos concretos que haya recetado el médico. Más que los medicamentos, el alcohol puede dañar mucho más al no nacido. Durante las 16 primeras semanas del embarazo, el hígado del bebé es incapaz de eliminar aún el alcohol. Cuando la futura madre ingiere alcohol, el porcentaje presente en la sangre de la madre se transmite al bebé por medio de la circulación sanguínea.

Lo mejor, pues, es prescindir del alcohol durante el embarazo. Fumar es un grave riesgo para la salud, tanto para la madre como para el hijo. Para evitar producir daños permanentes en el no nacido, es preciso dejar de fumar durante el embarazo. Por otra parte, el humo que se aspira como fumador pasivo es igual de insano tanto para la madre como para el hijo. Para desintoxicarse pueden adoptarse muchas estrategias, que dan buenos resultados sin necesidad de tomar medicamentos suplementarios; así, terapias de grupo, acupuntura, entrenamiento autógeno, etcétera.

La mujer embarazada debe prescindir de tomar alcohol y de fumar.

Las últimas semanas antes del parto

Hacia el final del embarazo, muchas mujeres tienen dificultad para ir de acá para allá con su abultado vientre. En esta situación, es comprensible que crezca la impaciencia. Pero, para prepararse y recibir bien al bebé, es importante aprovechar bien este tiempo.

Cuerpo y mente en armonía

En las últimas dos o tres semanas, la mayoría de las mujeres comienzan a sentir las *contracciones previas*: el útero se comprime ligeramente en espacios de tiempo irregulares. Resulta una especie de entrenamiento de cara al alumbramiento. El vientre se desplaza un poco hacia abajo al deslizarse la cabeza del no nacido hasta la pelvis menor y presionar sobre el orificio uterino.
A algunas mujeres les da por desarrollar una gran actividad en estos momentos: hacen limpieza general, renuevan el dormitorio, lavan la ropa del bebé... todo tiene que estar listo para el alumbramiento; otras llevan una rica vida interior y se concentran su atención en el bebé. Por todo ello, este es un tiempo muy propicio para relajarse oyendo una música agradable o para meditar. También hay mujeres que se relajan con cierta actividad: les gusta bailar, salir de paseo o nadar.

Relajarse con la pareja

Para las parejas que van a tener un hijo por primera vez, en este momento comienza un capítulo completamente nuevo de su vida. En muchas de ellas este sentimiento se manifiesta con más evidencia durante las últimas semanas, dedicando más tiempo a la vida en común. Los ejercicios de relajación a los que asistieron ambos en el curso de preparación al parto, deben de practicarse frecuentemente en el transcurso de las últimas semanas. Practica que da una mayor seguridad de cara al día del parto, al tiempo que estimula los lazos sentimentales de la pareja.

Masajes y "danza de vientre"

Antes de irse a dormir, el hombre puede ayudar a relajarse a su mujer embarazada con tan sólo masajearle la nuca y la región occipital. Ella se tumbará de espaldas (posición decúbito prono), y su pareja, sentado detrás con las palmas de las manos puestas sobre la nuca, le dará masajes en sentido ascendente sobre el occipucio.
Una especie de "danza del vientre" es aquélla en la que la mujer gira la pelvis al ritmo de una música suave, mientras su pareja sigue sus movimientos con las manos puestas en sus caderas. Es algo así como un juego amoroso o una danza a tres; y, también, una forma muy bonita de relajar al bebé y lograr una armonía común

Alivio para la espalda y las piernas

Cuanto más peso tenga el vientre, tanto más esfuerzo tendrá que realizar la espalda para mantener el equilibrio y tanto mayor será la carga que habrán de soportar las piernas. Por ello, es importante aprender a relajar el cuerpo y evitar sobrecargarlo con otros pesos o llevando tacones altos.

Ejercicios para la espalda

• El "ejercicio del gato" –encorvar el cuerpo– realizado periódicamente, relaja y fortalece la espalda.

1. De rodillas, apoye las manos en el suelo separadas entre sí. Manteniendo las rodillas abiertas y los brazos estirados, sin hacer presión sobre los codos, encorve la espalda.

2. A continuación, haga presión suavemente sobre la espalda hasta conseguir formar una lordosis.

• Mover y girar los hombros, también relaja la musculatura dorsal.
• Del mismo modo, subir y bajar los hombros alternativamente alivia los dolores de espalda.

Otros alivios para la espalda

- Para que la espalda permanezca derecha y relajada al sentarse, sólo tiene que hacerlo manteniendo abiertas las piernas mientras apoya ambos brazos encima de la mesa (que sea normal).
- La columna vertebral necesita un buen apoyo durante el descanso, por lo que un buen colchón es fundamental. Si se acuesta de lado, ponga un cojín para aliviar el peso que ejerce la pierna situada arriba sobre la espalda.
- Un baño caliente de hierbas aromáticas (romero, tomillo, santolina, mejorana) que activen la circulación, puede hacer milagros. El agua no ha de sobresapar los 37 ºC y la duración máxima ha de ser de 15 minutos.

Alivio para las varices

La mayoría de las mujeres que tienen un debilitamiento congénito del tejido conjuntivo, suelen padecer de varices. Para evitar en lo posible que las venas se vuelvan varicosas, pueden adoptarse las siguientes medidas:

- Evite cruzar las piernas al sentarse, no permanezca de pie durante mucho tiempo y mantenga los pies en alto cuando pueda.
- Cuando esté sentada, "balancee" frecuentemente los pies: levante y extienda alternativamente las piernas y mueva los pies arriba y abajo.
- Cada mañana, dése duchas frías en las pantorrillas. Los baños muy calientes y las sesiones de sauna no on adecuados en su estado.
- A ser posible, utilice medias compresivas.

Deben dedicar las últimas semanas a planificar y mentalizarse de que, a partir de ahora, su vida va a ser cosa de tres.

Prepararse para el parto

Los cursos de preparación al parto se imparten en clínicas, comunidades autónomas –a través de los centros de salud y de planificación familiar– y otras entidades o asociaciones.
En la mayoría de los caos no se trata tan sólo de realizar una serie de ejercicios respiratorios y de relajación para superar los dolores del parto, sino también de prepararse psicológicamente para antes y después de éste. También los hombres deberían vivir y participar en los cursos de preparación al parto y cuidado del bebé, para posteriormente contribuir en el cuidado de los hijos y apoyar a su pareja durante este acontecimiento.
Hoy día existe la posibilidad de planificar el nacimiento del propio hijo según las necesidades y deseos individuales. Antes del parto la pareja puede informarse, optar por el tipo de asistencia sanitaria y tomar las medidas necesarias para el tiempo del puerperio.

Protección de la maternidad

La protección de la madre y del aún no nacido tiene preferencia en la vida laboral de muchos países. En el supuesto de parto, el permiso de maternidad tendrá una duración de 16 semanas ininterrumpidas ampliables por parto múltiple hasta 18.
Este permiso se distribuirá a elección de la interesada siempre que 6 semanas sean inmediatamente posteriores al parto, pudiendo hacer uso de éstas el padre del bebé.
No obstante lo anterior, en el caso de que la madre y el padre trabajen, aquéllos, al inicarse el período de descanso por maternidad, podrán optar porque el padre disfrute de hasta cuatro de las últimas semanas de suspensión, siempre que sean ininterrumpidas y al final del citado período, salvo que en el momento de su efectividad la incorporación al trabajo de la madre suponga riesgo para su salud.
La contingencia protegida en caso de maternidad es la necesidad de atender al hijo. Los beneficiarios de la maternidad son los trabajadores por cuenta ajena cualquiera que sea su sexo.
El contenido de la prestación económica sería en caso de maternidad, es decir, durante las 16 semanas en caso de parto normal o 18 en caso de parto múltiple, del 100% de la base reguladora hallándose la misma por la base de cotización correspondiente al mes anterior a la baja.

Parto y puerperio

El parto

A más de una madre le preocupa que el alumbramiento se le presente de improviso, impidiendo la llegada a la clínica para que su hijo nazca con la asistencia debida. Pero, ante este lógico temor, hemos de decir que las señales que indican el comienzo del parto son claramente inequívocas.

Cómo se anuncia el parto

- Mediante contracciones regulares y dolorosas: tanto el vientre como el útero de la embarazada se ponen duros como una piedra en cada contracción, irradiándose los dolores por la zona dorsal. El tiempo entre una contracción y otra se acorta de 10 a 15 minutos.
- Al advertirse la pérdida de líquido amniótico: es decir, cuando se "rompe aguas", que es cuando se rompe la bolsa que contiene este líquido que desciende por las piernas sin que haya notado ganas de orinar. En este caso, es imprescindible llegar a la clínica cuanto antes, sobre todo si la futura madre sabe que su hijo se presenta en posición de extremidad pélvica (con las nalgas por delante).
- La vagina segrega mucosa, que puede estar mezclada con sangre.

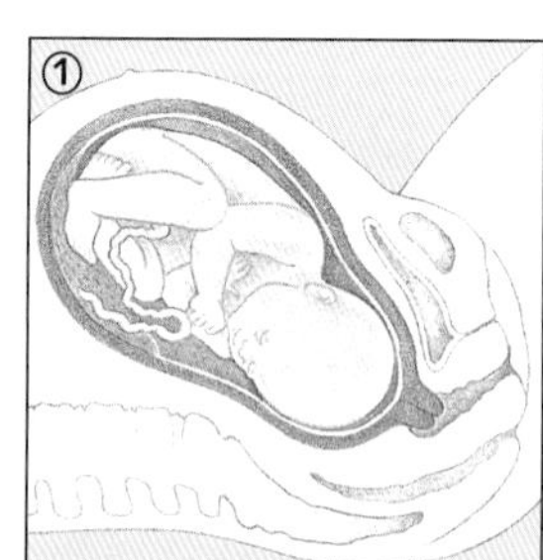
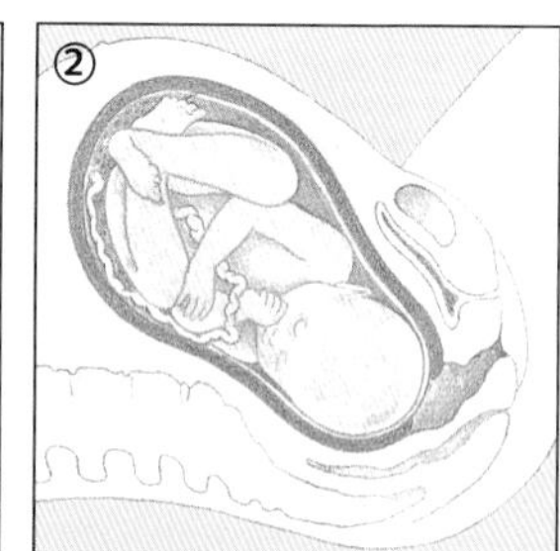
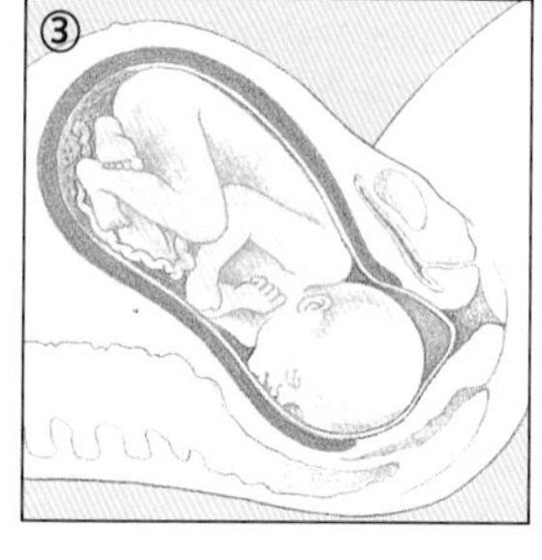
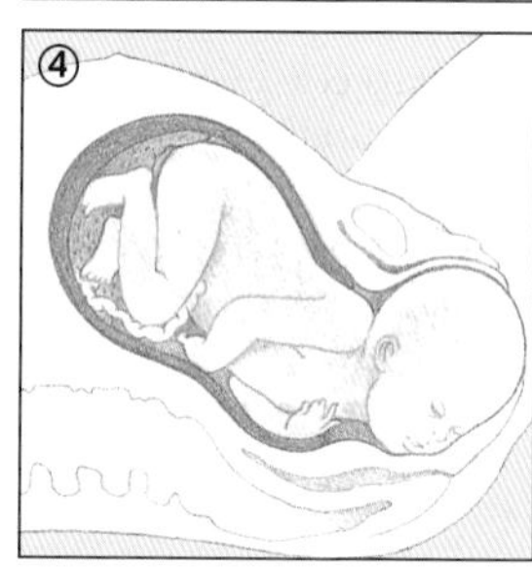

1. Anuncio de parto: la musculatura uterina está relajada y laxa.
2. Fase de dilatación: el orificio uterino se abre.
3. Fase transitoria: el cuerpo del niño se desliza hacia abajo y el orificio uterino se abre del todo.
4. Fase de expulsión: la presión de las contracciones empuja al bebé hacia abajo a través del conducto uterino y su cabeza asoma al exterior.

Cómo actuar con los dolores

La mayoría de las mujeres embarazadas tienen miedo a sufrir mucho con los dolores del parto. Estos dolores cada mujer los siente de manera distinta y personal, pero en la actualidad existen métodos para ayudar a la madre a controlarlos, y a que, incluso, alumbre a su hijo sin necesidad de tener que ponerle anestesia. A muchas mujeres les sirve ya de gran ayuda el hecho de poder elegir la postura en la que desean dar a luz. Muchas otras sienten un gran alivio si andan de un lado a otro sin parar, giran la pelvis describiendo movimientos circulares o se cuelgan del cuello de su pareja. Un baño caliente puede resultar muy beneficioso debido a los efectos sedantes y relajantes que produce en la futura madre.

En cuestión de terapia, existe toda una serie de medicamentos antiespasmódicos, que son inocuos para el bebé, así como otros de medicina alternativa homeopática y de la medicina naturista. También la medicina alternativa, como la acupuntura o un masaje de acupresión, pueden producir efectos analgésicos.

Durante las contracciones, el dolor producido por la dilatación de la base pélvica puede ser amortiguado mediante anestesia local.

La llamada anestesia epidural (APD) permite a la mujer estar despierta sin sentir dolor. Se trata de una mezcla de analgésico y espasmolítico, que se inyecta en la zona de la vértebra lumbar inferior antes de dar a luz. Como el medicamento se aplica localmente, los principios activos que lo componen no afectan para nada al bebé.

No obstante, en muchas mujeres hace que las contracciones desaparezcan y es frecuente tener que ayudarse de un fórceps o mediante una campana de succión para facilitar al bebé su salida al exterior.

Pero gracias a las técnicas respiratorias aprendidas y practicadas durante los cursos de preparación al parto, muchas mujeres no necesitan tomar espasmolíticos durante el alumbramiento.

De este modo pueden colaborar en cada fase del parto, aprovechando la respiración dirigida para relajarse de vez en cuando en el transcurso del proceso.

.as fases del parto

)ilatación

.a fase de dilatación comienza cuando las contraccio-
ies se dan a intervalos regulares de unos 10 minutos.
in ese momento el útero se comprime a un cierto
itmo y el orificio uterino se abre, suele fluir el líquido
.mniótico y la cabeza del bebé sigue desplazándose
iacia abajo. A partir de ahora debe controlarse cons-
antemente el ritmo cardíaco del bebé y la regularidad
le las contracciones.
Con el fin de controlar con precisión el suministro de
»xígeno al bebé, a veces se le pone una sonda muy fina
ujeta al cuero cabelludo.

Transición

La fase llamada de transición comienza cuando el orifi-
:io uterino se ha dilatado unos siete centímetros. En
:ste período las contracciones se suceden –casi siem-
ore– a intervalos cortos, por lo que la embarazada tiene
que concentrarse profundamente para respirar y rela-
iarse durante las pausas entre una y otra.

Expulsión

La fase de expulsión o alumbramiento comienza en el momento que la abertura del orificio uterino se dilata hasta los 10 centímetros de diámetro. La presión de las contracciones hace que la cabeza del bebé trate de salir del útero a través de la vagina. Si la presión es muy fuerte y se corre peligro de sufrir desgarros entre el ano y la vagina (perineo), se procede a efectuar un pequeño corte (episiotomía). Una vez que la cabeza ha salido, la evacuación del líquido amniótico restante favorece la fácil salida de los hombros y el resto del cuerpo.
Al recién nacido se le suele colocar de inmediato sobre el vientre de la madre, después de haberle descongestionado la nariz, la boca y la garganta. Nada más esté en contacto con su madre, el bebé buscará instintivamente el pecho para empezar a mamar. A los tres o cinco minutos después del parto se le somete al test o índice de Apgar, que sirve para verificar los latidos del corazón, la respiración, los reflejos, el color de la piel y así como su grado de movilidad.
Por último, las contracciones postnatales ayudan a expulsar la placenta y las membranas amnióticas. La comadrona o el tocólogo comprobarán si se ha expulsado todo, pues cualquier resto podría producir inflamaciones y hemorragias ulteriores en el útero.

Cesárea

La cesárea se ha convertido en una intervención rutinaria gracias, sobre todo, a los modernos métodos de anestesia. Su empleo ha permitido superar por completo el peligro de infecciones posteriores, haciendo que la madre se recupere mucho antes de la intervención.
Los métodos de anestesia actuales permiten a la madre, a no ser en caso de urgencia o que se trate de una intervención complicada, tener pleno conocimiento de la intervención. Si todo ha transcurrido con normalidad, inmediatamente después de la operación le llevarán a su hijo para que mame.

¿Dar a luz en la clínica o en casa?

Los medios de que dispone una clínica, con sus instalaciones, ofrecen a la mayoría de las mujeres la seguridad que desean en el alumbramiento de su hijo. Sin embargo, hay quien no se siente a gusto fuera de su casa y prefiere hacerlo en ella.
Así mismo, hoy día son ya muchas las clínicas que ofrecen la posibilidad de un “parto natural” en un ambiente agradable. Si no hay ninguna contraindicación médica, también es posible el alumbramiento ambulatorio. Este tipo de alumbramiento supone que, si todo transcurre sin problemas, tanto la madre como el hijo pueden abandonar el centro a las pocas horas para que el médico y la comadrona los sigan cuidando en su casa.
El alumbramiento en casa sólo es recomendable para aquellas mujeres a las que no se les ha detectado ningún riesgo durante el embarazo, y de las que se sabe por experiencia que saben conservar la calma en momentos críticos. Debe descartarse dar a luz en casa en los casos de mala colocación de la placenta, de presentación de nalgas, de parto prematuro, de hemorragias o partos múltiples. También, muchos médicos aconsejan a las mujeres mayores de 35 años dar a luz en una clínica.
La casa de maternidad es una opción intermedia entre la elección de la casa o la clínica: el parto suele dirigirlo una comadrona, y sólo está recomendado para mujeres sin complicaciones previsibles.

El puerperio

Antiguamente, el puerperio estaba considerado como el tiempo que la mujer debía permanecer en cama (una semana por lo menos) después del parto.
En sentido más amplio, el puerperio comprende el espacio de tiempo posterior al alumbramiento y durante el cual el cuerpo de la mujer se recupera de los cambios sufridos en el embarazo y el parto. También es la etapa en la que la leche materna sube al pecho. La duración del puerperio suele durar entre seis y ocho semanas, el tiempo necesario para que cese el flujo semanal.

Dolores de sobreparto y flujo semanal

Cada vez que el bebé mama, a la madre le sobrevienen dolores de sobreparto (*entuertos*) más o menos fuertes (mayores con cada hijo). Estas contracciones tiene como fin recuperar el tamaño original del útero.
La mujer que acaba de ser madre, durante los tres o cuatro días siguientes tiene secreciones intensas y sanguinolentas que, por lo general, pueden tomar un aspecto amarronado al cabo de algunos días; luego, se vuelven amarillentas y, pasadas tres semanas, adquieren color grisáceo. Estos flujos semanales –también denominados *loquios*– son derrames sanguinolentos, secreciones cruentas y secreciones vaginales y uterinas normales, secretados por la vagina. La secreción cruenta se debe y tiene su origen en la gran herida dejada en la pared uterina por el desprendimiento de la placenta.
Durante este período de tiempo, la zona genital externa se deberá limpiar sólo con agua templada; y, si es necesario, con una loción limpiadora suave.

Durante las primeras semanas después del parto, conviene dedicar a la madre toda clase de atenciones y cariño.

Cómo cuidar la incisión perineal

Después del parto, la pequeña incisión entre la vagina y el ano puede presentar problemas durante algún tiempo. La tirantez del tejido cosido hace que muchas mujeres no puedan sentarse, ni tan siquiera están de pie a gusto. A algunas incluso les resulta doloroso orinar, sobre todo si se ingieren alimentos ácidos (fruta, zumos) que provocan el que la orina "escueza". Cuando las deposiciones de la nueva madre son duras, la sutura perineal también puede molestar al realizar fuerza al defecar.
Las molestias de este tipo se pueden aliviar tomando baños de asiento con manzanilla. También el escozor al orinar se puede mitigar con tan sólo verter un poco de té de manzanilla concentrado, no muy caliente, sobre la salida de la uretra. Mientras tanto, lo aconsejable es desechar de la dieta los alimentos y bebidas con alto contenido ácido. Una alimentación lo más rica posible en fibras contribuirá, en gran medida, a una buena digestión y a que las deposiciones sean más blandas.
Además, en las ortopedias o tiendas de artículos sanitarios podrá adquirir asientos especiales ("flotadores") para puérperas que, con tan sólo colocarlos sobre la base de la silla o del sillón, evitan el dolor al sentarse encima. Pero, también, se puede fabricar uno en casa artesanalmente; para ello, basta con enrollar a lo largo una toalla grande y formar un aro con ella.

¿Se siente triste a pesar de la felicidad?

Hacia el tercer día después del parto, más de la mitad de las mujeres sienten un vacío psíquico difícil de explicar. Los expertos lo achacan a una combinación de factores físicos y psíquicos: el nivel hormonal varía y a muchas mujeres les cuesta mucho separarse físicamente de su bebé; también influye el parto en sí, como acontecimiento excepcional.
Al mismo tiempo influyen otros factores, como el hecho de asimilar el profundo cambio operado en la identidad de la madre, sobre todo cuando se trata del primer hijo, y la obligación que supone la nueva responsabilidad adquirida. También cambia la vida en pareja. Todas estas modificaciones alteran muy fácilmente el estado de ánimo de las puérperas; a veces, incluso pequeños detalles pueden herirlas.
Para la mujer, servirá de gran ayuda en estos días contar con la inestimable ayuda de su pareja. La mayoría de las madres se recuperan enseguida de este trance, necesitando sólo en casos particulares la ayuda de un psicoterapeuta si se muestra incapaz de superar por sí sola la depresión.

Cómo sentirse bien en el puerperio

Cuando una madre sale de la clínica y llega a su casa con su hijo recién nacido, para poder recuperarse y adaptarse como es debido a vivir con el bebé necesita, sobre todo, tranquilidad y ayuda. Deberá acostarse y descansar frecuentemente y siempre que pueda. Si la madre está relajada, también le resultará mucho más fácil dar de mamar al bebé. Sería un grave error que en su afán por llevar las tareas domésticas, se hiciera cargo de todo a los pocos días del parto como si realmente no hubiera pasado nada.

Durante los 10 días inmediatos que siguen al alumbramiento, toda mujer tiene derecho al seguimiento en su domicilio por parte de una comadrona pagada por el seguro y, si fuera necesario, a más visitas en el transcurso de las ocho semanas siguientes.

Así mismo, si el médico certifica un claro estado de agotamiento de la puérpera o las especiales complicaciones habidas durante el parto, podrá disponer de ayuda doméstica. Para que al niño no le resulte un cambio muy brusco pasar de estar tan próximo a su madre a tener que dormir completamente solo en su cuna, cada vez son más las comadronas que recomiendan dejarlo dormir al principio con sus padres en la cama matrimonial.

Por otro lado, se da la ventaja añadida de que la madre no tendrá obligatoriamente que levantarse por la noche cuando el bebé llora para tranquilizarlo y atender a sus necesidades vitales.

Gimnasia de recuperación

Además de tener que adaptarse a tantas cosas nuevas en tan poco espacio de tiempo, muchas mujeres se molestan porque encima han de realizar los ejercicios periódicos de gimnasia de recuperación que les enseñaron durante su estancia en la clínica o que aprendieron en el curso de preparación al parto.

Pero pese al esfuerzo que ello requiere, esos ejercicios son muy importantes para que después (casi siempre con la llegada de la menopausia) no se deriven problemas como el descenso de la matriz o el debilitamiento de la vesícula.

Uno de los ejercicios físicos más importante para la madre consiste en elevar la pelvis, como si se tratara de contener las ganas de orinar, incluso puede realizarse en cualquier lugar -que también puede ser fuera de casa-, sin que sea necesaria ninguna preparación específica. De este modo, la reciente madre hace que con este ejercicio se entrene el músculo PC (también llamado "músculo del amor"), que se localiza a la entrada de la vagina rodeándola.

La vida en común de los tres

La mayoría de las personas que son padres por primera vez, quedan impresionados ante el acontecimiento que representa el parto. Disfrutar de la presencia física de su hijo, desencadena sentimientos de amor y ternura que, frecuentemente, se extienden hacia la pareja. Para muchas parejas, los primeros instantes en compañía del bebé representan un hermoso e inolvidable recuerdo muy agradable.

Pero llega el momento de enfrentarse de nuevo a la vida cotidiana. Como es natural, el hombre ha de continuar realizando su trabajo y volver a estar todo el día fuera del domicilio mientras su pareja se queda sola en casa con el bebé. Como en la mayoría de las parejas no suele haber una repartición equitativa del trabajo en el hogar, ahora puede darse un desequilibrio todavía más claro: los hombres advierten que los lazos de unión entre madre e hijo van relegándole, cada vez más, a un segundo plano; por su parte, las mujeres desean que su pareja les preste la debida atención y participen más en las labores domésticas.

Si en este momento la pareja conversa abiertamente y cada uno expone al otro sus insatisfacciones y desacuerdos, su relación también permanecerá estable y viva en la triplicidad. Entonces, ni uno ni otro considerará como un rechazo el que su vida sexual sufra al principio una cierta paralización para, después y poco a poco, recuperar su normalidad mientras el bebé duerme durante toda la noche. Cuando la madre se haya recuperado del todo del alumbramiento, renacerá el apetito sexual y la vida amorosa continuará como antes del nacimiento del bebé.

Trámites después del parto

Uno de los miembros de la pareja inscribirá a su hijo en el Registro Civil y se encargará de obtener la partida de nacimiento. Según sean los ingresos de la unidad familiar, Hacienda tendrá en cuenta las ventajas fiscales y las retenciones a que haya lugar en la nómina según el número de hijos y a efectos del IRPF. Si no se sobrepasa un cierto límite de ingresos, en la Delegación de Trabajo se puede solicitar un subsidio de ayuda familiar para atender las necesidades del niño.

Los departamentos correspondientes de su Comunidad Autónoma, Entidades Locales, centros de Planificación Familiar y Mutuas de Trabajo podrán informarle.

Dar de mamar

La inmejorable adaptación de la leche materna a las necesidades del bebé y a su delicado aparato digestivo, hacen que sea la más apropiada para su amamantamiento y óptimo desarrollo. Baja en proteínas, facilita la digestión del niño.

La grasa de la leche materna contiene más de 150 componentes, entre ellos una sustancia lipolítica que la hace muy fácil de digerir. Para proteger el páncreas del bebé, la sacarosa presente en la leche materna pasa a la sangre con cierta lentitud. Los minerales, que pudieran representar una carga para los riñones, sólo están presentes en cantidades soportables.

La leche materna protege

Las infecciones y alergias son más raras en los niños criados a pecho que en los alimentados con biberón. Si bien es cierto que el niño viene al mundo protegido con anticuerpos, esta protección desaparece al nacer y las inmunoglobulinas o anticuerpos presentes en la leche materna ocupan su lugar y le protegen hasta que su propio cuerpo los genera. La producción de anticuerpos comienza después de varias semanas, y dura hasta que al cabo de cinco años el sistema inmunológico se ha desarrollado por completo. Ciertos componentes –aún desconocidos– de la leche materna hacen que el sistema inmunológico madure más deprisa. También se supone que la función renal de los niños criados a pecho está mejor protegida contra la acción de los gérmenes, puesto que entre este grupo se dan menos infecciones de las vías urinarias.

El bebé recibe la primera leche durante los primeros días de vida. Esta leche, también llamada *calostro*, es muy nutritiva, espesa y amarillenta. Proporciona al recién nacido anticuerpos importantes que fortalecen su sistema inmunológico y revisten la pared intestinal, muy permeable todavía. Facilita la rápida evacuación de los primeros excrementos (*meconio*) y, con ellos, de las sustancias que pueden provocar la ictericia en el niño recién nacido.

Madre e hijo encuentran su ritmo natural de amamantamiento en un ambiente tranquilo y relajado.

Cómo se forma la leche materna

El reflejo de succionar en el recién nacido es muy grande durante las horas que siguen al parto. Así lo ha dispuesto la naturaleza, pues precisamente es el estímulo de la succión lo que hace que el cuerpo de la madre produzca la hormona prolactina, responsable de la formación de la leche materna. Por eso es tan aconsejable que el bebé mame del seno materno nada más nacer. Poner a mamar al bebé con frecuencia incentiva la producción de leche materna. La subida de la leche al cabo de unos días suele causar dolores a muchas mujeres, que se pueden aliviar en alguna medida aplicando compresas y dando de mamar al bebé a menudo.

Dar de mamar cuando sea necesario

Aunque la producción de leche sea reducida durante los primeros días, la mayoría de las veces suele ser suficiente para amamantar al bebé. En el transcurso de la primera semana, los recién nacidos suelen perder hasta un 10% del peso que tenían al nacer. Esto es normal, y no debe ser motivo para sobrealimentarle con biberón. Si se le da el biberón, mamará menos cuando se le dé el pecho y, como consecuencia, la producción de leche materna se reducirá automáticamente. Por el contrario, si sólo se da de mamar al bebé cuando tenga hambre, el pecho producirá la cantidad de leche precisa para satisfacer las necesidades del lactacte. Para dar de mamar sin tensiones, es condición imprescindible que la madre no tenga miedo de que su hijo se quede con hambre. Pesar al bebé cada vez que se le da el pecho, implica someter a la madre a una presión innecesaria. Como norma general, el niño debe aumentar 100 gramos de peso a la semana durante el primer semestre; y unos 80 gramos semanales durante el segundo. El aumento de peso nunca debe ser inferior a 60 gramos semanales.

Consulte con el pediatra en caso de que observe grandes diferencias respecto a las cantidades indicadas.

Forma correcta de dar el pecho

El brazo con el que sostiene al bebé debe estar apoyado en algún sitio (cojín, respaldo de una silla, etcétera), para estar cómoda. Sujete el pezón entre los dedos índice y corazón de la mano libre, así el bebé podrá respirar por la nariz, y roce ligeramente su cara para que vuelva su cabeza en disposición de mamar. Procure que abarque toda la aréola del pezón. Asegúrese de que la leche no se estanque, evitando ofrecerle el otro pecho hasta que no haya terminado con el primero. En la toma siguiente, comience por el pecho del que mamó en último lugar.

Dar el pecho en público

La leche materna siempre se encuentra caliente y bien "envasada", por lo que es ideal para cuidar correctamente al bebé. Cada vez está más extendido y aceptado el hecho de dar de mamar al niño en lugares públicos. Llevar un vestido apropiado –de los que se pueden desabotonar por arriba– y un sujetador maternal especial para el amamantamiento –que se desabrocha fácilmente por un lado–, facilitan la labor de dar el pecho en la calle o en una cafetería. Muchas mujeres prueban antes en casa, con total tranquilidad, qué ropa es la más apropiada para dar de mamar al bebé sin problemas (por ejemplo, un jersey amplio que se pueda subir sin dificultad).

Alimentación y cuidados de la madre

En principio, las madres que dan a su bebé el pecho pueden comer todo lo que les apetezca. De todas formas, hay muchos bebés que se crían de este modo y que son muy sensibles a los platos flatulentos (alubias, berzas) o a los aderezos picantes de la dieta alimentaria materna. Pero, si es así, enseguida lo advierte la propia madre del niño lactante.
La ingestión de grandes cantidades de alcohol y la nicotina pueden perjudicar al bebé al transmitir sus efectos y mezclarse con la leche materna. Durante la lactancia, lo mismo que durante el embarazo, no se deben tomar medicamentos sin la preceptiva prescripción facultativa.

El cuidado de los senos maternos

Durante el amamantamiento, el cuidado de los senos maternos no requiere más que una ducha diaria con agua templada. No hace falta enjabonarlos, ni utilizar otros productos higiénicos. Deje que los pezones se sequen descubiertos al aire cada vez que dé de mamar a su bebé, y, a fin de evitar inflamaciones, procure que el contacto de éstos con prendas humedecidas de vestir se reduzca lo mínimo posible.

Influencia de la psique al dar de mamar

El amamantamiento es un proceso sujeto a muchas influencias. Si la madre se siente nerviosa e insegura porque no tiene apoyo familiar, el reflejo causante del flujo de la leche puede reprimirse. Es muy raro que las madres dejen de dar el pecho a su hijo por causas físicas. Casi siempre se debe al estrés, a la falta de sueño y a la inseguridad de si la alimentación es suficiente. El desequilibrio psíquico conduce a la merma de la producción de leche, o a que el flujo lácteo produzca dolor. El niño se siente intranquilo, lo que hace que deje de mamar con la fuerza suficiente. Un bebé que llora cuando se le da el pecho, desalienta a cualquier madre. Las madres que tienen problemas para dar el pecho a su hijo, encontrarán consejo y ayuda en grupos y asesores especializados en este tema.

Molestias al dar de mamar

Cuando los conductos de las glándulas mamarias no se vacían como es debido durante el amamantamiento, puede producirse el estancamiento de la leche. Los pechos duelen, se recalientan y se ponen duros. En la mayoría de estos casos, puede servir de ayuda dar de mamar al bebé más a menudo y masajear suavemente los pechos, desde la base y en dirección al pezón, con el borde de la mano. Asimismo producen alivio la aplicación de apósitos calientes, los rayos infrarrojos y las pomadas estimulantes de la circulación sanguínea recetadas por el ginecólogo. Para conseguir el alivio necesario, también hay bombas especiales con las que se puede extraer la leche.
Si no se trata el estancamiento de la leche, o los gérmenes invaden el pecho, puede producirse una inflamación mamaria. Los pechos se aplanan, duelen, se recalientan y enrojecen. Aparecen dolores de cabeza y fiebre. Dar de mamar frecuentemente, así como extraer la leche por bombeo, suele producir cierto alivio. Por lo general, el médico prescribirá antibióticos que no sean perjudiciales para el niño y recomendara guardar mucho reposo.
Las inflamaciones de los pezones estan la mayoría de las veces provocadas por la aplicación de una técnica equivocada. La forma más rápida de curarlas consiste en frotarlos utilizando unas gotas de leche (o té de salvia) y dejarlos secar después de cada toma.

Las principales fases de la vida

La primera infancia

Después de pasar unos 280 días en la semioscuridad que impone la envoltura que recubre el útero materno, el bebé sale al exterior y contempla por vez primera la luz del mundo. En los últimos días del embarazo –difíciles a veces–, todos los padres anhelan que llegue este momento. Si bien es cierto que ese ser desconocido ya despierta ternura durante el tiempo anterior al parto, es a partir del contacto personal recíproco cuando se establece una relación íntima de cariño. Que el recién nacido pueda desarrollarse hasta convertirse en una persona madura, dependerá en gran medida de la protección y de los cuidados que le presten sus padres.

En la primera etapa de su vida, el bebé depende casi exclusivamente de las personas de su familia y de su entorno. Al principio, su concepción del mundo es intuitiva. Durante el primer año de vida se conectan entre sí las distintas regiones del cerebro.

En este aspecto, juegan un papel muy importante las excitaciones sensoriales: a través de las sensaciones que despiertan en él las caricias y las voces, el bebé "procesa" la avalancha de información que le viene de su entorno inmediato.

Las primeras impresiones le llegan, principalmente, por medio de la piel y del olfato: el lactante nota que le toman en brazos, le dan calor y le acarician. Todo esto le procura la sensación de proximidad y protección. Aprende a conocer y a distinguir por el olor a las personas de su entorno más cercano; también, su corazón late más deprisa cuando oye la voz de su madre. Sin embargo, la percepción visual aún no se ha desarrollado y queda relegada en este momento a un segundo plano. La agudeza visual, que se igualará a la de los adultos, se desarrollará en el niño al cabo de varias semanas de vida.

Las necesidades del bebé

Las condiciones indispensables que requiere el desarrollo óptimo del lactante son: un ambiente que rezume calor humano por todas partes, tener cubiertas las necesidades alimentarias, el sentimiento de protección y seguridad y un ritmo de vida sujeto a ciertas normas. Para su desarrollo psíquico, también es muy importante que al menos una persona cercana, sus padres o su cuidadora (o cuidador), se ocupe de él con todo el cariño y de forma permanente.

El recién nacido se encuentra desvalido, y aún tiene que desarrollar su personalidad. Sin embargo, ya tiene sus necesidades y deseos propios. En este momento es muy importante que sus padres no se sometan a su voluntad, sino que les tenga respeto y los tome en serio primero y, luego, aprenda a llamar su atención para expresar sus deseos . De este modo, los padres prepararán el terreno para el desarrollo óptimo de su hijo.

La relación de cariño da confianza para afrontar la vida

El instante en que el recién nacido abre sus ojos al mundo por primera vez y dirige su mirada hacia sus progenitores, constituye algo inolvidable para muchos padres y marca el comienzo de una profunda relación de cariño y amor familiar.

Hasta hace unos 20 años se creía todavía que el recién nacido no podía distinguir de una manera la cara de los padres, puesto que ni siquiera era capaz de percibir los diferentes grados de luminosidad o, si acaso, sólo de lo hacía de forma muy imprecisa. Pero esta opinión ha sido hoy día ampliamente rebatida. Numerosas experiencias han demostrado que el recién nacido ya puede ver, con claridad, a una distancia entre 18 y 32 centímetros nada más nacer.

Además, a los pocos días de su nacimiento, el bebé ya está en condiciones de distinguir la voz materna de otras voces femeninas que pueda oír. En un experimento en el que cabía la posibilidad de poner en marcha, a través de los movimientos del chupete, una cinta sonora que contenía la grabación con las voces de diferentes mujeres, se puso en evidencia que el bebé siempre prefería la voz de su madre a las del resto de las mujeres que oía. El recién nacido reconoce la cara de su madre a los dos días de nacer; y su olor, pasados unos 14 días. A los tres meses de edad, el hijo hace feliz a sus padres al dirigirles su primera sonrisa. Estas habilidades son fundamentales en el desarrollo de una relación de cariño profunda, con la madre o con la persona encargada de cuidarle y atenderle.

Ternura y dedicación

La relación de cariño intensa proporciona al niño una gran seguridad, que irá aumentando de manera progresiva en su vida futura. Para crecer sano, el bebé precisa que le dediquen mucha atención física. Necesita sentirse querido, acariciado y atendido con todo cariño y esmero. El amor y la ternura que le dan sus padres contribuye a desarrollar sentimientos como su propia autoestima y, más tarde, la correspondencia hacia los demás con el mismo amor. La persona que busca amor constantemente, suele haber recibido muy poco cariño durante la infancia.

Criar dándole el pecho fomenta el cariño

Además de por razones fisiológicas y de alimentación, criar el bebé a pecho también hace que se desarrolle psíquicamente. Los lazos de unión existentes entre los organismos infantil y materno durante el embarazo, se renuevan al dar el pecho. El contacto físico con la madre, proporciona al niño la sensación de proximidad y acogimiento.

Al principio, el bebé percibe las sensaciones mediante la piel y la cavidad bucal, a través del tacto y la succión. Si esta fase transcurre de forma satisfactoria, los efectos posteriores sobre el progresivo desarrollo del bebé también serán muy beneficiosos.

Por lo tanto, aunque usted críe a su hijo dándole el biberón, procure que la acción de la toma mantenga un ceremonial similar al de la alimentación natural; mantenga al bebé lo más cerca posible y asegúrese de que se siente querido y protegido a la vez.

El niño ha de tener confianza

Se ha observado que los bebés cuyas necesidades han sido recibidas y atendidas con premura y diligencia por parte de las madres, han desarrollado una relación estable y de confianza con ellas. Por el contrario, cuando los bebés han pasado por la experiencia de que sus necesidades no han sido comprendidas o atendidas a tiempo, se suscita en ellos – en determinadas circunstancias– una sensación de abandono fruto de la desconfianza hacia la persona que cuida de ellos.

El “anticipo de confianza” que se da a los niños mediante una relación segura, también proporcionará buenos resultados en su vida futura: la mayoría de ellos tendrán una mayor autoconfianza que los niños que han vivido una relación insegura y superarán mejor las nuevas tareas o situaciones que se les presenten. Serán más comunicativos y tendrán un alto sentido de la responsabilidad.

Cuando el niño llora

Hasta fechas recientes, los pedagogos eran de la opinión y aconsejaban a las madres que «dejaran llorar a su bebé tranquilamente». Según ellos, si se reaccionaba con prontitud a sus lloros se le mimaba en exceso y, además, llorar con fuerza contribuía a fortalecer sus pulmones.
Sin embargo, hay que tener en cuenta que los lloros del bebé están justificados. Y como el bebé depende por completo de la atención que reciba de las personas que le cuidan, los lloros constituyen el único medio eficaz de llamar la atención.
Por lo tanto, hay que tener muy en cuenta estas señales. Pero, desgraciadamente, los nuevos padres necesitan un tiempo para "adaptar" la agudeza de su oído a las necesidades del niño. En primer lugar, deben aprender a distinguir los sutiles gorjeos de los lloros cuando el bebé quiere expresar que:

- tiene hambre o sed, o ambas cosas a la vez;
- el pañal está sucio;
- tiene demasiado calor o mucho frío;
- está cansado pero a su vez tiene ganas de que jueguen con él y le hagan carantoñas;
- le duele la barriga o tiene flatulencias;
- acaso necesite sentirse querido o;
- simplemente, está aburrido.

Si el bebé se pone a llorar, déle todo su cariño y dedíquele la máxima atención.

Cómo tranquilizar a su bebé

Cuando para aplacar los lloros de nada sirven los movimientos rítmicos de la cuna, en la mayoría de los casos suele ayudar sacarle de la cuna y levantarle, acariciarle, darle masajes, hablarle o llevarle en brazos de un lado para otro. La madre pronto descubre cuál es la mejor manera de tranquilizar a su bebé.
Durante las primeras semanas de vida del bebé, es normal que llore hasta una hora y media diaria; estos lloros pueden ser incluso más largos entre la sexta y la décimo segunda semanas.
Si el bebé llora hasta tres horas diarias y se retuerce de dolores, puede sufrir el llamado "cólico de los tres meses". Consiste este padecimiento en sufrir convulsiones intestinales que comienzan hacia la cuarta semana y suelen desaparecer, repentinamente, a los tres o cuatro meses. Su causa está en los problemas de adaptación del sistema digestivo, inmaduro aún a esta edad. A pesar de que estos niños "berreones" suelen alterar los nervios de los padres más pacíficos, no queda más remedio que armarse de paciencia y seguir prestándoles todo el cariño y atención. El pediatra podrá aconsejarle para aliviar estos problemas digestivos.

El desarrollo del bebé

En el transcurso de los 24 primeros meses, el desarrollo físico y mental del nuevo ser transcurre a una velocidad tan enorme como nunca más volverá a darse en ninguna de sus fases evolutivas posteriores. Si el ritmo de crecimiento de los seis primeros meses de vida se mantuviera de continuo, «un niño normal a los diez años mediría unos 30,5 metros de altura y pesaría unas 218 000 toneladas», según estudios realizados en este campo.
La tabla de la página siguiente muestra cómo transcurre, hasta la edad escolar, el desarrollo "normal" del bebé en condiciones favorables. Representa el curso que siguen los procesos típicos de motricidad consciente, del lenguaje y del comportamiento social. En este sentido, se entiende por "normal" el grado de desarrollo que alcanzará del 90 al 95% de los niños al final del tiempo establecido. Se trata, en todo caso, de valores indicativos como los que utilizan los pediatras en los exámenes médicos preventivos. El hecho de que, en casos concretos, el grado de desarrollo de un niño difiera en varios puntos del esquema expuesto no debe ser motivo de preocupación. No obstante, si el niño no ha alcanzado algunos de los niveles de desarrollo correspondientes al tiempo indicado puede ser un indicio de retraso en su evolución. Si es así, lo mejor es que el pediatra nos aclare este punto.

Progresos en el desarrollo del niño (desde el primer día de vida hasta los 5 años de edad)

Edad	Motricidad	Lenguaje y juego	Comportamiento social
1 mes	Gira la cabeza boca abajo.	Sonidos guturales cortos.	Toma contacto con la vista.
3 meses	Levanta la cabeza con seguridad en posición boca abajo.	Serie de vocales, gritos diferenciados.	Mantiene el contacto visual, reacciona con sonrisas cuando le hablan y al ver las caras.
5 meses	Mantiene vertical la cabeza al levantarle y mientra está en posición "de lado".	Ríe en voz alta.	Siente curiosidad y alegría .
6 meses	Controla la cabeza al cambiarle de postura.	Da gritos de alegría, hace gorgoritos.	
9 meses	Se sienta con soltura y seguridad, se arrastra.	Serie de sílabas con "a".	Fija la vista en objetos y lleva cosas a la boca.
12 meses	Se pone de pie asiéndose a objetos, agarra cosas como con pinzas y gatea.	Bisílabos con "a", "lala, baba".	Encuentra objetos que han sido escondidos en su presencia.
15 meses	Da tres pasos, por lo menos, sin ayuda.	"Mamá", "papá" u otras palabras.	Da palmadas, imita comportamientos de los adultos y bebe por una taza.
18 meses	Anda libremente.	Dice tres palabras con claridad.	Juegos de símbolos: por ejemplo una caja se convierte en un auto; entiende indicaciones fáciles.
2 años	Domina ponerse en cuclillas y volver a ponerse de pie sin apoyarse, sube escaleras poniendo los pies en el mismo peldaño.	Frases de dos palabras: "papi ven".	Defiende algunos de sus juguetes, imita acciones de los adultos (calzarse los zapatos, ponerse el sombrero, pintarse los labios y cosas similares).
2 1/2 años	Salta libremente.	Dice el nombre de láminas y dibujos.	Juega a desempeñar papeles pequeños.
3 años	Anda en triciclo.	Frases de varias palabras, emplea el "yo", el "tú" y el plural.	Muestra compasión (trata de consolar) y apego, juega a desempeñar papeles distintos (a médico, a madre e hijo, etc.).
4 años	Sube escaleras con un pie en cada peldaño, puede mantenerse sobre una pierna (al menos durante 3 segundos).	Hace preguntas ("por qué", "quién", "dónde", "qué"), cuenta cosas que le han pasado, tiene concepto del tiempo.	Pinta muñecos con rayas, conoce colores, juega con otros a desempeñar papeles.
5 años	Puede saltar con una pierna 5 veces seguidas.	Habla con bastante buena gramática.	Puede dibujar triángulos, jugar a juegos de mesa fáciles y contar al menos hasta seis.

Desde la torpeza de movimientos hasta la búsqueda de objetivos: el desarrollo motor

Durante los primeros días de vida, los movimientos de un lactante son muy torpes e incapaces para poder realizar cualquier tipo de acción. La facultad de realizar movimientos estereotipados concretos (motricidad) como son, por ejemplo, los característicos de un niño en edad escolar, tienen que desarrollarse durante su proceso evolutivo.

Al parecer, este desarrollo sigue un modelo único en todas las culturas: así tenemos que a los tres meses todos los bebés del mundo son capaces de sonreír por primera vez a las personas presentes en su entorno inmediato o, a partir de entonces, tratan de alcanzar cualquier objeto que está a su alcance.

El lactante tiene que aprender, poco a poco, a dominar su cuerpo. Proceso que incluye "desde la cabeza a los pies". En el supuesto de que un bebé ya pudiera girar su cabeza nada más nacer, todavía tendrían que transcurrir cuatro semanas para que la pudiera mantener verticalmente durante algún tiempo.

Al comienzo del segundo mes, el bebé comenzará a prestar especial atención a sus manos. Es muy probable que la simple observación de sus manos, sea condición necesaria para después extenderlas y tomar un objeto concreto. Tendrá que pasar otro medio año, al menos, para que el bebé sea capaz de coordinar sus piernas y avanzar a gatas.

El comportamiento social se afianza

Las influencias del mundo que nos rodea, desempeñan en el niño un papel muy importante –mucho más de lo que se pensaba– en el desarrollo de su comportamiento social. El desarrollo psíquico y mental del propio lactante necesita estímulos de su entorno inmediato. Si un niño pasa los primeros años de su vida en un ambiente exento de cariño y dedicación, aparte de retrasar su desarrollo psicomotor es muy probable que más tarde surjan problemas en el trato con sus iguales. Su facultad de relación con los demás, es decir, su capacidad para entablar contacto con otros o de solucionar conflictos junto con otras personas –su comportamiento social– puede resultar dañada.

Según se deduce de las investigaciones llevadas a cabo en los años sesenta en algunos orfanatos de países desfavorecidos económicamente y pertenecientes a otro ámbito cultural, el desarrollo de los niños allí recogidos había sufrido un retraso considerable pues, aunque tenían cubiertas sus necesidades alimentarias, vivían en un ambiente de miseria, sin afecto de ningún tipo, sin nadie que les cuidara y sin estímulo alguno para jugar. A los 19 meses de edad, casi la mitad de los niños observados eran incapaces de sentarse por sí solos; y a los 33 meses, ni siquiera el 10% había aprendido a andar. Todos ellos tenían un caracter muy retraído y desconfiaban de las personas extrañas que intentaban acercarse a ellos.

El bebé descubre el lenguaje

Hacia la octava semana de vida, muchos bebés empiezan a "conversar" con sus padres, estableciendo un diálogo particular con sonidos guturales. La actitud positiva de los padres al hacer suyos estos sonidos, estimula al bebé y le anima para que se produzcan los primeros escarceos con el lenguaje. Aunque no puede decirse que tengan un significado concreto, cuando por primera vez el bebé (hacia los seis meses de edad) pronuncia sílabas como "ba, ba, ba", sí puede afirmarse que con estos sonidos está aprendiendo a controlar sus nuevas habilidades linguísticas.

Hasta que no cumpla los ocho o los diez meses, el niño no será capaz de dar una intencionalidad expresa a esas manifestaciones. Así, por ejemplo, señalará directamente a su osito, a su muñeco de trapo preferido y dirá "ete" con claridad.

El bebé aprende a hablar imitando las voces de sus padres.

El bebé se independiza: el párvulo

Motricidad, movimientos a tientas

Torpe e inseguro, el bebé da sus primeros pasos al año o año y media de edad en busca de su independencia. Acontecimiento que llena de orgullo a sus padres. A los dos años, el niño da la impresión de que a cada paso todavía va a "caerse" hacia adelante debido a la inercia de su propio peso, y a que mantiene sus brazos colgando distendidamente a ambos lados del cuerpo.

Lenguaje: tres palabras en lugar de una

Por lo general, poco antes o después de su primer cumpleaños, el niño pronuncia las primeras palabras referidas casi siempre a personas, objetos o sucesos. Estas primeras palabras suelen estar relacionadas con objetos de la vida diaria; y, para poder establecer esta relación, es preciso que los ojos del niño perciban con claridad y en todo su esplendor el objeto en cuestión. Si la madre va mostrándole uno a uno los objetos de su entorno al tiempo que pronuncia su nombre con toda claridad, el niño aprenderá el lenguaje con mucha más facilidad.
En esta fase de aprendizaje, el significado de una frase puede sustituirse por palabras aisladas para su mejor comprensión. Se habla entonces de frases de una sola palabra. Más o menos a la edad de 18 meses, el niño suele entrar en la fase de las frases con dos palabras. Expresiones como por ejemplo «babau, hummm», sirven para dar a entender a su madre cuál es su juguete de peluche preferido. A punto de cumplir los 28 meses de edad, el niño ya está en condiciones de construir frases con tres palabras, que expresa con una pronunciación bastante más clara.

Comportamiento social y juego

Por lo general, el niño siempre tratará de hacer lo que ve. Si construye una torre con los cubos de madera de un niño de dos años, éste querrá colaborar. Y cuando al alcanzar una determinada altura la torre se tambalea y cae al suelo, el estruendo de los cubos al derrumbarse hace que muestre su alegría. Esto hará que provoque de continuo el derrumbamiento de la torre. El niño juega por jugar, porque le divierten las cosas más o menos imprevisibles que puedan suceder. La experiencia adquirida mientras juega le permite ampliar su campo de acción y, con ello, "conquistar" el mundo.

Libertad y apoyo

A esta edad el niño ya es capaz de analizar a sus iguales con mayor conocimiento de causa, mostrándose así una persona independiente. Intenta imitar en sus actos y acciones a las personas adultas, y defiende sus juguetes cuando alguien se los quieren quitar.
Cada vez que da un paso hacia adelante en su conocimiento, el párvulo extiende su campo de acción. Seguro de sí mismo, bajo la protección de la persona con la que mantiene una profunda relación de cariño es capaz de afrontar abiertamente y sin temores todas las situaciones nuevas y desconocidas para él. Los éxitos y fracasos derivados de sus experiencias, le servirán después para poder evaluar las situaciones en su justa medida y reaccionar a tiempo como es debido. Necesita ayuda, pero también espacios cada vez más amplios donde se sienta seguro.
Con esto aumenta su autoconfianza y, poco a poco, disminuye la dependencia de sus padres.

La limpieza es fundamental

Por lo general, la educación del niño en cuestiones de higiene y limpieza debe comenzar normalmente a los tres o cuatro años de edad. Pero antes de esta edad, también tienen que concurrir en el niño ciertas condiciones que harán posibles sus padres:

- Ha de poder permanecer sentado ya largo tiempo sin ayuda de nadie.
- Sus facultades psíquicas y lingüísticas tienen que tener un grado de desarrollo tal, que pueda entender de qué se trata y qué es lo que se le exige.
- Deberá dar el aviso personalmente cada vez que necesite ponerse en el orinal o ir al baño.
- También tiene que ser capaz de controlar a voluntad los esfínteres, pues lo normal es que esto suceda a partir de los dos años de edad.

Los padres que desde un punto de vista egoísta intentan educar a su hijo en la limpieza antes de tiempo, verán cómo por mucho empeño que pongan el pequeño no podrá acceder a sus deseos. Entonces reaccionará negándose a hacerlo o desanimándose; y es posible que, en determinadas circunstancias, en un futuro adopte una de estas posturas cuando se encuentre ante el hecho de tener que aprender algo o se le exija hacer algún esfuerzo. Mientras no controle los esfínteres con éxito, el niño no podrá liberarse de la dependencia de su primera infancia y afianzarse definitivamente en su afán por ser independiente.

El niño en edad preescolar

Los movimientos se vuelven más seguros

Un niño de tres años camina con mucha más seguridad que otro de tan sólo dos. Así, andar por ejemplo en línea recta no supone dificultades para él.
Sabe saltar y brincar con ambas piernas, siendo capaz de mantenerse en pie al llegar al suelo. Manifiesta un gran interés y muestra todo su afán en aprender, por ejemplo, a patinar o a montar en bicicleta. Y muestra su destreza ante los demás trepando hábilmente. En el desarrollo físico del niño, se muestra ahora un cambio que resulta evidente: las todavía muy acentuadas redondeces del cuerpo del niño, se van perdiendo rápidamente; las "gorduras del bebé" desaparecen paulatinamente y se va perfilando un cuerpo más esbelto y musculoso.
El párvulo se siente orgulloso y satisfecho de poder hacer independientemente, sin la ayuda de nadie, las mismas cosas que "una persona mayor":
Aparte de una tener una mayor soltura en todos los movimientos que son propios de la motricidad más elemental, el niño también evidencia, de una manera palpable, los progresos alcanzados en su motricidad de precisión: mientras un niño de tres años de edad lucha infructuosamente por abotonar o arrastrar la "complicada" cremallera de un vestido, el de tres años ya puede realizar todas estas acciones sin el más mínimo problema. Un niño en edad escolar ya es muy hábil en el manejo de las tijeras para cortar papel: a los cinco años de edad ya puede recortar una figura con exactitud a lo largo de una línea o forma predeterminada.

Progresos lingüísticos

Poco después del tercer cumpleaños del niño, muchos padres quedan impresionados al comprobar que su hijo ya es capaz de formar frases correctamente. Aunque de vez en cuando cometa alguna falta: «Mamá ya vinió de compras». Frases como esta denotan una facultad que muchos adultos ya quisieran para sí cuando estudian un idioma extranjero.
De entre todos los modelos linguísticos ofrecidos, el niño escoge intuitivamente las reglas gramaticales y las aplica con toda naturalidad en expresiones que nunca antes había oído en su corta vida.
Es evidente que para que el niño dijera "vino", que es lo correcto, es lugar del "vinió", tendría que dominar las rígidas reglas gramaticales. Y como se comprenderá, esto no se le puede exigir todavía a un niño de esta edad. Además, tomado en sentido estricto, estas faltas más que como defectos deben considerarse progresos en el desarrollo del lenguaje infantil.

Trastornos en el desarrollo del lenguaje

Quizá los padres puedan llegar a pensar que existe un trastorno en el desarrollo del lenguaje, si al cumplir los cuatro años de edad se da alguna de las siguientes circunstancias:

- comete muchas faltas gramaticales (por ejemplo, no poner las frases en el orden correcto);
- la riqueza de vocabulario del niño es reducida;
- no comprende las exhortaciones que se le hacen.

En lugar de cambiar impresiones con sus hijos, es decir, conversar entre sí, leerles algún cuento o jugar con ellos, muchas familias prefieren la "muda" diversión de la televisión. No es pues de extrañar que casi la cuarta parte de los niños en edad preescolar de algunos países desarrollados presenten trastornos en el lenguaje.
Para que no influyan negativamente en el desarrollo de la personalidad del niño, es importante que este tipo de trastornos sean diagnosticados lo más pronto posible por el médico o por el pediatra.

¿Cómo piensa un niño pequeño?

Un niño de dos años puede tener el pleno convencimiento de que el sol se acuesta a dormir cuando se pone al atardecer. También es posible que al advertir que está sobre él todo el día y se mueve de continuo, le haga suponer que está siguiéndole.
Esta forma de pensar es típica de los niños en edad escolar, ya que utilizan parámetros diferentes a los del adulto para ordenar sus observaciones: «el mundo se mueve, está vivo».
Otro ejemplo: un niño de dos años puede hacer grandes esfuerzos para partir en trozos pequeños la rica tableta de chocolate que le ha traído la abuela, pues tiene el pleno convencimiento de que la cantidad de chocolate es mayor así.

Jugar y aprender con otros niños

Podría decirse que en el juego de construir torres, el niño de tres años suele mostrar un comportamiento más "egoísta" que el niño de dos años. Intenta construir la torre más alta posible y se entristece si se desmonta o cae antes de lo previsto. Se siente orgulloso si logra construir una torre más alta que la de su compañero de juego, y siempre tiene como objetivo alcanzar metas superiores a las del contrario.

Los psicólogos denominan a esta manera de obrar "comparación social". Esta competencia con el compañero de juego sirve de acicate para que el niño rinda cada vez más, y le anima especialmente a emprender nuevas tareas ni muy fáciles ni difíciles. Si resultan demasiado difíciles no se atreverá a realizarlas; si son muy fáciles, el hecho de superarlas no estaría al nivel de su habilidad.

Estímulos provechosos

Si los padres desean estimular a su hijo para que realice tareas de las que pueda sentirse orgulloso y contribuir así a aumentar su propia autoestima, es importante lograr mantener el equilibrio en las capacidades y exigencias. Siempre hay que anteponer el juego y la diversión a cualquier otra cosa. Para motivar al niño que siente pánico frente al fracaso, se debe empezar por encomendarle al principio tareas fáciles que pueda hacer y que se irán complicando poco a poco con el paso del tiempo. Dedicar los padres alabanzas por el éxito conseguido, beneficia enormemente al niño.

Para el niño es tan decisivo superar nuevas tareas, como el modo en que los padres le dedican sus alabanzas o sus reprimendas. Si a un niño se le alaba incluso cuando realiza una tarea sumamente fácil, perderá el aliciente que le hace esmerarse y progresar. Lo mismo sucede en caso contrario, cuando se le alaba muy poco o se le reprende continuamente.

El juego facilita el conocimiento de las personas con quien juega y de sus gustos personales.

Ingreso en la guardería infantil

A la edad de tres años más o menos, en la vida del niño empiezan a desempeñar un papel cada vez más importante los de su misma edad. El niño ha adquirido ya una cierta madurez y comienza a ir a la guardería. Y aunque al principio juegue solo junto a los demás niños, tarde o temprano intentará establecer contacto con sus "iguales" y todos acabarán jugando en uno o varios grupos.

Entre tanto, la capacidad de concentración y de resistencia del niño se han desarrollado de tal manera que puede estar ocupado realizando series de juegos durante 15 minutos o más sin interrupción. La capacidad de respuesta del niño en las diferentes relaciones sociales, se pone a prueba en los "juegos de rol".

Además, el ingreso en la guardería infantil o la integración en un determinado grupo de juego favorece el que el niño deje de depender tanto de sus padres. Así, tendrá que afrontar nuevas situaciones sin tener cerca a la persona que se encarga de cuidarle y a desenvolverse en un ambiente distinto al de casa. Esto tiene una importancia extraordinaria para el desarrollo posterior de su independencia.

Aprender a resolver conflictos

Dentro del grupo pronto salen a la luz las diferentes peculiaridades de todos sus integrantes, por lo que poco a poco el niño el niño se verá obligado a adoptar una forma de conducta que le permita evitar conflictos. Para poder resolverlos, los niños han de tener un cierto grado de empatía e involucrarse en la realidad de los sentimientos ajenos. El egocentrismo tan fuerte presente en el niño de dos años, se debilita en la edad preescolar a medida que aprende a respetar la forma de pensar de los demás y conoce sus necesidades.

Sin embargo, el niño que aún no tiene siete u ocho años de edad es incapaz de hacerse un juicio justo sobre su entorno, pues no tiene la capacidad necesaria para valorar las manifestaciones y los sentimientos de otras personas y, por lo tanto, no puede juzgarlas como corresponde. Al fin y al cabo, su forma de observar el mundo sigue siendo la de un niño en edad escolar. Dentro del grupo, el niño también aprende a respetar las reglas y preceptos; condición esta muy importante para cuando después vaya a la escuela.

Edad escolar y pubertad

El primer día de clase, muchos padres llevan a sus hijos al colegio anunciándoles que «comienza una etapa muy importante de su vida». Desde este momento, el niño deja de estar bajo la protección paterna en medio de un sentimiento de orgullo y temor.
La escolarización conlleva la separación gradual de los padres y supone el inicio de una etapa que continúa durante la pubertad, hasta consumarse totalmente.

La escuela es un lugar donde se puede hacer nuevos amigos y divertirse en grupo.

El niño en edad escolar

La entrada en la escuela representa, tanto para los padres como para los hijos, uno de los acontecimientos más trascendentales de la infancia (entre los cinco y los diez años de edad). Los niños asumen una gran responsabilidad con su nuevo papel, e incrementan sus expectativas.
A la vista del desarrollo físico, psíquico y mental del niño, muchos padres se preguntan si tendrá la madurez suficiente para ir a la escuela o quizá sería mejor retrasar un año más su escolarización.

¿Cuándo está maduro el niño para ir a la escuela?

Antes, el desarrollo físico pesaba más en la decisión de escolarizar a su hijo. Hoy día, este criterio es uno más de los que se siguen para decidir si un niño ha alcanzadomadurez para ir a la escuela.
Sin embargo, en la decisión de si se retrasa o no la escolarización del niño han de prevalecer las facultades psicosociales de éste.

Rasgos diferenciadores que indican un comportamiento social maduro

- Aparte de la fuerza física, el niño está en condiciones de resolver sus conflictos mediante el diálogo.
- A esta edad es capaz de negociar compromisos y, en circunstancias concretas, salir en defensa de las necesidades de otros niños de menor edad o más débiles.
- Puede aceptar que se releguen a segundo término sus propias necesidades (tolerancia de la frustración) y conformarse con la idea de dejar de ser siempre el centro de atención.
- En la vida diaria de la escuela, también es importante que el niño respete las normas y esté dispuesto a realizar las tareas que se le encomiendan.

En los casos que resulte cuestionable si el desarrollo intelectual del niño es apto para las exigencias de la escuela, se realizarán las pruebas de madurez correspondientes con el fin de poder valorar claramente las facultades lingüísticas, de creatividad y de pensamiento lógico y abstracto.

Rendimiento y afán de superación

Durante el primer año de escuela, el niño debe entender que el aprendizaje es una mezcla de juego y obligación. Si se siente presionado en sus obligaciones antes de tiempo, puede perder las ganas de aprender cosas nuevas y de realizar las tareas que se le encomienden.
- Una alabanza a tiempo estimula mucho al principiante, pero también el interés sincero de los padres por lo que hace. Pregúntele qué hace a diario en la escuela, qué es lo que le gusta y lo que no le gusta tanto.
- Interésese también por los grupos de amistades de que forma parte, y por los posibles problemas que pueda tener con el profesorado. Es muy importante para el niño que le presten atención a lo que hace fuera de casa, y a que se le ofrezca apoyo y comprensión en cualquier tema. Luego, analicen juntos las posibles salidas a las dificultades planteadas.
- Si el niño no quiere contar nada en un momento determinado, evite forzarle a hacerlo hasta que se sienta predispuesto. Muchos niños prefieren al principio guardar silencio sobre sus vivencias, para contarlas más adelante a sus padres cuando salen juntos de paseo o antes de irse a la cama. Muestre interés por lo que le cuenta y déle a entender que le toma en serio.

El ritmo adecuado de cada niño

• La planificación del ritmo diario, permitirá al escolar acostumbrarse más fácilmente a esta nueva etapa y a trabajar con más concentración. Pero debe mantenerse el equilibrio: se le debe pedir "lo justo" según sus capacidades. Lo mejor es examinar la situación y descubrir juntos cuándo y en qué ambiente puede trabajar mejor.
• Evite que su ambición personal le haga someter a su hijo a una presión adicional. Los fracasos escolares suelen minar la autoconfianza del niño, aunque muchos no lo expresan abiertamente. En todo caso, lo que necesita es consuelo, comprensión y estímulo.
• Además de las actividades extraescolares programadas, muchos padres quisieran ofrecer a sus hijos otras para su perfeccionamiento: clases de música, cursos de pintura y manualidades o actividades deportivas. Pero la jornada escolar a veces es tan completa, que el niño no tiene tan siquiera un rato que poder dedicarse y desarrollar su imaginación. Especialmente en la edad escolar, es necesario que el niño tenga el suficiente tiempo libre para jugar.
• A todo esto hay que añadir el mayor valor que va teniendo hacer amigos. Un grupo estable de amistades es el medio apropiado para que su hijo mantenga su "independencia" fuera de casa y, a la vez, sirve para fomentar sus facultades sociales.

La época anterior a la pubertad

Al llegar a la edad de nueve o diez años, muchos niños muestran ya –con gran vehemencia a veces– una creciente tendencia a una mayor independencia de sus padres e incluso del resto de sus hermanos y familiares. Se rebelan contra los adultos o por otra parte tratan de retraerse más a menudo.
Esta etapa también está caracterizada por los cambios físicos que en ella se operan; así, las jovencitas se quejan de que les duelen los pechos. La mayoría de estos síntomas no hacen sino anunciar que la pubertad está próxima a llegar. Se llama "pubertad" al período de la vida en que se da la madurez sexual y las personas desarrollan su facultad reproductora. Desde principios de siglo XX, sobre todo si se compara con épocas anteriores, no sólo se advierte a simple vista el proceso de desarrollo y el aumento de estatura de los jóvenes, sino también el proceso de maduración sexual habido.
Antes de que aparezcan los primeros síntomas en los hijos, ya se debería haber abordado el tema de la pubertad con ellos en casa y explicado los cambios físicos y psíquicos que la acompañan. No faltarán ocasiones para prepararles. Incluso los propios niños son quienes suelen hacer preguntas esporádicas, a no ser que eviten sacar el tema al advertir que sus padres no satisfacen su curiosidad.

El interés de los niños por la sexualidad

La curiosidad por la sexualidad ya se manifiesta a los tres años, cuando comienzan a hacer preguntas. También, cuando quieren saber por qué papá y mamá son diferentes después de observarlos cuando se bañan con ellos. Si los padres responden a estas preguntas con la mayor naturalidad y no tienen ningún complejo al hablar sobre ello, el tema de la "sexualidad" no resultará difícil de abordar más tarde de una manera extensa.
Las primeras nociones sobre la vida sexual no deben convertirse en una "lección" que los padres imparten, con mayor o menor acierto, por obligación y que luego se echa en el olvido. Muy al contrario, es un proceso continuado que afecta a los padres y a los hijos. A éstos, porque comienzan a hacerse preguntas concretas al alcanzar cierto grado de desarrollo; y a aquéllos, porque son los primeros interesados en inculcar a sus hijos los primeros conceptos sobre la sexualidad. Hay etapas de la vida en que el tema de la "sexualidad" tiene más relevancia para los niños o los jóvenes; entonces los padres deber estar dispuestos a hacer de interlocutores competentes, pero sin apremiar en ningún caso al niño. También es importante que los padres acepten el recelo del niño frente a ciertas cuestiones de la sexualidad, prescindiendo entrar en detalles si no les preguntan al respecto.
En ciertos casos, es frecuente que algunas revistas juveniles ejerzan esta labor de "iniciación". Muchos padres quedan perplejos, al hojearlas, de los consejos tan detallados e íntimos que en ellas se dan. Prohibir su lectura no haría sino aumentar su interés.
Un consejo: lea usted primero ese tipo de revistas, dé después una opinión objetiva a sus hijos acerca de su parecer sobre lo que allí se dice e intente mantener su imparcialidad al conocer lo que piensan ellos al respecto de dichas publicaciones.

La pubertad

El cambio fisiológico que supone y caracteriza a la pubertad comienza, por regla general, entre los 9 y los 14 años de edad en la mayoría de la chicas, y entre los 10 y los 16 años de edad en los chicos.
Impulsos nerviosos procedentes del cerebro medio (*diencéfalo*) hacen que la hipófisis envíe señales a las glándulas sexuales, dando lugar a una mayor producción de estrógenos (*hormona femenina*) en los ovarios de las muchachas y de andrógenos y testosterona (*hormonas masculinas*) en los testículos de los muchachos.
A partir de aquí, pueden pasar uno o dos años hasta que las chicas tengan su primera menstruación (*menarquia*) y se inicie la producción de los primeros espermatozoides en los chicos.

Aceptar los cambios

Los cambios físicos que se producen en las chicas, desarrollo de los pechos y del vello púbico, y en los chicos, cambios de voz, aumento del tamaño del pene y testículos y crecimiento de barba y vello púbico, intranquilizan por igual –aunque por motivos bien diferentes– tanto a padres como a hijos. Los primeros, porque temen –muchas veces con razón– que la madurez psíquica y mental todavía no guarda relación con el desarrollo físico adquirido y que los púberes puedan expresar sus primeros deseos de independencia rebelándose contra lo que ellos representan dentro de la familia.
Los segundos, porque cuando se encuentran en el umbral de la juventud sienten –en la mayoría de los casos– una gran inseguridad al vivir siendo niños en un cuerpo de adulto que puede ocasionarles conflictos de personalidad.
Se vuelven así irritables, y necesitan toda la paciencia y comprensión de una persona adulta. Si no se les explica todo como es debido, es muy posible que los cambios operados tales como la primera menstruación, la primera erección o la primera eyaculación les produzca miedo y preocupación.
Los cambios físicos suscitan muchas preguntas en los adolescentes, aunque todavía suelen estar muy poco relacionadas con el amor y el sexo. Sí tienen que ver, sobre todo, con los procesos biológicos. A los padres preocupados siempre por tratar el tema de la sexualidad sin ambages, les resultará más fácil dar respuestas sinceras a las preguntas de sus hijos. Podrán explicarles entonces que el juego erótico, el apetito sexual y la pasión son aspectos tan inherentes a la vida en pareja como lo es la facultad de conversar mutuamente.

Desligarse de los padres y encontrarse a sí mismo

Muchos padres se lamentan de que sus hijos púberes se alejen de ellos, evitando todo contacto físico y reaccionando con susceptibilidad y rechazo a cosas tan habituales como darles un beso al irse a la cama o abrazarles con afecto.
En este aspecto, conviene que los padres respeten ese intento por marcar distancias, pues resulta de vital importancia en el desarrollo de los hijos. El tiempo de emprender algo en común en el seno de la familia, da paso en las chicas a la complicidad con "su mejor amiga" y en los chicos con "su compañero de escuela".
Al llegar a esta etapa, muchos padres suelen temer que sus hijos se les escapen de las manos o de que no puedan controlarles e intentan salvar la convivencia familiar dándole nuevos bríos. Y, sin embargo, este paso es de crucial importancia para los hijos que se hallan en el umbral de la pubertad, ya que simboliza el desligarse de los padres y asumir la propia responsabilidad. Tampoco tiene sentido el que los padres intenten siempre controlar el comportamiento de su hijo en todo momento y de conducirle constantemente por el camino que ellos consideran adecuados. El hijo sigue queriendo a los padres igual que antes de llegar a la pubertad, aunque parezca que ahora da mucha menos valor a la convivencia familiar. Y si sus padres le han hecho saber que puede plantearles sus problemas siempre que quiera, seguro que lo hará si es necesario.

Las primeras experiencias con el otro sexo

¿Quién sale con quién? ¿Qué chica o chico gusta a cada uno? ¿Cuáles son los lugares de reunión habituales? ¿Quién ha besado ya a un chico o a una chica? Todos estos son temas que suelen estar a la orden del día entre los adolescentes de 12 a 13 años de edad. Sin embargo, la atracción erótica entre jóvenes de distinto sexo no acostumbra a llegar más allá de unas cuantas carantoñas y abrazos. En muchos casos, el hacerse amigo a amiga de una persona viene a ser más bien cuestión de "prestigio social".
Es raro que a esta edad se traten cuestiones de "sexualidad" con los padres, pues prefieren hacerlo con las personas de su misma edad. Los padres deben respetar esta predilección, ya que difícilmente se harán con la confianza de su hijo a la fuerza. Lo realmente importante es que sepa que, siempre que lo desee, «están ahí para lo que quiera preguntarles».

La primera vez

Alguna vez tiene que suceder por primera vez: dos jóvenes, casi siempre con edades comprendidas entre los 16 y 17 años, se enamoran locamente el uno del otro y terminan acostándose juntos.
Los padres la mayor parte de las veces sospechan, pero los jóvenes suelen encerrarse en sí mismos y su inaccesibilidad hace que éstos se preocupen aún más. ¿Hasta qué punto tienen derecho a entrometerse en la vida de sus hijos, ya casi adultos? ¿Estarán debidamente informados sobre las técnicas de anticoncepción más seguras y sobre los peligros de las enfermedades de transmisión sexual como el sida?
Lo cierto es que aunque es importante dejar un margen de acción y confianza para que los hijos asuman su propia responsabilidad, como también lo es hablar con ellos con sinceridad sobre el comportamiento sexual responsable en cualquier lugar y situación.

El primer amor se acompaña de sentimientos profundos, pero también de inseguridad y falta de confianza en uno mismo.

Los jóvenes y la incitación a practicar el sexo

Para muchos jóvenes, acostarse con su pareja es una cuestión de prestigio social. Los padres deberían prevenir a sus hijos sobre acceder a las pretensiones de relaciones sexuales ante la insistencia del "amigo", sólo para granjearse el reconocimiento de los demás o, incluso, para no andar de acá para allá "pelando la pava". Los jóvenes que en su entorno familiar carecen del apoyo y reconocimiento de sus padres, son los más propensos a ocultar sus propios sentimientos y necesidades. Precisamente en este momento es indispensable que los padres fortalezcan la autoconfianza de su hijo y de hacerle saber de que "están con él o ella". Así, en caso necesario, será lo bastante fuerte para resistir la presión del grupo.
También aquí desempeña un papel muy importante el ejemplo que haya recibido de sus padres. Si éstos viven su sexualidad con naturalidad en pareja y saben transmitirle el sentimiento de que "no es nada sucio" sino algo muy valioso e importante en la vida de las personas, la mayoría de estos hijos valorarán conscientemente los aspectos positivos y negativos de sus propios deseos, necesidades y limitaciones.

La inseguridad y la competición

Los jóvenes que están pasando la típica crisis de la pubertad, es frecuente que muestren una gran inseguridad. La valoración que hacen de su persona depende, en gran medida, de las expectativas y de los hábitos de los demás. Éstos son los de su misma edad, el *Peer-group* que llaman los sociólogos. Así el joven pone a prueba el efecto que causa en su grupo o pandilla, e intenta la confirmación de su identidad entre los amigos y compañeros de su edad.
Este egocentrismo tan marcado suele causar conflictos entre los adultos. En la búsqueda de su propia identidad, interpretar diferentes papeles es fundamental para los jóvenes. Pero han de saber hasta dónde pueden llegar sin coartar demasiado a los demás, herirles o poner en peligro la integridad de nadie. Pero si el adolescente se dedica al consumo de drogas, o entra en contacto con bandas juveniles, sectas o cualquier cosa similar, los padres están obligados a intervenir y, si es preciso, a buscar ayuda ajena fuera de la unidad familiar.
El paso de adolescente a adulto exige que el joven tenga la oportunidad de adaptarse y de encontrar su propia personalidad, entrando aquí en juego también la posibilidad de que ponga en tela de juicio –con vehemencia incluso– los valores defendidos por los padres.
Para padres y educadores no siempre es fácil comprender la forma de pensar de los jóvenes, sin tener que renegar por ello de sus propios principios. Hallar el justo equilibrio entre la mayor libertad de los adolescentes y el apoyo que todavía necesitan en esta etapa tan crítica de sus vidas, también requiere un alto grado de sensibilidad y comprensión.

La edad adulta

Los procesos de maduración congénitos dejan una huella indeleble en el desarrollo de la propia personalidad, sobre todo durante la infancia y la juventud. Por el contrario, estos procesos de maduración desempeñan un papel secundario en el desarrollo de una persona adulta donde se advierte, más que nada, la huella dejada por la acción continuada de los llamados "avatares de la vida". Los psicólogos entienden este concepto como los acontecimientos decisivos que exigen de una persona la capacidad de adaptación precisa para salir airosa y con éxito de las situaciones cambiantes o condicionamientos que se presentan a lo largo de la vida. Entre ellos se cuentan, por ejemplo, la incorporación a la vida laboral, el inicio de una vida en pareja estable, la paternidad, el divorcio, la muerte de un ser querido, la jubilación y un largo etcétera.

Hallar metas en la vida

Crisis y retos

Los "avatares" que nos asaltan en el transcurso de la vida producen inseguridad en las personas afectadas, tanto en su aspecto psíquico como en el sentimental. Estos imprevistos obligan a ver la vida desde otra perspectiva, analizando con detenimiento las metas alcanzadas hasta entonces. Las conmociones psíquicas suelen ser el detonante definitivo que impulsa a acometer las metas que la rutina de la vida cotidiana había echado en el olvido. Los psicólogos suelen llamar a estos cambios "tareas evolutivas". Los acontecimientos de la vida típicos de una etapa, por ejemplo, formar una familia desde la responsabilidad que impone la edad adulta, se asimilan con mayor facilidad que los acaecidos repentinamente y sin previo aviso, como puede ser la muerte de uno de la pareja a una edad temprana o que se considere le quedan algunos años para disfrutar al llegar a la edad de jubilación. Todo lo expuesto hasta aquí quiere decir que, por lo menos hasta cierto punto, podemos prepararnos psicológicamente.
Crisis trascendentales, como puede ser la pérdida del puesto de trabajo o las enfermedades graves, suponen grandes desafíos para el afectado. Sin embargo, modelos de conducta flexibles harán que los supere con éxito. Ser una persona adulta y comportarse como tal, también significa estar en condiciones de aprender algo positivo de las crisis.

Cada uno debe organizar su vida

Hace unas cuantas décadas, la intimidad de la vida de cada persona estaba mucho más marcada que hoy por los convencionalismos sociales y por las realidades biológicas. Las personas se casaban, o las casaban, en cuanto estaban en edad de procrear. La única condición necesaria e indispensable es que el hombre tuviera un puesto de trabajo que garantizara a la nueva familia unos ingresos seguros. El primer hijo solía llegar, casi siempre, al año justo de la boda. El estricto control social que se ejercía sobre las personas significaba, por un lado, la coartación de la libertad individual de decisión y, por otro, el blindaje a que se le sometía dentro de un marco de seguridad y orientación.
Pero pasado este tiempo, en la sociedad actual los enlaces establecidos de antemano se han convertido en la excepción que confirma una regla afortunadamente ya desaparecida. Hoy en día, la posibilidad que existe de que cada persona pueda decidir individualmente cómo organizar su propia vida hace que se suscite con más candencia que antes si cabe cuál es el momento apropiado para contraer matrimonio o formar una pareja de hecho con otra persona del sexo opuesto. Decisión que en muchos casos suele traer consigo conflictos internos que han de ser resueltos en el ámbito estrictamente personal de los afectados.

Tomar las propias decisiones

Hoy, los jóvenes permanecen en casa de los padres mucho más tiempo que antes y disfrutan allí de las ventajas de "pensión completa" y del "calor del hogar". La etapa de formación dura más tiempo y, por consiguiente, se retrasa la incorporación a la vida laboral. El casamiento no está sujeto tampoco a una edad determinada. Muchas parejas jóvenes viven juntas mucho antes de decidirse a dar el importante paso de contraer matrimonio. Aumenta el número de hijos nacidos de esas comunidades llamadas "parejas de hecho". Las mujeres se enfrentan a la dificultad de compaginar su vida profesional con el deseo de tener hijos. Cada vez son más las personas que prefieren vivir libres e independientes para realizarse.
También tiene mucha importancia para ellas poder tomar sus propias decisiones y que nadie se entrometa en su plan de vida. Las estadísticas demuestran que con el bienestar de una sociedad crece también la tendencia a tener menos hijos o ninguno.

Satisfacción plena en la vida profesional

Como quiera que la actividad profesional ocupa una gran parte de nuestra vida, no debe dejarnos indiferentes el hecho de sentirse contento con el trabajo que se desarrolla. Además, un ambiente grato donde se cumplan unas condiciones óptimas y reine el compañerismo es fundamental. Así, cada vez son más las personas que no sólo buscan en su profesión una seguridad existencial que les haga posible llevar una vida digna, sino la posibilidad de realizarse y de hallar satisfacción personal en lo que hacen. El trabajo que se hace con agrado es más gratificante, llevadero y de resultado altamente positivo.

Cómo elegir la profesión adecuada

La incorporación a la vida laboral de una persona adulta, pero todavía joven, representa un acontecimiento de gran trascendencia. Mientras muchos jóvenes están deseosos de empezar a trabajar para disponer de su "propio dinero", a otros muchos les aterroriza la sola idea de pensar que, a partir de ahora, estarán atrapados dentro de un sistema social que les limitará la libertad de la que disfrutaban.
La persona que empieza a ejercer una profesión muchas veces se siente desilusionada, pues su falta de experiencia le obliga a tener que hacer trabajos rutinarios. Para evitar desengaños futuros, debería informarse lo mejor posible sobre las exigencias de la profesión que pretende ejercer. Los jóvenes pueden interesarse por la actividad de las empresas a las que puede acceder, realizar trabajos veraniegos o campañas de orientación profesional como voluntario en "trabajos ecológicos" o de otro tipo, para poder hacerse una idea exacta de la "profesión soñada".
Antes de inscribirse en un determinado curso, los futuros estudiantes tienen la oportunidad de participar en conferencias o seminarios que les sirvan de orientación. Así podrán obtener una impresión general de la carrera elegida y enterarse de todas las posibles "salidas" que tiene en el mundo laboral, pues cuanto más identificados estén con la disciplina de que se trate más fácil les resultará.

Satisfacción en el trabajo

Además de las condiciones objetivas del puesto de trabajo, la satisfacción en la función que se realiza depende principalmente de la actitud frente a la actividad de que se trate. Los diferentes aspectos de la profesión que permite realizar trabajos variados y responsables, ofrezca perspectivas de mejorar profesionalmente o sea atractiva desde el punto de vista económico son valorados de distinto modo según las diversas personas.
En la lista de prioridades, unos la encabezan con el sueldo, otros dan mucha mayor importancia a trabajar a gusto y la posibilidad de poner en práctica sus propias ideas o los conocimientos adquiridos, etcétera.

Mujeres y profesión

Las mujeres que trabajan fuera de casa, si se compara el trabajo que realizan, suelen tener salarios más bajos y menor consideración profesional que los hombres; además porcentualmente, ocupan muchos menos cargos directivos en las empresas que éstos.
Y, sin embargo, aparte de las razones económicas, la mayoría de las mujeres prefieren tener un empleo para poder realizarse como personas. Pero a muchas mujeres trabajadoras se les plantea el problema de compartir trabajo y maternidad, teniendo que sumar a las obligaciones domésticas y laborales el cuidado de los hijos.
Si la madre trabajadora no cuenta con el apoyo y colaboración de su pareja, este esfuerzo descomunal puede causarle a la larga un grave deterioro en su salud. Sin embargo, en términos generales puede afirmarse que la actividad laboral influye de manera positiva en su bienestar y salud. Según investigaciones, la incidencia de infartos en mujeres de entre 45 y 74 años de edad es mucho menor en las trabajadoras que en las no trabajadoras.

Además de en casa, las mujeres participan cada vez más en el mercado laboral con su trabajo.

El amor y la vida en pareja

Aunque hoy día ya no tiene el mismo significado y valor que hace algunos años y compite con otros muchos objetivos que impone la sociedad, casarse y formar una familia sigue considerándose como una de las máximas aspiraciones en la vida. El alto grado de satisfacción y de calidad de vida que exigen para sí muchas personas, repercute asimismo en la vida de la pareja. Muchos matrimonios fracasan al no verse cumplidas sus expectativas económicas o sociales, y cada vez son más las personas que prefieren –en mayor o menor grado– vivir solas o bien en pareja pero manteniendo cada uno su independencia social y económica.

Soledad con pareja y "en solitario"

¿La autorrealización personal se ve afectada por la vida en común con una pareja estable?
Cada vez son más las personas sin compromiso que se muestran incapaces de establecer una relación sentimental duradera en la búsqueda de su "pareja ideal", es decir, una persona que se entregue en cuerpo y alma sin pedir nada a cambio. Prefieren mantener relaciones amorosas de corta duración, dando a entender que optan por vivir sin compañía pero, a su vez, se mantienen siempre en guardia como si estuvieran buscando algo imposible de encontrar. La industria recreativa y del ocio parece haber descubierto un filón de oro en el creciente número de personas que viven solas, y que explota a través de la publicidad. Pero el peso de la soledad se deja sentir especialmente con la llegada de la edad madura, donde se revelan las grandes dificultades que tienen para encontrar una pareja apropiada.
En la actualidad, a pesar de que muchas parejas consideran que mantienen una relación "estable", muestran cierto desencanto al vivir en lugares diferentes y en viviendas independientes. Quieren conservar la tranquilidad de la soledad y no apuestan por la convivencia en común, que tan difícil resulta en algunas ocasiones. Naturalmente, el tener que vencer a diario la inaccesibilidad que ocasiona la falta de trato y confianza de la pareja puede quitar alicientes a la vida en común; y, por otro lado, resulta paradójico que teniendo una pareja "estable" no se desee abandonar la vida en solitario.

Vida en pareja con certificado matrimonial o sin él

Cada vez son más las parejas que optan por vivir juntas sin pasar antes por la institución del matrimonio. Tras esta decisión normalmente suele ocultarse el temor de que el contrato matrimonial oficial pueda destruir, al darse una especie de "derecho de propiedad" del uno sobre el otro, el encanto y atracción que fundamentan el respeto mutuo. Otras parejas deciden vivir en común y "experimentar" lo que es el matrimonio. Pero con certificado matrimonial o sin él, los problemas que ocasionan las rupturas de las parejas son siempre los mismos.
Una relación sentimental adquiere consistencia en el trascurso del tiempo si cada miembro de la pareja acepta la individualidad y particularidades propias del otro, si existe una comunicación abierta y sincera entre ambos, si hay un reparto equitativo de derechos y obligaciones y si reina la mutua confianza entre ambos. En la página siguiente se exponen algunos de los condicionamientos que algunas parejas consideran esenciales para lograr una convivencia armoniosa y feliz.

Deseo de tener hijos y paternidad

La llegada del primer hijo trae consigo siempre una serie de profundos cambios en la vida de los padres y, también, la asunción de la paternidad. Los sentimientos de máxima felicidad suelen ir acompañados del temor a no estar a la altura de las circunstancias que impone la paternidad y a la necesidad de tener que organizar de nuevo la vida diaria en común.

Ser padres y seguir siendo pareja

Durante los meses siguientes al alumbramiento, el recién nacido requiere toda la dedicación del mundo. Necesita calor humano físico y todo el cariño que pueda recibir; además, hay que darle de comer varias veces al día, cambiarle los pañales y bañarle. Y, por si fuera poco, hay que seguir realizando las tareas rutinarias de la vida cotidiana.
Muchos bebés mantienen su propio ritmo de sueño, que no ha de coincidir necesariamente con el de los padres. La vida en común entre los tres es emocionante y enriquecedora, aunque ahora pueden originarse algunas crisis al no poder dedicarse el uno al otro como hasta entonces, ni buscar juntos nuevos estímulos o relajarse. Si los padres se reparten las obligaciones y ambos participan en el desarrollo del hijo, se evitarán muchos conflictos de pareja.
En esta época la comunicación entre la pareja no siempre es fácil, y amenazará con venirse abajo muchas veces debido al ajetreo de la vida diaria. De ahí la importancia de reservar siempre algo de tiempo para dedicárselo el uno al otro. Si es preciso, recurra a otras personas o parientes para que hagan de "canguro" y pueda dedicarle por completo este tiempo libre a su pareja, y viceversa.

Cómo mantener viva la paternidad

De los numerosos estudios realizados recientemente entre matrimonios felices que mantuvieron una relación estable durante mucho tiempo, se desprende que en casi todos ellos se daban los siguientes condicionantes y particularidades comunes:

Superar las crisis une más a la pareja

Las crisis pueden superarse fácilmente si la pareja habla con sinceridad de sus preocupaciones y problemas, pero también si se sacan a relucir las necesidades individuales para tratar de encontrar una solución en común que satisfaga a ambos. Las crisis superadas juntos afianzan la relación de la pareja.

Resolver y aceptar mutuamente el pasado de cada uno

Para la pareja es importante que sus miembros haya dejado zanjados los asuntos relacionados con su familia, o con una relación anterior, y que se lo haga saber al otro miembro de la pareja. Esta es la única manera de evitar los "fantasmas" del pasado en relación o conflictos no solucionados y que pueden suscitar en la pareja vanas esperanzas o engaños.

La felicidad común contribuye a que la pareja permanezca unida.

Ser padres y ser pareja al mismo tiempo

El cumplimiento de las obligaciones que como padres tienen ambos componentes de la pareja, hace necesario que se tomen un respiro, de vez en cuando, y dediquen un tiempo a demostrarse el amor mutuo que se profesan.

Crear un nuevo sentimiento "común"

La pareja debe sentirse como una unidad, pero ello no implica que uno de los dos tenga que perder su propia identidad en beneficio del otro. Es importante que cada uno se autorrealice según sus deseos e inquietudes pero, siempre, se deben tener en cuenta las necesidades e intereses comunes.

Vivir una sexualidad plenamente satisfecha

Si la pareja consigue mantener vivo el deseo y establecer una relación sexual donde reine el amor, su vínculo se mantendrá por mucho más tiempo.

Sacar provecho de las discusiones

Las discusiones y conflictos se dan en todas las relaciones; y en las de pareja, hasta pueden llegar a resultar positivos. Pero su importancia radica en saber cómo resolverlos y vencerlos para que, a través del diálogo posterior, surjan posibilidades de solución. La violencia doméstica debe descartarse, pues lejos lo empeora todo.

Evitar la rutina y mostrarse divertidos

Lo mejor para evitar la rutina, es tratarse mutuamente con grandes dosis de humor. Hacer gala de buen humor fomenta la convivencia con los suyos y ayuda a salvar las posibles divergencias que surjan de la convivencia con su pareja.

Darse apoyo y cobijo mutuamente

Cada uno debe aceptar a su pareja tal como es, apoyando tanto el carácter fuerte como el débil y vulnerable de su personalidad.

Ser conscientes de la realidad

Para mantener viva la relación, es muy importante dejar a un lado la contemplación idílica que tenía de su pareja y asumir la realidad. Estar absorto en el aspecto físico de cuando se enamoraron, supone anclarse en el pasado; los recuerdos deben llevarse en el corazón, pero al mismo tiempo hay que aceptar el paso del tiempo y quererse por lo que supone toda una vida compartida y vivida en común.

Separación y comienzo de una nueva vida

Cuando en la pareja disminuye o desaparece el apoyo mutuo necesario, cuando entre ambos miembros no se dedican una palabra amable más que de tarde en tarde, cuando ya no existe esa complicidad entre los sentimientos y las confidencias y se da una "ceguera" creciente frente a los deseos y las necesidades del otro, entonces la vida en común puede estar en peligro y llegar a desaparecer. Así, el número de parejas que se separan antes de que "la muerte los separe" está en constante aumento.

Las crisis más graves en las relaciones amorosas suelen aparecer, con especial virulencia, entre los 40 y los 60 años de edad. Pero también son cada vez más frecuentes las separaciones entre las parejas que han vivido juntos 20 años o más.

La separación como solución

Cuando se llega a la separación formal de la pareja, lo normal es que ambos miembros sufran profundamente por todo lo que ello representa. Pero especialmente duro supone para las personas que, sin comprender el porqué de la separación, no aceptan sus razones. Esta es la causa que explica por qué un año y medio después de la separación, el estado físico y psíquico de las personas "abandonadas" sea mucho más grave que el de las que se han separado o divorciado empleando cauces legales. A ello hay que añadir el hecho de que muy pocas parejas logran separarse de común acuerdo y sin reproches mutuos.

Lo normal es que ambos componentes de la pareja se vean inmersos por igual en un grave conflicto psíquico: por un lado, se sienten aún muy unidos por la convivencia mutua y las vivencias que han pasado juntos, y, por otro, la solución a sus múltiples desavenencias pasa por la inevitable y, a veces, desagradable separación.

Posibilidad de un nuevo comienzo

Una separación es siempre una experiencia dolorosa, que cuesta asimilar y que sólo se supera al cabo de mucho tiempo.

Los miembros de la extinta pareja tienen ahora por delante la difícil tarea de planificar y orientar otra vez su vida, cosa que casi siempre se consigue al cabo de pasados unos dos años. Aproximadamente después de pasados unos tres años, las personas separadas ya empiezan a pensar en desposarse de nuevo en busca de la merecida felicidad a la que tienen derecho.

La separación de padres

Después de producirse la separación, los hijos son los que suelen padecer las terribles consecuencias de la hostilidad posterior. El que un niño o niña supere en mayor o menor grado la separación de sus padres, depende del grado de su madurez física e intelectual. Una separación tendrá consecuencias más graves para un niño cuanto menor sea su edad, llegando a causar daños muy graves a los lactantes y niños muy pequeños ante el temor que les invade de que puedan ser abandonados.

Para facilitar a sus hijos la adaptación a la nueva situación, los padres tienen la obligación de hacer todo lo que esté en sus manos para que no se sientan desprotegidos.

Hablar sinceramente con los hijos

Muchas parejas procuran ocultar a sus hijos los conflictos y desavenencias surgidas en su relación, simulando también "vivir en una nube de algodón" de cara al exterior. De este modo creen que libran a sus hijos de esta dolorosa experiencia, sin pararse a pensar que éstos tienen un "olfato" especial para detectar estas situaciones. Les resulta mucho más insoportable el miedo y la incertidumbre respecto a su futuro, que conocer la verdadera causa del conflicto por muy desagradable y dolorosa que sea.

• Para que la separación no les sorprenda de repente, hable con sus hijos a su debido tiempo. Hasta un niño pequeño entiende que podrá seguir contando con el cariño de su madre y de su padre en el futuro, aunque ellos ya no vivan juntos.

• Es del todo inadmisible que, encima, descargue con sus hijos los sentimientos de rabia y exasperación. ¡No intente convertir al niño en juez de las discusiones matrimoniales, instándole a tomar partido!

• Déle a su hijo la posibilidad de manifestar su tristeza y sus sentimientos de rabia e impotencia. Sus hijos no pueden apoyar a nadie, pues son ellos los que necesitan ánimos y sentir cerca a sus padres.

Crisis en la mitad de la vida

Para muchas personas, la edad comprendida entre los 40 y los 50 años constituye una etapa crítica de la vida. La inseguridad que en muchos casos supone la pérdida de imagen y deterioro físico debido a los síntomas de envejecimiento, se intensifica con mayor virulencia cuanto mayor edad se tiene.
En esta etapa, la mayoría de las personas están en la cima de su carrera profesional y se dedican a hacer balance de lo que ha sido su vida hasta ahora; se ven en la necesidad, sobre todo las madres de familia una vez los hijos se han independizado, de realizar un análisis de las metas conseguidas a lo largo de su existencia. El deseo de marcarse de nuevo objetivos incumplidos, lleva a muchas personas al extremo de intentar reorientar su vida profesional o social en la década que comprende los años de la cuarentena de edad.
Pero en esta etapa de la vida también exigen una gran fuerza moral acontecimientos críticos como la pérdida de algún ser querido, la pérdida del empleo, etcétera. Las personas extrovertidas, que hayan permanecido en contacto con el mundo exterior y estén comprometidas social e intelectualmente y se conserven en buena forma física, les resultará mucho más fácil sobrellevar el envejecimiento y sus diferentes etapas.

Hombres en edad crítica

A mitad de la vida, los hombres no tienen que enfrentarse a cambios hormonales tan importantes como los que se dan en las mujeres. Su nivel hormonal comienza a descender muy pronto, pero a un ritmo tan lento que la producción de hormonas sexuales sigue teniendo un nivel suficiente en hombres de edad sanos. Pero para los hombres esta es una etapa de inseguridad y de reorientación de la vida.
El continuo afán de rendir más y mejor, una idea subjetiva de la masculinidad y la sensación de no haber logrado aún todos los objetivos que se había marcado en la vida, suponen una pesada carga que afecta al sentimiento de autoestima de muchos hombres.
A las posibles alteraciones de la potencia sexual, pueden añadirse también graves problemas de próstata y una mayor predisposición a engordar y a padecer trastornos cardiovasculares.
Los hombres que sean capaces de aceptar estos cambios físicos como simples procesos naturales del organismo, sepan adaptarse a las cambiantes condiciones que la vida impone y mantengan una buena forma psíquica y física disfrutarán de una gran alegría de vivir y de un alto nivel de calidad de vida que, sin duda, repercutirá de manera muy positiva en los años venideros.

Mujeres en la menopausia

Entre los 40 y los 50 años de edad, la producción hormonal femenina se altera de forma drástica. Por lo general, la época de fertilidad en las mujeres termina alrededor de los 52 años de edad con el problemático comienzo de la llamada menopausia. El miedo a perder el atractivo femenino, a dejar de ser "toda una mujer", puede agravar una serie de trastornos físicos susceptibles de aparecer en el marco de la alteración hormonal y entre los que se cuentan los sudores, los problemas cardiovasculares o las depresiones.

Cómo superar los cambios de manera positiva

Una mujer comprometida en lo profesional y en lo social, que se cuida, realiza diversas actividades físicas y sigue una dieta equilibrada, le resultará mucho más fácil superar los cambios que impone la menopausia. La ingesta de hormonas complementarias y de diversos productos naturales, puede ayudar en este proceso de transición.
La experiencia de muchas mujeres de edad avanzada ha de servir como muestra de que la menopausia no tiene por qué representar la pérdida del encanto femenino ni de la fortaleza física y psíquica. Al contrario, muchas veces ofrece más libertad y otras oportunidades para organizar la vida. Tanto en el hombre como en la mujer, aparte de en los rasgos físicos externos, la belleza y el atractivo también se manifiestan por el apasionamiento que se muestra ante la vida, por sentir interés hacia una persona determinada o por desarrollar una actividad interesante que le satisfaga plenamente.

Realizada de forma regular, la práctica del ejercicio físico proporciona bienestar y alegría de vivir.

La edad madura

Las personas que sepan compaginar sus sueños y proyectos con el disfrute de la vida, alcanzarán un alto grado de satisfacción personal. Esta aseveración es válida para cualquier período de la vida, pero muy especialmente para aquél en el que las obligaciones impuestas por las circunstancias personales y sociales dejan de serlo definitivamente.
La aceptación de la vejez será tanto más rápida y sin traumas, cuanto más satisfactorio y positivo sea el resultado del análisis efectuado a los años vividos.

Adaptarse a los cambios físicos

El prototipo que impone la sociedad es el de tener una presencia juvenil, buena forma física e integridad hasta edad avanzada.
Los cosméticos, la cirugía y la industria farmacéutica hacen considerar que el envejecimiento es un proceso al que hay que resistirse y combatir a toda costa. Pero se pasa por alto el que la vejez, a pesar de los cambios físicos, es otra etapa de la vida en la que se dan posibilidades particulares de formarse y de realizarse.

El cuerpo y los sentimientos

Durante la vejez muchas personas se ocupan de su aspecto físico mucho más que en sus años jóvenes, cuando otras exigencias diferentes requerían todo su tiempo y dedicación. Otras se sienten realmente jóvenes, y se niegan a aceptar este procedimiento degenerativo natural.
Una gran parte de estos ancianos declaran que se encuentran tan bien como en sus años de juventud, y que sólo se acuerdan de que son mayores cuando ven reflejada su imagen en el espejo o al subir las escaleras advierten el fuerte latir de su corazón. También suelen disfrutar conscientemente de su riqueza espiritual y emocional adquirida merced a las múltiples experiencias que han vivido en su dilatada existencia y, aunque esté abiertamente en contradicción con el progresivo aumento de su deterioro físico, todo esto les hace sentirse más seguros de sí mismos.
Si la persona tiene su propia autoestima y se adapta adecuadamente a su forma de vida, podrá enfrentarse mucho mejor a los cambios físicos que experimenta a esta edad. Y si lleva una vida sana en un entorno propicio, también podrá reducir –hasta cierto punto– la tendencia natural a padecer las cada vez más frecuentes e intensas enfermedades o dolencias crónicas. Del mismo modo es muy importante que, junto a una alimentación sana y el ejercicio físico, adopte una actitud positiva ante su propio cuerpo y la vida.

Fortalecer el cuerpo

El rendimiento funcional de los órganos internos del cuerpo (pulmones y corazón) disminuye con la edad, y las grasas sustituyen parte del tejido muscular. La piel se arruga cada vez más, pierde su elasticidad original y se vuelve más seca y delicada.
Por su parte, el esqueleto reduce la sustancia ósea y las mujeres suelen padecer osteoporosis con mayor frecuencia que los hombres, por lo que se impone en éstas la adopción de una dieta rica en calcio. Investigaciones recientes aconsejan realizar ejercicio físico regularmente, pues también redunda en beneficio de la estructura ósea. En general, la facultad de adaptación física y psíquica del cuerpo disminuye progresivamente.
Los factores principales que aceleran el proceso degenerativo del cuerpo, en especial las dolencias propias de la vejez –como la arteriosclerosis-, son las siguientes: comidas abundantes y con demasiadas grasas, consumo excesivo de alcohol, fumar mucho, hacer poco ejercicio físico y el estrés.
El mejor medio preventivo, incluso contra los rasgos distintivos del envejecimiento, es la adopción de una dieta alimentaria sana que incluya verduras frescas y productos integrales suficientes, pero que a la vez sea pobre en grasas animales y que excluya casi por completo la sal, el café y el alcohol. También, el no fumar y hacer deporte contribuye en buena medida a lograr este objetivo plenamente.
El cuerpo humano comienza a reducirse de tamaño hacia la edad de 55 años. Por término medio, las mujeres pierden unos 4,9 centímetros de altura y los hombres alrededor de 2 centímetros de su talla original. También el peso del cuerpo sufre modificaciones. Muchas personas adultas, especialmente mujeres de mediana edad, se quejan de un aumento de peso.
En las edades comprendidas entre los 25 y los 65 años de edad, la necesidad de calorías diarias se reduce un 20% en las mujeres y en un 25% en los hombres. Quien adapte sus hábitos alimentarios a sus verdaderas necesidades fisiológicas y además practique algún tipo de deporte, mantendrá la línea y de esta manera evitará engordar innecesariamente.

Corrección de las facultades sensoriales

Por lo general, a medida que una persona se hace mayor tiene que compensar la disminución de facultades de los órganos de los sentidos adoptando el empleo de gafas y audífonos. A partir de los 50 años de edad, la mayoría de las personas suelen tener presbicia. Las cataratas y el glaucoma, también son típicas de la vejez. Por eso, a partir de los 45 años de edad es recomendable la visita periódica al oftalmólogo. También es normal que la capacidad auditiva disminuya; pérdidas de oído graves que hoy día se subsanan mediante el empleo de audífonos que pasan desapercibidos.

Mantener la mente despierta

Investigaciones científicas realizadas hace algún tiempo concluían que el punto culminante en el que la mente alcanza su máximo desarrollo es a la edad de 25 años, comenzando después a decaer progresivamente. Pero en la actualidad se sabe que esto no es cierto del todo, pues sólo afecta a algunos campos de la potencia intelectual de la persona.
Uno de esos campos es la memoria, pues personas mayores son capaces de rememorar fácilmente hechos y datos de su juventud. Investigaciones sobre la memoria corta también demostraron que, por ejemplo, cuando se trata de recordar una serie palabras que no guardan relación entre sí, la capacidad de retención memorística de las personas mayores sanas es muy similar a la de los jóvenes.
Sin embargo, cuando se trata de resolver ejercicios combinados de memoria y de lógica, que requieren el conocimiento de unas reglas y un razonamiento combinatorio y estratégico intensivo, se observó un notable descenso de rendimiento a partir de los 50 años de edad, sobre todo cuando las pruebas se realizan en un ambiente inapropiado y bajo la presión del tiempo. Pero estos rendimientos pueden mejorarse mediante un entrenamiento adecuado y un ambiente de trabajo más tranquilo y relajado.
La mejor medicina contra la degeneración mental de la vejez, es conservar siempre la inquietud intelectual y una actitud extrovertida hacia el mundo que nos rodea. Las personas que mantienen viva su actividad intelectual hasta edades avanzadas, que disfrutan de sus aficiones y que se interesan por lo que pasa a su alrededor suelen vivir mucho más sanos y satisfechos que quienes son introvertidos e incapaces de asumir su propia responsabilidad en la organización de su vida.

Vivir nuevas experiencias y gozar de la vida contribuye a mantenerse en forma física y psíquicamente.

Mantenerse activos sexualmente

Cada vez son más los hombres y las mujeres mayores que declaran abiertamente que la sexualidad sigue desempeñando un papel importante en su vida. Hoy día se sabe que no existen límites de edad que limiten la facultad de mantener relaciones sexuales.
Sin embargo, los cambios fisiológicos y anatómicos experimentados en la vejez pueden condicionar e influir en el comportamiento sexual. Después de la menopausia, las mujeres suelen sentir dolores durante el acto sexual debido a que las mucosas vaginales se agotan y las secreciones son menores. En el hombre, a medida que tiene más edad, disminuye la duración y frecuencia de sus erecciones así como la movilidad de los espermatozoides, que se reduce de manera notable. Estos cambios fisiológicos hacen que muchas parejas tengan que enfrentarse a la dificultad de tener que adaptar su vida sexual a los nuevos condicionamientos.
Durante la vejez, muchas parejas se profesan un gran cariño que les hacen disfrutar sus relaciones sexuales con mayor seguridad debido a su experiencia y a la confianza mutua que se tienen.
El psiquiatra austríaco Erwin Ringel escribió a los 72 años de edad: «Si logramos descubrir las distintas añoranzas de cada uno, podrá darse una felicidad sexual tal que facilitará el mantenimiento de los matrimonios a cualquier edad».

Disfrutar de la jubilación en toda su plenitud

Ante el agobio que les ocasiona el estrés diario, muchos trabajadores ansian con anhelo la jubilación. Pero cuando llega, se produce en ellos una sensación de vacío y abatimiento que se puede calificar como el "*shock* del pensionista".

Marcarse nuevas metas

El que la jubilación se supere con éxito o se convierta en crisis, depende en gran medida de las circunstancias que concurran llegado su momento: los pensionistas que tienen asegurada la subsistencia material, gozan de un buen estado de salud y su nivel cultural es alto están en mejores condiciones de superar y adaptarse a su nuevo tipo de vida que aquéllos que no cumplen estos condicionamientos.
Una persona cuya autoestima dependa principalmente de su actividad laboral, se adapta mucho peor a su nuevo estado de vida al cesar en dicha actividad. Durante la vida profesional activa, resulta pues muy importante plantearse el asunto de la planificación de la futura jubilación.
También hay que tener en cuenta que el trabajador que procura mantener viva su inquietud intelectual, se integra en grupos sociales y realiza una actividad física regularmente está allanando el camino que le hará disfrutar de una alta calidad de vida en la vejez.

La práctica de un hobby o afición contribuye a disfrutar de la jubilación y a mantenerse activos.

Estar prevenido

A pesar del optimismo de unos condicionamientos favorables que hagan más fácil adaptarse a la nueva vida, siempre es importante plantearse el supuesto del padecimiento de una enfermedad grave. Los hijos de "padres viejos" deben tomar en serio la nueva situación y mostrarse sensibles intercambiando opiniones sobre aquellas decisiones que les procuren una vejez digna. Enviar a una persona a un centro asistencial o residencia de ancianos sin su consentimiento, representa reducir su esperanza de vida mucho más que si acepta el ingreso voluntariamente y está preparado para ello.

Mantener la independencia el mayor tiempo posible

La mayoría de los ancianos desean valerse por sí mismos, sin ayuda de nadie, el mayor tiempo posible. Incluso aunque sufran algún achaque y necesiten el cuidado de alguien, su bienestar físico y mental depende en gran medida del grado de actividad que puedan desarrollar en su medio y vida cotidiana.

La organización del entorno de cada uno

La preocupación creciente de la sanidad pública y de los organismos asistenciales por el bienestar de las personas mayores, hace que en su intento procuren que los ancianos necesitados de ayuda permanezcan atendidos en su propia casa el mayor tiempo posible. En este su ambiente familiar se les presta los cuidados pertinentes, como pueden ser la ayuda en las labores domésticas, la realización de la compra diaria o servirles la comida, a condición –naturalmente– de que sus viviendas se adapten a sus necesidades particulares. Cuando una persona necesita cuidados o sufre demasiados achaques para seguir viviendo sola, y sus familiares no están en condiciones de atenderla por alguna causa, el último recurso consiste en trasladarla a una residencia de ancianos o centro asistencial. Este desarraigo suele afectar mucho a las personas mayores, pues el ambiente familiar y la sensación de poder valerse por sí solas son factores decisivos que afectan profundamente a su autoestima y bienestar. Durante los primeros de vida en la residencia, el riesgo que se corre de que el anciano muera es bastante grande, pues la salud física y psíquica de una persona requiere mucho más que una mera asistencia médica por muy buena que ésta sea. Muy importante también es que las personas mayores puedan participar activamente en la organización de su entorno inmediato. Si la residencia o centro no omenta actos sociales ni ofrece posibilidades a los residentes de disponer de su tiempo como quieran, o si los ancianos tienen la sensación de que no pueden ser independientes, se reduce en alguna medida su esperanza de vida.

Proyectos de viviendas comunitarias

Una posibilidad muy interesante que existe para contrarrestar la soledad en la que viven muchas personas mayores, son los proyectos de viviendas comunitarias. En ellas conviven juntos personas jóvenes y adultas como en un pueblo, pero estos proyectos son la excepción a la regla. Sin duda, esta forma de convivencia exige una mayor tolerancia y consideración mutua. Por eso, suelen fracasar por los conflictos tan banales como el ruido o la limpieza que se suscita. Pero cuando funciona, reúne todas las ventajas de una gran familia cuyos miembros disponen de espacios libres donde vivir independientemente.

El que convivan juntas personas de una misma edad o sean de distintas generaciones, tan sólo es cuestión de decisión personal. En cualquier caso, merece la pena llevar a la práctica proyectos de este tipo donde el interés mutuo favorece la integración y la convivencia de generaciones que, debido a su edad, tienen formas de ser y de pensar bien distintas.

Vejez y sociedad

El mayor nivel de vida y los progresos alcanzados en la Medicina han dado una nueva imagen a la vejez. Las personas comprendidas hoy entre los 60 y 75 años, apenas si tienen puntos en común con la generación de sus abuelos.

Y así hoy día la mayoría de los ancianos se encuentra aún en un buen estado físico y mental, por lo que se habla de ancianos "jóvenes" o "viejos". Para la gran mayoría, la jubilación representa poder hacer realidad los proyectos tanto tiempo planificados, como viajar o dedicarse a sus aficiones.

Aprovechar la experiencia de la vida

A pesar de todo, el hecho de que la vejez sea considerada hoy como una etapa poco atractiva de la vida se debe a distintas causas. En el aspecto público, la vejez se considera como una etapa decadente que conduce a la pérdida de influencia, de atractivo, de salud y de contactos sociales.

En opinión de las nuevas generaciones, las personas mayores ya no están a la altura de las circunstancias en una sociedad competitiva cuyo máximo ideal está representado por la juventud. A consecuencia de esto, surge enseguida la sensación de que a esta edad representan una carga para la familia y la sociedad. Pero la edad también representa la "universidad" de la experiencia de la vida, cuyo aprovechamiento será una de las tareas del futuro.

Cada vez es mayor el número de personas mayores que se retiran de la vida social activa en su mejor momento, y esto hace que se sientan aún más inútiles al tiempo que causan la sensación en los jóvenes de que están viviendo a su costa.

Participar en la sociedad activamente

Según recientes pronósticos de crecimiento de población, en el año 2030 habrá en muchos países más de un 35% de personas mayores de 65 años. Por otro lado, desde la aparición de la "píldora" en 1973 el índice de natalidad se mantiene estancado en el 1,3 y con tendencia a la baja.

Esta evolución, debido a una mayor esperanza de vida de la población y al bajo índice de natalidad, es similar en todas las naciones desarrolladas y plantea graves problemas a sus habitantes a medio y largo plazo. Por una parte, se trata de asegurar las prestaciones económicas y sociales a los pensionistas para mantener una calidad de vida aceptable y, por otra, de no atosigar a la población activa con la implantación de muchos impuestos.

Así, por ejemplo, se estiman necesarias las siguientes medidas: retrasar poco a poco la edad de jubilación, facilitar el acceso de la mujer a la vida laboral y, también, el acceso de los jóvenes al trabajo por primera vez mediante planes de estudios y formación profesional, una ley de inmigración que permita la entrada de trabajadores de otros países, combatir el paro e introducir la llamada "pensión mínima".

En el fondo subyace la idea de que será cada vez será más necesaria la participación de las personas mayores en la vida económica y social, para que los jóvenes puedan adquirir los conocimientos y la experiencia que éstos poseen.

Por lo tanto, deben tener la suficiente autoestima y aprovechar las oportunidades que se les presentan de poder influir en la vida pública y privada organizando el atardecer de su vida.

El final de la vida

Según las estadísticas, ocho de cada diez ciudadanos de la Unión Europea (UE) mueren en los hospitales, centros asistenciales o residencias de ancianos. Muchos de ellos lo hacen solos, sin la compañía y el consuelo de sus parientes más próximos. En los hospitales no hay tiempo para dedicarle a la muerte, pues los médicos y enfermeras ocupan la mayor parte de su tiempo y atenciones a los vivos y falta personal especializado para acompañar a los moribundos.

Aceptar la llegada de la muerte

Los propios médicos y el personal sanitario apenas si se preocupan de la muerte o de lo efímero de la existencia, pues su rutina diaria incluye la visita a pacientes moribundos. Este comportamiento no es sino el reflejo del tratamiento que la sociedad actual da al tema de la muerte. Pese a que la violencia y la muerte nunca han estado tan presentes como ahora en los medios de comunicación, raramente somos conscientes de nuestra finitud y nuestra debilidad frente al entorno en el que nos desenvolvemos.

La muerte de una persona próxima o de un ser querido, hace profundizar en el propio sentido de la vida.

Muchas personas se dan cuenta que algún día morirán, cuando contemplan la muerte de sus propios padres. Entonces se sienten indefensos, rompen a llorar y sienten miedo. Ritos que antes ayudaban a sobrellevar el dolor y la tristeza de la despedida, por ejemplo los lloros de las plañideras en los entierros o los velatorios, han ido desapareciendo de nuestra cultura.

Acercarse al moribundo

A muchas personas cuando tienen algo que ver con un enfermo muy grave o un moribundo, les surgen preguntas muy serias: ¿Cómo hay que acercarse al moribundo? ¿Podrán soportar su mirada? ¿Olvidarán hablar con él alguna cosa importante? ¿Serán capaces de acompañarle hasta el final? ¿Deberán hablarle y decirle que su muerte está próxima?

Inconscientemente, los familiares suelen aferrarse a cualquier esperanza por pequeña que sea y procuran evitar al enfermo su desesperación y el dolor de la despedida tratando de ocultar la evidencia de que su muerte está próxima.

De esta manera, resulta muy difícil –por no decir imposible– mantener una conversación sincera con el moribundo. Los médicos tampoco suelen tenerlo muy fácil cuando se trata de comunicar a un paciente lo "irreversible" de su enfermedad, y muchas veces optan por decir toda la verdad sólo a los familiares.

Pero este secreto que el médico comparte con sus allegados crea inseguridad en el enfermo, desaprovechando así la oportunidad de mantener una conversación confidencial con la persona en cuestión o hacerse confesiones mutuas calladas durante largo tiempo y que siempre se quisieron desvelar. Esto supone una carga tanto para los familiares como para el moribundo.

El largo camino de la muerte

La muerte de una persona es tan individual como su propia vida.

Sin embargo, la suiza Elisabeth Kübler-Ross dedujo –después de muchos años de observar a distintos enfermos incurables– que el proceso de la muerte está sujeto a ciertas leyes; pero no todas las personas moribundas pasan por cada una de las fases que se presentan en este modelo. El interés de su investigación estaba dirigido a comprender las necesidades de la persona moribunda, para así tener "acceso" a ella.

Describió las siguientes fases:

La negación de no querer aceptarlo

Cuando una persona enferma conoce que su padecimiento es incurable, su primera reacción suele ser la incredulidad y el no querer aceptarlo.
El sólo pensamiento de que su muerte está próxima suscita numerosos sentimientos y el miedo que le invade hace que desvirtúe o niegue la realidad: «¡No puede ser verdad! ¡Sigo estando sano!».

Valor y furia

«¿Por qué he de ser precisamente yo? ¿Qué hecho para merecer esto?», se pregunta el enfermo una y otra vez en furiosa rebeldía contra su destino.
Ante actitud tan hostil, a los familiares o cuidadores no les queda otro recurso que asumir la tarea, por muy difícil que sea, de procurar tranquilizarle hablando pacientemente con él para que pueda desahogar su agresividad y los posibles sentimientos de culpabilidad que atormentan su confusa mente.

Confirmación

En su afán por dar solución a su padecimiento, el enfermo hará los trámites oportunos para que otros especialistas dictaminen al respecto: «¡Tal vez todavía tenga una oportunidad!». La esperanza es lo último que se pierde, pero hay que ser conscientes de la realidad y por tanto, se deben evitar falsas expectativas.

Desesperación

La certeza de la proximidad de la muerte, que a partir de un determinado momento se da por cierta, provoca en el afectado un profundo sentimiento de abatimiento: «¡Tengo que despedirme!».
El enfrentarse a la cruda realidad de la pérdida inmediata de todo lo que ha amado, puede sumirle en la más profunda resignación.
Los familiares y amigos en ningún caso deben intentar inhibir estos sentimientos de profunda tristeza y dar falsos ánimos al moribundo sobre lo transitorio de la situación o su su pronta curación; o, incluso, crearse a sí mismo falsas expectativas.

Aceptación

Después de la despedida, la desesperación que provoca la muerte da paso a la aceptación de la cruda realidad y a una paulatina resignación.
El moribundo suele aceptar en alguna medida su destino y se despide de sus familiares y allegados quedando en paz consigo mismo: «Voy a morir, pero ya he "vivido mi vida"».
Para los familiares resulta muy beneficioso el hecho de que no se repriman los sentimientos y que den rienda suelta a su aflicción para, de este modo, desahogarse y así facilitar la apertura de nuevos horizontes y expectativas de la vida.

Experiencias con el más allá

La pregunta de cómo los moribundos traspasan el umbral del más allá, viene inquietando a la humanidad desde los tiempos más remotos. Los relatos refieren cómo en todas las épocas ha habido siempre personas que han "burlado" a la muerte en el último momento. Pero es desde hace poco tiempo, cuando los investigadores han comenzado a analizar las experiencias de las personas que han vuelto a la vida después de fallecido o haber sido declaradas clínicamente muertas. Sus experiencias fueron analizadas sistemáticamente, para tratar de encontrar analogías entre ellas. Fruto del estudio de estas experiencias fueron las siguientes características coincidentes:
La mayoría de los pacientes que habían estado conectados a un corazón-pulmón artificial, recordaban el instante en que los médicos declararon su muerte clínica y cómo tuvieron la sensación de abandonar su cuerpo al desconectar la máquina y verlo desde un plano superior; además, podían ver y pasar a través de la materia.
Otros muchos relataban que pasaron a través de un túnel oscuro al final del que resplandecía una intensa luz blanca; pero, en todo caso, las impresiones negativas se transformaban en otras positivas. Al final del túnel, se encontraban con otras "personas" que habían sido importantes en su vida (parientes, amigos, parejas vivas o muertas) y otros seres divinos y demoníacos.
Entre todos hacían un repaso a su vida y establecían un balance, asemejando de esta manera la imagen bíblica del Juicio Final.
Evidentemente, los investigadores nunca lograrán dar una explicación coherente y satisfactoria de cómo personas consideradas muertas han vuelto a la vida y contar sus experiencias. Pero, en todo caso, estos relatos suelen infundir consuelo y esperanza.

Reconocer los síntomas y actuar correctamente

Sumario

Afecciones de la A a la Z

Dolores de cabeza, de espalda, problemas digestivos: afecciones que todos conocemos y que la mayoría de las veces -lo mismo que otra muchas "pequeñeces"- suelen desaparecer pronto. Pero cuando son más intensas de lo normal sin razón aparente para ello, o aparecen con demasiada frecuencia, esos desarreglos -inofensivos en apariencia la mayoría de las veces- pueden indicar la presencia de una enfermedad o patología que debe tomarse en serio debido a su carácter o tipo.
El capítulo siguiente ayuda a reconocer las enfermedades y a reaccionar adecuadamente. Al mismo tiempo, una flecha indicadora que hace referencia al capítulo "El cuerpo y sus enfermedades", le informará dónde podrá usted hallar una información más detallada. Se incluye en este apartado una lista de las afecciones más corrientes, ordenadas de la A a la Z según los síntomas generales más importantes (bandas de color naranja) y con mención especial (bandas amarillas) a síntomas particulares si los hubiere.

Como estas afecciones aquejan de distinto modo a cada persona, las enfermedades que tienen diversos síntomas principales se nombran también varias veces. Es el caso, por ejemplo, de la angina, que aparece en el apartado de fiebre y también en el de dolores de garganta. En el apartado afecciones se indican también síntomas que le ayudarán a establecer mejor de qué enfermedad se trata. Pero en cualquier caso, sólo se mencionan los síntomas más importantes.
Del mismo modo, en la sección causas posibles se explica qué enfermedad puede ser la causa de sus afecciones; y en la de información y ayuda, se citan las páginas en las que se amplía la información sobre la enfermedad y su tratamiento. Léalas en el orden indicado. En el capítulo visita al médico, se señala si es aconsejable o absolutamente necesario acudir al médico; o, incluso, si nos encontramos ante una urgencia que requiere un tratamiento inmediato. Sólo si se trata de indicaciones generales es el enfermo quien tendrá que decidir en cada caso y, a juzgar por sus afecciones individuales, acudir o no a la consulta del médico.

Afecciones	Posibles causas	Información y ayuda	Visita al médico
Abatimiento, depresión			
- Estado depresivo en chicas jóvenes y mujeres unos días antes de la menstruación.	- Síndrome premenstrual.	- Página 382	
- Desesperación profunda, pensamientos suicidas y manifestaciones reiteradas.	- Sensación de que es imposible hallar una solución.	- Página 216 (Amenaza de suicidio)	¡Aconsejable, sobre todo para tratamiento psicoterapéutico!
- Pérdida de las ganas de vivir, sensación de frialdad, miedo, inquietud, falta de concentración, de perseverancia y de estímulos.	- Depresión.	- Página 228	¡¡Lo antes posible!!
Afecciones cardíacas (Véase también "Problemas respiratorios" y "Dolores abdominales")			
- Pulso irregular, vértigo tal vez, pérdida del sentido.	- Nerviosismo, intranquilidad. - Afección de corazón o de tiroides.	- Página 268 (Palpitaciones)	¡Aconsejable, si las palpitaciones aparecen a menudo!
- Pulso muy rápido, vértigo, pérdida del sentido, además de disnea y opresión en el pecho.	- Esfuerzo físico. - Trastornos del ritmo cardíaco.	- Página 268 (Taquicardias) (...)	¡¡Lo antes posible, si las taquicardias aparecen sin razón alguna!!

Afecciones	Posibles causas	Información y ayuda	Visita al médico
		- Página 262 (Trastornos graves del ritmo cardíaco).	¡¡Llamar a urgencias, si los síntomas se agudizan!!
- Pulso lento, palidez, vértigo, disnea, opresión en el pecho, pérdida del sentido.	- Trastornos del ritmo cardíaco.	- Página 269 (Bloqueo cardíaco).	¡¡¡Lo antes posible, si el pulso no sube al realizar esfuerzos!!!

Afecciones de boca y lengua

labios, cavidad bucal y lengua en general

Afecciones	Posibles causas	Información y ayuda	Visita al médico
- Ampollas en la boca con prurito y sensación de tirantez, costras parduscas.	- Ampollas febriles (Herpes símplex).	- Página 457.	¡Aconsejable, si tiene aspecto grave!
- Grietas y estrías en la lengua, prolongaciones pseudocapilares de las prominencias cutáneas del dorso de la lengua, recubrimientos diversos.	- Lesiones de la lengua, alimentación demasiado blanda, tal vez infección.	- Página 324 (Alteraciones de la superficie de la lengua).	¡Aconsejable, si persisten los síntomas o hay algún tumor!
- Hinchazón dolorosa de las glándulas salivares.	- Inflamación o cálculos en los conductos salivares.	- Página 327 (Enfermedades de las glándulas salivares).	¡Aconsejable, si persisten los síntomas!
- Manchas blancas rugosas en la mucosa, nódulos pequeños y durezas en la lengua, heridas incurables en la lengua.	- Cáncer de la cavidad bucal.	- Página 327.	¡¡Lo antes posible!!
- Aliento con olor fuerte a acetona, náuseas, vómitos.	- Primeros indicios de coma diabético.	- Página 501 (Diabetes mellitus tipo I).	¡¡Lo antes posible!!

ardor en la mucosa bucal o en la lengua

Afecciones	Posibles causas	Información y ayuda	Visita al médico
- Superficie de la lengua lisa y enrojecida, con posible hinchazón.	- Inflamación de la lengua.	- Página 324. - Página 326.	¡Aconsejable, si persisten los síntomas! ¡Aconsejable!
- Picor en la boca y garganta, problemas de deglución, mucosa bucal enrojecida, con pequeñas ampollas.	- Inflamación de la mucosa bucal.	- Página 325.	
- Puntitos y manchas blancas que sangran al quitarlas.	- Muguet bucal.	- Página 292 (Anemia por falta de hierro).	¡Aconsejable!
- Picor en la lengua, problemas de deglución, pulso acelerado, cansancio, palidez. - Además: hormigueo y trastornos sensitivos dolorosos en manos y pies.	- Anemia.	- Página 293 (Anemia por falta de vitamina B_{12} y de ácido fólico).	¡¡Lo antes posible!!

Afecciones de espalda

Afecciones	Posibles causas	Información y ayuda	Visita al médico
- Dolores de espalda después de permanecer sentado o de pie durante mucho tiempo.	- Cansancio por la postura o falta de ejercicio.	- Página 438 (Tensiones musculares).	¡Aconsejable, si persisten los síntomas!
- Tronco ladeado, con posible encorvamiento apreciable a simple vista.	- Desviación lateral de la columna vertebral.	- Página 437 (Escoliosis).	¡Aconsejable!
- Rigidez y dolores de espalda por la mañana (buscar postura), tensión en las vértebras cervicales.	- Desgaste de la columna vertebral. - Distensión muscular.	- Página 436.	¡Aconsejable, si persisten los síntomas!
- **Mujeres de edad avanzada**: dolores de espalda, con posible encorvamiento de ésta.	- Osteoporosis.	- Página 428.	¡Aconsejable!
- Dolor repentino e intenso en las vértebras lumbares ("lumbago"), con dolores de espalda persistentes y gran limitación de movimientos.	- Abultamiento de un disco intervertebral.	- Páginas 436 y 437 (Lumbago y ciática).	¡Aconsejable!
- Junto con pérdidas de sensibilidad, paralizaciones y dolores que se irradian a brazos y piernas.	- Hernia discal, isquialgia.	- Página 436.	¡¡Lo antes posible!!
- Dolores en la región lumbar, que irradian a la espalda, el bajo vientre y órganos genitales, náuseas, vómitos. - Además: dolores al orinar y fiebre.	- Trastornos de las vías urinarias. - Cálculos renales. - Pielitis.	- Página 366. - Página 366. - Página 367.	¡¡Lo antes posible!!
- **Hombres**: dolores en la columna vertebral y en la pelvis, micciones frecuentes y dolorosas, necesidad de orinar por las noches.	- Cáncer de próstata.	- Página 417.	¡¡Lo antes posible!!

en niños y jóvenes

Afecciones	Posibles causas	Información y ayuda	Visita al médico
- Dolores de espalda, lordosis, espalda encorvada, hombros caídos.	- Mala postura.	- Página 444 (Daños posicionales).	¡Aconsejable!
- Dolores de espalda, hombros y pelvis oblicuos, tal vez cojera.	- Posición viciosa de las caderas. - Piernas de distinta longitud.	- Página 442. - Página 444.	¡Aconsejable!
- Encorvamiento de la espalda acompañado de dolores a veces.	- Enfermedad de Scheuermann.	- Página 444.	¡Aconsejable!

Afecciones	Posibles causas	Información y ayuda	Visita al médico
Afecciones de los ojos (Véase también "Trastornos de la visión")			
afecciones de los párpados			
- Párpado hinchado y dolorido, con enrojecimiento del ojo.	- Orzuelo. - Blefaritis.	- Página 153 - Página 154	¡¡Lo antes posible!!
- Párpado hinchado y dolorido con lagrimeo.	- Inflamación del conducto lagrimal.	- Página 153	¡Aconsejable!
alteraciones de los ojos			
- Globo ocular o los dos abombados, sensación de sequedad, irritación, movilidad dificultosa.	- Hiperfunción del tiroides.	- Página 160 (Globo ocular abombado) y página 495	¡¡Lo antes posible!!
- Aumento de tamaño sin sentir dolor, alteración del color o de la forma.	- Tumor.	- Página 161	¡¡Lo antes posible!!
lesiones oculares			
- Dolor punzante, sensación de cuerpo extraño con lagrimeo y enrojecimiento, cierre convulsivo del párpado.	- Cuerpo extraño en el ojo.	- Página 150	¡¡Lo antes posible!!
- Ardor fuerte con cierre convulsivo del párpado.	- Causticidad o quemadura.	- Página 150	¡¡Lo antes posible!!
- Derrame sanguíneo en el ojo o a su alrededor, dolores sordos del ojo y cabeza.	- Lesión por golpe.	- Página 150	¡¡Lo antes posible!!
con lagrimeo			
- Enrojecimiento, irritación, escozor, prurito, secreción purulenta.	- Conjuntivitis.	- Página 154	¡Aconsejable!
- Picor de ojos, muy llorosos, posible erupción cutánea, disnea, ataque de asma.	- Fiebre del heno. - Alergia: a pelos de animales, al polvo doméstico, al moho.	- Página 524 - Página 531 - Página 530 - Página 530	¡Aconsejable! ¡¡Lo antes posible!!
- Dolores, fotofobia, empeoramiento de la visión.	- Queratitis.	- Página 154	¡¡Lo antes posible!!
- Dolores, enrojecimiento, fotofobia, empeoramiento de la visión, puntos negros ante los ojos.	- Irititis.	- Página 154	¡¡Lo antes posible!!
sin lagrimeo			
- Escozor y sensación de sequedad, propensión a inflamaciones.	- Sequerosidad.	- Página 153 (El ojo seco)	¡Aconsejable sobre todo usando lentillas!
- Globo ocular duro y enrojecido, fuertes dolores de ojos y cabeza, deterioro de la visión.	- Glaucoma agudo.	- Página 150	¡¡Lo antes posible!!

Afecciones	Posibles causas	Información y ayuda	Visita al médico

Afecciones dentales ▸

alteraciones y dolores de los propios dientes

Afecciones	Posibles causas	Información y ayuda	Visita al médico
- Dolores de muelas que vienen y van ("erráticos"), dolores maxilares, rigidez de los músculos de la nuca y la cara.	- Rechinar de dientes por la noche.	- Página 316	¡Aconsejable!
- Persintentes dolores de muelas en extremos de las arcadas dentarias, posibilidad de inflamación.	- Rompimiento de las muelas del juicio.	- Página 318 (Dentición)	¡Aconsejable!
- Manchas blancas primero, luego marrones o negras, con preferencias en los intersticios dentales, en las zonas de masticación y en los bordes de las encías, dolores cuando el diente entra en contacto con calor o frío y, más tarde, dolor permanente en el diente.	- Caries.	- Páginas 314, 315 (Limpieza correcta de los dientes) y 317 (Empastes, coronas, implantes: rellenos y dientes postizos)	¡¡Lo antes posible!! ¡Como medida preventiva, es aconsejable ir al dentista cada seis meses!
- Dolor de dientes palpitante y taladrante, más fuerte cada vez, que se irradia a toda la mejilla.	- Inflamación de la pulpa dental.	- Páginas 314, 315 (Limpieza correcta de los dientes)	¡¡Lo antes posible!! ¡ Es aconsejable ir al dentista cada seis meses !

alteraciones y dolores del hueso alveolar

Afecciones	Posibles causas	Información y ayuda	Visita al médico
- Encías sangrantes y algo dolorosas, hinchadas en los intersticios de los dientes.	- Gingivitis	- Páginas 316 y página 315 (Limpieza correcta de los dientes)	¡Aconsejable!
- Encías esponjosas rojo intenso que se hinchan y sangran (por ejemplo al limpiar los dientes), formación de bolsas dentarias (purulentas), dientes que se mueven.	- Periodontitis o piorrea (Infección del hueso alveolar)	- Página 316	¡¡Lo antes posible!!
- Las encías se atrofian junto con el hueso, el cuello del diente queda al descubierto, los dientes pierden su sostén.	- Parodontitis	- Página 316	¡¡Lo antes posible!!

en niños

Afecciones	Posibles causas	Información y ayuda	Visita al médico
- Dolores en las mandíbulas, encías enrojecidas e hinchadas, salivación intensa, lloros frecuentes.	- Dentición	- Página 318	
- Separación entre sí de los dientes de leche, dolores y hemorragias parajeros.	- Segunda dentición	- Página 318	

Afecciones	Posibles causas	Información y ayuda	Visita al médico
- Dientes ladeados, inclinados delante o atrás, grandes separaciones entre ellos, mandíbula superior o inferior salientes, las arcadas dentarias muerden cruzadas.	- Posición defentuosa de los dientes o de la mandíbula.	- Página 319	¡Aconsejable, para determinar si hay alguna posibilidad de corregir el defecto y qué habría de hacerse en ese caso!
- Manchas o zonas blancas al principio, luego marrones, sobre todo en los incisivos, dientes cada vez más cortos.	- Caries de los dientes de leche.	- Página 319 y 318 (Modo correcto de limpiarse los dientes los niños	¡¡Lo antes posible!!

Afecciones pectorales

(Véase también "Problemas respiratorios" y "Tos")

opresión en el pecho, ardor detrás del esternón

Afecciones	Posibles causas	Información y ayuda	Visita al médico
- Ardor en el estómago y detrás del esternón, eructos de aire o de contenido gástrico ácido.	- Pirosis/Flatos.	- Página 328	¡Aconsejable!
- Dolores paroxísticos y sensación de opresión en el pecho, ardor detrás del esternón, disnea al hacer un esfuerzo físico o al inspirar aire frío.	- Angina de pecho.	- Páginas 362 y 364	¡¡Lo antes posible!!
- Sensación paroxística de opresión en el pecho, ardor trás el esternón, con posible irradiación del dolor al pecho y cuello, hombros y brazos, náuseas, vómitos, angustia mortal.	- Infarto de miocardio.	- Páginas 262 y 266; también, página 784 (Disnea)	¡¡¡Llamar a urgencias!!!

dolores de pecho

Afecciones	Posibles causas	Información y ayuda	Visita al médico
- Dolores de pecho que irradian hasta el bajo vientre en los niños, tos, disnea, fiebre alta, escalofríos.	- Neumonía	- Página 248	¡¡Lo antes posible!!
- Dolores punzantes en un lado del tórax, disnea, tos.	- Colapso pulmonar	- Página 251	¡¡Lo antes posible!!
- Dolor fuerte y punzante en el pecho (sobre todo cuando se está acostado y al respirar profundamente), fiebre, pulso acelerado, venas del cuello y de las piernas hinchadas.	- Pericarditis	- Página 272	¡¡Lo antes posible!!
- Dolores en el pecho, disnea, miedo, pulso acelerado, tos.	- Embolia pulmonar	- Página 250	¡¡¡Llamar a urgencias!!!

en mujeres

Afecciones	Posibles causas	Información y ayuda	Visita al médico
- Sensación de tirantez y dolores en los pechos antes de la regla; uno o varios bultos blandos o duros, fijos o móviles.	- Mastopatía.	- Página 393, también página 744 (Exploración del pecho)	¡Aconsejable!

Afecciones	Posibles causas	Información y ayuda	Visita al médico
◄ Afecciones pectorales (Véase también "Problemas respiratorios" y "Tos")			
- Enrojecimiento, escamosidad, prurito y ardor en los pezones, secreción de líquido.	- Cáncer de Paget.	- Páginas 392 y 744 (Exploración del pecho)	¡Aconsejable**!**
- Dolor a la presión, recalentamiento, hinchazón y enrojecimiento de un solo seno casi siempre, secreción de líquido del pezón.	- Inflamación de la mama.	- Página 392	¡¡Lo antes posible**!!**
- Uno o varios bultos fijos e indoloros, o durezas en un seno.	- Cáncer de mama.	- Páginas 393 y 744 (Exploración del pecho)	¡¡Lo antes posible**!!**
Alteraciones de la orina (Véase también "Problemas al orinar")			
- Sangre en la orina. - **Hombres:**	- Cálculos renales. - Inflamación en las vasos filtrantes de los riñones. - Tumores de riñón o de vejiga. - Después de operación de vejiga. - Después de operación de próstata. - Engrosamiento benigno de la próstata. - Cáncer de próstata.	- Página 366	¡Lo antes posible**!** ¡¡¡En caso de hemorragias fuertes, llamar a urgencias**!!!**
- Orina turbia, sanguinolenta y maloliente, micciones dolorosas frecuentes, tenesmos vesicales, dolores en la región perineoanal.	- Prostatatis crónica.	- Página 416	¡¡Lo antes posible**!!**
- Menos de 0,1 litros de orina al día.	- Trastornos de la salida de la orina. - Fallo renal.	- Página 366 - Páginas 368/369	¡¡Lo antes posible**!!** ¡¡¡Llamar a urgencias en caso de retención de orina**!!!**
Alteraciones de las deposiciones ► (Véase también "Diarrea")			
- Sangre rosada en las heces, con prurito anal y dolores al defecar. - Sangre y mucosidades en las heces.	- Hemorroides. - Fisuras anales. - Pólipos en el intestino grueso.	- Página 349 - Página 349 - Página 346	¡Aconsejable**!**

Afecciones	Posibles causas	Información y ayuda	Visita al médico
- Con diarreas y dolores de vientre a manera de espasmos, pulso acelerado y obnubilación.	- Gastroenteritis aguda.	- Páginas 537 y 545 (Diarrea durante el viaje)	
- Además; una posible fiebre.	- Colitis ulcerosa. - Enfermedad de Crohn.	- Página 345 - Página 345	
- Heces muy negras de olor muy particular, dolores de estómago nada más comer, posibles náuseas y vómitos de sangre.	- Úlcera de estómago.	- Página 336	¡¡Lo antes posible!!
- Sangre en las heces, alteración de hábitos de las deposiciones, diarreas frecuentes alternadas con estreñimiento, salida de heces al ventosear, cansancio.	- Cáncer del intestino grueso.	- Página 346	¡¡Lo antes posible!!
- Heces negras o con sangre roja, posibles vómitos de sangre, palidez, debilidad, mareos.	- Hemorragia gastrointestinal.	- Página 332	¡¡¡Llamar a urgencias!!!

Alteraciones de las uñas

Afecciones	Posibles causas	Información y ayuda	Visita al médico
- Descoloramiento amarillo, pardusco o grisáceo de la uña.	- Hongos unguinales.	- Página 482	¡Aconsejable!
- Enrojecimiento e hinchazón de la punta de los dedos (de manos o pies).	- Cuerpo extraño debajo de la uña.	- Página 483 (Lesiones de uñas)	¡Aconsejable!
- Enrojecimiento, hinchazón y dolores debajo de la uña o en las inmediaciones.	- Inflamación del lecho de la uña o del pulpejo. - Uñero.	- Página 482 - Página 483	¡Aconsejable!
- Concentración de sangre azul, negruzca, debajo de la uña, con dolores.	- Derrame sanguíneo.	- Página 483 (Lesiones de uñas, autoayuda)	¡¡Lo antes posible!!

Alteraciones de los testículos ▸

hinchazones o nódulos sin dolores

Afecciones	Posibles causas	Información y ayuda	Visita al médico
- Tumor indoloro.	- Hidrocele.	- Página 415	¡Aconsejable!
- Hinchazón indolora o nódulos duros apreciables al tacto (sobre todo en niños y jóvenes).	- Tumor testicular.	- Página 415, también página 743 (Diagnosticar un cáncer a tiempo)	¡¡Lo antes posible!!
- Tumor blando en forma de cordón, apreciable al tacto; tirones dolorosos.	- Varicocele.	- Página 415	¡Aconsejable!

Afecciones	Posibles causas	Información y ayuda	Visita al médico
Alteraciones de los testículos			
- Hinchazón y dolor intenso que se irradia hasta el bajo vientre.	- Inflamación/absceso testicular o epididímo. - Inversión testicular.	- Página 412 (hinchazón de testículos) y página 415 (Epididimitis).	¡¡Lo antes posible!!
en niños			
- Uno o ambos testículos no se pueden palpar en el escroto durante algún tiempo, o de modo permanente.	- Elevación de los testículos.	- Página 406	¡Aconsejable!
Alteraciones del pene (Véase también "Problemas al orinar")			
- Picor y dolores debajo del prepucio, con posibles alteraciones ulcerosas de la piel.	- Inflamación del pene. - Posible cáncer de pene, si la alteración no acaba de curar.	- Página 414 (Inflamaciones/úlceras en el pene)	¡¡Lo antes posible!!
- Inflamación dolorosa del glande, estrangulado por el prepucio replegado hacia atrás.	- Parafimosis.	- Página 406	¡¡Lo antes posible!!
en lactantes			
- El prepucio no se puede replegar por encima del glande, chorros de orina muy finos.	- Fimosis	- Página 406	¡Aconsejable!
- El chorro de orina sale desviado, posible colgamiento del prepucio y encorvamiento del pene,	- La uretra no termina en el glande, sino antes de él (hipospadias).	- Página 406	¡Aconsejable!
Alteraciones del peso ▶ (Véase también "Trastornos alimentarios")			
cuando hay pérdida de peso			
- Adelgazamiento, malestar general.	- Lombrices, solitaria.	- Página 348	¡Aconsejable !
- Pérdida de peso sin razón aparente, inexplicable disminución de la capacidad de movimientos.	- Enfermedad cancerosa.	- Página 582	¡¡Lo antes posible!!
- Pérdida de peso con tener buen apetito, de pulso acelerado, palpitaciones, temblor de manos, inquietud, irritabilidad.	- Hiperfunción del tiroides.	- Página 495	¡¡Lo antes posible!!
- Sed, secreción de grandes cantidades de orina, cansancio, infecciones que curan mal, prurito.	- Diabetes mellitus.	- Páginas 501 a 503	¡¡Lo antes posible!!

Afecciones	Posibles causas	Información y ayuda	Visita al médico
	se produce aumento de peso		
- El peso del cuerpo supera mucho el promedio.	- Comer en exceso.	- Página 510 (Sobrepeso/Adiposis) y en páginas 712 a 721 (Comida sana y placentera)	¡Aconsejable para determinar el estado general de salud y dejarse aconsejar**!**
- Apetito en aumento, acumulación de grasas en la cara y el tronco, debilidad muscular, "estrías del embarazo" en vientre y nalgas.	- Síndrome de Cushing.	- Página 498	¡¡Lo antes posible**!!**
- Aumento de peso a pesar de falta de apetito, además de lentificación general, cansancio, fragilidad de memoria y falta de concentración, aumento progresivo de la sensibilidad al frío.	- Hipofunción del tiroides.	- Página 495	¡¡Lo antes posible**!!**

Ardor de estómago

(Véase "Eructos, ardor de estómago")

Comportamientos extraños ▸

(Véase también "Percepción anormal")

Afecciones	Posibles causas	Información y ayuda	Visita al médico
- Repetición continua de acciones como, por ejemplo, lavarse las manos, limpiar, ordenar objetos.	- Trastorno obsesivo	- Página 224	¡¡Lo antes posible**!!**
- Comportamiento extravagante o fuera de lugar, excitado, hiperactivo o teatral, junto con alucinaciones o trastornos mentales.	- Psicosis aguda	- Páginas 216 y 228 (¿Neurosis o psicosis?)	¡¡Lo antes posible**!!**
- Pérdida de las "ganas de vivir", meditación sobre temas como culpabilidad y pobreza, falta de concentración, de constancia y de estímulo.	- Depresión	- Página 228	¡¡Lo antes posible**!!**
- Afán exagerado de accionar y de hablar, euforia, pensamientos atropellados y confusos, sensación de querer hacerlo todo, derroche irreflexivo de dinero.	- Manía	- Página 229	¡¡Lo antes posible**!!**

Afecciones	Posibles causas	Información y ayuda	Visita al médico
◂ Comportamientos extraños (Véase también "Percepción anormal")			
- Postura rígida del cuerpo o de la cara, respiración corta, sudores lanzamiento de improperios y convulsiones.	- Exigirse demasiado y exceso de trabajo. - Embriaguez. - Manía. - Esquizofrenia paranoide.	- Página 216 (Estado de excitación) - Página 200 - Página 229 - Página 230	¡¡¡Llamar a urgencias si el afectado pone en peligro a otros o a sí mismo y es imposible tranquilizarle**!!!**
en niños			
- Interrupción frecuente de la peroración por repetición o arrastre de sonidos, sílabas o palabras.	- Tartamudez	- Página 232	¡Aconsejable si el tartamudeo persiste largo tiempo**!**
- No cesa de moverse, peleas y discusiones frecuentes con otros niños, poca constancia, falta de concentración y poco amor propio.	- Hiperactividad (lo que se llama un "niño inquieto")	- Página 233	¡Aconsejable si eso crea problemas en la escuela o en el trato con otros**!**
- Repite movimientos bruscos repentinos, o sonidos sin razón alguna.	- Tic nervioso	- Página 232	¡¡Lo antes posible**!!**
- No se comunica apenas con su entorno habitual, le resulta dificil o imposible hablar y aprender, los cambios en su ambiente familiar le dan miedo o le ponen furioso.	- Autismo de la primera infancia	- Página 234	¡¡Lo antes posible**!!**
Debilidad muscular (Véase "Paralizaciones, debilidad muscular")			
Decaimiento, debilidad, agotamiento ▸			
- Cansancio, falta de fuerzas e irritabilidad.	- Trastornos del sueño	- Páginas 226/227	
- Decaimiento, cansancio rápido, desánimo, poca concentración timidez.	- Agotamiento (*Burn out*)	- Página 227	¡Aconsejable**!**
- Dificultad para "arrancar" por la mañana, cansancio, sensación de "nudo" en el estómago, palpitaciones, desvanecimientos, trastornos del sueño.	- Hipotensión	- Página 281	¡¡Lo antes posible**!!**

Afecciones	Posibles causas	Información y ayuda	Visita al médico
- Cansancio, bajo rendimiento, palidez, disnea, picores en la lengua, dolores de cabeza, tal vez picores y sensación de entumecimiento en manos y pies.	- Anemia.	- Páginas 292 y 296 (si se trata de niños)	¡¡Lo antes posible**!!**
- Lentificación general, cansancio, falta de concentración y de memoria, junto con aumento de. peso e inapetencia	- Hipofunción del tiroides.	- Página 495	¡¡Lo antes posible**!!**
- Cansancio y decaimiento, mucha sed, mucha de orina, pérdida de peso, infecciones que se curan mal, prurito.	- Diabetes.	- Páginas 501 a 503	¡¡Lo antes posible**!!**
- Debilidad, disnea, palpitaciones, tos irritante nocturna, labios azulados, manos húmedas, tal vez tobillos y piernas hinchados, micciones frecuentes de noche.	- Insuficiencia cardíaca.	- Páginas 262 y 270	¡¡¡Llamar a urgencias si los síntomas aparecen de repente**!!!**

Depresión

(Véase "Abatimiento, depresión")

Descoloramiento de la piel ▸

(Véase también "Erupción cutánea")

manchas, estrías o áreas

Afecciones	Posibles causas	Información y ayuda	Visita al médico
- **Lactantes**: áreas de la piel blandas y esponjosas, rojo intenso o violeta azulado.	- Angiomas pequeños.	- Página 475.	¡Aconsejable**!**
- "Enrarecimientos" de la piel, primero rojo azulado, luego, blanquecinos y estriados.	- Cambios hormonales en la pubertad o en el embarazo, o a consecuencia de un tratamiento con corticoides.	- Página 473 (Estrías del embarazo).	¡Aconsejable, si esas alteraciones tienen lugar fuera de la pubertad o del embarazo**!**
- Manchas marrón claro a oscuro, que pueden ser un palmo de grandes o no pasar del tamaño de la cabeza de un alfiler.	- Lunares.	- Página 474 y 744 (Observar las alteraciones de la piel).	¡Aconsejable, en todo caso, si aparece un lunar nuevo o sufre algún cambio en los que tenía**!**
- Mancha marrón oscura que se forma por primera vez o se desarrolla a partir de un lunar.	- Melanoma (cáncer de piel).	- Páginas 474 y744 (Observar las alteraciones de la piel).	¡¡Lo antes posible**!!**
- Manchas rojas y azules, sobre todo en los glúteos y en el sacro, zonas grises o amarillentas.	- Decentamientos.	- Página 469 y 758 (Consejos especiales para cuidados de larga duración).	¡Aconsejable**!**

Afecciones	Posibles causas	Información y ayuda	Visita al médico
◂ Descoloramiento de la piel (Véase también "Erupción cutánea")			
- Vascularizaciones pepueñas y estrelladas, con nódulos rojos en en el centro.	- Nueva formación de vasos sanguíneos.	- Página 474 (Nuevos retículos)	¡Aconsejable**!**
- Además de enrojecimiento de pies y manos.	- Cirrosis hepática.	- Página 356	¡¡Lo antes posible**!!**
- Enrojecimiento cutáneo con palidez en el centro, que se extiendo poco a poco y puede llegar a cubrir grandes zonas.	- Infección de borreliosis por mordedura de garrapata.	- Página 193	¡¡Lo antes posible**!!**
- Piel sensible y pálida en orejas, punta de la nariz y dedos de manos o pies por larga exposición al frío; enrojecimiento, hinchazón e irritación de la piel al ponerle calor, prurito.	- Congelación de primer grado.	- Páginas 170, 465 y 793	¡¡Lo antes posible en caso de congelación de segundo o tercer grado**!!**
- Amoratamiento de la piel, formación de ampollas, dolores intensos.	- Congelación de segundo grado.		
- Piel blanca, frágil e insensible, que se vuelve de color azul negruzco al ponerle calor.	- Septicemia.		
manchas en todo el cuerpo			
- Tono de piel muy claro, cabellos blancos o amarillentos.	- Albinismo.	- Página 472	¡Aconsejable**!**
- Amarilleamiento de conjuntiva, mucosa y piel.	- Ictericia.	- Página 354	¡¡Lo antes posible**!!**
Diarrea ▸ (Véase también "Dolores pectorales"y "Flatos")			
- Más de tres defecaciones diarias, heces informes, acuosas o como papilla.	- Diarrea leve.	- Página 343 (Diarrea), también página 750 (Botiquín doméstico)	¡Aconsejable, si la diarrea dura más de tres días**!**
- Diarrea (tal vez sanguinolenta y viscosa), dolores de vientre, náuseas, vómitos, pulso acelerado.	- Infección gastrointes-tinal grave.	- Páginas 537 y 370 (niños), también, página 545 (Diarrea durante el viaje)	
- Con dolores de cabeza, fiebre y obnubilación.	- Salmonelosis.	- Página 544	
- Arrugas cutáneas llamativas y "permanentes", estrabismo a veces.	- Intoxicación alimentaria.	- Páginas 536 y 795	¡¡¡Llamar a urgencias**!!!**

Afecciones	Posibles causas	Información y ayuda	Visita al médico
- Diarrea, náuseas, vómitos después de comer, disnea.	- Alergia a los alimentos.	- Página 528	¡Lo antes posible! ¡¡Llamar a urgencias si hay disnea!!
- Diarrea (puede ir acompañada de sangre), espasmos a la izquierda del bajo vientre, subidas ligeras de fiebre.	- Enfermedad de Crohn.	- Página 345	¡¡Lo antes posible!!
- Diarrea más frecuente de lo habitual con alternancia de estreñimiento, expulsión de heces al ventosear, posibilidad de sangre en las heces.	- Cáncer de intestino grueso.	- Página 346	¡Lo antes posible!

Disfasia, trastornos de la dicción

Afecciones	Posibles causas	Información y ayuda	Visita al médico
- Disfasia y pérdida de la facultad de expresión oral respectivamente, junto con paralizaciones en la cara, brazos y piernas, además de posibles trastornos de la visión o problemas de deglución.	- Ataque de apoplejía.	- Páginas 190 y 198/199	¡¡Llamar a urgencias!!
- Disfasia, boca seca, estrabismos, tal vez vómitos, diarrea.	- Intoxicación.	- Página 536 (Botulismo)	¡¡Llamar a urgencias!!
en niños			
- Interrupción de la peroración, por repetición o arrastre de sonidos sílabas o palabras.	- Tartamudez.	- Página 232	¡Aconsejable, si la tartamudez persiste largo tiempo!
- Dificultad para entender o hablar, sólo se pueden formar frases sencillas y cortas.	- Problemas de aprendizaje.	- Página 233 y 70 (Notas sobre trastornos en el desarrollo del lenguaje)	
- Lenguaje, aprendizaje, facultad de adaptación y conducta social perturbados, poca autonomía.	- Disminución de inteligencia.	- Página 234	¡Aconsejable!
- Dificultad para hablar y aprender, o imposibilidad de hacerlo, casi ningún contacto con el mundo de su entorno, cambios en el ambiente familiar provocan furor o miedo.	- Autismo de la primera infancia.	- Página 234	¡¡Lo antes posible!!

Afecciones	Posibles causas	Información y ayuda	Visita al médico

Dolores abdominales

(Véase también "Flatos", "Diarrea" y "Estreñimiento")

en general

Afecciones	Posibles causas	Información y ayuda	Visita al médico
- Espasmos ligeros en el bajo vientre, flatos, plenitud, digestión irregular, diarrea.	- Carga psíquica, estrés.	- Página 344 (Intestino nervioso)	¡Aconsejable!
- Dolores abdominales imprecisos, en el mismo lado, acompañados de vómitos.	- Excrecencias en el intestino (bridas).	- Página 347	¡Aconsejable!
- Dolores abdominales imprecisos, parecidos a los de la gripe, pueden ir acompañados de vómitos o prurito anal.	- Lombrices.	- Página 348	¡¡Lo antes posible!!
- Dolores imprecisos e intermitentes en el epigastrio.	- Pancreatitis crónica.	- Página 359	¡¡Lo antes posible!!
- Náuseas, vómitos después de ingerir grasas.		- Página 352	¡¡¡Llamar a urgencias!!!
- Fuertes dolores abdominales que irradian a todas partes, náuseas, vómitos de jugo gástrico bilioso, fiebre, palpitaciones.	- Oclusión intestinal.	- Página 340	¡¡ Llamar a urgencias!!!
- Dolores abdominales fuertes y repentinos, miedo, pared abdominal tensa, vómitos, respiración apagada.	- Causas muy diversas, a menudo con peligro de muerte.	- Páginas 784 y 332 (Abdomen agudo)	¡¡¡Llamar a urgencias!!!

en la mitad derecha del abdomen

Afecciones	Posibles causas	Información y ayuda	Visita al médico
- Dolores intermitentes en la parte derecha del bajo vientre.	- Apendicitis crónica.	- Página 344	¡Aconsejable!
- Espasmos en la parte derecha del bajo vientre, diarreas, fiebre, secreción anal purulenta de la región anal.	- Enfermedad de Crohn.	- Página 345	¡Aconsejable!
- Dolores en el epigastrio derecho, flatos después de tomar café, bebidad frías o alimentos grasos.	- Cálculos biliares.	- Página 358	¡¡Lo antes posible!!
- Además: náuseas, vómitos después de comer grasas, fiebre variable, ictericia tal vez.	- Colecistitis.	- Página 358	
- Opresión dolorosa debajo del arco costal derecho parecida (...)	- Hepatitis.	- Página 354	¡¡ Lo antes posible!!

Afecciones	Posibles causas	Información y ayuda	Visita al médico
(...) a la de la gripe, aversión a las grasas, al alcohol y a la nicotina.			
- Dolores (a menudo por la noche) entre el ombligo y el arco costal cuando se está en ayunas, que mejoran al comer algo.	- Úlcera duodenal.	- Página 336	¡¡Lo antes posible!!
- Espasmos que irradian hasta el tórax, los hombros y la espalda, vómitos de bilis, escalofríos.	- Cólico biliar.	- Página 352	¡¡¡Llamar a urgencias!!!
- Dolores tipo cólico, pared abdominal dura, vómitos, fiebre.	- Apendicitis aguda.	- Página 340	¡¡¡Llamar a urgencias!!!
en la zona del estómago y en la mitad derecha del abdomen			
- Opresión en el estómago, flatos, ardor de estómago, eructos, tal vez náuseas y vómitos.	- Carga psíquica, estrés.	- Página 334 (Estómago nervioso)	¡Aconsejable, si persisten los síntomas!
- Junto con aversión a la carne e inapetencia.	- Cáncer de estómago.	- Página 336	¡¡ Lo antes posible!!
- Opresión dolorosa en el epigastrio, inapetencia, eructos, náuseas, vómitos.	- Gastritis aguda.	- Página 334	¡Aconsejable!
- Dolores y opresión de estómago, sensación de plenitud después de comer, flatos.	- Gastritis crónica.	- Página 335	¡Aconsejable!
- También náuseas, vómitos de sangre y defecaciones oscuras.	- Úlcera de estómago.	- Página 336	¡¡Lo antes posible!!
- Dolores en el bajo vientre, casi siempre a la izquierda, alternancia entre estreñimiento y diarrea.	- Inflamación verticular.	- Página 344	¡¡Lo antes posible!!
en los costados			
- Dolores intensos en la región lumbar con irradiación a espalda y bajo vientre, náuseas.	- Trastornos de las vías urinarias. - Cálculos renales.	- Página 366 - Página 366	¡¡Lo antes posible!!
- Dolores de vientre y espalda, además de dolor al orinar, fiebre, náuseas.	- Pielitis.	- Página 367	¡¡Lo antes posible!!
- Fuerte dolor en un lado, que irradia hasta la vesícula; náuseas, vómitos, sudores.	- Cólico nefrítico.	- Página 362	¡¡¡Llamar a urgencias!!!
en el bajo vientre (mujeres) –Véase también "Menstruación"			
- Opresión o tirantez a un lado casi siempre, a veces dolores (...)	- Cistitis ovárica	- Página 388	¡Aconsejable!

Afecciones	Posibles causas	Información y ayuda	Visita al médico
◂ Dolores abdominales (Véase también "Flatos", "Diarrea" y "Estreñimiento")			
(...) punzantes repentinos, sin molestias posteriores.			
- Sensación de tirantez y opresión hacia abajo, sobre todo el pujar, dolores en la región lumbar, estreñimiento, micciones frecuentes.	- Descenso de la matriz	- Páginas 390 y 391 (Gimnasia para la pelvis)	¡Aconsejable!
- Sensación de opresión, dolores en la región lumbar, micciones frecuentes, estreñimiento, menstruación dolorosa y prolongada.	- Mioma de matriz	- Página 391	¡Aconsejable!
- Dolores fuertes a un lado o a ambos, que se irradian a la espalda y a las piernas, con posibilidad de flujo más intenso y variable.	- Salpingitis u ovaritis	- Página 380	¡¡Lo antes posible!!
- Dolores intensos seis u ocho semanas después de la última menstruación.	- Embarazo tubárico	- Página 380	¡¡Lo antes posible!!
- Sensación de opresión y dolores en el bajo vientre, meteorismo, aumento de peso y debilidad.	- Cáncer ovárico	- Página 389	¡¡Lo antes posible!!
- Dolores pocos días antes de empezar la menstruación, que resulta intensa y dolorosa; esterilidad.	- Endometriosis	- Página 389	¡¡Lo antes posible!!
- Dolores agudos y sensación de opresión, flujo, fiebre, debilidad.	- Metritis	- Página 390	¡¡Lo antes posible!!
en el bajo vientre (hombres) – (Véase "Alteraciones de los testículos"y "Alteraciones del pene").			
- Dolores en la región perineal y anal, sobre todo al orinar, al defecar y al realizar el acto sexual, a veces con orina turbia y maloliente.	- Prostatitis (crónica).	- Página 416	¡¡Lo antes posible!!
niños			
- **Lactantes**: lloros, pataleos y retortijones después de cada comida.	- Cólico de los tres meses.	- Página 371	¡Aconsejable!
- Dolores paroxísticos en la región umbilical (sobre todo en niñas de 4 a 12 años).	- Cólico umbilical.	- Página 371	¡Aconsejable!
- Dolores paroxísticos en el abdomen, náuseas, fiebre, diarrea o estreñimiento.	- Apendicitis.	- Página 373	¡¡¡Llamar a urgencias!!!

Afecciones	Posibles causas	Información y ayuda	Visita al médico
Dolores de brazos, manos y hombros			
- Dolores después de hacer esfuerzos inhabituales (deporte).	- Agujetas.	- Página 438	¡Aconsejable!
- Endurecimiento doloroso y apreciable al tacto de la musculatura de hombros y cuello. - Unido a dolores de cabeza, náuseas y vértigo después de un accidente.	- Distensión muscular. - Desgarramiento de las vértebras cervicales.	- Página 438 - Página 440	¡Aconsejable!
- Dolores al presionar o mover los codos, que pueden extenderse hasta la muñeca y los hombros.	- "Codo de tenista".		¡Aconsejable, si persisten los síntomas!
- Enrojecimiento de la piel, hinchazón, dolores en codos u hombros, crujimiento de las "bolas" de los brazos al palparlas.	- Inflamación de la bolsa sinovial.	- Página 441	¡Aconsejable!
- Molestias en el brazo, sobre todo al levantar pesos; dolores intensos y frecuentes de noche.	- Inflamación de los hombros.	- Página 441	¡Aconsejable!
- Dolor intenso y repentino en un músculo tenso, o después de un golpe, derrame sanguíneo, hinchazón.	- Distorsión o desgarro muscular, desgarro de fibra muscular.	- Página 424	¡¡Lo antes posible!!
- Dolores intensos después de un movimiento brusco o de una caída, con posibilidad de derrame sanguíneo, hinchazón por encima de la articulación o dislocación evidente.	- Distorsión o desgarro de tendones. - Distorsión o desgarro de ligamentos. - Estiramiento. - Fractura de hueso.	- Página 440 - Página 440 - Página 430 - Páginas 426/427	¡¡Lo antes posible!!
- Articulaciones de dedos y manos doloridas e hinchadas, acompañado de dolores de otras articulaciones, inmovilidad creciente, cansancio.	- Reumatismo articular crónico (poliartritis). - Artritis.	- Páginas 431 y 445 (si se trata de niños) - Página 433	¡¡Lo antes posible!!
- Rigidez matinal con dolores de espalda e irradiación del dolor a brazos y piernas.	- Deterioro de la columna vertebral.	- Página 436	¡Aconsejable!
- Dolor fuerte y repentino en el brazo, imposibilidad de moverlo.	- Oclusión vascular periférica aguda.	- Página 278	¡¡¡Llamar a urgencias!!!

Afecciones	Posibles causas	Información y ayuda	Visita al médico

Dolores de cabeza, dolores de cara ▸

dolores de cabeza reiterativos

Afecciones	Posibles causas	Información y ayuda	Visita al médico
- Dolores de cabeza sordos y agobiantes, rigidez en la musculatura de hombros y nuca.	- Carga psíquica, estrés.	- Páginas 213 y 749 (El botiquín doméstico)	¡Aconsejable!
- Dolores matinales en occipucio, mareos, zumbidos de oídos, malestar interno, palpitaciones, hemorragias nasales.	- Hipertensión.	- Página 280	¡Aconsejable!
- Dolores de cabeza paroxísticos, que pueden durar horas o días, trastornos de la visión, náuseas, vómitos, hipersensibilidad a la luz y a los ruidos.	- Migraña.	- Página 213	¡¡Lo antes posible, si los ataques de migraña transcurren fuera de lo normal!!

dolores de cabeza que aparecen por primera vez

Afecciones	Posibles causas	Información y ayuda	Visita al médico
- Dolores de cabeza, malestar general, fiebre tal vez.	- Síntomas de enfriamiento.	- Página 245	¡Aconsejable, si persisten los síntomas!
- Dolores de cabeza persistentes, vómitos, cansancio, trastornos de la visión, ataques epilépticos, posibles parálisis.	- Tumor cerebral.	- Página 203	¡¡Lo antes posible, para aclarar las causas!!
- Dolores de cabeza de fuertes a muy fuertes, rigidez de nuca, náuseas, perturbación del conocimiento.	- Meningitis. - MEPV. - Hemorragia debajo de la meninge blanda (piamadre).	- Página 192 - Página 193 - Página 199	¡¡¡Llamar a urgencias!!!
- Fiebre, síntomas gripales, dolores de cabeza, perturbación del conocimiento.	- Encefalitis.	- Página 192	¡¡¡Llamar a urgencias!!!
- Fuertes dolores de cabeza, vómitos, trastorno progresivo del conocimiento.	- Absceso cerebral.	- Página 192	¡¡Llamar a urgencias!!!
- Dolores de cabeza inmediatamente después de un accidente o más tarde, herida o flujo de sangre en la cabeza, con posibles hemorragias de oído y nariz.	- Lesión craneoencefálica.	- Páginas 190 y 791 (Lesión craneal)	¡¡¡Llamar a urgencias!!!
- Dolores de cabeza cuando hace mucho calor o se ha estado mucho tiempo al sol, mareos y vómitos, con posible pérdida del conocimiento.	- Golpe de calor. - Insolación.	- Página 789	¡¡¡Llamar a urgencias!!!

Afecciones	Posibles causas	Información y ayuda	Visita al médico
		dolores en la cara	
- Ataques de dolor electrizantes e intensísimos al tocar o hacer algún movimiento.	- Neuralgia del trigémino.	- Página 210 (Dolores nerviosos)	¡¡Lo antes posible!!

Dolores de garganta, problemas de deglución

(Véase también "Eructos")

Afecciones	Posibles causas	Información y ayuda	Visita al médico
		dolores sin fiebre	
- Irritación de garganta, dolores de garganta que pueden irradiar hasta los oídos, problemas de deglución, tos irritante, tal vez ronquera.	- Faringitis. - Laringitis.	- Página 244 - Páginas 246 y 245 (ver enfriamiento)	¡Aconsejable, si persisten los síntomas!
- Irritación de garganta y boca, problemas de deglución, mucosa bucal enrojecida, con ampollas que revientan más tarde.	- Inflamación de la mucosa bucal.	- Página 326	¡Aconsejable!
- O puntitos y manchas blancas, que sangran al desprenderlos.	- Muguet bucal.	- Página 325	
- Problemas de deglución, lengua irritada, comisuras bucales inflamadas, palidez, pulso acelerado, cansancio, disnea al hacer esfuerzos.	- Anemia.	- Página 292 (Anemia por falta de hierro)	¡Aconsejable!
- Cuello hinchado, sensación de presión o nudo en la garganta y, tal vez, problemas de deglución, disnea.	- Bocio por falta de yodo.	- Página 494	¡Aconsejable!
- Glándulas salivares hinchadas y doloridas junto a los oídos o a la mandíbula inferior, problemas de deglución.	- Afección de las glándulas salivares.	- Página 327	¡Aconsejable, si persisten los síntomas!
- Dolores de garganta intensos, hinchazón con posible engrosamiento del tiroides.	- Tiroiditis crónica.	- Página 496	¡¡Lo antes posible!!
- Problemas de deglución, sensación de presión en la laringe, ronquera persistente, carraspera, tos irritante.	- Tumor de laringe.	- Página 246	¡¡Lo antes posible!!
- Graves problemas de deglución, ronquera, disnea.	- Hinchazón de la laringe hasta quedar casi ocluida a consecuencia de una reacción alérgica.	- Página 242 (Hinchazón de la epiglotis) y 522 (Hinchazón vascular aguda)	¡¡¡Llamar a urgencias!!!

Afecciones	Posibles causas	Información y ayuda	Visita al médico

◂ Dolores de garganta, problemas de deglución

(Véase también "Eructos")

dolores con fiebre

Afecciones	Posibles causas	Información y ayuda	Visita al médico
- Dolores de garganta y dolores punzantes al tragar (que pueden irradiarse a los oídos), fiebre, garganta rojo oscuro, posibles placas amarillas.	- Anginas, amigdalitis.	- Páginas 244 y 254 (si se trata de niños)	¡Aconsejable si la fiebre dura más de dos días!
- Primero fiebre y fuerte sensación de enfermedad, después dolores de garganta que pueden irradiarse hasta la mandíbula y los oídos, glándulas salivares sensibles al tacto.	- Inflamación de las glándulas salivares.	- Página 495	¡¡Lo antes posible!!
- Fiebre hasta 39 °C, linfadenitis detrás de los oídos y en la nuca, enrojecimiento e hinchazón de las amígdalas faríngeas, eventualmente con placas blanco amarillentas.	- Fiebre ganglionar.	- Página 543	¡¡Lo antes posible!!

dolores en niños

Afecciones	Posibles causas	Información y ayuda	Visita al médico
- Hinchazones dolorosas delante de los oídos y encima de la articulación maxilar, dolores de oídos, fiebre a veces.	- Inflamación de las glándulas salivares parotideas (glándulas parótidas).	- Página 559 (Paperas)	¡Aconsejable, sobre todo si los dolores de oídos son muy fuertes!
- Fiebre alta repentina, escalofríos, dolores de garganta, amígdalas hinchadas, lengua blanca al principio, después rojo frambuesa, erupción cutánea de manchitas rojo subido.	- Escarlatina.	- Página 556	¡¡Lo antes posible!!
- Amígdalas palatinas hinchadas, con placas blanco grisáceo, mal olor de boca, problemas de deglución, ronquera, gañidos.	- Difteria.	- Página 556	¡¡Lo antes posible!!

Dolores de hombros

(Véase también "Dolores de garganta" y "Eructos")

Dolores de oídos ▸

Afecciones	Posibles causas	Información y ayuda	Visita al médico
- Dolores leves, picor, flujo o formación de escamas.	- Eccema del conducto auditivo.	- Página 171	¡Aconsejable!

Afecciones	Posibles causas	Información y ayuda	Visita al médico
- Dolores fuertes, engrosamiento de los ganglios linfáticos de la oreja o de detrás de ella.	- Furúnculo del conducto auditivo.	- Página 171	¡Aconsejable!
- Dolor punzante y sordera - Además; presión y sensación taponamiento del oído.	- Lesión del tímpano. - Oclusión de la trompa de Eustaquio.	- Página 174 - Página 173	¡¡Lo antes posible!!
- Dolor punzante y golpeteo en el oído, sordera, sensación de enfermedad en general.	- Otitis media aguda.	- Página 173	¡¡Lo antes posible!!
- En niños: hinchazones dolorosas delante del oído y encima de la articulación de la mandíbula, dolores de oídos.	- Parotiditis.	- Página 559 (Paperas)	¡Aconsejable, sobre todo si los dolores de oídos son muy intensos!

Dolores de piernas y pies

Afecciones	Posibles causas	Información y ayuda	Visita al médico
- Dolores después de hacer esfuerzos físicos.	- Agujetas.	- Página 438	
- Pies doloridos, pesadez en las piernas.	- Haber estado de pie mucho tiempo, falta de ejercicio. - Pies deformes - Varices.	- Página 722 (Aplicaciones de agua) - Página 442 - Página 282	¡Aconsejable, si persisten los síntomas!
- Dolores musculares fuertes, que aparecen de repente al hacer un esfuerzo o, a menudo, también por la noche.	- Contracciones musculares.	- Página 438	¡Aconsejable, si persisten los síntomas!
- Rigidez matinal, con dolores de espalda que se irradian hacia las piernas.	- Deterioro de la columna vertebral.	- Página 436	¡Aconsejable!
- Dolores en la fisura de la articulación de la rodilla, que se acentúan con el movimiento o al intentar posar el pie.	- Lesión de menisco.	- Página 430	¡Aconsejable!
- Dolor intenso y repentino en un músculo tenso, o después de haber sufrido un golpe, derrame sanguíneo, hinchazón.	- Distensión/desgarramiento muscular, desgarramiento de fibra muscular.	- Página 424	¡¡Lo antes posible!!
- Dolores fuertes después de un movimiento brusco o de una caída, con posibilidad de derrame sanguíneo, de hichazón por encima de la articulación o de dislocación evidente.	- Distensión tendinosa/ desgarramiento tendinoso. - Distensión/desgarramiento de ligamentos. - Luxación. - Fractura de hueso.	- Página 440 - Página 440 - Página 430 - Páginas 426 y 427	¡¡Lo antes posible!!

Afecciones	Posibles causas	Información y ayuda	Visita al médico
Dolores de piernas y pies			
- Dolores que aparecen sólo mientras uno camina (obligando a detenerse de vez en cuando) y que acaban por sentirse también en reposo (sobre todo de noche).	- Trastorno circulatorio de piernas.	- Página 286	¡¡Lo antes posible!!
- Venas tirantes, duras, sensibles a la presión y dolorosas, con enrojecimiento de la piel.	- Flebitis.	- Página 284	¡¡Lo antes posible!!
- Dolor fuerte y repentino en la pierna, imposibilidad de moverse.	- Oclusión vascular periférica.	- Página 278	¡¡¡Llamar a urgencias!!!
con hinchazón de la articulación o de las piernas			
- Por la noche sobre todo, piernas pesadas y ardientes, tobillos y pies hinchados, pinchazos como de agujas, venas sinuosas con nódulos.	- Trastorno circulatorio de piernas	- Página 286	¡¡Lo antes posible!!
- Hinchazón de la movilidad de la rodilla, movilidad reducida, "crujidos" al palpar.	- Desgaste general de la articulación	- Página 441	¡Aconsejable, si los síntomas persisten!
- Articulación hinchada y sensible al dolor, a la presión, inmovilidad creciente - Sobre todo en la articulación de la rodilla, con inseguridad al andar - También, dolores en la ingle	- Artrosis de la articulación de la rodilla. - Artrosis de la articulación de la cadera. - Poliartritis crónica.	- Página 434 (Artrosis)	¡Aconsejable!
- Articulación del pie dolorida e hinchada, unido frecuentemente a dolores en otras articulaciones, inmovilidad creciente, rigidez (matinal), cansancio, malestar.	- Artritis.	- Página 431 y página 445 (si se trata de niños) - Página 433	¡¡Lo antes posible!!
- Dolores muy fuertes en la articulación del dedo gordo del pie, del pie o de la rodilla, articulación caliente y amoratada.	- Gota.	- Página 432	¡¡Lo antes posible!!
- Tobillos y piernas hinchados, por la noche micciones frecuentes y tos irritante, disnea, palpitaciones.	- Insuficiencia cardíaca.	- Página 262 y 270	¡¡Lo antes posible!! ¡¡¡Llamar a urgencias, si los síntomas aparecen de repente!!!
- Pierna hinchada, más caliente de lo normal y con fuertes dolores, piel de color rojo azulado	- Trombosis de las venas de las piernas.	- Página 284	¡¡¡Llamar a urgencias!!!
- Dolores insoportables en la pierna después de un accidente o cuando está enyesada.	- Reducción de la circulación sanguínea del músculo.	- Página 424 (Síndrome compartimental)	¡¡¡Llamar a urgencias!!!

Afecciones	Posibles causas	Información y ayuda	Visita al médico
Embarazo			
- Vómitos matinales, cambios del estado de ánimo.	- Alteraciones hormonales.	- Página 51	¡Aconsejable en caso de afecciones intensas!
- Dolores de espalda, piernas pesadas.	- Aumento de peso.	- Página 56 (Ayuda para espalda y piernas)	¡Aconsejable en caso de afecciones agudas!
- Prurito y ardor en los labios de la vulva y en la vagina, micciones frecuentes, flujo intenso de olor desagradable.	- Vaginitis o cistitis.	- Página 396	¡¡Lo antes posible!!
- Aumento de peso y del perímetro abdominal.	- Diabetes mellitus.	- Página 396 y 503	¡¡Lo antes posible!!
- Fuerte aumento de peso y acumulación de agua en piernas y manos, perímetro abdominal relativamente pequeño, dolores de cabeza, centelleos delante de los ojos.	- Hipertensión.	- Página 397 (Hipertensión del embarazo)	¡¡Lo antes posible!!
- El vientre se mantiene plano relativamente, el peso aumenta con moderación.	- Alteraciones en la placenta.	- Página 398	¡¡Lo antes posible!!
- Hemorragia lubrificante, tirantez en el bajo vientre en los dos primeros tercios del embarazo.	- Primeros síntomas de un aborto.	- Página 394	¡¡¡Llamar a urgencias!!!
contracciones prematuras, rotura de aguas prematura			
- Antes de la semana 32, tirantez y contracciones en el bajo vientre más de seis veces al día y, luego, más de dos veces por hora.	- Casi siempre, cargas físicas y/o psíquicas.	- Página 398	¡¡Lo antes posible!!
- Eliminación a gotas o a chorros de líquido claro, lechoso, rosado o verdoso.	- Rotura prematura de la bolsa de aguas.	- Página 398	¡¡Lo antes posible!!
- Hemorragias, rotura de la bolsa de aguas, contracciones antes de la semana 37 del embarazo.	- Parto prematuro.	- Página 394	¡¡¡Llamar a urgencias!!!
Erupciones cutáneas ▸ (Véase también "Descoloramiento de la piel")			
sin prurito			
- Manchas marrón amarillento y descamación.	- Dermatomicosis.	- Página 458	¡Aconsejable!
- Manchas rojas, comedones, pústulas y venillas en mejillas, nariz, frente y mentón.	- Acné.	- Página 467	¡Aconsejable!

Afecciones	Posibles causas	Información y ayuda	Visita al médico
◂ Erupciones cutáneas (Véase también "Descoloramiento de la piel")			
- Manchas rojas, redondas, circunscritas y con descamación blanquecina, sobre todo en codos, rodillas, cuero cabelludo y tronco.	- Psoriasis.	- Página 470	¡Aconsejable!
- Manchas rojo claro al principio, casi siempre en los laterales del tronco; días o semanas después, erupción descamativa en tronco, brazos y piernas.	- Pitiriasis *(Pityriasis rosea).*	- Página 472	¡Aconsejable!
- Manchas rojas, ampollas que revientan pronto, costras color miel.	- Impétigo.	- Página 454	¡¡Lo antes posible!!
con dolores			
- Erupción hemilateral, "a manera de cinturón", con ampollas y dolores agudos.	- Zóster.	- Página 457	¡¡Lo antes posible!!
con prurito			
- Numerosos habones, "bultos".	- Chinches, ácaros.	- Páginas 460/461	¡Aconsejable!
- Numerosas manchas rojo claro o "bultos" con evidencia de picaduras.	- Pulgas.	- Página 460	¡Aconsejable!
- Alteraciones cutáneas húmedas, descamación y costras en la cabeza.	- Piojos.	- Página 460	¡Aconsejable!
- Enrojecimiento, habones y alteración del color de la piel.	- Piojos de los vestidos.	- Página 460	¡Aconsejable!
- Manchas azul grisáceo, sobre todo en los pelos de las axilas y del pubis.	- Ladillas.	- Página 460	¡Aconsejable!
- Enrojecimiento, focos de infección, surcos en la piel.	- Aradores de la sarna.	- Página 461	¡Aconsejable!
- Enrojecimiento con zonas humectantes entre los dedos de los pies, descamación, grietas y callosidades en la planta del pie.	- Hongos de los pies.	- Página 458	¡Aconsejable!
- Cercos redondos ovalados, rojos y abultados en el borde, descamación.	- Dermatomicosis.	- Página 459	¡Aconsejable!
- Zonas de la piel enrojecidas, humectantes, descamantes, con pústulas de color blanco amarillento.	- Hongo de la levadura *(Cándida albicans).*	- Página 459	¡Aconsejable!

Afecciones	Posibles causas	Información y ayuda	Visita al médico
- Manchas rojas, nódulos, descamación, humectaciones después de la exposición al sol.	- Alergia a los rayos solares.	- Página 529	¡Aconsejable!
- Enrojecimiento de la piel, con descamación y formación de ampollas, humectaciones y costras después de tocar productos químicos abrasivos, sustancias irritantes o materias a las que se es alérgico.	- Eccema tóxico agudo. - Eccema por abrasión. - Eccema alérgico por contacto.	- Página 462 (Inflamaciones cutáneas) y página 526	¡Aconsejable!
- Piel seca y enrojecida, descamación y formación de nódulos, tumefacción de la piel sobre todo en la nuca, codos y corvas	- Neurodermitis.	- Página 526	¡¡Lo antes posible!!
- Piel enrojecida, habones muy pruriginosos y, tal vez, constipado, accesos de estornudos.	- Reacción alérgica a alimentos, medicamentos, pelo de animales u otras cosas.	- Páginas 518 a 531 (Alergias)	¡¡Lo antes posible!!
- Con hinchazón de labios, lengua, párpados y zona de la laringe, disnea, colapso.		- Página 522 (Hinchazón vascular aguda, *shock* anafiláctico)	¡¡¡Llamar a urgencias!!!

en niños

Afecciones	Posibles causas	Información y ayuda	Visita al médico
- Erupción de rosa pálido a rosa, algo de fiebre, malestar.	- Rubéola.	- Página 560	¡Aconsejable!
- Mejillas enrojecidas, con manchitas amariposadas y, casi siempre, pruriginosas.	- Alfombrilla (erupción cutánea y febril, considerada una variedad de sarampión).	- Página 560	Aconsejable!
- Fiebre de unos 38 °C, primero manchas muy pruriginosas, más tarde ampollas y costras rojas.	- Varicela.	- Página 558	¡Aconsejable!
- Tos, constipado, fotofobia, fiebre de hasta 40 °C, puntos blancos en la mucosa bucal, erupción cutánea rojo oscuro.	- Sarampión.	- Páginas 560/561	¡Aconsejable!
- Fiebre alta repentina, escalofríos, dolores de garganta, amígdalas inflamadas, lengua blanca al principio y rojo frambuesa después, erupción cutánea con manchitas rojo subido.	- Escarlatina.	- Página 556	¡¡Lo antes posible!!
- **Lactantes**: enrojecimiento, ampollitas, exudación, costras, prurito en la zona de la piel cubierta por los pañales.	- Dermatitis de pañales.	- Página 463	¡¡Lo antes posible!!

Afecciones	Posibles causas	Información y ayuda	Visita al médico

◄ Erupciones cutáneas

(Véase también "Descoloramiento de la piel")

en niños

Afecciones	Posibles causas	Información y ayuda	Visita al médico
- Lactantes: manchas en cabeza y cara, descamativas, amarillentas y exudantes en parte.	- Lactumen, eccema de los lactantes.	- Página 526 (Neurodermitis)	¡¡Lo antes posible!!

Eructos, ardor de estómago

Afecciones	Posibles causas	Información y ayuda	Visita al médico
- Eructos de aire o quimo.	- Comida demasiado pesada, comer deprisa.	- Página 570 (Botiquín doméstico)	
- Eructos, ardor de estómago, pesadez de estómago, flatos.	- Carga psíquica, estrés.	- Página 334 (Estómago nervioso	¡Aconsejable, si persisten los síntomas!
- Con náuseas y vómitos.	- Gastritis.	- Página 334 (Gastritis aguda)	¡¡Lo antes posible!!
- Eructos ácidos de jugo gástrico y quimo, dolor agudo detrás del esternón y en el estómago, sobre todo después de comer, con problemas de deglución, a veces ronquera.	- Debilidad del esfínter del estómago. - Inflamación del esófago. - Fractura del diafragma.	- Página 328 (Eructos/ Ardor de estómago) - Página 328 (Eructos/ Ardor de estómago) - Página 329	¡Aconsejable, si persisten los síntomas!
- Problemas de deglución, eructos, náuseas, sensación de plenitud detras del esternón.	- Trastornos de evacuación del esófago.	- Página 328	¡Aconsejable!
- Problemas de deglución, atragantarse al hablar, reflujo de comida en el sueño, sensación de plenitud en el esófago.	- Dilatación del esófago (megaesófago).	- Página 321	¡Aconsejable!

Espasmos

Afecciones	Posibles causas	Información y ayuda	Visita al médico
- Dolores musculares muy intensos y repentinos al hacer un esfuerzo, o por las noches.	- Lactumen, eccema de los lactantes.	- Página 526 (Neurodermitis)	¡Aconsejable, si persisten los síntomas!
- Hormigueo en piernas, pies y alrededor de la boca, contracciones musculares dolorosas, mareos, manos en forma de garras.	- Ataque tetánico a consecuencia de la falta de calcio, o por hiperventilación.	- Página 492	¡¡¡Llamar a urgencias, si no se observa mejoría enseguida!!!
- Trastorno del conocimiento, desplome repentino, agarrotamiento general y, posteriormente, temblores en todo el cuerpo.	- Ataque epiléptico (ataque espasmódico agudo).	- Páginas 190 y 202	¡¡¡Llamar a urgencias!!!

Afecciones	Posibles causas	Información y ayuda	Visita al médico
Estreñimiento (Véase también "Dolores abdominales")			
- Menos de tres deposiciones a la semana, heces duras.	- Alimentación inadecuada, poco ejercicio.	- Página 342 y página 371 (en niños)	¡Aconsejable, si persiste el estreñimiento**!**
- Además: vientre inflamado y dolores al hacer las deposiciones	- Dilatación del intestino grueso.	- Página 346	
- Estreñimiento, con posible alternancia de diarrea.	- Carga psíquica, estrés.	- Página 344 (Intestino nervioso)	¡Aconsejable**!**
- Además; dolores en el bajo vientre (a la izquierda casi siempre), con un posible bulto doloroso apreciable al tacto.	- Diverticulitis.	- Página 344	¡¡Lo antes posible**!!**
- Estreñimiento frecuente con alternancia de diarrea, salida de heces al ventosear, con posible sangre en las heces, cansancio.	- Cáncer de intestino grueso.	- Página 346	¡¡Lo antes posible**!!**
Falta de memoria			
- A partir de los 50 años de edad: fallos de memoria (sobre todo de la memoria reciente al principio), dificultad para desenvolverse en situaciones nuevas y en ambientes desconocidos, problemas posteriores para hacer cosas tan habituales como vestirse, leer, escribir.	- Demencia (enfermedad de Alzheimer, por ejemplo).	- Página 204	¡Aconsejable**!**
- Pérdida del placer de vivir, sensación de frigidez, meditar sobre temas como culpabilidad, pobreza, falta de concentración y de memoria.	- Depresión.	- Página 228	¡¡Lo antes posible**!!**
- Degeneración general de las facultades psíquicas, cambios de personalidad, alucinaciones.	- Degeneración psíquica por abuso de alcohol.	- Página 201	¡¡Lo antes posible**!!**
Fiebre ▶			
temperatura alta o algo de fiebre (hasta 38,5 °C)			
- Malestar general, escalofríos, constipado, tos y, a veces, dolor de garganta.	- Enfriamiento, infección gripal.	- Página 245	¡Aconsejable, si los síntomas persisten**!**

Afecciones	Posibles causas	Información y ayuda	Visita al médico

◂ Fiebre

temperatura alta o algo de fiebre (hasta 38,5 °C)

Afecciones	Posibles causas	Información y ayuda	Visita al médico
- Malestar, fiebre, articulaciones hinchadas y doloridas, precedido quizá de infección de garganta, intestinal o de las vías urinarias.	- Artritis.	- Página 433	¡Aconsejable, si persisten los síntomas!
- Fiebre ligera, síntomas de tipo gripal, abatimiento, dolor al presionar debajo del arco costal derecho, repugnancia a las grasas, al alcohol y a la nicotina.	- Hepatitis.	- Página 354	¡¡Lo antes posible!!
- Infecciones febriles frecuentes, cansancio, palidez, sudores nocturnos y posibles nódulos linfáticos, sensación de opresión en el lado izquierdo del epigastrio, propensión a salir manchas azuladas y pequeñas hemorragias cutáneas.	- Leucemia.	- Páginas 294 y 297 (si se trata de niños)	¡¡Lo antes posible!!

subida repentina de la fiebre (39 °C o más), escalofríos

Afecciones	Posibles causas	Información y ayuda	Visita al médico
- Persistencia de la fiebre alta, escalofríos, debilidad.	- Síntomas generales de una infección grave.	- Página 532	¡¡Lo antes posible!!
- Fiebre, dolor de garganta, dolores punzantes al tragar (que irradian hasta los oídos), garganta rojo oscuro y, a veces, con placas amarillas.	- Anginas.	- Páginas 244 y 254 (si se trata de niños)	¡Aconsejable, si la fiebre se mantiene más de dos días!
- Fiebre, escalofríos, dolores de cabeza y de articulaciones, mareos, tos irritante, irritación de garganta, dolores detrás del esternón.	- Gripe.	- Página 542	¡¡Lo antes posible!!
- Fiebre alta, escalofríos tal vez, disnea, tos, dolores en el pecho, expectoración aherrumbrada.	- Neumonía.	- Página 248	¡¡Lo antes posible!!
- Fiebre alta, disnea, palpitaciones, tal vez escalofríos.	- Endocarditis.	- Página 272	¡¡Lo antes posible!!
- Además: dolores fuertes en el pecho,sobre todo cuando se está acostado; piernas y venas del cuello hinchadas.	- Pericarditis.	- Página 272	
- Subidas regulares o irregulares de fiebre, hasta más de 40 °C, (...)	- Malaria.	- Página 554	¡¡Lo antes posible!!

Afecciones	Posibles causas	Información y ayuda	Visita al médico
(...) escalofríos, dolores de cabeza, a veces diarrea y vómitos			
- Fiebre alta que baja a intervalos, escalofríos, confusión, vómitos, diarreas, quizá bandas azul rojizo en brazos y piernas.	- Septicemia.	- Página 536	**¡¡¡**Llamar a urgencias**!!!**
obnubilación, extenuación, fiebre alta			
- Hinchazón de los ganglios linfáticos detrás del oído y en la nuca, amígdalas enrojecidas e hinchadas, incluso placas amarillas.	- Fiebre ganglionar.	- Página 543	**¡¡**Lo antes posible**!!**
- Escalofríos, dolor al orinar, dolores de espalda, náuseas.	- Pielitis.	- Página 367	**¡¡**Lo antes posible**!!**
- Náuseas, vómitos, dolores de cabeza y perturbación del sentido, junto con rigidez de nuca y otros síntomas.	- Patologías cerebrales o meningitis.	- Páginas 192/193	**¡¡¡**Llamar a urgencias**!!!**
en niños			
- Poca fiebre, malestar, brotes rosa claro a rosa intenso.	- Rubéola.	- Página 560	**¡**Aconsejable**!**
- Fiebre de unos 38 °C, manchas pruriginosas que acaban convirtiéndose en ampollas y en costras rojas.	- Varicela.	- Página 558	**¡**Aconsejable**!**
- Tos, constipado, fotofobia, fiebre hasta 40 °C, puntos blancos en la mucosa bucal, erupción cutánea rojo oscuro.	- Sarampión.	- Páginas 560/561	**¡**Aconsejable**!**
- Síntomas semejantes a los de la gripe, con fiebre y gañidos.	- Pseudodifteria.	- Página 557	**¡¡**Lo antes posible**!!**
- Fiebre alta repentina, escalofríos, dolores de garganta, amígdalas inflamadas, lengua de color blanco al principio y rojo frambuesa después, erupción cutánea de manchitas rojo subido.	- Escarlatina.	- Página 556	**¡¡**Lo antes posible**!!**

Flatos

(Véase también "Dolores abdominales")

Afecciones	Posibles causas	Información y ayuda	Visita al médico
- Espasmos abdominales, ventosidad, vientre hinchado.	- Carga psíquica, dieta flatulenta.	- Página 342 (Flatos)	
- Después de tomar café, bebidas frías, comida.	- Cálculos biliares.	- Página 358	**¡**Aconsejable**!**
- También, leche y sus derivados.	- Falta de lactasa.	- Página 343	**¡**Aconsejable**!**

Afecciones	Posibles causas	Información y ayuda	Visita al médico
Flujo			
- Flujo viscoso y purulento de la uretra, dolores y ardor al orinar. - Además, prurito en la zona de los genitales.	- Gonorrea. - Infección genital inconcreta.	- Página 546 - Página 547	¡¡Lo antes posible!!
en mujeres			
- Flujo intenso de olor desagradable, que no es normal, prurito en los labios de la vulva.	- Infección por hongos o bacterias.	- Página 387 (Flujo vaginal) y 396 (Infecciones de vesícula y vagina)	¡¡Lo antes posible!!
- Flujo viscoso y metrorragias, sobre todo después del acto sexual.	- Pólipos del orificio uterino.	- Página 390	¡Aconsejable, para excluir un cáncer de matriz o de cuello uterino!
Hemorragias ▸			
- Una o varias heridas sangrantes.	- Caída, golpe, lesión por corte o rasponazo.	- Página 783 (Curación de heridas pequeñas) - Página 786 (Heridas con hemorragia grave)	¡¡¡Llamar a urgencias!!!
de oído, boca o nariz			
- De oído.	- Lesión del tímpano. - Otitis media. - Inflamación del conducto auditivo.	- Páginas 168 y 174 - Página 173 - Página 171 (Eccema del conducto auditivo)	¡¡Lo antes posible!!
- De boca.	- Lesiones del paladar, lengua o esófago. - Hemorragia varicosa en el esófago.	- Página 322 - Página 322	¡¡Lo antes posible!!
- De nariz.	- Rompimiento de un vaso sanguíneo del tabique nasal. - Pituitaria dañada. - Fractura nasal.	- Página 180	¡¡En caso de fractura nasal, lo antes posible!!
- De uno o dos oídos o de nariz después de una caída, de un golpe en la cabeza o de un accidente.	- Lesión craneoencefálica (Lesión craneal).	- Páginas 190 y 791	¡¡¡Llamar a urgencias!!!

Afecciones	Posibles causas	Información y ayuda	Visita al médico
	anales o hemorroidales		
- Heces sanguinolentas, prurito anal, dolores al hacer deposiciones.	- Hemorroides. - Fisuras anales.	- Página 349 - Página 349	¡Aconsejable**!**
- Sangre y mucosidad en las heces.	- Pólipos en el intestino grueso.	- Página 346	¡¡Lo antes posible**!!**
- Además, diarreas y dolores de vientre de tipo espasmódico, pulso acelerado y obnubilación.	- Infección gastrointestinal grave.	- Páginas 537 y 545 (Diarrea durante el viaje)	
- Con posible acompañamiento de fiebre o subidas de fiebre.	- Enfermedad de Crohn.	- Página 345	
- Sangre en las heces, diarreas más frecuentes de lo normal con alternancias de estreñimiento, de heces al ventosear, cansancio.	- Cáncer de intestino grueso.	- Página 346	¡¡Lo antes posible**!!**
- Sangre en la orina, acumulaciones de líquido en el tejido y, tal vez, hipertensión.	- Inflamación del sistema filtrante de los riñones.	- Página 368	¡¡Lo antes posible**!!**
Hombres: orina turbia y sanguinolenta, micciones frecuentes y dolorosas, tenesmos vesiculares.	- Prostatitis crónica. - Adenoma de próstata.	- Página 416 - Página 416	¡¡Lo antes posible**!!**
- Sangre en la orina, náuseas, vómitos y, tal vez, dolores de espalda punzantes y repentinos.	- Cálculos renales. - Tumores de riñón y vesícula.	- Página 366 - Página 368	¡¡Lo antes posible**!!**
- Heces negras o con sangre roja, vértigos y, tal vez, vómitos de sangre.	- Hemorragia gastrointestinal.	- Página 332	¡¡¡Llamar a urgencias**!!!**
	hemorragia vaginal en las mujeres (Véase también "Menstruación")		
- Metrorragia pardusca entre dos menstruaciones.	- Trastornos hormonales. - Dosis baja de píldora anticonceptiva. - Quiste ovárico. - Metritis . - Menopausia.	- Páginas 383 (Hemorragias intermedias),388 y 390	¡Aconsejable**!**
- Metrorragia y flujo viscoso, después del acto sexual.	- Pólipos uterinos.	- Página 390	¡¡Lo antes posible, para descartar un cáncer uterino**!!**
- Metrorragias después del acto sexual, junto con menstruciones prolongadas, intensas e irregulares, metrorragias después de la menopausia.	- Cáncer de útero o de cuello uterino.	- Página 391	¡¡Lo antes posible**!!**
- Hemorragia en el embarazo, tirantez en el bajo vientre.	- Aborto, parto prematuro.	- Página 394	¡¡¡Llamar a urgencias**!!!**

Afecciones	Posibles causas	Información y ayuda	Visita al médico
Hemorragias cutáneas			
- Hemorragias cutáneas en forma de puntos, hemorragia prolongada después de sufrir heridas, hemorragias nasales, menstruación prolongada.	- Reducción del número de plaquetas.	- Página 295	¡¡Lo antes posible!!
- En niños después de una infección de los órganos respiratorios o de una gripe intestinal.	- Enfermedad de Werlhoff aguda.		
- Hemorragias cutáneas superficiales y flujos de sangre ante la menor influencia externa, hemorragias nasales frecuentes, hemorragia en articulaciones.	- Diabetes.	- Página 296	¡¡Lo antes posible!!
- Propensión a los moretones y a pequeñas hemorragias cutáneas, cansancio, sudor nocturno, ampollas, infecciones frecuentes y a veces ganglios linfáticos hinchados.	- Leucemia.	- Páginas 294/295 y 297 (si se trata de niños)	¡¡Lo antes posible!!
Hormigueo, sensación de entumecimiento ▸			
- Dolor intenso y repentino en las vértebras de la región lumbar (lumbago) con gran limitación de movimientos, sensación de entumecimiento, dolores en las piernas.	- Abultamiento de algún disco intervertebral.	- Páginas 436 (Desgaste de la columna vertebral) y 437 (Lumbago y ciática).	¡Aconsejable!
- Dolor, hormigueo, entumecimiento, debilidad, paralización y contracción de los músculos de la zona colindante.	- Lesión de algunos nervios.	- Página 210.	¡¡Lo antes posible!!
- Hormigueo, entumecimiento, debilidad, paralización y contracción de los músculos de varias partes del cuerpo a la vez.	- Polinuropatía.	- Página 211.	¡¡Lo antes posible!!
- Hormigueo y trastonos sensitivos dolorosos en pies y piernas, picor en la lengua, cansancio, bajo rendimiento.	- Anemia.	- Página 293 (Anemia por falta de vitamina B_{12} y de ácido fólico).	¡¡Lo antes posible!!
- Trastornos sensitivos como entumecimiento y hormigueo en las extremidades, paralización con aumento de la tensión muscular.	- Esclerosis múltiple.	- Página 195.	¡¡Lo antes posible!!

Afecciones	Posibles causas	Información y ayuda	Visita al médico
- Sensación repentina de entumecimiento en cara, brazos o piernas, con posibles trastornos de visión, del lenguaje y de la deglución.	- Ataque de apoplejía.	- Páginas 190 y 198/199	¡¡¡Llamar a urgencias!!!

Inapetencia

(Véase también "Trastornos alimentarios")

Afecciones	Posibles causas	Información y ayuda	Visita al médico
- Inapetencia y malestar general.	- Indicio de enfermedad incipiente.		¡Aconsejable, si persisten los síntomas!
- Inapetencia en niños, hasta el punto de negarse a tomar alimentos.	- Sin importancia casi siempre, pero también es síntoma de diversas enfermedades.	- Página 372 (Mi hijo no come)	¡Aconsejable, si el niño persiste en no querer comer!
- Náuseas y repugnancia a grasas, alcohol y nicotina, dolores en el epigastrio derecho, fiebre.	- Hepatitis.	- Página 354	¡¡Lo antes posible!!
- Náuseas, vómitos, flatos, sensación de presión y plenitud, opresión dolorosa en el epigastrio. - Además: pérdida de peso y repugnancia a la carne.	- Estrés, carga psíquica. - Gastritis. - Cáncer de estómago.	- Página 334 (Estómago nervioso) - Páginas 334 y 335 - Página 336	¡¡Lo antes posible, si persisten los síntomas!!

Menstruación ▶

Afecciones	Posibles causas	Información y ayuda	Visita al médico
- Ninguna menstruación a pesar de la pubertad, falta de la regla más de tres meses.	- Causas psíquicas. - Embarazo. - Enfermedades ováricas. - Trastornos hormonales. - Anorexia. - Enfermedades del tiroides. - Diabetes. - Superproducción de la hormona prolactina.	- Página 383 (Falta de la menstruación)	¡Aconsejable!
- Menstruación irregular.	- Trastornos funcionales de los ovarios.	- Página 388	¡Aconsejable!
- Hemorragia lubricante menos de tres días, usando dos compresas/tampones diarios	- Falta de ovulación. - Píldora anticonceptiva. - Menopausia.	- Página 383 (Hemorragias débiles o fuertes)	¡Aconsejable!
Fuerte homorragia durante más de siete días, empleando más (..)	- Trastorno hormonal. - Mioma.	- Páginas 380 (Menstruación muy intensa)	¡¡Lo antes posible!!

Afecciones	Posibles causas	Información y ayuda	Visita al médico
◂ Menstruación			
(..) de seis compresas/tampones diarios, dolores espasmódicos.	- Llevar puesta una espiral. - Inflamaciones. - Endometriosis. - Cáncer de matriz (de cuello uterino).	y página 383 (Hemorragias débiles o fuertes)	¡¡Lo antes posible!!
Miedo			
miedo a algo inconcreto			
- Antes de dormir, durante el sueño.	- Cargas psíquicas, estrés.	- Páginas 226 y página 683 (Aprender de los sueños)	
- Accesos de miedo a morir, a volverse loco, a hacer algo sin controlarse, sensación de impotencia, miedo por el miedo.	- Ataque de pánico.	- Páginas 222 y 684 (Cómo enfrentarse al miedo)	¡Aconsejable!
- Además: disnea, ardor y opresión en el pecho, náuseas, vómitos.	- Neurosis cardíaca. - Angina de pecho/infarto.	- Página 271 - Página 262	¡¡¡Llamar a urgencias al primer síntoma de disnea y opresión en el pecho!!!
- Miedo continuo sin motivo aparente, los pensamientos están coartados por el miedo.	- Desasosiego general por el miedo.	- Páginas 223 y 684 (Cómo enfrentarse al miedo)	¡Aconsejable!
miedo antes o después de una situación determinada			
- Miedo a un objeto (araña, serpiente), o a una situación (espacios cerrados, ir en avión).	- Fobia.	- Página 223	¡Aconsejable!
- Revivir con terror una experiencia extrema (persecución, secuestro, violación, fuego).	- *Shock* sufrido.	- Página 220	¡Aconsejable!
- Miedo a no poder soportar una situación si no es con la ayuda del alcohol, medicamentos o drogas.	- Drogodependencia.	- Páginas 562 a 575	¡Aconsejable!
- Miedo a ser perseguido por una organización (mafia, servicios secretos) o por extraterrestres, miedo a ser espiado o a la influencia de agentes externo.	- Esquizofrenia paronoide.	- Páginas 230 y 216 (Psicosis aguda)	¡¡Lo antes posible!!

Afecciones	Posibles causas	Información y ayuda	Visita al médico

Nariz congestionada/acatarrada

(Véase también "Hemorragias")

Afecciones	Posibles causas	Información y ayuda	Visita al médico
- Dificultad para respirar por la nariz.	- Pólipos nasales.	- Páginas 181/182	¡Aconsejable!
- Flujo viscoso y acuoso, estornudos, pituitaria enrojecida e hinchada.	- Constipados/sinusitis.	- Páginas 182 y 748 (El botiquín doméstico)	
- Catarro con destilación nasal, ataques de estornudos, lagrimeo, picor de ojos, de nariz y de boca, con posible erupción cutánea, disnea, ataque de asma, hinchazones.	- Fiebre del heno. - Alergia: al pelo de animales, al polvo doméstico, picaduras de insectos, al moho, a medicamentos.	- Página 524 - Página 531 - Página 530 - Página 530 - Página 530 - Página 528	¡¡Lo antes posible!!

Náuseas, vómitos ▶

aparte de la comida

Afecciones	Posibles causas	Información y ayuda	Visita al médico
- Náuseas, vómitos de mucosidad o quimo.	- Excitación, nerviosismo, efectos secundarios de un medicamento.		
- Sensación de vacío en el estómago, mareos, agotamiento.	- Hipotensión.	- Página 281	¡Aconsejable, si persisten los síntomas!
- Vomitos matinales, cambios de humor.	- Embarazo.	- Página 51	¡Aconsejable si las afecciones son intensas!
- Náuseas, vómitos, diarrea, pulso acelerado, posible fiebre y obnubilación.	- Gastroenteritis aguda. - Salmonelosis.	- Página 537 - Página 544	¡¡Lo antes posible!!
- Vómitos de sangre de color rojo oscuro o rojo claro.	- Hemorragia gastrointestinal. - Hemorragia de varices en el estómago.	- Página 332 - Página 322	¡¡¡Llamar a urgencias!!!
- Náuseas, vómitos, opresión en pecho, ardor detrás del esternón, con posible dolor irradiante a hombros y brazos.	- Infarto de miocardio.	- Página 266	¡¡ Llamar a urgencias!!!
- Dolor intenso en un costado, náuseas, vómitos.	- Cólico por calculosis renal.	- Página 362	¡¡¡Llamar a urgencias!!!
- Vómitos y fuertes dolores de vientre repentinos, con posible fiebre, pulso acelerado.	- Causas diversas, casi todas con peligro de muerte.	- Página 332 (Abdomen agudo)	¡¡¡Llamar a urgencias!!!
- Náuseas, cólera nostras, disnea, perturbación del conocimiento, alteraciones cutáneas.	- Materia o vapores tóxicos, insecticidas por contacto, infección.	- Página 795 (Intoxicaciones) y página 536 (Septicemia)	¡¡¡Llamar a urgencias!!!

Afecciones	Posibles causas	Información y ayuda	Visita al médico
◂ Náuseas, vómitos			
con dolores de cabeza			
- Dolores de cabeza que duran horas o días, trastornos de la visión, hipersensibilidad a la luz y a los ruidos.	- Migraña.	- Páginas 213 y 749 (El botiquín doméstico)	¡¡Lo antes posible, si el ataque de migraña transcurre fuera de lo habitual!!
- Después una larga exposición al, sol, náuseas, vómitos, mareos, con posible recalentamiento y enrojecimiento de la cabeza, rigidez en la nuca.	- Insolación.	- Página 789	¡¡Lo antes posible!!
- Náuseas y vómitos después de un ccidente, una caída o un golpe en la cabeza, inmediatamente o más tarde, con hemorraia de oídos o nariz.	- Lesión craneal.	- Páginas 190 y 791 (Lesión craneal)	¡¡¡Llamar a urgencias!!!
- Náuseas, vómitos, dolores de cabeza y perturbación del conocimiento, junto con rigidez en la nuca, fiebre y otros síntomas.	- Enfermedades cerebrales o meningíticas.	- Páginas 192/19	¡¡¡Llamar a urgencias!!!
después de la comida o unas horas más tarde			
- Vómitos después de haber comido sin control alguno.	- Bulimia. - Anorexia.	- Página 225 - Página 224	¡Aconsejable!
- Náuseas, eructos, ardor de estómago, "nudo" en el estómago, flatos y, en ocasiones, vómitos.	- Carga psíquica, estrés. - Gastritis.	- Página 334 (Estómago nervioso) - Página 334 (Gastritis aguda)	¡Aconsejable, si persisten los síntomas! ¡¡Lo antes posible!!
- Náuseas, vómitos y dolores de vientre después de comidas grasosas, fiebre tal vez.	- Pancreatitis crónica. - Colecistitis.	- Página 359 - Página 358	¡¡Lo antes posible!!
- Cólera nostras, pulso acelerado, arrugas cutáneas bien visibles y persistentes.	- Intoxicación alimentaria.	- Página 536	¡¡¡Llamar a urgencias!!!
- Náuseas, vómitos, disnea, ataque de asma, diarrea, inflamación de boca y garganta.	- Alergia alimentaria.	- Página 528	¡¡¡Llamar a urgencias!!!
en niños			
- Náuseas, vomitos.	- Haber bebido muy deprisa (los lactantes). - Síntomas generales de enfermedad.	- Página 370 (Vómitos en niños)	¡Aconsejable, si persisten los síntomas!

Afecciones	Posibles causas	Información y ayuda	Visita al médico
- Vómitos repentinos, diarrea, dolores de vientre casi siempre, negación a comer.	- Infección gastrointestinal.	- Página 370 (Diarrea en niños)	¡¡Lo antes posible!!
- Vómitos, disnea, ataques de tos.	- Tos ferina.	- Página 557	¡¡Lo antes posible!!
- Vómitos, dolores de vientre paroxísticos, diarrea o estreñimiento, fiebre tal vez.	- Apendicitis.	- Página 340	¡¡¡Llamar a urgencias!!!

Nódulos, tumores, hinchazones y verrugas ▸

nódulos y tumores

Afecciones	Posibles causas	Información y ayuda	Visita al médico
- Nódulos dolorosos y enrojecidos.	- Foliculitis (Furúnculos).	- Páginas 454 y 183	¡¡Lo antes posible, si se trata de un furúculo en la nariz o en el labio superior!!
- Superficie cutánea "dura como una tabla" y muy dolorosa; si acaso, también fiebre e hinchazón de ganglios linfáticos.	- Inflamación de varios folículos (Ántrax).	- Páginas 454 y 183	¡Aconsejable!
- Pápulas rojo azulado, prurigi-nosas, brillantes y un poco deprimidas en el centro, fina retícula blanca en las mucosas.	- Líquen ruber plano.	- Página 471	¡¡Lo antes posible!!
- Nódulos blancos, azulados o color de la piel, junto con nevos pigmentarios marrón claro.	- Enfermedad de von Recklinghausen (neurofibromatosis).	- Página 471	¡¡Lo antes posible!!
- Callosidades toscas, de gris amarillento a pardusco, y muy vulnerables.	- Queratosis actínica.	- Página 476	¡¡Lo antes posible!!
- Costras marrones y verrugosas, debajo de las cuales hay nódulos rojizos, duros e indoloros.	- Cáncer de células espinosas.	- Página 476	¡¡Lo antes posible!!
- Nódulos negros, que brotan o se renuevan a partir de un melanoblasto.	- Melanoma.	- Páginas 477 y 744 (Observar las alteraciones de la piel)	¡¡Lo antes posible!!
- Úlcera carácea con venas finas, rodeada de pápulas dispuestas como un collar de perlas.	- Cáncer de las células basales.	- Página 475	¡¡Lo antes posible!!

hinchazones

Afecciones	Posibles causas	Información y ayuda	Visita al médico
- Uno o varios "bultos" en la piel, elásticos y repletos.	- Tumores de tejido adiposo.	- Página 475	¡Aconsejable!
- Hinchazón dolorosa, enrojeci-miento y recalentamiento de una zona circunscrita de la piel, tal vez fiebre y malestar.	- Abscseso. - Erisipela. - Flemón.	- Página 454 - Página 452 - Página 455	¡¡Lo antes posible!!

Afecciones	Posibles causas	Información y ayuda	Visita al médico
◄ Nódulos, tumores, hinchazones y verrugas			
- Hinchazones nodulosas detrás de las orejas, en la nuca y a veces también en las axilas y en las ingles, con posibilidad de fiebre.	- Ganglios linfáticos engrosados.	- Página 302 (Linfoma)	¡¡Lo antes posible!!
- Hinchazón blanda en el ombligo, ingles o muslos, que aparece casi siempre al levantar pesos o toser.	- Hernia (umbilical, inguinal y otras).	- Página 439 (Abertura muscular con hernia)	¡Aconsejable! ¡¡Lo antes posible en caso de dolores muy fuertes!!
verrugas			
- Uno o varios nódulos del color de la piel, tan grandes como la cabeza de un alfiler o guisante y con una abolladura en el centro.	- Verrugas planas.	- Página 456	¡Aconsejable!
- Uno o varios nódulos muy delimitados, de color gris amarillento, con superficie tosca y agrietada.	- Verrugas comunes.	- Página 456	¡Aconsejable!
- Alteraciones cutáneas marrón claro a negro, con relieve bajo y posible agrietamiento de la superficie.	- Verrugas seniles.	- Páginas 275 y744 (Observar las alteraciones cutáneas)	¡Aconsejable, para asegurarse de que no se trata de un cáncer de piel (melanoma)!
- Brotes en región genital y anal en forma de coliflor o cresta de gallo y del mismo color de la piel.	- Condiloma.	- Página 456	¡¡Lo antes posible!!

Obnubilación

(Véase "Trastornos del conocimiento")

Paralizaciones, debilidad muscular

(Véase también "Hormigueo, sensación de entumecimiento")

Afecciones	Posibles causas	Información y ayuda	Visita al médico
aparecen de repente			
- Dolores repentinos e intensos en las vértebras cervicales o lumbares, pérdida de sensibilidad, paralizaciones y dolores que irradian hasta brazos y piernas.	- Hernia discal, isquialgia.	- Páginas 436 y 437 (Lumbago y ciática)	¡¡Necesario y lo antes posible!!
- Paralización repentina en cara, brazo o pierna, con posibles trastornos de la visión, del lenguaje y de la deglución.	- Ataque de apoplejía.	- Páginas 190 y 198/199	¡¡¡Llamar a urgencias!!!

Afecciones	Posibles causas	Información y ayuda	Visita al médico
- Paralizaciones después de un accidente, caída o golpe con herida o flujo de sangre en la cabeza, con posibles hemorragias de oído y nariz.	- Lesión craneoencefálica.	- Páginas 190 y 791 (Lesión craneal)	¡¡¡Llamar a urgencias!!!
	de aparición paulatina		
- Dolor, hormigueo, entumecimiento, debilidad, paralizaciones, contracción de los músculos de la zona colindante.	- Lesión de algún nervio.	- Página 210	¡¡Necesario y lo antes posible!!
- Hormigueo, entumecimiento, debilidad, contracción de diversos músculos.	- Polineuropatía.	- Página 211	¡¡Lo antes posible!!
- Debilidad, cansancio, picores en la lengua, dolores de estómago crónicos, hormigueo en manos y pies, inseguridad al andar.	- Anemia.	- Página 293 (Anemia por falta de vitamina B_{12} y ácido fólico	¡¡Lo antes posible!!
- Primero, hormigueo y trastornos sensitivos dolorosos en manos y pies, reducción de rendimiento; luego, paralizaciones.	- Tumores cerebrales.	- Página 203	¡¡Lo antes posible!!
- Paralizaciones progresivas con a dolores en la espalda, trastornos sensitivos y del equilibrio.	- Esclerosis múltiple.	- Página 195	¡¡Lo antes posible!!
- Debilidad muscular progresiva, que empieza con movimientos musculares involuntarios en manos y muslos, trastornos progresivos de la deglución, lenguaje incoherente.	- Atrofia muscular (esclerosis lateral amiotrófica). - Miastenia.	- Página 206 - Página 439	¡¡Lo antes posible!!

Percepción anormal ▸

(Véase también "Comportamientos extraños")

Afecciones	Posibles causas	Información y ayuda	Visita al médico
- Ideas demenciales, degeneración de la facultad de rendimiento intelectual, cambios de personalidad.	- Degeneración psíquica por alcohol.	- Página 201	¡¡Lo antes posible!!
- Alucinaciones repentinas, trastornos mentales, conducta extravagante y fuera de lugar.	- Psicosis aguda.	- Páginas 216 y 228 (¿Neurosis o psicosis?)	¡¡Lo antes posible!!
- Sensación de poder hacerlo todo, "aires de grandeza", afán extremo de actuar y de hablar con frivolidad, gastos excesivos.	- Manía.	- Páginas 229 y 228 (¿Neurosis o psicosis?)	¡¡Lo antes posible!!

Afecciones	Posibles causas	Información y ayuda	Visita al médico
◂ Percepción anormal (Véase también "Comportamientos extraños")			
- Vivir en un mundo absurdo, en el que se oyen voces extrañas, se perciben sensaciones físicas anormales o se es objeto de persecución.	- Esquizofrenia paranoide.	- Páginas 230 y 228 (¿Neurosis o psicosis?)	¡¡Lo antes posible!!
Pérdida del sentido, lipotimia			
- Pérdida del sentido por poco tiempo, que suele ir precedido de mareos, náuseas y pérdida de la visión.	- Falta de circulación de sangre en el cerebro, por estar mucho tiempo de pie o por respirar aire enrarecido.	- Página 281 (Hipotensión) y página 785	¡Aconsejable, si se repiten las lipotimias!
- Estado similar al del sueño profundo, largo y persistente, del que no se puede despertar la persona afectada.	- Trastorno del conocimiento, enfermedad cardíaca, circulatoria o pulmonar.	- Página 785	¡¡¡Llamar a urgencias!!!
Perturbación del conocimiento (Véase también "Pérdida del sentido, lipotimia")			
- Confusión, inconexión en el hablar, falta de orientación sobre la situación actual o la propia persona, comportamiento extraño, obnubilación, somnolencia hasta perder el sentido, tal vez desasosiego, nerviosismo, trastornos de la vista y del oído, trastornos sensitivos y parálisis o espasmos.	- Lesión craneoencefálica. - Ataque de apoplegía. - Ataque epiléptico. - Meningitis o encefalitis. - Hemorragia sobre o entre las meninges. - Psicosis aguda. - Estupefacientes, sustancias de adicción.	- Páginas 190, 785 (Perturbación del conocimiento) y página 791 (Lesión craneal) - Páginas 198 y 199 - Páginas 190 y 202 - Página 192 - Página 196 - Página 216 - Páginas 562 a 575	¡¡¡Llamar a urgencias!!!
Pies doloridos (Véase "Dolores de piernas y pies")			

Afecciones	Posibles causas	Información y ayuda	Visita al médico
Problemas al orinar ▶ (Véase también "Alteraciones al orinar")			
micciones frecuentes			
Mujeres: micciones frecuentes en cantidades muy pequeñas, sensación de presión en el bajo vientre	- Descenso de la matriz.	- Página 390	¡Aconsejable!
- Mucha sed, grandes cantidades de orina, vómitos, trastornos digestivos, dolores de huesos, actitud depresiva.	- Hiperfunción de las glándulas paratiroides.	- Página 496	¡¡Lo antes posible!!
- Mucha sed, grandes cantidades de orina diarias, además de cansancio, abatimiento, pérdida de peso, infecciones que curan mal, prurito.	- Diabetes mellitus.	- Páginas 501 a 503	¡¡Lo antes posible!!
micciones frecuentes y dolorosas			
- Necesidad imperiosa de orinar a menudo pero en pequeñas cantidades, dolores leves en el bajo vientre.	- Irritación de la vejiga urinaria.	- Página 364	¡Aconsejable!
- Ardor y pinchazos al orinar, necesidad imperiosa de orinar a menudo en pequeñas cantidades.	- Cistitis.	- Página 365	¡¡Lo antes posible!!
- Además: fiebre, dolores de espalda y posibles escalofríos.	- Pielitis.	- Página 367	
- En hombres: micciones frecuentes y dolorosas, dolores en la región perineal al defecar .	- Prostatitis aguda.	- Página 416	¡¡Lo antes posible!!
- Además de orina turbia y sanguinolenta, tenesmas vesicales	- Prostatitis crónica.	- Página 416	¡¡Lo antes posible !
Ardor al orinar, flujo urético viscoso y purulento, prurito a veces.	- Infección genital no específicada. - Gonorrea.	- Página 547 - Página 456	¡¡Lo antes posible!!
micciones muy frecuentes por la noche			
- Ligero cansancio, debilidad, disnea, taquicardias, tos irritante nocturna, labios azulados, tobillos y piernas hinchadas.	- Insuficiencia cardíaca.	- Páginas 262 y 270	¡¡Lo antes posible!! ¡¡¡Llamar a urgencias, si los síntomas aparecen de repente!!!
- Dificultades para empezar, interrupción del chorro de orina, ganas de orinar por la noche, evacuación incompleta de la vejiga.	- Adenoma prostático. - Cáncer de próstata.	- Página 416 - Página 417	¡¡Lo antes posible!!

Afecciones	Posibles causas	Información y ayuda	Visita al médico
◂ Problemas al orinar (Véase también "Alteraciones al orinar")			
- Mucha sed, cantidades pequeñas de orina.	- Diabetes insípida.	- Página 505	¡¡Lo antes posible!!
- Piel de color marrón amarillento, debilidad, dolores de cabeza, náuseas, vómitos, vómitos matinales, muy poca cantidad de orina.	- Fallo renal.	- Página 369	¡¡Lo antes posible!!
micciones no controladas			
- Pérdida de orina al toser, reír o agacharse.	- Incontinencia por debilitamiento de la musculatura de la pélvis a causa del estrés.	- Página 364 (Debilidad vesical) y página 391 (Gimnasia para la base pélvica)	¡Aconsejable, si persisten los síntomas!
- Irreprimibles ganas de orinar y pérdida de orina, aunque la vejiga urinaria no esté llena.	- Incontinencia de las ganas de orinar por irritación de la musculatura vesical.	- Página 364 (Debilidad vesical)	¡Aconsejable!
- Pérdida de orina sin control.	- Incontinencia por trastornos del flujo urinario. - Incontinencia absoluta por fallo de los esfínteres.	- Página 364 (Debilidad vesical) - Página 364 (Debilidad vesical)	¡¡Lo antes posible!!
Niños: evacuación incontrolada de la vejiga durante el sueño o por el día.	- Enuresis.	- Página 373	¡Aconsejable, si persisten los síntomas!
Problemas cutáneos en general			
- Piel grasa y brillante, pelo enmarañado.	- Aumento de seborrea.	- Página 466	
- Piel grasa en la frente, la nariz y el mentón, comedones en la cara y en la parte superior de la espalda, nódulos inflamados, rojos o purulentos.	- Acné.	- Página 466	¡Aconsejable, en caso de acné agudo o semiagudo!
- Adiposidades onduladas en las caderas, muslos, nalgas y vientre.	- Celulitis ("michelines").	- Página 473	
Problemas de deglución (Véase también "Dolores de garganta y eructos")			

Afecciones	Posibles causas	Información y ayuda	Visita al médico
Problemas respiratorios			
respiración penosa (Véase también "Tos" y "Nariz congestionada/acatarrada")			
- Fiebre alta, que puede ir acompañada de escalofríos, dolores en el pecho, tos, expectoración aherrumbrada.	- Neumonía.	- Página 248	¡¡Lo antes posible!!
- Disnea en aumento, también acostado, que mejora al sentarse, tos, expectoración espumosa, estertores.	- Edema pulmonar.	- Página 250	¡¡¡Llamar a urgencias!!!
disnesia paroxística, sensación de ahogo			
- Dolores en el pecho, miedo, pulso acelerado, tos.	- Embolia pulmonar.	- Página 250	¡¡¡Llamar a urgencias!!!
- Taquicardias, tos irritante nocturna, labios azulados, posible hinchazón de tobillos y piernas, micciones frecuentes por las noches.	- Insuficiencia cardíaca.	- Páginas 262 y 270	¡¡Lo antes posible!! ¡¡¡Llamar a urgencias si los síntomas surgen de repente!!!
- Dolores y sensación de opresión en el pecho, ardor detrás del esternón, que puede irradiar a cuello, hombros y brazos, náuseas, sudor copioso, angustia mortal.	- Angina de pecho Infarto de miocardio.	- Páginas 262 y 784 (Disnea)	¡¡¡Llamar a urgencias!!!
- Sensación de asfixia, falta de aire, esfuerzos para expectorar o vomitar.	- Haber tragado o aspirado un cuerpo extraño.	- Páginas 788 (Asfixia) y 242	¡¡¡Llamar a urgencias!!!
- Respiración entrecortada, espiración penosa y silbante, tos, opresión en el pecho, exudación copiosa.	- Asma bronquial.	- Páginas 525 y 784	¡¡¡Lo antes posible¡¡¡ ¡¡¡Llamar a urgencias!!!

Afecciones	Posibles causas	Información y ayuda	Visita al médico
Problemas sexuales			
- Falta de apetito sexual y dificultades para llegar al orgasmo.	- Causas psíquicas casi siempre, causas orgánicas muy raramente.	- Páginas 38 (Sexualidad y pareja), 40 (Cuando el apetito sexual hace una pausa), 386 (Espasmo vaginal) y 414 (Problemas de erección)	¡Aconsejable, para asegurarse de que no hay causas orgánicas**!**
Prurito			
en la piel (Véase "Erupción cutánea con prurito")			
en la región genitoanal			
- Prurito anal con posible vaginitis.	- Oxiuros vermiculares.	- Página 348 (Helmintos)	¡Aconsejable**!**
- Prurito anal, dolores al defecar, heces con sangre de color rojo claro, con posible evacuación de secreción purulenta procedente de pequeñas grietas del ano.	- Hemorroides. - Fisuras anales, fístulas anales.	- Página 349 - Página 349	¡Aconsejable**!**
- Mujeres: picor y ardor en los labios de la vulva, exudaciones dolorosas y enrojecimiento de la piel.	- Infección por hongos.	- Página 386 (Prurito de los labios de la vulva)	¡Aconsejable**!**
Rigidez de nuca			
- Sensación de tirantez, endurecimiento de los músculos apreciable al tacto.	- Distensión muscular.	- Página 438	
- Fuertes dolores de cabeza, turbación del conocimiento, además de fiebre, náuseas, vómitos, con posibles ataques epilépticos.	- Meningitis. - Encefalitis. - MEPV.	- Página 192 - Página 192 - Página 193	¡¡¡Llamar a urgencias**!!!**
Ronquera			
(Véase también "Dolores de garganta, problemas de deglución")			
- Ronquera pasajera.	- Sobrecarga de las cuerdas bucales.	- Página 246 (Ronquera)	
- Irritación de la garganta y sensación de sequedad, tos, ronquera que puede llegar a afonía, posibles dolores de garganta, malestar general.	- Laringitis.	- Páginas 246 y 245 (El enfriamiento)	¡Aconsejable, si persisten los síntomas**!**

Afecciones	Posibles causas	Información y ayuda	Visita al médico
◂ Ronquera (Véase también "Dolores de garganta, problemas de deglución")			
- Ronquera, carraspera, tos irritante, problemas de deglución, sensación de presión en la laringe.	- Tumor de laringe.	- Página 246	¡¡Lo antes posible!!
- Aparición de nódulos indoloros e inmóviles, aumento progresivo del perímetro del cuello, engrosamiento de los ganglios linfáticos de la garganta.	- Cáncer de tiroides.	- Página 296	¡¡Lo antes posible!!
Sed intensa			
- Eliminación de grandes cantidades de orina a diario, cansancio, abatimiento, pérdida de peso, infecciones que se curan mal, prurito.	- Diabetes mellitus.	- Páginas 501 a 503	¡¡Lo antes posible!!
- Eliminación de mucha orina a diario, frecuentes interrupciones del sueño nocturno por la necesidad de beber y orinar.	- Diabetes insípida o hipofisaria.	- Página 505	¡¡Lo antes posible!!
- Micciones frecuentes, náuseas y vómitos, trastornos digestivos, dolor de huesos, depresiones.	- Hiperfunción de las glándulas paratiroides.	- Página 496	¡¡Lo antes posible!!
Sensación de entumecimiento (Véase "Hormigueo, sensación de entumecimiento")			
Temblores			
- Temblores rítmicos de las manos cuando están en reposo, caminar inclinado hacia adelante y con pasos cortos, lentitud de movimientos y falta de fuerza.	- Diabetes mellitus.	- Páginas 501 a 503	¡¡Lo antes posible!!
- Temblores fuertes al asir un objeto, paso inseguro con piernas abiertas, balanceos cuando se está de pie o sentado.	- Lesión del cerebelo.	- Página 206	¡¡Lo antes posible!!

Afecciones	Posibles causas	Información y ayuda	Visita al médico
- Temblores, respiración plana, trastornos del conocimiento después de permanecer largo tiempo bajo los efectos del frío (por ejemplo, por un accidente en la montaña o en el baño).	- Hipotermia.	- Página 793	¡¡¡Llamar a urgencias!!!

Tos

Afecciones	Posibles causas	Información y ayuda	Visita al médico
- Tos, sensación de lesión detrás del esternón con síntomas de resfriado.	- Bronquitis aguda.	- Página 247	¡Aconsejable!
- Además: fiebre, escalofríos y disnea.	- Neumonía.	- Página 248	¡¡Lo antes posible!!
- Tos persistente con expectoración, respiración "bronca".	- Bronquitis crónica.	- Página 247	¡Aconsejable!
- Tos irritante, ronquera o incluso pérdida de la voz, garganta reseca y dolorida.	- Laringitis.	- Página 246	¡Aconsejable!
- Tos paroxística, respiración corta, espiración silbante y dificultosa,opresión en el pecho.	- Asma bronquial.	- Páginas 522, 525, 247, y 784 (Disnea)	¡¡Lo antes posible!! ¡¡¡Llamar a urgencias, si persiste la disnea!!!
- Tos con expectoración de sangre oscura o rojo claro.	- Rotura de vasos sanguíneos de las vías respiratorias.	- Páginas 242 y 322	¡¡Lo antes posible!! ¡¡¡Llamar a urgencias, si persisten los síntomas!!!
- Tos, sudores nocturnos, inapetencia, fiebre, expectoración sanguinolenta.	- Tuberculosis pulmonar.	- Página 252	¡¡Lo antes posible!!
- Síntomas de enfriamiento que no tienen fin, con tos, disnea, dolores en el pecho.	- Cáncer pulmonar.	- Página 252	¡¡Lo antes posible!!
- Tos irritante nocturna, disnea, taquicardias, azulamiento de los labios, con posibles hinchazones de tobillos y piernas, micciones frecuentes por las noches.	- Insuficiencia cardíaca.	- Páginas 262 y 270	¡¡Lo antes posible!! ¡¡¡Llamar a urgencias, si los síntomas aparecen de repente!!!

en niños

Afecciones	Posibles causas	Información y ayuda	Visita al médico
- Primero tos seca, también por la noche, luego tos paroxística, disnea, vómitos.	- Tos ferina.	- Página 557	¡¡Lo antes posible!!
- Tos con gañidos que no dejan conciliar el sueño, síntomas gripales con fiebre.	- Pseudodifteria.	- Página 557	¡¡Lo antes posible!!

Afecciones	Posibles causas	Información y ayuda	Visita al médico
Trastornos alimentarios			
- Renunciar a comer o tratar de vomitar lo comido (suele darse, sobre todo, en jovencitas y mujeres jóvenes), delgadez extrema, infecciones difíciles de curar, miedo a engordar.	- Anorexia.	- Página 224	¡Aconsejable!
- Comer con avidez y sin control hasta no poder más, para vomitar después y sentirse culpable (suele darse, sobre todo en chicas y en mujeres jóvenes).	- Bulimia.	- Página 225	¡Aconsejable!
Trastornos auditivos, sordera			
aparecen de repente o se agudizan con el tiempo			
- Sordera y zumbidos, en ambos oídos, después de escucharse un estruendo único o repetitivo.	- Lesión en las células sensoriales del oído interno.	- Página 172 (Sordera por el ruido)	¡Aconsejable!
- Sordera, dolor punzante, presión, plenitud en el oído.	- Oclusión de la trompa de Eustaquio.	- Página 173	¡Aconsejable!
- Zumbidos, silbidos o ruidos en el oído.	- Carga psíquica, estrés, enfermedades del oído, trastornos circulatorios.	- Página 174 (Ruidos en el oído)	¡Aconsejable!
- Sordera repentina (en un oído casi siempre), sensación de tener algodón metido en el oído.	- Trastornos circulatorios en el oído.	- Página168 (Pérdida/caída aguda de la audición)	¡¡Lo antes posible!!
- Sordera y sensación de presión en el oído.	- Cuerpo extraño en el oído. - Tapón de cerumen.	- Página 168 - Página 170	¡¡Lo antes posible, para aclarar la causa!!
- Sordera, dolor punzante.	- Lesión del tímpano. - Otitis media aguda.	- Página 174 - Página 173	¡¡Lo antes posible!!
- Sordera en un oído con vértigo paroxístico al girar la cabeza, náuseas, vómitos, diarrea, movimientos de ojos involuntarios.	- Enfermedad de Ménière.	- Página 175	¡¡Lo antes posible!!
se desarrollan lentamente			
- Sordera y secreción en uno o en ambos oídos.	- Otitis media crónica.	- Página 173	¡Aconsejable!
- Sordera aguda y ruidos en uno o en ambos oídos.	- Enfermedades del conducto auditivo (...)	- Páginas 176 (Sordera) y 177 (...)	¡Aconsejable!

Afecciones	Posibles causas	Información y ayuda	Visita al médico
- Sordera absoluta	(...) externo, del oído medio o del nervio auditivo.	(...) (¿Qué conviene saber sobre los audífonos) y página 176 (Sordera absoluta)	
- Ruidos y disminución de la audición en un oído, vértigos ligeros.	- Neurinoma auditivo.	- Página 175	¡¡Lo antes posible!!

Trastornos caminando

Afecciones	Posibles causas	Información y ayuda	Visita al médico
- Andar a pasitos e inclinación hacia adelante, temblores rítmicos de las manos, movimientos lentos y falta de fuerza.	- Enfemedad de Parkinson.	- Página 205	¡¡Lo antes posible!!
- Andar inseguro con las piernas abiertas, balanceo al sentarse y ponerse en pie, temblores al ir a coger una cosa.	- Trastorno circulatorio o encefalitis, intoxicaciones, abuso del alcohol o nicotina.	- Página 206 (Lesión del cerebelo)	¡¡Lo antes posible!!
- Aparición repentina de trastornos al andar, junto con parálisis o trastornos sensitivos (visión, lenguaje, deglución, etc.).	- Ataque de apoplejía.	- Páginas 190 y 198/199	¡¡¡Llamar a urgencias!!!

Trastornos de la vista ▸

(Véase también "Afecciones de los ojos")

aparecen de forma repentina

Afecciones	Posibles causas	Información y ayuda	Visita al médico
- Casi siempre en un ojo, a veces con vértigos.	- Trastorno circulatorio agudo de la retina.	- Página 157	¡¡Lo antes posible!!
- Puntitos negros que se mueven delante de un ojo o, casi siempre, de los dos, percepción de destellos, sombras o velos.	- Desprendimiento de retina.	- Página 158	¡¡Lo antes posible!!
- Fuerte dolor de ojos y cabeza, globo ocular enrojecido y duro	- Glaucoma agudo.	- Página 150 (Ataque de glaucoma)	¡¡Lo antes posible!!
- Reducción del campo visual.	- Ataque de apoplejía.	- Páginas 190 y 198/199	¡¡¡Llamar a urgencias!!!

de aparición paulatina

Afecciones	Posibles causas	Información y ayuda	Visita al médico
- Líneas rectas aparecen distorsionadas (en personas mayores).	- Trastorno circulatorio del centro de la retina.	- Página 157	¡¡Lo antes posible!!
- Aumento de la sensibilidad al deslumbramiento, con posible aumento de miopía o reducción de hipermetropía o presbicia (casi siempre en ambos ojos).	- Cataratas.	- Página 156	¡¡Lo antes posible!!

Afecciones	Posibles causas	Información y ayuda	Visita al médico
◄ Trastornos de la vista (Véase también "Afecciones de los ojos")			
- Reducción del campo visual, con posible percepción de guirnaldas de color alrededor de focos luminosos.	- Glaucoma en fase avanzada.	- Página 156	¡¡Lo antes posible!!
- Capacidad visual variable, empeoramiento lento y progresivo de la visión.	- Diabetes mellitus.	- Página 159	¡¡Lo antes posible!!
- Velo delante de un ojo, imágenes dobles.	- Esclerosis múltiple.	- Página 195	¡¡Lo antes posible!!
posición defectuosa de los ojos			
- Percepción de imágenes dobles y peor capacidad visual en un ojo, dolores de cabeza.	- Estrabismo	- Página 161	¡Aconsejable!
ametropía			
- Visión desenfocada a determinadas distancias, dolores de cabeza, estrabismo tal vez.	- Miopía, hipermetropía o presbicia.	- Página 162 (Ametropía)	¡Aconsejable!
- Visión distorsionada, puntos que parecen líneas desenfocadas.	- Astigmatismo.	- Página 162 (Ametropía)	¡Aconsejable!
- Ciertos colores (verde y rojo, por lo general) no se perciben con claridad o se confunden.	- Daltonismo.	- Página 162	¡Aconsejable!
- Mala visibilidad, o ninguna, en la oscuridad y en penumbra.	- Hemeralopía (Ceguera nocturna).	- Página 163	¡¡Lo antes posible, para conducir!!
Trastornos del crecimiento y del desarrollo			
en lactantes			
- Mal provecho después de mamar, vómitos después de tomar productos lácteos o fruta (zumos) con fructosa, vómitos, diarrea, fiebre, hipoglicemia.	- Intolerancia a la fructosa. - Falta de lactasa.	- Página 515 - Página 343	¡¡Lo antes posible!!
- Movimientos lentos y reducidos, mucho sueño, deposiciones poco frecuentes, desarrollo retrasado.	- Hipofunción congénita del tiroides.	- Página 512	¡¡Lo antes posible, para aclarar las circunstancias!!
en niños			
- Sin contacto con el entorno, dificultad o imposibilidad (...)	- Autismo de la primera infancia	- Página 234	¡¡Lo antes posible!!

Afecciones	Posibles causas	Información y ayuda	Visita al médico
(...) de hablar y aprender, los cambios en el ambiente familiar desencadenan furor o miedo.			
- Las facultades psíquicas están por debajo del promedio, se mantienen los trastornos del lenguaje, de capacidad de adaptación, de la conducta social.	- Influencias perniciosas durante el embarazo y el parto, así como distintas enfermedades infantiles.	- Página 234 (Retraso mental)	¡¡Lo antes posible, para que el niño pueda prosperar lo mejor que se pueda**!!**

Trastornos del equilibrio

(Véase "Vértigo, trastornos del equilibrio")

Trastornos del sueño

Afecciones	Posibles causas	Información y ayuda	Visita al médico
- Dificultad para conciliar el sueño o para dormir de un tirón, despertarse pronto, cansancio durante el día, flojedad e irritabilidad.	- Carga psíquica, apnea del sueño (intervalos pequeños sin respirar) o depresión.	- Páginas 226/227	¡Aconsejable en caso de afecciones intensas y de larga duración**!**

Trastornos gástricos

(véase «Dolores abdominales»)

Úlceras cutáneas

Afecciones	Posibles causas	Información y ayuda	Visita al médico
- En los glúteos y en la región del hueso sacro (por ejemplo, después de guardar cama mucho tiempo), o en otras zonas con mal riego sanguíneo por estar sometidas a presión constante.	- Permanecer mucho tiempo en la cama, Escayolas demasiado apretadas, permanecer en silla de ruedas.	- Páginas 469 y 758 (Consejos especiales para cuidados de larga duración)	¡¡Lo antes posible**!!**
- Úlceras en piernas o pies.	- Problemas circulatorios.	- Páginas 480 (Pie diabético) y 283 (Úlceras crurales)	¡¡Lo antes posible**!!**

Afecciones	Posibles causas	Información y ayuda	Visita al médico

Vértigo, trastornos del equilibrio

Afecciones	Posibles causas	Información y ayuda	Visita al médico
- Vértigo, zumbido de oídos, desasosiego, dolores matinales en el occipucio.	- Hipertensión.	- Página 280	¡Aconsejable!
- Vértigo, nublarse la vista al levantarse cuando se está sentado o acostado.	- Hipotensión.	- Página 281	¡Aconsejable!
- Crisis vertiginosas con náuseas, vómitos, diarrea, sordera unilateral, movimientos involuntarios de los ojos.	- Enfermedad de Ménière.	- Página 175	¡¡Lo antes posible!!
- Después de un accidente, una caída o de un golpe en la cabeza: vértigos, dolores de cabeza, náuseas, menor capacidad de rendimiento durante unos días.	- Conmoción cerebral.	- Página 196	¡¡Lo antes posible!!
- Palpitaciones muy rápidas o muy lentas, lipotimias.	- Trastornos graves del ritmo cardíaco.	- Página 262	¡¡¡Llamar a urgencias!!!

Vómitos

(Véase "Náuseas, vómitos")

El cuerpo y sus enfermedades

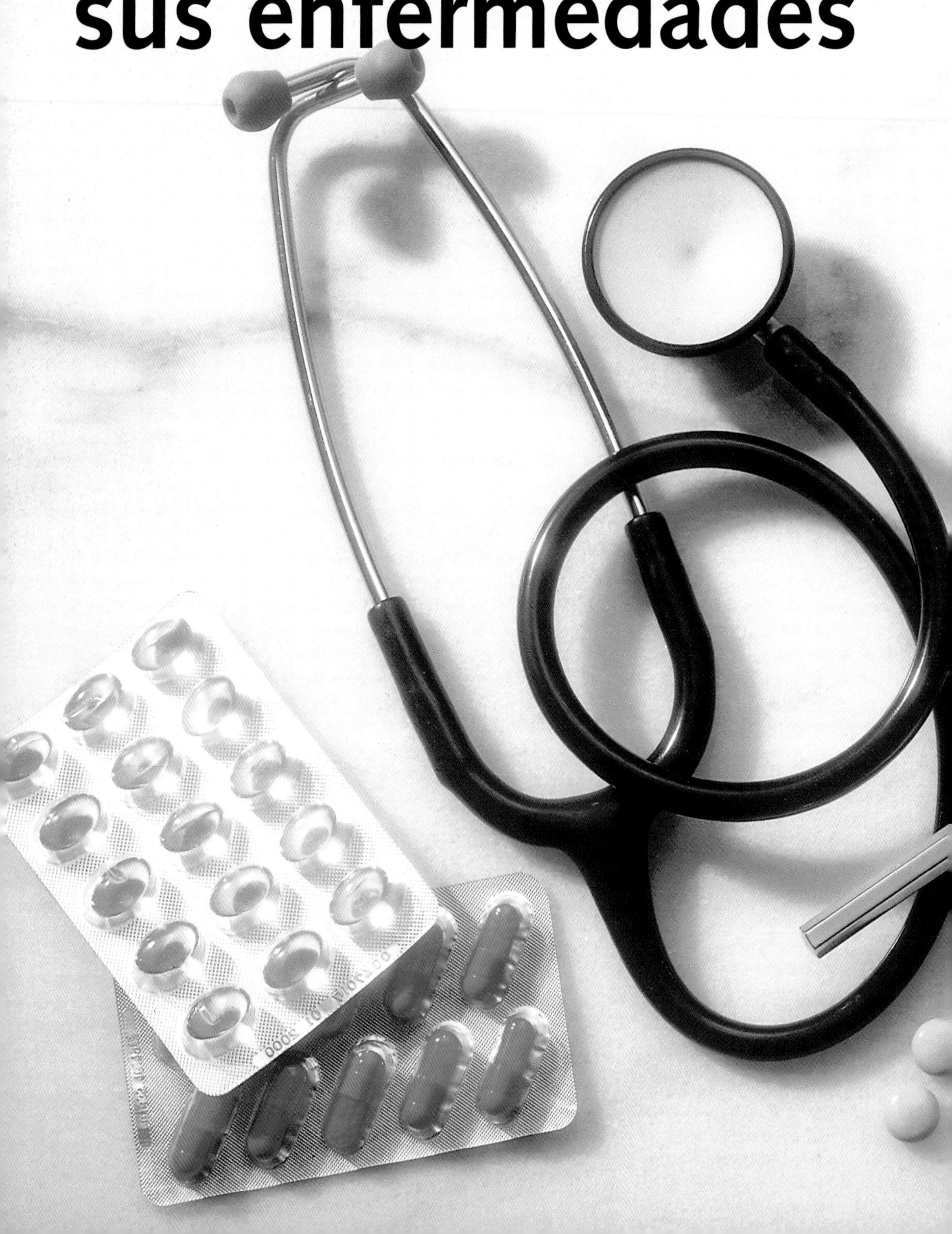

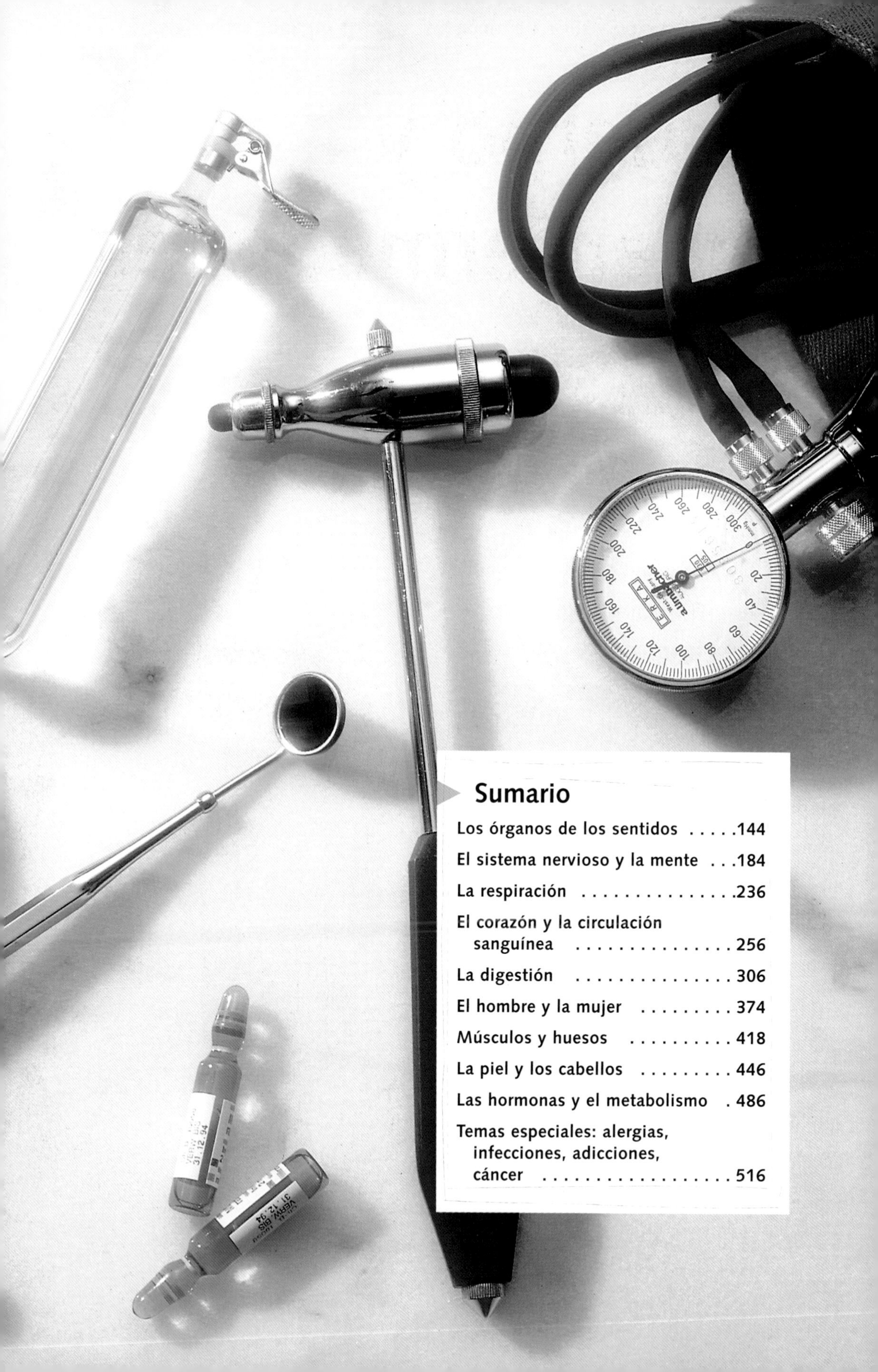

Sumario

Los órganos sensoriales

Los órganos sensoriales nos sirven de "antenas" para comunicarnos con el mundo exterior. Ojos, oídos y nariz podrían definirse como sensibles instrumentos a través de los cuales percibimos todo lo que nos rodea. Pero, como siempre, la realidad es mucho más complicada y, además de los tres órganos sensoriales que poseemos, un sinnúmero de células sensoriales se reparten por todo nuestro cuerpo.

Su misión consiste en hacer llegar los mensajes del exterior hasta el cerebro, para una vez "procesada" la información tener una visión de lo que hay a nuestro alrededor. Sólo cuando uno de estos órganos sensoriales resulta dañado, es cuando nos percatamos de la gran dependencia que existe entre éstos y la visión que tenemos de nuestro entorno.

Sumario

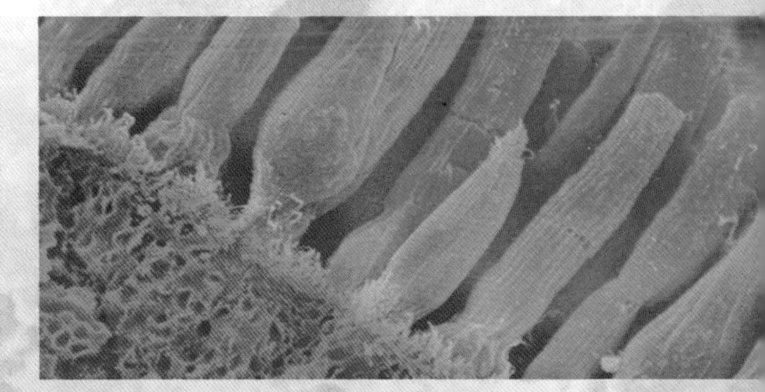

Retina del ojo.

Todo lo que debemos saber sobre los sentidos

El conocimiento actual que sobre elcuerpo humano posee la medicina actual hace que hablemos de cinco sentidos: oído, vista, olfato, gusto y tacto. Y a los órganos sensoriales que hacen posible la apreciación de tales sentidos los conocemos con los nombres de: nariz, ojos y oídos.

El famoso "sexto sentido", la facultad de presagiar el futuro o de valorar una situación determinada a través de los sentimientos, se considera una capacidad de carácter "extrasensorial".

Pero con sexto sentido o sin él, la idea de que los sentidos u órganos sensoriales son portadores de nuestra percepción se ve confirmada por la propia experiencia, aunque sólo coincide con la realidad en parte: hoy día se sabe que las percepciones sensoriales tienen lugar en todas las partes de nuestro cuerpo.

Por este motivo, las ciencias modernas distinguen diversas células sensoriales: los llamados "receptores". La mayoría de estos receptores se encuentran repartidos por todas las partes del cuerpo humano, y cada uno de ellos está especializado en la percepción de una determinada clase de estímulos:

- Los mecanorreceptores reaccionan ante estímulos de tipo mecánico que actúan sobre ellos mismos o sobre el tejido adyacente. Entre estos estímulos se cuentan los que se producen o acentúan al presioner sobre la piel, la tensión en músculos y tendones y la sensación que producen las ondas sonoras alser captadas por el oído.
- Los termorreceptores permiten distinguir entre el frío y el calor.
- Los quimiorreceptores reaccionan, por ejemplo, al gusto y el olor que producen las sustancias en la boca y la nariz respectivamente.
- Los fotorreceptores se activan ante el estímulo directo de la luz.
- Los nocirreceptores que actúan y transmiten los impulsos de dolor ante toda aquella acción que daña a los tejidos.

Lo que para unas personas resulta ensordecedor literalmente, para otros es "sonido saturado".

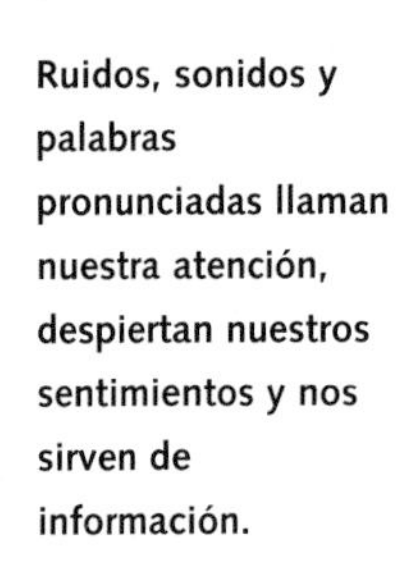

Ruidos, sonidos y palabras pronunciadas llaman nuestra atención, despiertan nuestros sentimientos y nos sirven de información.

¿Cómo percibimos los estímulos sensoriales?

Para que un receptor pueda reaccionar, es condición indispensable que el estímulo sea el adecuado y que tenga la intensidad precisa. Si se dan ambas condiciones, podrá transmitir señales al sistema nervioso central, es decir, a la médula espinal y al cerebro, a través de fibras nerviosas especializadas.
Si, por ejemplo, una señal pasa de los quimiorreceptores de la nariz al nervio olfatorio y de éste al cerebro, la "información" de esta señal dependerá de los quimiorreceptores que hayan sido afectados, pues cada uno de ellos reacciona ante una sola sustancia olfativa. Si son varios los receptores estimulados, puede ser que la información de "olor a rosas" llegue al cerebro. Allí será comparada con las percepciones que hasta entonces ha recibido este órgano, se la relacionará con otras señales recibidas anteriormente procedentes de otros receptores y se clasificará según su tiempo y lugar. Así surge en nuestro cerebro el recuerdo de una rosa roja y aromática en el crepúsculo de un caluroso día de julio.

¿Qué podemos percibir?

Ningún ser vivo es capaz de percibir todas las informaciones que le ofrece su entorno. Cada uno sólo capta aquellos estímulos que le permiten los receptores de que dispone. Esto explica, por ejemplo, que los humanos sólo podamos percibir luz y sonidos de determinadas longitudes de onda y seamos "ciegos" y "sordos" para todas las demás que se producen a nuestro alrededor. Pero aunque los receptores capten estímulos, esto no quiere decir tengamos conocimiento de ello. Esto es así, porque las informaciones procedentes de los órganos internos no llegan hasta allí a no ser que haya un desequilibrio: sentimos sed cuando el cuerpo tiene poco liquido y necesita agua; el monótono susurro de los árboles deja de llegar a nuestro conocimiento al poco tiempo y, en cambio, percibimos el ladrido aislado de un perro.
De entre los millones de informaciones que las células sensoriales procuran continuamente al cerebro, éste filtra aquéllas que le parecen más importantes en cada momento. Así, sólo los resultados de esta elección llegan hasta la corteza cerebral y el cerebro las percibe de manera clara y consciente. Y, de esta "selección", surge la imagen que este órgano nos da de nuestro entorno.
"Cuando el conjunto formado sea una "imagen borrosa", ¿podemos confiar en determinados estímulos sensoriales?" También aquí hay que tener ciertas reservas, pues el cerebro puede cometer errores. Nuestros "sentidos" pueden confundirnos con ilusiones ópticas como, por ejemplo, las escaleras de M. C. Escher, que siempre conducen hacia arriba y nunca hacia abajo.

A través de los ojos percibimos el movimiento, la forma, el color, la luz y la oscuridad. Son nuestras "ventanas" al mundo exterior.

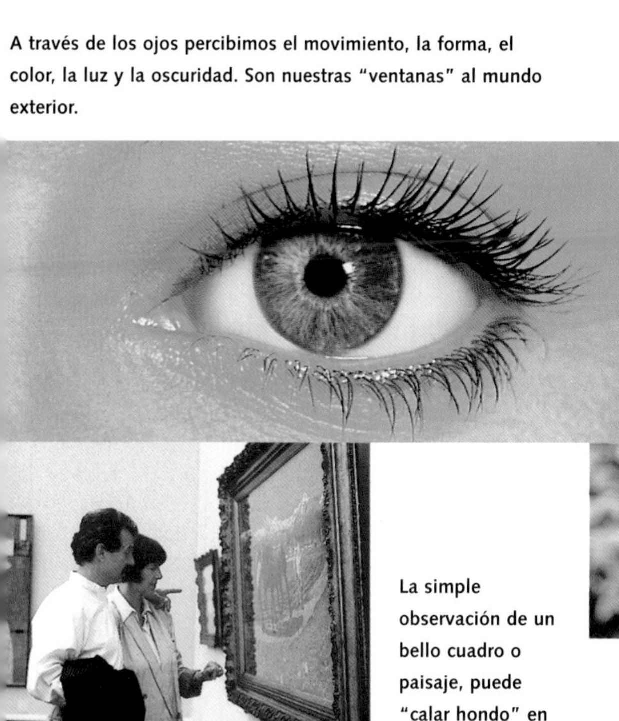

La simple observación de un bello cuadro o paisaje, puede "calar hondo" en nuestro interior.

La nariz humana puede distinguir con precisión miles de olores diferentes.

Los olores suscitan agrado o rechazo, incluso evocan recuerdos al influir en el mundo de nuestros sentimientos.

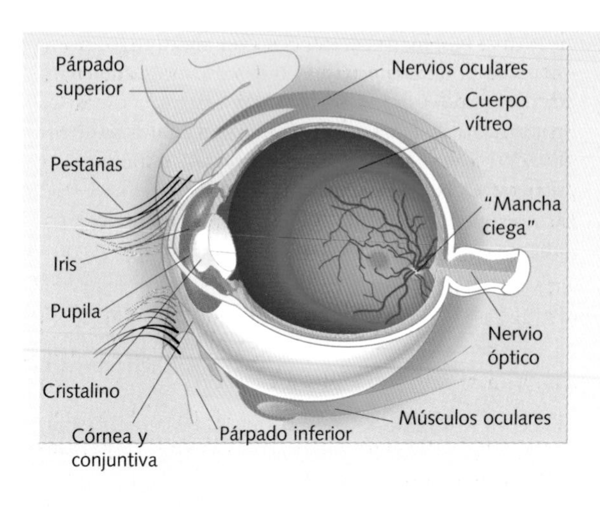

El ojo

- **Estructura del ojo**
- **El proceso de la visión**
- **La protección del ojo**

La mayor parte de las impresiones sensoriales que recibimos del exterior, nos llegan a través de los ojos. Sin exagerar, cabe decir que son la fuente de percepción más importante para nosotros: los ojos son nuestra "ventana al mundo".
Si perdiésemos nuestra facultad visual, ya no nos sería posible realizar cosas tan habituales como leer, ver la televisión o conducir un coche.

Una cámara fotográfica perfecta

Para poder desenvolvernos en nuestro entorno, necesitamos tener una imagen fiel de lo que sucede a nuestro alrededor. A pesar de su reducido tamaño, el ojo es un órgano muy complicado, cuya estructura recuerda –en muchos aspectos– a una cámara fotográfica.

El ojo tiene un diámetro aproximado de unos 2, 5 centímetros y pesa alrededor de 7,5 gramos. Los párpados le protegen de posibles eventualidades frontales, y está incrustado en la órbita ocular ósea, envuelto en una especie de membrana formada por tejido conjuntivo y tejido adiposo.
Los seis músculos oculares externos se ocupan de que ambos globos oculares se muevan a un mismo tiempo en la misma dirección; estos músculos están dirigidos por los nervios cerebrales.
Desde el exterior sólo se aprecia –entre las pestañas– lo blanco de la esclerótica, el color que le otorga el iris y la pupila o abertura negra y redonda del centro.
Las fibras musculares del iris sirven para adaptar la amplitud de la pupila a las condiciones luminosas existentes, tal como hace el diafragma de una cámara fotográfica: por la noche, la pupila se abre del todo para que entre el mayor número posible de rayos luminosos, y se estrecha a medida que aumenta la incidencia de la luminosidad. La conjuntiva, membrana mucosa que

eviste la esclerótica y la cara interna de los párpados, e halla atravesada por numerosos vasos sanguíneos. ;uando el ojo se irrita, se enrojece.
,a mayoría de los componentes que forman parte del jo: la ligeramente abombada córnea, el elástico cristano, el humor acuoso de la cámara anterior y el cuerpo ítreo, que llena la mayor parte del ojo, son transpaentes y de color claro. Sin embargo, a medida que vanza la edad algunos de ellos pueden enturbiarse y velar" la vista.
i es el humor vítreo el que se enturbia, se verán delante del ojo" puntitos negros parecidos a moscas *noscas volantes* o *miodesopsia*). Si el cristalino pierde u claridad con la edad y se vuelve opaco, se habla ntonces de las típicas cataratas, que son una especie de elilla blanca que produce sombras e impide la visión orrecta.
,a cara interna del globo ocular está cubierta en su otalidad por la retina. En ella se encuentran varios nillones de células sensoriales, los llamados "bastones" "conos", que transforman los estímulos luminosos en tros de tipo nervioso y los transmiten hasta el cerebro través del nervio óptico. Los conos permiten ver los olores y proporcionan una visión nítida; por su parte, os bastones se sitúan preferentemente en el borde de la etina y facilitan la visión incolora en la oscuridad y la ercepción espacial.

;ómo vemos

'anto de día como de noche, cada uno de los objetos ue observamos es el resultado del reflejo de innumeables rayos luminosos que inciden sobre él y que el jo capta en su retina después de haber sido concentraos ("refractados") por el cristalino.
,a mayoría de las células sensoriales (*conos*) más eficaes se encuentran en el centro de la retina: la zona de náxima nitidez de visión, también llamada "mácula" o mancha lútea". Las zonas marginales de la retina sólo erciben una imagen borrosa (*bastones*), pero a su vez ermiten que nos orientemos bien en el espacio gracias l llamado campo visual que allí se crea.
,os estímulos luminosos, transformados en otros de po nervioso por las células sensoriales, llegan al nerio óptico y, desde allí, son transmitidos a los centros isuales localizados en la corteza occipital, localizada n el cerebro, a través de casi 10 millones de fibras nerriosas que se concentran en el delgado nervio óptico de penas 1,5 milímetros de grosor. Las percepciones pticas se transforman allí en sensaciones conscientes.
,a percepción visual no es una cualidad que permanezca invariable toda la vida, sino que cada persona individualmente puede apreciar fluctuaciones de su agudeza visual más o menos pronunciadas. En modo alguno son síntomas de una enfermedad o de un proceso de envejecimiento de los ojos, sino que el cansancio excesivo, los esfuerzos físicos o el abatimiento, e incluso las condiciones meteorológicas, pueden producir alteraciones pasajeras en la agudeza visual.
En contra de la opinión ampliamente generalizada, los ojos no sufren daño alguno por estar mucho tiempo ante el televisor o por leer con poca luz. El trabajo con ordenadores o la permanencia en espacios iluminados con luz artificial tampoco perjudica la agudeza visual, aunque para no cansar demasiado los ojos y evitar todo tipo de sobreesfuerzo sí se hace aconsejable y muy necesario realizar alguna pausa de vez e cuando para no cansar demasiado a los ojos.

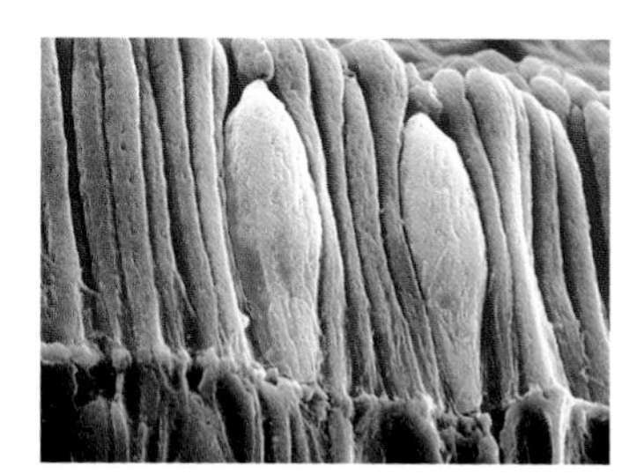

Los bastoncillos y conos de la retina captan la variación de intensidad luminosa, transmitiendo la información al cerebro.

La protección de los ojos

El ojo está expuesto de continuo a muchas irritaciones ambientales como, por ejemplo, el polvo, el calor y multitud de agentes patógenos.
Mediante el movimiento reflejo de cerrar los párpados, que actúa de manera automática sin que nosotros seamos conscientes de ello, éstos y las pestañas evitan continuamente que entren cuerpos extraños en nuestros ojos. Asimismo, las cejas evitan que el sudor que corre por la frente afecte a tan delicado órgano.
Con cada uno de los parpadeos reflejos, el líquido lagrimal limpia el ojo de partículas de polvo, evita su desecación e impide la proliferación de agentes patógenos presentes en el ambiente.
Este líquido segregado por la glándula lagrimal, situada encima de la comisura palpebral externa, llega a la superficie anterior del ojo y fluye por los conductos lagrimales a través de los puntos de lagrimeo para lubrificarlo y evitar el cansancio extremo.
Cuando los ojos se irritan al entrar en contacto con algún objeto o líquido extraños, se produce un mayor flujo de lágrimas que facilitar así la pronta eliminación del cuerpo ajeno y la total limpieza del ojo afectado.

Casos de urgencia

Norma general
¡Sólo un oftalmólogo puede valorar debidamente la dimensión de una lesión ocular!

Caustificación/quemadura

► Síntomas:
- ➜ picor muy intenso;
- ➜ cierre convulsivo de los párpados.

Las causticaciones son producidas por ácidos, lejías, tintes y cal "viva", y las quemaduras se deben a la acción directa o indirecta del calor intenso.

Tratamiento médico

Acuda al médico de inmediato y lleve consigo el producto causante de la causticación. ¡¡Peligro de ceguera!!

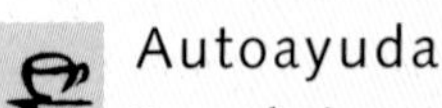

Autoayuda

Lave el ojo enseguida con mucha agua. Elimine las partículas de cal con un pañuelo limpio; hágalo con sumo cuidado.

Cuerpo extraño en el ojo

► Síntomas:
- ➜ dolor punzante;
- ➜ sensación de cuerpo extraño, con flujo de lágrimas y enrojecimiento;
- ➜ cierre convulsivo de los párpados.

Los cuerpos extraños pueden dañar la córnea -muy sensible al dolor- y provocar inflamaciones del interior del ojo. Si un cuerpo extraño atraviesa la córnea, ésta vuelve a cerrarse; y desde fuera es imposible observar lesión alguna. El frotarse mucho o pequeñas heridas pueden conducir a excoriaciones de la capa superior de la córnea. También la radiación solar intensa y el sudor sin protección pueden provocar esa lesión (*fulguración*).

Tratamiento médico

El oftalmólogo procederá a extraer el cuerpo extraño, tomará medidas preventivas contra una infección y prescribirá un analgésico.

Autoayuda

Si el cuerpo extraño es pequeño y está en la superficie del ojo, usted mismo puede eliminarlo realizando suaves lavados con agua.

Lesiones por golpes

► Síntomas:
- ➜ dolor sordo de ojos y cabeza;
- ➜ flujo de sangre en un ojo o en ambos, párpados hinchados;
- ➜ trastornos de la vista o del movimiento del ojo.

Cuando un objeto duro golpea con fuerza el ojo, puede lesionarse el hueso de la órbita ocular o el globo ocular, además de los pequeños vasos sanguíneos.

Tratamiento médico

El oftalmólogo decidirá si se trata de un simple moretón sin importancia o de una lesión grave. Si hay rotura de huesos, en la mayoría de los casos será preciso una intervención quirúrgica.

Autoayuda

Poner apósitos fríos y húmedos suele impedir que prosiga la hinchazón de los párpados.

Glaucoma agudo

► Síntomas:
- ➜ dolores intensos de ojos y cabeza;
- ➜ empeoramiento de la visión;
- ➜ fuerte irritación y enrojecimientode los ojos;
- ➜ en muchos casos, globo ocular muy duro.

Cualquier impedimento de la salida de humor acuoso de la cámara orbital puede producir una subida de tensión arterial intraocular del ojo. El glaucoma agudo suele aparecer por la noche.

Tratamiento médico

¡Acuda al oculista inmediatamente! ¡Peligro de ceguera!

Autoayuda

No es posible

Pruebas clínicas especiales

Examen médico con lámpara de hendidura y oftalmoscopio

La lámpara de hendidura es un microscopio que dispone de una fuente de luz muy potente. Permite al oftalmólogo, por ejemplo, observar con precisión la córnea, la conjuntiva y el cristalino aumentados.

Si el médico lo que desea es comprobar el estado de la retina, de los vasos oculares y del nervio óptico, examinará al paciente utilizando el oftalmoscopio, con el que podrá iluminar el interior del ojo a través de la pupila. Por lo general, la pupila suele parecer negra. Pero si se ilumina el ojo con un foco luminoso potente, se verá de un color rojizo. Mucha gente conoce este particular efecto, apreciado frecuentemente en las fotos realizadas con flash. Se debe a que la retina, que realmente es de color rojo, refleja el haz de luz que incide sobre ella. Así, el oculista con la ayuda de un oftalmoscopio puede concentrar los rayos luminosos para iluminar el interior del ojo y poder observarlo.

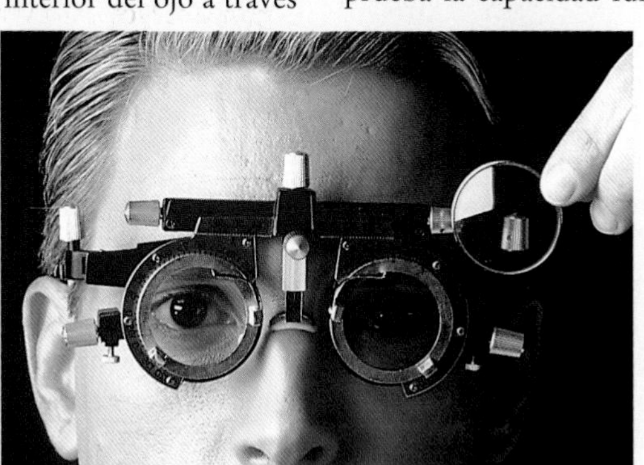

Para la adaptación de unas gafas, el oftalmólogo o el óptico deben medir su agudeza visual.

Medición de la tensión intraocular

El ojo debe tener siempre en su interior una cierta tensión, para que así pueda mantener su forma externa. Esta tensión, llamada "intraocular", puede ser medida perfectamente por el médico. Como unidad de medida del nivel de tensión se utiliza el "milímetro de columna de mercurio", o, abreviadamente, "mm de Hg". Una tensión intraocular de 20 mm de Hg corresponde –exactamente– a la presión ejercida por una columna de mercurio de 20 milímetros de altura. Como quiera que, con el paso de la edad, es mucho mayor la probabilidad de un aumento patológico de la tensión intraocular, es aconsejable visitar al oftalmólogo al menos una vez al año para que compruebe las posibles variaciones de esta medida.

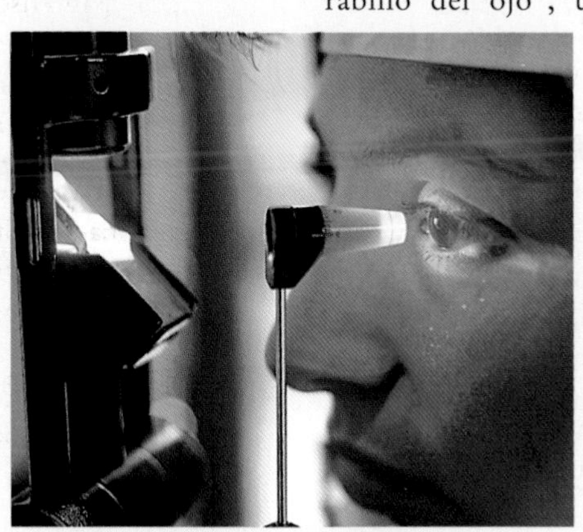

La lámpara de hendidura y el oftalmoscopio permiten inspeccionar el interior del ojo.

Determinación de la agudeza visual

En la determinación de la agudeza visual, se comprueba la capacidad funcional de la zona de visión más nítida: la llamada "mancha lútea", situada en el centro de la retina. Para ello, se disponen letras o números de distintos tamaños a una distancia de unos cinco metros. El tamaño de los signos que pueden verse con nitidez corresponde a la agudeza visual en tanto por ciento. Una persona sana se acerca a un valor próximo al 100%.

Determinación del campo visual

En la determinación del campo visual se comprueba el momento preciso en que deja de verse, con el "rabillo del ojo", un punto luminoso de poca intensidad proyectado sobre el borde de una pantalla. Este examen permite al oftalmólogo, entre otras cosas, sacar conclusiones importantes sobre la existencia de una lesión de las fibras nerviosas de la retina o de una lesión del nervio óptico. Así tenemos, por ejemplo, que cuanto mayor sea el número de fibras nerviosas dañadas por un glaucoma, tanto más pequeño será el campo visual apreciado.

Relajación para los ojos

La vida moderna suele someter a un gran esfuerzo a nuestros ojos, por ejemplo, debido al trabajo ante la pantalla del ordenador, cada vez más extendido; no es pues nada extraño que la consecuencia inmediata sea unos ojos cansados, irritados y resecos. Para devolverles su vitalidad enseguida existen una serie de ejercicios que permiten cuidar los ojos, si bien no pueden evitar las ametropías ni curar las enfermedades oculares. Al contrario, sólo deben realizarse si los ojos están completamente sanos.
Pregunte a su médico si puede realizar sin problema los ejercicios que se indican a continuación.

Hacer pausas

Haga varias pausas cortas durante el día. Relaje todo el cuerpo mediante ejercicios respiratorios, entrenamiento autógeno o relajación muscular progresiva. A continuación, siga con su programa de relajación ocular

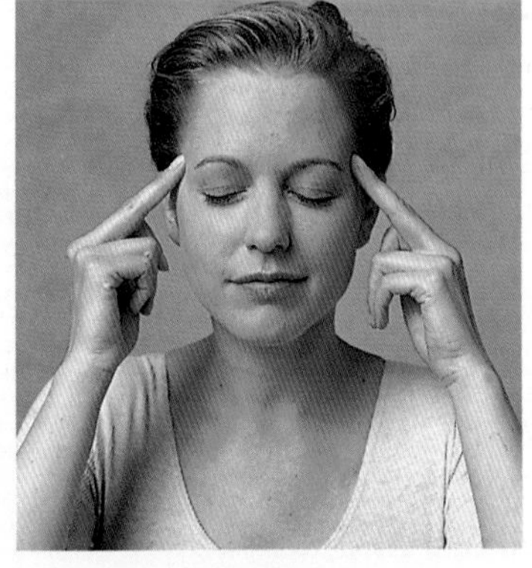

Masajear suavemente las sienes es beneficioso para la región ocular.

Destensar y aflojar

Masajee suavemente su occipucio realizando pequeños movimientos circulares; luego, friccione con delicadeza los músculos de la nuca y de los hombros. Así podrá eliminar las dolorosas tensiones de la región craneal.
Relaje los músculos faciales haciendo muecas con todo el rostro, como si pronuciara frases en silencio. Masajee a continuación toda la región cutánea de alrededor de los ojos, presionando suavemente con las yemas de los dedos y describiendo pequeños círculos. Empiece por la raíz de la nariz y continúe después por las cejas. Describa varios círculos suaves sobre las sienes y, luego, debajo de los ojos

Mantener los ojos unos minutos en oscuridad, resulta placentero.

Mirar a lo lejos

Hoy día es normal que, en nuestra labor cotidiana, tengamos que mantener concentrada la vista durante horas en distancias inferiores a un metro de nosotros. Esto puede dar lugar a una especie de agarrotamiento muscular de los ojos, que se puede prevenir fácilmente desviando de vez en cuando nuestra vista hacia lo lejos y manteniendo fija la mirada en un objeto lejano durante unos minutos.

Ampliar el campo visual

Cuando concentramos la mirada en un punto concreto durante mucho tiempo, nuestro campo visual va disminuyendo hasta dejar de percibir muchas de las cosas que suceden a nuestro alrededor. Esa situación produce una desagradable sensación de tensión en los ojos. Es recomendable, por lo tanto, fijar la atención regularmente en las cosas situadas en el borde mismo del campo visual. Así, por ejemplo, extienda un brazo, sujete un lápiz delante de la punta de la nariz y llévelo a derecha e izquierda lo más que pueda evitando seguirlo con la vista; sólo trate de verlo "con el rabillo del ojo". Con este ejercicio logrará despejar el campo visual y relajar sus ojos.

Tapar los ojos

Ponga las manos ahuecadas sobre los ojos cerrados. Sienta lo agradable del contacto y trate de "ver" la oscuridad de un color negro total. Después de unos minutos, retire sus manos de los ojos, ábralos despacio y mire a lo lejos.

Ojo seco

▶ Síntomas:
- ➜ ardor de ojos y sensación de sequedad;
- ➜ mucha propensión a inflamaciones oculares;
- ➜ no poder soportar las lentillas;
- ➜ posible sensación de cuerpo extraño.

La superficie del ojo ha de estar siempre recubierta de una película lagrimosa, que ha de renovarse continuamente. Si esto no sucede en la medida necesaria, la córnea y la conjuntiva se resecan y se vuelven frágiles. Este estado puede deberse a las variaciones hormonales, el cansancio excesivo, el trabajo ante la pantalla del ordenador o un ambiente seco, polvoriento y lleno de humo. Además, enfermedades básicas como el reúma o disfunciones tiroideas pueden paralizar el nervio facial, impidiendo que los párpados se cierren y humedezcan el ojo. También las alergias pueden ser las causantes, aunque es más discutible.

Tratamiento médico

El oculista comprobará la cantidad de líquido lagrimal y verificará el estado de la córnea, sobre todo si se usan lentillas. Si no se padece ninguna enfermedad seria, la afección podrá aliviarse con un colirio.

Autoayuda

Procure evitar la exposición a corrientes de aire excesivas, como, por ejemplo, las generadas por el aire acondicionado. A veces, puede servir de ayuda humedecer el aire. Evite los recintos sofocantes y llenos de humo; el aire fresco es muy bueno para los ojos. De vez en cuando, realice ejercicios de relajación ocular que devuelvan a los ojos su aspecto habitual.

Orzuelo/Quiste

▶ Síntomas:
- ➜ párpado hinchado, a menudo con enrojecimiento doloroso;
- ➜ ocasionalmente, supuración;
- ➜ sin irritación en el ojo propiamente dicho.

En el extremo del párpado se encuentran las glándulas sudoríparas y sebáceas del ojo, que pueden infectarse por la acción de bacterias y producir una hinchazón aguda (*orzuelo*) o crónica (*quiste*). Esta desagradable protuberancia no afecta al globo ocular.

No reviente nunca un orzuelo. Alivie el dolor aplicando unas compresas sobre el ojo.

Tratamiento médico

Si la hinchazón no se reduce en pocos días, servirá de ayuda la aplicación de una pomada o colirio antibióticos. También se puede practicar una pequeña sutura para que salga el pus. En caso de que sean frecuentes las infecciones de este tipo en los párpados, será preciso comprobar si se padece diabetes mellitus.

Autoayuda

En la fase inicial los rayos infrarrojos pueden evitar la progresión de la infección.

Inflamación del conducto lagrimal

▶ Síntomas:
- ➜ hinchazón dolorosa del párpado, en un sólo ojo casi siempre;
- ➜ lagrimeo.

La irrupción de bacterias en los conductos lagrimales del ojo produce al principio una inflamación dolorosa, que más tarde se manifiesta con el simple impedimento del caudal de lágrimas.

Tratamiento médico

Se debe visitar al oftalmólogo lo antes posible, para que pueda prevenir el estrechamiento persistente de los canales lagrimales mediante una terapia con antibióticos. Como apoyo al tratamiento, el médico lavará y limpiará suavemente la zona infectada

Autoayuda

Si también está acatarrado, échese al mismo tiempo gotas antiinflamatorias en la nariz y los ojos.

Hinchazón palpebral inflamada

► Síntomas:
- ➜ hinchazón palpebral dolorosa en un ojo;
- ➜ enrojecimiento del párpado acompañado de enrojecimiento e irritación de ojos.

La hinchazón del párpado puede tener su origen en picaduras, inflamaciones bacterianas o alergias.

Tratamiento médico

Para evitar la propagación de la inflamación, acuda cuanto antes a la consulta del oculista; éste le aplicará una terapia medicamentosa.

Autoayuda

Alivie los dolores aplicándose compresas frías.

Conjuntivitis

► Síntomas:
- ➜ enrojecimiento de ojos, con irritación, ardor y prurito;
- ➜ aumento del volumen de lágrimas, supuración.

Las influencias medioambientales, como por ejemplo el polvo, el polen, el calor o diversos agentes patológicos hacen que la conjuntivitis sea muy frecuente.

Tratamiento médico

Las conjuntivitis suelen ser irritaciones poco importantes, que normalmente curan por sí solas en pocos días. Pero si los síntomas perduran, hay que acudir al oculista para que prescriba un tratamiento a base de gotas para los ojos.

Autoayuda

Si conoce el agente desencadenante, procure evitarlo en lo posible. Para aliviar los dolores, aplíquese compresas frías o lávese los ojos con agua.

Queratitis

► Síntomas:
- ➜ dolor de ojos y fotofobia;
- ➜ pérdida de vista;
- ➜ aumento del caudal de lágrimas.

Al igual que la conjuntivitis, la queratitis puede estar provocada por múltiples causas. Sin embargo, en este caso existe un serio peligro de que pueda desencadenarse la perturbación de la córnea y el empeoramiento general de la visión que puede incluso ocasionar la ceguera total de la persona afectada.

Tratamiento médico

En cuanto note los primeros síntomas, acuda al oculista. La mayoría de las veces, la inflamación se ataja rápidamente con unas gotas para los ojos.

Autoayuda

La sensibilidad de los ojos a la luz se alivia con la utilización de gafas de sol y la estancia en recintos con poca o nada de luz.

Iritis

► Síntomas:
- ➜ dolor y enrojecimiento de ojos;
- ➜ mayor fotosensibilidad, flujo de lágrimas;
- ➜ empeoramiento de la vista;
- ➜ puntos negros delante de los ojos.

La iritis (inflamación del iris) suele ser una dolencia causada por una enfermedad crónica (por ejemplo reúma, inflamaciones dentales, amigdalitis). Por esto no es nada raro que, cuando ya empezaba a curarse, el iris se inflame de nuevo de manera repentina.
Como el proceso inflamatorio se desarrolla en el interior del ojo, el peligro de surjan complicaciones en esta enfermedad es relativamente grande.

Tratamiento médico

La rápida curación de la iritis es posible, casi siempre, mediante la aplicación inmediata de una terapia a base de medicamentos con corticoides. Lo importante es conocer las causas fundamentales que la provocaron, y tratarla como es debido. Ante el peligro que existe de la aparición de un glaucoma agudo, es preciso medir siempre la tensión intraocular.

Autoayuda

La permanencia en recintos o habitaciones con luz atenuada u oscurecidos, así como llevar gafas de sol, alivia enormemente la intensa sensibilidad de los ojos a la luminosidad.

Consejos para trabajar ante la pantalla del ordenador

El constante aumento de tecnificación de nuestra sociedad, hace que cada vez resulte más importante la obtención y elaboración posterior de todo tipo de información. De ahí el hecho de que muchos trabajos y aspectos de la vida sean inconcebibles sin la concurrencia del ordenador o computadora.

Según se desprende de las últimas investigaciones, estos aparatos no suponen un peligro inmediato para la salud. Sin embargo, cuando se está mucho tiempo ante la pantalla del ordenador los ojos trabajan en exceso, y esto suele acarrear un gran cansancio físico e irritabilidad a la persona. Precisamente en la página 152 se incluyen una serie de ejercicios para la relajación de los ojos.

Si su puesto de trabajo exige estar ante una pantalla de ordenador, deberá, por principio, ir al oftalmólogo una vez al año como mínimo. Y es usuario de gafas, procure que su trabajo se adapte plenamente a su capacidad de visión.

Algunos consejos relativos a la elección y colocación de la pantalla le ayudarán a proteger adecuadamente sus ojos durante las horas que pasa ante el ordenador.

El mero hecho de colocar bien la pantalla contribuye, en gran medida, a proteger sus ojos.

La "caja tonta"

La imagen que aparece en la pantalla se forma mediante secuencias rápidas que se repiten ininterrumpidamente; la velocidad con que eso sucede recibe el nombre de "frecuencia de repetición de la imagen". Si la imagen se repite menos de 50 veces por segundo, nuestros ojos perciben un centelleo irritante y desagradable. A partir de las 70 repeticiones por segundo, esta irritación desaparece. Los datos técnicos del ordenador indican la frecuencia en hertzios (70 repeticiones por segundo = 70 hertzios).

La pantalla ideal

• La pantalla debe tener una radiación electrostática mínima, es decir, que la inevitable carga eléctrica que sufre la pantalla debe ser la menor posible. Este fenómeno se da también en las pantallas de televisión. Según investigaciones actuales, los aparatos que cumplen la norma MPR-II de protección contra la emisión de radiaciones, no suponen ningún riesgo ni son nocivos para la salud.

• No debe ser demasiado pequeña, es decir, su medida diagonal debe ser de al menos 14 pulgadas (unos 35 centímetros).

• Su capacidad de resolución tiene que ser lo más alta posible (al menos HCG-VGA Standard).

• Los signos de escritura deben ser de color negro y mostrarse sobre un fondo blanco.

• Tiene que ser muy poco reflexiva, es decir, las luces de alrededor deben reflejarse lo menos posible para que no produzcan deslumbramientos.

La colocación idónea

La pantalla debe estar situada a una distancia de los ojos de entre 50 y 70 centímetros. Su extremo superior no debe sobrepasar en ningún caso la altura de los ojos, lo que significa que deberá colocarse directamente sobre la mesa. Tanto la pantalla como el teclado deben estar dispuestos de modo que el usuario esté relajado cuando se siente ante ellos. Para evitar en lo posible reflejos y deslumbramientos, debe evitarse que el puesto de trabajo se encuentre colocado mismamente delante o al lado de una ventana o de cualquier otra fuente de luz.

Cataratas

► **Síntomas:**
- ➜ aumento de la sensibilidad ante un deslumbramiento;
- ➜ empeoramiento progresivo de la vista, casi siempre en ambos ojos;
- ➜ posible aumento de la miopía o disminución de una hipermetropía o presbicia.

La transparencia del cristalino disminuye con la edad. Cuando aparece un enturbiamiento (grisáceo) del cristalino, entonces se habla de cataratas. La forma de cataratas más frecuente es la senil, que suele aparecer entre los 65 y los 70 años de edad y se caracteriza por una especie de velo opaco que impide la visión.

Tratamiento médico

Las cataratas no tienen un tratamiento terapéutico basado en la administración de medicamentos. Al principio se puede equilibrar la disminución de la capacidad visual con la adopción de unas gafas, pero en fase avanzada ya no cabe más solución la intervención quirúrgica; en ella el cristalino opaco se sustituye por otro artificial. Después de un tiempo de convalecencia, durante el que el ojo operado es muy sensible a cualquier irritación, se puede recuperar una vista diáfana.

Autoayuda

La opacidad del cristalino obstaculiza la luz que llega a los ojos. Para compensarla, durante la lectura o en la realización de trabajos de precisión debe utilizarse una luz muy clara pero no deslumbrante. En días de mucha luminosidad, deben llevarse gafas muy oscuras.

Glaucoma

► **Síntomas:**
- ➜ ninguna señal de aviso, empeoramiento de la vista lento y progresivo;
- ➜ posible visión de rayas de color aldrededor de las fuentes de luz;
- ➜ glaucoma agudo.

Para poder mantener su forma externa y no hundirse, el ojo necesita una tensión intraocular determinada. Esta tensión la mantiene un líquido que se forma en el ojo: el llamado humor acuoso de la cámara, que es transportado a través de unos conductos de salida especiales. La tensión intraocular debe estar comprendida entre los 10 y 20 milímetros de la columna de mercurio → mm de Hg. Pero si no existe una correspondencia entre la formación y la salida del humor acuoso, la tensión intraocular puede tomar valores más altos y destruir con ello las delicadas fibras nerviosas del interior del ojo.

El glaucoma se produce cuando la tensión intraocular se sitúa en valores comprendidos entre 20 y 22 mm de Hg. Este aumento de tensión casi siempre se detecta cuando el oculista hace una revisión rutinaria, excepto en los casos de glaucoma agudo.

Tratamiento médico

En cuanto note los síntomas, debe acudir inmediatamente a la consulta del oculista, pese a que muchos de los daños ocasionados a los nervios sean ya irreversibles. Precisamente el desarrollo de esta enfermedad, hace tan importante su prevención. A partir de los 40 años, todo el mundo debería acudir al oculista una vez al año por lo menos. Dado el carácter hereditario que en muchos casos suele tener, en caso de que sus ascendientes hayan padecido glaucoma es aconsejable adelantar los controles y realizarlos con mayor frecuencia. El glaucoma no tiene curación, pero lo que sí se puede es frenar su progresión. En la mayoría de los casos, la tensión intraocular se puede reducir a niveles normales con una terapéutica que incluya la administración de gotas oftálmicas.

Si los medicamentos por sí solos fueran incapaces de atajar la progresión de la enfermedad, casi siempre es posible evitar la intervención quirúrgica mediante la utilización de rayos láser. Éstos pueden aplicarse en aquellos ambulatorios y clínicas oftalmológicas que dispongan del equipo especial correspondiente.

Autoayuda

Como medida preventiva, acuda al oculista periódicamente y muy especialmente cuando advierta cualquier reducción o alteración de su campo visual.

Si padece alguna enfermedad de tipo glaucomatoso, debe prescindir totalmente del tabaco; y, si por alguna causa tiene que tomar algún medicamento, asegúrese de que no tiene contraindicaciones que afecten a los enfermos de glaucoma.

Siga fielmente las indicaciones del oftalmólogo, échese regularmente las gotas o tome los medicamentos prescritos y no interrumpa el tratamiento sin consultar antes con el médico. Y procure tener siempre en casa reserva de estos medicamentos.

Trastorno circulatorio del centro de la retina (degeneración macular)

► Síntomas:

→ empeoramiento de la vista lento, progresivo en ambos ojos casi siempre;
→ el campo visual permanece invariable;
→ las líneas rectas se ven distorsionadas.

Al llegar a la vejez, los vasos sanguíneos que riegan y proveen de nutrientes a la retina y, sobre todo, a los componentes del ojo que hacen más nítida la visión, corren gran peligro de tener escapes u ocluirse a causa de su reducido tamaño. De ahí que, a partir de los 60 ó 70 años de edad, pueda darse un trastorno circulatorio progresivo que cause la muerte de las células sensoriales de la retina. Lo normal en estos casos es que el centro de la retina (llamado *mácula* o *mancha lútea*) sea la zona más afectada, por lo fina y sensible que es. Se produce entonces una degeneración macular debido generalmente a la edad de la persona afectada.

Tratamiento médico

El trastorno circulatorio que tiene lugar en el centro de la retina puede combatirse con medicamentos que potencian la circulación sanguínea en esta zona. Por supuesto, también hay que tratar cualquier posible dolencia cardíaca o circulatoria que padezca el enfermo, así como la hipertensión y la diabetes mellitus. Un tratamiento local con rayos láser también puede tener éxito, para detener el progresivo empeoramiento de la visión o, incluso, para mejorar la capacidad visual.
En el supuesto de que el deterioro de la vista esté ya en estado muy avanzado, se puede restablecer –hasta cierto punto– la facultad de leer mediante la adopción de sistemas de lentes de aumento especiales o de videoterminales de lectura.

Autoayuda

Lo primero que debe hacer es dejar de fumar. Esta medida, acompañada del aumento de la ingesta de líquido, en cantidad suficiente durante todo el día, suele bastar para mejorar considerablemente la circulación sanguínea de todo el cuerpo en general y, en especial, la de la cabeza.
La adopción de una forma de vida sana que incluya mucho ejercicio físico, alimentación integral, tranquilidad y la relajación suficiente, ejerce una influencia claramente positiva en el desarrollo de la enfermedad.

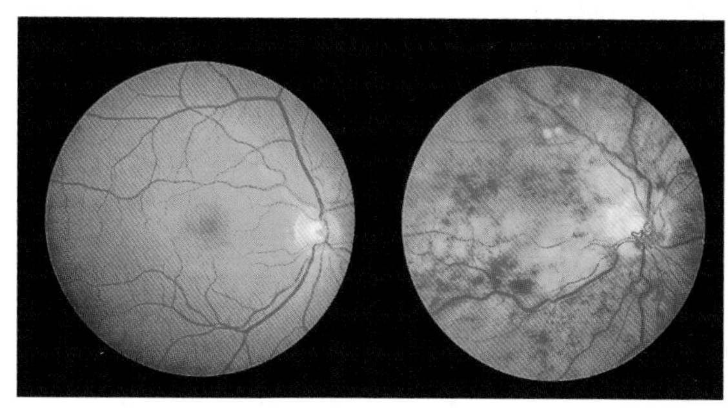

En el fondo del ojo se puede apreciar si el riego sanguíneo de la retina es bueno o no. La retina de la izquierda está sana.

Trastorno circulatorio agudo de la retina

► Síntomas:

→ trastornos de la vista repentinos, de corta o larga duración y en un ojo casi siempre;
→ mareos de vez en cuando.

Tal como sucede en el caso del infarto de miocardio, o en el de un ataque de apoplejía (*infarto cerebral isquémico*), los diminutos vasos sanguíneos del ojo pueden ocluirse, impidiendo así el abastecimiento suficiente de oxígeno y de nutrientes a las zonas correspondientes de la retina.
Si el vaso se abre de nuevo sin demora, se recupera la totalidad de la capacidad visual sin mayores problemas. Pero si el vaso sanguíneo permanece ocluido durante largo tiempo, se producen daños irreversibles en la retina debido a la muerte de células sensoriales.

Tratamiento médico

¡Existe peligro de ceguera! ¡Acuda inmediatamente a la consulta de su oculista en cuanto observe los primeros síntomas! Si durante las primeras horas se aplica una terapia con medicamentos hemodiluyentes, se podrá impedir que la retina sufra daños irreversibles.

Autoayuda

El tabaco, el estrés, la arteriosclerosis, la hipertensión, la diabetes mellitus y los trastornos de la coagulación sanguínea son factores de riesgo de cualquier clase de trastorno circulatorio (además de los de los ojos). En el apartado titulado “Angina de pecho, autoayuda”, encontrará amplia información para adoptar las oportunas medidas de prevención.

Desprendimiento de retina

▶ Síntomas:

→ aparición repentina de puntitos negros que se mueven delante de un ojo;
→ centelleo, visión de sombras o de un velo;
→ empeoramiento súbito e indoloro de la visión.

Pequeños orificios en la retina, o un tirón del cuerpo vítreo –que normalmente hace presión desde dentro–, pueden ocasionar que esta membrana se desprenda de la coroides y, como consecuencia, se interrumpa la provisión de nutrientes. Si esta situación se prolonga algún tiempo, estas zonas pueden quedar destruidas.

Tratamiento médico

¡El desprendimiento de retina trae consigo el peligro de ceguera! ¡Acuda, pues, al oculista lo más pronto posible! Sólo un médico especialista puede diagnosticar si las causas carecen de importancia o si hay que tratarlas de inmediato o incluso si requiere de intervención quirúrgica.
Si la parte afectada es relativamente pequeña, se podrá intentar "soldar" de nuevo la retina con rayo láser. Pero si el proceso está avanzado, será preciso realizar una operación microquirúrgica para evitar daños permanentes a la vista.

Autoayuda

No es posible.

Tratamiento con rayos láser

En algunas enfermedades oculares, el tratamiento medicamentoso es insuficiente para frenar el proceso. En estos casos, hasta hace algún tiempo había que someterse a una operación quirúrgica. Si bien hoy día tampoco se puede prescindir de este tipo de intervenciones, lo cierto es que las posibilidades de cambiar el bisturí por el rayo láser han aumentado considerablemente en los últimos años gracias a las técnicas más avanzadas.

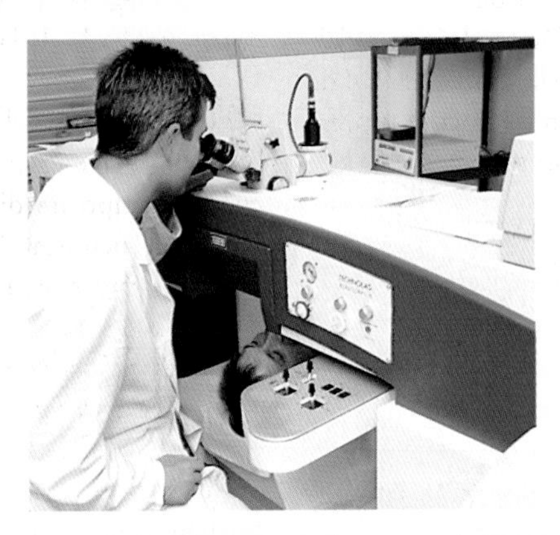

Hoy día, la ametropía aguda también se puede tratar con láser.

¿Qué son los rayos láser?

Mediante un dispositivo especial se ha conseguido limitar la luz a una longitud de onda única, cuando lo normal es que esté formada por varias que incluso se contraponen entre sí y se dispersan. Así surge el rayo láser, que tiene una gran energía y puede ser dirigido y desviado a voluntad con toda exactitud, hasta el punto de "dar en el blanco" en superficies inferiores a la centésima de milímetro. Al igual que la luz normal, puede atravesar el vidrio y otros objetos transparentes sin dañarlos, de ahí que pueda llegar hasta el fondo del ojo sin causar lesión alguna.

¿Cuándo se emplea el láser?

Al principio el láser sólo tenía aplicación en las enfermedades de la retina; por ejemplo, en los casos de desprendimiento de retina. Pero el progreso alcanzado por la tecnología en los últimos tiempos permite tratar con éxito algunas formas de glaucoma, como la poscatarata o enturbiamiento del cristalino después de una intervención quirúrgica de cataratas. Desde hace poco se vienen corrigiendo, también con rayos láser, ametropías muy pronunciadas.

¿En qué consiste el tratamiento?

La aplicación del láser puede realizarse en los centros de salud, con carácter ambulatorio, o bien en clínicas oftalmológicas que cuenten con el equipo adecuado. Por lo general, antes de una intervención de este tipo se procede a la dilatación de la pupila mediante el empleo de medicamentos.
Pero el resultado final no se aprecia hasta pasados unos días o semanas. ¡Durante la fase de convalecencia, siga fielmente los consejos de su oculista!

Nistagmo

► Síntomas:

➜ temblor de ojos rápido y sin control, casi siempre en los dos a la vez.

El movimiento de nuestros ojos se debe a la acción combinada de los músculos oculares externos. Para coordinar el trabajo conjunto de estos músculos motores, se necesitan estímulos nerviosos que el cerebro se encarga de procesar y controlar. Si los circuitos nerviosos correspondientes sufren algún tipo de trastorno, los ojos se descontrolan y muestran exteriormente esta anomalía mediante movimientos visuales muy rápidos que ya no pueden controlarse a voluntad y que hacen imposible el normal funcionamiento del órgano de la visión.

Ese temblor de los ojos también puede darse en personas que carecen de la visión, cuya retina es incapaz de formar en su centro una imagen nítida de lo que realmente sucede ante ella.

Tratamiento médico

En cuanto note que le tiemblan los ojos, acuda de inmediato al oculista. La mayoría de las personas que padecen esta enfermedad también tendrán que visitar al neurólogo, para que verifique la funcionalidad de los nervios y del cerebro. Según sean las causas, se prescribirá una terapéutica medicamentosa o se recomendará la intervención quirúrgica.

Autoayuda

No es posible.

Hipertensión ocular

► Síntomas:

➜ oscilaciones cortas y repetitivas de la capacidad visual, casi siempre de un solo ojo;

➜ dolores de cabeza;

➜ estado progresivo de empeoramiento de la visión.

La hipertensión ocular es una dolencia que puede ocasionar edemas y hemorragias internas en la retina. Estas alteraciones del ojo pueden corregirse en su fase inicial, mediante la adopción de una terapia hipotensiva.

Sin embargo, si el proceso se encuentra en fase muy avanzada puede conducir a un empeoramiento visual permanente.

Tratamiento médico

Si se comprueba la existencia de una hipertensión, el oftalmólogo se encargará del control de la retina y del tratamiento inmediato (posiblemente con láser) de las lesiones que se puedan observar en ella.

Autoayuda

La actividad física, una vida ordenada y la alimentación equilibrada contribuyen a combatir la hipertensión y sus consecuencias en los ojos.

La diabetes mellitus y los ojos

► Síntomas:

➜ oscilaciones de la capacidad visual;

➜ empeoramiento de la vista lento y progresivo.

Niveles altos y variables de glucemia pueden dañar los vasos sanguíneos de la retina. El centro de esta membrana, donde se localiza la zona de máxima nitidez visual, es la que más riesgo corre. Las lesiones vasculares pueden reducir el aprovisionamiento de sangre a la retina, lo que provoca una falta de oxígeno en esta zona y el consiguiente deterioro permanente de la vista como resultado de la muerte de las células sensoriales.

Tratamiento médico

Nada más que se detecte el padecimiento de cualquier tipo de diabetes, se deberá visitar regularmente al oculista durante las primeras semanas; y, luego, según sea la etapa y la duración de la enfermedad, cada 6 ó 12 meses.

Si las alteraciones de la retina se diagnostican a tiempo, se pueden curar por completo utilizando el láser. Por eso hoy día son tan raras las complicaciones o consecuencias posteriores, como glaucoma o ceguera, tan frecuentes en fechas no muy lejanas. Pero el objetivo principal de la terapia tiene que ser la estabilización del nivel de glucemia.

Autoayuda

¡Acuda sin excusas a todas las citas que tenga concertadas con su médico de cabecera o con su oculista! Tenga en cuenta que el hecho de fumar y el beber habitualmente alcohol suponen un claro revés en los resultados de la mejor de las terapias. Practicar algún deporte que no resulte violento y adoptar una dieta adecuada, sirven de gran ayuda en la corrección de las alteraciones de la retina.

Párpado superior colgante

► Síntomas:
- en el transcurso del día, descenso progresivo e indoloro de un párpado superior, rara vez los dos.

Después por ejemplo de un ataque de apoplejía, tanto la debilidad muscular como la de los nervios pueden conducir a que el párpado superior de un ojo no pueda elevarse lo suficiente. Orzuelos, quistes o engrosamientos de los párpados son causas frecuentes de este tipo de enfermedades.

Tratamiento médico

El oculista debe aclarar la causa por la que, de repente, un párpado no es capaz de elevarse. Si la enfermedad progresa lentamente, habrá que buscar la razón en unas pocas semanas.
Si el párpado superior de un lactante cuelga desde el momento de su nacimiento y, por lo tanto, reduce su campo visual, será preciso pedir consejo al oculista lo más pronto posible para evitar el peligro de una ceguera por debilidad de la vista. El médico puede corregir la posición defectuosa del párpado con medicamentos o mediante una operación.

Autoayuda

Si es por poco tiempo, se puede adherir una tira de esparadrapo al párpado y el extremo opuesto fijarlo a la frente en un intento por llevarlo a su sitio.

Deformaciones del párpado inferior

► Síntomas:
- el párpado inferior se repliega hacia dentro o hacia fuera;
- lagrimeo del ojo;
- sensación de tener un cuerpo extraño, debido al roce de los párpados.

El adormecimiento, o un espasmo muscular, puede hacer que el párpado inferior pierda su forma y elasticidad y se repliegue hacia fuera o hacia dentro. En el primer caso, las lágrimas no podrán fluir libremente y gotearán sobre la cara. También existe el peligro de que el globo ocular se reseque, lo que puede traer consigo gravísimas infecciones. Si se da la segunda situación, los párpados replegados hacia dentro pueden producir lesiones al rozar con la conjuntiva y la córnea.

Tratamiento médico

A cualquiera le puede pasar que al frotarse los ojos con fuerza el párpado inferior se repliegue hacia dentro o hacia fuera. Si esto sucede con frecuencia, o su estado es permanente, el oftalmólogo tendrá que corregirlo mediante una intervención quirúrgica –que puede ser ambulatoria– con anestesia local.

Autoayuda

Seque las lágrimas del ojo para que su peso no tire hacia abajo del párpado replegado hacia fuera; de lo contrario, el defecto puede acentuarse. Si el párpado se ha replegado hacia dentro, tire de él hacia abajo ayudándose de una tira de esparadrapo.

Globo ocular abombado

► Síntomas:
- aumento aparente del tamaño de ambos ojos, rara vez uno solo;
- sensacion de resecamiento e irritación;
- reducción de la movilidad de los ojos.

El llamado *exoftalmos* o abultamiento del globo ocular, casi siempre se debe a una manifestación de hiperfunción del tiroides. En este caso, el ojo es presionado hacia fuera por la acumulación de líquido y engrosamiento de los músculos oculares y el tejido adiposo de las órbitas oculares.
Otras causas también pueden estar provocadas por tumores, derrames de sangre o inflamaciones agudas. Por un lado, los ojos saltones cambian mucho la expresión de la cara, lo que representa una carga psíquica muy grande para la persona que los tiene así; por otro, el aumento de volumen en el interior de las órbitas oculares conlleva el peligro de lesión del nervio óptico a causa de la alta presión.

Tratamiento médico

Sea como sea, lo primero es establecer lo antes posible cuál es la causa del abombamiento ocular. Si los síntomas son leves, no suele ser necesaria terapia alguna. Pero si la enfermedad se encuentra en un estadio avanzado, puede aplicarse una terapia medicamentosa, radiológica o quirúrgica; o, incluso, una combinación de estos tres métodos de tratamiento.

Autoayuda

No es posible.

Estrabismo

► Síntomas:
- ➜ la típica posición defectuosa de los ojos;
- ➜ posible visión de imágenes dobles;
- ➜ posible visión defectuosa del ojo estrábico;
- ➜ dolores de cabeza.

El estrabismo infantil suele ser de origen hereditario, o puede aparecer como consecuencia de una corrección hipermetrópica inapropiada. Este padecimiento no es un simple "defecto estético", ya que la debilidad visual del ojo estrábico puede conducir a una ceguera permanente si no se trata a tiempo debidamente: todo el trabajo recae sobre el ojo no estrábico, que el propio cerebro se encarga de excluir del proceso visual para evitar trastornos mucho más graves y mayores debido a la visión de imágenes dobles; este es el motivo por el que se acostumbra, por lo tanto, a no ver bien nunca.

A partir más o menos de los seis años de edad, los procesos visuales están ya tan afianzados en el niño que la aplicación de cualquier terapia en este momento tiene muy pocas posibilidades de éxito. Estaríamos, pues, ante un caso del llamado debilitamiento de la potencia visual (*ambliopía*). En los adultos, el estrabismo suele estar causado por trastornos derivados del equilibrio muscular y nervioso de los ojos; por ejemplo, después de haber sufrido un ataque de apoplejía o bien tras haber sufrido un accidente de cualquier tipo.

Tratamiento médico

Si nota que su hijo comienza a desviar un ojo, haga que el oculista lo examine cuanto antes para que le imponga un tratamiento adecuado que impida el debilitamiento de su potencia visual. La mayoría de las veces esto se consigue poniendo gafas, aunque quizá también sea necesario ejercitar el ojo estrábico tapando el ojo sano durante algún tiempo. Sólo en casos muy raros es preciso recurrir a la intervención quirúrgica, para así lograr la corrección de los músculos oculares.

Además del tratamiento, en los adultos también es preciso encontrar las razones del estrabismo lo antes posible y tratar las causas como corresponde.

Autoayuda

Como apoyo al tratamiento médico, puede que el músculo ocular requiera someterse a un entrenamiento especial. Su oculista le indicará cómo hacerlo y el procedimiento que debe seguir.

Cuanto más pronto se trate el estrabismo en los niños pequeños, tanto mayor será el éxito que se obtendrá en el tratamiento.

Tumores oculares

► Síntomas:
- ➜ abultamiento indoloro y, a menudo, con mal aspecto.

Al igual que sucede en cualquier otra parte del cuerpo, tumores de carácter benigno o maligno también se pueden formar en los ojos. Así son frecuentes, por ejemplo, los lunares benignos en el iris; y tumores cutáneos diversos también los hay como, por ejemplo, el cáncer de células basales, que pueden encontrarse del mismo modo en la región palpebral.

Tratamiento médico

Sucede con frecuencia que, después de un tiempo, nos percatemos de un cambio de color en el ojo o que su forma aumenta de tamaño poco a poco. Hay que prestar atención a estas cosas, y tratar de aclararlas. Por lo general, el oculista nos sacará de dudas y quitará el temor de inmediato. Pero si existe la sospecha de que se trata de un tumor maligno, tendrá que eliminarse mediante la necesaria intervención quirúrgica o, en caso de que por alguna razón resulte difícil –el sitio donde se encuentra en el ojo, por ejemplo-, mediante la aplicación de radioterapia.

Autoayuda

Los ojos, lo mismo que toda la superficie cutánea, deben inspeccionarse de vez en cuando para detectar posibles alteraciones. Para prevenir un posible cáncer de piel maligno, siempre que vaya a la playa, a la montaña o tome baños de sol, póngase gafas con cristales que filtren los rayos UV.

Ametropía

► Síntomas:
- ➜ visión desenfocada a diferentes distancias, casi siempre en ambos ojos;
- ➜ dolores de cabeza;
- ➜ estrabismo esporádico.

El ojo es un órgano muy complicado, que tiene diversos sistemas ópticos sincronizados. Generalmente la colaboración es tan buena, que podemos percibir una imagen nítida de nuestro entorno a casi cualquier distancia. Pero si esta colaboración se deteriora, las imágenes se forman borrosas en la retina y vemos todo desenfocado.

• La **miopía** se caracteriza porque la fuerza de refracción del ojo es demasiado intensa en proporción con la longitud de éste. Se ven con nitidez los objetos cercanos, pero aparecen desenfocados los que se encuentran alejados del observador.

• En la **hipermetropía** o **hiperopía** sucede lo contrario: la fuerza de refracción del ojo es demasiado débil. Se pueden ver con nitidez los objetos lejanos, pero aparecen desenfocados los más cercanos.

• El **astigmatismo** se distingue por la normalidad entre la fuerza de refracción y la longitud del ojo, impidiendo la curvatura esférica irregular de la córnea que los rayos luminosos que la atraviesan se concentren en el punto exacto. Por esta causa las imágenes se ven distorsionadas; los puntos parecen líneas borrosas. Este tipo de enfermedad, también recibe el nombre de "desviamiento de la córnea".

Las tres formas de ametropía mencionadas suelen tener, la mayoría de las veces, un origen congénito.

• Entre los 40 y los 50 años de edad suele aparecer la **presbicia**, que tiene su causa en la pérdida de elasticidad del cristalino. Entonces ya no es posible que este cuerpo lenticular se abombe más para conseguir la llamada "adaptación", por lo que la fuerza de refracción disminuye y no se puede ver de cerca.

Esto nos obliga a mantener alejado de nuestros ojos y de nuestro campo visual cualquier objeto que queramos ver, y así obligarnos a realizar un esfuerzo cada vez mayor para poder leer. Los cortos de vista pueden ver mejor sin gafas que con ellas.

Tratamiento médico

Tanto las personas jóvenes como las adultas notan enseguida un posible empeoramiento de la visión. En cuanto a los niños, los padres tienen que llevarles al oculista para su reconocimiento nada más adviertan los primeros síntomas de debilitamiento de la vista. También las quejas sobre dolores de cabeza o mayor sensibilidad a la luminosidad, pueden significar el padecimiento de una ametropía. Bastará que el médico mida la agudeza visual, para realizar el diagnóstico oportuno. En la mayoría de los casos, la corrección de la ametropía requiere el uso de gafas o lentillas.

Autoayuda

Los ejercicios de relajación de los ojos, aunque no pueden sustituir a las gafas, suelen ser muy eficaces para ver sin cansarse.

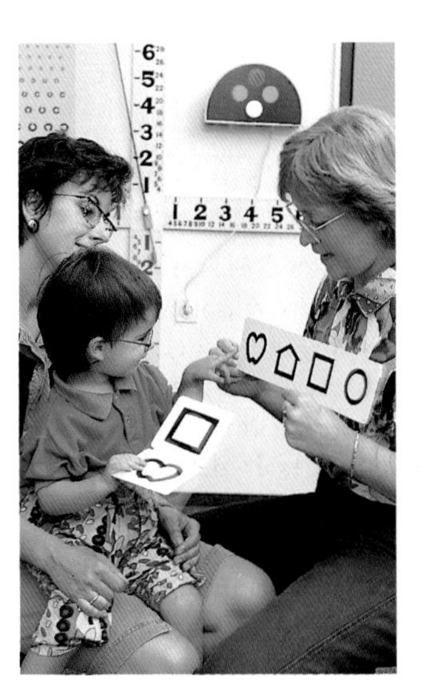

Tanto niños como personas mayores pueden ejercitar su facultad visual siguiendo un tratamiento ortóptico.

Daltonismo

► Síntomas:
- ➜ los colores no se ven bien o se confunden unos con otros.

El daltonismo de procedencia congénita suele ser más frecuente en el sexo masculino. También puede suceder, aunque es muy raro, que algunos medicamentos –los cardiotónicos– produzcan una percepción equívoca de los colores. En la mayoría de los casos, se trata de la percepción defectuosa de los colores rojo y verde. Así pues, las personas que sufren de esta enfermedad tienen que tener mucho cuidado con las señales e indicaciones que se utilizan para el normal funcionamiento del tráfico rodado.

Tratamiento médico

Si advierte que su hijo tiene dificultades en la percepción de los colores, llévelo rápidamente al oculista para que verifique si puede deberse a los efectos secundarios producidos por algún medicamento. Por desgracia, al igual que sucede con otras muchas enfermedades de tipo hereditario, el daltonismo no tiene curación; pero, en la mayoría de los casos, la experiencia que otorga la vida misma puede compensar a la perfección esta defectuosa función de los ojos.

Autoayuda

No es posible

Hemeralopía

► **Síntomas:**

- ➜ capacidad visual mala o nula en la semioscuridad;
- ➜ aumento de la sensibilidad a la luminosidad.

La auténtica hemeralopía sólo se da en enfermedades raras, casi siempre de origen genético, la mayoría de las cuales suelen tener carácter progresivo y que también se caracterizan por acompañarse de una gran disminución de la agudeza visual por el día. Mucho más extendida, pero menos importante, es la debilidad de la visión nocturna en los cortos de vista. A la miopía diurna, hay que añadir pues la llamada miopía nocturna.
Asimismo la falta crónica de vitamina A influye mucho en la gran reducción de la visión por la noche y en la semioscuridad, porque la retina es incapaz de formar toda la púrpura visual precisa para poder ver nítidamente en la oscuridad. La facultad de adaptación del ojo a la oscuridad se deteriora también por la vejez; o debido al padecimiento de un glaucoma.

Tratamiento médico

Cualquier cambio que se experimente en la visión por la noche o en la semioscuridad, tiene que ser controlado; y, a ser posible, tratado por el oculista. En caso de miopía, una graduación adecuada puede mejorar la visión en la oscuridad.

Autoayuda

Tómese tiempo hasta que sus ojos se adapten por completo a la oscuridad. ¡Tenga cuidado con el tráfico ciudadano! Compense la falta de vitamina A adoptando una alimentación equilibrada.

Pérdida de la visión

► **Síntomas:**

- ➜ grave deterioro de la vista hasta llegar a la pérdida total de la capacidad visual;
- ➜ importante reducción del campo visual.

Si las enfermedades de la córnea, del cristalino, de la retina y del nervio óptico no se tratan correctamente con la terapia adecuada, y las lesiones o inflamaciones de los ojos no se curan a tiempo y como es debido, puede llegar a producirse una reducción repentina de la capacidad visual, aunque lo más frecuente es que sea un proceso lento y progresivo (cataratas, glaucoma, trastorno circulatorio del centro de la retina, desprendimiento de retina, alteraciones de la retina por diabetes mellitus).
Se habla de ceguera cuando la capacidad visual de una persona está tan mermada que solamente puede percibir vagamente las sombras y el débil perfil de las personas y objetos de su entorno inmediato (en algunos países europeos, las autoridades sanitarias consideran como ceguera aquella situación en la que se ve todo como "a través de un tubo").

Tratamiento médico

Como norma general, acuda al oculista enseguida si aprecia algún tipo de deterioro en su capacidad visual. Hoy día es posible curar la mayoría de las enfermedades antes mencionadas, atajarlas o retrasar su proceso con sólo diagnosticarlas a tiempo.

Autoayuda

Para cualquiera persona, la pérdida de la visión supone un duro golpe que sólo es posible superar poco a poco. Ponerse en contacto con las organizaciones locales de ciegos puede ser de gran ayuda para la persona que ha perdido la visión, pues este tipo de asociaciones se dedica especialmente a los invidentes y minusválidos y les facilita toda aquella información que precisen y el apoyo psicológico adecuado. Además en muchos casos disponen de programas especiales de integración social.
En las escuelas para ciegos, niños y jóvenes pueden ser promocionados por profesores especializados. En algunos países de la Unión Europea, los ciegos tienen derecho a subvenciones económicas y beneficios fiscales sin importar la cantidad o el tipo de ingresos que perciban o el patrimonio personal de que dispongan.

¿Gafas o lentillas?

Tanto en la miopía como en la hipermetropía, en el astigmatismo o en la presbicia, los rayos luminosos que inciden sobre el ojo no se concentran en un punto exacto de la retina y se forma así una imagen desenfocada o distorsionada.
Estas ametropías pueden corregirse usando lentes, gafas o lentillas, que dirigen los rayos luminosos hacia la retina del ojo. La unidad de potencia de refracción de las lentes ópticas es la dioptría.

Las gafas "de siempre"

La forma más sencilla de corregir las ametropías antes mencionadas es ponerse gafas. Las propiedades ópticas de los cristales de las gafas de cada persona tienen que calcularse para cada ojo con toda exactitud. Para los hipermétropes, las lentes han de refractar los rayos luminosos de tal modo que los hagan concentrarse en la retina (no "detrás" de ella). Este efecto que se desea, se consigue con lentes de aumento o convergentes.
En el caso de la miopía sucede todo lo contrario. Este defecto se corrige empleando lentes de disminución o divergentes, que dispersan los rayos luminosos en forma de abanico y, luego, se concentran para formar la imagen en la retina.

En caso de presbicia, las llamadas "gafas de leer" mejoran la visión de cerca.

Las distorsiones propias de la llamada presbicia, se corrigen con lentes talladas que adoptan la forma de un cilindro.

Gafas para la presbicia

El defecto visual de la presbicia suele comenzar entre los 40 y los 50 años de edad, cuando se necesitan unas gafas para ver de lejos y otras de cerca para leer. Si ya usa gafas para lejos, necesitará otras que le permitan ver de cerca, o bien unas que monten unos cristales bifocales o progresivos, que corrigen la miopía o hipermetropía cuando se mira por la parte superior y la presbicia cuando se dirige la mirada por la parte inferior.
Este tipo de gafas son muy prácticas, pero se necesitará algún tiempo para la acomodación total de la vista. Al principio, por ejemplo, hay que tener mucho cuidado para calcular la distancia entre los peldaños al subir o bajar las escaleras.

Elección de cristales y monturas

Si una persona es sensible a la luminosidad o se padecen enfermedades como cataratas, cicatrices en la córnea u opacidad del cuerpo vítreo conviene que lleve cristales oscuros en las gafas. No obstante, las gafas que se vayan a emplear para conducir por la noche en ningún caso sus cristales deben sobrepasar el 15% de oscurecimiento.
También es conveniente que los cristales sean de tipo antirreflectante, para evitar los molestos reflejos que causan en ellos las fuentes de luz.
Como alternativa a los cristales de gafas tradicionales también se pueden montar cristales de plástico, que, aunque se rayan con más facilidad, resultan mucho más ligeros y fáciles de llevar pese a ser más gruesos.
La montura de las gafas puede ser de metal, plástica o una combinación de ambos. Es obvio que la montura tendrá que ser necesariamente de plástico si se padece alguna alergia a los metales, como la alergia al níquel.
La norma general para elegir una montura de gafas es que cuanto menor sea, tanto menor será también el campo visual; por el contrario, cuanto mayor, más grande será el campo visual pero más pesadas serán las gafas. Se trata de encontrar el término medio. En cambio, las gafas para niños deben ser lo más pequeñas posible.

Alternativa: el uso de lentillas

Las lentillas o lentes de contacto son pequeños discos de material flexible que sirven para corregir las ametropías. Tienen muchas ventajas respecto de las gafas, puesto que al estar en contacto directo con los ojos (flotando en el humor acuoso del globo ocular) no existe el inconveniente de que opriman por estar mal asentadas o reduzcan el campo visual, no se empañan y, al contrario que los cristales de las gafas, no tienen bordes distorsionantes. Las lentillas suelen considerarse estéticamente más atractivas que las gafas, pues favorecen la fisonomía de la cara.
Pero todas estas ventajas van unidas inexorablemente a una gran desventaja: las lentillas son cuerpos extraños y como tales pueden ocasionar serias lesiones de córnea o conjuntiva si no se utilizan como es debido. Además, suelen producir afecciones en los ojos muy sensibles o con muy poca producción de lágrimas. De todas formas, quien tenga un ojo por el que no ve y el otro sano, deberá desechar el uso de lentillas para no correr el riesgo de complicaciones que, aunque muy raras, pudieran reducir su visión aún más.

Ponerse las lentes de contacto es algo que deja de ser un problema en poco tiempo.

¿Lentillas duras o blandas?

A pesar de las limitaciones arriba indicadas, la mayoría de las personas suelen tolerar muy bien las lentillas, sobre todo las blandas, cuya flexibilidad y elasticidad permiten que su adaptación al ojo sea óptima.
Hoy día también existen lentillas desechables, que se usan durante un cierto tiempo y luego se cambian por otras nuevas de la misma graduación. Esta utilización tiene la ventaja de que descarta la adherencia de impurezas o defectos por el uso.
Las lentillas duras pueden llevarse después de un tiempo de adaptación corto, contando con la ventaja añadida de que se manejan y se limpian más fácilmente que las blandas, ya que conservan su forma rígida al ponerlas o quitarlas y al realizar su limpieza diaria.

Cuidados y controles

Pero sea cual sea la clase de lentillas de su elección, debe tener en cuenta que sólo una adaptación especializada por parte de un oftalmólogo u optometrista, el máximo aseo posible y el manejo apropiado pueden garantizar que usted pueda llevarlas sin problemas. También es preciso someterse a varios controles médicos periódicos al año, así como observar los ojos a menudo e ir al oculista tan pronto como se advierta alguna alteración, por pequeña que sea, pues el propio afectado es incapaz de distinguir entre una irritación sin importancia y una lesión ocular seria.
Además, se ha de tener en cuenta que las lentillas deben quitarse cuando se tenga que echar gotas en los ojos, pues normalmente en ellas se acumulan los componentes de los colirios y los productos que se emplean para su conservación.

Ayudas para tomar una decisión

En principio, hoy día se puede corregir cualquier tipo de ametropía con gafas o con lentillas. Sólo el astigmatismo plantea ciertos problemas en la adaptación de las lentillas; pero, por otra parte, son muy apropiadas cuando existe una diferencia muy grande entre la intensidad de la ametropía de uno y otro ojo y la corrección satisfactoria con gafas es inaceptable.
A menudo, tan sólo es una cuestión de gusto decidirse por las gafas o por las lentillas. Las de tipo blando son más apropiadas cuando se quiere alternar con frecuencia el uso de gafas y lentes de contacto. Las lentillas duras pueden ser más interesantes si el uso que se les va a dar es de forma permanente, ya que duran más tiempo y sus costes de adquisición y mantenimiento suelen ser más reducidos. Infórmese si el seguro social, el privado o la mutua tiene alguna subvención para la compra de gafas o lentillas.

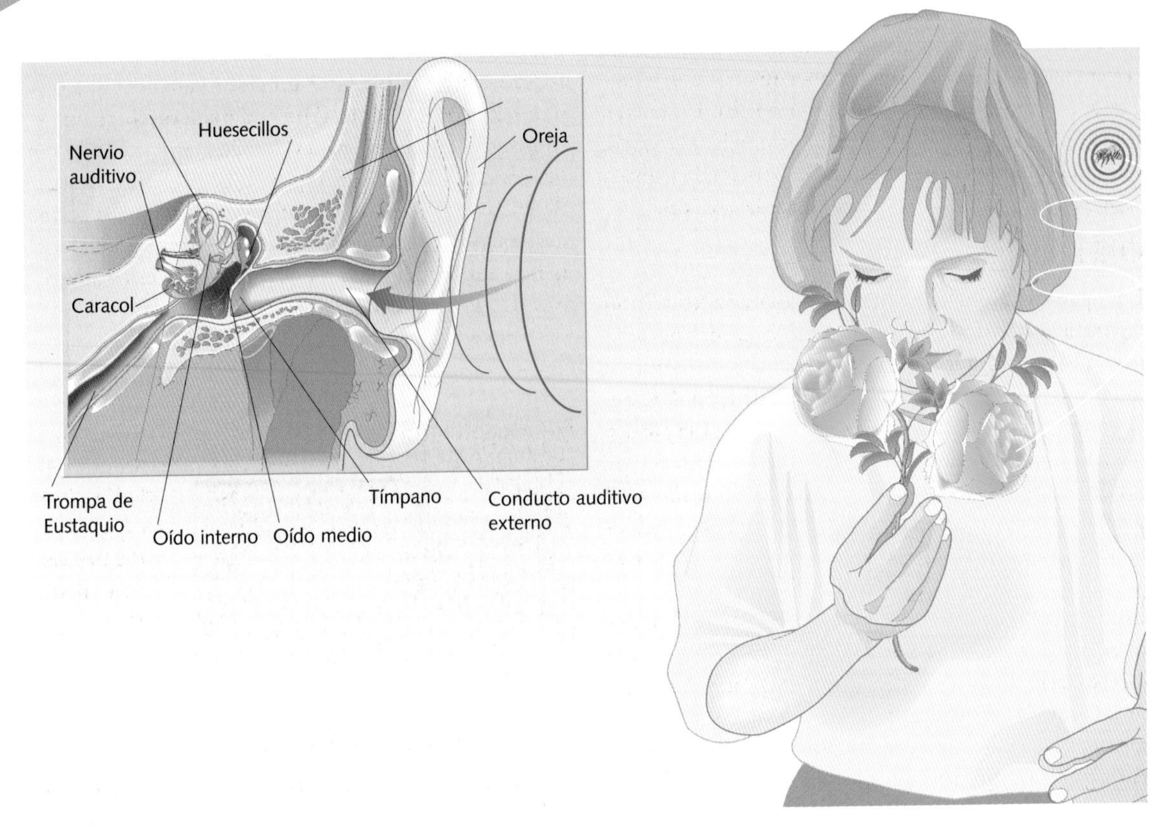

El oído

- **Estructura del oído**
- **El proceso de la audición**
- **El órgano del equilibrio**

El oído es uno de los órganos más complicados del cuerpo humano. Se encuentra situado en la cabeza y el peñasco del hueso temporal sirve de protección a los sensibles elementos que lo componen, como son el caracol y el aparato del equilibrio.
La audición se encarga de permitir la percepción de sonidos y de despertar los sentimientos. Sirve para relacionarse y ayuda a adentrase en el mundo.

Oído externo

El oído externo está formado por el pabellón auditivo (*oreja*) y el conducto auditivo que llega hasta el tímpano, cuya entrada está protegida por una prominencia cartilaginosa (*trago*); cuando el conducto auditivo se inflama, esta prominencia duele al presionarla. Las glándulas especiales del conducto auditivo producen cerumen, en cantidad variable, que sirve para proteger el conducto auditivo y transportar la piel, pelos y partículas de polvo fuera del oído.

Oído medio

Detrás del tímpano, que separa el oído externo del oído medio, se encuentra la caja del tímpano que, revestida de mucosa, está formada por unos huesecillos: martillo, yunque y estribo, unidos entre sí por articulaciones.
El oído medio se comunica con la nasofaringe a través de la trompa de Eustaquio. Dicha trompa se abre al tragar, bostezar o sonarse la nariz; de este modo, el oído medio tiene la misma presión atmosférica que en el conducto auditivo y la que existe en el exterior. Si la trompa sufre alguna alteración en sus funciones (a causa de un catarro, por ejemplo), se nota una ligera pérdida de audición; así, el cambio de presión atmosférica del entorno (al despegar un avión) puede producir un dolor de oídos muy fuerte.

En una oquedad profunda del oído medio se encuentra la ventana oval, una de las dos aberturas que comunican el oído medio con el oído interno. En la ventana oval se halla el tercer huesecillo mencionado: el estribo, que cuelga libremente. La segunda abertura, la llamada ventana redonda, sirve para equilibrar la presión.

Oído interno

Los aparatos auditivo (*caracol* o *cóclea*) y del equilibrio (*aparato vestibular*), en el laberinto óseo del peñasco del hueso temporal, constituyen el oído interno. El interior del órgano auditivo describe una espiral, como la concha de un caracol, que consta de dos espiras y media (*canal cloquear*), donde se localizan multitud de células sensoriales (también llamadas *células capilares*) y células de apoyo. Las 17 000 células sensoriales existentes están repartidas en una hilera interna y tres externas.

En realidad, sólo pueden "oír" las células sensoriales internas, porque son las únicas que están en contacto directo con el nervio auditivo que llega hasta el cerebro. Como las células sensoriales internas son relativamente insensibles, las células sensoriales externas se encargan de amplificar las vibraciones más débiles del exterior, de modo que puedan ser percibidas por las celulares sensoriales internas.

El trayecto del sonido

Los ruidos y los sonidos se perciben en el oído a través del aire (*vía aérea*) y de los huesos craneales (*vía ósea*). La forma sinusoidal del oído externo facilita la captación del sonido a través del aire. Los tonos comprendidos entre los 2 000 y 6 000 hertzios, de gran importancia para la comprensión del lenguaje, se amplifican hasta el doble en el conducto auditivo.

Las ondas sonoras chocan contra el tímpano, que es del tamaño de una pequeña moneda, y se transforman en vibraciones que, a su vez, los huesecillos del oído medio se encargan de amplificar unas 22 veces y de transmitir hasta el oído interno. Al llegar poco después al oído interno, atraviesan las espiras del caracol y excitan las células sensoriales. Las especializadas en tonos altos (*altas frecuencias*) están situadas a la entrada del caracol, y en un extremo se hallan también las especializadas en los tonos más bajos. Las células sensoriales generan una señal, que es conducida por el nervio auditivo hasta el cerebro. En caso de sordera por alteración de la conducción acústica (médicamente, *hipoacusia de transmisión*), el sonido procedente del exterior no puede llegar hasta el oído interno. La conducción del sonido puede verse interrumpido, entre otras cosas, por oclusión del conducto auditivo, perforación de tímpano, lesión de los huesecillos, acumulación de líquido en el oído medio o por rigidez del estribo situado en la ventana oval. Cuando los estímulos auditivos llegan hasta el oído interno, pero no pueden alcanzar el nervio auditivo o éste no es capaz de enviarlos al cerebro, se habla de sordera por alteración de la vía nerviosa (conocida como *hipoacusia de percepción*).

Los finísimos cilios auditivos del oído interno conducen las ondas sonoras hasta el nervio auditivo.

El órgano del equilibrio

El órgano del equilibrio se halla en lo más profundo del oído interno. Esencialmente consta de: conductos semicirculares –en número de tres–, sáculo, utrículo y conducto y saco endolinfáticos.

Las cinco primeras partes nombradas poseen células sensoriales especializadas, de tal manera que mientras unas son capaces de detectar las aceleraciones angulares a que es sometido nuestro cuerpo, otras hacen lo propio con las aceleraciones de tipo lineal.

Toda la información obtenida es transportada por el nervio vestibular (una parte arranca del aparato vestibular derecho y otra del izquierdo) hasta el cerebro.

Pero las informaciones procedentes del oído interno, no bastan por sí solas para mantener el equilibrio. El cerebro también necesita la información que recogen los ojos y transmite el cerebelo, que nos comunican las distintas posiciones que adopta el cuerpo en el espacio. Y es al confrontar toda esta información cuando el cerebro sitúa nuestra posición en el espacio, establece el sentido de nuestro movimiento y corrobora la posición relativa que ocupan los miembros los unos respecto de los otros. Así sabemos si estamos sentados o de pie, caminando hacia adelante o hacia atrás y si tenemos un brazo flexionado o una pierna o extendida.

Los vértigos pueden deberse, entre otras muchas causas, a un trastorno funcional del órgano del equilibrio.

Casos de urgencia

Norma general

Acuda al médico lo antes posible en los casos de repentina aparición de sordera, vértigos, lesiones y hemorragias de oído.

Oído sangrante (Otorragia)

▶ Síntomas:
- ➜ hemorragia del conducto auditivo.

Una fractura craneal puede afectar al peñasco del hueso temporal y acompañarse a menudo de desgarramiento del tímpano, produciendo entonces un flujo de sangre (o líquido cefalorraquídeo) que saldrá al exterior a través del conducto auditivo. Las lesiones externas con pérdida de conciencia indican la existencia de una lesión cerebral muy grave (→ Lesión craneoencefálica). Pero el desgarro del tímpano y el flujo de líquido sanguinolento también puede deberse a una otitis. Asimismo la sangre puede fluir directamente del conducto auditivo como consecuencia de una inflamación (→ Eccema del conducto auditivo), o al proceder a la limpieza del oído.

Tratamiento médico

Nada más que advierta cualquier tipo de hemorragia en el oído, visite de inmediato a su médico para que pueda determinar las causas y aplicar el tratamiento adecuado.

Autoayuda

Tapone el oído sangrante con una gasa esterilizada. ¡Pero en ningún caso intente limpiar el conducto auditivo externo con lavados, bastoncillos u otros procedimientos!

Cuerpos extraños en el oído

▶ Síntomas:
- ➜ sensación de presión en el oído;
- ➜ pérdida de audición;
- ➜ oclusión del conducto auditivo externo.

Sin darse cuenta, los niños muchas veces introducen en el oído bolas de cristal, guisantes u objetos pequeños. Incluso puede que se les meta algún insecto.

Tratamiento médico

La extracción del cuerpo extraño sólo debe realizarla el médico. Además, los niños pequeños con frecuencia necesitan que se les anestesie.

Autoayuda

¡Bajo ningún concepto intente sacar usted mismo un cuerpo extraño del oído! Podría adentrarse más y perforar el tímpano.

Pérdida aguda de audición

▶ Síntomas:
- ➜ sordera repentina, casi siempre de un sólo oído;
- ➜ sensación de tener un tapón en el oído;
- ➜ ruidos en el oído.

La capacidad auditiva de un oído, rara vez de los dos a la vez, puede empeorar repentinamente en cuestión de horas o, incluso, de unos segundos. La afección es probable que esté provocada por un trastorno circulatorio en los vasos sanguíneos del oído interno.
Pero las causas también hay que buscarlas en posibles infecciones víricas o en enfermedades autoinmunes, e incluso, según parece por recientes investigaciones llevadas a cabo, en las cargas físicas y psíquicas (*estrés*).

Tratamiento médico

La pérdida de oído repentina requiere su tratamiento en el hospital de forma inmediata. Las posibilidades de curación serán tanto mayores cuanto más rápidamente se restablezca la circulación sanguínea. En el 90% de los casos, los pacientes recuperan la normalidad de la audición si comienzan el tratamiento durante la primera semana. Pero las perspectivas de curación son tanto menores cuanto más tarde se inicie la curación.

Autoayuda

Si usted sufre una pérdida de oído repentina, lo más probable es que tenga que "desconectarse" de su ritmo de vida y tomarse un tiempo para recuperarse del ajetreo diario. En el futuro tendrá que reducir su actividad profesional y su tensión psíquica.

Pruebas clínicas especiales

Otoscopia

El tímpano y el conducto auditivo pueden ser inspeccionados con un *otoscopio* (especie de embudo con luz). Las clínicas modernas de otorrinolaringología están equipadas para este mismo fin con *otomicroscopios* y *endoscopios*.

Pruebas auditivas

Comprobación del nivel de audición

Se trata de averiguar si existe una sordera que dificulte la comunicación. Para ello se mide la distancia límite a la que el paciente puede repetir tres números polisílabos pronunciados en voz baja o normal.

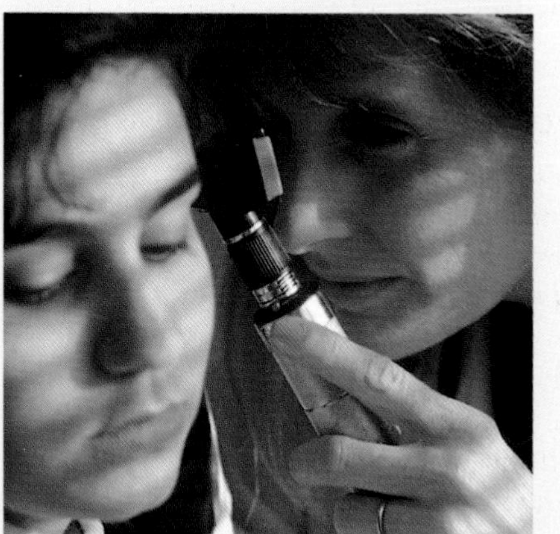

La otoscopia es el primer examen que realiza el otorrinolaringólogo.

Pruebas con diapasón

Consiste en hacer vibrar un diapasón colocado cerca de la cabeza, para comprobar si ambos oídos perciben el sonido. Así se mide la capacidad para la conducción del sonido a través de los huesos. También permite sacar conclusiones sobre una sordera unilateral condicionada por el oído medio. Para comprobar la relación entre la conducción del sonido a través de los huesos y a través del aire, primero se apoya el diapasón detrás del oído y, luego, si ya no se oye el sonido, se coloca, sin golpearlo de nuevo, ante la entrada del conducto auditivo. Si se percibe el sonido, significará que la conducción a través del aire es mejor que a través de los huesos; y si tampoco se oye de este modo, puede existir una sordera de conducción.

Audiometría

El audiómetro electrónico es un aparato que genera sonidos simples de tonos y volúmenes diferentes (determinados por el médico), que el paciente escucha a través de unos auriculares. La intensidad de los sonidos se incrementa automáticamente hasta que el oído es capaz de percibirlos, momento en el que la persona que permanece a la escucha detiene la prueba accionando un pulsador y comenzando acto seguido el aparato a emitir otro sonido distinto.
Con el resultado de las distintas respuestas obtenidas se elabora un diagrama, que servirá al médico para comprobar si existe o no algún defecto en la audición de uno u otro oído; y, en caso de que exista ese defecto, para determinar el rango de frecuencias más afectado, lo cual –como veremos más adelante– es de suma importancia.

Medición de los potenciales acústicos

Cuando una persona recibe un estímulo acústico, se originan unos procesos eléctricos, llamados "potenciales acústicos", en las células sensoriales del oído interno, en el nervio acústico y en las áreas auditivas del cerebro. La medición de estos potenciales permite comprobar la capacidad auditiva de la persona sin necesidad de conocer más datos sobre su percepción.

Medición de las emisiones otoacústicas

Ante un estímulo acústico, el oído sano reacciona emitiendo sus propios ruidos, llamada emisión otoacústica, que se mide con micrófonos hipersensibles.

Pruebas de equilibrio:

El otorrinolaringólogo será el encargado de comprobar si el aparato del equilibrio, situado en el oído interno, funciona correctamente. Verificará si el paciente, con los ojos cerrados, se mantiene seguro cuando está de pie o si pierde el equilibrio al girar y marcar el paso.
El equilibrio está relacionado con la vista. Así, los ojos "tiemblan" si nos mareamos al haber entrado agua en los oídos. Estos movimientos oculares, o *nistagmo*, se originan por estímulos tales como sacudir la cabeza o dar vueltas. Según cómo se desvíen, pueden ser síntoma de trastornos funcionales del órgano del equilibrio o de enfermedades neurológicas.

Orejas colgantes

▶ Síntomas:
- ➜ las orejas cuelgan de la cabeza más de 35 grados.

Tener las orejas colgantes suele ser un defecto hereditario y, por eso, se da frecuentemente en una misma familia. El hecho de que la forma de las orejas sea diferente, no influye en la capacidad auditiva de quienes padecen este defecto. Sin embargo, las orejas demasiado colgantes se consideran antiestéticas.

Tratamiento médico

Para evitar posibles burlas cuando el niño aún está en edad escolar se le puede someter a una operación de cirugía plástica. En ella se rasga ligeramente el cartílago de la oreja, se retira el tejido sobrante y se da la forma deseada mediante suturas.

Autoayuda

¡Asuma su defecto conscientemente! Las orejas colgantes fueron signo de "buena suerte" en Asia.

Congelamiento de orejas

▶ Síntomas:
- ➜ primer grado: frío, hinchazón, dolor ligero, prurito;
- ➜ segundo grado: formación de ampollas;
- ➜ tercer grado: tejidos muertos.

Al igual que las quemaduras, las congelaciones tienen tres grados. Las personas que sufran congelaciones de tercer grado en sus orejas, puede que sufran la muerte de sus tejidos, por lo que pueden formarse nódulos (los llamados *sabañones*).

A veces la oreja queda insensible. Las congelaciones de orejas suelen ser muy frecuentes cuando están expuestas durante mucho tiempo a un frío extremo.

Un buen gorro protege las sensibles orejas del frío.

Tratamiento médico

En caso de que sus orejas sufran una congelación de primero o segundo grado, vaya cuanto antes al médico. Las ampollas de la congelación de segundo grado, habrá que abrirlas. Después, las heridas se curan aplicando pomada antibiótica y vendándolas como si fueran quemaduras. Si la congelación es de tercer grado, deben eliminarse los tejidos muertos (*necrosis*) y se prescribirán antibióticos para evitar el riesgo de una posible infección.

Autoayuda

Las congelaciones de primer grado se pueden tratar en casa dando fricciones y aplicando compresas calientes; también, procurando que el cuerpo entre en calor mediante la toma de baños o de bebidas calientes. Una buena medida preventiva, es poner un gorro a los niños pequeños cuando el frío es intenso.

Tapones de cerumen

▶ Síntomas:
- ➜ sensación sorda en el oído;
- ➜ incluso sordera;
- ➜ tos irritante.

El cerumen puede acumularse en el conducto auditivo externo y llegar a obstruirle.

Tratamiento médico

Un tapón de cerumen sólo debe extraerlo el médico, ya que dispone de los instrumentos precisos y del saber necesario para realizar esta operación. Si el tapón de cerumen se halla incrustado y endurecido, antes habrá que ablandarlo con alguna de las muchas gotas que existen para este fin.

La pérdida repentina de audición al bañarse o ducharse, suele tener su causa en la simple hinchazón del cerumen al empaparse de agua; no obstante, conviene asegurarse de que no se trata de una sordera súbita.

Autoayuda

Como norma general, evite limpiar el cerumen de los oídos con bastoncitos de algodón, pues puede suceder que en su intento por sacarlo penetre más, llegue hasta el tímpano y lo lesione.

Si ya tiene un tapón de cerumen, bajo ningún concepto intente sacarlo personalmente, pues lo más probable es que se hunda más en el oído.

Los conductos auditivos externos de los oídos se limpian con agua templada limpia.

Eccema del conducto auditivo

► Síntomas:
- ➜ prurito;
- ➜ dolores leves;
- ➜ flujo o descamación.

Los submarinistas conocen bien el problema: después de estar un largo tiempo en contacto con el agua, la delicada piel del conducto auditivo se reblandece y esto facilita el establecimiento y procreación de gérmenes. Pero el eccema del conducto auditivo también puede estar provocado por diversas sustancias (por ejemplo, un aerosol para el cabello), así como por una alergia o por enfermedades tales como la diabetes.

Tratamiento médico

El otorrinolaringólogo se encargará de cerciorarse de que no se trata de una otitis media, tomará una muestra al efecto y la analizará para ver si se trata de hongos o bacterias; luego, limpiará el conducto auditivo con sumo cuidado. Si la afección es leve, recetará pomadas o gotas antiinflamatorias; si es grave, pondrá en el conducto auditivo una dosis de pomada.

Autoayuda

Para prevenir un posible eccema es aconsejable proteger el conducto auditivo del agua y de los productos químicos (champú, jabón y aerosoles para el cabello) y evitar limpiarlos con bastoncitos de algodón.

Forúnculo del conducto auditivo

► Síntomas:
- ➜ dolores fuertes, daño al presionar;
- ➜ engrosamiento de los ganglios linfáticos de delante o detrás de la oreja.

Al intentar limpiar el oído, los folículos pilosos situados a la entrada del conducto auditivo pueden inflamarse debido a la acción de bacterias (*estafilococos*). Este tipo de infecciones son muy dolorosas.

Tratamiento médico

La inflamación aguda necesita tratamiento enseguida. Cuando un forúnculo empieza a formarse, el médico suele ayudar a que se abra aplicando un ungüento vejigatorio. Ocasionalmente, también puede ser preciso sajar el forúnculo.

Autoayuda

No intente nunca limpiar el conducto auditivo personalmente.

Tumores del oído externo

► Síntomas:
- ➜ alteraciones llamativas de la superficie y color de la piel;
- ➜ ulceraciones.

En el oído, lo mismo que en el resto de la piel, pueden formarse tumores de distintas clases. El más frecuente –sobre todo por la radiación solar y lo avanzado de la edad– es el cáncer de células basales. Pero también es frecuente el cáncer de células espinosas y el conocido por el nombre de melanoma.

Tratamiento médico

Acuda al médico de inmediato si observa en su piel algún tipo de alteración que le llame la atención, para que le diagnostique cuanto antes si se trata de una alteración benigna o maligna. El cáncer de células basales crece lentamente y es posible su erradicación por completo. Por contra, el cáncer de células espinosas y el melanoma crecen rápidamente y forman metástasis muy pronto por todo el cuerpo; esto hace que estos tumores tengan que eliminarse enseguida y de forma radical. Si fuera preciso se procederá a la extirpación de toda la oreja, pudiendo ser más tarde reconstruida artificialmente con ayuda de la cirugía plástica.

Autoayuda

Tenga en cuenta que la radiación solar intensiva favorece la formación de tumores cutáneos. ¡Preste pues atención a las alteraciones que puedan afectar a la piel y a los cartílagos de las orejas!

Sordera producida por el ruido

Los seres humanos percibimos la intensidad de un sonido de diferentes maneras. También, la mayoría de nosotros podemos acostumbrarnos al ruido infernal de las máquinas, a la estridencia de la música o al tráfico rodado. Pero, a pesar de todo, cualquier oído sufre daños a partir de un volumen determinado.

El exceso de ruido lleva en principio al "cansancio auditivo" y, aunque el oído se normaliza después de una etapa de recuperación, la exposición permanente a sonidos de más de 85 decibelios (unidad de medida de intensidad acústica) provoca daños permanentes en el caracol del oído interno.

Así, es típica la sordera que afecta a la audición de sonidos agudos; ya no se puede oír el canto de los pájaros ni el timbre de la puerta o el teléfono, y hay que subir el volumen del televisor. Tampoco se distinguen los sonidos silbantes y las consonantes K, T y P. Un zumbido de oídos puede ser el primer síntoma que indique una sobrecarga del oído interno.

Aunque el ruido permanente y continuado puede que no deje sorda a una persona por completo, sus efectos deben valorarse en su justa medida pues, junto con la disminución de la capacidad auditiva, pueden aparecer enfermedades de tipo psicosomático, trastornos del sueño y falta de rendimiento.

El ruido en el puesto de trabajo

La sordera provocada por el ruido en el puesto de trabajo suele ser muy frecuente; así, en algunos países de la UE, por ejemplo, casi un 30% de las enfermedades profesionales corresponden a lesiones auditivas. Como la sordera es una enfermedad que no tiene cura, necesariamente deben adoptarse medidas de seguridad y prevención en el trabajo. La legislación actual recoge todas las normativas básicas destinadas a la protección de los trabajadores que se hallan expuestos a intensidades sonoras consideradas lesivas para el oído humano.

El problema básico reside en que cuando se trabaja largo tiempo en un ambiente ruidoso, la persona se acostumbra e infravalora el riesgo al dejar de percibir el ruido como algo molesto. De ahí la gran importancia que tiene protegerse los oídos con ayuda de cascos o tapones protectores contra el ruido.

El ruido en la vida privada

En nuestra vida privada, la mayor parte de las veces solemos despreocuparnos de los efectos nocivos que produce el ruido sobre nuestra salud. Niveles de ruido de hasta 100 decibelios son frecuentes con los *walkman*, al conectar la cadena musical o durante los conciertos de música pop.

Valores similares se alcanzan en carreras de coches y de motos. Los petardos y las pistolas detonadoras producen ruidos de gran intensidad; si explotan cerca del oído, pueden producir daños irreparables.

Cuando se realizan trabajos muy ruidosos, es muy importante proteger los oídos adecuadamente.

Nivel de ruido	(Decibelios)
Turborreactor	130
Cadena esterefónica con altavoces	70-100
Camión de gran tonelaje (80 km/h y a 5 m de distancia)	90
Aspiradora, cortadora de césped o tráfico rodado muy intenso	80
Conversación normal	60
Susurros, tictac del despertador	30
Murmullo de las hojas	10

Oclusión de la trompa de Eustaquio

► Síntomas:
- presión y sensacion de plenitud en el interior del oído;
- dolor punzante;
- sordera;
- crujidos en el oído al tragar.

El oído medio se comunica con la nasofaringe a través de la trompa de Eustaquio. En caso de que se produzca una una infección de nariz o nasofaríngea y de los senos paranasales, la trompa también puede inflamarse, hincharse u ocluirse (catarro tuberal). Este hecho puede suceder con frecuencia en los niños pequeños, pues la citada trompa es corta y amplia.
Una oclusión aguda de la trompa de Eustaquio puede deberse a la repentina subida de presión atmosférica en el exterior del pabellón auditivo, como puede ser al realizar un vuelo en avión, al sumergirse en el agua, al subir en un remonte en una estación de esquí o al viajar en un teleférico.
Un trastorno de larga duración en la aireación del oído medio puede ocasionar un catarro de oído de carácter crónico, que normalmente suele ser la causa más frecuente de sordera entre la población infantil. Si un trastorno funcional de la trompa de Eustaquio con baja presión en el oído medio se prolonga, se altera la mucosa de la cavidad y se produce una secreción viscosa, lo que origina una "sordera de transmisión".

Tratamiento médico

En la mayoría de los casos que se presentan conviene que sea el otorrinolaringólogo quien se encargue de tratar el catarro tuberal, pues, de lo contrario, puede darse la presencia de gérmenes en el oído medio.

Autoayuda

Cuando se padece un resfriado, hay que ocuparse siempre de procurarle la suficiente ventilación a la nariz. Para compensar el cambio de presión atmosférica al disponerse a aterrizar o a despegar en avión, a los niños pequeños conviene darles algo de beber; y para los niños más mayores, tan sólo basta con que chupen un caramelo o masquen un chicle.
También, si existe alguna hinchazón en la cavidad nasofaríngea, debe evitarse por completo cualquier cambio brusco de presión debido a vuelos en avión o al sumergirse en el agua.

Otitis media aguda

► Síntomas:
- dolor punzante y golpeteo en el oído;
- fiebre y dolores de cabeza;
- sordera.

La otitis media suele producirse, sobre todo, después de un enfriamiento. Los agentes patógenos llegan hasta el oído medio a través de la trompa de Eustaquio y, allí, la inflamación hace que se acumulen secreciones.
Por lo general, los fuertes dolores de oídos cesan de repente a los dos o tres días; esto es debido a que la presión ejercida por la secreción abre pequeñas grietas en el tímpano, por las que empieza a supurar el oído.

Tratamiento médico

Si padece una otitis media, acuda enseguida a la consulta del médico. La prescripción inmediata de antibióticos evitará complicaciones mayores.

Autoayuda

Realice inhalaciones y guarde el reposo necesario en cama.

Otitis media crónica

► Síntomas:
- supuración de oídos;
- sordera en un oído o en ambos a la vez.

La otitis media suele empezar de improviso y, después de trascurridos muchos años, su padecimiento provoca que se vuelva de tipo crónico. Lo más característico de esta enfermedad es que siempre existe una perforación en el tímpano que ya no se cierra.

Tratamiento médico

Subsanación de las causas que la provocaron, tratamiento con antibióticos y corticoides –cuando sea necesario– y reconstrucción quirúrgica del tímpano.

Autoayuda

Si observa que los oídos le supuran después de nadar o de haber padecido un constipado, haga que el médico le examine los oídos cuanto antes. La norma de evitar cualquier irritación de oído debe incluir a todas las personas, y muy especialmente a aquéllas que padezcan de otitis media a menudo.

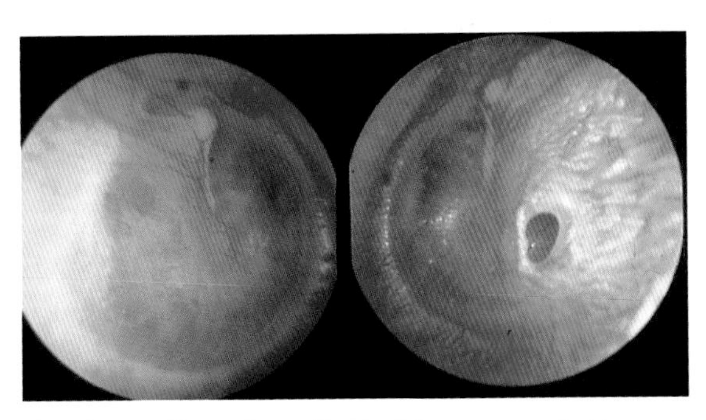

El tímpano es la membrana (izquierda) que separa el oído externo del medio. Cualquier daño que sufra (derecha) es peligroso.

Lesiones del tímpano

▶ Síntomas:
- ➜ dolor punzante en el oído;
- ➜ sordera.

Las lesiones de tímpano suelen producirse por la introducción de objetos largos y puntiagudos en el oído (bastoncitos de algodón, agujas de punto, palillos, cerillas). Pero la rasgadura o grieta también puede deberse a la subida repentina de la presión atmosférica en el conducto auditivo externo (inmersión a profundidad, explosión, golpe en el oído con la mano abierta, choque de una pelota contra el oído). Más infrecuente suele ser a causa de una depresión (beso en el oído).

Tratamiento médico

Cuando exista una lesión de tímpano, se debe acudir al otorrinolaringólogo de inmediato. Un tímpano sano suele curar pronto sin necesidad de tratamiento, pero si anteriormente ya ha sufrido daños la perforación puede quedar de forma permanente y, con ello, ocasionar una otitis media crónica.

Si el tímpano ya está dañado, el médico debe evitar cualquier tipo de infección recetando antibióticos para, en los casos indicados, proceder a la intervención quirúrgica que tenga como objeto su reparación.

Autoayuda

Desinfecte y tape lo antes posible el oído lesionado. Para prevenir posibles lesiones de tímpano deben evitarse las situaciones antes mencionadas, y en ningún caso intentar limpiar los oídos uno mismo con objetos como, por ejemplo, bastoncitos de algodón o cualquier otro objeto punzante que pueda dañar el oído.

Ruidos en el oído (tinnitus)

▶ Síntomas:
- ➜ zumbidos, silbidos o ruidos en el oído pulsátiles en parte.

Los ruidos en el oído pueden deberse a muchas causas diversas. Lo primero es pensar en una afección del conducto auditivo externo o del oído medio, en una oclusión de la trompa de Eustaquio, en una otitis media o en una otosclerosis. Los ruidos en el oído también suelen estar relacionados con la enfermedad de Ménière o deberse a una pérdida de oído aguda. Pero también pueden estar provocados por trastornos circulatorios, estrés, ruido ambiental o por una explosión.

Tratamiento médico

Vaya enseguida al otorrinolaringólogo si al cabo de 24 horas los ruidos en el oído no han desaparecido, pues entonces ya no cabe esperar que desaparezcan sin intervención médica. Los ruidos de oído repentinos se tratan como una pérdida de audición aguda. La terapia necesaria para su tratamiento se decidirá una vez se conozcan las causas que provocaron la enfermedad.

Autoayuda

Si queda descartada una causa que necesite tratamiento, podrá servir de gran ayuda la práctica de alguna técnica de relajación o una terapia de conducta.

Mareos en los viajes (mal del mar)

▶ Síntomas:
- ➜ mareos, tal vez vértigos;
- ➜ náuseas y vómitos;
- ➜ pesadez de estómago;
- ➜ sudores.

Este mal aparece cuando el órgano del equilibrio, situado en el oído interno, sufre una sobreexcitación debido a movimientos rápidos y repentinos, como cuando esquiamos o viajamos en automóvil o en avión. Sus síntomas desaparecen en cuanto cesan los movimientos bruscos que lo ocasionan.

Tratamiento médico

Al conducir cualquier tipo de vehículo o realizar actividades peligrosas, deberemos tener siempre en cuenta que los medicamentos contra el mareo producen somnolencia y reducen la capacidad de reacción ante la exigencias de cualquier posible eventualidad. De gran ayuda puede ser ponerse un parche de escopolamina, o tomar algún medicamento que evite las náuseas y los mareos al viajar.

Autoayuda

Procure ponerse cómodamente en el sentido de la marcha del vehículo, y adopte una postura tal con la cabeza que le permita mantener el campo visual lo más estable posible durante todo el trayecto. No consuma alcohol, tome fotografías, lea o realice otras actividades que puedan contribuir a fomentar los síntomas característicos del mareo.

Cualquier movimiento de giro rápido, altera el órgano del equilibrio y produce sensación de vértigo.

Enfermedad de Ménière

► Síntomas:

- ➜ accesos de vértigo que duran desde unos minutos a varias horas;
- ➜ naúseas, vómitos, diarrea;
- ➜ movimientos involuntarios de los ojos;
- ➜ hipoacusia unilateral;
- ➜ ruidos (zumbidos) en un sólo oído.

La causa de esta enfermedad tiene su origen en el desgarro de la membrana que separa los líquidos del oído. Éstos se mezclan entre sí, lo que provoca una disfunción de las terminaciones nerviosas de las células sensoriales. Después de un ataque ya no vuelve a repetirse ninguno de los síntomas, a excepción de una posible hipoacusia. Aunque el proceso de la enfermedad de Ménière es muy variable y puede causar graves daños, lo cierto es que no existe peligro de muerte.

Tratamiento médico

En principio, el otorrinolaringólogo recomendará evitar factores de riesgo como el alcohol, el estrés, la nicotina y el café. La terapia básica consta tanto de medicamentos contra las náuseas y los vértigos, como la adopción de una dieta pobre en sal.

Si a pesar de todas las medidas adoptadas los vértigos no desaparecen, solamente queda aplicar una terapia (medicamentosa o quirúrgica) que puede comprender desde el drenaje quirúrgico de los líquidos hasta la desconexión de las células sensoriales del oído interno desencadenantes del vértigo.

Autoayuda

Mientras dura el acceso, que suele anunciarse con sensación de presión y de plenitud en el oído, deberá permanecer acostado y moverse lo menos posible. Las sensaciones o fenómenos (*aura*) que preceden al ataque, permiten muchas veces prepararse para el acceso y evitar situaciones peligrosas.

Neurinoma del acústico

► Síntomas:

- ➜ ruidos en el oído (*tinnitus*);
- ➜ pérdida de oído lenta y unilateral durante meses, e incluso años;
- ➜ muy raramente, vértigo ligero.

El neurinoma acústico es un tumor del nervio auditivo y del equilibrio (→ Nervio cerebral VIII). Es benigno, o sea que no tiene nada que ver con un cáncer ni forma metástasis.

Tratamiento médico

El cuadro patológico del neurinoma del acústico puede ser semejante al de la pérdida de oído aguda. Por consiguiente, acuda enseguida al otorrinolaringólogo si advierte que la reducción lenta y unilateral de la capacidad auditiva se acompaña de ruidos persistentes en el oído, parálisis facial y otros trastornos del equilibrio. Sólo con la intervención quirúrgica se podrá lograr la curación.

Autoayuda

El tratamiento de la enfermedad del neurinoma del acústico es aconsejable para evitar complicaciones de la salud y otros muchos problemas de origen tanto psíquico como laboral.

Sordera

► Síntomas:
- ➜ ruidos y sonidos que no se perciben en su tono normal;
- ➜ ruidos en el oído.

Las causas de la sordera son múltiples; incluso pueden ser de origen hereditario. Las sorderas por falta de conducción acústica (hipoalosias de transmisión; el trayecto del sonido) están causadas por enfermedades del conducto auditivo externo y del oído medio (tapones de cerumen; cuerpos extraños en el oído, oclusión de la trompa de Eustaquio; otitis media aguda y crónica; lesiones del tímpano), así como por otosclerosis. Esta enfermedad suele iniciarse entre los 20 y los 40 años de edad, afectando más a las mujeres que a los hombres. Se caracteriza por la pérdida progresiva de audición y por un intenso zumbido en los oídos, que se va incrementando y haciendo más molesto.
La *sordera por falta de sensibilidad acústica* (hipoacusias de percepción; el trayecto del sonido) está causada por enfermedades del oído interno o del nervio auditivo (pérdida de oído aguda; lesión de la capacidad auditiva a causa del ruido; enfermedad de Ménière; neurinoma acústico).
La *sordera senil* (presbiacusia), provocada por procesos degenerativos en el oído interno y en el nervio auditivo, puede deberse a múltiples factores como el ruido o a enfermedades vasculares arterioscleróticas. Está muy relacionada con determinados factores de riesgo, tales como: hipertensión, exceso de lípidos en la sangre, tabaquismo o diabetes.

Tratamiento médico

La sordera desaparecerá, por completo o en parte, si el médico comienza el tratamiento de la enfermedad desde que se advierten los primeros síntomas de la enfermedad . Si no fuera así, prescribirá el uso de audífono.

Autoayuda

Para prevenir la posibilidad de la sordera, tanto usted como su familia deben protegerse contra el ruido. Y si la enfermedad ya ha hecho acto de presencia, pueden servir de ayuda la puesta en práctica de algunos remedios (aumentar el volumen del timbre del teléfono y de la puerta, o instalar avisadores luminosos de llamada), así como la adopción de diversas normas de conducta en la conversación con personas que oigan normalmente (advertirles de su sordera, hablar uno mismo despacio y claro, rogar que le miren a la cara para poder leer sus labios).
También, las asociaciones y organizaciones de este colectivo podrán proporcionarle información y ayuda apropiada al respecto.

La sordera en los niños

Para que tanto el niño como la niña puedan aprender a hablar con normalidad y desarrollar todas sus capacidades y aptitudes dentro de la sociedad, es imprescindible que posea una audición perfecta. Si sospecha que su hijo o hija padece de sordera, haga que el otorrinolaringólogo le realice un completo examen o reconocimiento auditivo para atajar de raíz las graves consecuencias que sin duda le afectarán de no hacerlo lo antes posible. Para poder efectuar un diagnóstico rápido y certero, tenga en cuenta que el médico no dispondrá de más información que los datos basados en sus observaciones personales. Sea lo más preciso posible y colabore en todo lo que pueda para prescribir una terapia adecuada.

Sordomudez

► Síntomas:
- ➜ no percibe ningún sonido, o casi ninguno;
- ➜ ruidos en el oído.

Tal como sabemos hoy día, la creencia de que "el hijo sordo, no aprenderá a hablar nunca", es falsa y un grave error. Hoy día los modernos métodos aplicados con nuevas tecnologías permiten una enseñanza intensiva, que hace posible que las personas sordas de nacimiento puedan aprender a hablar y hacerse entender por los que sí oyen y, a su vez, leer en los labios de aquellas personas que hablen con ellos.
La sordomudez puede ser de origen congénita o contraerse como consecuencia del padecimiento de una enfermedad del oído.

Lo que debe saber sobre los audífonos

El 95% de las personas que tienen que llevar un audífono se debe a una sordera por falta de sensibilidad acústica en el oído interno. En estos casos, además de que el audífono amplifique el sonido es preciso regularlo y ajustarlo de modo que todos los tonos se oigan bien y por un igual. Así, es frecuente conseguir una notable mejoría en la comprensión del lenguaje.

La adquisición del audífono

El otorrinolaringólogo será quien se encargue de prescribir el audífono. Posteriormente, en colaboración con el médico, el especialista en prótesis acústicas adaptará el aparato al paciente. Así, la deficiencia auditiva concreta de cada persona se subsanará y sus necesidades personales estarán cubiertas. Los audífonos son de carácter personal y uso individualizado.

El funcionamiento de los audífonos

Los audífonos se componen de las siguientes partes: un micrófono, que capta los sonidos, un amplificador, que produce las señales acústicas, un auricular, que reconvierte las señales en ondas sonoras y las conduce hasta el oído, y un regulador del volumen del sonido, que controla el nivel sonoro. La energía para su funcionamiento se realiza mediante pilas. Para acostumbrarse al cambio en la manera de oír, el audífono se debe llevar regularmente.

Clases de audífonos

- **Aparatos para detrás del oído**: a este grupo pertenecen la mayoría de los audífonos. El micrófono se sitúa en el borde superior de la oreja, y el de algunos aparatos es de tipo direccional. El auricular se introduce en el conducto auditivo.
- **Aparatos para el interior del oído**: el audífono se coloca dentro del pabellón auditivo. Algunos aparatos no se ven desde el exterior. Se sacan, utilizando un hilo de nailon. Estos aparatos internos hacen que los sonidos se reciban con total naturalidad.
- **Gafas auditivas**: los componentes del audífono forman parte de una de las patillas de las gafas. Las hay de dos tipos: las gafas auditivas llamadas de vía aérea, en las que el sonido pasa a través de una pieza ajustada dentro del oído, o las conocidas como de vía ósea, en las que el sonido pasa mediante un auricular adosado al hueso de detrás del oído.
- **Audífonos digitales**: en estos aparatos, un microchip analiza el "entorno acústico". Los ruidos que interfieren en el lenguaje, quedan eliminados. El especialista en audífonos adapta el aparato, seleccionando la intensidad de sonido que resulta agradable para el usuario y desestimando aquellos ruidos a los que es sensible.

La moderna tecnología permite fabricar audífonos de tamaño más pequeño que un cacahuete.

Tratamiento médico

La sordera del oído interno se debe a un trastorno funcional de las células sensoriales del caracol, que son incapaces de excitar al nervio auditivo. Pero en el 95% de los casos, la funcionalidad del nervio está en perfectas condiciones. Este motivo es el que hace que cada vez sean más los niños y adultos que llevan un implante de cóclea: una prótesis que "sustituye" al oído interno de mal funcionamiento. Este implante restablece la "conexión" y hace que el oído funcione. La operación se ha convertido en rutinaria. En todo caso, es muy importante aprender a manejar bien el aparato, que incluye un procesador del lenguaje y un emisor.

Autoayuda

Asociaciones y organizaciones de afectados pueden ayudarle y asesorarle en la resolución de los muchos problemas que se le plantea.

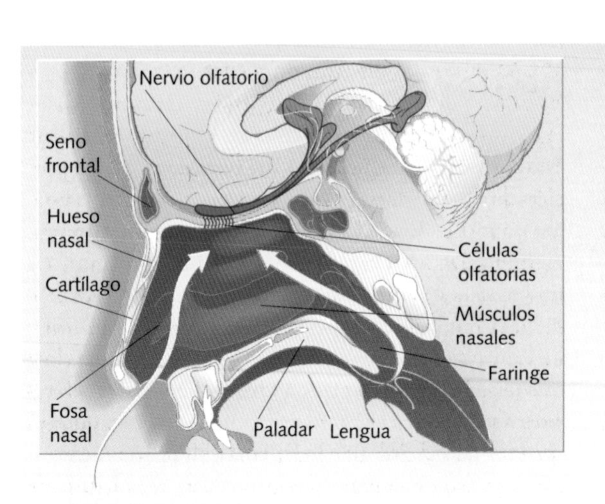

La nariz

- **La estructura de la nariz**
- **La función respiratoria de la nariz**
- **El olfato**

La nariz realiza muchas funciones, que a menudo nos pasan desapercibidas: humedece el aire que respiramos y retiene partículas de polvo y agentes patógenos. Además, el olfato sirve para comprobar si el aire maloliente puede ser peligroso para la salud. Y cuando hablamos, permite que la voz vibre con fuerza.

Parte externa

La estructura nasal consta de huesos y cartílago móvil. Tiene forma de pirámide. El dorso, la punta y la raíz de la nariz, su punto de inserción en la frente, así como las dos aletas nasales (una a la izquierda y otra a la derecha), son las partes principales que componen esta facción de la cara del ser humano.

Parte interna

Las fosas nasales forman un sistema cavernoso muy complicado. Limitan por abajo con el paladar del maxilar superior, y por arriba están muy próximas a las órbitas oculares. Las dos fosas principales están divididas por el tabique nasal (*septum*), que consta de una parte cartilaginosa y otra ósea, y constituye el apoyo más importante del lomo de la nariz. Tres huesos cubiertos por mucosa nasal, denominados "cornetes", dividen las llamadas paredes nasales. Entre ellos, quedan delimitados los tres "meatos nasales".
Las fosas nasales se sitúan inmediatamente por encima de la cavidad bucal. Ambas se comunican entre sí, y con la nasofaringe (la parte más alta de la faringe), a través de las llamadas retroventanas nasales.
También existe comunicación con el oído, puesto que la trompa de Eustaquio converge en su parte final con la nasofaringe.

La pituitaria

El riego sanguíneo y la producción de mucosidad de la pituitaria están dirigidos por el sistema nervioso periférico, que también es responsable del "ciclo nasal" y hace disminuir, cada dos a cinco horas respectivamente, la permeabilidad de las fosas nasales derecha e izquierda. Durante este período de tiempo también se regenera la mucosa del lado "cerrado".

Las glándulas de la pituitaria producen a diario unos 200 gramos de mucosidad, que proporcionan el grado de humedad necesario al aire de la respiración y, junto con los finos pelos de las ventanas nasales, ayudan a expulsar de la nariz el polvo atmosférico y los distintos agentes patógenos.

Los senos paranasales

Son los diferentes huecos (esfenoidal, maxilares y frontales), así como numerosas y pequeñas celdillas del hueso etmoides. Este conjunto de cavidades, forma un sistema de resonancia relativamente grande para la voz. Los senos paranasales están revestidos todos ellos de mucosa; y los maxilares y frontales, se comunican con las fosas nasales a través de sus respectivos conductos de drenaje en vez de hacerlo directamente.

Respiración por la nariz

A diario, de 10 000 a 20 000 litros de aire pasan por la nariz. En fracciones de segundo, una nariz sana puede elevar de 10 °C a 35°C la temperatura externa del aire inspirado y humedecerlo. Al espirar, también se recupera parte de la humedad cedida al pasar a través de la nariz. La nariz tiene como misión retener y atrapar agentes patógenos que, de otro modo, pasarían a las vías respiratorias y llegarían hasta los pulmones.

El olfato

En 1826, el famoso gastrónomo francés Brillat-Savarin ya aseguraba: «Estoy tentado a creer que el olfato y el gusto constituyen una sensación única, en la que la boca es el taller químico y la nariz la chimenea». Tenía razón, pues los gastrónomos suelen tener muy buen olfato en el sentido estricto de la palabra. La lengua tan sólo se encarga de percibir el sabor salado, ácido, dulce o amargo de las sustancias, dejando las sutilezas de una buena cocina o de un vino generoso a las sensaciones que llegan a través del olfato.

La nariz se encarga de comprobar si los alimentos son idóneos para su ingestión o, por el contrario, rechaza su posible consumo. A poco que se concentre, el ser humano es capaz de distinguir y reconocer más de 10 000 sustancias olfativas diferentes.

El órgano del olfato se localiza en la pared superior de las fosas nasales. A la mucosa de esta región llega un 5% del aire que inspiramos normalmente. Esta proporción de aire puede aumentar hasta un 20% cuando estamos constipados. Al masticar los alimentos, la sensación olfativa llega rápidamente a la mucosa olfatoria a través de la ventana nasal posterior. Las moléculas aromáticas interactúan enseguida con los receptores olfatorios de la mucosa, lo cual genera una señal nerviosa que llega hasta el cerebro a través de los nervios olfatorios; allí se efectúa el análisis de dicha señal, conociendo entonces el tipo de olor que percibimos y memorizándolo para compararlo con otros ya conocidos. En definitiva, se reconoce aquello que estamos oliendo.

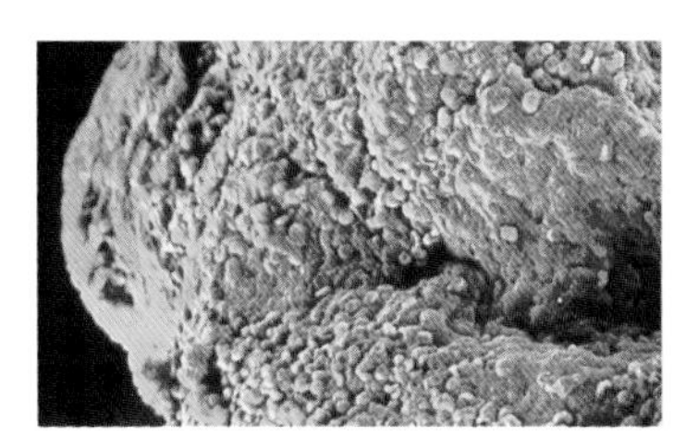

Los pliegues de la mucosa nasal calientan, humedecen y filtran el aire.

Expresiones como «¡No quiero ni olerle!» o «¡Apestas!», demuestran lo que ya ha sido demostrado científicamente de manera irrefutable: los olores pueden influir en el estado de ánimo de las personas, pueden crear sentimientos placenteros o desagradables; incluso, despertar simpatía o aversión.

Que un olor nos guste o no, suele tener, en parte, origen congénito: nos gusta el aroma de las flores y nos repugna el olor a podrido. Pero también existen preferencias de índole cultural: a los japoneses les gusta más el olor a soja que el olor a pizza, al contrario que a los occidentales.

La nariz y el lenguaje

Las fosas nasales constituyen, junto con los senos paranasales, el sistema o bóveda de resonancia de nuestra voz. Este "amplificador" natural deja de funcionar cuando estamos constipados y, entonces, nuestra voz se debilita y se hace imposible pronunciar bien las llamadas consonantes nasales: *m*, *n* y *ñ*, porque para ello se requiere que parte del aire espirado pase por la nariz. Cuando el aislamiento de la parte bucal de la faringe está perjudicado (a causa de una fisura palatina, por ejemplo), siempre pasa algo de aire por la nariz y origina el llamado "gangueo" al hablar.

Casos de urgencia

Norma general

Acuda al médico siempre que exista una lesión de nariz, o cuando se produzca una hemorragia nasal que sea incapaz de cortar.

Fractura del hueso nasal

► Síntomas:
- ➜ desplazamiento o hundimiento de la pirámide nasal;
- ➜ hinchazón y hematoma nasal o, también, palpebral;
- ➜ hemorragia nasal.

Resulta relativamente fácil lesionarse la parte de la nariz que más sobresale de la cara.
La estructura ósea de la nariz es la que con más frecuencia se lesiona en caso de golpe. Pero fracturas de los huesos nasales, o del tabique, también pueden ocultarse tras heridas ocasionadas por mordiscos, cortes o desgarros.
Las fracturas de los huesos nasales son muy raras en los niños, pues a esta edad la osificación de esta parte de la nariz no se ha producido del todo todavía y es más bien un cartílago movible.

Tratamiento médico

Después de producirse una lesión nasal en la que se adviertan los síntomas antes mencionados, deberá acudirse al médico lo más pronto posible para que dictamine si tan sólo se trata de una hinchazón, una herida o si la nariz también está lesionada.
En caso necesario, el médico anestesiará localmente al paciente y procederá al arreglo del puente que forma el armazón nasal. Taponará las fosas nasales y, según las circunstancias, inmovilizará la nariz para que ésta se mantenga en posición normal.
Una fractura de hueso nasal no tratada en absoluto, o demasiado tarde, puede dar lugar a una nariz aplastada, chata o torcida. Después resultará muy difícil restablecer de nuevo su forma original y, a menudo, el buen funcionamiento de la nariz.

Autoayuda

No es posible.

Hemorragia nasal

► Síntomas:
- ➜ pérdida de sangre por una ventana nasal, o por ambas a la vez.

En la mayoría de los casos, la causa de la hemorragia suele ser la rotura de un vaso sanguíneo del tabique nasal (al estornudar o hurgarse la nariz). También puede estar motivada por una lesión en la mucosa debida al catarro, o por esnifar rapé o cocaína. Una fractura de los huesos nasales, puede producir una hemorragia desde lo más profundo de la nariz. Otras causas posibles: enfermedades cardiovasculares o trastornos de la coagulación sanguínea.

Tratamiento médico

Vaya al especialista si las hemorragias nasales se repiten; y, con mayor razón todavía, si afectan a un solo lado de la nariz. Pero, también, si es incapaz de cortarlas por sus propios medios. El médico taponará la nariz y cortará la hemorragia, determinando las posibles causas que la originaron.

Autoayuda

Debe limpiar la nariz con cuidado; luego, eche la cabeza hacia adelante y comprima las aletas nasales con los dedos índice y pulgar de una misma mano para cortar la hemorragia. También es bueno empapar un paño con agua fría, retorcerlo y ponerlo durante unos instantes sobre la nuca.
Si la persona está inconsciente y tiene una hemorragia, debemos procurar que la sangre fluya hacia el exterior y evitar que pase a la nasofaringe y llegue a los pulmones.

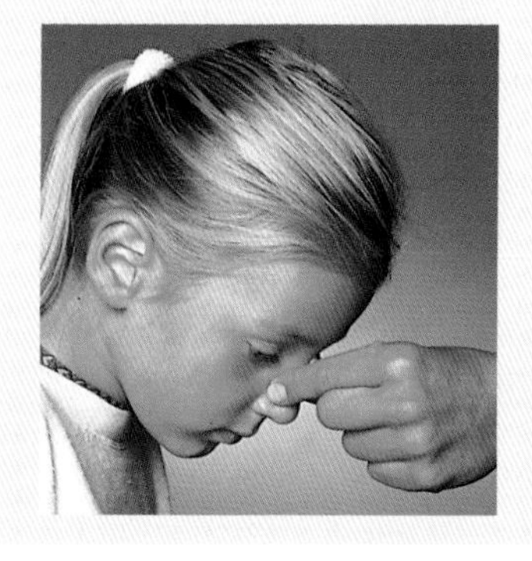

En caso de hemorragia nasal, se debe inclinar la cabeza hacia adelante y mantener presionadas las aletas nasales.

Pruebas clínicas especiales

Generalmente, el médico comienza el reconocimiento del paciente observando el exterior de la nariz. Después, la palpa y comprueba el estado de su estructura ósea y cartilaginosa: movilidad, hinchazón, dolor al presionar, etcétera.
También palpa las salidas del nervio trigémino en frente y mejillas, para hacerse una idea de la magnitud ante una posible lesión o inflamación.

Prueba del paso del aire

Cualquier impedimento de la respiración nasal puede traer consecuencias patológicas, y es de gran importancia comprobar el paso del aire a través de la nariz. El procedimiento más sencillo, aunque algo inexacto, es mantener una placa metálica (o un espejo) no muy fría delante de las aletas nasales, al tiempo que el paciente espira por la nariz.
La rinomanometría proporciona al médico la información exacta y precisa sobre la función respiratoria: sensores especiales miden la cantidad de aire inspirado por la nariz o la resistencia de flujo.

Prueba olfativa

En esta prueba se trata de excitar la mucosa olfatoria, acercando a una de las dos ventanas nasales diferentes sustancias (como vainilla, esencia de lavanda o café en polvo). Después se comprueba si se perciben otro tipo de sustancias, como por ejemplo el ácido acético, que excitan el trigémino, nervio distinto al olfatorio y que tiene la facultad de reconocer la presencia de irritantes en el aire inspirado. Por último se hace la prueba con otras sustancias (esencias de licores, por ejemplo).
Si el olfato está anulado, las primeras sustancias probadas no se percibirán en absoluto, pero al menos se advertirán o saborearán algo las de los otros dos grupos. Para realizar la prueba del gusto, se ponen en la lengua unas gotas de soluciones de las cuatro calidades gustativas: dulce, ácido, salado y amargo.

Ultrasonidos

Como complemento de una radiografía, para reconocer hinchazones de mucosas, formación de secreciones, quistes y tumores de los senos nasales se puede utilizar el diagnóstico por ultrasonidos.
Se da preferencia a este método en la diagnosis para evitar la repetición de exámenes radiológicos, para el control de enfermedades relacionadas con la inflamación de los senos paranasales y cuando se trata de niños y embarazadas.

Rinoscopia

Previamente dilatadas las ventanas nasales, la rinoscopia anterior consiste en iluminar las fosas nasales y proceder a su reconocimiento con ayuda de un instrumento especial.
En la rinoscopia se presiona la lengua hacia abajo con ayuda de una espátula, y se observa la nasofaringe del paciente con la ayuda de un espejo puesto en forma de ángulo. Hoy día también se utilizan endoscopios nasales para los reconocimientos, cuando los demás procedimientos no son suficientes para juzgar el estado de la nasofaringe y se precisa un diagnóstico exacto.

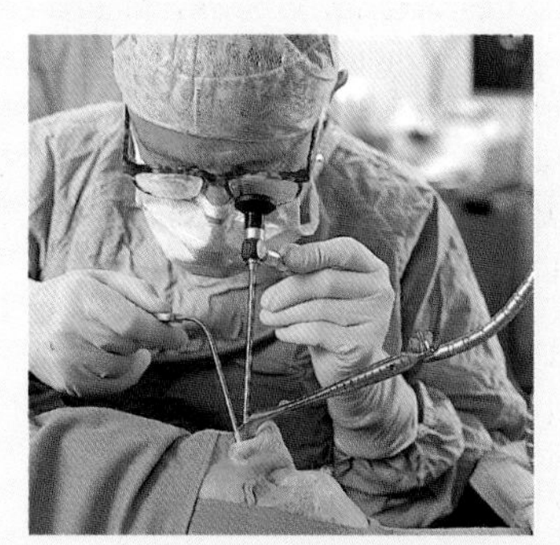
La rinoscopia permite realizar operaciones delicadas a través de las ventanas nasales.

Eliminación de pólipos nasales

En los últimos años se ha operado un cambio sustancial en el tratamiento quirúrgico de los pólipos nasales. Las tan invasivas intervenciones quirúrgicas a través de la boca o por fuera, han sido sustituidas desde hace tiempo por otros procedimientos que no causan daño a las mucosas.
Con una tomografía por ordenador se verifica primero la localización exacta del pólipo que se desa eliminar y, luego, se extirpa directamente por la nariz con un instrumento especial.
Después de la operación se necesitarán varias semanas de asistencia médica, para eliminar las adherencias y limpiar la mucosa.

Constipado/Sinusitis

► Síntomas:
- ➜ estornudos;
- ➜ mucosa nasal enrojecida e hinchada;
- ➜ flujo acuoso y, más tarde, viscoso;
- ➜ dolores de cabeza, fiebre, abatimiento.

Los virus que pueden desencadenar una rinitis o inflamación de la mucosa nasal son muchos. Esta enfermedad puede aparecer por un enfriamiento o una gripe, y suele durar entre siete y diez días; su cura apenas si deja consecuencias en el paciente.
Pero puede durar más tiempo, pues las bacterias tienden a multiplicarse en la mucosa nasal dañada por los virus, lo que se manifiesta por las secreciones amarillas y purulentas que fluyen de la nariz. Pero un constipado se puede complicar y desarrollar una inflamación de la mucosa en los senos paranasales, es decir, una sinusitis. Esta dolencia se manifiesta con fuertes dolores de cabeza y presión en la zona situada detrás de los ojos, en los pómulos y en la frente.
Una otitis media aguda también puede estar ocasionada por un constipado. ¡El constipado y la sinusitis pueden hacerse crónicos!

Tratamiento médico

Un tratamiento causal de la infección vírica resulta imposible. Los medicamentos intiinflamatorios o expectorantes lo único que hacen es proporcionar cierto alivio a la persona enferma.
Las gotas vasoconstrictoras no deben instilarse en la nariz durante más de 2 ó 3 días sin control médico, pues de lo contrario podrían provocar una mayor lesión en las mucosas. Las infecciones bacterianas pueden tratarse con antibióticos. En caso de sinusitis grave, el médico prescribirá lavados.

Autoayuda

Inhalaciones de manzanilla, tomillo y de aceites esenciales (una mezcla de aceite de pino de montaña, de eucalipto y de tomillo), producen cierto alivio. Cada cuatro horas debe prepararse una nueva inhalación, aspirar el vapor profundamente por la boca y expulsarlo por la nariz de nuevo.
También son recomendables los lavados nasales, realizados varias veces al día, a base de sales de Ems o sal marina. En tiendas especializadas o farmacias también se pueden encontrar actualmente envases con pulverizador que contienen agua marina, ya preparada para su empleo. Muy buenos contra la mucosidad son: el té de hinojo para los niños y el té de tila para los adultos.

Fiebre del heno

Hallará amplia información sobre la "fiebre del heno" y demás procesos alérgicos más adelante.

Pólipos nasales

► Síntomas:
- ➜ dificultad para respirar por la nariz;
- ➜ trastornos olfativos;
- ➜ estornudos;
- ➜ dolores de cabeza.

Los pólipos son excrecencias uviformes que se forman en la pituitaria y que pueden penetrar en los senos paranasales y en las fosas nasales. Suelen estar causados por inflamaciones crónicas, como constipados y alergias. También guardan relación con la incompatibilidad de ciertos analgésicos (las llamadas pseudoalergias), asma y mucoviscidosis.

Tratamiento médico

En muchos casos, la eliminación de los pólipos nasales sólo se puede realizar mediante una intervención quirúrgica (eliminación de pólipos nasales).

Autoayuda

No es posible.

Cuerpos extraños en la nariz

► Síntomas:
- ➜ constipado unilateral y purulento;
- ➜ flujo nasal maloliente;
- ➜ dificultad para respirar por la nariz;
- ➜ dolores de cabeza.

Al jugar, los niños suelen meterse –sin darse cuenta– objetos pequeños en la nariz, como pueden ser guisantes, bolitas de cristal o cacahuetes.

Tratamiento médico

Acuda al otorrinolaringólogo lo más pronto posible, pues existe peligro de que el objeto pase de la nariz a los pulmones a través de la faringe.

Autoayuda

No es posible. De ninguna de las maneras ntente extraer un cuerpo extraño de la nariz personalnente, pues podría hundirlo más y hacer que resbale o ase a la faringe y de aquí a los pulmones.

:xcrecencia (nasal rinofina)

► Síntomas:
- ➜ Excrecencia nodular en la punta de la nariz;
- ➜ coloración azul pálido de la piel.

.as causas que originan la formación de un tumor)enigno en la nariz, debido a la proliferación de glánlulas sebáceas, no se conocen todavía. Estas excrecen:ias nasales tan antiestéticas, que por desgracia suelen er motivo de burla, las padecen casi exclusivamente los ıombres de edad avanzada.
:l que beber alcohol sea la causa de una rinofima, no)asa de ser una mera leyenda.

Tratamiento médico

Estos tumores son de crecimiento muy lento. Si on muy grandes, pueden llegar a cerrar las entradas de a nariz e imposibilitar la respiración. Estéticamente, os rinofimas pueden extirparse mediante una simple ntervención quirúrgica con gran éxito; se limpia el tejilo superfluo y la superficie dañada se cura.

Autoayuda

No es posible.

Forúnculo nasal

► Síntomas:
- ➜ hinchazón enrojecida, dolorosa y muy sensible a la presión, en la punta o en la entrada de la nariz.

Los furúnculos se forman debido a pequeñas grietas de a piel situadas a la entrada de la nariz, o por inflama:iones de los folículos pilosos allí situados. Los agentes)atógenos son bacterias.
Esta enfermedad tan frecuente suele ser inofensiva si se :rata correctamente y a su debido tiempo, pero, en leterminadas circunstancias, las bacterias de los furún:ulos nasales y del labio superior pueden llegar a la cir:ulación sanguínea a través de una vena del interior de la cabeza, con el consiguiente peligro de formación de un coágulo purulento en las venas cerebrales de la base craneal o de una meningitis.

Tratamiento médico

En caso de que aparezca un furúnculo nasal, es preciso acudir a la consulta del médico. Si su acción se limita a la entrada o a la punta de la nariz, se aplicará una terapéutica de pomadas antibióticas y se procurará mantener la nariz lo más inmovilizada posible (no hablar, no masticar con fuerza).
Si hay fiebre, tendrá que tomar antibióticos. En caso de que el furúnculo se hinche hasta el punto de afectar a la raíz de la nariz, al ángulo del ojo o al párpado inferior, habrá que acudir al médico de inmediato.

Autoayuda

¡No intente nunca reventarse un forúnculo sin la ayuda del médico!

La cirugía nasal moderna

En un principio, cualquier nariz puede ser corregida con una intervención quirúrgica. De todas formas, hay que tener en cuenta que no debería realizarse ninguna operación antes de los 17 años, pues el crecimiento nasal no termina hasta esta edad.
La nariz aguileña se corrige mediante la eliminación superflua del cartílago y del hueso del dorso nasal; la chata, por su parte, rellenando el dorso nasal de la nariz con cartílago del propio cuerpo extraído de la zona intercostal. En el caso de que la intervención tenga como fin enderezar una nariz torcida, se corregirá el eje de la estructura ósea hasta llevarlo a su posición óptima.
Después de la operación se inmoviliza la nariz por dentro y por fuera, para conocer su forma definitiva una vez pasados entre nueve y doce meses. Por otro lado, hay que dedicarle todos los cuidados posibles y evitar la radiación solar intensiva.

Tumores de la parte externa de la nariz

Hay que aclarar siempre si una lesión cutánea es benigna o maligna. En el capítulo "Piel y pelo" hallará informaciones sobre el cáncer de células basales, el de células espinosas y el melanoma.

Sistema nervioso y psique

El cerebro es un centro de cálculo que dirige todos los procesos del cuerpo humano según la planificación y prioridades que establece la psique. Precisamente esta relación es lo que ha suscitado, de siempre, los intentos de los investigadores del cerebro por comprender la misteriosa relación entre la actividad cerebral y los procesos que llamamos psique. Pero aunque las ciencias naturales hayan fracasado en su intento de localizar el lugar del cerebro donde se localiza el alma, lo cierto es que la psique influye de manera decisiva sobre la salud del mismo modo que también lo hace sobre las enfermedades cerebrales y sobre el sistema nervioso.

Sumario

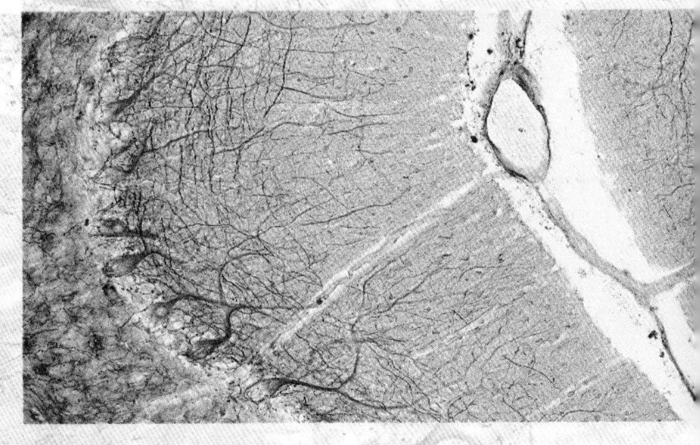

Corteza cerebral.

Cosas que es preciso conocer sobre el sistema nervioso

Nuestro sistema nervioso se encarga de dirigir las funciones del cuerpo y los reflejos, capta percepciones sensoriales y nos permite pensar, sentir y actuar. Su centro, el cerebro, está íntimamente unido con la psique, pero hasta la fecha no se sabe con certeza cómo se establece esta relación entre ambos.

Hay que distinguir el sistema nervioso central, compuesto por el encéfalo y la médula espinal, del sistema nervioso periférico, formado por los largos cordones nerviosos que se extienden por todo el cuerpo.

¿Quién dirige a quién?

Podemos decir que el cerebro y la médula espinal se encargan de gobernar el cuerpo, mientras que los nervios periféricos tienen como misión enviar órdenes y traer noticias de todos los lugares para que el sistema nervioso central pueda tomar decisiones.

Hay dos partes del sistema nervioso que trabajan independientemente y de distinta forma la una de la otra: el sistema nervioso de relación, que puede ser influenciado voluntariamente por cada persona, y el sistema nervioso vegetativo (también llamado autónomo), que regula procesos como, por ejemplo, el movimiento de los órganos internos, la formación y expulsión de líquidos corporales y el abastecimiento de sangre del cuerpo, sin que medie la voluntad individual.

El sistema nervioso de relación

Esta parte del sistema nervioso sirve, sobre todo, para relacionarse con el mundo exterior, pensar, percibir y actuar en consecuencia. Pero sólo una parte pequeña de este trabajo se realiza conscientemente.

Así, muchos movimientos se realizan "de forma automática", lo mismo que reconocemos la cara de alguien conocido o entendemos la lengua materna. También se distingue lo que es importante de lo que no lo es, registrando ante todo lo que tiene trascendencia en cada momento.

El conocimiento

Procesos muy diversos tienen lugar al mismo tiempo en diferentes centros del cerebro, manteniéndose íntegra nuestra conciencia. Según se sabe, no se puede verificar la existencia de un "centro anatómico del conoci-

Gracias al gran desarrollo de su cerebro, el ser humano puede realizar complicados procesos mentales.

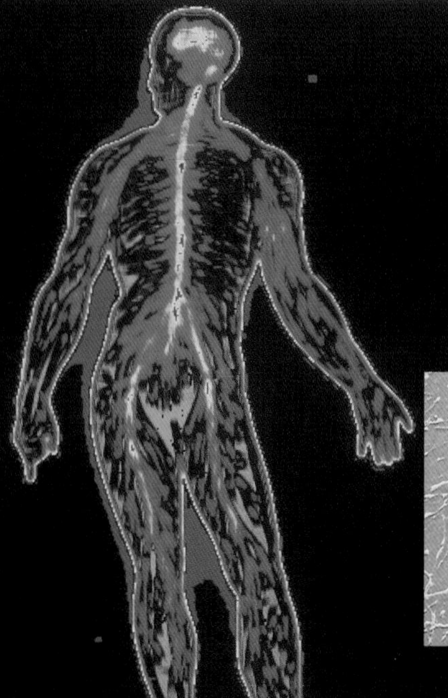

Los nervios periféricos comunican todas las partes del cuerpo con el cerebro y la médula espinal.

Las células nerviosas tienen muchas ramificaciones que, a su vez, se conexionan entre sí mediante un complejo sistema de redes.

iento", ya que éste parece estar constituido por todo cerebro. Para poder elaborar informaciones con rapiez y a la vez, las impresiones individuales se sintetizan n "cuadros", acciones y movimientos tipificados.
as células nerviosas que tienen una tarea común, suen estar concentradas en los llamados "centros". La omunicación con otros centros se realiza a través de iversos circuitos, lo que permite coordinar sus tareas realizarlas al mismo tiempo.

l sistema nervioso vegetativo

sta parte del sistema nervioso mantiene en equilibrio adapta la respiración, la temperatura corporal, la tenión arterial, la glucemia y el nivel hormonal a cada ituación. Sus acciones reguladoras se desarrollan de nanera inconsciente, permaneciendo nuestra voluntad l margen y sin poder influir casi nunca sobre ellas. En l sistema nervioso vegetativo también trabajan, como ratando de "corregirlo", dos subsistemas: el sistema ervioso simpático y el parasimpático. Así, por ejemlo, el primero se encarga de que el corazón lata más eprisa, y el segundo aminora las pulsaciones.

a célula nerviosa

ada célula nerviosa (*neurona*) tiene numerosas proongaciones cortas, que le sirven para captar las infornaciones procedentes de otras células nerviosas. También dispone de otra prolongación, por la que puede transmitir señales. A las primeras se las denomina dendritas y a la segunda axón. Una célula nerviosa consta de núcleo y "órganos" de la célula, que producen materiales de construcción y desintoxican las impurezas del metabolismo.
Después del desarrollo embrional, las células nerviosas son incapaces de dividirse. Lo normal es que las que se producen y se acumulan hasta el parto, sean suficientes para toda la vida; sólo en el caso de algunas enfermedades, se destruyen más células de las necesarias para fortalecer el sistema nervioso.

Colaboración entre las células nerviosas

Las células nerviosas se comunican entre sí a través de la red que forman miles de prolongaciones. Allí donde se encuentran dos de ellas, se produce lo que se llama una "sinapsis": fisura muy pequeña donde la célula emisora libera mensajes químicos que son captados por la célula receptora. Algunos mensajes activan a la célula nerviosa siguiente, pudiendo otros inactivarla.
El cerebro humano contiene unos 100 millares de millones de células nerviosas. Este número tan enorme permite dirigir y controlar todos los procesos, tanto los de origen físico como el más complicado de todos ellos: el proceso mental.

os ojos han sido considerados siempre como "el espejo del lma", es decir, de ese centro de vivencias y actividades umanas que aún sigue siendo un misterio.

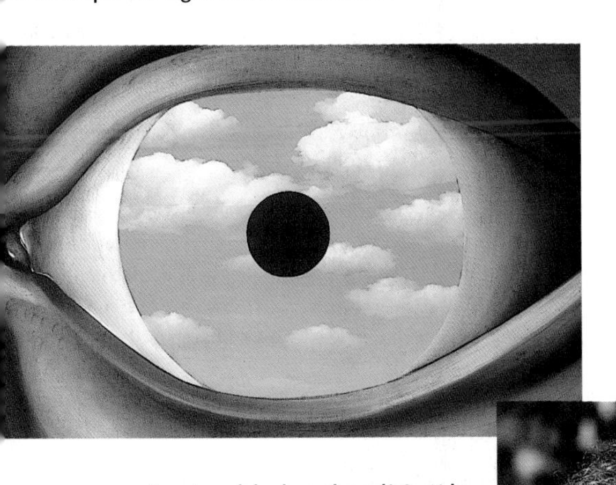

Varias arterias abastecen de sangre rica en oxígeno a nuestro cerebro.

¿A qué se debe la melancolía? ¿Y la sensación de felicidad?... Éstas y otras son algunas de las preguntas que siguen sin tener respuesta.

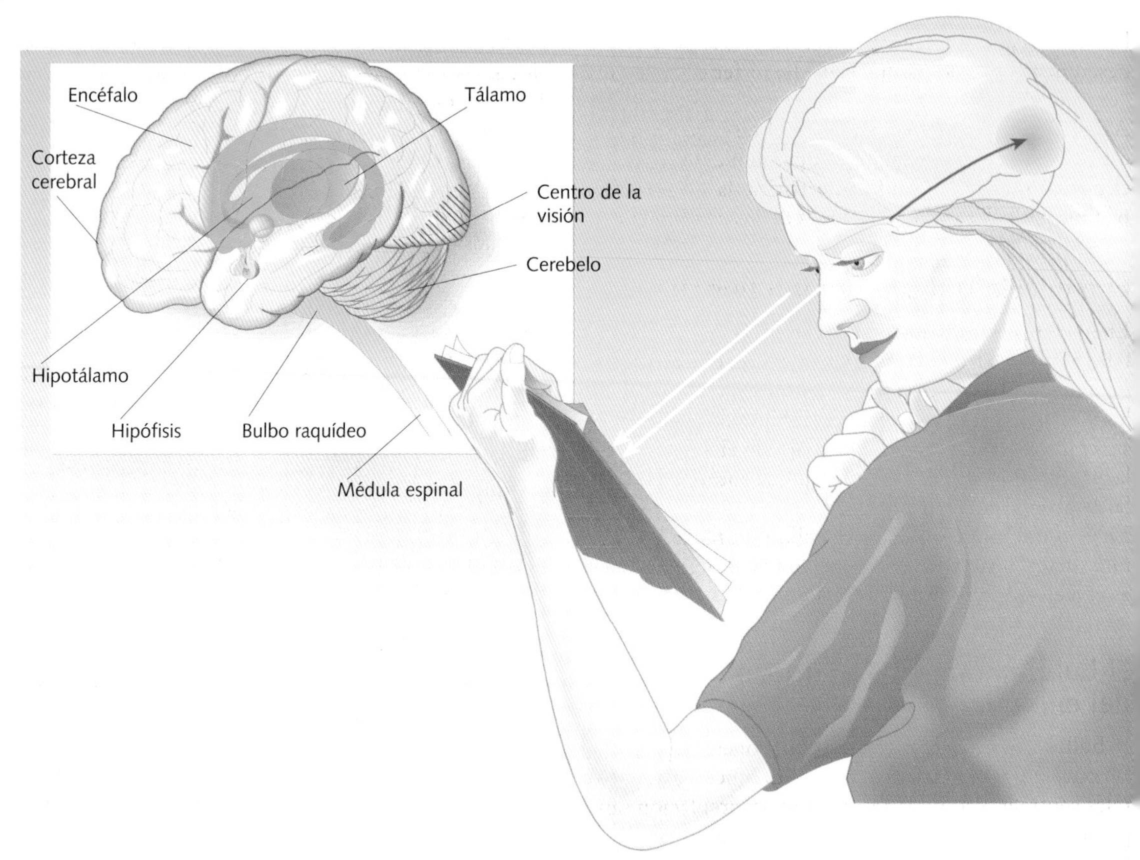

El sistema nervioso central

- **El cerebro**
- **La médula espinal**
- **La protección de las "centrales del cuerpo"**

El cerebro y la médula espinal son las dos partes integrantes del sistema nervioso central. Se comunican con otras zonas a través del sistema nervioso periférico, lo que hace posible que puedan emitir señales a otras partes del cuerpo y, captar señales. Más adelante se proporciona información más detallada sobre el sistema nervioso periférico.
El cerebro consta de una serie de partes determinadas y extraordinariamente complicadas. Hoy día se sabe mucho más de su estructura y funcionamiento que hace 50 ó 60 años, pero este conocimiento dista mucho de ser "completo". El concepto que la ciencia tiene del órgano más enigmático del cuerpo humano, cambia a menudo debido a descubrimientos espectaculares.

El encéfalo

El encéfalo está recubierto por una especie de envoltura. Su superficie, la *corteza cerebral*, se pliega en numerosas circunvoluciones que limitan unos surcos o hendiduras llamados "cisuras". En ella se concentran las informaciones que recibe de los órganos sensoriales y que hacen posible la percepción del mundo y de nosotros mismos. Aquí tienen lugar las órdenes que hacen posible los movimientos, y en ella se originan facultades intelectuales como razonar, hablar y escribir.
El cerebro se divide en dos mitades o *hemisferios*, que pueden trabajar al unísono gracias a las redes de conexión que forman las fibras transversas del cuerpo calloso. La mayoría de las conexiones nerviosas que comunican el cuerpo y el cerebro se entrecruzan, por lo que el hemisferio cerebral izquierdo controla la parte derecha del cuerpo, y viceversa.
Una parte de las funciones que tiene encomendadas el cerebro son comunes y las asumen ambos hemisferios, quedando el resto destinadas a aquella parte del cere-

bro que le corresponde según sea el tipo de función que desempeña; por lo tanto, cada hemisferio tiene una "especialidad" propia.
Así, por ejemplo, el hemisferio cerebral izquierdo está especializado en el lenguaje y el pensamiento lógico; y el derecho, en la sensibilidad artística, la imaginación tridimensional y en la percepción de los sentimientos.

El diencéfalo o cerebro intermedio

En lo más profundo del cerebro se encuentra el diencéfalo, cuyos centros más importantes son el *tálamo* y el *hipotálamo*. El tálamo es el "punto de contacto" entre las vías sensitivas y el cerebro. El hipotálamo dirige el sistema nervioso vegetativo; debajo de él se encuentra la glándula pituitaria (*hipófisis*), que se encarga de regular la producción hormonal.
En el borde del diencéfalo se halla el *sistema límbico*, una parte "arcaica" del cerebro, unida al hipotálamo y es el factor primordial en la recepción de sensaciones.

El bulbo raquídeo y el tronco del encéfalo

El bulbo raquídeo tiene diversas funciones: "despierta" la conciencia en el cerebro, regula las funciones corporales centrales –como la respiración, la circulación sanguínea, la temperatura corporal y el ritmo de vigilia y sueño– y es la "estación" que sirve de conexión y distribución de los impulsos nerviosos hacia el cerebro y el cerebelo y parten la mayoría de los nervios craneales.

El cerebelo

El cerebelo está situado debajo del cerebro, en la zona del occipucio, unido al tronco del encéfalo.
Sus funciones principales son: la coordinación de movimientos y la regulación del equilibrio. Recibe informaciones de los ojos, del órgano del equilibrio situado en el oído, de los músculos y tendones y de muchos otros sitios.
En función de estos datos, da la medida precisa y la fuerza adecuada a los movimientos.

La médula espinal

Continuación del bulbo raquídeo, la médula espinal se localiza en la columna vertebral. En los adultos tiene unos 45 centímetros de largo y uno de grosor y su misión es establecer, a través de las vías nerviosas y los 31 pares de nervios espinales que parten de la columna vertebral, la comunicación entre el cerebro y el resto del cuerpo. Los "reflejos" surgen en la médula espinal, en respuesta a las informaciones sensoriales que hasta ella llevan los nervios espinales al captar sus fibras nerviosas las excitaciones del sistema sensitivo y se produzca el movimiento dirigido por otro tipo de estas fibras nerviosas. Por ejemplo, casi en el mismo instante en que –sin darnos cuenta– acercamos nuestra mano a una fuente de calor, la médula espinal hace que el brazo la retire antes de que el dolor llegue al cerebro y sintamos sus dolorosos efectos.

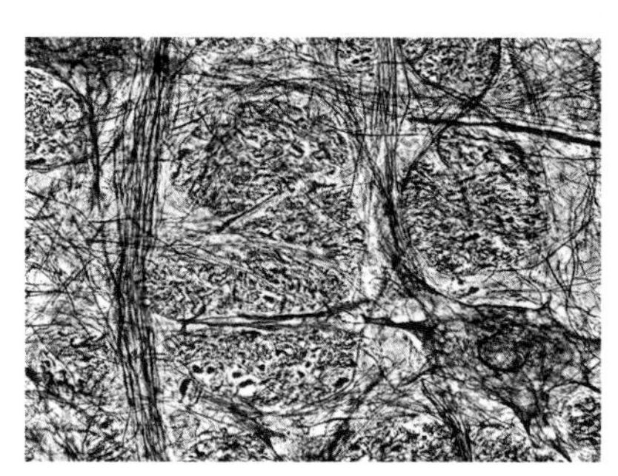

Las células nerviosas del cerebro forman un entramado muy complicado.

Bien protegido

El cerebro y la médula espinal disponen de diferentes sistemas o procedimientos de protección contra los posibles efectos lesivos de la violencia externa: los huesos craneales y la columna vertebral, respectivamente, tres membranas o meninges y el líquido cefalorraquídeo (LCR).
La membrana externa *(duramadre)* envuelve el interior del cráneo y el conducto espinal (por el interior de toda la columna vertebral), protegiéndolos con su dureza; entre las otras dos membranas (llamadas *piamadre* y *aracnoides)* circula el líquido cefalorraquídeo, sintetizado en unas estructuras localizadas en el espesor del encéfalo, en el interior de los denominados "ventrículos encefálicos".
Como contrapartida, no existe ninguna posibilidad de que en caso de existir un derrame sanguíneo, un tumor o un foco purulento en el cráneo pueda extenderse su efecto hasta el cerebro. Además, el cerebro reacciona por sí mismo ante lesiones, inflamaciones y otros daños acumulando agua e hinchándose. El aumento de presión intracraneal puede tener consecuencias fatales.
Contra las posibles agresiones procedentes del resto del cuerpo está protegido por la llamada barrera hematocefálica, que impide el paso a muchos medicamentos, sustancias tóxicas o agentes patógenos y permite la entrada de oxígeno y nutrientes.
Cuando baja la tensión arterial, el riego sanguíneo del cerebro se mantiene hasta el último momento. El cuerpo defiende de esta menera su "central", por lo que en los casos más graves es preciso actuar con suma rapidez cuando los mecanismos de protección del cuerpo resultan ya claramente insuficientes.

Casos de urgencia

Norma general

¡Llamar al servicio de urgencias cuanto antes si aparecen de repente o progresan con rapidez síntomas de entumecimiento, disfasia, trastornos sensitivos o perturbaciones del conocimiento!

Ataque de aplopejía

► Síntomas:

➜ entumecimientos, pérdida de fuerza o trastornos sensitivos repentinos casi siempre en una mitad del cuerpo;
➜ trastornos de la visión, del habla o de la deglución;
➜ a veces, perturbación del conocimiento.

Tratamiento médico

¡Acuda a la consulta del médico de inmediato! ¡Cuanto antes inicie el tratamiento, más posibilidades hay de evitar secuelas irreversibles! Vaya al médico aunque los síntomas se atenúen, pues aun así puede sobrevenir un ataque de apoplejía.

Autoayuda

Nunca deje al paciente solo. Si ha perdido el sentido, haga que pueda respirar libremente y póngale en posición decúbito lateral estable.

Ataque de epilepsia

► Síntomas:

➜ desplome repentino de la persona;
➜ rigidez y, a continuación, convulsiones en todo el cuerpo;
➜ a menudo, mordiscos en la lengua;
➜ emisiones de orina frecuentes.

Un ataque epiléptico causa angustia, pero suele desaparecer por sí solo al cabo de unos pocos minutos.

Tratamiento médico

Haga que el médico realice un reconocimiento a la persona que ha sufrido un ataque espasmódico, cuando ya existan antecedentes de otros ataques de este tipo y ha permanecido un tiempo sin despertar después de cesar los síntomas, o cuando le sucedan, reiteradamente, varios ataques.

Autoayuda

Procure que el paciente no se lesione durante el ataque. Desabróchele la ropa que pueda oprimirle el cuello. Acompáñele de continuo, y póngale en posición decúbito lateral estable después del ataque. No intente de ningún modo interrumpir el ataque, ni sujetar los miembros convulsivos o, para evitar lesiones por mordiscos en la lengua, abrir la boca por la fuerza o introducir algo en ella.

Traumatismos craneoencefálicos

► Síntomas:

➜ a menudo, heridas o derrames de sangre en la cabeza;
➜ también, hemorragias y flujo de líquido cefalorraquídeo por la nariz y los oídos;
➜ dolores de cabeza, vómitos, cansancio, pérdida del sentido inmediatamente después del traumatismo;
➜ trastornos funcionales como entumecimiento, pérdida de fuerza o falta de percepción sensorial.

Tratamiento médico

¡Acuda al médico si el paciente pierde el conocimiento, cuando se den los síntomas antes mencionados o si las posibles heridas de la cabeza sangran en abundancia! Aunque la lesión sea leve, es preciso vigilar, durante unos días, la aparición de los síntomas arriba indicados. Además, tenga en cuenta que los niños requieren un cuidado especial.
Acuda al médico si aprecia hemorragias, grandes hematomas o si el niño se queja de dolores, vomita, está muy intranquilo o muy cansado; también, si advierte otras alteraciones de cualquier tipo en su carácter habitual.

Autoayuda

La aplicación de compresas frías o bolsas de hielo frenan las hemorragias. No administre analgésicos, ¡pueden encubrir los síntomas de aviso!

Pruebas clínicas espaciales

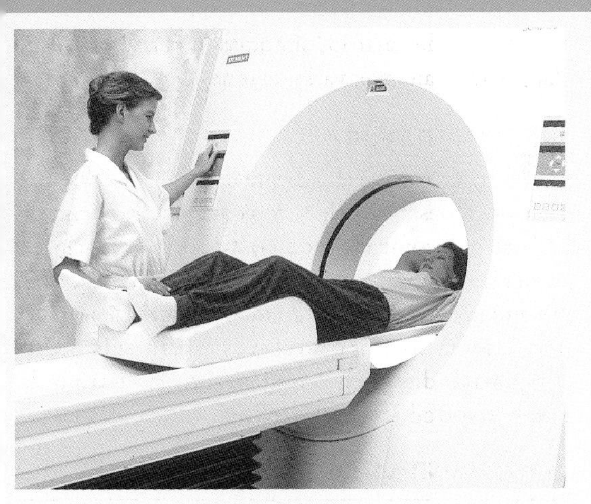

Para realizar un escáner computerizado del cerebro se coloca al paciente con su cabeza dentro de una especie de tubo.

Examen neurológico

Este examen trata de comprobar cada una de las funciones del sistema nervioso:

- **Percepción:** vista, oído, olfato, sabor, sentido del equilibrio, sentido del tacto, sensibilidad a la temperatura y al dolor.
- **Movilidad:** se verifica la fuerza, velocidad, habilidad y exactitud de los movimientos del paciente.
- **Reflejos:** el médico golpea con un martillo especial determinadas zonas de los tendones, para comprobar el efecto "reflejo" de ciertos grupos musculares. Los reflejos se mostrarán debilitados en caso de que existan lesiones en los nervios periféricos, pero reforzados en la mayoría de las lesiones cerebrales.
- **También son objeto de examen:** grado de conciencia, orientación, facultad de concentración y de atención, memoria, facultad de hablar, disposición de ánimo y estado psíquico general.

Medición de las corrientes cerebrales

El cerebro transmite sus señales mediante procesos eléctricos que tienen lugar en las células nerviosas. Estos fenómenos se registran mediante un EEG (electroencefalograma), para medir su intensidad y analizar su ritmo. Las diferentes formas e intensidad de las ondas de las corrientes cerebrales permiten sacar conclusiones sobre si el cerebro funciona con normalidad o si presenta algún tipo de lesión.

Diagnóstico por imagen

La tomografía por ordenador (escáner) y la resonancia nuclear magnética (RMN), permiten la representación del cerebro en imágenes. La tomografía computerizada trabaja con rayos X, y la (RMN) con ondas electromagnéticas.

Representación de los vasos

En la *angiografía* se inyecta una sustancia, que sirve de contraste y cuyo recorrido a través de los vasos cerebrales queda plasmado en unas radiografías.

En la *mielografía*, el medio de contraste se inyecta en el espacio ocupado por el líquido cefalorraquídeo que protege a la médula espinal. Según sea la distribución del contraste, así se podrán sacar conclusiones relativas y descubrir, por ejemplo, estrechamientos en el conducto y compresiones de la médula espinal.

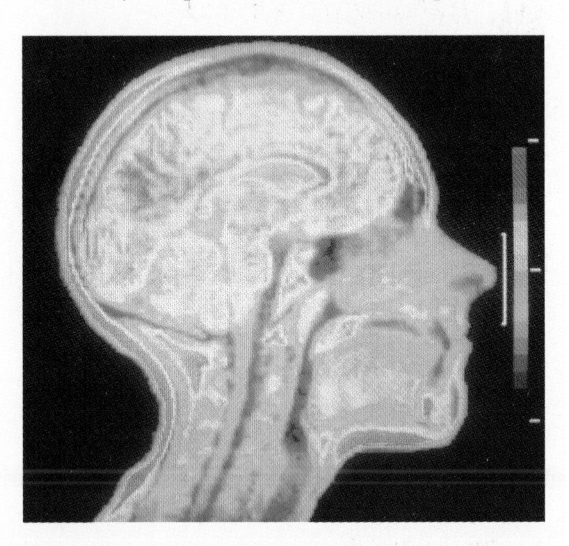

La resonancia magnética nuclear (NMR) es un moderno método que permite mostrar el interior del cerebro.

Extracción del líquido cefalorraquídeo

La extracción de líquido cefalorraquídeo (*punción lumbar*), produce el mismo dolor que si fuera una extracción de sangre. El médico pincha entre dos vértebras de la región lumbar, y extrae una determinada cantidad de líquido cefalorraquídeo. En esta parte de la columna vertebral ya no hay médula espinal, sólo raíces nerviosas que dejan paso a la aguja.

Inflamación de las meninges (meningitis)

▶ Síntomas:
- ➜ dolores de cabeza, rigidez de nuca, fiebre;
- ➜ hipersensibilidad a la luz y a las excitaciones dolorosas;
- ➜ náuseas y vómitos;
- ➜ perturbación mental.

La inflamación de las meninges puede estar provocada por gérmenes de muy diversa etiología. Llegan al cerebro por vía sanguínea o linfática, como consecuencia de afecciones en otras partes cercanas del cuerpo (en la zona de la nariz y de los oídos); o por transmisión directa, cuando se producen lesiones craneo-cerebrales. Una meningitis puede extender su nociva acción al tejido y vasos cerebrales, o al tejido de la médula espinal.
La meningitis aguda y purulenta está causada por bacterias, con síntomas muy graves que progresan a gran velocidad.
La meningitis por bacterias de la tuberculosis transcurre con lentitud, muestra síntomas atípicos al principio, pero es de carácter muy grave.
El proceso de una meningitis ocasionada por virus suele ser mucho más leve que las anteriores, mostrando una sintomatología similar a una gripe.

Tratamiento médico

¡Acuda a la consulta del médico de inmediato! Después de analizar la sangre y el líquido cefalorraquídeo, dictaminará cuál ha sido el agente patógeno causante. Una meningitis, casi siempre tiene que ser tratada hospitalariamente. En caso de que el líquido cefalorraquídeo sea purulento, habrá que administrar antibióticos cuanto antes para destruir las bacterias. Si los causantes son virus, bastará con tratar los síntomas.

Autoayuda

Aunque se pueden tomar medidas preventivas, sólo el médico puede tratar esta enfermedad. Entre las medidas se pueden citar: curar bien las otitis medias y las sinusitis, vacunar a los niños contra la *Haemophylus influenzae* y, si se ha estado en contacto con alguien que padezca tuberculosis, someterse a examen médico e informarse sobre la vacuna para evitar el contagio. La necesidad de la vacunación antimeningológica entre los escolares, ha suscitado fuertes polémicas sobre su efectividad real y los efectos secundarios a largo plazo.

Inflamación cerebral (encefalitis)

▶ Síntomas:
- ➜ fiebre y síntomas parecidos a los de la gripe;
- ➜ unos días después, fiebre de nuevo, dolores de cabeza y rigidez en la nuca;
- ➜ confusión, perturbación mental, disfasia, ataques de epilepsia, entumecimientos.

En muchos casos, la encefalitis se produce por una infección vírica. El virus del herpes simple, puede ser el causante de los herpes labiales.

Tratamiento médico

¡Acuda al médico nada más que observe alguno de los síntomas arriba indicados! Para evitar posibles secuelas y complicaciones, hay que iniciar el tratamiento lo más pronto posible.

Autoayuda

No es posible. Para eliminar el virus del herpes simple, no es preciso tratar con cremas las vesículas labiales. Muchos médicos opinan que pueden producir la insensibilización del virus contra los medicamentos que serían los únicos eficaces contra la encefalitis.

Absceso cerebral

▶ Síntomas:
- ➜ dolores de cabeza, vómitos;
- ➜ trastorno mental en aumento;
- ➜ ataques epilépticos frecuentes.

Un foco de pus (*absceso*) en el cerebro suele tener como antecedente una infección de oídos o una sinusitis. Pero esto no quiere decir en absoluto, que sea frecuente que la otitis y la sinusitis acaben por producir un absceso cerebral. Presiona sobre el cerebro hasta conducir a los síntomas mencionados arriba.

Tratamiento médico

¡Vaya enseguida al médico! ¡El absceso cerebral es una patología que puede tener consecuencias fatales! El foco de pus se elimina mediante una intervención quirúrgica o succionándolo con una aguja; luego, se prescribirán antibióticos.

Autoayuda

No es posible.

Meningoencefalitis estival (MEE)

► Síntomas:

➜ **primera fase:** fiebre con dolores de cabeza y de los miembros corporales ;
➜ **segunda fase:** unos días más tarde, síntomas de meningitis;
➜ **tercera fase:** entumecimientos esporádicos.

La meningoencefalitis estival es una enfermedad que puede afectar a las meninges, al cerebro y a la médula espinal. El virus desencadenante de la inflamación pasa al ser humano a través de la mordedura de las garrapatas. La mayor parte de las garrapatas de las llamadas zonas endémicas, sobre todo en Austria, sur de Europa y sur de Suecia están infectadas por este virus.
Por lo general, la enfermedad desaparece después de una primera fase que se desarrolla con síntomas de tipo gripal. Sin embargo, en un tercio de los casos los síntomas reaparecen en los pacientes durante el trascurso de una segunda fase después de unos días.

Cómo protegerse de las garrapatas

Tenga en cuenta que aunque utilice productos contra los insectos y las garrapatas, de ningún modo garantizará su protección absoluta. Por lo tanto, siempre que pase algún tiempo en el jardín o pasee por el bosque lleve calzado cerrado, calcetines altos, pantalones largos y camisas de manga larga. Al llegar a casa, inspeccione a fondo su cuerpo por si hubiera alguna garrapata y, si la encuentra, deshágase de ella enseguida. Agárrela por el cuerpo con unas pinzas dobladas y extráigala haciendo un pequeño giro al tirar de ella. El cuerpo de la garrapata debe salir entero, con la cabeza incluida. No intente ahogar a la garrapata con aceite, crema o pegamento.

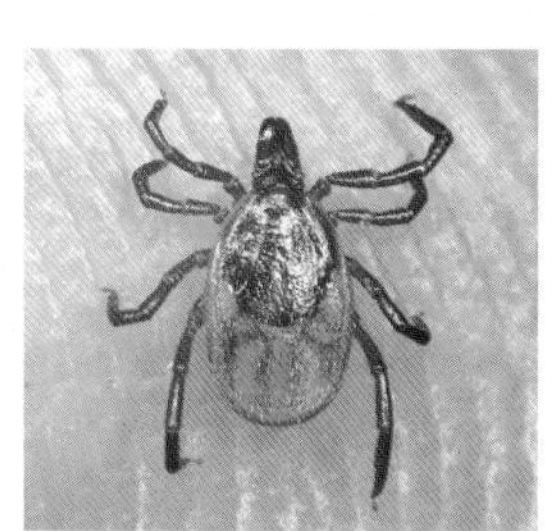

Las mordeduras de garrapata pueden transmitir el bacilo de la MEE y el de la borreliosis de Lyme.

Tratamiento médico

Para comprobar si su salud corre riesgo, acuda al médico cuando sufra una mordedura de garrapata. Puede vacunarse dentro de las 72 horas siguientes, y el riesgo de enfermedad disminuye mucho. Si ya ha contraído una meningoencefalitis, el único recurso es aplicar un tratamiento para combatir los efectos. En algunos países son raros los casos de esta enfermedad.

Autoayuda

"Cómo protegerse de las garrapatas", en esta misma página. Vacúnese si vive en una zona de riesgo.

Borreliosis de Lyme

► Síntomas:

➜ **primera fase:** enrojecimiento lento, progresivo y circunscrito de la piel, en la zona de la mordedura de la garrapata (*Eritema migrans*);
➜ **segunda fase:** dolores agudos (sobre todo por la noche), entumecimiento de cara y miembros, posibles trastornos cardíacos;
➜ **tercera fase:** infecciones crónicas de las articulaciones, eventuales alteraciones cutáneas, posible aparición de síntomas parecidos a los de la esclerosis múltiple.

Más frecuente que la → meningoencefalitis estival es la borreliosis de Lyme, provocada por la mordedura de otra garrapata. En este caso la causante es una bacteria, cuya presencia no se limita a unas zonas geográficas muy concretas.
En una pequeña parte de los afectados se producen inflamaciones que se infectan y permanecen de manera crónica en piel, corazón, articulaciones y sistema nervioso; los síntomas característicos de la segunda y tercera fases pueden aparecer meses o años después de haberse producido la infección.

Tratamiento médico

¡Vaya al médico si observa algún tipo de entumecimientos! Los análisis de sangre y de líquido cefalorraquídeo serán determinantes para esclarecer si existe una borreliosis aguda y prescribir los antibióticos.

Autoayuda

"Cómo protegerse de las garrapatas", en esta misma página ¡En caso de mordedura, vaya al médico!

Tétanos

▶ Síntomas:
- ➜ sensación de tensión (contractura) en los músculos de cuello y cara, trastornos de deglución;
- ➜ espasmos musculares progresivos en todo el cuerpo;
- ➜ por último, trastornos respiratorios y fallo circulatorio.

Las esporas de las bacterias que provocan la enfermedad, suelen hacer su incursión en el cuerpo a través de una herida cutánea sucia o en malas condiciones higiénicas; de este modo se comienza a formar, durante el transcurso de días o semanas y sin que la persona afectada se dé cuenta, la llamada toxina tetánica. Esta toxina se fija a las paredes de las células nerviosas y, con el tiempo, produce en el enfermo una sobreexcitación permanente que le causa espasmos musculares. Una cuarta parte de los afectados por la enfermedad fallece, y los que sobreviven del trance tardan mucho tiempo en recuperarse.

Tratamiento médico

Si usted no está vacunado contra el tétanos, o han pasado ya más de 10 años desde la última vez que le administraron la vacuna, deberá vacunarse de nuevo en el momento que sufra cualquier tipo de lesión cutánea por leve que ésta sea. Acuda a un centro de salud, clínica o hospital en cuanto note los síntomas que se enumeran al inicio de esta página, ya que necesitará tratamiento y quizá permanecerá durante un tiempo en una Unidad de Cuidados Intensivos (UCI).

Autoayuda

No es posible. Como prevención haga que le pongan a usted y a todos los miembros de su familia la vacuna contra el tétanos y repítala a los 10 años.

Rabia (hidrofobia)

▶ Síntomas:
- ➜ al principio: dolores de cabeza, náuseas y depresiones;
- ➜ más tarde: sobreexcitación, trastornos de la deglución y espasmos musculares;
- ➜ por último: entumecimientos progresivos.

La rabia es una enfermedad de origen vírico. La transmisión al ser humano se realiza a través de la saliva o de la mordedura de un animal infectado (perros o animales). La enfermedad puede manifestarse entre los 10 días y los 8 meses, después de haber tenido contacto con el virus. Si no se trata a tiempo, puede llegar a producir la muerte de la persona infectada.

Tratamiento médico

¡Acuda al médico en cuanto sospeche que está infectado! La detección de la enfermedad y un tratamiento médico a tiempo, es la única esperanza de sobrevivir en caso de que se declare la enfermedad.

Autoayuda

No es posible. Vacúnese si trabaja en el bosque, en el campo o con animales. Al contrario de lo que ocurre en el caso de la vacuna del tétanos, la vacunación antirrábica en los seres humanos no esta exenta de ciertos riesgos, por lo que de siempre se ha desestimado la opción de una vacunación sistemática que incluya entre sus objetivos a toda la población.
En la actualidad, solamente se opta por la vacunación obligatoria de los animales.

Parálisis infantil (Poliomielitis)

▶ Síntomas:
- ➜ fase previa similar a una "gripe intestinal";
- ➜ subidas de fiebre y cuadro clínico similar al producido por la meningitis;
- ➜ entumecimiento por todas las partes del cuerpo, incluida la musculatura respiratoria.

La parálisis infantil (*polio*) se transmite fácilmente, de persona a persona, entre la población más joven. Si el proceso es grave, el virus ataca al cerebro y a la médula espinal produciendo la parálisis de todo o parte de su cuerpo. Estas consecuencias pueden desaparecer cuando se produce la curación, pero también permanecer de por vida secuelas graves. La mayoría de los infectados que pasan la enfermedad, quedan inmunizados para siempre sin síntomas neurológicos. Consecuencia de los planes de vacunación en los países desarrollados, es la casi total erradicación de esta enfermedad.
Más adelante, se recoge información sobre el tratamiento más adecuado y la autoayuda que requiere el desarrollo de esta temible enfermedad infantil.

Consecuencias del sida en el sistema nervioso

La tercera parte de las personas afectadas de sida ("síndrome de inmunodeficiencia adquirida"), sufre trastornos del sistema nervioso.
La invasión del cerebro por el propio virus, puede provocar hasta degeneración psíquica. En los enfermos de sida son más frecuentes los ataques epilépticos y las polineuropatías que en las personas sanas de su misma edad. Más adelante, hallará más información sobre sus aspectos más relevantes.

Esclerosis múltiple

▶ Síntomas:

- paralizaciones con rigidez muscular dolorosa;
- trastornos sensitivos (sordera, hormigueo);
- trastornos del equilibrio;
- trastornos de vesícula;
- molestias producidas por inflamaciones.

La esclerosis múltiple (EM) es una "inflamación crónica" del tejido nervioso, que causa su desmielinización. Afecta tanto a mujeres como a personas jóvenes y adultas, especialmente a los hombres.
Se supone que se trata de una enfermedad autoinmune, en la que las células de defensa del cuerpo humano atacan al propio tejido nervioso. Durante su desarrollo, la enfermedad suele tener épocas de especial virulencia. Cada etapa o fase dura unos días o semanas; luego, se produce una mejoría total o parcial.
La esclerosis múltiple puede desarrollarse en el trascurso de muchos años, y dejar secuelas muy graves. Pero, en la mayoría de los casos, el proceso se caracteriza por ser mucho más leve.

Tratamiento médico

Antiinflamatorios como la cortisona, por ejemplo, aceleran la regresión de los síntomas. La terapia a base de interferón beta reduce la frecuencia de las etapas, pero tiene muchos efectos seundarios. Como hasta ahora no se conoce exactamente la causa de la enfermedad, no es posible prevenirla o curarla.
La rigidez muscular se puede aliviar con medicamentos y gimnasia terapéutica. Los trastornos de vesícula mejoran con entrenamiento e intervenciones especiales. Como es lógico, la gimnasia terapéutica tendrá que adaptarse a la problemática de caso individual.

Autoayuda

El diagnóstico de una esclerosis múltiple produce miedo, inseguridad y múltiples preguntas: ¿Por qué me ha tocado a mí? ¿Cómo evolucionará la enfermedad? ¿Tendré que pasarme la vida sentado en una silla de ruedas? Si la enfermedad evoluciona en toda su crudeza, vivir con ella es una tarea que exige el establecimiento de unos nuevos cánones del sentimiento de autoestima, con independencia de las pautas de comportamiento general.

En los casos de esclerosis múltiple grave es posible llevar una "vida plena", tanto personal como profesionalmente.

En todo caso, conviene que la persona afectada esté informada sobre las influencias positivas o negativas que se derivan de la evolución de la enfermedad.
Algunos consejos: una dieta rica en fibra alivia el estreñimiento, problema frecuente en estos enfermos. El calor (sauna, baños de sol) puede producir un empeoramiento. Puede viajar y hacer deporte, aunque no es aconsejable practicar deportes fuertes. Los embarazos no influyen en el proceso de la enfermedad. Existen "asociaciones de enfermos de esclerosis múltiple" que pueden ayudarle y orientarle sobre los diferentes aspectos de la enfermedad.

Conmoción cerebral/Contusión

► Síntomas:

➜ conmoción cerebral: dolores de cabeza, náuseas, vértigo, bajo rendimiento durante algunos días;

➜ contusión cerebral: trastornos del conocimiento, paralizaciones, trastornos del habla y de la vista, posible impedimento psíquico permanente.

Cuando se sufre una conmoción cerebral, el cerebro no resulta lesionado y, por lo tanto, no se producen daños permanentes a pesar de tener una corta perturbación del conocimiento: dolores de cabeza, náuseas y vértigos desaparecen a los pocos días.

Sin embargo, los accidentes graves pueden causar una contusión cerebral y el cerebro sufrir daños: hinchazón o hemorragia interna, pérdida de conocimiento prolongada y los síntomas enumerados con anterioridad.

Tratamiento médico

Si una persona pierde el conocimiento tras un accidente, ha de ser trasladado hasta el servicio de urgencias del hospital más cercano. En caso de padecer una conmoción cerebral, bastará con que guarde unos días de reposo; pero si es una contusión cerebral, tiene que ser tratado hospitalariamente

Así, las encefalorragias grandes precisan de la realización de una intervención quirúrgica, para disminuir la presión intracraneal. Con este fin se prescribirán preparados de cortisona y formas concretas de respiración asistida. El estado de conocimiento del paciente ha de observarse de continuo.

Autoayuda

No es posible.

Hemorragia por encima de la duramadre: "Hematoma epidural"

► Síntomas:

➜ pérdida del sentido, casi siempre corta, inmediatamente después de un accidente;

➜ pasadas unas horas o días, dolores de cabeza, vómitos, cansancio;

➜ perturbación progresiva del conocimiento, paralización en la mitad del cuerpo, trastornos sensitivos.

La lesión de una arteria puede producir una hemorragia, entre los huesos craneales y la duramadre, debido al aumento de presión en el cráneo.

Como quiera que suele tardar algún tiempo hasta que este hematoma epidural se extiende, la persona afectada puede sentirse bien tras sufrir el accidente. La posibilidad de un derrame es la razón por la que los pacientes se mantienen bajo observación médica, como medida preventiva.

Tratamiento médico

¡ Si observa algún síntoma que le haga sospechar la posibilidad de la existencia de un hematoma epidural, vaya al médico! El hematoma tiene que ser operado lo antes posible; cuanto más tiempo pase, mayores serán las probabilidades de complicación.

Autoayuda

No es posible.

Hemorragia entre las meninges: "Hematoma subdural"

► Síntomas:

➜ cambios de personalidad con rendimiento bajo y falta de concentración;

➜ otros síntomas, de proceso más lento, como el derrame sanguíneo sobre la duramadre.

Después de haber pasado un tiempo desde que se ha tenido un accidente leve, del que la persona afectada ya ni siquiera se acuerda, puede producirse -por lesión de un vaso- un derrame de sangre (*hematoma subdural*) que fluye entre las meninges y que hace aumentar el tamaño del hematoma poco a poco.

Los síntomas descritos pueden ir en lento ascenso durante meses. Los trastornos de la coagulación sanguínea, el alcoholismo y una edad avanzada constituyen los factores de mayor riesgo que hacen posible las hemorragias en las meninges.

Tratamiento médico

Acuda urgentemente al médico en cuanto advierta los primeros síntomas. El derrame de meninges requiere, en la mayoría de los casos, de la realización de una intervención quirúrgica.

Autoayuda

No es posible.

Lesiones medulares

▶ Síntomas:
- ➜ parálisis de piernas, o de brazos y piernas;
- ➜ después de algún tiempo, rigidez muscular (espasticidad);
- ➜ trastornos de la evacuación de vejiga e intestino.

La causa principal de la parálisis zonal es una lesión de la médula espinal, por la que se altera o se interrumpe la comunicación entre el cerebro y diferentes partes del cuerpo. Si la lesión de la médula espinal se produce a la altura del cuello, se paralizan brazos y piernas; si es a la altura del tórax, se paralizan entonces las piernas y parte del tronco; y si, por último, se origina a la altura de las vértebras lumbares inferiores, la parálisis afecta a ambas piernas.
Además, las neuronas de la médula espinal al perder el contacto con el cerebro estimulan demasiado la musculatura del cuerpo y tiene lugar una contracción sostenida e involuntaria de los músculos: la llamada espasticidad, que puede conducir al anquilosamiento de los miembros paralizados si no se trata como es debido.
Los accidentes son la causa principal de las lesiones de médula espinal, pero también pueden serlo como consecuencia de una parálisis sectorial producida por una osteoporosis, otitis bacterianas, tumores óseos, hernias discales, trastornos circulatorios y otras enfermedades del sistema nervioso central.

Tratamiento médico

Si después de un accidente padece paralizaciones o trastornos sensitivos, muévase lo menos posible. Cuanto más pronto se determine la causa de esta anomalía y se trate, mejores serán las perspectivas de curación, al menos en algunos casos.
Si la causa no está en la separación de las vías nerviosas, sino que es debido a la presión que algo ejerce sobre la médula espinal, la intervención quirúrgica inmediata es inevitable. Después de un tratamiento largo, que normalmente tiene lugar en el hospital, se inicia un lento proceso de rehabilitación en una clínica especializada.
Es muy importante la práctica de una gimnasia terapéutica apropiada: mejora los movimientos de los miembros no paralizados del todo y evita el anquilosamiento. El aumento de tensión muscular permite, en algunos casos, ponerse de pie y andar (con muletas u otros apoyos). Se espera que, en un futuro próximo, la electroestimulación funcional –impulsos eléctricos semejantes a los nerviosos– permita dirigir los músculos paralizados de modo que puedan realizar tareas tan complejas como andar con libertad o alcanzar cosas.

La hemiplejía no es sinónimo de "inmovilidad", como así demuestran los minusválidos que practican algún deporte.

Autoayuda

Una lesión medular cambia por completo la vida de una persona; por eso es tan importante tratar a fondo esta forma de impedimento. Es una tarea personal muy difícil, que requiere tanto no resignarse a quedarse así como evitar marcarse metas imposibles.
Hay muchos medios de ayuda para hacer más llevadera la vida cotidiana: sillas de ruedas, bicicletas especiales, automóviles preparados y dispositivos adecuados.
En la parálisis de brazos y piernas también es posible alcanzar un alto grado de independencia, mediante aparatos eléctricos que pueden ser dirigidos con la cabeza (¡pronto también incluso con el habla!), o con leves movimientos de los dedos. Asociaciones de afectados, centros de salud y clínicas especializadas podrán orientarle y ayudarle en muchos aspectos.

Ataque de aplopejía

La apoplejía, también llamada "ictus cerebral", es un trastorno circulatorio que afecta de manera repentina al cerebro y produce afecciones de motilidad voluntarias que se prolongan en el tiempo.
La apoplejía presenta formas muy diversas, dependiendo de las causas que la provocaron y la incidencia de la enfermedad: un 80% de todos los ataques de apoplejía son infartos cerebrales isquémicos, un 15% se deben a encefalorragias, un 5% a derrames sanguíneos debajo de la meninge blanda y menos de un 1% a trombosis cerebrales.

Infarto cerebral isquémico

▶ Síntomas:

- ➜ parálisis repentina de cara, brazos o piernas, limitada casi siempre a una mitad del cuerpo;
- ➜ trastornos de la visión ("falta" repentina de una parte del campo visual);
- ➜ pérdida de la facultad de hablar;
- ➜ posible perturbación del conocimiento.

El infarto cerebral isquémico se debe a una disminución repentina del riego sanguíneo del cerebro. Puede estar provocado por la formación de coágulos de sangre que, partiendo del corazón o de la arteria carótida, avanzan mezclados con la sangre en dirección al cerebro y producen la oclusión de los vasos, por alteraciones de los vasos cerebrales debido a arteriosclerosis o por inflamaciones vasculares.
Cuando un vaso se llega a ocluir y se mantiene así, la parte del cerebro a la que suministra sangre morirá por falta de oxígeno. Si vasos pequeños se van ocluyendo poco a poco, con el tiempo se desarrolla una esclerosis ("calcificación" en el lenguaje popular).

Tratamiento médico

Acuda a urgencias en cuanto aparezcan los síntomas arriba mencionados. Cuanto antes diagnostiquen en el hospital o clínica la enfermedad, tanto mayor será la probabilidad de que se puedan evitar consecuencias permanentes. El tratamiento tiene como fin disolver los coágulos formados lo más pronto posible, e impedir que se formen otros nuevos.
Si la parálisis, los trastornos de la fonación o cualquier otra secuela perduran después de un infarto cerebral, habrá que iniciar de inmediato una rehabilitación a base de gimnasia terapéutica, fonoterapia, ejercicios para aprender a andar de nuevo y aprendizaje de técnicas para poder realizar algunas tareas domésticas.

Autoayuda

El entrenamiento regular, puede suponer una gran mejoría para sus dolencias. ¡Pero necesitará tener paciencia! Es posible que, sobre todo al principio, tenga grandes problemas con el habla; pero tenga en cuenta que también existen otras muchas formas de comunicación: lenguaje de sordomudos, contacto, mímica facial o la sola presencia física. Por lo que hasta ahora se sabe, existen una serie de factores de riesgo que se pueden prevenir individualmente.
Entre los más importantes se cuentan: la hipertensión arterial, la alimentación rica en grasas, los altos niveles de glucemia en los diabéticos, el tabaquismo, los anticonceptivos orales (los modernos tratamientos anticonceptivos, resultan cada vez más seguros; no obstante, toda mujer antes de comenzar con una terapia de este tipo debería someterse a un examen médico). Más adelante, podrá encontrar algunos consejos muy útiles para evitar la arteriosclerosis en lo posible.
También puede buscar ayuda y consejo en las asociaciones de afectados o en los servicios médicos de su centro de salud.

Después de un ataque de apoplejía, la rehabilitación intensiva permite la recuperación de los impedimentos físicos.

Hemorragia cerebral

► Síntomas:
➜ similares a los del infarto cerebral isquémico;
➜ dolores de cabeza, náuseas;
➜ perturbación del conocimiento.

La rotura de un vaso sanguíneo motiva un trastorno circulatorio, que se manifiesta de forma similar a una oclusión. Además, la sangre comprime el tejido cerebral circundante. En algunos casos puede deberse a una malformación vascular, pero la causa más frecuente suele ser una lesión de la pared vascular producida por una tensión arterial alta y persistente en el tiempo.

Tratamiento médico

¡Acuda a urgencias! Lo primero es normalizar la tensión arterial y reducir la presión en el interior del cráneo. A veces, la intervención quirúrgica es necesaria para succionar la sangre. El tejido se recupera pasado un tiempo al eliminarse la sangre que presionaba sobre el cerebro, por lo que las probabilidades de curación son mayores que en el infarto cerebral isquémico.

Autoayuda

→ Infarto cerebral isquémico. Prevención: mida su tensión arterial cada cierto tiempo y trátela, si es necesario, cuanto antes.

Hemorragia por debajo de la piamadre

► Síntomas:
➜ ataques de dolores de cabeza intensos, rigidez de nuca;
➜ náuseas y, a menudo, vómitos;
➜ disminución de la lucidez, hasta llegar al sopor.

Un 5% de los ataques de apoplejía se deben a una hemorragia que se produce debajo de la piamadre, causada por malformaciones vasculares de las arterias que irrigan toda la superficie del cerebro. Cuando éstas se desgarran o rompen, la sangre ocupa el espacio en el que se halla el líquido cefalorraquídeo que envuelve al cerebro. Al cabo de cierto tiempo, los componentes derivados de la desintegración de la sangre pueden irritar los vasos hasta hacer que se contraigan, lo que provoca un trastorno circulatorio en el cerebro.

Tratamiento médico

¡Acuda al servicio de urgencias enseguida! Una vez se haya localizado el punto exacto de la hemorragia, la intervención quirúrgica cortará el fluir de la sangre y evitará el fatal desenlace del paciente. Para prevenir un posible ataque de apoplejía, es preciso derivar el líquido cefalorraquídeo estancado y suministrar medicamentos que reduzcan la contracción vascular en la zona afectada.

Autoayuda

No es posible.

Trombosis cerebral

► Síntomas:
➜ parecidos al infarto cerebral isquémico, pero no tan intensos;
➜ dolores de cabeza, cansancio;
➜ ataques epilépticos.

La tendencia de la sangre a coagularse, puede dar lugar a la formación lenta y progresiva de coágulos en los vasos cerebrales (por embarazo, puerperio, toma de anticonceptivos o trastornos congénitos de la coagulación). Las inflamaciones en la zona de la cabeza, también pueden afectar a venas aledañas que se encuentren en contacto directo con las venas cerebrales.
La oclusión de un vaso cerebral impide la circulación sanguínea normal a través del cerebro. Como consecuencia, el riego sanguíneo en el cerebro es menor, se originan pequeñas hemorragias y aumenta la presión intracraneal. Cerca de un 1% de los ataques apopléjicos se deben a una trombosis cerebral.

Tratamiento médico

Para hacer desaparecer la obstrucción que impide el flujo sanguíneo, la sangre se diluye mediante la infusión de medicamentos.
Al mismo tiempo, se diagnostica y se trata la enfermedad responsable de la trombosis. Posteriormente, se mantendrá durante varios meses un tratamiento a base de anticoagulantes.

Autoayuda

¡No reviente nunca los forúnculos de la cara! ¡Y cure bien todas las sinusitis y otitis! Si padece frecuentemente oclusiones venosas, o tiene antecedentes familiares, debe decírselo al médico.

El alcohol deteriora el sistema nervioso

El hígado y el sistema nervioso son muy sensibles a la ingestión de alcohol. Podemos determinar las cantidades que el hígado "tolera" a largo plazo, pero es imposible fijar el límite a partir del cual el sistema nervioso se deteriora. Cuando se ingiere alcohol, incluso en cantidades muy pequeñas, irremediablemente se produce la muerte de algunas neuronas.

Beber grandes cantidades de alcohol durante mucho tiempo, causa efectos devastadores en el organismo: falla la memoria y la capacidad de concentración, hay pensamientos obsesivos, grandes cambios en el estado de ánimo y se siente miedo. El final de este proceso es un cambio de personalidad dramático.

Los efectos de las borracheras

El alcohol influye irremediablemente en el metabolismo cerebral, produciendo en un primer momento "euforia" y buen humor que nos hace sentir relajados y extrovertidos en la relación con los demás. Estamos convencidos de nuestra capacidad física y psíquica para superar todo. Pero la triste realidad es que nuestras capacidades de reacción, de comprensión y de concentración, se reducen en gran medida; de tal modo que, si sigue aumentando el contenido de alcohol en sangre, se puede llegar incluso a tener perturbaciones del conocimiento. Los comas etílicos o intoxicaciones alcohólicas, sólo son mortales en muy pocos casos. Sin embargo, la influencia del alcohol está en muchos casos relacionado con graves accidentes de tráfico.

Población de riesgo

El cerebro del niño aún no nacido es muy sensible a la influencia del alcohol. De ahí la necesidad de que las mujeres prescindan de tomar alcohol por completo durante el embarazo.

Los hijos de las mujeres alcohólicas muchas veces nacen con taras físicas y psíquicas, porque han sido obligados a "beber" durante la gestación. Los niños tampoco deben tomar alcohol, en ningún caso, ni con dulces, salsas o medicamentos.

Las personas que sufran enfermedades del sistema nervioso, soportan el alcohol peor que las sanas.

No se deje seducir por el ambiente reinante: lo que el hígado no sea capaz de asimilar, producirá daños en el sistema nervioso.

Delirium tremens

▶ Síntomas:

- ➜ temblores, sudores;
- ➜ palpitaciones;
- ➜ miedo, intranquilidad, irritabilidad;
- ➜ alucinaciones, en forma de animales pequeños;
- ➜ ataques epilépticos.

El alcohol reduce la actividad cerebral. Cuando se bebe en exceso durante largo tiempo y de repente se destierra su consumo, pasados unos días pueden aparecer los síntomas del estado de hiperexcitación antes mencionado, con posibles consecuencias mortales.

Tratamiento médico

¡Vaya al médico enseguida! ¡Acuda al servicio de urgencias en caso de ataque epiléptico! El delirium tremens tiene que ser observado y tratado en el hospital; incluso, a veces, el afectado debe permanecer un tiempo en la UCI. Los síntomas se alivian con medicamentos que palíen sus nefastos y dañinos efectos. El delirio cesa al cabo de unos días, momento en el que se debería comenzar un tratamiento de deshabituación.

Autoayuda

→ "Degradación psíquica por dependencia del alcohol" que figura a continuación.

Degradación psíquica por dependencia del alchohol

▶ Síntomas:
- ➜ degradación de las facultades psíquicas;
- ➜ cambios de personalidad;
- ➜ desarrollo de ideas obsesivas o delirantes.

La degradación de las facultades psíquicas debido al alcohol, suele tener varias causas concomitantes. Por un lado, el alcohol destruye células nerviosas y, por otro, normalmente lo único que se ingiere son bebidas alcohólicas (muy ricas en calorías de por sí); de ahí que surjan graves problemas gástricos que, a su vez, causan daños en el sistema nervioso. Por último, una cirrosis hepática alterará la función desintoxicante del hígado, y esto también puede dañar al cerebro.

Tratamiento médico

Un período de abstinencia total, puede involucionar los síntomas en un primer momento. Cuanto antes se adopte la decisión de comenzar un tratamiento de deshabituación, tanto mejores serán las perspectivas de curación.

Autoayuda

Los centros de toxicomanía podrán asesorarle en todas las cuestiones que desee plantearles. Además, la orientación a la hora de tomar la decisión más adecuada y le indicarán cúal es la terapia más apropiada a su caso. Más adelante, encontrará información más detallada sobre este tema.

Otras consecuencias en el sistema nervioso por el abuso del alcohol

→ Daños en el cerebelo
→ Falta de vitamina B_{12}
→ Polineuropatías

Encefalopatía de Wernicke

▶ Síntomas:
- ➜ miedo y excitación, que pueden desembocar en apatía y confusión;
- ➜ doble imagen, diplodía de pupilas muy pequeñas (mioticas);
- ➜ movimientos inseguros y tambaleantes.

Esta grave enfermedad está relacionada con la falta de vitamina B_1 (tiamina), como consecuencia de la ingesta continuada de alcohol, asociada a la falta de una alimentación adecuada durante largo tiempo. La carencia de vitaminas produce trastornos nutricionales en las células y hemorragias de pequeños vasos cerebrales.

Tratamiento médico

Aunque es muy raro que se consiga una curación total, es preciso –lo más pronto posible– la toma de algunas infusiones en cuya composición entre un alto contenido en vitamina B_1.

Autoayuda

No es posible.

Psicosis de Korsakow

▶ Síntomas:
- ➜ trastorno grave de la memoria y de la capacidad de aprender;
- ➜ fabulaciones para tratar de llenar las lagunas de la memoria;
- ➜ trastornos de la orientación.

Se supone que esta enfermedad también está relacionada con la carencia de vitamina B_1. Tiene su origen en una escasa e inadecuada alimentación debido al abuso prolongado de alcohol, y suele ir acompañada de → delirium tremens o → encefalopatía de Wernicke.

Tratamiento médico

¡Acuda al hospital enseguida! La situación se intentará mejorar con infusiones de vitamina B_1; pero, por desgracia, las curaciones son raras. En la mayoría de los casos, el paciente sufre una obnubilación permanente que le impedirá en el futuro valerse por sí mismo.

Autoayuda

No es posible.

Epilepsia

► Síntomas:

- ataque espasmódico agudo;
- ataques espasmódicos leves: con diversos síntomas, como mirada fija, encerrarse en sí mismo durante unos segundos sin reacción al hablarle (ausencia), enturbiamiento del conocimiento, convulsiones rítmicas, movimientos bruscos de una o varias partes del cuerpo.

La epilepsia es una enfermedad nerviosa crónica, que esencialmente presenta accesos que van acompañados de la pérdida de conocimiento, convulsiones e incluso coma; también, vértigo y otra sintomatología similar. El ataque epiléptico está provocado por una excitación desenfrenada de una zona concreta del cerebro (*foco epileptógeno*), debido a una descarga sincrónica de un grupo de neuronas. A veces comienza con los *pródromos* (aura), que son ciertos indicios causantes de cierto malestar poco antes de que el ataque turbe el sentido.

Los ataques leves son de baja intensidad y producen una influencia en la persona, pues durante su transcurso solamente se producen pérdidas pasajeras de conciencia, acompañados de convulsiones o un tic de tipo nervioso.

Los ataques epilépticos pueden estar provocados por múltiples patologías o lesiones cerebrales (tumores, encefalitis, abscesos cerebrales, traumatismos craneoencefálicos, intoxicaciones, síndrome de abstinencia del alcohol, etcétera). Por lo general, los ataques epilépticos no suelen volver a repetirse una vez que ha sido eliminado el trastorno o la enfermedad que los causaba. Se habla de epilepsia, en el sentido estricto de la palabra, cuando estos ataques se repiten una y otra vez sin una causa aparente que los provoque. Esta enfermedad también puede ser de origen hereditario.

Tratamiento médico

Acuda al servicio de urgencias nada más que se padezca el primer ataque espasmódico agudo, cuando se sucedan varios ataques uno tras otro o cuando no se pueda despertar al paciente una vez desaparecidos los síntomas que originaron el ataque. Un electroencefalograma (EEG), la resonancia nuclear magnética (RMN) y un análisis de líquido cefalorraquídeo aclararán la causa de los ataques. En muchos casos, se puede tratar la patología que los provoca y no se repiten más. Con medicamentos reductores de los espasmos se puede lograr, muchas veces, que cesen los ataques o, al menos, disminuir su frecuencia.

Autoayuda

El exceso consumo de alcohol, la falta de descanso y las luces intermitentes (¡luz estroboscópica de las discotecas!), pueden desencadenar ataques epilépticos. Los médicos deberán estar al corriente de su historial clínico; también, los familiares y amigos deberán conocer la situación para, en caso de ataque, poder actuar en consecuencia.

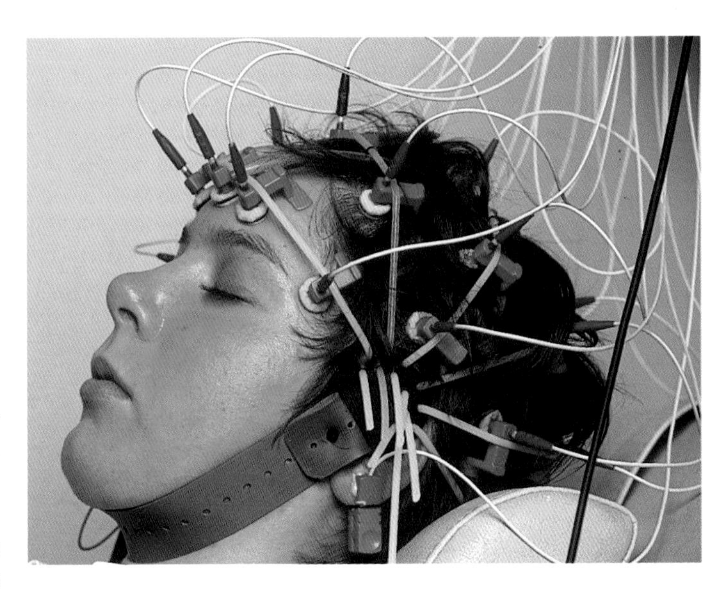

El EEG sirve de ayuda para determinar las causas de los ataques de epilepsia y encontrar así el tratamiento adecuado.

La persona afectada deberá llevar siempre un "carné de urgencias". Debe evitarse ser aprensivo, pero también se hace preciso evitar las situaciones de riesgo que puedan ser funestas en caso de sufrir un ataque. Absténgase de conducir si no han pasado dos años, al menos, desde el último ataque (es necesario un certificado médico). En su centro de salud o hospital le podrán indicar las direcciones de las diferentes asociaciones de enfermos de epilepsia u otros organismos donde podrá encontrar la ayuda precisa.

Tumores cerebrales y medulares

► Síntomas:

- ➜ tumores cerebrales: dolores de cabeza, vómitos, cansancio, trastornos de la visión; ataques epilépticos; según el sitio y el tamaño del tumor, también puede haber trastornos funcionales;
- ➜ tumores medulares: dolores, parálisis progresiva;
- ➜ trastornos de la sensibilidad, trastornos del control de la vejiga y del intestino.

Sólo en casos raros, los síntomas mencionados hacen sospechar la existencia de un tumor; por sí solas, las dolencias no son específicas de un tumor determinado. Los tumores cerebrales tienen otro desarrollo y otras posibilidades de curación distintas a los aparecidos en las diversas zonas del cuerpo humano: dos terceras partes son benignos, es decir, no invaden el tejido ni tampoco se dispersan y metastatizan.

Pero el cerebro tiene el inconveniente de que sobre el tejido sano no se puede operar, pues no existe la seguridad de su recuperación como en otras regiones del cuerpo. De ahí, que parte de los tumores cerebrales benignos sean incurables por razón de su ubicación.

En principio, los tumores pueden aparecer en cualquier estructura del cerebro, de los vasos sanguíneos y de las meninges. Pero no forman metástasis en otros órganos. Sin embargo, son frecuentes tanto los tumores cerebrales como los medulares, que se forman como consecuencia de la dispersión de los tumores de otros órganos. El 20% de los tumores cerebrales, surgen como consecuencia de una metástasis.

El cáncer de pulmón y de pecho, o el melanoma, son los más proclives a formar metástasis en el cerebro.

Clases de tumores cerebrales

Astrocitomas: se trata de tumores de crecimiento lento, que aparecen durante la primera mitad de la vida y que suelen curarse mediante cirugía y radioterapia. ¡Los ataques epilépticos son frecuentes!

Meningiomas: son tumores benignos de las meninges a edad avanzada. Tienen curación quirúrgica.

Glioblastomas o gliomas: se clasifican como tumores malignos de crecimiento rápido, cuyo tratamiento es muy limitado; son prácticamente incurables.

Tumores de hipófisis: tumores benignos que causan trastornos hormonales y de la visión; la mayoría tienen tratamiento mediante intervención quirúrgica.

Tratamiento médico

Cuanto más graves sean los síntomas, tanto más rápido habrá que acudir al médico. Mediante el escáner y la resonancia magnética nuclear se obtienen imágenes del tumor y de sus efectos sobre el cerebro o la médula espinal. Para poder clasificar un tumor cerebral, se necesita casi siempre una muestra de tejido (*biopsia*). El médico aconsejará la intervención quirúrgica, radioterapia, terapia medicamentosa o una combinación de todos estos procedimientos, según sea la clase de tumor, su tamaño y su localización. Los ataques epilépticos y los dolores se pueden controlar con medicamentos; y la presión en el interior del cráneo, se puede reducir con cortisona.

Autoayuda

No es posible.

Operaciones en el cerebro y en la médula espinal

La neurocirugía se emplea para realizar trabajos de máxima precisión: las neuronas ya no pueden multiplicarse después del desarrollo embrionario; así pues, las "reservas" acumuladas tienen que cuidarse para que sirvan durante toda la vida. Por otra parte, las vías nerviosas que recorren el cerebro y la médula espinal tampoco pueden desarrollarse más (a diferencia de los nervios periféricos).

El tejido del cerebro y de la médula espinal no soporta ni la presión ni la tracción, puesto que no tiene las características propias de un tejido conjuntivo consistente, y hay que tener mucho cuidado si se quiere desplazarlo de su posición. Además, el hecho de que las estructuras importantes sean muy pequeñas (la médula espinal tiene apenas un centímetro de diámetro) lo pone más difícil.

Sin embargo, hoy se pueden hacer operaciones muy precisas gracias al perfeccionamiento alcanzado en los sistemas de obtención de imágenes, que permiten al neurocirujano conocer la localización precisa del mal y cómo llegar hasta él evitando la destrucción del tejido sano adyacente. En segundo lugar, la posibilidad de aplicar la microcirugía, es decir, operar en las tres cuartas partes de las intervenciones con la ayuda de un microscopio quirúrgico provisto de instrumentos de precisión.

La demencia

Se denomina demencia a la pérdida de facultades psíquicas (memoria, capacidad de pensar, de aprender y de orientarse). En la actualidad se admite que una demencia es capaz de producir cambios patológicos en la vida sensitiva de la persona. Pueden cursar en el desarrollo de muchas enfermedades, por ejemplo, en el ictus de repetición, en la enfermedad de Alzheimer, en la enfermedad de Parkinson, etcétera. Es muy raro que una demencia llegue a curarse, pero los síntomas que le son propios pueden reducirse efectuando un entrenamiento de la memoria.

Enfermedad de Alzheimer

► Síntomas:

- ➜ en la fase inicial, problemas para desenvolverse en situaciones nuevas y ambientes no habituales;
- ➜ disminución de la memoria inmediata;
- ➜ dificultades para lllevar a cabo acciones cotidianas como vestirse, hablar o leer;
- ➜ otros síntomas, se explican a continuación.

La enfermedad de Alzheimer es una demencia senil precoz, originada por la degeneración de la corteza cerebral. Por razones desconocidas, su desarrollo tiene lugar a consecuencia de una acumulación patológica de proteínas en el cerebro y la mortandad progresiva de las células nerviosas que lo componen.

La enfermedad puede comenzar a mostrar sus síntomas ya a partir de los 50 años de edad, pero su progresión va incrementándose a medida que pasa el tiempo. Aún no está claro del todo el papel que desempeña la herencia genética. La enfermedad de Alzheimer produce, por término medio, la muerte a los 6 u 8 años.

Los síntomas arriba indicados se acentúan en el transcurso de la enfermedad, y aparecen otros nuevos como: la disminución de la memoria remota poco a poco, el agravamiento de los problemas de fonación y la imposibilidad física de realizar los quehaceres cotidianos.

En la fase final resulta casi imposible entender lo que dice el paciente, ya que no muestra interés alguno por su entorno inmediato, su dominio del cuerpo disminuye de manera progresiva y tiene que permanecer en cama todo el tiempo.

Tratamiento médico

El diagnóstico sólo se conocerá después de un riguroso examen médico: se comprueba la memoria y la concentración y, tras realizar un electroencefalograma y una resonancia magnética y aplicar otros procedimientos, se excluyen otras enfermedades.

La enfermedad de Alzheimer resulta incurable hasta el momento. Sólo se pueden aliviar sus síntomas con medicamentos, entrenamiento de la memoria y gimnasia terapéutica. A menudo los medios de comunicación sacan a la luz noticias sobre nuevos métodos de tratamiento, pero lo cierto es que normalmente no suelen pasar cualquier comprobación científica posterior.

Autoayuda

La única ayuda consiste en llevar una vida independiente el mayor tiempo posible. El entrenamiento físico y psíquico, las actividades colectivas y algunos trucos para superar los quehaceres cotidianos, fomentan la alegría de vivir del enfermo.

Más de una vez los familiares tendrán que plantearse la cuestión de si podrán cuidar y atender al paciente, y de cómo hacerlo. La Asociación de Enfermos de Alzheimer le podrá proporcionar información sobre centros de ayuda y familiares, servicios sociales y clínicas de día.

En su desvalimiento, los enfermos de Alzheimer necesitan que su familia les dedique toda su atención y cariño.

Enfermedad de Parkinson

► Síntomas:

- ➜ temblor de los miembros en reposo;
- ➜ inclinación hacia adelante al andar;
- ➜ lentitud de movimientos y debilidad física;
- ➜ monotonía en la manera de hablar, con la cara poco expresiva;
- ➜ falta de agilidad mental, de participación y de interés por las cosas.

La enfermedad de Parkinson se produce como consecuencia la muerte de un grupo de células cerebrales (localizadas en la sustancia negra, en el mesencéfalo), sin que se conozca la causa. Esto origina una falta de dopamina, sustancia portadora de mensajes, liberada por estas neuronas cuando están sanas; como consecuencia, la motilidad del cuerpo sufre un entorpecimiento y tiene dificultades. La enfermedad suele comenzar entre los 40 y los 60 años de edad.

Tratamiento médico

La terapia medicamentosa puede hacer posible la reposición de la dopamina y mejorar el equilibrio de las sustancias que sirven de conexión al cerebro; la gimnasia terapéutica completa el tratamiento. La enfermedad una vez que se encuentra en un estado avanzado, se combate con tratamientos neuroquirúrgicos. De este modo se puede retrasar el proceso patológico, pero de momento es imposible impedir su progresión.

Autoayuda

Preste atención a los efectos que le producen los medicamentos. La dosis de éstos ha de ajustarse individualmente a las peculiaridades y síntomas específicos de cada persona, pues de ello dependerá su bienestar posterior. Comprobará que tendrá horas buenas (por la mañana), y otras no tan buenas durante el día; organice su jornada teniendo en cuenta estos parámetros. Aprenda trucos para "vencer la inercia" mejor al tratar de moverse. Hay muchos métodos que le pueden facilitar las actividades habituales, como la utilización de cremalleras en lugar de botones, llevar calzado sin cordones, colocar asideros en lugares precisos, utilizar cubiertos especiales, instalar llaves de luz grandes o andar ayudándose de un bastón.

Ante todo, hay que procurar valerse uno mismo sin ayudas y mantenerse activo el mayor tiempo posible durante todo el día. Aunque, eso sí, cada vez necesitará más ayuda a medida que progresa la enfermedad. La "Asociación contra el Parkinson" dispone de centros por todo el país, donde se da asesoramiento y apoyo.

Enfermedad de Wilson

► Síntomas:

- ➜ lentitud de movimientos, temblores fuertes;
- ➜ incongruencia al hablar, trastornos de la deglución;
- ➜ falta de concentración, oscilaciones sensitivas.

Se trata de una enfermedad hereditaria muy rara, en la que el cuerpo carece de los enzimas necesarios para la eliminación del cobre. Como consecuencia, éste se acumula en el hígado y el cerebro y ocasiona daños nerviosos y cirrosis hepática.

Tratamiento médico

El médico prescribirá una dieta pobre en cobre, y medicamentos apropiados para favorecer su eliminación y detener así el desarrollo de la enfermedad.

Autoayuda

La única autoayuda posible es mantener una disciplina férrea, para así poder seguir el tratamiento durante toda la vida.

Carencia de vitamina B_{12}

► Síntomas:

- ➜ hormigueo o ardor en los pies;
- ➜ entumecimiento de manos y pies;
- ➜ parálisis, sobre todo en las piernas.

En primer lugar, la falta de vitamina B_{12} produce anemia. Si el organismo no tiene el suministro suficiente de esta vitamina, las células nerviosas de la médula espinal mueren poco a poco.

Tratamiento médico

Los síntomas mejoran si se ponen periódicamente inyecciones de vitamina B_{12}.

Autoayuda

Una dieta que incluya una alimentación equilibrada, contribuye a prevenir los trastornos gastrointestinales. Los huevos, los productos lácteos, la carne y el pescado tienen un alto contenido en vitamina B_{12}.

Esclerosis lateral amiotrófica

▶ Síntomas:

- ➜ debilidad muscular, que se manifiesta con pequeñas contracciones musculares bruscas e involuntarias en manos y brazos, rigidez y calambres (normalmente la afectación de pies y piernas no es tan importante);
- ➜ trastornos progresivos de la deglución;
- ➜ dificultad al hablar.

Esta enfermedad empieza a darse al pasar el ecuador de la vida. Suele producir la muerte de la persona en unos pocos años, pero hay variantes que permiten la supervivencia por un tiempo mayor. Por razones desconocidas, las neuronas del cerebro y de la médula espinal que dirigen los músculos (*neuronas motoras*) mueren.
Afecta a la musculatura voluntaria, excepto a los ojos, y a la que forma el sistema respiratorio, respetando la enfermedad las facultades intelectuales y la capacidad sensorial. El control de esfínteres se mantiene, lo que permite al enfermo controlar su vejiga e intestino.

Tratamiento médico

Para excluir otras enfermedades con síntomas semejantes (estrechamiento del conducto vertebral en la zona cervical alta, patologías de los nervios periféricos), deben hacerse exámenes médicos. Hoy es imposible frenar el progreso de la enfermedad. Sólo los síntomas pueden aliviarse con medicamentos, gimnasia terapéutica y medios técnicos de apoyo a la respiración.

Autoayuda

Prever la planificación de la asistencia doméstica, es importante en el desarrollo de esta enfermedad.

Enfermedad de Huntington

▶ Síntomas:

- ➜ movimientos incontrolados en el cuerpo;
- ➜ deformación de la cara;
- ➜ pérdida de facultades mentales;
- ➜ trastornos psíquicos, depresiones.

Los hijos de las personas que sufren o han sufrido esta enfermedad, tienen un riesgo del 50% de padecerla a mitad de la vida. La llamada corea de Huntington, está causada por la decadencia de determinados grupos de células cerebrales.

Tratamiento médico

Los síntomas se pueden aliviar con medicamentos, pero la enfermedad en sí no tiene curación y conduce a la muerte en 15 ó 20 años.
Otros tratamientos importantes en la lucha contra la enfermedad son la gimnasia terapéutica, la terapia ocupacional, la terapia de conversación, la psicoterapia y estancias periódicas en clínicas de rehabilitación.

Autoayuda

La implicación de todos los miembros de la familia, hace posible al enfermo sobrellevar esta grave enfermedad lo mejor posible. En las asociaciones de enfermos de Huntington, centros de salud y organismos estatales le ayudarán y le asesorarán. También allí le proporcionarán las direcciones de las organizaciones o instituciones especializados en el tema.

Lesión de cerebelo

▶ Síntomas:

- ➜ marcha insegura y con las piernas abiertas;
- ➜ tambaleos cuando se está sentado o de pie;
- ➜ temblores fuertes cuando se intenta asir un objeto;
- ➜ lenguaje incomprensible.

Una lesión de cerebelo puede obedecer a muchas causas, entre otras a trastornos circulatorios, inflamaciones, intoxicaciones o, incluso, al abuso de medicamentos y de alcohol. En una borrachera se pueden apreciar los trastornos funcionales pasajeros que sufre el cerebelo, mostrando así la gran sensibilidad con que éste reacciona al alcohol.
En la mayoría de las distintas formas de atrofia del cerebelo, también suelen verse afectadas otras partes del sistema nervioso central. En estos casos se puede llegar a graves alteraciones sensoriales en las piernas, al síndrome de Parkinson o a la pérdida de las facultades mentales.

Tratamiento médico

Caben diversos tratamientos, según las causas de la lesión, que se comentan en su apartado correspondiente.

Autoayuda

La gimnasia terapéutica intensiva mejora la coordinación de los movimientos.

Enfermedad de Creutzfeld-Jakob

▶ Síntomas:
- ➜ en los primeros momentos, indicios atípicos como grandes oscilaciones del estado de ánimo, depresiones, cansancio, excitabilidad, fallos de memoria y dolores de cabeza;
- ➜ después, demencia muy progresiva hasta llegar al cese de todas las sensaciones mentales y psíquicas;
- ➜ trastornos diversos de la movilidad.

Esta rarísima enfermedad suele afectar principalmente a personas sexagenarias, produciéndoles en pocos meses la muerte.

Algunos contraen la enfermedad después de haberse sometido a un trasplante (córnea, duramadre); o, también, a un tratamiento con hormonas del crecimiento. La enfermedad se caracteriza por producir la deformación progresiva de una proteína de las células nerviosas, causada por moléculas proteínicas de carácter infeccioso: los llamados priones.

Tratamiento médico

Hasta ahora, todos los intentos por influir en el proceso de la enfermedad han resultado infructuosos. Tan sólo existe, en algunos reducidos casos, la posibilidad de aliviar los síntomas.

Autoayuda

No es posible. La enfermedad no se contagia por contacto con la persona enferma. No obstante, como medida de seguridad, es aconsejable ponerse guantes para asear al enfermo.

Los peligros de la peste bovina

La llamada peste bovina (en inglés, *Bovine Spongiforme Encephalopathie*: BSE) se conoce en el Reino Unido desde el año 1985. Surgió por la transmisión de la Scrapie, enfermedad nerviosa de ovejas y cabras. Es muy probable que los priones sean los agentes patógenos, causantes, muy probablemente, de la enfermedad de Creutzfeldt-Jakob. Ambas enfermedades, Scrapie y Creutzfeldt-Jakob, están de actualidad por su relación con la enfermedad de las "vacas locas".

La peste bovina (BSE) se propagó al ganado vacuno a través de la alimentación con pienso animal contaminado, permaneciendo solamente sanas las reses que han sido alimentadas con forraje.

Aunque no está excluido el que la BSE (encefalopatía espongiforme bovina) sea transmisible al ser humano, es posible que se haya utilizado ganado bovino infectado para la elaboración de alimentos y cosméticos. A principios de 1996, científicos ingleses ya informaron sobre una nueva encefalitis mortal en el ser humano, que podría estar causada por la transmisión de la BSE. Esta nueva enfermedad comienza con depresiones, trastornos del sueño, manía persecutoria y alteraciones sensoriales, a lo que se añaden alteraciones de la movilidad, como en la enfermedad de Creutzfeld-Jakob. Los pacientes mueren al cabo de 2 años en estado de demencia aguda. Hoy por hoy no se pueden dar consejos definitivos, dado que la situación no está muy clara. Falta por explicar todavía tanto la magnitud del peligro de infección para los seres humanos, como qué ganado ha sido infectado realmente. En cuanto a comer o no comer carne bovina, es una decisión personal que se debe asumir a título individual.

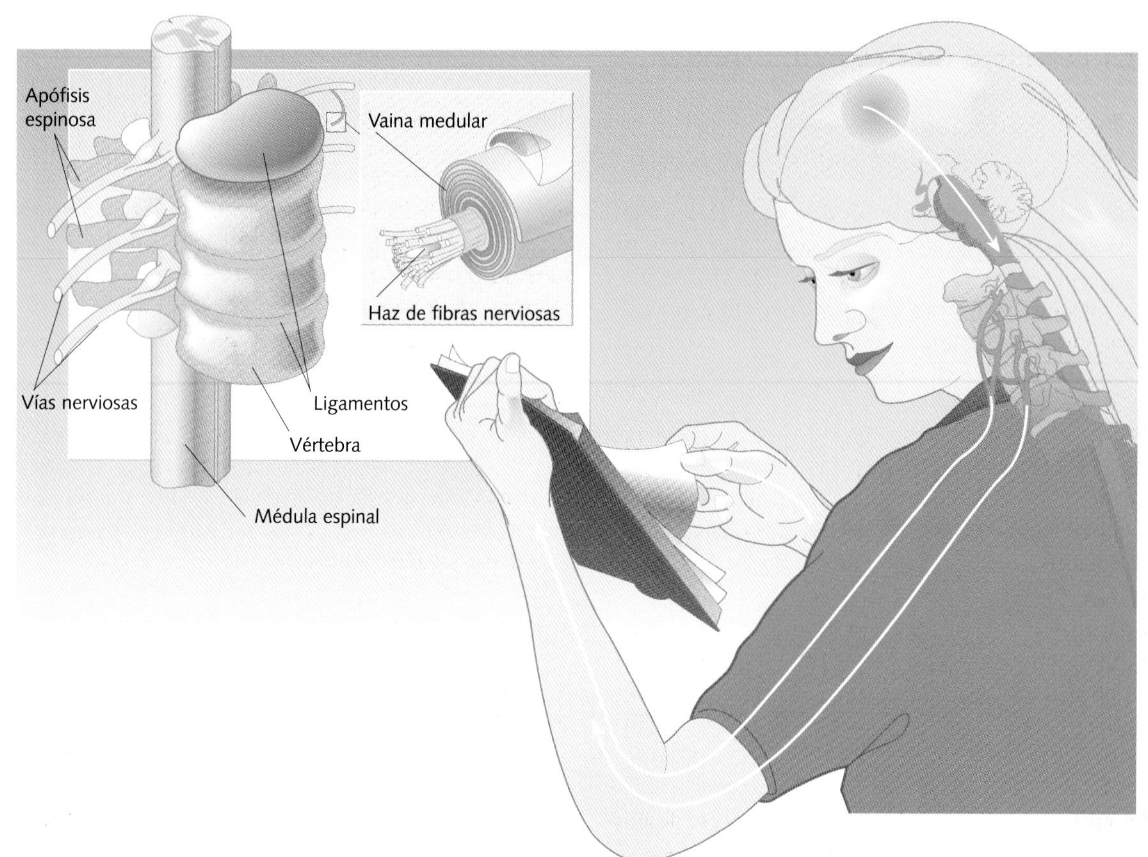

El sistema nervioso periférico

- **El recorrido a través del cuerpo**
- **La fuerza de regeneración de los nervios**
- **Los nervios de cabeza y garganta**

Se denomina sistema nervioso periférico al conjunto de nervios que unen el sistema nervioso central con el resto del cuerpo. Lo forman 31 pares de nervios, que parten de la médula espinal, otros 12 pares de nervios más los llamados nervios craneales, del cerebro.

Las fibras nerviosas del sistema nervioso de relación mantienen la conexión con los ojos, la nariz, los oídos, la piel, los músculos y las articulaciones. Pueden medir más de un metro de largo y son muy vulnerables, puesto que no tienen estructuras óseas que las envuelvan.

Las fibras nerviosas del sistema nervioso vegetativo discurren al lado de las fibras nerviosas del sistema nervioso de relación y, también, de los vasos. Regulan funciones físicas inconscientes o semiinconscientes, y son la vía de transmisión de las sensaciones dolorosas sordas. Las células nerviosas del sistema nervioso vegetativo, además de en el sistema nervioso central -o cerca de él-, se hallan también dentro unas estructuras llamadas "ganglios nerviosos", que habitualmente se encuentran junto a otras estructuras denominadas "plexos nerviosos" (como, por ejemplo, el llamado *plexo solar*, situado en el epigastrio).

Regeneración de los nervios periféricos

A diferencia de las vías nerviosas del sistema nervioso central, los nervios periféricos pueden regenerarse después de una lesión.

Es cierto que la parte de la fibra nerviosa separada de la célula nerviosa muere, pero puede regenerarse la parte que queda unida a ésta. La velocidad de crecimiento es de un milímetro por día, es decir, de unos tres centímetros al mes. La curación de un nervio largo que haya de extenderse hasta los dedos de los pies o de las manos, puede durar años.

Los nervios craneales

La cabeza y el cuello están provistos de 12 nervios craneales a cada lado, la mayoría de los cuales parten del bulbo raquídeo.
Dada la especial relevancia que tienen en todas las funciones vitales del ser humano, se describen a continuación (numerados en cifras romanas). También se indican los síntomas característicos de cada lesión nerviosa. Pero sólo se mencionan algunas de las posibles causas que la originaron, ya que pueden ser muy numerosas.

I Nervio olfatorio: este nervio va desde la nariz al cerebro. Las lesiones causan la pérdida del olfato y la alteración del sentido del gusto, pues, aunque no nos demos cuenta, "saboreamos" la comida que ingerimos a través de la nariz.
II Nervio óptico: en realidad no es propiamente un nervio periférico, sino una "prolongación" del cerebro; por eso, las lesiones no tienen curación. El nervio óptico puede padecer enfermedades, por ejemplo, a causa de la esclerosis múltiple, y es muy sensible a cualquier materia tóxica.
III, IV y VI Nervios que posibilitan el movimiento de los ojos y la reacción de las pupilas: el proceso de ajuste de ambos ojos a un punto de mira es tan complicado, que se necesitan tres nervios en cada ojo para ello. El funcionamiento normal de los dos ojos a la vez se deteriora si estos nervios resultan lesionados, por ejemplo a causa de una encefalitis, o debido a un cuadro de hipertensión intracraneal.
V Nervio trigémino: este nervio –que consta de tres grandes ramas– hace llegar hasta el cerebro las sensaciones que se perciben en la cara, las fosas nasales y en la cavidad bucal; además, se encarga de controlar los movimientos masticatorios. Este dolor nervioso que provoca -a veces-, la llamada *neuralgia del trigémino*, tiene sus causas más frecuentes en los cruzamientos de algunos vasos sanguíneos, que hacen presión sobre este nervio; pero, también, en inflamaciones y tumores. Se manifiesta con ataques de dolores electrizantes, intensos y de tan sólo unos segundos de duración, desencadenados por contactos (una corriente de aire frío) o por algunos movimientos.
VII Nervio facial: tiene como misión principal transmitir las sensaciones de los músculos de la cara y, parcialmente, del sentido del gusto hasta el cerebro. La parálisis facial suele ser frecuente. Además de ser una dolencia muy antiestética (se deforma una parte de la cara y falta la motilidad necesaria para la mímica), también acarrea otros problemas mucho más serios; así, el ojo afectado no puede cerrarse bien y su córnea se seca.
VIII Nervio estatoacústico: se encarga de establecer la comunicación entre los órganos sensoriales del oído interno y el cerebro. Cuando el nervio falla como consecuencia, por ejemplo, de una encefalitis o de una fractura craneal, se sufre pérdida de audición que se acompaña de vértigos agudos. También son relativamente frecuentes los llamados neurinomas del acústico, o tumores benignos del nervio acústico y del equilibrio.
IX Nervio glosofaríngeo: controla los movimientos de la faringe y hace llegar la sensación de sabor desde la región posterior de la lengua hasta el cerebro. En este nervio pueden darse dolores nerviosos, que cursan como ataques fuertes en la región de faringe y garganta (*neuralgia del glosofaríngeo*).

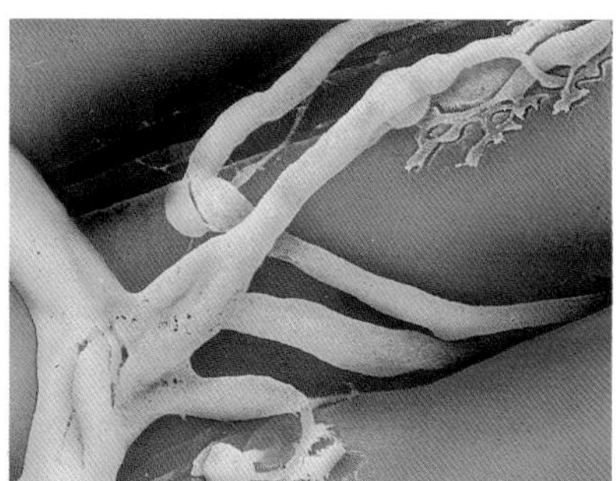

Los nervios terminan en fibras musculares, que se encargan de enviar sus impulsos a los músculos.

X Nervio neumogástrico o vago: las funciones del décimo par craneal de nervios son múltiples y variadas. Una parte de sus ramificaciones se encarga del suministro de fibras motoras y sensitivas a la garganta, el esófago y la laringe. La parte restante forma parte del sistema nervioso vegetativo y llega hasta el corazón, los pulmones y los órganos del aparato digestivo. Una lesión unilateral produce ronquera, encargándose entonces el segundo nervio de este par de asumir la regulación vegetativa.
XI Nervio motor del cuello y los hombros: una lesión de este nervio impide mantener la cabeza erguida o girarla, así como el movimiento de los hombros.
Los tres últimos nervios mencionados se suelen lesionar conjuntamente, pues están juntos en la misma zona del cráneo.
XII Nervio hipogloso: la lesión unilateral de este nervio apenas si produce daños físicos apreciables. Pero una lesión bilateral puede suponer un gran impedimento para hablar y deglutir.

Mononeuritis

► Síntomas:

- primero, síntomas de irritación: dolores, hormigueo, picazón;
- luego, síntomas carenciales: entumecimiento, debilidad o parálisis, debilitamiento muscular.

Los síntomas que se manifiestan en la zona correspondiente a cada nervio son los mismos, sea cual fuere la causa de la lesión. El hecho de estar sentado o acostado ya produce un mal funcionamiento por efecto de la presión o de la disminución de la circulación sanguínea: el nervio "se duerme", pero se recupera después de pasado un minuto de haber cambiado de postura.
Los accidentes son causa frecuente de lesiones nerviosas graves; por ejemplo, puede originarse la sección de un nervio por astillamiento de un hueso. También, las heridas incisas en las manos con cuchillos o cristales constituyen un gran peligro para los nervios.

"Estrechamientos" de los nervios

Los nervios sufren opresiones en algunas zonas del cuerpo; así, el síndrome del canal carpiano se caracteriza por la opresión de un nervio a la altura de la muñeca que provoca su lesión. Los síntomas aparecen al anochecer en los dedos pulgar, medio e índice y en los pulpejos de los pulgares. Los dolores se extienden hasta la articulación del húmero, y suelen desaparecer al sacudir el brazo y la muñeca.
Otro nervio, el cubital, atraviesa un estrecho espacio a su paso por la región del codo, momento en el que es muy vulnerable y puede lesionarse con facilidad; de este modo, si este aún muy discreto traumatismo afecta al punto exacto, puede hacer experimentar dolor, hormigueo e, incluso, sensación de quemazón a lo largo del borde interno de la mano y de los dedos meñique y anular.
En la parálisis peroneal peligra un nervio de la pierna que pasa alrededor del peroné, cerca del hueso situado debajo de la rodilla. Las botas altas estrechas, los vendajes enyesados o permanecer sentado largo tiempo con una pierna sobre la otra puede dañarle, hasta el punto de provocar el llamado "pie caedizo": la punta del pie se inclina hacia abajo y son frecuentes los traspiés al andar.

Tratamiento médico

Cuanto más rápido progrese la parálisis, tanto antes se deberá acudir al médico. Unas tablillas ortopédicas, o la descompresión quirúrgica del nervio, serán de gran ayuda. Si aparece una parálisis a consecuencia de un accidente, informe a su médico de los trastornos sensitivos que padece. Las posibilidades de curación serán mayores si, una vez detectada a tiempo la lesión del nervio, la sección es limpia y los extremos se suturan lo antes posible.

Autoayuda

La curación precisa de gimnasia terapéutica, por lo tendrá que armarse de paciencia dada su lentitud.

Parálisis del nervio ciático a causa de una inyección

► Síntomas:

- poco tiempo después de puesta una inyección, dolores intensos en la región glútea, que se irradian hasta la pierna;
- posibles trastornos sensitivos y parálisis en pie y pierna.

Cuando los músculos están sensibilizados, una inyección mal puesta en el glúteo puede afectar al nervio ciático o a la zona de su influencia. El nervio puede resultar dañado por la propia aguja, o por el fármaco administrado si éste logra irritarlo o comprimirlo.

Tratamiento médico

El dolor desaparece con analgésicos. En ocasiones, será necesario extraer el medicamento inyectado y liberar el nervio de las adherencias que lo comprimen.

Autoayuda

El calor húmedo (baños, envolturas de fango) y el reposo pueden aliviar los dolores.

Neuralgias

► Síntomas:

- dolores punzantes, electrizantes e intensos en la zona de distribución de un nervio.

Las neuralgias son raras, excepto la de trigémino. Después de un herpes zóster, puede aparecer un dolor penetrante y constante en el tronco.

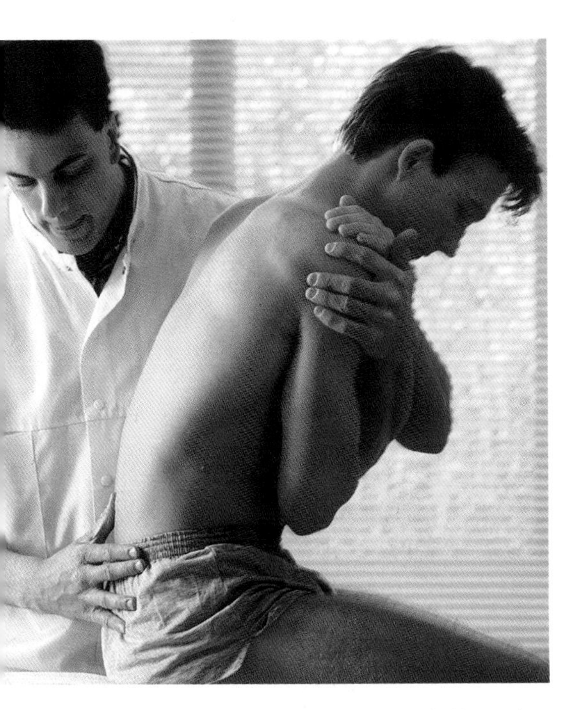

Mediante técnicas manuales, el quiropráctico puede liberar de nuevo un nervio estrangulado.

También cabe mencionar el dolor errático, que normalmente suele aparecer después de haberse realizado la amputación de alguna parte del cuerpo.

Tratamiento médico

Las neuralgias o dolores nerviosos de todo tipo suelen responder bien a los medicamentos que se prescriben para combatir la hiperexcitabilidad de las células nerviosas durante la epilepsia. Los dolores erráticos son a menudo difíciles de localizar y tratar, obteniéndose notables éxitos con la aplicación de la neuroestimulación eléctrica de los nervios.

Autoayuda

No es posible.

Polineuropatías

► Síntomas:
- ➜ como en la mononeuritis, pero en varios sitios al mismo tiempo;
- ➜ picor nocturno en los pies y desazón en las piernas.

Los nervios del cuerpo son muy sensibles, sobre todo las terminaciones nerviosas más largas de manos y pies. La diabetes y el abuso del alcohol pueden provocar una polineuropatía; también puede estar causada por patologías de tipo renal o tiroideas, por falta de vitaminas y por intoxicación con metales pesados y medicamentos.

Tratamiento médico

Cuanto más intensamente se manifiestan los síntomas, tanto más pronto se debe acudir al médico. Los métodos de tratamiento son tan diversos como las posibles causas que originan la enfermedad.

Autoayuda

No es posible.

Síndrome de Guillain-Barré

► Síntomas:
- ➜ unos días antes, manifestación del típico cuadro gripal;
- ➜ paralizaciones leves en todo el cuerpo, incluida la cara, que progresan con mucha rapidez;
- ➜ dolores intensos.

Las enfermedades infecciosas, producidas sobre todo en la región gastrointestinal y en el hígado por un proceso –desconocido hasta ahora– en el que participan anticuerpos, pueden producir reacciones nerviosas concomitantes. La patología suele ser aguda casi siempre, aunque es muy raro que se convierta en crónica.

Tratamiento médico

Si los síntomas se agravan, acuda al médico con urgencia. Según sea la gravedad de la enfermedad, se suministrarán antiinflamatorios o se procederá a un lavado de sangre; también, si se produce dificultad respiratoria o trastornos del ritmo cardíaco, será necesario un tratamiento en una UCI. Seguirá después una rehabilitación con gimnasia terapéutica. Las perspectivas de curación son muy buenas, pero pueden pasar meses hasta conseguir la recuperación total.

Autoayuda

En casos graves, la carga psíquica que sobreviene es grande debido al desvalimiento repentino que se padece. Pero este estado es pasajero. ¡Sólo hay que tener un poco de paciencia!

¿Qué es el dolor?

El dolor es la impresión penosa de un sufrimiento. El lenguaje cotidiano es muy prudente, por lo que no hace distinción entre el dolor físico y el psíquico, entre el dolor que afecta al cuerpo y al alma. El estrés o el mal estado de ánimo pueden repercutir en dolores de cabeza "insoportables".
Los seres humanos sienten el dolor de forma muy diversa, de tal modo que el nivel establecido a partir del que se siente dolor es diferente según la persona y la cultura de que se trate.

El dolor es una señal de alarma

Los dolores físicos aparecen cuando existe una lesión en tejidos u órganos, en cuyo caso se activan los receptores del dolor (*nocirreceptores*), que envían las correspondientes señales a la médula espinal, donde se desencadenan reacciones reflejas; por ejemplo, la acción de retirar la mano al acercarla a una placa muy caliente. El mensaje de dolor pasa desde la médula espinal al cerebro, tomando éste conciencia del dolor. Cuando nos retorcemos un pie, lo mejor es mantenerlo lo más inmóvil posible; el dolor nos "obliga" a hacer lo correcto: no mover el pie. El cerebro no siempre localiza el dolor allí donde se produce, sino que su sensación le llega al irradiarse a otras regiones y ser conducido por las vías nerviosas en su trayecto.
El carácter del dolor depende de la clase de fibras nerviosas que hayan sido irritadas; así, por ejemplo, los dolores nerviosos son punzantes, mientras que los procedentes de los órganos internos son sordos y difíciles de localizar y de describir.
Pero, por desgracia, el dolor no siempre avisa en todas las enfermedades. Por eso es frecuente que el cáncer, la hipertensión y la diabetes pasen desapercibidos durante mucho tiempo.
Los dolores repentinos siempre son motivo suficiente para acudir al del médico. Si van en aumento, no espere a que resulten insoportables. También deberá visitar a su médico enseguida si los dolores se acompañan de fiebre, disnea, sensación de estar gravemente enfermo, diarreas fuertes y parálisis; o si persisten más de lo normal (por ejemplo, dolores de cabeza y de espalda durante días).

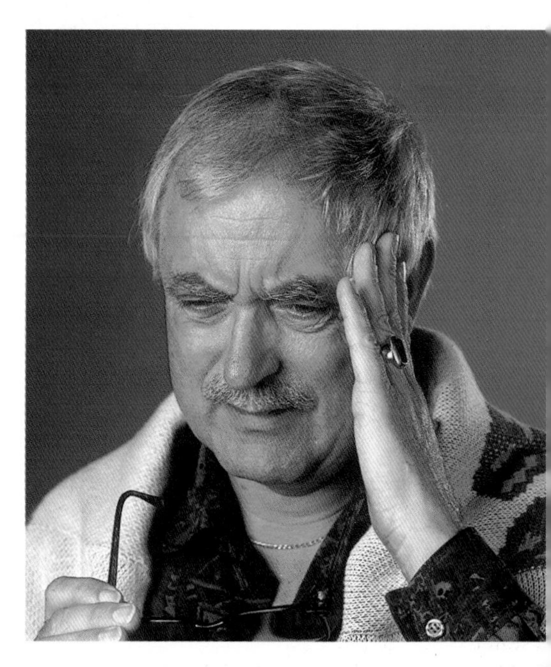

Siempre que padezca dolores persistentes, acuda a la consulta del médico para que aclare las causas.

Cuando el médico no encuentra la causa

Incluso después de haber reconocido a fondo al paciente, puede ser que el médico no encuentre ninguna causa orgánica que justifique el dolor. En determinadas circunstancias, esto puede llevar a la conclusión de que existen conflictos psíquicos: algunos dolores de espalda pueden ser debidos a lesiones de ligamentos provocadas por el "peso" que suponen los problemas personales. Sucede a menudo que, después de visitar a una serie de médicos, uno de ellos descubre que en el cuerpo sano hay un trastorno o lesión insignificante que, en realidad, nada tiene que ver con el dolor en sí. En muchos casos, tanto las medicinas como las operaciones son innecesarias.
Por lo tanto, si tiene dolores "inexplicables" vaya a un psiquiatra o psicoterapeuta. Quizá descubra el tratamiento lógico que haga posible la erradicación de sus dolores.

ɜrapias del dolor

Relajación: las tensiones musculares acumuladas elen ser la causa de muchos dolores. Pero, hoy a, la posibilidad de evitarlos es muy amplia.
círculo vicioso "dolor-tensión muscular-dolor" uede romperse mediante la práctica de técnicas de lajación, como entrenamiento autógeno o relajaón muscular progresiva, ejercicios gimnásticos riódicos, método de Feldenkrais y masajes.
Frío y calor: por lo general, el frío alivia los dolos producidos por lesiones articulares y musculas; y el calor, los dolores crónicos, sobre todo los bidos a tensiones musculares.
Medicamentos contra dolores leves y medianos: este apartado cabe mencionar los medicamentos e tienen como principio activo al ácido acetilsaliico y al paracetamol. La mayoría de ellos no cesitan receta, lo que no quiere decir que sus efecs sean totalmente inocuos.
Opiáceos: reducen la sensación dolorosa que perɔe el sistema nervioso central. Se dispensarán ediante receta médica, prescritos su administraón y consumo por personal facultativo sólo en so de dolores intensísimos. Pueden crear adicón, motivo por el que se hace precisa su dosificaón según un plan cronológico estricto.
Estimulación nerviosa: si un dolor llega al sistea nervioso central acompañado de otros estímulos ocedentes de la misma región del cuerpo, se perɔe con menor intensidad. Diversos aparatos estiuladores específicos, que producen estímulos ecánicos o eléctricos, pueden aliviar muchos de s dolores crónicos.
Acupuntura: en este método de tratamiento de la edicina china , que se supone tiene su base en un incipio semejante al de la estimulación nerviosa, "desvía la atención" del cerebro lejos del dolor. ta técnica consigue mejorías asombrosas en uchos dolores de naturaleza crónica.
Bloqueos nerviosos y métodos quirúrgicos: el ɔqueo permanente o por un tiempo de la sección un nervio, puede servir de alivio a dolores muy tensos e imposibles de aliviar de otra manera.

Dolor de cabeza/Cefalea tensional

► Síntomas:
→ dolor agudo y agobiante;
→ a menudo, acompañado de tensión muscular.

Los dolores de cabeza pueden estar causados por tensiones musculares, desviaciones de las vértebras cervicales, enfermedades de los ojos, inflamaciones en la zona de la cabeza, neuralgias, hipertensión y patologías del cerebro; pero, también, por tensión psíquica acumulada, estrés, cambios meteorológicos e incluso por tener hambre. Las afecciones suelen agravarse en el transcurso del día y, en la mayoría de los casos, desaparecen casi por completo durante la noche.

Tratamiento médico

Vaya al médico si padece con frecuencia dolores de cabeza, o si le duran varios días.

Autoayuda

Frote sienes y nuca con mentol. Como medida preventiva, realice ejercicios periódicos de relajación.

Migraña

► Síntomas:
→ dolores de cabeza persistentes y, a menudo hemilaterales, que duran horas o días;
→ trastornos de la visión, náuseas, vómitos;
→ hipersensibilidad a la luz y a los ruidos.

Es muy probable que la migraña se deba a espasmos vasculares, que se acompañan de otros factores. Puede ser de origen hereditario, aunque el estrés, ciertos alimentos (queso, chocolate) y alteraciones hormonales también pueden desencadenar ataques.

Tratamiento médico

En caso de que las afecciones sean intensas o frecuentes, vaya al médico para que le recete un analgésico adecuado y le instruya sobre los remedios más efectivos contra su migraña.

Autoayuda

¡Nada más comenzar el ataque, tome una taza de café! Procure averiguar cuál es el factor que desencadena sus ataques.

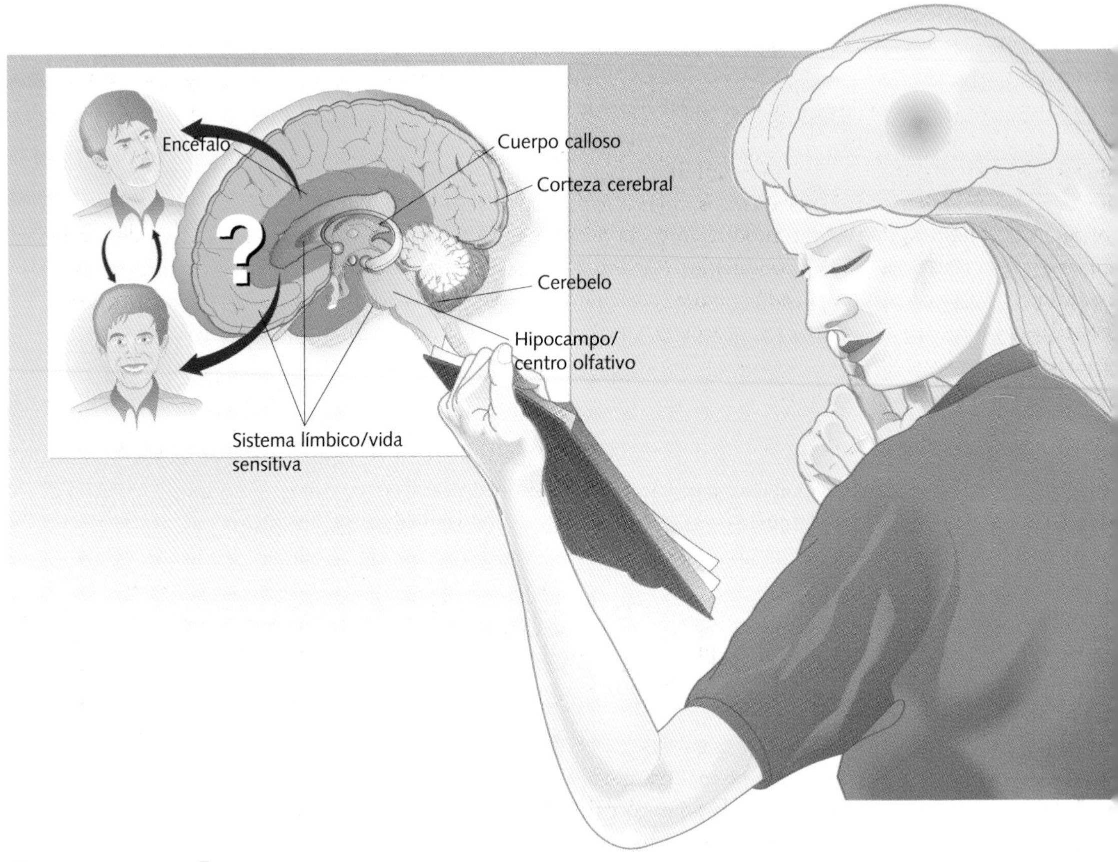

La psique

- **Entre la fe y la investigación**
- **Psique y cuerpo**
- **Procesos psíquicos**

De siempre, la cuestión de qué es el alma ha preocupado al ser humano: las culturas antiguas se la imaginaban como un hálito, una sombra o un animal; los filósofos pensaban que era la experiencia de la propia existencia. Pero todos nosotros la consideramos parte indiscutible de nuestra personalidad, aunque no podamos entender en qué consiste.

El ser humano viene observándose a sí mismo durante siglos, en un intento por descubrir dónde está el núcleo de las acciones y de las vivencias. Algunos científicos anuncian, llenos de alborozo, que muy pronto se podrá aclarar cómo nuestro cerebro "constituye" la suma de lo que llamamos alma; pero lo que unos esperan con ansiedad, a otros aterroriza al asaltarles preguntas como: ¿Quién puede creer en una existencia más allá d lo físico, o en un núcleo determinante de nuestra pro pia persona? Con el fin de establecer una distinció entre las ideas religiosas y las filosóficas, en la Medicir se ha adoptado el vocablo griego *psique* en lugar de expresión "alma", de ahí que al "médico de almas" se conozca y atienda al nombre de "psiquiatra".

Que la psique forma un conjunto inseparable con cuerpo y está íntimamente relacionada con la activida del cerebro, es algo que nadie duda. Pero cómo funcic na esa acción conjunta, se ignora en su totalidad y has ahora sólo conocemos en parte.

Psique y cerebro

El número de sustancias químicas que actúan sobre cerebro y se influyen mutuamente es incalculable. Es llamado metabolismo cerebral guarda relación con la vivencias, la conducta y el pensamiento. El metaboli mo cerebral mantiene un equilibrio estable en la pers

a sana, pero si éste se altera por alguna causa aparecen 'astornos psíquicos.
egún nuestros conocimientos actuales, se sabe que la lteración del metabolismo cerebral es uno de los nuchos factores patógenos. Podemos influir en algu-os procesos psíquicos con medicamentos, que actúan obre el metabolismo cerebral modificándolo. Sin mbargo, los efectos favorables producidos por estos nedicamentos suelen ir acompañados de otros de tipo ecundario, pues influyen en otros procesos metabóli-os del cerebro distintos a los que van dirigidos, con lo ue se produce un desequilibrio entre ambos.

:ómo actúa la psique

lgunos conceptos tienen gran importancia para com-render los distintos procesos psíquicos y cómo se ori-inan las enfermedades psíquicas.

:l conocimiento (consciencia)

l ser humano tiene conciencia de su propio ser, al nenos mientras está despierto. Si la consciencia se alte-a por alguna causa, ya no puede establecer contacto on otras personas. La Medicina distingue diferentes ormas de *perturbaciones del conocimiento*, "limitacio-es" del conocimiento que van desde la somnolencia asta el estado de coma pasando por la obnubilación pérdida total del conocimiento) y las *alteraciones del onocimiento* tales como la confusión mental, la reduc-ión o la ampliación.
l conocimiento de la persona sólo llega una fracción e todas las impresiones sensoriales y vivencias capta-as por el cerebro. La inmensa mayoría de ellas perma-ecen en la inconsciencia.

.a inconsciencia

.a inconsciencia capta todas las impresiones sensoria-es y vivencias. Además, dirige una serie de acciones; sí, por ejemplo, mientras escuchamos música, pode-nos ponernos la chaqueta, bailar o, incluso, conducir in tener que pensar en ello conscientemente.
lgunos contenidos de la inconsciencia "afloran", es ecir, se manifiestan al conocimiento. Otros influyen n sensaciones y acciones desconocidas.
'ambién puede suceder que procesos percibidos cons-ientemente sean rechazados por el inconsciente, un necanismo de protección que actúa con frecuencia nte acontecimientos calificados como de desagrada-les. De todas formas, aunque hayamos "desterrado" tapas enteras de nuestra vida, de las que sólo volvere-mos a tener conciencia de ellas después de haber reali-zado grandes esfuerzos y pasado muchos sufrimientos, los contenidos rechazados siguen teniendo influencia sobre nuestras acciones.

Afectividad y estímulo

Por afectividad se entiende el conjunto de sentimien-tos, estados de ánimo y afectos (procesos sensitivos cortos e intensos) que influyen en el ser humano. Las psicosis afectivas se producen, básicamente, debido a trastornos de la afectividad de las personas.
Se llama estímulo a una fuerza, independiente de la propia voluntad, que da energía y vitalidad a la perso-na sentida en la obligación de hacer algo. Cuando las depresiones afectana alguna persona, por ejemplo, los estímulos quedan reprimidos.

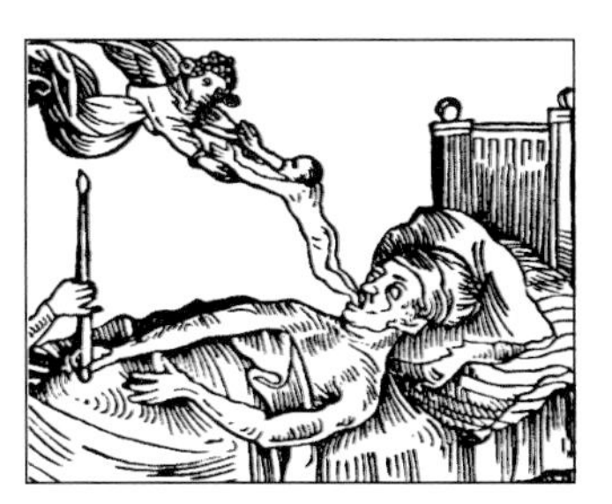

Antiguamente se suponía que el alma era un ser que habitaba el cuerpo y que lo abandonaba después de la muerte.

La vivencia del "yo"

Todo el mundo puede afirmar: "este soy yo", como la cosa más natural del mundo. Pero esta frase encierra sentimientos que es preciso matizar, ya que supone sentirse uno la persona que se era hace años, ser exac-tamente igual a la persona que se es hoy y poder esta-blecer una línea divisoria entre uno y los demás.
En algunas de las enfermedades psíquicas, como por ejemplo la esquizofrenia, hasta puede alterarse la viven-cia del propio "yo".

La personalidad

El fundamento de la personalidad es de origen congé-nito. Se desarrolla durante la infancia y la juventud, y está sometida a cambios constantes a lo largo de toda la vida. Sin embargo, determinados rasgos de la persona-lidad permanecen inmutables durante el trascurso de toda la existencia.
Se habla de un trastorno de la personalidad, cuando los caracteres psíquicos de ésta se muestran tan acusados que ocasionan gran sufrimiento tanto al propio afecta-do como a las personas de su entorno.

Casos de urgencia

Norma general

Si de repente cambia radicalmente el comportamiento de una persona, su percepción sensorial o sus vivencias, procure no dejarla sola, tranquilícela y, dado el caso, llévela al médico.

Estado de excitación

▶ Síntomas:
- ➜ se manifiestan mediante una postura o expresión facial rígida, respiración corta, sudores y aceleración del pulso;
- ➜ también insultos, ir de una lado a otro con actitud violenta, empujar sillas y mesas para golpearse, etcétera.

El exceso de trabajo, soportar grandes presiones, trastornos físicos diversos, pero también algunas patologías psíquicas, pueden llevar a un estado de excitación (manías, esquizofrenia paranoica, intoxicación por alcohol, delirium tremens).

Tratamiento médico

Si no consigue tranquilizar al paciente, llame al servicio de urgencias para que le ayuden.

Autoayuda

Trate de calmar a la persona afectada por el estado de excitación. Piense en su seguridad y en la de otra persona y no se deje impresionar por sus ataques verbales o por las acciones violentas.

Psicosis aguda

▶ Síntomas:
- ➜ trastornos mentales acompañados de delirios;
- ➜ cambio inhabitual del estado de ánimo;
- ➜ inquietud física, falta de sueño y de ganas de comer;
- ➜ comportamiento: prepotencia, gritos, excitación o hiperactividad repentina, teatral e incongruente;
- ➜ tristeza, desesperación, pensamientos suicidas.

Las siguientes patologías físicas pueden influir en la actividad del cerebro y desencadenar psicosis agudas: hipoglucemia e inflamaciones o lesiones cerebrales. También, una esquizofrenia repentina, manías o depresiones.

Tratamiento médico

Vaya al médico enseguida. El tratamiento que prescriba dependerá de cuál haya sido la causa que provocó la psicosis.

Autoayuda

Procure tranquilizar a la persona afectada y no la deje sola bajo ninguna circunstancia.

Peligro de suicidio (intento de suicidio)

▶ Síntomas:
- ➜ desesperación, sensación de no hallar soluciones a los problemas cotidianos;
- ➜ declaraciones como «mañana me tiro por el puente abajo» seguidas de tranquilidad;
- ➜ planes y preparativos concretos.

Cuando la vida llega a una situación totalmente insoportable, para algunas personas la única alternativa posible parece ser el suicidio. Sin embargo, el intento de suicidio suele ser en sí mismo una petición de auxilio con la que se pretende llamar la atención y expresar el deseo de ser salvado.

Tratamiento médico

Un médico psiquiatra con experiencia suficiente podrá ayudar, en gran medida, al potencial suicida. Según sea la causa que ocasionó la crisis, así serán los medicamentos que se recetarán para aliviar los síntomas. Pero la erradicación total del peligro, sólo será posible si se sigue un tratamiento psicosocial adecuado.

Autoayuda

Hable con el afectado, ofrézcase para acompañarle al médico o hasta que le acompañe una persona de confianza que le brinde la ayuda precisa.

Pruebas clínicas especiales

Entrevista con el médico

Cualquier patología psíquica requiere la conversación sincera y sin cortapisas con el médico, casi siempre un neurólogo o un psiquiatra. Querrá saber, ante todo, cuáles son los problemas que más le preocupan y que le han llevado a semejante situación.

Historia y situación actual de la vida

El médico le formulará varias preguntas sobre la vida familiar, sobre la historia de su vida y sobre su situación profesional y personal. En caso necesario, también se entrevistará con los familiares, si es que ellos acceden. Así conocerá muchos detalles que revelarán la relación existente entre los miembros de la familia y sus posibles problemas.

Investigación psicopatológica

El médico hará preguntas especiales y test para informarse sobre los trastornos existentes. Comprobará:

- si se advierte alguna perturbación del conocimiento;
- si se echa en falta la orientación en cuanto a tiempo, lugar y la propia persona;
- si hay falta de atención o fallos de memoria;
- si se padece algún trastorno mental. Entre los indicios que hacen presagiar estos trastornos está la indecisión al hablar, interrumpirse a mitad de una frase, darle vueltas siempre al mismo tema o encadenar unos pensamientos con otros;
- si se sufre de trastornos mentales en cuanto al contenido. Entre los indicios más frecuentes se halla la imposibilidad del oyente de seguir el hilo de la conversación dada la incongruencia de sus pensamientos, o la consideración de extraños o amenazantes ciertos objetos, sucesos o personas (*delirios*);
- si se tienen percepciones que no se corresponden con un estímulo sensorial real (*alucinaciones*), o se desvirtúa todo aquello que se percibe (*ilusiones*);
- si la vivencia del "yo" se muestra claramente alterada, si se advierte que el "yo" está manipulado ante influencias externas o, también, que otros pueden leer los pensamientos propios de la persona enferma;
- si los sentimientos y los estados de ánimo se manifiestan de distinto modo a como eran con anterioridad, si se encuentra turbado sin saber qué hacer, deprimido, desesperanzado, temeroso, excitado, eufórico o preocupado; también, si se muestra indiferente ante cualquier situación y es incapaz de experimentar alegría o tristeza o, cuando sin razón alguna, se pone a reír o a llorar de repente;
- si ha aumentado o disminuido de modo visible la propia iniciativa personal o, por el contrario, si le falta la energía por completo;
- cómo es la actitud que adopta ante la enfermedad.

Los problemas psíquicos se pueden descubrir mediante test psicológicos en forma de juegos.

Test psicológicos

Los psicólogos están desarrollando test que incluyen preguntas y tareas especiales. Los más conocidos son los test de inteligencia, pero hay otros para medir la atención, la concentración y la memoria inmediata, así como cuestionarios para realizar el perfil de la propia personalidad y patologías concretas como depresión o dependencia del alcohol.

Exclusión de causas orgánicas

Antes de poder asegurar que existe una enfermedad psíquica es preciso excluir otras posibles causas, pues es frecuente que los síntomas psíquicos sean consecuencia de trastornos físicos.

De ahí que, por lo general, sea preciso llevar a cabo un examen físico y neurológico exhaustivo, extraer líquido cefalorraquídeo, analizar la sangre y realizar un escáner de la cabeza.

La psique enferma

Cualquier patología de la psique encierra en sí mismo algo de amenaza: no es visible al igual que ocurre con una hinchazón y ni siquiera se puede explicar. Escapa a nuestra imaginación y, frecuentemente, ni el propio afectado se percata de ella. El que padece una enfermedad psíquica dice cosas incomprensibles, no se siente "como todos", su conducta es extraña e incluso puede llegar a ser agresiva. A las otras personas les resulta difícil entender estos cambios; de ahí que, a menudo, el enfermo psíquico se sienta incomprendido y se encierre en sí mismo.

¿Quién está sano? ¿Quién está enfermo?

No es raro que una enfermedad psíquica sea denominada psicosis, enfermedad que afecta a sentimientos y acciones. En estos casos, el cerebro de la persona afectada –con cuya ayuda se comunica con los demás– trabaja, concibe y comprende tanto su entorno inmediato como a sí mismo de forma distinta a la normal. Pero no todas las enfermedades de la psique provocan cambios tan dramáticos en la vida de las personas que las padecen. Entre la salud y la enfermedad se da un completo abanico de estados transitorios, sin olvidarse de la rémora que supone la dificultad para establecer los límites exactos donde comienzan y terminan tanto el estado de salud como el de la enfermedad en el ámbito de lo psíquico.

A esto se debe que en Medicina sólo se consideren como enfermedad los cambios psíquicos que producen sufrimientos graves en la persona o en su entorno, y que suponen una dificultad para la convivencia normal. Por lo tanto, para considerar como enfermedad un estado psíquico concreto, lo decisivo no son precisamente los síntomas que se manifiestan, sino el sufrimiento que produce en el ser humano.

Pero como el grave sufrimiento que la enfermedad psíquica produce en el afectado difícilmente lo percibe y mucho menos es capaz de "demostrar" su existencia una persona cualquiera, hace que la enfermedad no se tome en serio; así, por ejemplo, la falta de estímulo o una desavenencia depresiva suelen ser calificadas de pereza, testarudez, falta de interés o incluso tontería.

Comprender la enfermedad

Al principio, las personas del entorno familiar del enfer mo suelen darse cuenta de que su conducta ha cambia do: quien era tranquilo y retraído, ahora se excita y grit habitualmente; al contrario, quien antes era jovial y dis frutaba de la vida, ahora está decaído y no hay nada qu le haga alegrarse. Aunque no pueda expresarlo perso nalmente, lo normal es que el enfermo sufra ante lo cambios que ha experimentado su vida.

La enfermedad psíquica no revela externamente su exis tencia mediante ningún tipo de yeso o venda, pero padecimiento suele durar mucho más tiempo que lo producidos por trastornos de origen físico. Inclus puede suceder, por ejemplo, que dentro del seno fami liar existan discrepancias sobre si el enfermo tiene ver dadera voluntad de curarse o no.

Para ayudar al enfermo psíquico es, pues, muy impor tante, que los familiares estén predispuestos a hacerlo que se mantengan en contacto con el médico o psicólo go para seguir sus instrucciones y consejos. Así apren derán a comprender de una manera más participativa carácter y proceso de la enfermedad, posibilitando qu actúen en consecuencia.

Centros psiquiátricos

Los centros psiquiátricos actuales cuentan entre su objetivos principales el proporcionar un trato abierto comprensivo tanto a los enfermos psíquicos como a lo componentes de su familia.

Los hospitales psiquiátricos son cada vez más pequeño y personalizados, construyéndose modernas instalacio nes cercanas a las ciudades para que el enfermo continú ligado a su entorno habitual y no se sienta desplazado También se procura reducir lo máximo posible el tiem po de permanencia en el hospital. De ahí que cada ve sean más numerosas las clínicas de día y los servicio psiquiátricos ambulatorios que han surgido reciente mente en nuestra sociedad.

El tratamiento psiquiátrico actual

Hace todavía unas décadas, era imposible ayudar real mente a los enfermos psíquicos. La mayoría de la "terapias" que se aplicaban entonces, nos parecen ho

a base fundamental de todo tratamiento radica en la confianza ue se dispense al psicoterapeuta.

enigrantes para el ser humano. El descubrimiento de uevos medicamentos trajo consigo un cambio radical n el tratamiento psiquiátrico, a pesar de todas las pre-enciones legítimas.

n la actualidad, se intenta ayudar a los enfermos psí-uicos con la prescripción de diversas terapias. Así, las sicosis causadas por trastornos metabólicos del cere-ro, se pueden tratar con medicamentos; por su parte, n una psicoterapia se trabajan los conflictos psíquicos se entrenan los cambios de conducta.

ambién la terapia artística y manual (música, artes lásticas, talleres de carácter ocupacional), permite for-alecer la concentración y la facultad de expresión.

demás de esto, la atención ambulatoria en los centros e salud, los servicios sociales psiquiátricos, centros de sesoramiento y asociaciones de afectados pueden ase-orarle y prestarle la ayuda precisa.

¿Quiénes trabajan en la psiquiatría?

El tratamiento psiquiátrico se planifica y se aplica bajo la supervisión de psiquiatras, médicos especialistas en el diagnóstico y terapia de las enfermedades psíquicas. Los psicólogos clínicos realizan test de inteligencia y de personalidad, así como terapias de grupo e individuales. Los pedagogos sociales se encargan de coordinar la colaboración del hospital con la Delegación de Trabajo y Asistencia Social, que son quienes asumen los gastos.

La terapia ocupacional especial, o actividades artística y manuales, está dirigida por ergoterapeutas.

Tanto enfermeros como enfermeras están profundamente implicados en el cuidado de los pacientes.

Los psicoterapeutas son los médicos o psicólogos, que tienen una formación especial de varios años. Trabajan en los departamentos de terapias de los hospitales o en su propia consulta.

Miedo ante los enfermos psíquicos

Mucha gente tiene miedo de los enfermos psíquicos, porque creen que su conducta es “imprevisible”. Naturalmente, siempre hay enfermos psíquicos que son un peligro para todos, pero algunos medios de comunicación sensacionalistas suelen encargarse de “airearlos” en exceso para su propio beneficio.

Si una persona se encuentra en grave estado de excitación y supone un peligro personal y social, la Ley autoriza a la policía a ponerlo a disposición judicial para que el juez dictamine sobre la conveniencia de internarlo en un hospital psiquiátrico. Allí será examinada por un psiquiatra y, si hay razones que lo justifiquen, ingresada en una unidad especial. El juez le tomará declaración y, a la vista de los informes de los médicos forenses que la reconocieron, resolverá si esta persona deberá permanecer recluida en un hospital psiquiátrico para que reciba tratamiento.

Una situación como esta es una vivencia terrible para el enfermo, aunque en el fondo sepa que necesita ayuda. Este es el motivo de que se ponga en entredicho, una y otra vez, el procedimiento del llamado proceso de reclusión forzosa, sobre todo por parte de algunos grupos sociales.

Reacciones ante una vivencia

La forma en que cada persona vive una situación determinada es tan variada como la manera de reaccionar ante la susodicha situación: con alegría y alivio; o con rabia, decepción y aflicción.
Los usos y costumbres de cada sociedad establecen –de manera generalmente aceptada– su propia idea de cómo se debe reaccionar, así como con cuánta intensidad y duración, ante acontecimientos tan penosos como la muerte de un ser querido, la pérdida del puesto de trabajo, los acontecimientos que ocurren en el propio país, la enfermedad de una persona allegada o las continuas exigencias de la vida profesional. Si alguien muestra reacciones más fuertes o duraderas de lo que se entiende como norma general, se enfrentará, en muchos casos, a la incomprensión y al rechazo de la sociedad de la que forma parte.
Una reacción vivencial más fuerte y duradera de lo esperado, que provoca trastornos de la salud, es calificada por la Medicina de "anormal". Una reacción vivencial anormal solamente se produce cuando existe una intensa relación entre el factor desencadenante y el sufrimiento vivido.

El sentimiento de soledad que suele producir la profunda pena por la pérdida de un ser querido, sólo se puede superar con la ayuda de otras personas.

Vivencia traumatizante

► Síntomas:
- ➜ distanciamiento externo o indolente respecto a lo sucedido, o excitación rayana en el pánico;
- ➜ más tarde: estados de ansiedad crónicos, revivir esa situación una y otra vez, pesadillas;
- ➜ depresión, tendencia a llorar, apatía general;
- ➜ complejo de inferioridad.

Experiencias extremas como persecuciones, accidentes, violaciones, fuegos, explosiones o atentados terroristas de cualquier tipo pueden desencadenar un *shock* traumático. A muchas personas les resulta imposible olvidar o asimilar la vivencia pasada, y entonces aparecen, con mayor o menor intensidad, los síntomas anteriormente enumerados.

Tratamiento médico

La vivencia de un *shock* traumático precisa la atención por parte de un especialista en la materia. La autoridad competente, centros de salud y organizaciones de este tipo pueden proporcionarle la dirección de médicos y psicólogos especialistas. También pueden servir de ayuda diversas formas de psicoterapia, desde las humanísticas hasta las que se orientan a la psicología profunda. A veces, puede incluso plantearse la necesidad de realizar un cambio social o familiar.

Autoayuda

En estas situaciones es muy importante contar con el apoyo de la familia o de la pareja. Esta circunstancia puede devolver algo de la confianza perdida a causa de la experiencia vivida.

Reacción anormal ante una pérdida

► Síntomas:
- ➜ abatimiento, "petrificación";
- ➜ aislamiento, autoinculpación, falta de ánimo;
- ➜ dolores de estómago, palpitaciones, dolores de cabeza.

Cualquier persona que haya tenido que pasar y vivir un tiempo de duelo, conoce los "síntomas" reseñados. Lo importante es la duración e intensidad de los mis

La "identidad" entre la psique y el cuerpo

Cuerpo y psique están unidos de manera inseparable; de eso no hay duda en muchas culturas. En Occidente, sin embargo, la ciencia desarrollada a principios de la época moderna puso en entredicho la acción recíproca entre cuerpo y psique. Al cuerpo se le puede examinar, pero el alma no se ve, hay que creer en ella, así lo hicieron, al menos, sacerdotes y filósofos. ¿Cómo se podría demostrar la acción conjunta de ambos?
La idea de que el cuerpo y la psique constituían dos elementos vitales del ser humano separados entre sí, se mantuvo hasta nuestro siglo. A partir de entonces se empezó a imponer de nuevo la opinión, ratificada después por la investigación científica moderna, de que ambos forman un conjunto inseparable.

La psique actúa sobre el cuerpo

Se llaman enfermedades psicosomáticas (del griego *psyque* : "alma" y *soma* : "cuerpo") a las enfermedades físicas cuya comprensión y tratamiento requieren la inclusión de factores de naturaleza psíquica.
Entre las enfermedades psicosomáticas clásicas se cuenta el asma bronquial no alérgica. En este ejemplo se ponen de manifiesto las discrepancias que siguen presentes entre las tendencias médicas: el internista ve al asma como una enfermedad física, que debe ser tratada con medicamentos; sin embargo, el médico especialista en enfermedades psicosomáticas la tiene por una enfermedad física con raíces psíquicas, para cuyo tratamiento hay que adoptar la psicoterapia adecuada. Es probable que los dos tengan razón: cuerpo y alma se deben tratar al mismo tiempo.

Otro ejemplo: el miedo puede mostrarse mediante síntomas físicos agudos. Si éstos aparecen reiteradamente durante mucho tiempo, pueden aparecer trastornos digestivos, pero también vértigos, dolores o zumbidos de oídos; trastornos todos ellos cuya relación con el miedo es difícilmente demostrable.
Cualquier vivencia psíquica puede repercutir en el bienestar físico. Los trastornos físicos afloran, sobre todo, cuando no se exteriorizan los deseos y, como consecuencia, los conflictos internos se agudizan. La transformación de conflictos psíquicos en síntomas físicos recibe el nombre de "trastorno de la conversión"; ejemplos típicos son las afecciones de ceguera, parálisis y pérdida de la voz, que no tienen explicación física.

El cuerpo actúa sobre la psique

Cualquier trastorno físico puede repercutir en el bienestar psíquico. También hay enfermedades que afectan directamente al cerebro y, por lo tanto, a la psique, así, enfermedades del sistema nervioso, pero también muchas infecciosas o reumáticas, provocan síntomas como abatimiento, cansancio y apatía.

La búsqueda de la causa

Entre las competencias del médico se cuenta la de verificar si el tratamiento de una enfermedad física puede erradicar también los síntomas psíquicos; o, viceversa, si la psique está enferma y se ha desarrollado un trastorno físico que sólo desaparecerá cuando la psique recobre la salud.

mos, pues en el caso de una reacción anormal por una pérdida de un ser querido, o ante situaciones como una enfermedad incurable, la muerte de una persona muy próxima o la pérdida del puesto de trabajo éstas no pueden ser superadas con condolencias y pésames.

Tratamiento médico

Pueden servir de ayuda al paciente las entrevistas terapéuticas que tengan como objetivo la vivencia desencadenante, así como la aplicación en su caso de la terapia cognitiva del comportamiento del ser humano.

Autoayuda

Lo importante es que la persona afectada llegue a descubrir por qué el duelo se prolonga durante tanto tiempo; luego, ya conseguirá por sí mismo ver la situación desde otro punto de vista, lo que le procurará una oportunidad para cambiar su modo de vida y recobrar así nuevos ánimos para vivir.
En cuanto a los familiares y amigos, sólo cabe decir que en ningún caso conviene que dejen solo al paciente con sus preocupaciones.

¿Qué es el miedo?

El miedo es la reacción ante un peligro externo real, que provoca angustia, inseguridad e intranquilidad. Pueden aparecer síntomas tan diversos como “temblor de piernas”, vértigos, disnea, sudores, palpitaciones o sequedad de boca.
Muchas situaciones, consideradas como inquietantes, pueden desencadenarlo: hablar en público o tener que hacer un examen, así como los peligros que esconde nuestra sociedad. El miedo sirve de aviso, aguzando los sentidos y obligándonos a actuar; es, pues, parte de la reacción fisiológica de adaptación a la vida cotidiana.
Las personas reaccionan de distinta manera ante una situación: a unas les encanta tirarse en paracaídas; a otras, se les ponen los pelos de punta sólo de pensarlo. La predisposición a tener miedo varía en función de la persona: hay quien está siempre relajado; por el contrario, otras personas están siempre en tensión.
El miedo puede tener su raíz en enfermedades físicas, siendo el síntoma dominante de muchas enfermedades psíquicas. También es posible que aperazca de repente en forma de pánico, o que permanezca presente durante mucho tiempo.

Ataques de pánico

▶ Síntomas:

➜ miedo paroxístico a volverse loco, a morirse o a hacer algo incontrolable;
➜ sensación de indefensión, de estar acorralado;
➜ palpitaciones, disnea, obnubilacion, vértigos, hormigueo en manos y pies hasta llegar a paralizarse;
➜ dolores de corazón y opresión en el pecho.

Los ataques de pánico suelen durar unos minutos y van en aumento hasta un punto culminante. No está claro aún a qué obedecen. Después de varios ataques, el miedo puede desencadenarse por “el mismo miedo” a que se repitan cuando menos se piense. Los hombres de mediana edad suelen ser muy propensos a ataques de pánico, acompañados de afecciones cardíacas.

Tratamiento médico

Si los ataques de pánico acompañados de sufrimiento son frecuentes, acuda al médico para que averigüe la causa. En caso de necesidad, quizá sea necesaria la prescripción de algún ansiolítico.

La vivencia del estrés

Cuando nuestro cuerpo se enfrenta a situaciones angustiosas e inquietantes, enseguida se dispone para afrontar el peligro o emprender la huida. El estrés hace posible que se dispare la producción de las hormonas adrenalina y noradrenalina, la subida de la tensión arterial y el pulso, la disposición de los músculos y que aumente el grado de atención ante la necesidad de reaccionar. En la actualidad, nuestro cuerpo se mantiene tenso incluso cuando no está expuesto a ningún peligro directo e inminente. Se exige de nosotros una mayor flexibilidad y aguante, ya que vivimos “estresados” debido a la falta de tiempo, la competitividad y la necesidad de rendir más profesionalmente.
El estrés puede sentirse como algo agradable (*eustress*), ya que posibilita el aumentar nuestra capacidad de rendimiento y la consiguiente satisfacción del “deber cumplido”, pero también como el cansancio acumulado al ser los tiempos de reposo excesivamente cortos (*distress*) como para recuperarse del excesivo esfuerzo solicitado al cuerpo y a la psique. Quien se encuentra en la primera situación se suele cargar de excesivo trabajo al no saber decir “no” a tiempo. La forma de vida en la sociedad actual favorece el estrés, que hace preciso luchar contra él con ejercicios de relajación como el entrenamiento autógeno o la meditación.

Los preparados a base de plantas medicinales (lúpulo, valeriana, frambuesa, melisa, pasionaria), las dosis reducidas de estos ansiolíticos proporcionan un gran alivio. Comience lo antes posible a realizar ejercicios de relajación, pues es un método natural que le puede servir de gran ayuda. La terapia del comportamiento, también le ayudará a que, poco a poco, vaya perdiendo el miedo que padece.

Autoayuda

Desde muy pequeños los niños ya sienten miedo, pero desde esta edad debieran ya aprender a conocerlo, aceptarlo y sobrellevarlo como un componente de la vida cotidiana. Pero son los adultos quienes en lugar de tolerarlo, suelen preferir combatirlo o evitar los factores que lo desencadenan. El miedo puede ayudarnos a conocernos mejor; también, a reconocer los deseos que oculta nuestro subconsciente.

Neurosis de ansiedad

► Síntomas:
- ➔ miedo generalizado permanente y sin motivo;
- ➔ pensar sólo en el miedo;
- ➔ sudor frío, garganta oprimida, diarrea;
- ➔ odio, enojo y furia, que se exteriorizan en lo contrario: compasión y amabilidad;
- ➔ retirada de la vida social.

Se habla del padecimiento de una neurosis de ansiedad cuando el miedo perdura durante más de seis meses, manifestándose casi todos los días. La causa más probable suelen ser los conflictos no resueltos.

Tratamiento médico

En primer lugar, el médico se encargará de establecer si el miedo es un síntoma inequívoco de que se padece la enfermedad. En caso necesario, puede ser preciso la prescripción de un ansiolítico. El miedo en sí puede "olvidarse" tras la aplicación de una terapia del comportamiento; también, mediante la práctica de la relajación muscular progresiva, el entrenamiento autógeno o tratando a fondo a la persona enferma con una terapia psicoanalítica.

Los sentimientos de un paciente con neurosis de ansiedad se plasman perfectamente en este impresionante dibujo.

Autoayuda

Si sus crisis de miedo se repiten reiteradamente, conviene entonces encontrar definitivamente las causas que lo provocan para así poder "desembarazarse" de una vez por todas de tan molesto padecimiento: el tratamiento del síntoma del miedo suele tener éxito enseguida, pero eliminar las causas de modo definitivo es mucho más difícil. Sin embargo, a veces merece la pena adentrarse en las profundidades de la propia psique, porque, aunque pueda resultar doloroso al principio, sentirá un gran alivio después.

Fobias

► Síntomas:
- ➔ miedo paroxístico a un objeto (araña, serpiente), a los lugares cerrados, a las alturas o a viajar en avión.

Se habla de padecer una fobia cuando se tiene miedo a un objeto concreto o a una situación determinada. El miedo desaparece una vez se elimina o desaparece el factor que lo ha desencadenado.
Por esto conviene evitar a toda costa que la persona enferma se exponga a sus efectos, aunque ello implique algunas limitaciones. A menudo, tras este miedo se suele ocultar el temor a que la reacción pueda dejarnos en evidencia ante las personas de nuestro entorno.

Tratamiento médico

Si el miedo limita en exceso la propia vida o la de las personas más allegadas o familiares, es aconsejable acudir a la consulta del médico. En el marco de una terapia del comportamiento, se puede realizar un entrenamiento de acercamiento paulatino al temido objeto o la situación desencadenante.

Autoayuda

Si la fobia no se muestra muy desarrollada, el propio enfermo podrá intentar enfrentarse solo –sin ayuda y con cuidado– a la temida situación. El miedo disminuirá a medida que, con el tiempo, se haga más llevadero el factor desencadenante.

Neurosis obsesiva

► Síntomas:
➜ ideas fijas, acciones o impulsos obsesivos que se repiten insistentemente;
➜ estas ideas se imponen de manera total, sin poder evitarlo;
➜ o que se consideran una parte del "yo", pero resultan absurdos y humillantes.

Obligaciones y actos rituales forman parte de la vida de las personas. La puntualidad, el aseo personal o el comportamiento colectivo pueden tomar el carácter de normas sociales generales. En ciertas profesiones se exigen estas cualidades para poder ascender. Pero se considera patológico el repetir las mismas ideas, los mismos valores y las mismas acciones una y otra vez, hasta producir el aburrimiento de la persona afectada e impedir que su jornada transcurra con normalidad. La inseguridad, la duda, el miedo a equivocarse o a perder el control pueden llegar a convertirse en una obsesión. Hay varias teorías sobre las causas que la pueden provocar: haber recibido una educación demasiado rígida en materia de aseo, trastornos del metabolismo cerebral o la experiencia consolidada de que los actos rituales pueden evitar muchos males de considerables proporciones. El cumplimiento de una obligación quita el miedo o evita tenerlo. Pero si no se cumple con todo esto, los miedos crecen hasta hacerse insoportables. Los familiares de quienes padecen una neurosis obsesiva suelen verse obligados a seguir ciertos ritos, que pueden afectar gravemente a las relaciones personales.

Distintas formas de obsesión

• **Ideas fijas:** todos los pensamientos de la persona giran constantemente alrededor de temas como la suciedad, la salud o la simetría de los objetos.

• **Impulsos obsesivos:** sentirse impelido a desarrollar proyectos o llevar a cabo acciones cuya realización le causa un profundo temor.

• **Acciones obsesivas:** comprobar repetidamente y en un corto período de tiempo si, por ejemplo, están cerradas todas las ventanas y puertas de la casa o todos los aparatos eléctricos en funcionamiento, lavarse las manos cada poco, limpiar la vivienda continuamente u ordenar los objetos simétricamente.

Tratamiento médico

Cuando se crea preso de una obsesión o neurosis obsesiva, conviene acudir al médico. Él se encargará de descubrir los miedos en los que se basa la dolencia, para aprender paso a paso a aceptarlos y contenerlos mediante la aplicación de una terapia de comportamiento. En la mayoría de los casos, tendrán que implicarse los familiares para resolver el problema de raíz.

Autoayuda

El intento continuo por reprimir la obsesión no hace sino acentuarla. En lugar de esto, intente dirigir su atención hacia otras cosas y actividades que le distraigan: practicar deporte o realizar trabajos artísticos. Si los familiares pretenden sin más hacer desistir de su obsesión al afectado, no podrán ayudarle. La mejor ayuda consiste en no apoyar la obsesión activamente. Alábele los pequeños progresos y hágale ver que le apoya como persona, pero que no aprueba su actitud.

Anorexia nerviosa

► Síntomas:
➜ disminución de peso hasta el total enflaquecimiento, con fases críticas: debilidad, trastornos del ritmo cardíaco, pulso y respiración lentos;
➜ debilidad dental, cabellos y uñas frágiles, anemia, palidez;
➜ falta de la regla en las mujeres.

La anorexia es una enfermedad típica de la pubertad, que a veces viene impuesta por las costumbres sociales y por el miedo profundo a asumir el papel de adulto. El rechazo a comer y a la comida es la expresión activa de una negativa. Bajo el punto de vista de la persona enferma, no comer o hacer todo lo posible por vomitar son signos que denotan la independencia y el libre albedrío. De ahí que el miedo a engordar sea grande a pesar de la delgadez: un aumento de peso significaría perder el control sobre la propia vida.
Al igual que ocurre en la drogadicción, la anorexia nerviosa puede hacer que los demás componentes de la familia se vuelvan coadictos.
Por lo general, esta enfermedad suele darse al comienzo de la pubertad, y ha pasado de darse mayoritariamente en chicas jóvenes y mujeres a afectar a chicos y hombres que buscan las "medidas perfectas" de los cánones sociales. Entre los grupos sociales compuestos

por modelos, actores o bailarines –donde la belleza y el *glamour* representa un capital añadido para su carrera– es muy frecuente la anorexia incluso a edades avanzadas.
Cuando en el marco de una terapia se empieza a comer más, el organismo –que se encuentra en el llamado "metabolismo del hambre"– tendrá que adaptarse de nuevo. Pero, a las pocas semanas, éste volverá a trabajar como antes y el cuerpo alcanzará lo que se considera su "peso normal".
Las personas anoréxicas pueden recuperar la salud sin ningún tipo de tratamiento. Algunas viven mucho tiempo manteniendo su peso en el límite crítico, son emprendedoras y están llenas de vida. Pero hay otras muchas que pierden la batalla contra el peso y pueden terminar sus días debido a la inanición.

Tratamiento médico

Cuanto antes se ponga en manos de un médico especialista, tanto mayores serán las perspectivas de curación. Lo primero es averiguar si el adelgazamiento se debe a ésta o a otra enfermedad.
El comportamiento durante la comida es el objetivo principal que ocupa a los grupos terapéuticos de las clínicas especializadas: muestran los protocolos que exige la comida y enseñan a los enfermos a apreciar de nuevo lo que es la saciedad y las ganas de comer. El problema de las calorías se resuelve paulatinamente, incluyendo en la dieta alimentos "prohibidos", como por ejemplo chocolate, que llegan a convertirse en productos habituales. Lo importante es descubrir las causas profundas que ocasionaron la anorexia y aprender a llevar una vida independiente.

Autoayuda

La anorexia de la pubertad condiciona la vida de la familia. Es aconsejable, por lo tanto, que todos los componentes juntos estén dispuestos a encontrar una solución al margen de los dictados que marca la sociedad y se discuta abiertamente sobre la conducta y la forma de pensar de cada uno. Lo importante es procurar que se "permita" llevar una vida independiente tanto a los hijos como a las hijas.
Infórmese si existen asociaciones u organizaciones de ayuda a anoréxicos en su localidad. Allí podrá reunirse con otras personas, jóvenes y mayores, que padecen problemas semejantes a los suyos.

La voracidad o hambre desmedida de los bulímicos, hace que puedan ingerir grandes cantidades de alimentos ricos en grasa.

Bulimia

► Síntomas:
- ➜ ataques de glotonería: comer sin control alguno hasta la plenitud total, vomitar después y sentirse culpable por ello;
- ➜ falta de peso (posible, pero no necesario);
- ➜ debilidad dental, ánimo depresivo.

La bulimia suele afectar preferentemente a adolescentes del sexo femenino y mujeres jóvenes. La enfermedad pasa desapercibida durante mucho tiempo, ya que las personas afectadas ocultan a los demás su comportamiento en el comer.
Primero, después de haber comido demasiado, se provoca el vómito porque sí; luego, se convierte en un acto reflejo. Los síntomas son característicos también de la anorexia nerviosa.

Tratamiento médico

Cuanto más pronto se acuda a un médico especialista, tanto mayores serán las posibilidades de curación. Pero, ante todo, se impone un tratamiento del comportamiento en el comer dentro del marco de una terapia familiar o de grupo.

Autoayuda

Romper el aislamiento es el primer objetivo: hable de su problema con los demás, deje de ocultarlo como si fuera un secreto. En muchas localidades ya existen asociaciones de este tipo, que brindan su ayuda a las personas que sufren de trastornos alimentarios.

El sueño normal

El cuerpo y la psique descansan y se recuperan durante el sueño. Acumulamos nuevas fuerzas mientras dormimos, y dejamos volar nuestra imaginación mientras soñamos. El ritmo sueño-vigilia de nuestro cuerpo actúa como un "reloj biológico".

Después de estar en vela durante cierto tiempo, el cuerpo se siente cansado, disminuye el rendimiento físico e intelectual, baja la temperatura corporal y se reduce la frecuencia de la respiración y del ritmo cardíaco. Nuestra capacidad de rendimiento es mínima pasada la medianoche, hora a partir de la cual suelen aumentar los accidentes en la calle o en el manejo de maquinaria. Cuando pasamos a otra zona horaria –por ejemplo, después de un viaje en avión– el cuerpo mantiene su ritmo acostumbrado. Por cada hora de variación, se necesita un día para acostumbrarse a las nuevas circunstancias (*jet lag*).

Las horas de sueño que necesita una persona adulta está entre 6 y 9 horas diarias. Al llegar a la vejez no es que se duerman menos horas, sino que el sueño es más superficial y más fácil de perturbar.

Observaciones en el laboratorio del sueño

Para realizar un test sobre los trastornos repetitivos del sueño o el cansancio diurno permanente, los pacientes pasan una o varias noches en un laboratorio del sueño. Mientras duermen se realiza una polisomnografía, que registra la temperatura, los latidos, el pulso, el porcentaje de oxígeno en sangre, el ritmo respiratorio, los movimientos del tórax al respirar, los de los ojos, la actividad muscular de las piernas y las corrientes cerebrales.

Las corrientes cerebrales muestran las distintas fases del sueño: sueño profundo, superficial, fases de mucho movimiento de ojos bajo los párpados cerrados (denominado sueño REM, abreviatura del inglés *rapid eye movement*). En la fase REM se producen la mayor parte de los sueños del ser humano (después de la medianoche, sueños relacionados con los acontecimientos del día; y, hacia la madrugada, más bien fantásticos y de carácter sentimental).

Trastornos del sueño

► Síntomas:

- ➜ dificultad para dormirse, para dormir sin interrupción o para despertarse muy pronto;
- ➜ cansancio durante el día, así como decaimiento, falta de fuerzas, irritabilidad, falta de atención y de concentración.

Los trastornos del sueño pueden estar provocados por cargas personales y profesionales, estrés, depresiones, miedo y apnea del sueño. Otras causas pueden ser tomar demasiado café o té; también, ver películas o leer libros excitantes por la noche, el ruido, la luz, la mala ventilación, colchones mal colocados o almohadas de altura inadecuada. Si se padecen trastornos del sueño a menudo, se llegará a tener miedo al insomnio y el problema se convertirá en enfermedad.

Tratamiento médico

De todas formas, aunque tanto el médico como el paciente consideren la prescripción de un medicamento como la solución más fácil, si se dan los síntomas mencionados anteriormente –sobre todo si perduran durante mucho tiempo– habrá que buscar las posibles causas que los originan.

A corto plazo se puede recetar benzodiacepina, antidepresivos o algún neuroléptico, pero debe evitarse tomarlos a largo plazo, pues aparte de no eliminar las causas del trastorno del sueño pueden crear adicción.

Actualmente se discute si procede o no prescribir la hormona melatonina como somnífero, porque se sospecha que pueda producir disfunciones físicas que afectan al "reloj biológico". De todas formas, en nuestro país no ha sido admitida aún como medicamento. Métodos naturales de gran ayuda son: el entrenamiento autógeno, la relajación muscular progresiva y la terapia del comportamiento.

Autoayuda

Procure evitar las causas citadas con anterioridad, y prepárese como es debido para conciliar el sueño nocturno: abandone todas las actividades una media hora antes de irse a la cama, realice ejercicios de relaja ción, beba una taza de té antes de irse a dormir o tome un baño de esencias naturales de melisa, mejorana y lavanda. Prescinda del alcohol, y no lea o vea la televisión en la cama.

Apnea del sueño

► Síntomas:

- ➜ pausas respiratorias, que se repiten constantemente en el transcurso de la noche;
- ➜ ronquidos bruscos;
- ➜ somnolencia durante toda la jornada (ya que no se logra descansar durante la noche);
- ➜ trastornos del sueño crónicos y agudos.

Los ronquidos se deben a que la musculatura de la base bucal, sobre todo la de la lengua, se adormece durante el sueño. Si este adormecimiento llega a ser muy profundo, las vías respiratorias se obstruyen y, entonces, se interrumpe la respiración durante un corto período de tiempo (*apnea del sueño*). Este proceso produce una reducción considerable del oxígeno presente en la sangre y, a su vez, el abastecimiento insuficiente del cerebro y otros órganos.
El paro respiratorio puede durar hasta 2 minutos, disminuyendo la profundidad del sueño al respirar luego hondo de nuevo y existir la posibilidad de despertarnos. Pueden repetirse hasta 500 veces durante una noche. Por la mañana, se tiene la sensación de no haber dormido. La apnea del sueño se da en hombres de edad mediana y, frecuentemente, con sobrepeso.

Tratamiento médico

Haga que el médico le realice un reconocimiento si se siente muy cansado durante el día, o si padece los síntomas antes mencionados. En esta enfermedad es de vital importancia la información que pueda aportar su pareja, pues en ocasiones podrá referir cuadros de apnea y bruscos ronquidos de los que tal vez la persona que los sufre ni se haya dado tan siquiera cuenta. El diagnóstico se puede establecer con los resultados de un examen en el laboratorio del sueño.
El primer paso, y también el más importante, es la reducción del peso corporal. En los casos más graves se puede utilizar un aparato que mantenga abiertas las vías respiratorias, de modo que nunca se escape todo el aire y se siga manteniendo una ligera contrapresión. Ciertos casos necesitan ser tratados mediante cirugía epiglótica con láser.

Autoayuda

Procure perder el exceso de peso. Excluya el alcohol y los somníferos, pues perturban el proceso respiratorio natural. En los casos leves, en lugar de dormir boca arriba, el adoptar una postura lateral puede ayudar mucho.

Agotamiento (*burn out*)

► Síntomas:

- ➜ fatiga, mucho cansancio, lasitud;
- ➜ falta de concentración, retraimiento;
- ➜ dolores de cabeza, trastornos del sueño, inapetencia, "saltos" de corazón, trastornos de la vitalidad.

El agotamiento es un proceso que se desarrolla solapadamente durante años, debido a un exceso de actividad. A menudo afecta a personas que se ven obligadas a realizar diversas tareas como atender la casa, cuidar de los niños y ejercer una profesión. La actividad va aumentando hasta que aparece el primer síntoma de agotamiento. El elemento decisivo es la actitud adoptada ante el trabajo y las obligaciones sociales y familiares: ambos son considerados "mandamientos" que hay que cumplir siempre a la perfección.
El agotamiento de las reservas de energía disponibles, conduce a un estado en el que la persona afectada se siente "quemada del todo". Por ello, a menudo se designa con la expresión inglesa *burn out*.

Tratamiento médico

El tratamiento de los síntomas físicos de los estados de agotamiento sólo tiene sentido a corto plazo, pues es una solución de carácter pasajero. La adopción de un tratamiento psicoterapéutico tiene como objetivo descubrir el origen del problema psíquico y tratar de encontrar una solución a la sobrecarga que se produce de manera permanente.

Autoayuda

Aprenda a decir "no" cuando considere que ya tiene un exceso de trabajo y demasiadas obligaciones. Al principio, es posible que se encuentre con un muro de incomprensión, pero toda persona tiene derecho a disponer de un momento de respiro. Recuerde que nadie está obligado a estar a disposición de los demás en todo momento. Siga un curso específico de técnicas de relajación.

Neurosis o psicosis

Neurosis es el nombre genérico que reciben diversos tipo de trastornos de origen psíquico, cuya causa hay que buscarla en acontecimientos de la vida o en antiguos conflictos no solucionados que, a menudo, se mantienen vivos en el inconsciente.

La psicosis se diferencia de la neurosis en que puede estar provocada por diversos trastornos físicos o del metabolismo cerebral. Una psicosis se manifiesta por la deformación de las conductas y de las vivencias, y se caracteriza por la idea distorsionada que se tiene de la realidad que nos rodea.

La Medicina elude el concepto de neurosis, pues sirve más para crear prejuicios que para diferenciar enfermedades. Además, resulta muy difícil establecer el límite entre neurosis y psicosis. De ahí que, al establecer el diagnóstico de una enfermedad, se prescinda de este concepto y se utilicen los síntomas más relevantes. Así, por ejemplo, hoy día ya no se habla de una depresión neurótica, sino de un estado depresivo permanente.

En la llamada psicosis afectiva, el estado de ánimo y los sentimientos sufren muchos cambios tenidos como anormales. Todas las personas conocen estados de ánimo "buenos" y "malos", pero en esta enfermedad se muestran situaciones extremas. De entre ellas, se distinguen tres clases: depresión, manía y una alternancia entre las dos situaciones anteriores.

Depresión

► Síntomas:

- ➔ pérdida de la alegría de vivir, sensación de indiferencia;
- ➔ obsesión por temas como culpa y pobreza;
- ➔ tendencia al llanto;
- ➔ falta de concentración, de constancia y de estímulo; dormir y comer mal, miedo, intranquilidad;
- ➔ tal vez, pensamientos de tipo suicida.

Las depresiones se dan –con frecuencia– durante los primeros años de la etapa de adulto y entre los 50 y los 60 años de edad, teniendo mayor incidencia en las mujeres que en los hombres. Las depresiones aparecen por fases, que pueden repetirse con cierta reiteración y durar desde unas pocas semanas hasta algunos meses. Su aparición puede obedecer a factores endógenos, siendo las más frecuentes las que tienen su origen en el seno familiar, las debidas a alteraciones del metabolismo cerebral o a diversas enfermedades cerebrales y de otros órganos corporales. O también a factores exógenos, como pueden ser alcohol, drogas y los medicamentos; y, también, el estrés o alguna de las muchas desgracias que acontecen en la vida.

Este dibujo, realizado por un paciente con depresiones, expresa melancolía y soledad.

Tratamiento médico

Si el sufrimiento y el menoscabo de la vida cotidiana son grandes, acuda al médico: el hecho de hablar de la enfermedad, produce efectos relajantes. En los estados de depresión va bien la grosella, pero también otras plantas medicinales como kava-kava o melisa. En la fase aguda de la depresión son aconsejables los neurolépticos, o somníferos. Los antidepresivos y la grosella están indicados para los tratamientos de larga duración. La terapia medicamentosa debe acompañarse siempre de un tratamiento psicoterapéutico. También puede servir de gran ayuda tanto una fototerapia especial como un tratamiento que incluya la privación del sueño, mediante el cual se mantiene despierto al paciente durante toda la noche, o bien se le despierta a una hora determinada de la mañana y no se le deja dormir hasta la noche del día siguiente.

Autoayuda

Los síntomas de la depresión suelen bloquear al afectado, e impiden emprender cualquier tipo de actuación contra la enfermedad. En esta situación, deben ser los familiares quienes intenten el acercamiento al enfermo con comprensión y cariño, aunque éste pueda mostrarse esquivo, enojado, poco comunicativo y terco. Ahora es, precisamente, cuando necesita la dedicación y comprensión de los suyos.

Manía

▶ Síntomas:

- ➜ buen humor, afán por hablar y actuar, sin apetito apenas y casi sin necesidad de dormir;
- ➜ pensamientos apresurados y confusos, grandes ideas: sensación de poder hacerlo todo, despilfarro de dinero;
- ➜ desinhibición, excitación, impaciencia.

La manía casi nunca aparece sola, sino que se alterna con la depresión. El proceso de aparición es el mismo en ambas enfermedades.

Tratamiento médico

Debido a su desconocimiento, es frecuente tener que realizar el tratamiento médico en el hospital a pesar de la voluntad del afectado. Los neurolépticos suelen ser un remedio eficaz.

Autoayuda

Por lo general, el propio afectado es incapaz de reconocer que está enfermo. En la fase aguda de la enfermedad, una experiencia muy dolorosa para los familiares, intentar todo razonamiento y convencerle de lo absurdo de su comportamiento no sirve de nada. Haga, pues, que lo examine un psiquiatra y deposite en él toda su confianza.

Alternancia entre depresión y manía: trastorno maníaco-depresivo

▶ Síntomas:

- ➜ manifestaciones alternantes entre la depresión y la manía.

Las fases depresivas y maníacas suelen alternarse. Esta enfermedad afecta a mujeres y a hombres, y su primera fase suele comenzar entre los 30 ó 35 años de edad.

Tratamiento médico

Visite a su médico si advierte que padece alguno de los síntomas referidos en los apartados → Depresión y → Manía. Algunas fases de la enfermedad pueden evitarse o reducir su efectos de duración e intensidad, mediante la prescripción de medicamentos reguladores del metabolismo cerebral (preparados de litio).

Autoayuda

Véanse los apartados → Depresión y → Manía.

Trastornos de la personalidad

▶ Síntomas:

- ➜ comportamiento que se aleja de lo normal, por lo que el afectado "llama la tención", no "encuentra" amigos, tiene problemas en su puesto de trabajo, no rinde, se siente incomprendido;
- ➜ y sólo destaca "mucho" uno o varios de sus rasgos personales: dominante, inseguro de sí mismo, desconfiado, emocionalmente frío.

Los rasgos personales citados anteriormente muestran algunas de las diferentes posibilidades del comportamiento humano , pero sólo se considera que una persona está enferma cuando se observa en ella que uno o varios de estos rasgos de su personalidad se acentúan "en extremo".
Aquellas personas cuyo bienestar está fuertemente limitado debido a un trastorno grave de la personalidad, suelen abusar del alcohol, de las drogas y de los medicamentos.

Tratamiento médico

En las terapias familiares o de grupos se participa en diversos juegos de rol, donde se muestra al paciente los efectos de su comportamiento y le entrenan para que adopte nuevas formas de conducta.

Autoayuda

Las personas afectadas viven casi siempre la misma experiencia: se las recrimina constantemente y sólo se encuentran con una gran agresividad por todas partes. Esto hace que no mejoren; al contrario, la convivencia se enrarecerá y se hará aún más difícil. Es preciso, por lo tanto, que pacientes y familiares adopten otras posturas recurriendo si es preciso al asesoramiento de un profesional.

La esquizofrenia

La Medicina moderna ha dejado de definir la esquizofrenia (literalmente: "inteligencia escindida") como un desdoblamiento de personalidad, para hacerlo como un desdoblamiento de vivencias y percepciones. Para los afectados existe un mundo ideal y otro imaginario, en el que algunas percepciones –oír voces– despiertan sensaciones y olores anormales y obsesiones persecutorias. La forma y contenido de sus pensamientos, su vivencia del "yo" y su contacto con otras personas se ven alterados normalmente debido a los efectos de la enfermedad.
Muchos enfermos son incapaces de poner en práctica sus decisiones. Su estado anímico acostumbra a ser muy voluble, y casi nunca se corresponde con la situación o acontecimiento que se vive. En el transcurso de las fases agudas de la enfermedad no se percatan de su padecimiento, prefiriendo –en la mayor parte de los casos– acudir antes a la policía, por ejemplo si se sienten perseguidos (→ Esquizofrenia paranoide), que buscar remedio a sus males con la ayuda del médico.

El proceso de las esquizofrenias

Con independencia de los condicionamientos externos, las esquizofrenias se dan en todas las culturas. Afectan a una de cada cien personas, y suelen darse en los primeros años de la edad adulta. La patología muestra su progresión con ataques sucesivos; muchos enfermos no vuelven a estar sanos nunca más después del primer episodio, sino que muestran lo que se llaman síntomas residuales tales como empobrecimiento de la vida sensitiva, vacío interno, depresión, ausencia de iniciativa propia, retirada de la vida social y otros muchos más.
Si se dan episodios sucesivos en el transcurso del tiempo, podrán ir en aumento y, en caso necesario, se necesitará un tratamiento medicamentoso permanente.

Síntomas premonitorios

Cuando se repiten los episodios, el afectado puede llegar a percibir los llamados síntomas premonitorios. Antes de que el cuadro de la enfermedad se manifieste en toda su crudeza, puede ser mitigado con un tratamiento mucho menos intensivo del que sería necesario en el llamado cuadro completo. Algunos de los síntomas que pueden considerarse como premonitorios son: intranquilidad, nerviosismo, insomnio, disminución de la capacidad de concentración, miedo inexplicable, desconfianza o, también, irritabilidad.

Esquizofrenia paranoide

► Síntomas:

- ➜ síntomas generales similares a los de la esquizofrenia;
- ➜ además: sensación de ser perseguido por organizaciones mafiosas, servicios secretos o por extraterrestres; o, también, de sentirse vigilado por aparatos de escucha o tener la línea telefónica de casa intervenida.

La sensación de sentirse perseguido es la característica principal de esta clase de esquizofrenia, en la que predominan los delirios propios de una mente paranoidea. En contra de la opinión generalizada de que las personas esquizofrénicas son agresivas e incontrolables, su participación en actos violentos no es mayor que la del promedio de la población; al contrario, la mayoría de ellas se dan a la fuga ante la supuesta presencia de unos perseguidores imaginarios.

Tratamiento médico

Los síntomas de esta forma de esquizofrenia suponen un martirio para muchos enfermos, de ahí que muchos acudan al médico. Cuando se presenta un episodio agudo de la enfermedad y el paciente no se rinde ante la evidencia, para poder ayudarle como es debido mediante un tratamiento se le ha de llevar al hospital aunque sea en contra de su voluntad.
Los neurolépticos constituyen la base principal de la terapia. A pesar de las críticas, es la única posibilidad de conseguir una mejoría rápida de las afecciones. La dosis necesaria dependerá de la fase en que se encuentre la enfermedad; por lo general, será alta en el caso de un brote agudo y bastante más reducida en el tratamiento a largo plazo. Esta terapia medicamentosa deberá acompañarse de otra terapia ocupacional y psicoterapia, ya sea individual o grupal.

Autoayuda

En caso de un brote agudo, no es posible autoayuda alguna. A muchos enfermos les va bien pintar, escribir o hacer deporte. Una jornada diaria bien programada suele constituir un gran apoyo para la mayoría de estos enfermos.
Los familiares podrán pedir ayuda e intercambiar sus opiniones o solicitar apoyo en las asociaciones de su localidad o provincia que proporcionen ayuda a este tipo de enfermos.

Esquizofrenia hebefrénica

▶ Síntomas:

➜ síntomas similares a los de → Esquizofrenia;
➜ muestras de alegría y puerilidad fuera de lugar y sin que denoten contento, sonrisa o autocomplacencia;
➜ comportamiento sin objetivos e irresponsable;
➜ reducción de la iniciativa.

Esta forma de esquizofrenia suele comenzar durante la etapa de la juventud. El comportamiento de la persona enferma llama la atención debido a la exteriorización de los síntomas antes mencionados.

  Tratamiento médico y autoayuda

Igual que para → Esquizofrenia paranoidea.

Esquizofrenia catatónica

▶ Síntomas:

➜ síntomas similares a los de → Esquizofrenia;
➜ variaciones desde la intranquilidad más extrema a la inmovilidad absoluta;
➜ hacer muecas y movimientos repetitivos.

Pueden darse todo tipo de perturbaciones de la movilidad y de la iniciativa propias de todas las formas de esquizofrenia, sólo que en esta ocasión son todavía más relevantes. Durante el proceso se alternan fases de gran agitación e intranquilidad con otras de una inmovilidad absoluta (*estupor*).

  Tratamiento médico y autoayuda

Igual que para → Esquizofrenia paranoidea.

Cómo vivir con una enfermedad psíquica

Las enfermedades psíquicas, como la esquizofrenia, pueden hacer que el afectado tenga que abandonar sus estudios, su trabajo y no esté en condiciones de vivir solo. Su estado puede deteriorase hasta el punto de tener que ser declarado minusválido. Por lo tanto, un enfermo psíquico grave necesita ayuda y apoyo.

• **Trabajo:** hay que comprobar si el enfermo sigue estando capacitado para desempeñar normalmente su trabajo, y, en caso de que no lo esté, si es posible el reciclaje profesional. Si esta última opción ya no procede, el trabajador quizá pueda entrar en un taller artesanal con el apoyo de personal especializado. La terapia ocupacional se desarrolla de la misma manera, estando, por lo general, integrada en un hospital psiquiátrico o asociación; la actividad consiste en fabricar productos industriales sencillos o en el sector de servicios.
• **Vivienda:** existen distintas formas de viviendas asistenciales; las posibilidades van desde pequeños grupos en viviendas individuales hasta otras comunitarias con la asistencia de pedagogos sociales.
• **Dinero:** si el enfermo no dispone de unos ingresos regulares por su trabajo, puede solicitar ayudas sociales, como un subsidio por incapacidad, las subvención por vivienda, diversos descuentos al presentar el carné de incapacitado permanente e incluso asistencia social.
• **Tiempo libre y contactos sociales:** los servicios psiquiátricos y sociales ofrecen actividades para el tiempo libre, como grupos ocupacionales, asociaciones de pacientes y viajes organizados; en ellos también pueden participar los familiares.
• **Asistencia:** si el enfermo ya no puede resolver sus propios asuntos, se le puede asignar un cuidador. Existen diversas afecciones para las que se puede solicitar asistencia individualizada para, por ejemplo, realizar las tareas domésticas, resolver los asuntos financieros o para velar por su salud. Las asistencias tienen que recibir el visto bueno por las autoridades sanitarias a la vista del correspondiente certificado médico. El cuidador puede ser tanto una persona de la misma familiar o como una ajena.

Las situaciones y reglamentaciones legales pueden variar de unos países a otros, según la zona geográfica. Infórmese acerca de estas particularidades en los organismos competentes.

Tics en niños

► Síntomas:

- movimientos repentinos o espasmos acompañados de sonidos: sacudidas de cabeza involuntarias , muecas, parpadeo nervioso de los ojos, tosecilla;
- los comportamientos se repiten reiteradamente, sin motivo aparente;
- a corto plazo, pueden ser reprimidos.

Los tics son relativamente frecuentes en los niños, sobre todo cuando éstos viven acontecimientos o situaciones que les producen estrés. Suelen ser de carácter inofensivo, se superan enseguida y no indican trastorno psíquico alguno.

Tratamiento médico

Los tics muy molestos y duraderos, que se prolongan por un período de tiempo de más de medio año, necesitan tratamiento terapéutico. A menudo se "olvidan" con una terapia del comportamiento.

Autoayuda

Los tics muy molestos y duraderos, los que suelen perdurar durante más de medio año, necesitan tratamiento. A menudo "desaparecen", sin dejar secuela alguna, tras la aplicación de una terapia del comportamiento adecuada.

Tartamudez

► Síntomas:

- interrupción de la oración al repetir o arrastrar voces, sílabas o palabras;
- cortársele el habla a menudo.

Cuando los niños están aprendiendo a hablar, suelen "embrollarse" con sus propias palabras. Pero, por lo general, a partir de los cuatro años de edad esto ya no suele suceder. Si entonces su hijo sigue teniendo dificultades para pronunciar las palabras y formar frases con relativa fluidez, tendrá que llevarlo al médico para que lo observe por si padeciese algún trastorno de origen físico o psíquico.

La excitación hace que la tartamudez se acentúe, siendo –no se sabe a ciencia cierta por qué– mucho más frecuente entre los niños que entre las niñas a una edad considerada todavía muy temprana.

Tratamiento médico

La tartamudez desaparece, casi siempre, por sí sola. Si no se observa mejoría después de un tiempo, el médico deberá examinar al niño para excluir posibles causas físicas. Suelen conseguirse buenos resultados con la terapia del comportamiento y mediante ejercicios de relajación. A veces, la tartamudez perdura hasta la edad adulta.

Autoayuda

Para que el niño aprenda a utilizar el lenguaje con soltura, es recomendable practicar realizando ejercicios respiratorios y de logopedia; asimismo, cantar ayuda mucho. Los padres en ningún caso deben ejercer presión alguna sobre los niños u obligarles a que mientras éstos hablen no tartamudeen, sino animarles a que prosigan hablando despacio y con calma.

El niño en la familia

La mayoría de los niños pasan sus primeros años en la intimidad de la vida familiar. Allí encuentran los estímulos adecuados para su desarrollo y aprenden mientras tratan de imitar a sus padres y hermanos, advirtiendo las reacciones que suscita en los demás su comportamiento. Para que se dé el crecimiento sano de los niños, es importante encontrar el término medio entre su desarrollo y las necesidades de las personas de su entorno.

Separación permanente o por poco tiempo

Los niños que han de vivir separados de sus padres, por un tiempo o para siempre, lo tienen muy difícil. Si les falta su amor y sus cuidados en esta etapa, puede suceder que su grado de desarrollo sea inferior al de otros niños de su misma edad.

Cuando un niño tiene que permanecer hospitalizado por un largo período de tiempo, puede llegar a padecer, aunque esté en contacto con los padres, los llamados síntomas hospitalarios, tales como lloros, pérdida de peso, apatía, rigidez de la expresión facial o inestabilidad física.

Estos síntomas no suelen aparecer si los padres procuran visitar al niño con regularidad o, incluso, si le acompañan y permanecen a lado en el hospital (el llamado *Rooming-in*). El contacto físico tiene gran importancia para el desarrollo normal de los niños prematuros.

Dificultades para aprender

▶ Síntomas:

➜ el niño no alcanza -en algunas materias- el nivel medio de conocimiento de los demás niños de su misma edad, debido tal vez a:
➜ dificultades para comprender y hablar (sólo frases sencillas y cortas);
➜ confundir o distorsionar letras al leer (por ejemplo: *b* y *d*, *c* y *o*);
➜ estar flojo en aritmética;
➜ problemas para relacionar entre sí letras sueltas y palabras completas (legastenia) al leer y escribir.

La dificultad en el aprendizaje no está motivada por la instrucción equivocada o insuficiente del niño, sino que ha de buscarse en el ámbito físico o psíquico.

Tratamiento médico

Incluso sin necesidad de ayuda ajena, muchos niños en edad escolar recuperan el tiempo perdido y vuelven a estar en condiciones de volver al colegio. En caso de que se agraven las dificultades, los exámenes médicos preventivos tienen entre sus objetivos principales investigar las causas físicas. Habrá que consultar con el médico si un trastorno se advierte también en la escuela. El niño puede aprender a pesar de las dificultades, solamente que irá más despacio y necesitará técnicas de aprendizaje especiales. Los puntos más débiles del niño se podrán entrenar en grupos de aprendizaje o individualmente.

Autoayuda

Evite exigir demasiado al niño debido a una falsa ambición personal. Es posible que otro niño de su misma edad hable mejor, pero tal vez tenga problemas en otras materias. Conozca más sobre el desarrollo infantil (→ Fases importantes de la vida).

Hiperactividad

▶ Síntomas:

➜ falta de constancia y concentración;
➜ afán de moverse: bracear, dar saltos, correr;
➜ riñas y peleas frecuentes, por incumplimiento de normas familiares o escolares;
➜ menos confianza en sí mismo.

La dificultad para aprender suele tener su origen en causas psicológicas, aunque puede superarse con técnicas didácticas adecuadas.

Se da casi siempre a partir de los 5 años de edad, y es más frecuente entre los niños que entre las niñas. Todavía no se conocen las causas que provocan esta patología, aunque parece ser que una alimentación rica en fosfatos y otros factores ambientales contribuyen a generarla. Se cuestiona si la hiperactividad puede ser considerada una enfermedad, o si no es más que un "acto de rebeldía" que pretende contradecir la idea general que hay sobre el comportamiento dominante impuesto por la costumbre.

Tratamiento médico

Si observa que el niño tiene problemas en la escuela o en el trato con otros, llévelo al médico. Es importante que tanto el niño como los padres disipen sus sentimientos de culpabilidad. Se obtienen muy buenos resultados con las terapias del comportamiento. Los medicamentos alivian a corto plazo, pero sólo deben tomarse bajo prescripción facultativa.

Autoayuda

Actividades deportivas, como montar a caballo o bailar, satisfacen la imperiosa necesidad del niño por moverse y le enseñan a tomar conciencia de su propio cuerpo. Además, el deporte le ofrece la posibilidad de cosechar los tan necesarios éxitos para él.

Autismo precoz

► Síntomas:

- ➜ muy poco contacto ante el entorno próximo, o tendencia a inhibirse de todo contacto;
- ➜ los cambios en el entorno familiar atemorizan al niño y le ponen furioso;
- ➜ dificultad o imposibilidad de hablar y aprender;
- ➜ tal vez muy capacitado en otros campos (hacer cálculos aritméticos con rapidez, memorizar listas).

El autismo se define como la tendencia al enclaustramiento, ensimismamiento y desinterés del mundo exterior. El autismo precoz se manifiesta desde el nacimiento, afianzándose a los 2 ó 3 años de edad. Los niños autistas están siempre ensimismados, y sólo pueden romper las barreras entre su vida interior y su entorno en circunstancias muy especiales, diríase que casi de una "forma ritualizada".

Por lo general afecta más a los niños, y suele ir acompañado de un → retraso mental o de una epilepsia. Los síntomas de esta patología pueden mejorar con el transcurso del tiempo, pero en la mayoría de los casos persistirá la dificultad de comunicación con los demás.

Los test realizados mediante juegos, sirven para medir la capacidad de aprendizaje de los niños con retraso mental.

Tratamiento médico

El médico dictaminará si existe una causa física que origine la enfermedad. Es aconsejable la adopción de una terapia del comportamiento; o una terapia de juegos en la que terapeutas juegan con los niños y tratan de influir en su comportamiento poco a poco es muy apropiada. Así, cada niño aprende a expresar sus sentimientos.

Autoayuda

Equitación, música y fomento de la creatividad ayudan a muchos niños a salir de su aislamiento.

Retraso mental

► Síntomas:

- ➜ mentalidad por debajo del promedio normal, poca autonomía;
- ➜ trastornos del lenguaje, de la movilidad, de la capacidad de adaptación y del comportamiento social.

Se habla de retraso mental cuando una persona, desde su nacimiento o desde la primera infancia, manifiesta una deficiencia psíquica. Antes se valoraba la capacidad intelectual de una persona por el nivel alcanzado en los test de inteligencia, pero en la actualidad también se incluyen los matices "capacidad de aprender", "capacidad de entrenarse" o "necesidad de cuidados" para establecer las posibilidades de desarrollo y el comportamiento de cada individuo.

Las causas pueden ser muy diversas, desde una infección de rubéola o por el abuso del alcohol durante el embarazo, hasta por la falta de oxígeno durante el parto, pasando por diversas patologías tiroideas, encefalitis, lesiones craneales, síndrome de Down, fenilcetonuria y otras.

Tratamiento médico

En este sentido, exámenes médicos preventivos en embarazadas y niños desempeñan un papel muy importante. El tratamiento dependerá de la causa. Medidas curativas y pedagógicas, así como musicoterapia y terapia de la fonación, tienen éxito.

Autoayuda

A pesar de su deficiencia, o precisamente por ello, es muy importante tomar en serio al niño y procurar que alcance éxitos allí donde sea posible.

Romper el silencio: "violencia doméstica"

Los medios de información refieren, con relativa frecuencia, noticias sobre niños que han sido objeto de malos tratos y de abusos. La crueldad de acciones tan odiosas y repudiables, provocan la alarma social y suscitan discusiones sobre la adopción de castigos ejemplares o terapias apropiadas para los autores de estos hechos. Pero, la mayoría casos, no salen a la luz pública. Por desgracia, el abuso de niños es uno de los secretos mejor guardados: se encubren o se "pasan por alto" durante años. Los autores son, en su mayor parte, familiares del niño que hacen de su vida un calvario del que difícilmente pueden salir al no poder hablar ni recibir apoyo de las personas que forman su entorno inmediato.

El círculo vicioso

Las personas causantes del maltrato y abuso de los niños, suelen padecer problemas psíquicos y sociales graves: ellos mismos suelen haber sido víctimas de esta situación, lo que ha motivado conflictos internos que les ha impedido manifestar sus necesidades y sentimientos, y mucho menos resolverlos mediante el diálogo. Piensan que para imponer su autoridad, no hay otro camino que castigar a los niños con violencia psíquica o física.

Los abusos sexuales, es decir contacto físico o situación que menoscabe la dignidad e integridad del niño y que le pueda producir daño psicológico o físico que altere su personalidad, casi siempre son realizados por personas de su entorno familiar y las víctimas suelen ser niñas.

El abuso sexual está tipificado penalmente y, por lo tanto, es punible de acuerdo a la ley. La policía interviene en caso de denuncia, instruyendo el Juzgado las oportunas diligencias. Pero siempre que estos casos adquieren notoriedad, los niños tienen el sentimiento de culpabilidad de que sus familiares sean castigados o separados de ellos.

Los niños maltratados soportan una gran carga psíquica insoportable.

Indicios y consecuencias

Las heridas que frecuentemente se hacen los niños ellos mismos, suelen ser en las partes visibles del cuerpo, como frente y piernas. Pero cuando las explicaciones sobre las heridas que presenta un niño en cara, glúteos, piernas, muslos y partes íntimas son poco convincentes habrá que pensar en que ese niño haya sido maltratado o se haya abusado de él. La violencia física también afecta al estado psíquico del niño: pesadillas, falta de autoconfianza, docilidad excesiva, sensación de nulidad y pensar en suicidarse pueden ser las consecuencias inmediatas.

Las ayudas

Comprensión y buena predisposición son la mejor ayuda que se puede ofrecer a un niño que haya sufrido violencia física o psíquica. Apremiados por exigencias profesionales y domésticas, los padres muchas veces suelen dejar al niño –con sus miedos y disgustos– al cuidado de personas no adecuadas. La ayuda externa apropiada que se pueda encontrar, les quitará un gran peso de encima, por ejemplo, alojando al niño y cuidándole durante el tiempo preciso.

El paso más valiente y decisivo para los afectados, padres e hijos, consiste en romper el silencio y buscar el asesoramiento preciso que pueda ayudarles a resolver sus problemas personales. Así, por ejemplo, médicos o terapeutas especializados pueden orientarles para que logren salir del círculo vicioso mediante una terapia familiar.

En muchos muchas comunidades autónomas existen centros familiares y asociaciones de protección a la infancia, y a nivel estatal un teléfono de protección al menor donde los adolescentes pueden dirigirse para efectuar su denuncia y recibir el asesoramiento correspondiente.

La respiración

Sin aire no habría vida posible, pues el cuerpo lo necesita hasta el último suspiro. En condiciones normales, cada vez que se respira irrumpe en el organismo alrededor de un litro de aire en bronquios y pulmones; pero si estamos fatigados, la cantidad es mayor. Desde aquí, el oxígeno pasa –a través de millones de alvéolos pulmonares– a la sangre, que lo reparte y envía por todo el cuerpo intercambiándolo en el trayecto con el anhídrido carbónico, resultado de la labor del metabolismo celular. Nuestro aparato respiratorio tiene que enfrentarse a diario con muchos gérmenes y sustancias irritantes, y, aunque tiene una elevada capacidad de defensa, no siempre es suficiente.

Sumario

El polen de las flores.

Cosas que interesa saber sobre la respiración

Un adulto respira un promedio de 16 veces por minuto, ritmo suficiente para asegurar –en todo momento– el abastecimiento de oxígeno a las células del cuerpo. El objetivo de la respiración ya era conocido por los médicos egipcios, cuyos conocimientos de anatomía nos han legado en la práctica de la momificación. En el papiro de Eber (siglo XVI a. de C.) se dice: «En lo que concierne al aire de la respiración que entra por la nariz: llega hasta el corazón y los pulmones, y ambos le conducen hasta el interior del cuerpo», a través de un sistema traqueal cuyo centro está en el corazón. Los egipcios asignaron al ano, pero también a la boca, la condición de "puerta de salida" del aire.
En este mismo principio se basaron los griegos para desarrollar su Neurología médica: según ellos, el aire inspirado *(pneuma)* llega al ventrículo izquierdo del corazón, que está vacío de sangre, a través de tráqueas repletas de aire, y allí se mantiene el "calor implantado", sin el cual no es posible la vida.

La respiración y el alma

Hacia la mitad del siglo I d. de C., el médico griego Athenaios fundó la escuela de médicos *pneumatólogos*, para quienes el aire de la respiración era el verdadero principio de la vida. Esta interpretación se corresponde con la pneumatología espiritual recogida en el Nuevo Testamento, en el que el *pneuma* es llamado Espíritu Santo, influjo inmaterial de Dios en el mundo. El mismo Dios que dio vida al primer hombre al insuflarle el hálito vital por la nariz, y con ello el alma.
La interpretación de la respiración como principio de vida, y como alma, está mucho más acentuada en las religiones orientales. El hinduismo llama *Atman* tanto al alma de cada persona como al principio vital que gobierna en todo el Universo. En el universalismo chino, *Chi* significa "la verdadera energía vital", que puede ser "despertada" mediante los ejercicios físicos y respiratorios del Tai Chi y Chigong.

Para tocar el saxofón se necesitan unos buenos pulmones y saber "contener" la respiración.

Cuando nos adentramos en otro medio donde no hay oxígeno, necesitamos respiración asistida para poder sobrevivir.

Las técnicas de relajación y autocontrol nos ayudan a recuperar nuestro ritmo de respiración normal y a tranquilizar nuestro cuerpo y nuestra mente.

Pesca de perlas y meditación

Respiramos, día a día y hora tras hora, sin apenas percibirnos de ello. Sólo tomamos conciencia de nuestra respiración cuando nos "falta el aire", en sentido literal; como sucede después de una carrera para tomar el autobús o cuando nadamos un tiempo con la cabeza sumergida bajo el agua.

El que una persona resista sin respirar más o menos tiempo depende, en última instancia, del entrenamiento al que se haya sometido. La respiración del corredor experimentado es tranquila y regular; de este modo, la musculatura no se resiente –a pesar del esfuerzo– debido a que a los pulmones llega el oxígeno en cantidad suficiente. También se puede practicar el submarinismo a "pulmón libre". Esta técnica la dominan a la perfección las buscadoras de perlas del Pacífico meridional, que bucean a una profundidad de hasta 20 metros y arrancan los moluscos de las rocas marinas para conseguir las perlas de su interior. La falta de respiración o *apnea* es posible gracias al entrenamiento recibido durante mucho tiempo.

La excitación y el estrés hacen que la respiración se acelere; lo mismo ocurre con el miedo, ya que el cuerpo se predispone a luchar o a huir, procesos para los que necesita más energía y, por lo tanto, más oxígeno. La respiración es el fiel reflejo del estado de salud de una persona; y viceversa, éste puede estar influenciado por aquélla. Así vienen haciéndolo desde épocas remotas las escuelas orientales de meditación trascendental, que se valen de la técnica de control consciente de la respiración para intentar alcanzar la "unión" (*Yoga* en sánscrito) con el espíritu y la paz interior. Entre tanto, en los países occidentales también han proliferado escuelas de este tipo; en ellas se utilizan las técnicas de respiración controlada, para así influir sobre el cuerpo y sobre el estado de salud. Pero no es necesario inscribirse en una escuela o realizar un programa de ejercicios para recuperar la calma interior y conseguir un relajamiento beneficioso, basta simplemente con realizar inspiraciones largas y profundas muy despacio durante unos instantes, a una hora determinada del día, que dediquemos a este fin.

El milagro del lenguaje

La respiración también guarda una estrecha relación con el olfato y el lenguaje. Los olores pestilentes cortan la respiración; por el contrario, los aromas provocan el que se inspire profundamente para disfrutar del olor. El aire entra por la nariz, pasa por la faringe y llega a la tráquea a través de la laringe. Durante la inspiración no se emite sonido alguno; sin embargo, al espirar la corriente de aire puede ser contenida y dosificada a voluntad en la laringe con ayuda de la musculatura de las cuerdas vocales, produciéndose entonces la emisión de sonidos. El tono de voz depende de la longitud de las cuerdas vocales y de lo tensas que estén. Pero la laringe no es el único órgano implicado en la producción de sonidos. La voz se convierte en lenguaje, por la modulación que se realiza con la lengua, el paladar, los labios y los dientes.

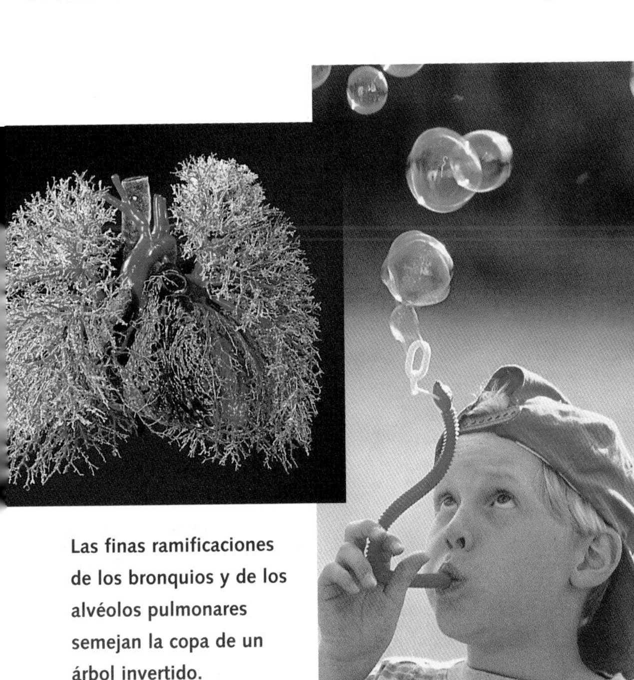

A pesar de ser invisible, los niños son capaces de atrapar pequeñas porciones de aire dentro de la irisada película que forma una pompa de jabón.

Las finas ramificaciones de los bronquios y de los alvéolos pulmonares semejan la copa de un árbol invertido.

A diferencia de las carreras de velocidad, el ritmo constante de las "de resistencia" hace que nunca se llegue sin aliento.

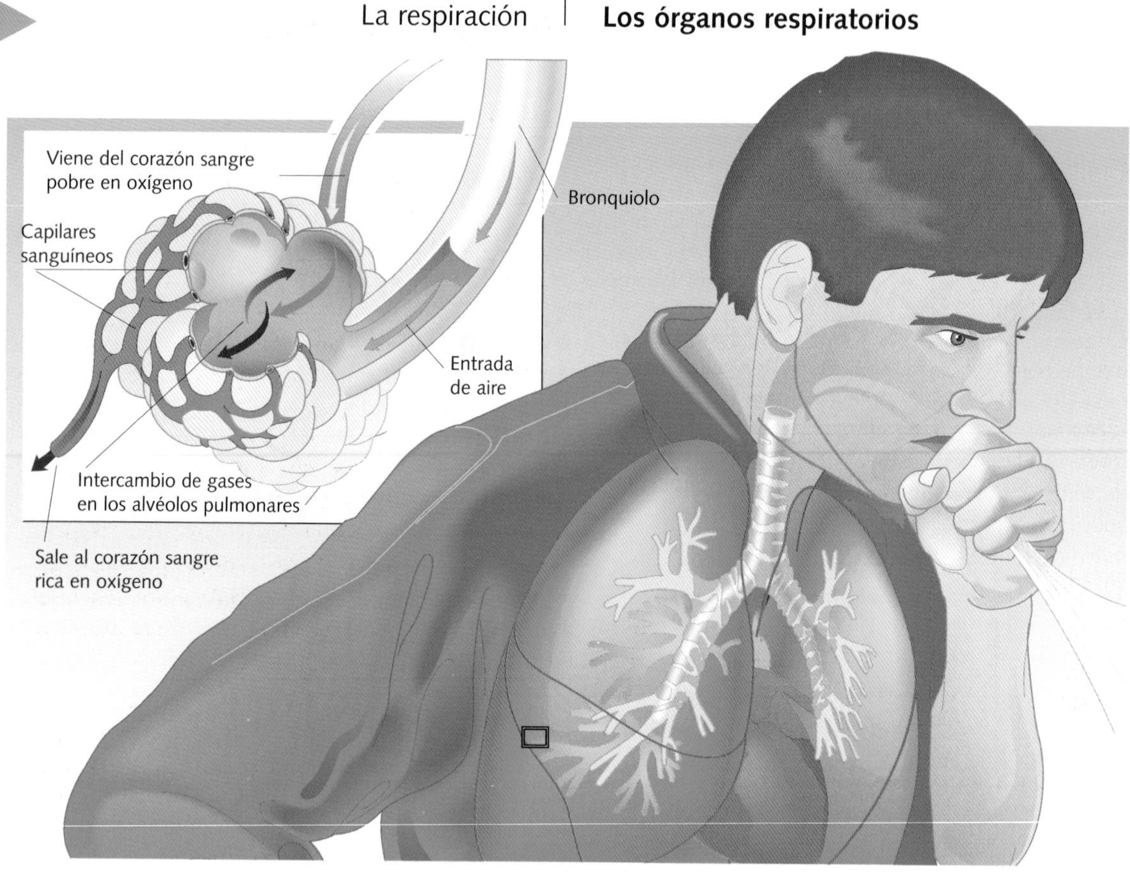

Los órganos respiratorios

- **La respiración**
- **Las vías respiratorias**
- **El intercambio de gases**

Aunque en caso de necesidad podemos sobrevivir varias semanas sin alimentos y algunos días sin agua, sólo podemos hacerlo unos minutos sin aire.

No hay nada que nos haga ver con tanta evidencia lo implicado que está el organismo humano en el mundo en que vivimos, que la respiración. Enseguida se oyen voces de alarma en cuanto no recibimos aire suficiente, o no es lo puro que debiera para ser respirable: para prevenir la amenaza de una falta de oxígeno –o una infección– el corazón, la circulación y el sistema inmunológico trabajan a "marchas forzadas". Y, a pesar de que los órganos respiratorios se adaptan perfectamente a las condiciones medio ambientales, nuestra vida pende del hilo "aéreo".

¿Qué es la respiración?

La respiración tiene como misión el abastecimiento de oxígeno al cuerpo y la eliminación del anhídrido carbónico que se forma como residuo. Enviamos oxígeno a los pulmones al inspirar, y expulsamos el anhídrido carbónico al espirar. Pero la Medicina precisa entre:

- *respiración externa*, que se encarga del transporte de oxígeno y anhídrido carbónico hacia dentro y fuera del cuerpo, respectivamente;
- *respiración interna*, en la que las células toman oxígeno y expulsan el anhídrido carbónico.

Recorrido del aire de la respiración ...

Para acceder a los pulmones, el aire tiene que atravesar antes un complicado sistema formado por diversos tubos y compuertas: primero entra por la nariz, donde se calienta y humedece para pasar a través de la faringe, la laringe, la tráquea y los bronquios hasta llegar, por fin, a los pulmones.

La *faringe* es un conducto que forma parte del sistema ligestivo, y es una estación importante en el recorrido lel aire hasta los pulmones. Las amígdalas y otros tejilos linfáticos la convierten en uno de los bastiones del istema inmunológico, encargados de interceptar los gérmenes del aire y evitar que invadan el organismo. La aringe se continúa con el esófago y cruza con la tráquea; y, en la "parte baja" de la cavidad faríngea se locaiza la laringe, que tiene como misión principal el que no nos atragantemos al comer. Cuando tragamos, se lesliza hacia arriba y la epiglotis se encarga de cerrar la ráquea para impedir el paso del bolo alimenticio.

.a *laringe* es un aparato musculocartilaginoso que está ormada por varios cartílagos móviles. Las *cuerdas vocales* –cordones de ligamentos musculosos cubiertos le pliegues mucosos–, sirven para producir la voz. Al strangular la corriente de aire al espirar, vibran y producen los sonidos que oímos.

.. hacia los dos lóbulos pulmonares

.a *tráquea* es un conducto, de 10 a 12 centímetros, que omunica la laringe con los bronquios. Es flexible y se dapta a diferentes volúmenes de aire; está reforzada or unos cartílagos semicirculares que impiden que se omprima ante la presión. En su parte inferior se divile en los dos *bronquios*, derecho e izquierdo, que omunican con los pulmones. En su misión de conectar la tráquea con los pulmones, éstos se ramifican en los *bronquios lobulares* al alojarse en cada lóbulo pulmonar. A su vez, éstos continúan ramificándose en una erie de bronquios cada vez más finos. Después de arias divisiones, cuando su calibre es ya muy pequeño el cartílago deja de reforzar sus paredes, se denominan *bronquiolos*; que continúan ramificándose, hasta ormar los *bronquiolos respiratorios*, para dejar paso a os *alvéolos pulmonares*, donde tiene lugar la oxigenaión de la sangre, al mezclarse el aire fresco con el ya tilizado y producirse el intercambio entre oxígeno y nhídrido carbónico a través del epitelio de los alvéolos la red de vasos capilares que los envuelven. Este ntercambio implica el transporte del primero por los lvéolos hasta los capilares y la corriente sanguínea; y a expulsión del segundo al espirar y realizar el camino nverso. Existen alrededor de 300 millones de estos lvéolos en los lóbulos pulmonares, de tal forma que si e extendieran ocuparían una superficie de 100 a 140 netros cuadrados.

.os *pulmones* ocupan la mayor parte de la caja torácia, desde las clavículas hasta el diafragma. El pulmón izquierdo comparte espacio con el corazón; el derecho limita, en su parte inferior, al hígado. La pared de separación entre la cavidad torácica y la abdominal está constituida por el diafragma, que tiene forma abombada. Tanto el tórax como los pulmones están revestidos de unas membranas muy finas, las pleuras, que se deslizan entre sí gracias a un revestimiento líquido.

Al igual que la tráquea, los bronquios mantienen su forma gracias a los cartílagos semicirculares que los forman; por su parte, las ramas finales del árbol bronquial *(bronquios)* carecen de estos cartílagos y la fibra elástica que las compone las mantiene abiertas. En el epitelio de tráquea y bronquios se encuentran las células ciliadas vibrátiles que mediante el movimiento permanente de sus pestañas expulsan las partículas de polvo aspiradas, junto con mucosidad, a través de la vías respiratorias; apoyado, si es preciso, por el reflejo tusígeno *(tos)*.

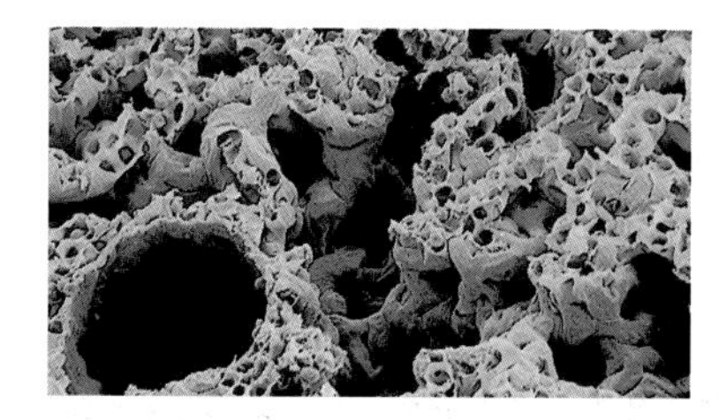

El oxígeno inhalado llega a la sangre a través de los diminutos e innumerables alvéolos pulmonares.

El ritmo de la respiración

Cada vez que inspiramos y espiramos entra o sale de nuestro organismo alrededor de medio litro de aire. Pero sólo dos terceras partes llegan –a través de la faringe– hasta los alvéolos pulmonares, el resto no se utiliza. El volumen de capacidad máximo de los pulmones es de 6 litros, más o menos, incluidas las reservas de aire.

Al inspirar, la musculatura del sistema respiratorio eleva el tórax y el diafragma se hunde hacia abajo, para ampliar así el espacio pulmonar y hacer posible que el aire llegue a los pulmones como si se accionara el émbolo de una bomba neumática.

La espiración es un proceso pasivo, ya que se realiza de forma involuntaria al relajarse los músculos respiratorios para que salga el aire. La respiración como acto reflejo está regulado por el centro respiratorio situado en el bulbo raquídeo. Los receptores le aportan información constante sobre el contenido de oxígeno y anhídrido carbónico presente en la corriente sanguínea, al mismo tiempo que le indican la cantidad de oxigeno que necesitan las células del cuerpo en cada momento.

Casos de urgencia

Norma general

¡La expectoración sanguinolenta y la disnea aguda son siempre una razón de peso para acudir a la consulta del médico! Las causas pueden ser de muy diverso tipo, entre las que se cuenta el infarto de miocardio en caso de disnea. En las páginas 784 y 788, se recogen una serie de indicaciones sobre primeros auxilios muy útiles en estos casos.

Aspiración de cuerpos extraños/ "atragatamiento"/asfixia

► Síntomas:
- ➜ disnea, falta de aire, ataques de tos o de ahogos, silbidos al respirar;
- ➜ coloración azulada de labios y piel;
- ➜ miedo, desasosiego.

Al tragar, la laringe queda cerrada por la epiglotis para que a las vías respiratorias sólo llegue aire. Cuando esto no funciona como es debido, por ejemplo al comer y hablar al mismo tiempo, nos "atragantamos", se produce entonces una tos irritante muy fuerte cuya finalidad es dejar libres de materias extrañas, "atragantadas" o aspiradas, las vías respiratorias. Los trozos grandes de alimentos (también lo vomitado) pueden bloquear la faringe, la laringe y la tráquea hasta producir la asfixia.

Tratamiento médico

Si no hay manera de dejar las vías respiratorias libres, el médico practicará una traqueotomía o introducirá un tubo en la tráquea (*intubación*) para conseguir la respiración artificial. Después, se procederá a extraer el cuerpo extraño con unas pinzas largas, o se aspirarán los líquidos; finalmente, las vías respiratorias se lavan con una solución salina.

Autoayuda

Dóblese hacia adelante y mantenga la cabeza lo más bajo posible. Otra persona puede ayudarle colocándose detrás, para, acto seguido y tras haber situado las manos bajo su pecho, ejercer una fuerte tracción hacia arriba y hacia atrás.

Hinchazón de la epiglotis (edema de glotis)

► Síntomas:
- ➜ disnea en aumento, silbidos al respirar;
- ➜ trastornos de la deglución, ronquera, fiebre.

La epiglotis puede hincharse del todo como consecuencia de una reacción alérgica (→ Hinchazón vascular aguda) o de enfermedades infecciosas graves (→ Epiglotitis). La causa más frecuente es una picadura de insecto en la faringe. En cualquier caso, ¡se corre un gran peligro de muerte por asfixia!

Tratamiento médico

El médico le proporcionará algún remedio contra la hinchazón, o tal vez sea necesaria una traqueotomía y respiración artificial.

Autoayuda

No es posible.

Tos con expectoración sanguinolenta (hemoptisis)

► Síntomas:
- ➜ expectoración espumosa, con sangre de color rojo o pardusco.

Esta tos se produce cuando se rompen algunos vasos sanguíneos de la vías respiratorias por una infección (→ Bronquitis; → Neumonía; → Tuberculosis pulmonar). También puede deberse a una afección cardíaca, una embolia, un edema pulmonar o a tumores. A veces es muy difícil diferenciar de los vómitos de sangre (→ Hemorragia gastrointestinal; → Hemorragia gastrointestinal).

Tratamiento médico

La terapia varía según sea la causa.

Autoayuda

En la posición decúbito lateral estable, la sangre puede fluir libremente por todo el cuerpo sin impedir la respiración.

Pruebas clínicas especiales

Examen físico

En las patologías de los órganos respiratorios, el médico puede obtener información por el color de la cara y la forma o movilidad del tórax. Como las inflamaciones y encharcamientos de pulmones o la deficiencia de un segmento pulmonar producen ruidos, el médico suele auscultar al enfermo percutiendo con los dedos sobre el tórax, lo que le permite obtener más datos para dictaminar el diagnóstico de la enfermedad.

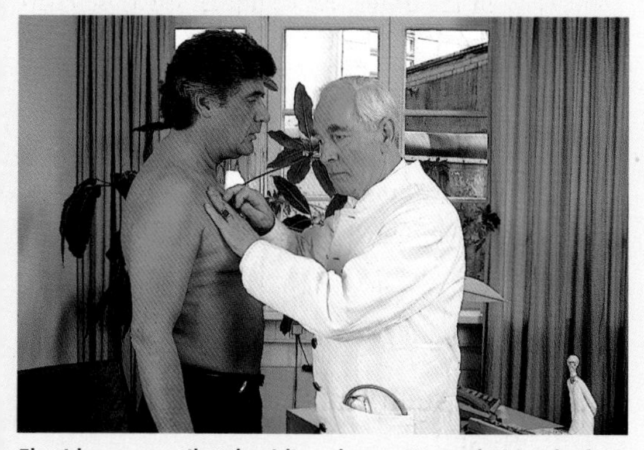

El ruido que percibe el médico al percutir en el tórax, le da información sobre el estado de los pulmones.

Test de la función pulmonar (espirometría)

Esta prueba consiste en medir la cantidad de aire que se espira en un momento dado y durante un tiempo determinado. El "vems" es la máxima cantidad de aire que se puede espirar durante 1 segundo. En ciertas enfermedades, por ejemplo en el asma, el vems es muy reducido. El volumen máximo de aire que se puede espirar después de haber hinchado los pulmones al máximo, recibe el nombre de "capacidad vital". En condiciones normales ronda los 70 cm^3/kg.
El "volumen residual" es la cantidad de aire que queda en los pulmones después de espirar, es decir, el aire "sobrante" que somos incapaces de expulsar. Sumando la capacidad vital y el volumen residual, obtenemos la "capacidad pulmonar total" o cantidad máxima de aire que pueden alojar los pulmones y que, en condiciones normales, ronda los 6 000 cm^3.

Pruebas de laboratorio

Para poder prescribir el medicamento apropiado en caso de una infección de los órganos respiratorios, es preciso identificar antes los gérmenes causantes de la enfermedad (→ Tras las huellas de bacterias y virus), procediendo, por ejemplo, a analizar un frotis de esputos o de tejido faríngeo.
Con ayuda de las llamadas gasometrías arteriales, se puede conocer el contenido en oxígeno y anhídrido carbónico de la sangre. Para ello se extrae de una arteria, casi siempre de la muñeca, sangre oxigenada. Con estos análisis se puede saber si llega oxígeno suficiente a la sangre, o si acaso contiene demasiado anhídrido carbónico. Estos análisis también sirven para medir el Ph sanguíneo, estrechamente relacionado con los gases de la respiración y otros procesos metabólicos, y muy sensible a cualquier alteración por pequeña que ésta sea.

Radiografía, tomografía computerizada y gammagrafía

Para advertir los cambios de tamaño, posición y estructura de los órganos respiratorios nos valemos de la imagen. En primer lugar tenemos la radiografía, que permite el diagnóstico de tumores o de una tuberculosis. Con la tomografía computerizada se consigue una localización más exacta de estructuras sospechosas (tumores, por ejemplo). Mediante la gammagrafía se puede representar la distribución del aire y la sangre en los pulmones, y detectar zonas no vascularizadas o carentes de aireación.

Laringoscopia/Broncoscopia

Mientras la laringe se puede observar mediante un espejo apoyado contra la pared faríngea, la observación de los bronquios grandes se realiza con una sonda, rígida o flexible, que lleva un foco de luz y una minicámara en el extremo (→ Endoscopio). Este método también es imprescindible cuando se trata de explorar regiones profundas de la laringe. Con ayuda del endoscopio se pueden utilizar instrumentos minúsculos para tomar muestras de tejidos (*biopsias*), que luego se observarán bajo el microscopio.

Sinusitis

La sinusitis es la inflamación de la mucosa de los senos paranasales. Pertenece a la patología clásica del resfriado, comenzando los síntomas con un constipado

Anginas (amigdalitis)

► Síntomas:

- ➔ dolores de garganta, dificultad para la deglución;
- ➔ dolor que se irradia a los oídos;
- ➔ mucha saliva, garganta de color rojo oscuro;
- ➔ posible capa amarilla en la pared posterior de la faringe;
- ➔ dolores de cabeza, fiebre, abatimiento.

La palabra angina no significa otra cosa que "estrechamiento". Por eso, cuando nos referimos a una enfermedad por enfriamiento –en contraposición a la angina de pecho, que es una enfermedad cardíaca– se suele describir acertadamente como un estrechamiento doloroso de la garganta, que dificulta la acción de hablar y de tragar cualquier tipo de alimento. Se produce por inflamación de las amígdalas situadas en la zona de transición de la cavidad bucal a la faringe, por lo que esta enfermedad también recibe el nombre de amigdalitis. Pero si las amígdalas ya han sido extirpadas durante la infancia (→ Pros y contras de la operación de amígdalas), casi siempre se inflaman los cordones laterales de la pared posterior de la farínge. Estos cordones laterales son tiras de tejido linfático, es decir, tejido que contiene células inmunocompetentes que, al igual que las anginas, se encargan de proteger al cuerpo frente a las posibles invasiones de gérmenes. Las anginas están producidas casi siempre por bacterias.

Tratamiento médico

Vaya siempre al médico cuando tenga una inflamación de garganta grave, pues en algunos casos (aunque poco frecuentes) pueden surgir complicaciones cardíacas, renales o articulares. (→ Artritis; → Endocarditis). El médico prescribirá antibióticos, con lo que la enfermedad desaparecerá al cabo de unos cinco días por lo general.

Autoayuda

¡Guarde reposo en cama el tiempo preciso! Así su cuerpo podrá recuperarse y defenderse contra los gérmenes. Pruebe a ponerse paños calientes o fríos alrededor del cuello, según lo que le vaya mejor. Los dolores de garganta se pueden aliviar realizando enjuagues y gargarismos con una solución templada de sal común, con té de salvia y manzanilla; también, chupar tabletas o tomar gotas de extracto de salvia, alcanfor o mentol alivia mucho los dolores.
Véase otros consejos en → resfriado.

Faringitis

► Síntomas:

- ➔ ronquera, garganta irritada y con picores;
- ➔ trastornos de deglución, dolores de garganta, que pueden irradiarse a los oídos;
- ➔ tos irritante y, a veces, fiebre.

En los resfriados y constipados, también suele inflamarse, enrojecerse, irritarse e hincharse la mucosa faríngea a causa, casi siempre, de un virus. Pero a menudo sucede que la enfermedad suele cursar con una segunda infección debido a las bacterias, que se aprovechan de la debilidad por la que pasa el sistema inmunológico del organismo. Una forma especial de faringitis bacteriana es la denominada angina de cordones laterales (→ Anginas).
Además de la faringitis aguda existe otro tipo de faringitis que puede darse de forma crónica, debido a la irritación constante de la mucosa por causa del polvo, el humo, el alcohol, el engrosamiento de las amígdalas o por respirar siempre por la boca en vez de por la nariz (debido, por ejemplo, a un defecto del tabique nasal o a una sinusitis crónica).

Tratamiento médico

El tratamiento de una inflamación aguda depende del tipo de agente patógeno que la provocó: el tratamiento sintomático es el único remedio contra los virus, mientras que las bacterias pueden ser tratadas a base de antibióticos.
En el caso de una inflamación crónica, debe procurarse eliminar la causa del mal: rectificando el tabique nasal extirpando los pólipos –si los hubiere–, mediante una intervención quirúrgica de amígdalas o de nariz, un tratamiento de la sinusitis y, sobre todo, evitando los agentes causantes de la irritación.

Autoayuda

Como en las → anginas y el → resfriado.

El resfriado, el mal de todos los años

Cuando se da la inevitable combinación de lluvia, calles encharcadas y pies mojados nadie se suele extrañar si al día siguiente tiene la nariz taponada y le pica la garganta. Tanto en verano como en invierno, el resfriado amenaza siempre que nos exponemos demasiado tiempo al frío de la intemperie y, más aún, si además nos mojamos.

Pero esto sólo es una verdad a medias, pues el frío no es la causa del resfriado: son los virus. Si bien es cierto que éstos invaden con más facilidad el cuerpo cuando se queda frío, porque entonces disminuye el riego sanguíneo de las mucosas y la barrera de protección externa de nuestro sistema defensivo se vuelve más permeable.

Resfriado ("coriza")

Los "virus del resfriado" se transmiten por vía aérea a través de las gotitas que propagamos al respirar, hablar o estornudar. Que una persona se contagie o no dependerá, ante todo, de la cantidad de inóculo. Un número muy elevado de estas gotas puede provocar desde un simple resfriado hasta una auténtica gripe, dependiendo del tipo de virus que contengan en su interior. El resfriado se manifiesta en forma de picor, irritación o prurito en la nariz.

Los continuos estornudos, ayudados después por el continuo flujo de moquita tienen como fin expulsar o arrojar los gérmenes fuera del organismo. En el curso de la infección, la mucosa de las fosas nasales y los orificios por los que éstas se comunican con los senos paranasales se inflaman.

Si todo transcurre "con normalidad", la cosa no pasará de un simple constipado. Pero frecuentemente suele aparecer una segunda infección que, provocada esta vez por bacterias (presentes en todas partes), afecta casi siempre a la laringe, la tráquea y los bronquios: la voz se vuelve ronca, la garganta abrasa y resulta difícil respirar y tragar. Sin embargo, se puede evitar llegar a este extremo si como medida preventiva se adoptan medidas en cuanto se nota que se avecina un resfriado.

Durante las épocas propicias, los virus del catarro lo tienen más fácil.

Remedios caseros, muy calentitos

De la gran variedad de remedios caseros –desde tomar leche muy caliente mezclada con miel, hasta darse un baño en agua muy caliente–, todos ellos tienen algo en común: estimulan la circulación sanguínea, calientan el cuerpo y ayudan así a aumentar las defensas en la lucha contra los gérmenes a imitación de lo que hace el propio organismo. Cuando aparece una infección el cuerpo responde con fiebre, y lo normal sería no intentar atajarla. Es bueno sudar, sobre todo durante los cuatro primeros días de duración del resfriado. Las tisanas de tila y de saúco son muy sudoríficas. Además, al tomarlos calientes, hacer gargarismos o inhalaciones con ellas quedan sustancias residuales en la mucosa que atacan directamente a los gérmenes. Los componentes de la miel y de plantas medicinales como el tomillo y la salvia actúan como inhibidores de las bacterias, por lo que éstas ya no pueden reproducirse con tanta facilidad.

En cuanto a los virus, no existe todavía ningún remedio eficaz contra ellos y sólo cabe guardar reposo. No obstante, si a pesar de todo sus afecciones perduran más de una semana, o aparecen síntomas como fiebre alta, escalofríos, dolores intensos o vértigos, no tendrá más remedio que consultar con su médico.

La salvia, preparada como infusión o para hacer gargarismos, es un remedio casero muy eficaz contra los catarros.

Laringitis

► Síntomas:
→ desde ronquera a pérdida de la voz y tos;
→ sensación de sequedaz, picor y ardor en la garganta;
→ posibles dolores de garganta, malestar general.

La laringitis aguda suele acompañarse de otras afecciones propias de un resfriado, y también de inflamación de la faringe. La mayoría de las veces puede estar producida por un virus o, muy raramente, por algunas bacterias; pero, también, por diferentes procesos alérgicos (medicamentos, polen...) o por sustancias que irritan directamente la mucosa.
Una laringitis crónica puede sobrevenir como consecuencia de forzar demasiado y durante mucho tiempo las cuerdas vocales (profesores, cantantes...), por efecto del humo del tabaco o por la irritación constante del polvo de sílice, harina o vapores de gasolina.

Tratamiento médico

Por lo general, una laringitis vírica se cura por sí sola con algo de reposo. Pero si la causa que la provocó está en sustancias irritantes de la mucosa, deberán evitarse a toda costa. En cualquier caso, si la ronquera persiste será conveniente acudir al otorrinolaringólogo para excluir la posibilidad de otras patologías. Seguramente desaparezca con un antiinflamatorio y, si se trata de una infección bacteriana, con un antibiótico.

Autoayuda

Es muy importante mantener un clima medio ambiental húmedo. Si no se dispone de un humidificador, se puede conseguir este efecto distribuyendo po la casa palanganas con agua o poniendo paños húme dos en los radiadores de la calefacción. Las molestia también pueden aliviarse con bebidas calientes com tisanas, inhalaciones con salvia o manzanilla y compre sas aplicadas en el cuello.

Ronquera

La ronquera puede ser un inofensivo síntoma que indica la sobrecarga de las cuerdas vocales. Tener que hablar durante mucho tiempo, una incorrecta técnica en la articulación o padecer un resfriado son situaciones que pueden resultar muy perjudiciales para el órgano de la voz. Si la ronquera se mantiene durante más de tres semanas sin razón evidente, se debe acudir sin excusas a un especialista ya que puede ser señal de un posible tumor en la laringe o en la glándula tiroides.

Tumores de laringe

► Síntomas:
→ ronquera permanente, carraspera;
→ tos irritante;
→ eventual sensación de opresión en la zona de la laringe, dificultades para tragar y respirar.

Aunque la mayor parte de las veces es en las cuerda vocales, también otras zonas de la laringe son propen sas a la formación de proliferaciones o excrecencia Pueden ser tumores benignos, como pólipos o nódulo –que surgen debido a una sobrecarga o a una incorrec ta técnica respiratoria–, pero también cancerígeno Los tumores afectan principalmente a hombres mayo res, y algunas de sus causas hay que buscarlas en humo dañido del tabaco o de los derivados del petró leo. También se puede formar verrugas, semejantes a la que aparecen en la piel.

Tratamiento médico

Para emitir su diagnóstico, el médico aplic anestesia y observa la laringe a través de un espej situado en la pared faríngea.
Una vez aislado parte del tejido, toma una muestra par comprobar si las cuerdas vocales están dañadas y si se posible hablar posteriormente. Si el tumor se descub en un estadio avanzado, por ejemplo cuando la laring no está extirpada totalmente, se puede operar eventua mente y aplicar radioterapia.

Autoayuda

Después de una intervención de laringectomí es posible aprender a hablar de nuevo con mucho eje cicio. De gran ayuda puede ser un aparato electrónic especial para estos casos.
Las asociaciones y grupos organizados por los propi afectados, proporcionan ayudas prácticas y psíquic inestimables a toda persona que haya pasado por es trance. Más adelante se expone información más po menorizada sobre las dolencias cancerígenas.

›ronquitis

► Síntomas:

→ *bronquitis aguda:* tos dolorosa con poca expectoración, sensación dolorosa detrás del esternón, síntomas de padecer un resfriado;

→ *bronquitis crónica:* tos con mucha expectoración, disnea, ruidos de pecho, tos cavernosa en un espacio de tiempo de al menos tres meses en dos años consecutivos.

'ener tos no es lo mismo que padecer una bronquitis, a que ésta puede deberse a otras causas. Pero toda ›ronquitis siempre se acompaña de tos. Es la manera de brarse del polvo, la suciedad, gérmenes y cuerpos xtraños presentes en las vías respiratorias, ayudada en ste empeño por el moco que se forma en ellas. La ronquitis aguda suele aparecer en el curso de un resriado y, en ocasiones, es la tos –y no el constipado, omo es creencia general– la que anuncia el resfriado.)tras infecciones, sobre todo las "enfermedades infanles clásicas" como paperas, sarampión, escarlatina o ifteria, pueden comenzar con una inflamación de la nucosa bronquial; y la tos ferina, también afecta a la ráquea y los bronquíolos. Algunas sustancias irritantes, como el polvo o los gases (*ozono*), e incluso una alergia, pueden ser otros factores desencadenantes de una bronquitis aguda.

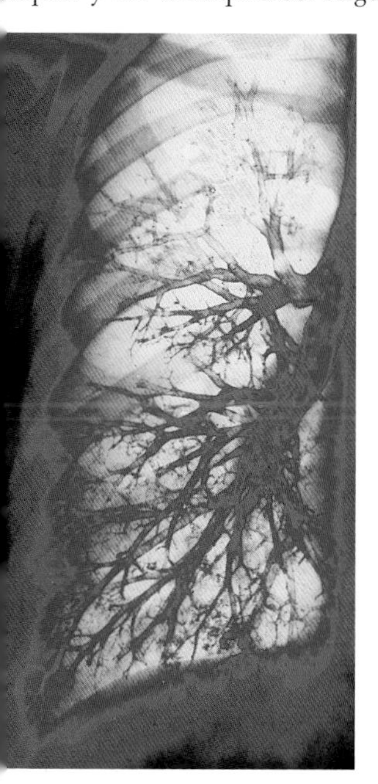

› esta imagen pueden verse las nas ramificaciones de los ›onquios pulmonares.

Aquellas personas que fuman desde hace años son las más propensas a contraer bronquitis, ya sean agudas o crónicas. Factores ambientales como el polvo, el clima húmedo o el frío favorecen igualmente el desarrollo de la enfermedad.

En la bronquitis crónica se llega siempre al entumecimiento de los cilios vibrátiles de la mucosa bronquial, por lo que el moco ya no es empujado fuera del organismo y, como consecuencia, se retiene en el árbol bronquial dificultando la respiración. En fases más avanzadas de la enfermedad, el corazón tiene que hacer grandes esfuerzos de bombeo para contrarrestar la resistencia de los pulmones deteriorados, lo que puede conducir a una insuficiencia de las cavidades del corazón derecho.

Tratamiento médico

Hay remedios caseros de eficacia probada en la bronquitis aguda; en vez de reprimir la expectoración, debe apoyarse con expectorantes.

Los antibióticos sólo son necesarios cuando hay infecciones bacterianas graves. La máxima de general aplicación en caso de padecer una bronquitis crónica es: ¡dejar de fumar de inmediato y, mejor aun, para siempre! El médico le recetará fármacos expectorantes, mucolíticos y, si es necesario, también antibióticos y broncodilatadores (medicamentos que también se emplean para el tratamiento del asma).

Autoayuda

Para que el moco sea más fluido y se expulse con facilidad, beba agua en abundancia. Es muy apropiado tomar infusiones de tomillo, tila, drosera o raíces de prímulas, pero también tisanas de bayas de saúco o leche mezclada con miel.

Además de todo esto, se pueden hacer inhalaciones con hierbas medicinales o aplicar envolturas en el pecho; en caso de que la bronquitis sea crónica, consulte antes con su médico de cabecera o de familia.

En la bronquitis crónica va muy bien un "masaje percutor", que ayuda a reblandecer la mucosidad. Consiste en golpear suavemente con ambas manos, de abajo hacia arriba y repetidamente, todo el pecho y la espalda de la persona enferma.

Asma bronquial

El asma bronquial es una patología inflamatoria de los bronquios, que cursa en forma de ataques de disnea, tos irritativa muy fuerte y una angustiosa sensación de asfixia. En la mayoría de los casos se debe a una alergia, pero también puede estar causada por una infección bronquial de bacterias y virus, por medicamentos antiinflamatorios o, también, por irritantes químicos y físicos. Pero sea cual sea la causa, la terapia es la misma que para el asma bronquial alérgico.

Enfisema pulmonar

► Síntomas:

➜ disnea al realizar esfuerzos, más tarde también en reposo;
➜ tos irritante seca, o tos con expectoración;
➜ tórax globoso con "forma de tonel" y costillas horizontales.

El agrandamiento o dilatación de los alvéolos, y por consiguiente de los pulmones, suele ser consecuencia del padecimiento de una bronquitis crónica o de un asma bronquial.
Los procesos inflamatorios, pero sobre todo la continua presión ejercida por la tos mantenida y la dificultad al respirar, producen una dilatación excesiva de los alvéolos pulmonares, que acaban por rasgarse y fusionarse con otros para formar vesículas más grandes que no hacen sino disminuir la superficie de intercambio del oxígeno por anhídrido carbónico. Se produce entonces una respiración dificultosa o disnea y, al poco tiempo, las cavidades del corazón derecho se lesionan produciéndose el temido enfisema pulmonar. El tabaco también es especialmente pernicioso.

La "legionella" o enfermedad de los legionarios

A raíz de un encuentro de la asociación de veteranos de guerra (Legión americana), 209 participantes murieron a causa de lo que se consideró una neumonía grave. Sin embargo otras investigaciones apuntaron a una bacteria, la *Legionella pneumophilia*, que tiene su caldo de cultivo en ambientes húmedos y cálidos, de ahí que los focos de infección sean instalaciones de aire acondicionado, sanitarias o duchas de agua caliente infectada y temperatura inferior a 60 ºC. En la mayoría de los casos, la infección se desarrolla como una gripe y se cura sin mayores consecuencias. Pero, en determinadas condiciones, el proceso puede adquirir tintes muy graves en personas con bajas defensas (diabéticos, personas de edad...). La prevención es la mejor protección: en caso de que una ducha no haya sido utilizada durante algún tiempo (hoteles), deje correr el agua antes y salga del baño. De vez en cuando, suba a más de 60 ºC la temperatura de las instalaciones de agua caliente.

Tratamiento médico

Como la enfermedad es incurable, para impedir su progreso debe evitarse lo que irrita los pulmones. La terapia es la propia de las patologías bronquiales, base de la enfermedad, y de las infecciones de las vías respiratorias que puedan aparecer con posterioridad. A menudo son precisos los antibióticos y, también, el suministro de oxígeno. Es muy importante realizar ejercicios respiratorios, y mantener bajo control enfermedades sobrevenidas como la insuficiencia cardiaca.

Autoayuda

¡Deje de fumar radicalmente! Evite el polvo y el aire seco. Una terapia climática puede ser de ayuda.

Neumonía

► Síntomas:

➜ escalofríos y fiebre alta;
➜ tos, disnea, expectoración marrón herrumbrosa;
➜ dolores en el pecho y, tal vez, en el abdomen que en los niños se irradian hasta el bajo vientre.

La inflamación de los pulmones puede afectar a una zona o a todo el órgano. Normalmente está causada por bacterias (casi siempre, nemococos y micoplasma), virus, hongos y parásitos. Según sea la naturaleza del agente patógeno causante, los síntomas se mostrarán más o menos acentuados y en un tiempo acorde al tipo de la dolencia; la fiebre y los escalofríos son, asimismo variables en su intensidad. Cuerpos extraños, líquidos "tragados", vapores de metales o sustancias tóxicas también pueden provocar una neumonía.
Es muy temida, como complicación añadida, en enfermedades que implican tener que guardar cama durante mucho tiempo. La posición de acostado reduce la ventilación de los pulmones, por lo que la autolimpieza deja de funcionar como es debido y, si la respiración es demasiado superficial o escasa, el moco queda inmovilizado en el interior del organismo y se acumula hasta provocar la inflamación de los alvéolos pulmonares.
La ventilación deficiente de los pulmones puede ser también consecuencia de un trastorno circulatorio de este órgano (→ Embolia pulmonar; → Insuficiencia del corazón izquierdo). En general, el riesgo de padecer una neumonía es mayor en las personas con pocas defensas, como por ejemplo en los enfermos de sida.

Tratamiento médico

Para comprobar la dimensión y distribución de la inflamación, será necesario realizar una radiografía. Según sean las causas, así será el tratamiento: si son bacterias, antibióticos; y, si se trata de virus, reposo en cama. Por lo general, una neumonía leve se cura sin consecuencias en 2 ó 3 semanas; no obstante, la edad avanzada, una enfermedad cardíaca o la falta de defensas pueden dificultar el tratamiento.

Autoayuda

Una buena ventilación, beber mucha agua y guardar cama son medidas que pueden hacer mucho a su favor. Los ejercicios respiratorios y las inhalaciones son muy eficaces, pero debe consultar con su médico.

Alveolitis pulmonar

▶ Síntomas:

➜ *aguda:* tos, disnea, fiebre;
➜ *crónica:* comienzo pernicioso con tos, falta de aire, posible cianosis labial.

La alveolitis pulmonar puede producirse por infecciones, aspiración de sustancias tóxicas o en el marco de una enfermedad de tipo autoinmune como, por ejemplo, la poliartritis crónica.
Pero normalmente debe su aparición a una reacción alérgica debido a la aspiración de esporas del moho (→ Alergia a las esporas del moho) o al fino polvo de los excrementos y a las plumas de las aves. Como esta enfermedad afecta sobre todo a la población del ámbito rural (trabajo con heno húmedo, estiércol inmaduro), se ha dado en llamarla la "neumonía de los granjeros y avicultores".
A corto plazo, conduce a una induración pulmonar y a una insuficiencia cardíaca derecha.

Tratamiento médico

La alveolitis pulmonar suele tratarse con corticoides. Si pertenece a un grupo de riesgo, hágaselo saber a su médico en cuanto advierta los primeros síntomas gripales. Una alergia puede ser diagnosticada mediante diversas pruebas.

Autoayuda

Si la enfermedad se debe a una alergia, deberá evitarse el agente alérgeno correspondiente. Los organismo sanitarios correspondientes y mutualidades laborales le proporcionarán la información necesaria, en cuestiones de reconocimiento, en caso de enfermedad profesional o de readaptación profesional.

Tanto los criadores de palomas como los de periquitos pueden padecer "alveolitis pulmonar".

Neumoconiosis

▶ Síntomas:

➜ disnea sólo al realizar esfuerzos y, más tarde, también en reposo.

La neumoconiosis tiene su origen en los finos polvos que, aspirados durante años, se acumulan en los pulmones y llegan a formar nódulos y "cicatrices" que deterioran la función pulmonar. Pueden producirse → neumonías y bronquitis sucesivas, así como → enfisema pulmonar, insuficiencia cardíaca derecha, fibrosis pulmonar y, en el caso de aspiración del amianto, también cáncer de pulmón.

Tratamiento médico

La única terapia posible es evitar las inhalaciones de polvo. Como pueden pasar muchos años sin advertir ningún tipo de afección, los grupos de riesgo deben pasar revisiones periódicas de los pulmones.

Autoayuda

¡Adopte la correspondiente protección respiratoria! En caso de enfermedad profesional en el ejercicio de la actividad laboral, las mutualidades laborales y los organismos sanitarios correspondientes le informarán de los trámites para su reconocimiento como tal, así como las posibilidades de cambiar de profesión o la incapacidad permanente por enfermedad.

Embolia pulmonar

► Síntomas:
➜ disnea y respiración acelerada;
➜ miedo y sensación de ahogo;
➜ dolores de tórax;
➜ pulso acelerado, tos.

La embolia pulmonar suele estar causada por una trombosis (→ Trombosis y embolia), un coágulo que se forma casi siempre en las venas de piernas y pelvis (→ Trombosis de las venas de las piernas) y que es arrastrado por la circulación sanguínea obstruyendo, en un momento dado, una o varias arterias pulmonares. En casos muy raros, esta oclusión también puede estar provocada por partículas de grasa que llegan al flujo sanguíneo como consecuencia –generalmente– de una fractura de huesos abierta, casi siempre del fémur. El líquido amniótico también es un factor que debe tenerse en cuenta, ya que puede pasar a la circulación sanguínea de la madre durante el parto.
Las molestias y la peligrosidad de una embolia pulmonar dependen del tamaño del trombo arrastrado. Aparecen de repente, sobre todo después de un esfuerzo físico, y son semejantes a las de un infarto de miocardio. Cuando la oclusión afecta a grandes zonas del sistema vascular arterial de los pulmones, la presión en el ventrículo derecho del corazón aumenta, lo que puede provocar una insuficiencia aguda del corazón derecho. También la falta de riego sanguíneo en los pulmones es muy peligroso, pues puede ocasionar la muerte de algunas zonas pulmonares (infarto pulmonar) y, si no se trata, desencadenar repetidas embolias.
Los factores de riesgo de una embolia pulmonar son, como es lógico, los mismos que los de una trombosis; en especial, el sobrepeso, las varices, permanecer mucho tiempo sentado o de pie, encamamiento prolongado y, además para la mujer, fumar al tiempo que se toman anticonceptivos.

Tratamiento médico

Si padece alguno de los síntomas descritos, acuda enseguida al servicio de urgencias. En el hospital le harán análisis de sangre y una gammagrafía de los pulmones, además de un ECG para comprobar la sobrecarga del corazón derecho. En los casos de embolias leves, para prevenir una recaída, se deben tomar durante cierto tiempo medicamentos anticoagulantes de la sangre. Los casos graves requieren diluir el trombo con medicamentos específicos, aunque a veces se precisa una intervención quirúrgica para que grandes arterias pulmonares recuperen la permeabilidad que han perdido con el tiempo.

Autoayuda

Adopte las medidas oportunas de prevención:
• Cuide sus piernas, puesto que las varices constituyen un importante factor de riesgo de trombosis.
• Si tiene que permanecer largo tiempo sentado (trabajo de oficina, viajes en automóvil o en avión), muévase de vez en cuando y beba mucha agua o té.
• ¡Después de una intervención quirúrgica, procure ponerse en pie lo antes posible! Colóquese un vendaje elástico en las piernas o, si tiene que guardar cama durante mucho tiempo, sustitúyalo por unas medias compresivas.
• ¡Deje de fumar inmediatamente!

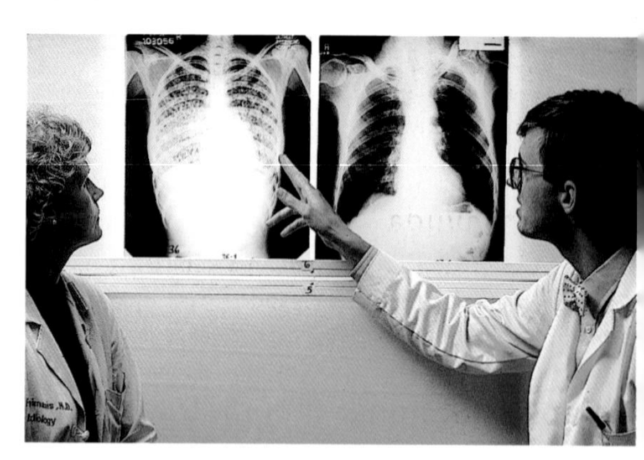

Las radiografías muestran el pulmón sano (derecha), en negro y el pulmón enfermo (izquierda), en color claro.

Edema pulmonar

► Síntomas:
➜ disnea progresiva, también cuando se está acostado, que mejora en posición erguida;
➜ tos, expectoración espumosa;
➜ silbidos y ruidos ásperos al respirar.

Un edema pulmonar es una acumulación de agua en los pulmones, que se forma porque llega líquido a los alvéolos pulmonares y al tejido intermedio procedente de los pequeños vasos sanguíneos. Esta anormalidad tiene su origen en diversas causas, como puede ser la insuficiencia cardíaca izquierda, en la que se produce un encharcamiento de sangre en los pulmones; o a una insuficiencia renal, que provoca un encharcamiento de agua en los pulmones. Un edema pulmonar también puede deberse a una permeabilidad anormal de los vasos sanguíneos, desencadenada, por ejemplo, por inflamaciones, reacciones alérgicas, respirar gases irritantes (humo, cloro) o por la ingestión de líquidos.

Tratamiento médico

¡Si padece los síntomas característicos de un edema pulmonar o de una disnea aguda, acuda cuanto antes al médico o solicite ayuda en el servicio de urgencias! Proceda del mismo modo si ha aspirado vapores tóxicos o humo de un fuego, aunque no note aún síntomas de consideración, pues el edema pulmonar puede aparecer varias horas después. A la vista de los prolegómenos, y tras auscultar los pulmones, el médico emitirá su diagnóstico. Como primera medida suministrará oxígeno, y quizá algún medicamento para dilatar los bronquios. La nitroglicerina sirve para aliviar la sobrecarga del corazón; y el aerosol de cortisona, para contrarrestar los efectos que causa la inhalación de vapores o de humo.

Autoayuda

En caso de disnea aguda, manténgase sentado –erguido y con las piernas colgando– hasta que llegue el médico o el personal del servicio de urgencias.

Colapso pulmonar (neumotórax)

▶ **Síntomas:**

- ➜ dolores punzantes, de aparición brusca, a un lado del tórax;
- ➜ disnea, tos irritante.

La acumulación de aire en la cavidad pleural, situada entre las costillas y los pulmones, recibe el nombre de neumotórax. La pleura recubre los pulmones y el tórax, y está formada por delgadas capas membranosas separadas por un líquido deslizante que impide el roce entre ellas. Si por cualquier motivo en este espacio pleural (*intersticio pleural*) entra aire, la película líquida intermedia pierde su "función de contención" y la zona pulmonar afectada no podrá expandirse. Por lo general suele producirse al reventar una burbuja de aire, dándose mayormente en hombres jóvenes delgados. Lesiones, operaciones o punciones en la zona torácica pueden alcanzar a este intersticio y ocasionar una mayor entrada de aire. El neumotórax es peligroso, porque aunque en un principio sólo se localiza en un lóbulo pulmonar, posteriormente se extiende a zonas más amplias y afecta al corazón, impidiendo su normal funcionamiento debido a la opresión que ejerce el aumento de aire.

Tratamiento médico

Las acumulaciones de pequeñas cantidades de aire son eliminadas por el organismo. En cuanto a las grandes, el médico se encargará de realizar un drenaje por succión. El aire se succiona poco a poco, de seguido, hasta que el intersticio pleural recobra su tamaño inicial. El médico cirujano atenderá las lesiones.

Autoayuda

No es posible.

Induración pulmonar (fibrosis pulmonar)

▶ **Síntomas:**

- ➜ al principio, disnea al realizar esfuerzos; y, luego, también en reposo;
- ➜ respiración rápida y superficial;
- ➜ tos irritante seca.

A largo plazo, cualquier irritación permanente de los pulmones produce el deterioro del tejido y la formación de cicatrices en su superficie. El tejido es entonces sustituido por fibras no elásticas, que hacen imposible el intercambio de gases. Como consecuencia, el cuerpo recibe menos oxígeno y, en el más grave de los casos, el pulmón deja de funcionar. Las causas posibles son: inflamación de los alvéolos pulmonares, neumoconiosis, sarcoidosis, mucoviscidosis o insuficiencia cardíaca izquierda, que provocan una acumulación de sangre en el pulmón.

Tratamiento médico

Los test de la función pulmonar permiten determinar el grado de deterioro del mismo. Las radiografías muestran las alteraciones características. La terapia viene determinada por la causa de la enfermedad.

Autoayuda

El avance de la enfermedad quizá se pueda frenar con los beneficios que procuran la realización de ejercicios respiratorios.

Tuberculosis pulmonar

► Síntomas:
- ➜ tos, sudores nocturnos, falta de apetito;
- ➜ fiebre alta;
- ➜ posibles dolores al respirar;
- ➜ posible expectoración sanguinolenta.

La tuberculosis es una enfermedad infecciosa grave, que generalmente ataca a los pulmones y –en menor medida– a otros órganos. Durante la primera parte de la infección, los gérmenes –las bacterias de la tuberculosis– llegan hasta el pulmón a través del aire de la respiración. La lucha que se entabla con el sistema inmunológico, hace que al cabo de unas seis semanas se aglutinan con las células defensivas de los alrededores hasta formar un cúmulo celular (*granuloma*). Las células del interior del granuloma mueren al poco tiempo. Los gérmenes ya no pueden salir de ahí, pero a pesar de todo algunos logran sobrevivir.

Este granuloma puede romperse a consecuencia del debilitamiento de las defensas, y desencadenar otro ataque de la infección (*reactivación*). Pero las afecciones propias de la enfermedad sólo se dejan sentir cuando está presente un gran número de bacterias de la tuberculosis. La *tuberculosis abierta* surge cuando, en el curso de una tuberculosis reactivada, algún granuloma y los correspondientes huecos (*cavernas*) de su interior debido a la muerte de las células, invaden una rama bronquial grande (*bronquio*). El paciente se vuelve un foco de infección, ya que puede expectorar gérmenes.

La primera infección bacteriana de la tuberculosis suele aparecer como inflamación de la pleura costal, el fino epitelio de la pleura que cubre las costillas.

Tratamiento médico

Los gérmenes se detectan en los esputos, en el jugo gástrico y en la secreción obtenida al realizar una broncoscopia. En la radiografía se pueden apreciar los granulomas calcificados y las cavernas.

El test de la tuberculina es otra posibilidad de diagnóstico, pero la seguridad que ofrece no es total. Consiste en inyectar en la piel un líquido con gérmenes inactivos, que si existe infección producen una fuerte reacción cutánea. Sin embargo, tiene el inconveniente de que también da positivo tras una primera infección ya superada, o después de la vacunación, ya que, en ambos casos, el cuerpo ha formado sus anticuerpos que atacan a las bacterias. Las autoridades sanitarias exigen la realización de este tipo de test a las personas que han estado en contacto directo con enfermos de tuberculosis.

Las bacterias de la tuberculosis poseen una capa protectora cérea, que les proporciona una resistencia extraordinaria frente a los ataques del exterior, razón por la cual la terapia sigue siendo tan larga y laboriosa. En tiempos relativamente cercanos, las curas de reposo en la montaña estaban consideradas una medida terapéutica muy importante.

La tuberculosis abierta, tiene que ser tratada en el hospital. Para obtener éxito en la lucha contra las bacterias, el más corto de estos tratamientos –que precisa de un tiempo mínimo de seis meses– exige la combinación de al menos tres medicamentos antituberculosos (antibióticos muy activos y de gran efectividad contra las bacterias de la tuberculosis).

Autoayuda

La vacuna contra la tuberculosis, sólo se recomienda su administración en grupos de riesgo como, por ejemplo, personal médico.

Sarcoidosis

La tos irritativa y la disnea al realizar esfuerzos, también pueden ser síntomas de una sarcoidosis. Esta patología se extiende por todo el cuerpo, y casi siempre afecta a los pulmones. Además de que los síntomas acostumbran a ser poco significativos, no se conocen las causas que la provocan. A menudo su presencia se hace patente en la piel, pues aparecen nódulos de color rojo azulado. También se forman nódulos en los pulmones. Suele controlarse con tratamiento, pero si llega a ser crónica puede conducir a una fibrosis pulmonar.

Cáncer pulmonar (cáncer bronquial)

► Síntomas:
- ➜ tos, disnea, dolores en el tórax;
- ➜ las afecciones del resfriado permanecen;
- ➜ expectoración sanguinolenta.

El cáncer de pulmón afecta casi siempre a los bronquios, y durante mucho tiempo no causa molestia alguna. El cáncer bronquial es el tumor maligno más frecuente en los hombres. Se produce por aspiración de sustancias cancerígenas; en la mayoría de los casos, las sustancias presentes en el humo del tabaco y algunos materiales de trabajo como el amianto.

¿Produce cáncer fumar?

En casi todas las familias se conoce la historia de algún pariente, que después de pasarse la vida entera fumando un paquete de cigarrillos –por lo menos– al día, siguen estando en plena forma a sus noventa años de edad. ¡Tan malo no puede ser el tabaco entonces! Pero las estadísticas médicas pregonan otra cosa: el riesgo de enfermar de cáncer de boca, de laringe, de tráquea, de pulmones y de vejiga es mucho más elevado en los fumadores que en los no fumadores. Además, la nicotina es un tóxico vascular y, como consecuencia, uno de los más importantes factores de riesgo de arteriosclerosis y de todas aquellas enfermedades concomitantes (→ Infarto de miocardio; → Trastornos circulatorios).

En la mayoría de los fumadores, la dependencia de la nicotina comienza en la juventud, y muy pronto comienzan a padecer enfermedades de las vías respiratorias (→ Bronquitis). La irritación producida por el humo de tabaco, paraliza los cilios vibrátiles de la tráquea y los bronquios. Esto acaba por destruirlos, pues los gérmenes y la suciedad aspirados a través del aire de la respiración ya no pueden ser evacuados. Otro tanto ocurre con las sustancias contenidas en el humo del tabaco, entre las que, además de la nicotina y del peligroso monóxido de carbono, se encuentran otras muy cancerígenas como nitrosaminas, benzopirenos, naftalina, brea y arsénico.

Pero aparte de perjudicar a los fumadores, el humo también tiene el mismo efecto nocivo entre los no fumadores; y bastante más de lo que se suponía hasta ahora. Incluso pueden darse casos en que el humo espirado contenga más sustancias nocivas para la salud que el inspirado por el fumador. Por todo ello, involuntariamente los niños y los enfermos son los que más sufren. Esta es una razón de peso para dejar de fumar. Cuanto más pronto se decida, tanto mejor: ¡cada día que se pasa sin fumar, la esperanza de vida aumenta de nuevo poco a poco! En el epígrafe → Dependencia de la nicotina, recoge toda una serie de consejos que le pueden ayudar en el objetivo de la "deshabituación" en el consumo de tabaco.

El humo del tabaco en general contiene muchas sustancias nocivas para los "fumadores pasivos".

Tratamiento médico

Consulte son su médico siempre que la tos persista durante más de tres semanas. Si existe la sospecha de padecer un cáncer pulmonar, después de una radiografía se hará una broncoscopia para tomar una muestra del tejido sospecho y proceder a su análisis. Un diagnóstico a tiempo de la patología cancerosa permitirá eliminar la parte afectada del pulmón. Después, se aplicará radioterapia y quimioterapia. Sin embargo, a menudo es demasiado tarde para aplicar un tratamiento efectivo. La esperanza de vida dependerá del sitio donde se localice el tumor, de la clase de tejido tumoral, de la fase en que se encuentre la enfermedad y del estado de salud general del paciente.

Autoayuda

Sea precavido y deje de fumar. Cuando por razones de trabajo tenga que andar con sustancias cancerígenas, adopte todas las medidas de precaución posibles. Más adelante encontrará información general, consejos e indicaciones importantes relativos a las enfermedades cancerosas.

Amigdalitis

► Síntomas:

- ➔ dolores de garganta;
- ➔ afecciones de la deglución, dolores punzantes al tragar, que se irradian hasta el oído;
- ➔ fiebre, decaimiento, dolores de cabeza.

Las amígdalas palatinas son unos órganos ovoides que, situadas entre los pilares del velo palatino, forman parte del sistema linfático. Tienen gran importancia en la lucha y defensa contra los agentes patógenos y, por este motivo, se inflaman a menudo, sobre todo durante el período de la infancia.

Una amigdalitis, más conocida vulgarmente como anginas, está producida, en la mayoría de los casos, por bacterias estreptocócicas. Los síntomas son: hinchazón de las amígdalas, enrojecimiento y recubrimiento de puntitos amarillos.

Las bacterias se transmiten por la infección que provocan las gotitas de estornudos de la tos. Si la enfermedad no se trata a su debido tiempo, o se trata inadecuadamente, una amigdalitis puede llegar a afectar a las articulaciones (→ Inflamación articular) y complicar la función del corazón (→ Endocarditis) y de los riñones. Preste especial atención a los síntomas subliminales y duraderos producidos por una inflamación, cuyo síntoma más relevante no es, precisamente, la dificultad de deglución, sino la halitosis, el "mal sabor" de boca y la sensación de tener un nudo permanente en la garganta.

Tratamiento médico

Lo primero y más importante para el total restablecimiento de la salud es guardar reposo en la cama durante todo el tiempo que sea preciso. El médico prescribirá antibióticos al niño, en el supuesto de que los agentes patógenos que causan la enfermedad sean bacterias, si las afecciones permanecen demasiado tiempo o si en vez de disminuir los síntomas éstos van en aumento. También puede recetarse otra terapia que incluya analgésicos poco fuertes, que tengan como principio activo el paracetamol.

La extirpación de las amígdalas vendrá impuesta por condicionamientos muy específicos, que deberán ser examinados detenidamente por el médico o el equipo médico que atienda a la persona enferma.

Pros y contras de una operación de amígdalas

Antes se consideraba una intervención rutinaria y, como recompensa, a los niños se les prometía un helado. Hoy día, los médicos se lo piensan más a la hora de operar de amígdalas, pues hoy se sabe que estos órganos desempeñan un papel de vital importancia en el desarrollo de las defensas endógenas del organismo, sobre todo durante la infancia. Por otra parte, se tiene una mayor conciencia de las graves consecuencias que puede traer consigo, para corazón y riñones, una infección de amígdalas. Por mucho que se intente conservar las amígdalas palatinas el mayor tiempo posible, existen una serie de criterios que hacen necesaria la intervención quirúrgica. En primer lugar, la amigdalitis aguda crónica, en la que los antibióticos ya no tienen eficacia suficiente. Se considera que la inflamación es crónica cuando se repite varias veces a lo largo del año.

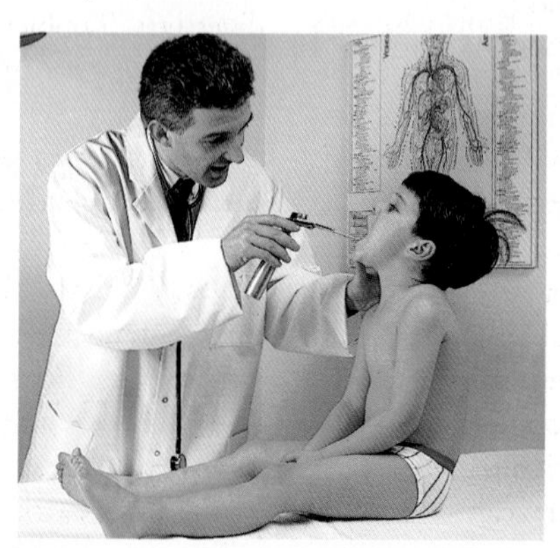

El médico reconoce a fondo al paciente, para determinar el tamaño y color de las anginas.

Otras razones a favor de una operación son: un absceso amigdalino y el engrosamiento o úlceras de las amígdalas.

La intervención quirúrgica se realiza en los niños (a ser posible, nada más cumplir los cuatro años), con anestesia total; o con anestesia local en los adultos. Después de la operación, los tejidos linfáticos de la cavidad faríngea que restan asumen las funciones que venían desempeñando las amígdalas. En cualquier caso, la procedencia o no de una intervención debe ser fruto de la decisión personal del paciente.

Autoayuda

La aplicación de emplastos calientes alrededor del cuello, puede proporcionar gran alivio. Igual efecto producen los gargarismos y enjuagues de boca con infusiones de manzanilla y salvia. Los niños tienen que beber mucho, pero no zumos de frutas que, por su acidez, puedan irritar aún más la mucosa faríngea.

Tos ferina

→ página 557.

Pseudocrup

→ página 557.

Epiglotitis

→ página 557.

Muscoviscidosis (fibrosis quística de páncreas)

▶ Síntomas:

- trastornos de crecimiento en recién nacidos;
- espasmos abdominales, vómitos (→ Oclusión intestinal);
- diarreas crónicas, dolores de vientre;
- sudor salino intenso;
- infecciones frecuentes de las vías respiratorias, tos irritativa duradera, con expectoración.

La mucoviscidosis ("mucosidad espesa") es la enfermedad metabólica hereditaria más frecuente entre la población blanca de muchos países de los continentes europeo y americano. A causa de una tara genética, las glándulas del cuerpo que segregan fluidos producen un moco espeso y pegajoso que se adhiere a bronquios y pulmones, páncreas, intestino y conductos biliares, constituyendo un buen caldo de cultivo para los agentes patógenos. Esto hace que aparezcan frecuentes infecciones de las vías respiratorias y graves trastornos intestinales. Ya se han dado varios casos de niños enfermos que han nacido con una oclusión intestinal producida por un tapón de meconio, una materia intestinal fetal, viscosa y pegajosa. Como la secreción fluye con dificultad debido a su espesor, se forman retenciones que dañan de nuevo el tejido de órganos y glándulas y ocasionan algún tipo de inflamación. En la actualidad el diagnóstico suele hacerse muy pronto, pues un test rutinario después del parto proporciona los primeros indicios de la patología. La mucoviscidosis es incurable, pero, gracias a los progresos de la Medicina, la esperanza de vida de los niños afectados aumenta de año en año, hasta el punto de que hoy día se cifra en un 80% los que suelen llegar a la edad adulta.

Tratamiento médico

El diagnóstico de la enfermedad se puede realizar con ayuda del llamado "test del sudor", puesto que el contenido en sal es de dos a cinco veces mayor en los enfermos de mucoviscidosis que en la población general. Hasta ahora no es posible tratar la causa en sí, por lo que la terapia tiene que limitarse controlar los síntomas y las infecciones concomitantes. Bronquios y pulmones son el principal objetivo del tratamiento. Mediante inhalaciones y medicamentos expectorantes y mucolíticos, se procura diluir el moco de forma que pueda ser expectorado. Todo ello se complementa con masajes de percusión en el tórax y gimnasia respiratoria a cargo de personal especializado, o de los propios padres –previamente instruidos–, si los enfermos son niños pequeños. Los niños mayores aprenden técnicas para poder aliviarse sin necesidad de ayuda, mediante una serie de ejercicios de drenaje. El aprendizaje de ciertas posturas y movimientos constituye, también, una parte importante del entrenamiento. La hipofunción del páncreas se trata con preparados de enzimas digestivas. También es importante llevar una dieta rica en calorías, proteínas y vitaminas, así como tomar bastante sal y beber mucha agua (para contrarrestar el exceso de sudor). Si el deterioro del páncreas progresa con los años, puede producirse una diabetes mellitus que haga necesario una terapia a base de insulina. Las nuevas posibilidades que supone la terapia genética, brinda grandes esperanzas.

Autoayuda

Los enfermos de mucoviscidosis necesitan de por vida asistencia médica, una terapia medicamentosa y gimnasia terapéutica. Para sobrellevarlo se necesita mucho tiempo y mucha fuerza de voluntad, tanto por parte de los niños como por parte de los padres. En muchas ciudades hay asociados de enfermos que brindan apoyo y asesoramiento, por un lado, a los problemas específicos de los padres y, por otro, a la organización de grupos para niños.

Corazón y circulación sanguínea

El corazón late unas cien mil veces al día. Su función primaria consiste en bombear sangre sin cesar a través de la complicada red arterial que conforma el aparato circulatorio, al tiempo que el "elemento líquido", la sangre, abastece de oxígeno y nutrientes al cuerpo y se encarga de expulsar del organismo los residuos y el anhídrido carbónico. Para llevar a cabo esta labor el corazón cuenta con el apoyo de algunas células especializadas del sistema inmunológico, que defienden al organismo frente a cuerpos extraños y agentes patógenos. Pero cuando algo "pierde el compás " en este sistema, nuestro centro vital peligra.

Sumario

Glóbulos rojos.

Algunas cosas de interés sobre el corazón y la circulación

El corazón no ha perdido ni un ápice de su simbolismo e interés, incluso en el nuevo milenio, la era de la tecnología digital y de las nuevas redes informáticas de comunicación. Hoy día sigue siendo, como lo era en los tiempos del antiguo Egipto, el centro que irradia vida al ser humano, núcleo vital y albergue de los sentimientos más profundos, símbolo de confianza, amistad y amor. Se puede ganar el corazón de otro o entregarle el nuestro, se puede tener un corazón bueno o malo, se puede poner todo el corazón en hacer algo, pero también en su rincón más profundo se pueden "atesorar" los sentimientos más íntimos. El corazón no es sólo símbolo de amor y cariño, de alegría y pena, también lo es de carácter (bueno o malo), valor, firmeza y lealtad. No hay ningún otro órgano del ser humano al que se le hayan dedicado más metáforas que al corazón. No hay nada que simbolice tanto la vida como el corazón, pues la extinción de su acompasado latir significa la muerte.

Mucho más que una simple "bomba neumática"

Lo expuesto tiene un carácter más prosaico cuando se contempla desde el punto de vista médico. Desde el punto de vista anatómico, el corazón sólo es un músculo del tamaño de un puño, situado en el lado izquierdo del tórax y que constituye el centro del sistema circulatorio. Sus contracciones rítmicas se encargan de bombear la sangre a través de las arterias, asegurando así que el preciado elemento abastezca de oxígeno y nutrientes a todas las células que componen el organismo humano.

En términos médicos, un corazón grande no significa bondad; es propio de las personas sanas y deportistas, cuando para suministrar la mucha energía que requiere el deporte de competición se agranda. La energía precisa para este trabajo, sólo la puede suministrar una gran cantidad de sangre. De ahí que cada latido del corazón

Los corredores de fondo tienen un corazón grande y muy fuerte, que se encarga del suministro de energía a los músculos rápidamente.

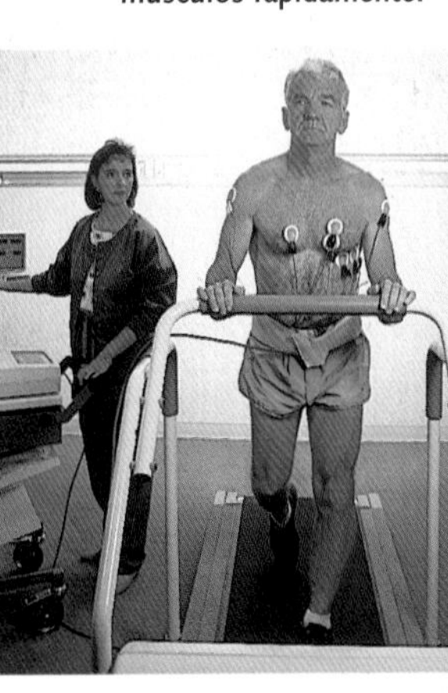

La prueba de esfuerzo realizada sobre la cinta continua muestra el estado de salud del corazón.

Al igual que si fuera una guirnalda, la multitud de pequeñas arterias que rodean el corazón le procuran la sangre y el oxígeno que precisa.

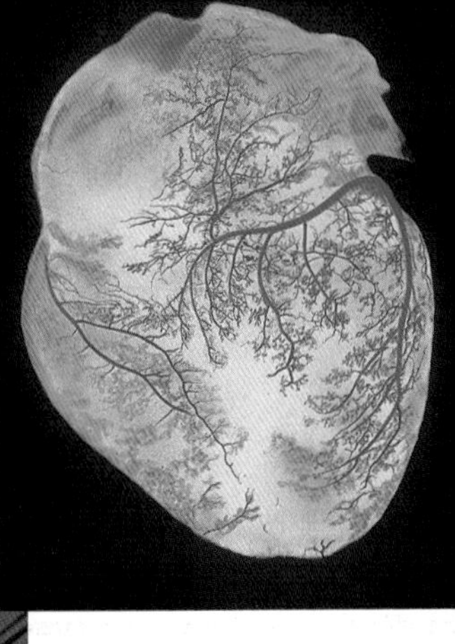

de un deportista bombee, desde sus dilatados ventrículos, mucha más sangre a las arterias que el corazón pequeño de una persona que no entrena regularmente.

Un sistema cerrado

Para que la sangre pueda llegar hasta los lugares más recónditos donde se necesitan sus componentes, el ser humano dispone, al igual que todos los animales superiores, de un sistema circulatorio cerrado. La sangre circula a través del sistema de arterias pequeñas y grandes, abandonando alguno de sus componentes el flujo sanguíneo cuando su presencia es requerida por los tejidos del organismo; para ello, traspasan la pared de los vasos sanguíneos más pequeños: los capilares.
Para que la sangre se mantenga en movimiento, tiene que haber cierta presión (tensión) sanguínea dentro de las arterias, que debe ser justamente la precisa.

La savia de la vida

La sangre es al ser humano lo que la savia a las plantas. Esta savia es vital importancia para el abastecimiento del organismo. Día y noche, el corazón con su bombeo envía glóbulos rojos a través de la sangre, que recorren el cuerpo para llevar oxígeno hasta los sitios más alejados y realizar el intercambio con el anhídrido carbónico. Los glóbulos rojos, que son los que dan su color a la sangre, se acompañan de diversas clases de glóbulos blancos. Éstos están al servicio del sistema inmunológicodurante las 24 horas del día, y se encargan de la protección del cuerpo frente a agentes patógenos y otros cuerpos extraños. Por último, las plaquetas también son un componente esencial de la sangre y, en caso de lesión, están dispuestas a actuar prestando los primeros auxilios al unirse entre ellas y formar una especie de tapón que tiene como misión cerrar la herida.
La sangre se encarga del transporte de los nutrientes ingeridos con la alimentación. Reducidos a tamaño microscópico, son llevados hasta su destino; así los músculos, que aparte de necesitar oxígeno para realizar su trabajo, requieren de grandes cantidades de glucosa; o nuestro cerebro, que necesita "combustible" para ser capaz de ejercer su función con plena lucidez.
La sangre contiene hormonas y enzimas, que lleva hasta los órganos para estimular su actividad y que puedan realizar la función a la que están destinados. Así, por ejemplo, indican al ovario cuando debe ovular.
Los residuos que se forman en los procesos del organismo, se eliminan por la sangre a través de los órganos de eliminación (riñones e hígado) con los que cuenta el organismo. Y si el organismo no contara con un medio de transporte tan flexible como es la sangre, una tableta de analgésico no llegaría nunca a la cabeza.

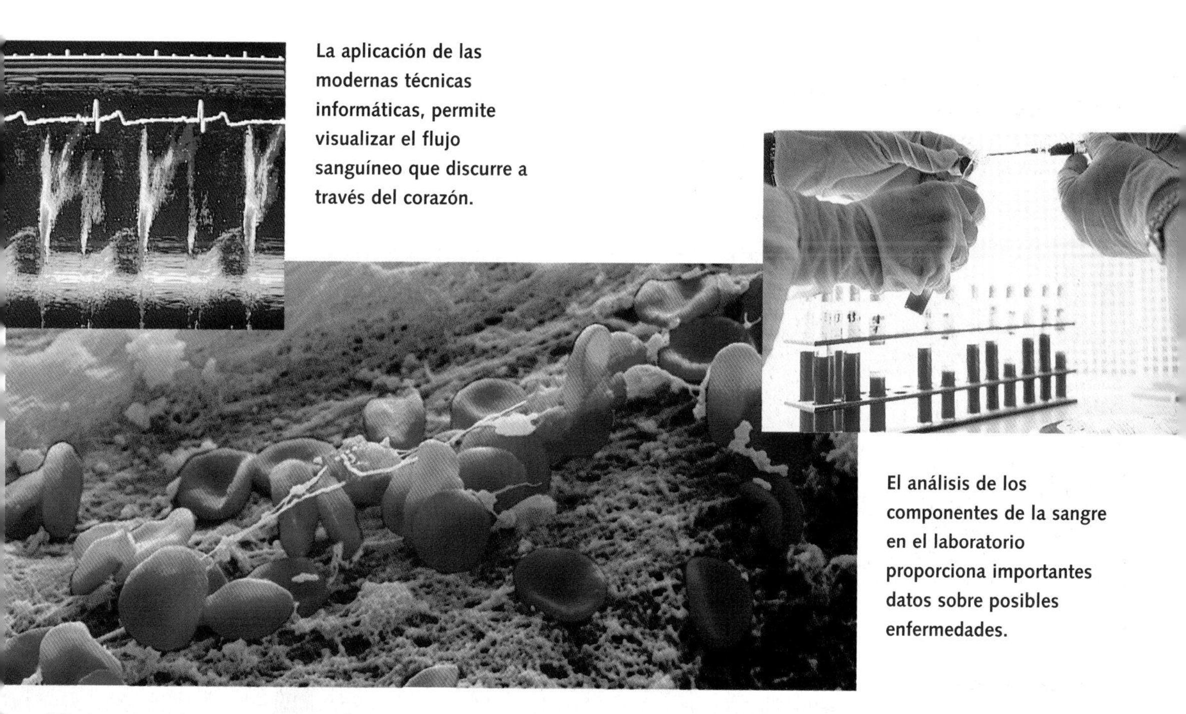

La aplicación de las modernas técnicas informáticas, permite visualizar el flujo sanguíneo que discurre a través del corazón.

El análisis de los componentes de la sangre en el laboratorio proporciona importantes datos sobre posibles enfermedades.

Los glóbulos rojos tienen como tarea principal el transporte de oxígeno hasta el último rincón del cuerpo.

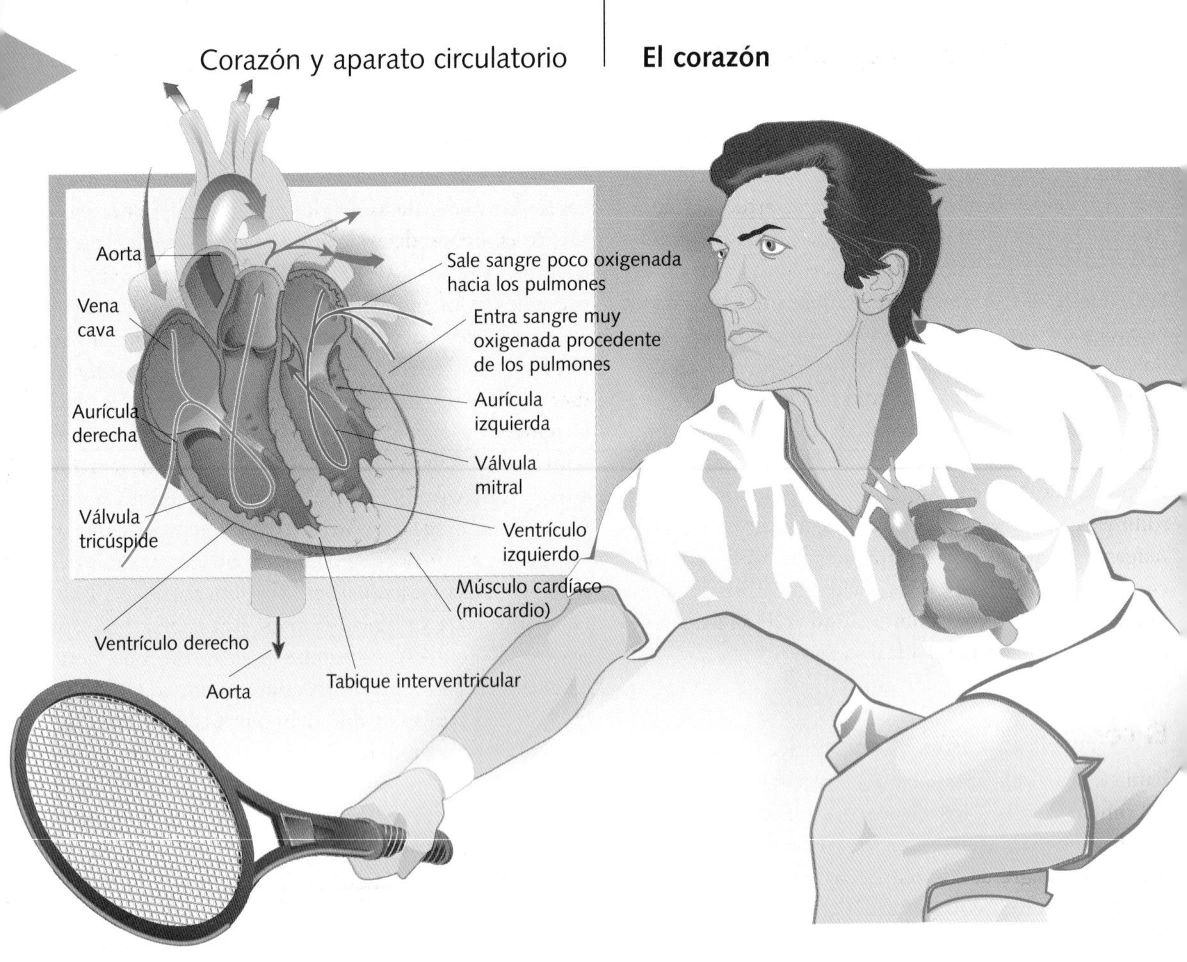

El corazón

- **La estructura del corazón**
- **La actividad cardíaca**
- **El corazón enfermo**

No tiene dos redondeces arriba ni termina en punta abajo, y su aspecto se parece muy poco a las formas que dan al corazón las más diversas culturas como símbolo del amor, el corazón humano late 100 000 veces al día. Este órgano muscular, de tamaño algo más grande que un puño y alrededor de 300 gramos de peso, constituye el centro de la circulación sanguíne, ya que su constante bombeo de sangre permite abastecer de oxígeno y nutrientes a todo el cuerpo.

Dos corazones en uno

El corazón está situado detrás del esternón, entre los dos pulmones, ligeramente desviado hacia el lado izquierdo; dos tercios de su volumen se sitúan en la mitad izquierda del pecho, y el tercio restante en la mitad derecha. En su mayor parte está constituido por el músculo cardíaco (*miocardio*), cuyo interior es hueco. Un tabique (*septum*) divide este espacio vacío en dos mitades, llamadas corazón izquierdo y derecho. Cada una de estas partes se compone de un *ventrículo* y de una *aurícula*, separados entre sí por una *válvula cardíaca*. Tanto los ventrículos como las aurículas están recubiertas por una membrana muy delgada, el *endocardio*, que también reviste las válvulas cardíacas.

Según su forma característica, las válvulas reciben distintos nombres. Así, se llama *válvula mitral* a la que comunica la aurícula y el ventrículo de la izquierda; *válvula tricúspide*, a la que comunica la aurícula y el ventrículo de la derecha; y *válvulas semilunares*, a las que comunican los ventrículos con la *aorta* (ventrículo izquierdo) y con la *arteria pulmonar* (ventrículo derecho), respectivamente. Se encargan de que la sangre circule siempre en una misma dirección y, para que no

refluya hacia atrás, se encargan de cerrar los ventrículos siempre que es necesario.
Por fuera, el *pericardio* envuelve al miocardio; y la cavidad que forman las dos capas de que consta la envoltura del pericardio contiene un líquido seroso (deslizante). De estas dos capas, la interna (*epicardio*) se adapta al miocardio, mientras que la externa es la bolsa cerrada que recubre al corazón. Su cometido consiste en evitar que el músculo cardíaco roce con los órganos vecinos, los pulmones y el diafragma, en su constante movimiento de bombeo dentro de la caja torácica.
Pero además de ser el motor que abastece de sangre a todo el organismo, el corazón debe autoabastecerse de oxígeno y nutrientes que contiene la sangre. Esta función la lleva a cabo a través de las arterias coronarias, que se ramifican desde la aorta, después de su nacimiento en el ventrículo izquierdo, y forman una especie de corona –de ahí su nombre– alrededor del miocardio.

El corazón late sin cesar

Para que la sangre circule sin interrupción, el corazón la bombea a través de los vasos sanguíneos a un ritmo regular. Trabaja como una bomba aspirante-impelente: expulsa la sangre de los ventrículos cuando se contrae (*sístole*) y aspira la sangre de las aurículas cuando se dilata de nuevo (*diástole*). El proceso transcurre del modo siguiente: la sangre rica en oxígeno, procedente de los pulmones, se acumula en la aurícula izquierda. La válvula mitral se abre cuando se dilata el ventrículo izquierdo, permitiendo así que la sangre de la aurícula pase a su interior y volviendo a cerrarse cuando el miocardio se contrae. Cuando la presión producida por la contracción del ventrículo aumenta considerablemente, la válvula semilunar que comunica con la aorta (*válvula aórtica*) se abre y la sangre es bombeada a la circulación mayor. Una vez distribuidos el oxígeno y los nutrientes, la sangre –rica ahora en anhídrido carbónico y pobre en oxígeno– retorna al corazón derecho a través de las venas cavas y, tras pasar sucesivamente por la aurícula y el ventrículo derechos, es transportada de nuevo hasta los pulmones por la arteria pulmonar con la misma técnica de bombeo y de apertura y cierre de válvulas. Allí la sangre se renueva al intercambiar el anhídrido carbónico por oxígeno, tras lo cual llega a la aurícula izquierda por las venas pulmonares. Sin embargo, es necesario que las dos mitades del corazón bombeen la misma cantidad de sangre al mismo tiempo; en caso contrario, se produciría un estancamiento en alguna parte del cuerpo.

El ritmo del corazón

Normalmente es el sistema nervioso vegetativo quien regula la rapidez de los latidos del corazón, siendo más rápido en estado de excitación y más lento mientras se duerme; también, la cantidad de sangre que llega a los músculos y los órganos. Sin embargo, las órdenes del ritmo cardíaco las recibe el corazón a través de un sistema de conducción de estímulos propio e independiente, formado por fibras musculares especializadas: el nodo sinusal, situado en la aurícula derecha, es el marcapasos natural del corazón que se encarga de enviar un promedio de 70 impulsos eléctricos por minuto; éstos pasan primero por las dos aurículas y, luego, son conducidos hasta los ventrículos a través del llamado nodo auriculoventricular (nodo AV). Desde allí las fibras del sistema de conducción se ramifican, para alcanzar ambos ventrículos y así conseguir la contracción regular de sus fibras musculares. La propagación de los estímulos del corazón puede visualizarse por medio de un ECG.

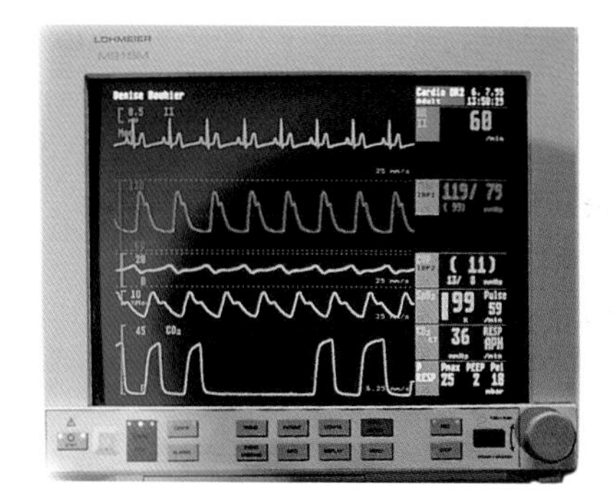

Para corroborar todas las funciones del corazón, el especialista sólo necesita echar un vistazo al monitor.

El corazón enfermo

Aunque hay otras muchas causas que pueden producir dolor y disnea, cuando el corazón está enfermo los síntomas que primero se suelen manifestar son éstos. Los vasos cardíacos normalmente son los más afectados. Tienen un diámetro de tan sólo 3 ó 4 milímetros, y si se estrechan por arteriosclerosis, lo que origina una enfermedad coronaria que se manifiesta como "cardiopatía isquémica" (→ Angina de pecho; → Infarto de miocardio; → Insuficiencia cardíaca), ya no pueden suministrar oxígeno suficiente al miocardio.
Muchas veces resulta difícil delimitar los cuadros patológicos, y si además aparecen unos detrás de otros significa que cada afección cardíaca es la etapa previa de otra. Sea como fuere, lo cierto es que cuando el motor vital de todo el cuerpo deja de funcionar como es debido todo él se ve afectado.

Casos de urgencia

Norma general

Cuando aparezcan afecciones repentinas que parecen derivar del corazón, llame cuanto antes al servicio de urgencias. No espere a que los dolores cesen por sí solos: ¡en un infarto cuenta cada minuto!

Angina de pecho/Infarto de miocardio

▶ Síntomas:
- dolor opresivo en el pecho;
- presión, ardor detrás del esternón;
- sofocos, disnea;
- posible irradiación del dolor hasta el cuello, la mandíbula, los hombros y los brazos, predominantemente el izquierdo, así como al abdomen o a la espalda (es muy raro);
- sudores copiosos, náuseas, vómitos;
- sensación de muerte fulminante, angustia vital.

Los dolores pectorales paroxísmicos, propios de un ataque de angina de pecho, son el síntoma más importante y característico de un infarto de miocardio. Si en caso de angina de pecho conocida no cesan las afecciones después de haber tomado la nitroglicerina sublingual, es muy probable que se trate de un infarto de miocardio.

Tratamiento médico

Pero la sintomatología descrita no se suele dar de forma clara en uno de cada cinco afectados, sobre todo en los diabéticos. Si se acude al hospital entre las dos y cuatro horas siguientes, existe la posibilidad de miniminar los efectos del infarto. Mediante un ECG y análisis de sangre se comprobará si el ataque es de un infarto de miocardio o aún no lo es. Si desde el inicio del infarto no han pasado más de seis horas, el trombo se puede disolver con medicamentos.

Autoayuda

Siéntese o acuéstese enseguida. Échese nitrospray dos veces, o coloque bajo la lengua un nitrocomprimido; además, tome una tableta de ácido acetilsalicílico de 500 mg. Desabroche la ropa que le oprima y procure que la habitación esté ventilada.

Trastornos graves del ritmo cardíaco

▶ Síntomas:
- palpitaciones, taquicardias;
- latidos muy rápidos o muy lentos;
- abatimiento, vértigo, pérdida de conciencia;
- además: disnea, opresión en el pecho.

Los trastornos frecuentes y duraderos del ritmo cardíaco, suelen ser síntoma de una enfermedad cardíaca grave. Son muy peligrosos para quien ya tiene alguna lesión de corazón, pues pueden producir el colapso de la circulación sanguínea.

Tratamiento médico

El tratamiento médico depende de la clase de trastorno del ritmo cardíaco y de su causa.

Autoayuda

Siéntese o acuéstese enseguida. Si tiene taquicardias, beba un vaso de agua fría con gas, póngase boca arriba y comprima el abdomen.

Insuficiencia cardíaca aguda

▶ Síntomas:
- disnea cuando se está acostado, palpitaciones;
- dolores en el pecho, tos;
- coloración azulada de labios y dedos de manos y pies;
- tobillos y piernas hinchados.

Los síntomas no tienen por qué manifestarse todos, pues dependerá de que sus afecciones tengan como base una insuficiencia del corazón izquierdo o del derecho.

Tratamiento médico

La insuficiencia cardíaca aguda, tiene que ser tratada en el hospital. Según sea la enfermedad de partida, se suministrarán medicamentos cardiotónicos, vasodilatadores y diuréticos.

Autoayuda

→ Angina de pecho/Infarto de miocardio.

Pruebas clínicas especiales

Auscultación del corazón

Para verificar si el corazón late con regularidad y a la velocidad adecuada, el médico ausculta a la persona enferma con el estetoscopio. Los tonos que se pueden oír, indican si las válvulas cardíacas funcionan con normalidad. Otros ruidos del corazón (soplos, roces, etcétera), pueden indicar patologías valvulares o pericardíacas.

Análisis de sangre

Cuando un infarto de miocardio o una miocarditis destruye una parte de las células miocardíacas, se liberan algunas sustancias especiales, sobre todo enzimas, cuya cantidad puede medirse mediante un análisis de sangre. La cantidad en sangre de estas sustancias aumenta tras el infarto, lo que permite establecer el diagnóstico.

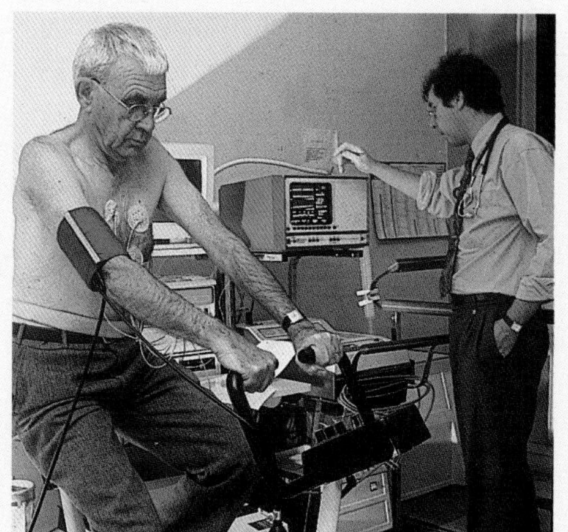

La capacidad de resistencia se verifica con la prueba de esfuerzo en bicicleta.

Electrocardiografía (ECG)

Con ayuda del registro gráfico de la actividad del corazón o electrocardiografía, se puede visualizar las corrientes eléctricas que se producen con cada latido. Para su realización, se sujetan pequeñas placas metálicas (*electrodos*) a las articulaciones de manos y pies. Estas placas se unen mediante cables a un dispositivo que mide esas corrientes y las registra gráficamente (*electrocardiograma*).

La "prueba de esfuerzo" permite establecer diagnósticos de trastornos cardíacos producidos por esfuerzos físicos. Para ello, basta con subirse a una bicicleta estática y pedalear para vencer la resistencia de su rodillo, mientras los aparatos de medida reflejan las corrientes cardíacas, el pulso y la tensión arterial.

Para detectar trastornos del ritmo cardíaco suele ser necesario realizar un ECG de larga duración, que consiste en un registro continuado de este tipo que se realiza usando un pequeño aparato que se lleva colgado del cinturón durante 24 horas.

Ecocardiografía

La ecocardiografía es la gráfica que, obtenida mediante ultrasonidos a través de la caja torácica, permite el examen del corazón.

Tiene su fundamento en la capacidad de reflejar los ultrasonidos. Esta técnica permite obtener la imagen y el tamaño de cada ventrículo y aurícula, de las válvulas cardíacas y de las membranas del corazón, así como valorar su función. Para examinar la actividad de la circulación sanguínea se utiliza una prueba con ultrasonidos, conocida como "Doppler" en honor a su descubridor. Loa aparatos monitorizados muestran la dirección, la intensidad y la velocidad del flujo sanguíneo.

Cateterismo cardíaco

La prueba del cateterismo cardíaco consiste en inyectar un contraste en el corazón. Para ello se usa un catéter plástico muy delgado y flexible, que casi siempre se introduce a través de una arteria de la ingle y que, a veces, incluso puede servir una del brazo.

Así se puede ver, en una película radiográfica, dónde hay obstrucciones de arterias y la dimensión de las mismas, pero también los trastornos funcionales del miocardio y los defectos de las válvulas.

El cateterismo cardíaco es fundamental para decidir si es posible dilatar las arterias coronarias obstruidas mediante una insuflación o puentear mediante una operación de *bypass*.

Gammagrafía

Esta prueba se trata de inyectar una sustancia radiactiva en un vena, para así poder medir su distribución por el corazón en condiciones de reposo y bajo presión física (ejercicio). De este modo, se puede verificar si existe una disminución real del riego sanguíneo en el corazón.

Angina de pecho

▶ Síntomas:

- ➜ dolor y sensación de opresión en el pecho;
- ➜ sofocos, disnea, miedo;
- ➜ posible irradiación del dolor al cuello, a la mandíbula, la zona de los hombros y a los brazos;
- ➜ a veces también referido a la zona del estómago o en la espalda.

La angina de pecho o *Angor pectoris*, es el clásico cuadro de afecciones de las enfermedades coronarias o patologías de las arterias coronarias. Los dolores suelen aparecer súbitamente, casi siempre como consecuencia de un esfuerzo físico como subir escaleras, levantar pesos o por alguna carga psíquica. Pero también pueden tener origen al respirar aire frío.

Si los dolores cesan de inmediato después de guardar reposo o ponerse calor, entonces se trata de una *angina de pecho estable*. Pero si los dolores se agudizan con el paso del tiempo, se mantienen durante más tiempo y también se manifiestan cuando se está en reposo, entonces médicamente se habla de una *angina de pecho inestable*, que es un preaviso muy serio de un posible infarto de miocardio.

La causa es el desequilibrio que se produce entre la oferta y la demanda de oxígeno en el miocardio. Al realizar esfuerzos, el corazón necesita una mayor cantidad de sangre –hasta cuatro veces mayor de lo normal– para poder hacer frente al aumento de demanda de oxígeno. Esto no supone problema alguno cuando las arterias coronarias están sanas, ya que son elásticas y, por consiguiente, pueden dilatarse.

Pero las de las personas que sufren de angina de pecho, están "calcificadas" y muy obstruidas. Por este motivo, toda la sangre que se necesita ya no puede circular por ellas y, como consecuencia, no se produce una aportación suficiente de oxígeno al miocardio.

La obstrucción de las arterias se debe al padecimiento de la arteriosclerosis. Esta enfermedad necesita decenas de años para desarrollarse, pero sólo se detecta cuando su desarrollo está muy avanzado y comienza a dar problemas en el normal funcionamiento de la circulación sanguínea. De todas formas, puede ser que no aparezca ninguno de los síntomas típicos, sobre todo en personas diabéticas. En estos casos es muy grande el riesgo de sufrir un infarto o una muerte súbita, pues no se cuenta con los síntomas de una angina de pecho como aviso previo.

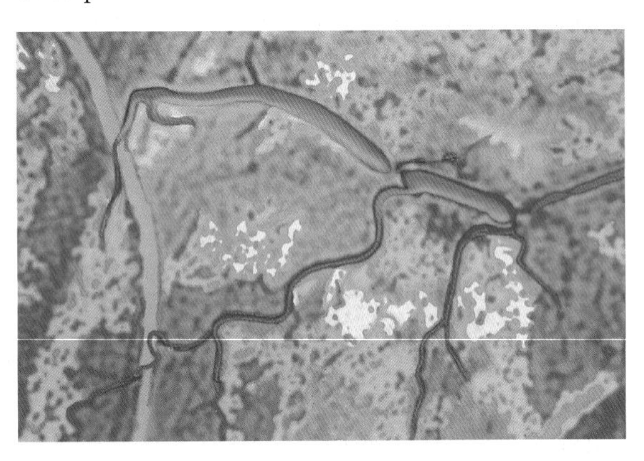

Cuando las arterias coronarias se estrechan y no dejan pasar oxígeno suficiente, el miocardio falla.

Tratamiento médico

Si advierte los síntomas típicos de una angina de pecho, si sabe certeramente que lo es porque ya la ha padecido con anterioridad, o si los dolores aparecen súbitamente también cuando se encuentra en reposo o sin realizar ningún tipo de actividad o ejercicio físico acuda al médico lo antes posible o haga que le lleven de inmediato al hospital o clínica más cercana.

Mediante la realización de un ECG, el médico verificará la resistencia y el estado del corazón frente a los esfuerzos. Sin embargo, las obstrucciones de las arterias coronarias sólo pueden verificarse mediante la práctica de un cateterismo cardíaco. La angina de pecho puede tratarse prescribiendo una terapia "conservadora", es decir, con medicamentos que mejoran el suministro de oxígeno e impiden la formación de coágulos. Para la angina de pecho van bien los nitratos (en forma de aerosol o en cápsulas, que se colocan debajo de la lengua para que la absorción y el efecto que producen sea más rápido).

Enfermedades coronarias

El concepto de enfermedad coronaria se aplica al conjunto de todos los cuadros patológicos producidos por la obstrucción de las diversas arterias coronarias:

- Angina de pecho.
- Infarto de miocardio.
- Insuficiencia cardíaca.

Por lo tanto, ¡lleve siempre consigo el *nitrospray* o las *nitrocápsulas*! Otra posibilidad de tratamiento de esta dolencia es dilatar el estrechamiento (o estrechamientos) diagnosticado mediante un cateterismo con globo (insuflación), o, también, hacer un "puente" alrededor de las arterias obstruidas: el llamado *bypass*.

Autoayuda

Una vida organizada puede contribuir, en gran medida, a que el progreso de la arteriosclerosis sea más lento de lo normal. He aquí algunas normas de interés que la persona enferma debería "tomarse a pecho" en el sentido más estricto y exacto de la palabra:

- Deje inmediatamente de fumar, procure mantenerse en su peso ideal y cuide de que la tensión arterial se mantenga dentro de sus límites.
- Lleve una alimentación rica en vitaminas, pobre en grasas y lo más equilibrada posible. Así podrá bajar el nivel de colesterol alto, que es uno de los factores más importantes de riesgo de la arterioesclerosis. Un viejo "remedio casero" para conseguir el normal funcionamiento de la circulación sanguínea es el ajo (comercializado también en cápsulas). Tome vitaminas (sobre todo vitamina C, vitamina E y betacarotina), que influyen favorablemente en la arteriosclerosis.
- Practique algún deporte de resistencia ligero (media hora diaria sería estupendo), como andar en bicicleta o pasear. Sería muy positivo formar parte de un grupo o asociación de enfermos coronarios, donde, además de gimnasia y ejercicios de relajación, es posible encontrar asesoramiento. En ellos se admite a toda aquella persona que tenga algún factor de riesgo de arteriosclerosis.
- Procure evitar el estrés y, para liberar las tensiones acumuladas, dése un descanso de vez en cuando. Aprenda técnicas de relajación, pues sirven de gran ayuda para superar el estrés.

¿Insuflación de las arterias u operación de bypass?

En caso de que la obstrucción de las arterias coronarias sea tan grande que los medicamentos resulten ineficaces y no puedan garantizar el abastecimiento de oxígeno al corazón, se debe elegir entre dos métodos para recuperar la salud: la insuflación o una operación de *bypass*. La dilatación de las arterias coronarias mediante una sonda –en cuyo extremo posee un globo– es una intervención "leve", pues es parecida a una exploración con catéter y sólo precisa de anestesia localizada en la arteria que va a servir para introducir la sonda (casi siempre, desde la ingle). En cuanto el globo de la sonda alcanza la arteria ocluida, se hincha, para que comprima los sedimentos arterioscleróticos contra la pared vascular. Después se puede introducir un rotablador, que es un portabrocas microscópico con el que es posible dejar libre la arteria ocluida. Esto se puede hacer usando el láser o un catéter para aterectomías, que corta las calcificaciones con una diminuta cuchilla giratoria. La insuflación tiene éxito en el 90% de los casos, pero las arterias dilatadas vuelven a obstruirse al cabo de un tiempo en uno de cada tres pacientes, si bien pueden dilatarse de nuevo sin problema alguno.

Las arterias ocluidas quedan de nuevo libres con una fresadora microscópica.

La operación de *bypass* se utiliza en casos complicados, o cuando se dan oclusiones múltiples de las arterias coronarias. Tiene una cuota de reincidencia menor que la insuflación. Se realiza a corazón abierto y se mantiene la circulación sanguínea del paciente a través de un pulmón-corazón artificial. También llamada *cirugía de derivación*, la intervención consiste en conectar un trozo de vena o injerto –extraída por lo general de la pierna de esa misma persona, o una pequeña arteria del pecho– para realizar un puente –a veces de varios arcos– entre la aorta y el sitio donde está la obstrucción, con lo cual el músculo cardíaco vuelve a recibir oxígeno suficiente. La mayoría de los pacientes se encuentran relativamente bien al poco tiempo de habérseles practicado una insuflación, pero en las operaciones de *bypass* hay que contar con un tiempo de recuperación de varias semanas.

Infarto de miocardio

► Síntomas:
- ➜ sensación paroxísmica de opresión en el pecho;
- ➜ dolor opresivo detrás del esternón;
- ➜ posible irradiación del dolor hasta el cuello, la mandíbula inferior, los hombros, los brazos y, a veces, el abdomen y la espalda;
- ➜ disnea, sensación de aniquilamiento, angustia vital;
- ➜ sudores copiosos, náuseas, vómitos, palidez.

El infarto de miocardio es la más grave de las enfermedades coronarias, y una de las causas principales de muerte en las sociedades industrializadas. Al principio, los síntomas de la enfermedad se manifiestan como un ataque de angina de pecho aguda, aunque son más intensos y seguidos de náuseas y vómitos.
Además, las afecciones no desaparecen a pesar de tomar *nitrospray* o *nitrotabletas*. Tampoco desaparecen con el reposo, y suelen durar más tiempo; de este modo, todo dolor de características anginosas que dure más de 30 minutos, debe considerarse como un infarto de miocardio. La quinta parte de los afectados, sobre todo diabéticos, no advierten estas afecciones, por lo que existe el peligro de que no se sean conscientes de sufrir el infarto cardíaco. En la mayoría de los casos, la causa hay que buscarla en la oclusión total de una arteria coronaria por un trombo o coágulo. Esta circunstancia provoca el que la parte del miocardio que recibe el oxígeno a través de la arteria ocluida, vea restringida de manera drástica su aporte y el tejido muera lentamente. La única salvación posible es eliminar el trombo cuanto antes, sin que en ningún caso el tiempo exceda de las seis primeras horas.

Tratamiento médico

En cuanto tenga la menor sospecha de padecer un infarto de miocardio, acuda al servicio de urgencias. No espere a comprobar si los dolores pasan por sí solos: ¡las primeras horas después del infarto son las más peligrosas y decisivas y, al mismo tiempo, las más importantes para su tratamiento! ¡Cuatro de cada cinco pacientes de infarto pueden sobrevivir si reciben asistencia médica adecuada a tiempo! La disolución del coágulo con medicamentos, que puede limitar decisivamente la extensión del infarto y su consiguiente repercusión en la actividad cardíaca, sólo es posible en el transcurso de las primeras horas después del infarto.
Como medida alternativa se puede intentar abrir de nuevo la zona ocluida mediante una insuflación. En la unidad de coronarias del hospital se mantendrá la observación y cuidado del paciente las 24 horas del día. De este modo se podrá hacer frente a posibles complicaciones peligrosas como, por ejemplo, fibrilaciones ventriculares o trastornos del ritmo cardíaco en los que el corazón late tan deprisa que le resulta imposible bombear la sangre.
Después de la estancia en el hospital, el enfermo debe proseguir con la terapia prescrita o tratamiento curativo en su domicilio, profundizando más en todo lo comenzado en el hospital y aclarando sin ninguna clase de dudas cómo surge la enfermedad coronaria, el papel que desempeñan los factores de riesgo y las posibilidades de reducirlos, los efectos de los medicamentos y las medidas que se deben tomar para estabilizar la salud.
La cinesiterapia determinada y controlada por el médico, le ayudará a establecer los límites de su capacidad de rendimiento y le hará perder el miedo a realizar esfuerzos físicos. La orientación para superar en el futuro su vida cotidiana, podrán mostrársela y encontrar su camino a través de entrevistas psicoterapéuticas y asesoramiento médico.
Casi todos los pacientes de infarto tienen que tomar medicamentos durante cierto tiempo, o, en la mayoría de los casos, durante toda la vida, aunque no se muestre ninguna afección. Estos medicamentos sirven de protección contra otro posible infarto, y se componen de tres sustancias esenciales: ácido acetilsalicílico, betabloqueadores e IECA (Inhibidores del Enzima Convertidor de Angiotensiva).

Autoayuda

La superación de un infarto de miocardio, supone el comienzo de una nueva vida para muchas personas. La mejor autoayuda en este caso es tanto la prevención como la preocupación. Prevención para impedir que la enfermedad coronaria siga progresando, y pueda provocar un segundo infarto; y preocupación por superar el trauma de la situación, que pudo ser mortal y que ahora sólo pide recuperar las fuerzas.
Pero lo importante es que la persona se adapte a la nueva situación y que, con la ayuda de su psicoterapeuta si es preciso, vuelva a recuperar las ganas de vivir. La recuperación total de la salud es imposible en una enfermedad coronaria grave. Pero si se pone toda la voluntad posible, se puede mejorar mucho la calidad de vida y la capacidad para valerse por sí mismo.

La arteriosclerosis

Hasta hoy no sabemos muy bien cuál es el origen de las diversas causas que provocan la arteriosclerosis (endurecimiento de las arterias), e, indirectamente, tampoco las que ocasionan las enfermedades coronarias. No obstante, los resultados de numerosas investigaciones parecen indicar que los trastornos metabólicos ejercen un papel fundamental en la aparición de la enfermedad.

¿Es culpable el colesterol?

El colesterol es un lípido que se encuentra en todas las células, y desarrolla importantes tareas. La mayor parte se forma en el hígado y, también, lo ingerimos en forma de grasas animales (leche, carne, huevos). por eso, si nuestra alimentación es rica en grasas, tomamos una dosis excesiva. Pero el colesterol en sí no es malo del todo, ya que dañe los vasos o les sea útiles depende de su "medio de transporte", las lipoproteínas, necesarias para transportar las grasas ingeridas con la alimentación y, según sea su composición, se distinguen las lipoproteínas "buenas" o de alta densidad (*High Density Lipoproteins*: HDL) y las lipoproteínas "malas" o de baja densidad (*Low Density Lipoproteins*: LDL). Si se da una alta concentración de LDL en sangre, traspasan las paredes de los vasos y provocan una inflamación. El grosor de la pared aumenta y se depositan más grasas y sales de calcio; por lo que las arterias, elásticas, se endurecen y se estrechan más a medida que pasa el tiempo.

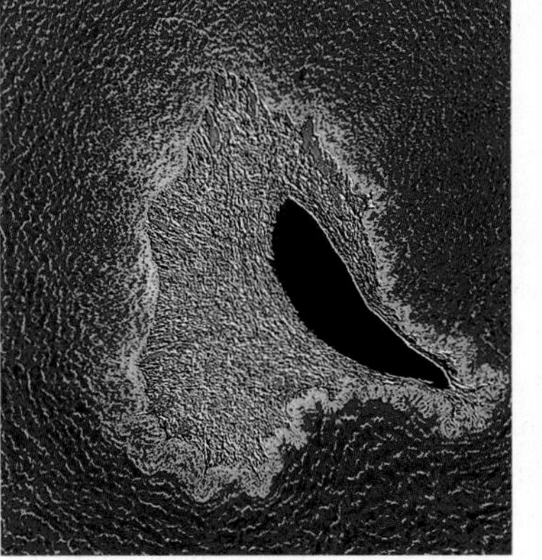

Los sedimentos obstruyen las venas y sólo dejan un paso estrecho interior.

Cuando hay escasez de oxígeno

Sin embargo, todo lo comentado no comienza a causar molestias hasta que el estrechamiento de la arteria alcanza el 50%. Pero aparte del papel esencial que representa la menor sección de las arterias, también lo es su pérdida de elasticidad, pues ya no podrán dilatarse cuando el cuerpo necesite más oxígeno y, por lo tanto, no podrán recibir una mayor cantidad de sangre cuando, como, por ejemplo, se realiza un esfuerzo físico o se soporta una importante carga psíquica. Así se origina la falta de oxígeno en el corazón, que puede provocar una angina de pecho.

Si, además de esto, se rompe la superficie de una de esas lesiones arterioscleróticas (placas), se forman entonces los peligrosos coágulos de sangre. Las consecuencias de este mecanismo, que en realidad lo que intenta es reparar la pared vascular dañada, pueden tener consecuencias fatales. El coágulo de sangre estrecha la arteria todavía más, o la llega a obstruir por completo provocando el correspondiente infarto de miocardio.

Los factores de riesgo

Además del nivel de colesterol alto, existe una serie de factores que favorecen la aparición de la arteriosclerosis, entre los que se cuentan, por ejemplo, la edad de la persona, el hecho de ser varón, la carga hereditaria y el tabaco.

Según su importancia, los factores de riesgo médico se consideran de primero o segundo orden. Entre los de primer orden se tienen: el alto nivel de colesterol, la hipertensión, las patologías metabólicas, la diabetes mellitus y, especialmente, el tabaquismo. Factores de riesgo de segundo orden son: el sobrepeso, la falta de ejercicio, el estrés y la actividad desmedida. Una persona en la que concurran dos factores de riesgo de primer orden, correrá un peligro cuatro veces mayor que otra en la que no se den este tipo de riesgos.

En el caso particular de la angina de pecho, el apartado de autoayuda ofrece una serie de consejos preventivos que frenan en gran medida la aparición de la arteriosclerosis.

Extrasístoles

► Síntomas:
→ palpitaciones, latidos cardíacos irregulares;
→ posibles vértigos, colapso.

Tanto las extrasístoles (*latidos extras*) como la interrupción aparente de los latidos, tienen su causa en que cada impulso prematuro del músculo cardíaco va seguido de una pausa para mantener constante el promedio de latidos. Estas extrasístoles carecen de importancia en las personas con buena salud, y pueden ser debidas a nerviosismo, alcohol, nicotina o cafeína. Pero también pueden aparecer como síntomas concomitantes de enfermedades cardíacas, o de una hiperfunción del tiroides y acabar a menudo en → taquicardias.

Tratamiento médico

Si las extrasístoles se repiten con demasiada frecuencia, lo propio es acudir a la consulta del médico. Mediante un ECG de larga duración, se comprobará si la clase y el número de latidos extras constituyen un riesgo o no para la persona. El tratamiento sólo es preciso en caso de trastornos del ritmo cardíaco graves (→ Taquicardias; → Bloqueo cardíaco).

Autoayuda

Evite el consumo de tabaco, alcohol, café, refrescos con cafeína y cualquier otra sustancia que pueda producir trastornos del ritmo cardíaco.

El corazón pierde el compás

Normalmente, el corazón late como promedio unas 70 veces por minuto. Las oscilaciones de este ritmo casi siempre pasan desapercibidas, o se califican como extrasístoles. Pero otras veces pasa que el corazón late mucho más deprisa (→ Taquicar-dias, o más de 100 latidos por minuto), o mucho más despacio (→ Bradicardias, o menos de 60 latidos por minuto) por término medio. En la mayoría de los casos esto se debe a algún tipo de carga física o psíquica, y a un estado de gran tensión. Pero cuando estos latidos –excesivamente rápidos o demasiado lentos– aparecen en otras situaciones, pueden ser síntoma de una enfermedad cardíaca o de otra enfermedad.

Taquicardias

► Síntomas:
→ palpitaciones, latidos muy rápidos;
→ vértigo, pérdida del sentido;
→ micciones frecuentes durante o después de un ataque de taquicardia;
→ a veces disnea, opresión en el pecho.

La mayoría de las taquicardias (ritmo cardíaco de una frecuencia de más de 100 latidos por minuto) son inofensivas, y suelen estar provocadas por esfuerzos físicos o deberse a un estado de gran excitación. Pero en aquellas personas que ya padecen una lesión cardíaca previa, suelen ser peligrosas al producirse a menudo una falta de oxígeno grave en el corazón. Las taquicardias pueden ir precedidas de → extrasístoles, o aparecer de repente como *taquicardias paroxísticas*. Duran unos minutos, unas horas o, en algunos casos, duran algunos días. En el peor de los casos, ocasionan una *fibrilación ventricular* de hasta 500 impulsos por minuto, descoordinados por completo, lo que interrumpe el flujo normal de la circulación sanguínea. Se produce debido a un trastorno en la formación de los impulsos (→ El ritmo del corazón).

• La *taquicardia sinual* parte del nodo sinual, el "marcapasos" natural situado en la aurícula derecha, y suele producir esa subida de pulso normal que aparece cuando se realiza un esfuerzo físico o se sobrelleva alguna carga psíquica.

• La *taquicardia supraventricular* casi siempre aparece en situaciones en las que concurre alguna carga física o psíquica. Pero también puede producirse por una sobrecarga de las aurículas a consecuencia de una insuficiencia cardíaca), de una carditis o como reacción a una sobredosis de medicamentos digitales.

• Un trastorno del ritmo cardíaco relativamente frecuente es la llamada *fibrilación auricular*, que puede darse en casi todas las enfermedades coronarias de tipo crónico. Consiste en una formación anárquica de impulsos en diversos puntos de la aurícula, a razón de unos 450 impulsos por minuto, mientras los ventrículos se contraen irregularmente entre las 80 y 160 veces por minuto. Esto hace que se reduzca entre un 20% y un 25% la aportación de oxígeno de la circulación sanguínea del cuerpo, y como además es fácil que se formen coágulos de sangre en las aurículas que fibrilan, existe el peligro de que se forme una embolia o se produzca un ataque de apoplejía.

Tratamiento médico

Si su corazón comienza a latir muy deprisa sin razón justificada o padece un ataque de taquicardia, acuda inmediatamente a la consulta de su médico. En aquellas ocasiones en las que la diagnosis de las diferentes formas de taquicardia es difícil, puede ser necesaria la hospitalización.

La mayoría de las veces los trastornos rítmicos se pueden corregir mediante la administración de medicamentos con betabloqueantes, digitálicos o antagonistas del calcio. Pero este tipo de terapia sólo se utiliza en casos especiales, pues cualquier tipo de medicamento puede producir un efecto secundario de rebote que altere a su vez los trastornos del ritmo cardíaco. De todas formas tienen que tomarse bajo prescripción facultativa y con regularidad, no pudiéndose interrumpir el tratamiento a voluntad. Las taquicardias pueden eliminarse mediante la aplicación de un catéter cardíaco. También es posible tratar las fibrilaciones auriculares recientes con la desfibrilación (*cardioversión*), que consiste en aplicar una pequeña descarga eléctrica sobre la superficie del tórax.

Autoayuda

En el caso de padecer trastornos leves del ritmo cardíaco, puede aliviar en alguna medida:

- inspirar profundamente y empujar como al hacer las deposiciones;
- beber un vaso de gaseosa fría;
- lavarse la cara con agua fría;
- evitar el estrés físico y psíquico;
- no tomar té, café, alcohol ni fumar.

Bradicardías/Trastornos de la transmisión de impulsos

▶ Síntomas:

- ➜ ritmo cardíaco lento, extrasístoles;
- ➜ palidez, vértigo, obnubilación;
- ➜ disnea, opresión en el pecho;
- ➜ pérdida momentánea del sentido.

Una bradicardia es una lentificación del ritmo cardíaco, que puede llegar incluso a su interrupción.

Puede estar causada por una lesión inflamatoria del sistema de transmisión de impulsos, muy frecuente en todas las enfermedades coronarias, pero también por una sobredosis de medicamentos digitálicos, fiebre reumática o por sífilis.

El marcapasos

Cuando el corazón ya no está en condiciones de mantener su frecuencia cardíaca regular, para restablecerlo se utiliza un marcapasos. Este dispositivo electrónico se implanta quirúrgicamente en el pecho –o en el abdomen–, y envia pequeñas descargas eléctricas al miocardio, de manera permanente o cuando sea preciso, para que el corazón mantenga su ritmo. Esta intervención sólo necesita anestesia local.

Su funcionamiento sólo requiere de control cada seis meses y, por lo general, la pila dura unos dos años. Los nuevos modelos de baja energía y con baterías de última generación, pueden llegar a tener una duración de 8 ó 10 años. El marcapasos permite llevar una vida normal.

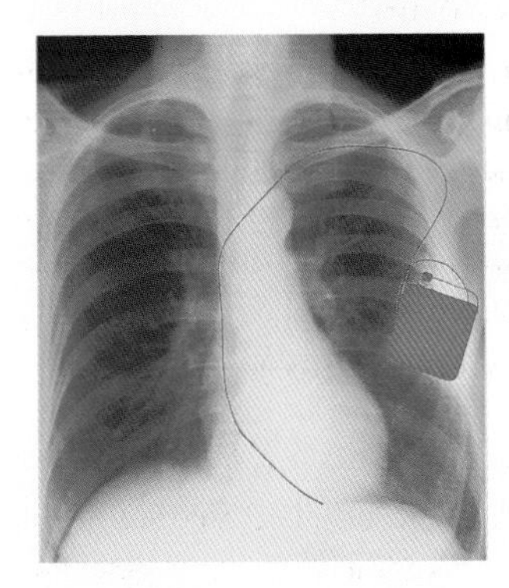

Mediante un cable muy delgado, el marcapasos se encarga de enviar impulsos eléctricos al miocardio para conseguir el normal funcionamiento del corazón.

En la bradicardia se puede interrumpir la actividad del corazón desde unos segundos a unos minutos; y, en los casos más grave, también la circulación sanguínea.

Tratamiento médico

Si nota que su corazón late despacio o el pulso no se acelera al realizar cualquier esfuerzo, acuda al servicio de urgencias cuanto antes.

Comuníquele claramente al médico de urgencias las posibles pérdidas de conocimiento que haya podido sufrir, pues puede producirse un paro cardíaco. Los trastornos del ritmo se confirman claramente con un ECG. A veces, será preciso implantar un → marcapasos artificial.

Autoayuda

No es posible.

Insuficiencia cardíaca

Síntomas:

Insuficiencia cardíaca izquierda:

- debilidad, fatiga leve;
- apnea al realizar esfuerzos y también en reposo, especialmente cuando se está acostado;
- tos irritante durante la noche;
- taquicardias, manos húmedas;
- coloración azulada de los labios y de los dedos de manos y pies;
- frecuentes micciones nocturnas.

Insuficiencia cardíaca derecha:

- piernas y tobillos hinchados;
- dolores de estómago y falta de apetito;
- a veces, la piel adquiere un tono amarillento.

Se entiende por insuficiencia cardíaca, la incapacidad del corazón para atender la demanda de sangre –y de oxígeno– del cuerpo. Y según sea el ventrículo afectado, el izquierdo o el derecho, se habla de insuficiencia cardíaca izquierda o derecha. En la mayoría de los casos, una insuficiencia izquierda persistente suele ir acompañada de una insuficiencia cardíaca derecha.

La velocidad de circulación de la sangre es más lenta cuando hay una insuficiencia cardíaca y, por lo tanto, se vacía más de oxígeno. Este es el motivo por el que los labios adquieren una coloración azulada, y, a veces, también los dedos de las manos y de los pies.

Como el corazón insuficiente bombea menos sangre que el sano, la sangre se acumula en los pulmones por fallo del corazón izquierdo y produce disnea, tos irritativa y, en casos más graves, edema pulmonar. En el curso de la enfermedad, la sangre se estanca en la circulación mayor y produce edemas en las piernas. Durante la noche, mientras se descansa, este líquido retorna a la circulación sanguínea y puede ser excretado a través de los riñones. A ello se debe el que el paciente con insuficiencia cardíaca tenga que orinar con frecuencia por la noche.

El 90% de las insuficiencias cardíacas que se producen en los países industrializados se deben a la cardiopatía coronaria o a la hipertensión crónica.

Los agentes activos digitales se obtienen de la "dedalera".

Tratamiento médico

La persona que tiene los síntomas típicos de una insuficiencia cardíaca, debe visitar a su médico lo antes posible. Un insuficiencia cardíaca no tratada puede ocasionar un edema pulmonar de consecuencias fatales, graves trastornos del ritmo cardíaco y diversos daños orgánicos en otras zonas del organismo.

Cuando aparecen las primeras afecciones, la insuficiencia cardíaca puede tratarse mediante una terapia medicamentosa. Se ha constatado la gran eficacia de los IECA (Inhibidores del Enzima Convertidor de Angiotensina), medicamentos vasodilatadores que, además de aliviar los síntomas, retrasan el avance de la insuficiencia cardíaca. Los preparados digitálicos fortalecen el corazón, pero hay que dosificarlos con precisión para evitar los indeseados efectos secundarios. La sobredosificación puede producir náuseas, diarrea, extrasístoles y trastornos de la visión. Si se acumulan líquidos en los tejidos, se suministrará, junto con los digitálicos o los IECA, un diurético.

A los pacientes encamados es recomendable ponerles medias compresivas; y, quizá, una inyección diaria de un anticoagulante para impedir la formación de coágulos de sangre y que se produzca una trombosis, pues la lentitud de la corriente sanguínea debida a la insuficiencia cardíaca favorece la aparición de trombosis venosas y de embolias pulmonares.

El empeoramiento agudo del estado del enfermo (por ejemplo, acumulación de líquidos en los pulmones, colapso, aumento de peso y acúmulo de agua en las piernas) tiene que ser tratado hospitalariamente. Si la aplicación de la terapia medicamentosa ya no logra ninguna mejoría a causa de lo avanzado de la enfermedad, todavía queda la posibilidad de un trasplante de corazón.

Actualmente los pronósticos aportan una buena esperanza de vida, pues más de las tres cuartas partes de los pacientes viven varios años más con un corazón trasplantado.

Para evitar el rechazo producido por un tejido extraño, después de la operación hay que tomar diversos medicamentos inmunosupresores.

Con todo, la consecuencia inmediata es un efecto secundario indeseado, la una predisposición a contraer diversas enfermedades infecciosas.

Causas de una insuficiencia cardíaca:

- Hipertensión.
- Enfermedad coronaria.
- Valvulopatías.
- Miocarditis.
- Embolia pulmonar.

Autoayuda

La persona que tiene un corazón débil, debe cuidarse mucho y evitar, como norma general, realizar grandes esfuerzos físicos. No obstante es recomendable y muy saludable realizar cierto tipo de actividades físicas ligeras, ya que contribuyen a mantener un buen riego sanguíneo de todos los músculos que componen el organismo.
Si hay sobrepeso, se deben perder los kilos de exceso. Más adelante se recoge toda la información sobre las medidas que se pueden adoptar en caso de hipertensión, y, en caso de enfermedad coronaria, para prevenir la arteriosclerosis. En caso de padecer acumulación de líquidos, incluya en su menú platos pobres en sal y alimentos ricos en calcio (plátanos, zumos de frutas). Las fresas y los espárragos son diuréticos; también es bueno tomar, de vez en cuando, pasta de arroz. Beba poco líquido por la noche, y mantenga las piernas en alto siempre que pueda. Permanecer largo tiempo sentado o acostado, es perjudicial para el riego sanguíneo.

Neurosis cardíaca

► Síntomas:
- ➜ presión, ardor y sensación de opresión en el pecho;
- ➜ taquicardías, disnea y náuseas;
- ➜ sudor copioso, pánico;
- ➜ sensación de volverse loco.

El dolor torácico producido por una neurosis cardíaca, apenas si se puede distinguir de una angina de pecho. A diferencia de ésta, surge a menudo durante la noche, sin que haya mediado esfuerzo físico alguno; además, en los exámenes médicos no se detecta ningún tipo de enfermedad cardíaca orgánica.
La neurosis cardíaca, también conocida como "fobia cardíaca", está considerada como una patología originada por la ansiedad o el pánico que surge en situaciones donde se da mucho estrés con la concurrencia de las consiguientes reacciones circulatorias y aceleración del pulso debido al gran aumento de la tensión arterial.
Así pues, todos estos síntomas cardíacos –de sintomatología tan peligrosa– son inherentes a procesos físicos reales, aunque los exámenes médicos no revelen causa orgánica que justifique las afecciones, factor este que aumenta aún más la ansiedad o el pánico, ya que no puede instaurarse una terapia determinada ni, por lo tanto, percibirse una mejoría de las citadas afecciones.
En el trasfondo de una neurosis cardíaca suele haber un conflicto psíquico inconsciente; por ejemplo, el deseo de separarse de una persona muy próxima y, por otro lado, no querer perderla del todo.
En el transcurso de la enfermedad, el paciente intenta evitar las situaciones que le provocan el estado de ansiedad, tiene más cuidados para consigo mismo y da una importancia creciente a las afecciones cardíacas y demás síntomas típicos de la enfermedad. Este proceso, que la mayoría de las veces se topa con la incomprensión de las personas allegadas, casi siempre suele provocar su aislamiento.

Tratamiento médico

Si padece una neurosis cardíaca, lo inmediato y más recomendable es que visite a su médico para que le prescriba un tratamiento a largo plazo. Aunque todos los reconocimientos y análisis realizados confirmen que no existe causa orgánica que origine la enfermedad, el médico deberá dar la impresión de que se toma en serio sus afecciones. Ambos intentarán, en conjunto, descubrir qué acontecimientos o experiencias le afectan tanto como para provocarle la neurosis cardíaca. La superación de las afecciones estará supeditada –en gran medida– a una terapia en la que se combine la psicoterapia, en especial la terapia de conducta, con unos sencillos ejercicios físicos que vayan aumentado su actividad poco a poco. Con el apoyo del terapeuta, se debe poner todo el empeño en recobrar la normalidad tanto de la vida privada como de la profesional.

Autoayuda

Evite tomar sustancias o bebidas estimulantes que puedan incrementar la actividad cardíaca: prescinda del café, o tome sólo descafeinado, y no fume ni tome tranquilizantes (salvo los prescritos por el médico). Para que el cuerpo adquiera mayor consistencia, y para relajarse, debe realizar ejercicio físico adecuado.

Endocarditis

► Síntomas:
- ➜ fiebre, escalofríos, disnea, taquicardias;
- ➜ derrames cutáneos, nódulos rojos y dolorosos en los dedos de pies y manos.

La endocarditis o inflamación del endocardio, en especial la de las válvulas cardíacas, se manifiesta como consecuencia de la invasión de bacterias o de otros microorganismos. Si no recibe un tratamiento a adecuado, puede producir la muerte. Las causas que la provocan son diversas, pero aquí vamos a distinguir entre la endocarditis reumática, que surge como consecuencia de la fiebre reumática, y la endocarditis bacteriana.
Afecta de manera especial a las personas que ya han padecido alguna lesión valvular, pues las bacterias pueden "ocultarse" allí fácilmente de las defensas endógenas y multiplicarse.
Si las bacterias llegan en grandes cantidades a la sangre, por ejemplo después de una operación grave, por el uso de agujas hipodérmicas sin esterilizar (en el caso de drogodependientes) o por falta de defensas, cabe la posibilidad de que se desarrolle una endocarditis aguda que, acompañada de dolores intensos y fiebre alta, destruya las válvulas cardíacas en poco tiempo y pueda ocasionar daños muy graves en el corazón, los riñones y el sistema nervioso. En cambio, si el número de bacterias es menor y el sistema inmunológico funciona con normalidad, aunque la enfermedad es igual de peligrosa, evoluciona lentamente. Por lo general suele dar, por ejemplo, en las extracciones dentales. Los síntomas son poco específicos y similares a los de la gripe.

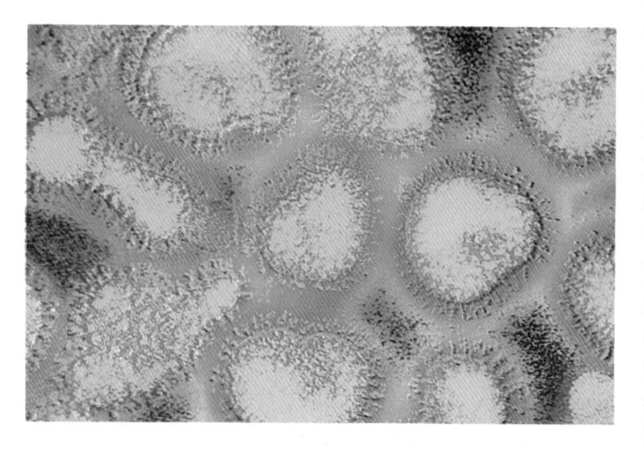

Los virus de la gripe presentan un serio peligro, pues pueden atacar al corazón y provocar infecciones cardíacas.

Tratamiento médico

¡Si sospecha que padece una endocarditis, acuda cuanto antes al hospital! La presencia de bacterias se verifica mediante diversos "hemocultivos" (análisis de sangre especial), y las alteraciones de las válvulas cardíacas con un ecocardiograma. Las dosis necesarias de antibióticos intravenosos, deben suministrarse lo antes posible. En caso de que ya hayan sido destruidas por las bacterias, las válvulas se extraerán y reemplazarán por otras artificiales mediante una operación.

Autoayuda

Si sus válvulas cardíacas ya están deterioradas, después de hablar con su médico –y como medida preventiva–, antes de cada intervención (por pequeña que sea) deberá tomar un antibiótico para evitar que las bacterias puedan llegar a la sangre. También deberá ir al médico cuando tenga fiebre, y en caso de infección por leve que esta sea.

Pericarditis

► Síntomas:
- ➜ dolor torácico punzante e intenso al principio, sobre todo cuando se está acostado y al respirar profundamente; a veces, el dolor cede al incorporarse hacia adelante;
- ➜ fiebre, pulso acelerado, respiración rápida;
- ➜ después disnea, venas del cuello hinchadas;
- ➜ edemas en piernas y vientre.

Las inflamaciones de pericardio, la envoltura protectora del corazón, suelen estar producidas por virus y muy pocas veces por bacterias, sobre todo por las causantes de la tuberculosis. Pero también pueden originarse por alergias, enfermedades renales o a consecuencia de un infarto de miocardio.
El peligro está en que, en el curso de la inflamación, pueda formarse un encharcamiento, es decir, que una gran cantidad de líquido se acumule entre las dos capas del pericardio y comprima –desde fuera– las aurículas y los ventrículos, hasta el punto de que el corazón sólo pueda admitir una cantidad muy pequeña de sangre y se cree una situación crítica. La posibilidad de que se formen cicatrices en el corazón durante el proceso curativo de una pericarditis, reducen la elasticidad de los ventrículos y, con ello, la potencia cardíaca. En algunos casos (muy raros), el músculo cardíaco se endurece y da lugar al "corazón en coraza".

Tratamiento médico

Si una infección se acompaña de dolores en el echo, pulso irregular o síntomas de insuficiencia car-líaca, acuda al médico sin pérdida de tiempo.

as alteraciones se aprecian al realizar un electrocar-liograma (ECG), en tanto que el ecocardiograma y la adiografía de tórax muestran el aumento de tamaño ue ha experimentado el corazón.

or un lado, la terapia requiere el tratamiento de la nfermedad base, por ejemplo, en el caso de una infec-ión bacteriana, con antibióticos. Por otro lado, deben uministrarse antiinflamatorios, analgésicos y, si la acu-nulación de líquido en el pericardio aumenta, diuréti-os. En caso de que la presión ejercida por el líquido obre los ventrículos del pericardio del corazón sea xcesivamente grande, habrá que practicar una punción proceder a su extracción.

Autoayuda

No es posible.

Miocarditis

► Síntomas:

- debilidad, cansancio, falta de rendimiento;
- extrasístoles, palpitaciones, pulso acelerado;
- respiración corta, dolores en el pecho;
- posibles síntomas que indiquen una insuficiencia cardíaca.

a inflamación de miocardio suele aparecer como una omplicación añadida al curso de enfermedades infec-iosas. Suele estar causada por virus, incluso los sim-les virus del resfriado pueden provocarla, y rara vez or bacterias u otros microorganismos. También la fie-re reumática, o enfermedades no infecciosas como las fecciones del tejido conectivo, las colagenosis, pueden casionar una miocarditis.

n la mayoría de los casos, no presenta ningún síntoma aracterístico y se cura por sí misma sin necesidad de plicar ninguna clase de terapia. Sin embargo, en otros nuchos casos la miocarditis puede dejar secuelas gra-es en personas que hasta entonces estaban completa-nente sanas, incluso a edades muy tempranas.

Tratamiento médico

Si no logra recuperarse del todo después de aber padecido una infección de este tipo, consulte con u médico para que pueda establecer un diagnóstico a la vista de las alteraciones típicas registradas en un ECG y del aumento de enzimas miocardíacas. La medida terapéutica más importante es guardar reposo, al principio en el hospital y posteriormente en casa, durante varias semanas, así como someterse a los exámenes médicos periódicos establecidos (ECG, ultrasonidos, análisis de sangre).

Autoayuda

Tómese el tiempo preciso para que la infección básica se cure completamente, procurando evitar cualquier tipo de esfuerzo físico -por leve que sea- hasta que vuelva a estar sano del todo.

Miocardiopatías

► Síntomas:

- cansancio, escaso rendimiento;
- disnea, posible sensación de opresión en el pecho;
- trastornos del ritmo cardíaco, acompañados a veces de vértigo y colapso;
- edemas en las piernas.

El concepto de cardiomiopatías se aplica médicamente al conjunto de patologías graves que afectan al miocardio. Como agentes patógenos se consideran, entre otros, las infecciones, los trastornos metabólicos y las intoxicaciones (alcohol, por ejemplo); pero, muchas veces, las causas se desconocen. La cardiomiopatía más frecuente es la miocardiopatía dilatada, caracterizada porque el corazón se agranda mucho y los ventrículos bombean con poca fuerza, lo que da lugar a una insuficiencia cardíaca.

Tratamiento médico

El agrandamiento del corazón se aprecia claramente en una radiografía de tórax y mediante ultrasonidos (→ Ecocardiografía). La insuficiencia cardíaca se trata mayormente con digitálicos, IECA y diuréticos (→ Cardiotónicos). En casos de extrema gravedad, también puede ser necesario recurrir al trasplante de corazón.

Autoayuda

A no ser que la miocardiopatía sea alcohólica, la autoayuda no es posible. Si es la cardiptía tiene el origen ya mencionado, se debe prescindir de beber alcohol por completo.

Cardiopatías congénitas

▶ Síntomas:
- ➜ disnea;
- ➜ neumonías frecuentes;
- ➜ edemas;
- ➜ coloración azulada de piel y mucosas (cianosis).

El concepto de cardiopatía congénita incluye todas las deficiencias anatómicas, de origen congénito o heredadas, que presentan las válvulas cardíacas, el tabique interventricular y las grandes arterias del corazón. Alrededor del 1% de los niños recién nacidos presentan alguna clase de cardiopatía congénita.

Casi todos los casos tienen en común la afección de disnea y la predisposición a contraer neumonía, siendo la cianosis relativamente poco frecuente. En su mayor parte las causas concretas del fallo cardíaco congénito no se conocen, pero está demostrado que una de ellas es la infección de rubéola durante el embarazo.

La mayoría de las cardiopatías congénitas tienen su causa en la defectuosa separación del corazón derecho del izquierdo. Lo habitual es la existencia de orificios en el tabique (*septum*) que separa las aurículas CIA (*comunicación interauricular*) del corazón, o entre ambos ventrículos CIV (*comunicación interventricular*). También puede suceder ocasionalmente que la aorta en lugar de nacer en el lado izquierdo lo haga en el derecho, o, incluso, que su sección sea estrecha.

Del mismo modo es relativamente frecuente una involución defectuosa del conducto de Botal, un vaso sanguíneo que establece la necesaria comunicación entre la aorta y la arteria pulmonar del feto antes de nacer.

Existen otras muchas malformaciones cardíacas de mayor rareza, como, por ejemplo, válvulas cardíacas que combinan sus defectos en alternancia las unas con las otras y que presentan distinto grado de gravedad.

Las cardiopatías congénitas pueden dar lugar a que la sangre bombeada aporte poco oxígeno al torrente de la circulación sanguínea mayor, y se mezcle con sangre rica en oxígeno proveniente de los pulmones. Esto hace que el miocardio y el cuerpo no se oxigenen lo suficiente y, como consecuencia, se produzca posteriormente una cianosis, pudiendo ocasionarse también la hinchazón exagerada de los dedos de la mano (los llamados dedos en forma de palillos de tambor). Las cardiopatías, si son de carácter leve, no suelen causar grandes molestias.

Tratamiento médico

Generalmente las cardiopatías congénitas se detectan durante los reconocimientos médicos rutinarios a que son sometidos los recién nacidos, pues causan unos ruidos cardíacos característicos. Los fallos cardíacos graves tienen que ser operados, lo que casi siempre se realiza entre los 2 y los 8 años de edad. Todos los pacientes, aunque la cardiopatía sea leve, deberán consultar con su médico cuando contraigan una enfermedad infecciosa, así como antes de una operación o de someterse a un tratamiento dental. Como el riesgo de una carditis es grande, como medida preventiva lo aconseja es tomar algún antibiótico.

Autoayuda

No es posible. Las adolescentes deberían vacunarse contra la rubéola lo antes posible, ya que una infección de este tipo durante el embarazo puede producir malformaciones en el corazón del no nacido.

Valvulopatías

▶ Síntomas:
- ➜ palpitaciones, pulso irregular;
- ➜ disnea, opresión en el pecho;
- ➜ tos nocturna;
- ➜ piernas hinchadas;
- ➜ cianosis de labios y dedos de pies y manos;
- ➜ cansancio ante el menor esfuerzo.

En principio, las válvulas cardíacas sólo pueden verse afectadas por las siguientes tres formas de valvulopatía: o bien las válvulas no se abren lo suficiente (*estenosis valvular*), o bien no se cierran herméticamente (*insuficiencia valvular*) o, por último, se dan las dos circunstancias anteriores a la vez (*esteno-insuficiencia*).

En cualquier caso, las válvulas del corazón no puede cumplir la misión para la que están destinadas, por lo que el miocardio tiene que realizar un esfuerzo mucho mayor para bombear la sangre lo que, al cabo del tiempo, produce una sobrecarga de la musculatura cardíaca que lleva a la insuficiencia cardíaca.

Afecciones como la disnea y la hinchazón de piernas, que al principio sólo aparecían cuando se hacían grandes esfuerzos físicos, acaban por aparecer también cuando se está en reposo.

Las causas de los fallos de las válvulas cardíacas pueden ser: una endocarditis, un infarto de miocardio o una calcificación del tejido valvular. Las válvulas afectadas

casi siempre suelen ser las del corazón izquierdo, es decir, la mitral y la aórtica. Un fallo muy frecuente es el prolapso de la válvula mitral, que consiste en un ligero abultamiento de la válvula situada entre la aurícula izquierda y el ventrículo izquierdo. Por lo general esta afección no necesita tratamiento, aunque puede ser la etapa previa que indica el inmediato padecimiento de una insuficiencia de la válvula mitral.
Si la válvula entre la aurícula izquierda y el ventrículo izquierdo no se cierra del todo, al evacuarse el ventrículo izquierdo, además de producirse un flujo de sangre a la circulación sanguínea mayor, una parte de ella retorna a la aurícula izquierda.
El deterioro progresivo de esta válvula del corazón puede hacer que aparezcan síntomas semejantes a los de la estenosis de la válvula mitral, o que incluso con el tiempo dé lugar a esta patología. Como resultado, la válvula mitral se estrecha, parte de la sangre del corazón izquierdo se estanca en los pulmones y, poco más tarde, aparece una insuficiencia del corazón derecho que ocasiona la acumulación de líquidos por todo el cuerpo. Si en la válvula aórtica es donde se produce el estrechamiento (*estenosis de la válvula aórtica*), llega menos sangre oxigenada tanto a la arteria aorta como al flujo de la circulación sanguínea. La consecuencia inmediata es que el abastecimiento de oxígeno al corazón y al cerebro resulta insuficiente. Al mismo tiempo, para vencer la mayor resistencia de la válvula aórtica, el ventrículo izquierdo se ve obligado a bombear la sangre con más fuerza. La insuficiencia aórtica da lugar a que una parte de la sangre bombeada a la aorta en cada una de las contracciones ventriculares, retorne al ventrículo izquierdo.

Tratamiento médico

Si padece disnea o siente una especie de opresión en el pecho, consulte con su médico lo más pronto posible. Según sea la gravedad del fallo valvular, lo más inmediato es tomar medicamentos contra la insuficiencia cardíaca.
Además, en caso de que exista fiebre, infección o se produzca una intervención quirúrgica o de odontología, las válvulas deberán protegerse con la toma de antibióticos. Las válvulas que se hayan estrechado, pueden dilatarse mediante una insuflación como si se tratara de una arteria coronaria. Las válvulas desajustadas pueden volver a cerrarse herméticamente mediante una operación, o ser reemplazadas por → válvulas artificiales si ya están muy deterioradas.

Autoayuda

Absténgase de realizar esfuerzos físicos.

La sustitución de las válvulas cardíacas

Cuando el deterioro de las válvulas cardíacas ha llegado a un extremo tal que las afecciones (disnea en reposo, vértigo) son cada vez más frecuentes y de mayor gravedad, el médico llegará a recomendar al paciente la intervención quirúrgica para reemplazarlas y que puedan desarrollar su función con normalidad. La intervención se realiza a corazón abierto, y la duración estimada es de entre 2 y 4 horas. Durante este tiempo, un pulmón-corazón artificial se encarga de que la circulación sanguínea siga fluyendo. La sustitución de las válvulas deterioradas admite diversas posibilidades, desde la elección del modelo artificial más idóneo al caso hasta las prótesis biológicas de tejido animal. Las válvulas artificiales tienen una duración media de vida de entre 7 y 12 años, tiempo tras el cual procede el reemplazo de las mismas. Tanto en las válvulas cardíacas artificiales, como en buena parte de las de origen biológico, existe el riesgo de que se formen en ellas coágulos de sangre. Pero la acción de una medicación anticoagulante apropiada, ayuda a combatir con éxito esta contrariedad.

La implantación de válvulas cardíacas supone hoy en día una intervención quirúrgica casi rutinaria.

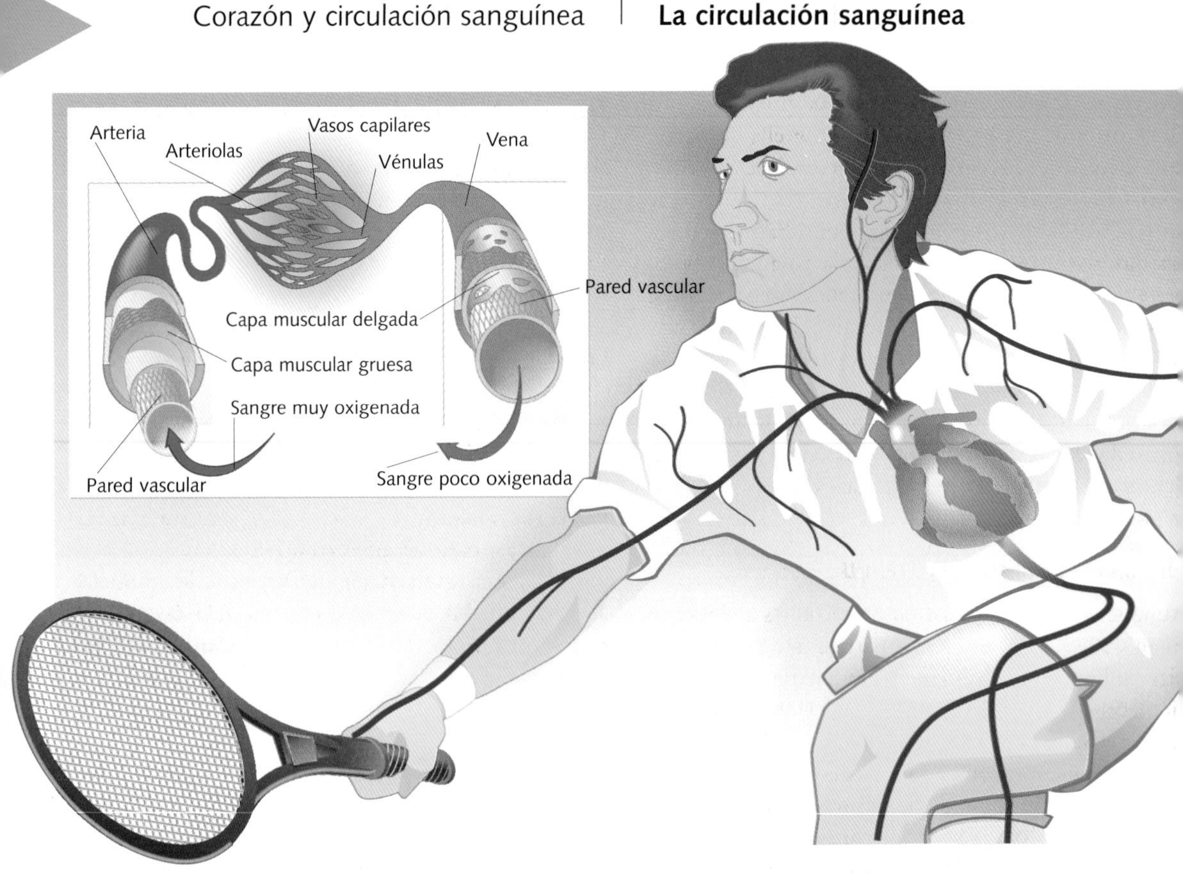

La circulación sanguínea

- **Arterias y venas**
- **Circulación mayor y menor**
- **Tensión arterial**

La vida del ser humano sólo es posible si sus órganos y tejidos tienen un abastecimiento de oxígeno y nutrientes en todo momento. Con esta finalidad, una complicada y extensa red de vasos sanguíneos irriga el organismo, circulando la sangre por ella y actuando como medio de transporte que lleva hasta las células tanto el oxígeno como los nutrientes que precisan al tiempo que se encarga de eliminar a su través los productos de desecho del metabolismo.

El corazón y los vasos sanguíneos son los responsables de que la sangre circule sin cesar. Constituyen el sistema cardiocirculatorio: una especie de "circuito cerrado de tuberías", con un líquido -la sangre- que circula continuamente impulsado el corazón al actuar como si fuera una bomba central.

Vasos arteriales y vasos venosos

Según la función que desempeñan en el organismo, se distinguen varias clases de vasos sanguíneos:

- *arterias*, por las que la sangre sale del corazón. La aorta es la arteria más grande, y nace en el ventrículo izquierdo de este órgano. De ella se ramifican otras arterias, que se despliegan en forma de:
- *arteriolas*, pequeñas arterias que se convierten en los
- *capilares*, o vasos sanguíneos muy delgados que forman una extensa red. En ellos tiene lugar el intercambio de materias propiamente dicho: la sangre deposita el oxígeno y los nutrientes en los tejidos, toma de ellos los productos residuales y se dirigen otra vez al corazón desde los capilares, a través de las:
- *vénulas*, o pequeñas venas que se unen para formar:
- *venas* o grandes vasos sanguíneos que completan el circuito de la circulación sanguínea retornando de nuevo hasta el corazón (aurícula derecha).

.as venas están provistas de válvulas que impiden la uelta atrás de la sangre que circula por ellas, obligán- ola así a circular en una sola dirección (hacia el cora- ón). Como es natural, la sangre "usada" se acumula en as venas, donde la presión ya no es tan alta como en las rterias, pues éstas últimas reciben la sangre que bom- ea el corazón para que fluya por ellas y recorra todos os tejidos del cuerpo. Por este motivo, las paredes vas- ulares de las venas son, por lo general, más delgadas y nenos elásticas que las de las arterias y, como conse- uencia, más propensas también a "abombarse" en orma de varices. Por su parte, las arterias son más elás- icas, pero corren el peligro de calcificarse y estrechar- e por la arteriosclerosis.

Jn circuito con mucha vueltas

Aunque siempre se habla de la circulación sanguínea en ingular, lo cierto es que esta circulación es doble, si ien ambas están unidas entre sí: la "mayor", o circula- ión corporal, y la "menor", o circulación pulmonar.
.a circulación corporal comienza en el ventrículo zquierdo y termina en la aurícula derecha. Aporta san- re rica en oxígeno, que pasa del corazón izquierdo a la orta y "suministra" oxígeno y nutrientes a vísceras y núsculos en su recorrido por todo el cuerpo a través de as grandes y numerosas arterias que lo irrigan. Una ez las células del cuerpo obtienen energía a través del netabolismo, se forma anhídrido carbónico; este resi- uo es transportado por la sangre hasta el corazón erecho, a través de las venas que vierten su caudal en as grandes venas cavas para llegar hasta la aurícula erecha, desde donde pasa al ventrículo derecho, y esde éste, a través de la arteria pulmonar, llega hasta os pulmones.
Después del intercambio de anhídrido carbónico por xígeno fresco, la sangre regenerada retorna hasta el orazón a través de las venas pulmonares, llegando asta la aurícula izquierda. De ella pasa al ventrículo zquierdo, y el ciclo se repite otra vez.

Jna vena muy especial

De entre las vías de abastecimiento a los órganos, el sis- ema de la vena porta ocupa un lugar especial. Vaso anguíneo de unos seis centímetros de largo, situado en a región abdominal, en él se concentra la sangre que ha asado por los capilares del estómago, intestino y bazo, ara volver al corazón a través del hígado, que filtra las ustancias nocivas para el organismo y es donde se acu- nulan los nutrientes procedentes del intestino.

Todo depende de la tensión arterial

Si no hay presión, la sangre no puede fluir por las arte- rias. El valor de esta presión depende de la potencia de bombeo del corazón y del diámetro de los vasos san- guíneos. Se genera cuando el músculo cardíaco se con- trae, para así impulsar la sangre hacia las arterias. La presión en las arterias es más alta en la fase de contrac- ción del miocardio (*sístole*), y más baja en la fase de dilatación (*diástole*). Por ello, cuando se mide la ten- sión arterial se dan dos valores (máximo y mínimo), medidos en milímetros de mercurio (mm Hg).

Valores normales de la presión sanguínea en mm de Hg en diversos grupos de población:

- niños menores de 10 años 90/60
- personas adultas 120/80 a 140/90
- tensión baja menos de 105/60
- tensión alta 140/90 a 160/95
- tensión muy alta más de 160/95

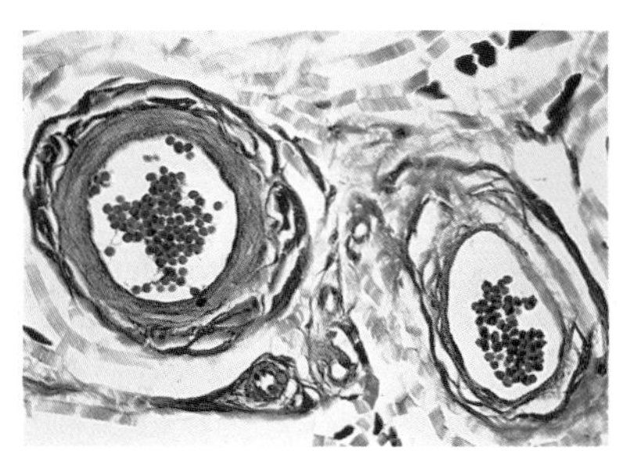

El mayor grosor de la arteria izquierda, supone que está sometida a una mayor presión que la vena de la derecha.

La tensión arterial generada por el corazón puede pal- parse en varias partes del cuerpo tomando el pulso, pero donde mejor se aprecia es en la muñeca. La ten- sión es muy diferente en el transcurso del día, pues la demanda de oxígeno y, por lo tanto de sangre, varía en función del estado de la persona, como cuando dormi- mos, trabajamos o nos excitamos. Por esto se necesita un sistema de distribución muy preciso, que fije la can- tidad de sangre por minuto que ha de bombear el cora- zón y que la distribuya puntualmente por los vasos sanguíneos al tiempo que regula la tensión arterial.
La regulación del sistema circulatorio la realiza el cere- bro, que recibe la información del estado de la presión sanguínea de los sensores –receptores de presión situa- dos en la carótida, la aorta y en las arterias renales–, y que se encargan de transmitir las órdenes, a través del sistema nervioso vegetativo, para que el corazón y las arterias se adapten a las exigencias de cada momento.

Casos de urgencia

Norma general

Cuando se percate de que una persona muestra síntomas de perturbación del conocimiento, o pierde el sentido de repente, acuda al servicio de urgencias de inmediato (→ Primeros auxilios).

Crisis hipertensiva

► Síntomas:
- ➜ palpitaciones, vértigo, zumbido de oídos;
- ➜ confusión, pérdida del sentido, parálisis;
- ➜ dolores de cabeza, trastornos de la visión;
- ➜ disnea, dolor en el pecho.

Si la tensión sanguínea moderadamente alta no se trata, una subida repentina de la misma puede acarrear consecuencias de resultado fatal.

Tratamiento médico

En el hospital se establecerá la causa que produce el aumento de tensión arterial, y se procederá a restablecer los valores normales con medicamentos.

Autoayuda

¡En caso de padecer trastornos del lenguaje o parálisis, debe evitarse la administración de medicamentos hipotensivos!

Isquemia arterial periférica aguda

► Síntomas:
- ➜ dolor intenso y repentino en brazos y piernas;
- ➜ piel pálida y, tal vez, picores;
- ➜ incapacidad para mover brazos y piernas.

La causa más frecuente es una embolia, un coágulo de sangre que tapona el vaso.

Tratamiento médico

Una vez localizado el coágulo, se disuelve con medicamentos o mediante una operación.

Autoayuda

Acomode el brazo o la pierna en una posición baja. ¡Absténgase de poner frío o calor en la zona afectada!

Schock

► Síntomas:
- ➜ vértigo, debilidad, pérdida de consciencia;
- ➜ palidez de piel y mucosas con sudor frío y escalofríos;
- ➜ respiración superficial y agitada.

El *shock* circulatorio se produce cuando los diferentes órganos del cuerpo apenas si reciben riego sanguíneo, a causa, por ejemplo, de la pérdida de sangre en un accidente, del fallo del músculo cardíaco, de la dilatación del árbol vascular como consecuencia de una reacción alérgica o de una septicemia.

Tratamiento médico

En el hospital se procederá a restablecer el equilibrio de los líquidos mediante la aplicación de suero y de oxígeno, incluso a veces con una transfusión de sangre. La terapia siguiente dependerá de la causa que haya causado el *shock*.

Autoayuda

Mantenga en alto las piernas de la persona afectada hasta que llegue el médico, corte las hemorragias y no le dé nada de comer o de beber.

Paro cardíaco

► Síntomas:
- ➜ pérdida de conocimiento, paro respiratorio;
- ➜ pérdida del pulso, pupilas dilatadas.

Cuando los síntomas aparecen de pronto uno tras otro, significa que la circulación sanguínea se ha colapsado y que el corazón ha dejado de latir.

Tratamiento médico

Se procederá a la reanimación en el mismo lugar del suceso, y se llevará a la persona lo antes posible al hospital para aplicarle el tratamiento correspondiente y establecer las causas.

Autoayuda

Dé masajes cardíacos y haga la respiración boca a boca el tiempo preciso.

Pruebas clínicas especiales

Pulso

Además de los valores de la tensión arterial sanguínea, el pulso es un factor de gran importancia en la diagnosis de las patologías circulatorias. Si es muy rápido, puede ser síntoma de un padecimiento cardíaco (→ Taquicardias), pero también de una anemia, de una hiperfunción del tiroides o de algún tipo de infección. El pulso de las personas de edad avanzada suele ser lento (menos de 60 pulsaciones por minuto). La lentificación patológica del ritmo cardíaco puede estar provocada por un bloqueo en los circuitos eléctricos del corazón (→ Bloqueo) o por la acción de los medicamentos.

Un pulso muy fuerte y rápido puede indicar la existencia de una hipertensión. La toma alternativa del pulso por el médico en ambas muñecas, en las dos ingles, en los huecos poplíteos y en los tobillos, le permite comprobar el funcionamiento de la parte izquierda y derecha del cuerpo y establecer el diagnóstico de posibles oclusiones o estrechamientos de los vasos sanguíneos.

Los resultados que proporciona la medición de la tensión arterial durante 24 horas, son del todo fiables.

Medida de la tensión arterial a largo plazo

El hecho de que la tensión sanguínea de una persona tenga valores altos en un momento determinado, no significa –en un principio– que sea hipertensa. Sólo una serie de mediciones, o una medición continuada durante 24 horas, permiten establecer un diagnóstico exacto. La medición continuada se realiza mediante un aparato especial que lleva un manguito sujeto al brazo, que se hincha automáticamente cada cierto tiempo, quedando la tensión arterial medida y registrada en una grabadora que incorpora el propio aparato. Para obtener valores objetivos es preciso realizar la medición en el transcurso de una jornada normal.

Test de Schellong

Este test permite al médico comprobar si los vértigos o las cortas pérdidas de conocimiento se deben a las oscilaciones de la tensión arterial en posturas distintas, o tienen otra posible causa. Para ello, el paciente debe permanecer acostado durante 10 minutos; a continuación, se pone en pie de repente y se mantiene así durante otros 10 minutos. Entre tanto, el médico le toma el pulso y la tensión arterial cada minuto.

Eco-Doppler

Para saber si la sangre discurre por los vasos sanguíneos regularmente y sin encontrarse obstáculos, se realiza una prueba con ultrasonidos se conoce con el nombre de Eco-Doppler. Este método también se utiliza para establecer la diagnosis de las patologías cardíacas (→ Ecocardiografía), en especial para localizar estrechamientos o coágulos en las arterias.

Angiografía

Para comprobar el lugar exacto de los vasos sanguíneos donde existen estrechamientos o dilataciones anormales y de qué tamaño son, se utiliza un procedimiento radiológico especial llamado angiografía. Al igual que se hace en la prueba de cateterismo cardíaco, a tal fin se inyecta –a través de un catéter muy delgado o, en algunos casos, directamente en la arteria afectada– un contraste en una vena del brazo o pierna. Posteriormente, con ayuda de los rayos X se visualizan las arterias por las que circula el contraste y se verifica si su diámetro y sección son los que le corresponden.

Hipertensión

▶ Síntomas:
- ➜ dolores matutinos en la nuca;
- ➜ vértigo, zumbido de oídos, desasosiego;
- ➜ palpitaciones, hemorragias nasales, a veces, conjuntivales;
- ➜ dolor en el pecho, disnea al hacer un esfuerzo.

En los países industrializados, una de cada siete personas (cada cuatro entre los mayores de 65 años) tiene la tensión arterial alta, que, por acuerdo entre los expertos, se estima en valores superiores a 140/90 mm de Hg. Sin embargo, por desgracia, la tensión arterial alta no suele causar molestias. Al contrario, muchas personas las hace ser más activas y emprendedoras. Por este motivo, en la mayoría de los casos su existencia sólo se descubre en las mediciones rutinarias de la tensión arterial. Aunque la hipertensión no suele causar ninguna afección o molestia, al contrario que la → hipotensión, debe procurarse tomarla muy en serio.
Por poco alta que esté, constituye uno de los factores de riesgo más importantes de la arteriosclerosis, el temido estrechamiento de las arterias, que puede provocar trastornos circulatorios, infarto de miocardio o un ataque de apoplejía.
Además, una hipertensión continuada y sin tratamiento puede ocasionar a largo plazo una insuficiencia cardíaca, daños irreparables en los riñones y dilataciones peligrosas en la carótida.

Aunque existe la creencia de que tener barriga es señal de bienestar, el sobrepeso es un factor de riesgo de la hipertensión.

En el 90% de los casos examinados no se encuentra ninguna causa que justifique la hipertensión. Pero muchas personas tienen una propensión innata a ella, y si, además, a esto se asocia otros factores de riesgo como sobrepeso, consumo habitual de alcohol, falta de ejercicio y estrés permanente, entonces es casi seguro que llegarán a ser hipertensas. En menos del 10% de los afectados, la hipertensión tiene como causa una patología renal o, en menor medida, trastornos hormonales o, incluso, un estrechamiento en la carótida. Los diabéticos son los que más peligro corren, pues uno de cada dos afectados padece hipertensión.

Tratamiento médico

Si las mediciones llevadas a cabo a lo largo de varios días confirman una tensión arterial demasiado alta, existen dos posibilidades de tratamiento. En caso de una hipertensión leve (entre 140/90 y 160/95 mm Hg), basta un simple cambio de estilo de vida para que la tensión arterial se normalice. Pero si esto no se consigue al cabo de tres meses, o se mantienen altos los valores de la tensión arterial, habrá que bajarla entonces con medicamentos. La mayoría de los destinados a este fin son los mismos que los empleados en la terapia de las enfermedades cardíacas: diuréticos, betabloqueadores, antagonistas del calcio o IECA.
También, cuando la tensión arterial es muy grande y se precisa que baje rápidamente, se pueden combinar dos o tres de ellos. Durante el "ajuste" medicamentoso de la presión arterial, el médico realizará reconocimientos periódicos de control. Al principio aparecerán algunas molestias, como cansancio y falta de alicientes, que surgen como consecuencia de la falta de costumbre de una tensión arterial más baja, pero que desaparecen de nuevo al habituarse.

Autoayuda

Para que muchas personas puedan controlar su hipertensión sin necesidad de tomar medicamentos, basta con realizar algunos cambios en su forma de vida cotidiana. Pero aunque se tomen, también habrá que adoptar algunas medidas complementarias.
En todo caso, lo aconsejable sería que la persona afectada comprobase personalmente su tensión arterial para así controlarla mejor. Los aparatos "antiguos" son tan fiables como los modernos digitales, tan propicios a las reparaciones. En los centros sanitarios correspondientes y asociaciones, le proporcionarán más información sobre el tema de la hipertensión.

Programa para combatir la hipertensión

El diagnóstico de una hipertensión siempre es señal de que el afectado debe cambiar su estilo de vida cotidiano. Y lo mejor es "no dejar para mañana lo que se pueda hacer hoy", por lo que se debe comenzar cuanto antes. Así, aunque los valores de la tensión arterial no sean muy altos, el riesgo de una calcificación vascular prematura es mucho más grande.

- Vigile su peso y, si es preciso, adelgace. Un kilo de peso menos, supone un descenso de la tensión arterial de unos 3 mm Hg.
- Adopte una dieta alimentaria equilibrada, abundante en fibra y pobre en grasas. Esto le ayudará a mantener, o a alcanzar, su peso ideal.
- Coma poca carne, pues las grasas de origen animal aumentan el nivel de colesterol y, con ello, el riesgo de una arteriosclerosis.
- Procure descubrir si es o no "sensible a la sal". Uno de cada tres pacientes hipertensos puede rebajar su tensión arterial reduciendo el consumo de sal: unos 3 mm Hg por gramo.
- Limite su consumo de alcohol y café. Por lo general, una tacita de café o un vaso de vino de vez en cuando no hacen daño. Pero si se toman en exceso, tanto la cafeína como el alcohol resultan perjudiciales para la tensión arterial.
- Ande en bicicleta, nade y dése caminatas, ya que realizar ejercicio físico con regularidad es bueno para la tensión arterial y para todo el organismo.
- Deje de fumar, pues daña las arterias y, por consiguiente, la circulación sanguínea.
- Elimine el estrés de la vida profesional.
- Tómese el tiempo necesario para recuperarse.

Hipotensión

▶ Síntomas:

- ➜ falta de vitalidad por la mañana, cansancio;
- ➜ trastornos de la concentración, dolores de cabeza;
- ➜ sensación de flojedad de estómago, agotamiento;
- ➜ inquietud, trastornos del sueño, cambios del estado de ánimo;
- ➜ vértigo, nublarse la vista al levantarse, después de estar sentado o acostado, colapso;
- ➜ palpitaciones, sensación de angustia.

Cuando la tensión arterial es demasiado baja, el retorno de la sangre desde las venas de las piernas al corazón se deteriora y, como consecuencia, se producen trastornos circulatorios que pueden terminar en colapso. La predisposición a padecer hipotensión suele ser de origen hereditario y, frecuentemente, afecta mucho más a mujeres jóvenes, altas y esbeltas.

La tensión arterial baja suele deberse a la existencia de varices, un largo período de encamamiento, gran pérdida de líquido por fiebre y diarreas, infecciones, anemias, patologías nerviosas, cardíacas y renales, así como a enfermedades que afectan a las glándulas hormonales (→ Diabetes mellitus).

Tratamiento médico

Es muy raro que el médico prescriba algún tipo de medicamento para subir la tensión arterial. En este caso, la terapia más indicada es la que se refiere en la → Autoayuda.

Autoayuda

¡Si nota que se marea, túmbese y ponga las piernas en alto! En caso de que ya haya sufrido un colapso con anterioridad, comunique a su médico si el causante de la enfermedad vascular o cardíaca fue algún agente de tipo patógeno.

Pero el problema principal para mantener los niveles normales de la tensión arterial, es la lucha diaria. Así, por las mañanas, dése tiempo para ponerse en marcha. Prepárese por la noche una taza de té o café y déjelo en la mesita en un termo, para tomarlo en la cama por la mañana antes de levantarse. También estirarse en la cama y encojerse, describir círculos con los pies, mover las piernas como al "andar en bicicleta" o remar con los brazos, activan la circulación sanguínea.

Para que la circulación sanguínea "cansada" se recupere y mantenga en forma a largo plazo, lo más indicado es practica algún deporte con regularidad (nadar, andar en bicicleta), la hidroterapia, beber mucho y, al contrario que los pacientes que sufren de hipertensión, adoptar una dieta alimentaria rica en sal.

Varices

▶ Síntomas:

- ➜ pesadez y ardor en las piernas; pies y tobillos hinchados (sobre todo por la noche);
- ➜ redes de vénulas de color rojo azulado;
- ➜ a veces dolores punzantes o espasmódicos en las pantorrillas;
- ➜ enrojecimientos de la piel, manchas blancas y marrones en la zona de los tobillos.

Las varices son el síntoma propio de una enfermedad venosa, que si se reconocen y tratan a tiempo no tienen por qué convertirse necesariamente en un padecimiento venoso grave. Un síntoma precoz muy importante son las redes de vénulas de color rojo azulado, consideradas a menudo como un simple problema cosmético sin importancia, aunque, en realidad, ya deban considerarse como "minivarices". Las varices profundas no son visibles, sólo lo son las superficiales.
La insuficiencia venosa casi siempre es hereditaria, pero su formación está favorecida por la escasez de ejercicio físico, por estar mucho tiempo de pie o sentado, por fumar o tener kilos en exceso, así como por los cambios hormonales habidos durante el embarazo o por tomar anticonceptivos orales.
La función de las venas de las piernas consiste en procurar el retorno de la sangre al corazón, en contra de la fuerza de la gravedad. El motor que facilita este transporte sanguíneo es el corazón, pero también intervienen otros mecanismos diferentes; por ejemplo, los movimientos respiratorios, que ayudan a "succionar" la sangre, y la llamada bomba muscular.
Este último hace referencia al efecto que ejercen los músculos de las extremidades inferiores, pues al contraerse (cuando caminamos, por ejemplo) comprimen las venas profundas y favorecen así el traslado de la sangre la sangre hasta el corazón. Para evitar que la sangre vuelva a fluir hacia atrás, las venas disponen de unas válvulas que se abren y cierran como las compuertas de una esclusa. Pero si éstas no funcionan bien, una parte de esta sangre se acumula y ocasiona hinchazones. Las personas que tienen debilitado (hereditario) el tejido conjuntivo, suelen ser las más afectadas. Sus venas se dilatan tanto por la presión de la sangre, que las válvulas venosas ya no se cierran herméticamente como antes y la sangre retrocede de nuevo hacia atrás. En parte, estas válvulas también pueden deteriorarse a causa de una flebitis. Con el paso del tiempo, la sangre retenida va dilatando las varices más y más, embolsándose en ellas cada vez más sangre en un círculo vicioso difícil de romper. Las varices también se pueden formar en otras partes del cuerpo; así por ejemplo, en el esófago o en la salida del intestino.

Tratamiento médico

¡Cuanto más pronto consulte con su médico tanto mejor! Él se encargará de comprobar si el cambio patólogico sólo se ha producido en las venas superficiales, o afecta a las profundas.
Si éstas últimas se conservan en buen estado, las varices superficiales se pueden esclerosar o extirpar quirúrgicamente. Para ello, en la vena afectada se inyecta un medicamento que la cierra. Junto con las medidas de → Autoayuda, la compresión es la terapia más importante. Las medias compresivas se encargan de comprimir las venas superficiales para que la sangre pueda circular por las venas profundas.

Autoayuda

Es cierto que las varices no desaparecen así como así por arte de magia, pero sí se puede hacer mucho para que no se multipliquen ni empeoren:

- Estar mucho tiempo sentado o de pie, además de para las venas, es malo para el organismo. Póngase de pie de vez en cuando, dé unos cuantos pasos a un lado y otro y mueva los dedos de los pies.
- Evite todo lo que ejerza presión sobre las venas (levantar pesos, pujar al realizar las deposiciones).
- Andar y dar caminatas a paso ligero, contribuye a mantener en forma sus venas.
- Practicar *jogging* es menos recomendable, pues puede dar lugar a la formación de trombosis.
- Planifíquese para realizar un par de minutos diarios de gimnasia venosa.
- Ponga las piernas en alto siempre que pueda, incluso durante la noche mientras duerme.
- Procure que sus piernas no soporten demasiado peso: pesar unos kilitos de menos, suponen un gran alivio para las venas de las piernas.

Las venas se fortalecen poniendo las piernas en alto y haciendo girar los pies.

Aumente la elasticidad de las venas de sus piernas plicándose algún tratamiento frío (¡caliente antes los ies fríos!); por ejemplo, meter en agua o regar las iernas y las rodillas supone un gran estímulo para las naltrechas venas.

Nadar y andar en bicicleta supone un entrenamiento xcelente para la musculatura presente en las piernas, al iempo que sirven para activar la circulación sanguínea lamada "bomba muscular".

La práctica de ejercicios respiratorios contribuye a na mejora de la función circulatoria de las venas.

Para las varices en fase inicial, es aconsejable tomar nedicamentos en cuya composición entre el extracto de astañas de Indias y la vitamina E.

Úlceras venosas

▶ Síntomas:

➜ úlcera dolorosa y de difícil curación en la parte anterior (casi siempre) de la pierna.

La úlcera venosa suele producirse como consecuencia le → varices o trastornos circulatorios, que impiden el ormal suministro de oxígeno a los tejidos. Las úlceras on frecuentes también en casos de diabetes: heridas equeñas, que no se curan o que se curan mal, suelen xtenderse hasta formar úlceras profundas que llegan al ejido subcutáneo.

Tratamiento médico

El médico se encargará de eliminar las capas necrosadas. La aplicación de pomadas y los baños favoecen la formación de nuevo tejido. Si la úlcera crural e debe a la retención de sangre en las varices, habrá ue desecarla o eliminarla en el trascurso de una interención quirúrgica.

También será necesario llevar un vendaje compresivo, , a la larga, unas medias compresivas. En caso de úlceas originadas por trastornos circulatorios arteriales, uele ser necesario dilatar los vasos con medicamentos otros procedimientos.

Autoayuda

Baños (no demasiado calientes) con aditivos de corteza de roble o tomillo y compresas de glucosa en olvo, aceite de germen de trigo o corteza de roble eactivan la circulación sanguínea (consejos para la preención: → Varices, apartado Autoayuda).

Aneurismas

▶ Síntomas:

➜ *aneurisma de la aorta torácica:* dolores fuertes y repentinos en mitad del pecho o en la espalda, que pueden extenderse o reflejarse en el abdomen;

➜ repentino deterioro del estado general.

Se conoce como aneurisma la dilatación anormal de una arteria del cuerpo. Este tipo de padecimiento suele producirse en caso de arteriosclerosis e hipertensión, pero también puede tener un origen congénito o presentarse como consecuencia de otro tipo de lesión.

Los aneurismas se forman cuando la pared de una arteria tiene una consistencia tan débil, que la presión ejercida por la corriente sanguínea llega a producir un abultamiento similar a la forma de una bolsa o globo. Estas afecciones solamente suelen aparecer cuando se desgarra la pared arterial, momento en el que la sangre fluye y se introduce poco a poco entre las capas interna y externa que forman la pared de arteria (*disección*). La mayoría de los aneurismas cerebrales suelen ser congénitos, pero cabe la posibilidad de que se revienten y desencadenen una hemorragia cerebral. El desgarro de un aneurisma en la zona de la carótida, también puede producir graves hemorragias internas de consecuencias fatales.

Tratamiento médico

¡Acuda a al servicio de urgencias siempre que advierta dolores agudos en el pecho o en el abdomen! Si la causa que los provoca es un aneurisma, sólo la inmediata intervención quirúrgica de puenteo con una prótesis que evite la dilatación arterial puede salvar la vida de la persona afectada. Lo importante es conseguir que la tensión arterial baje y que se mantenga en unos niveles normales.

Los aneurismas libres de afecciones (el de la arteria abdominal, por ejemplo) deben controlarse periódicamente. Para prevenir su desgarro, un aneurisma de arteria pectoral de más de cinco centímetros de diámetro tiene que ser extirpado y sustituido por una prótesis vascular.

Autoayuda

Si puede evitarlo, no intente realizar grandes esfuerzos físicos. Prohíbase todo aquello que pueda favorecer una arteriosclerosis.

Flebitis

► Síntomas:

→ tirantez dolorosa y opresiva en las venas de la pierna;
→ pierna sin hinchazón aparente;
→ recalentamiento y enrojecimiento de la piel de la zona afectada.

Las retenciones de sangre en las piernas, ocasionadas al viajar en avión o al permanecer sentado mucho tiempo, pueden desencadenar una inflamación dolorosa de las venas superficiales de las piernas. Las varices son firmes candidatas a provocar este tipo de afección, pero existen también otras causas como pueden ser las irritaciones de las paredes vasculares (por inyecciones y por agujas de infusión) o una infección.
En las venas inflamadas se pueden formar coágulos de sangre que, sin embargo, casi nunca provocan la típica embolia pulmonar ocasionada por la trombosis de las venas profundas de las piernas.

Tratamiento médico

Es imprescindible el reconocimiento de la pierna por parte del médico, para que compruebe si la flebitis es superficial o si hay otras venas profundas afectadas. Así como en una → trombosis de las venas de las piernas hay que guardar reposo absoluto en cama, en el caso de una flebitis es preciso moverse lo más posible.

Factores de riesgo de una trombosis

- Edad (más de 40 años).
- Embarazo y parto.
- Déficit de sustancias inhibidoras de la coagulación sanguínea.
- Tomar poco líquido o diuréticos.
- Guardar cama mucho tiempo (intervenciones quirúrgicas), o casos de extremidades inmovilizadas por escayolas.
- Permanecer sentado mucho tiempo con las piernas encogidas (viajes en coche, tren, autobús o avión).
- Fumar y tomar anticonceptivos orales.
- Varices y exceso de peso.
- Clima tórrido y altas temperaturas (sol, sauna, baños muy calientes, etcétera).

El vendaje compresivo día y noche es tan importante como mantener la pierna afectada en alto; si es posible también mientras se duerme. Para inhibir la coagulación de la sangre, el médico quizá opte por inyectar al afectado una dosis baja de heparina, un agente cuyo principio activo impide la formación de coágulos.

Autoayuda

Las compresas de alcohol alivian las afecciones. Favorezca la evolución positiva de sus piernas en caso de flebitis (→ Consejos en el apartado de Autoayuda en caso de varices).

Trombosis venosa de las piernas

► Síntomas:

→ hinchazón y recalentamiento de la pantorrilla o el muslo respectivo, casi siempre en una sola pierna;
→ coloración rojo azulada de la piel;
→ sensación de tirantez y pesadez, dolores punzantes en la zona de la vena afectada, sobre todo el toser;
→ posibles dolores al presionar la pantorrilla o la planta del pie.

En muchos casos, es del todo imposible decir con seguridad cuál es la causa de una trombosis. Pero hay una serie de factores que pueden favorecer la formación de un trombo, tan peligroso en las venas (→ Recuadro de la parte inferior izquierda de esta misma página).

Tratamiento médico

Acuda al servicio de urgencias enseguida si sospecha la existencia de una trombosis de las venas profundas de las piernas, pues en este tipo de dolencias se corre un riesgo grande de desprendimiento de un coágulo de sangre y la consiguiente embolia pulmonar de consecuencias fatales la mayoría de las veces. Este peligro se ve incrementado con cada esfuerzo físico que se realiza, por pequeño que sea. Por eso es preciso mantener reposo absoluto en cama.
En el hospital se intentará disolver el trombo con diversos medicamentos, o se eliminará mediante una operación. Para evitar que se formen otros coágulos, se pondrá un tratamiento a base de heparina, que inhibe la coagulación de la sangre. Además, para prevenir una nueva trombosis, se tomará durante seis meses un medicamento inhibidor.

Autoayuda

Si ya se padece una trombosis, no es posible hacer nada por sí mismo para evitarla. Queda pues en manos de los médicos. Pero se pueden tomar una serie de medidas preventivas muy oportunas para evitar este extremo, sobre todo si está expuesto a alguno de los conocidos factores de riesgo de una trombosis. Pero antes, algo de vital importancia: ¡deje de fumar! Cuide, pues, sus venas (→ consejos en el apartado de Autoayuda en caso de varices).

Trombosis y embolia

La trombosis se forma por la oclusión total o parcial de una vena o arteria debido a un coágulo de sangre. Este tapón de sangre, llamado *trombo*, puede originarse por causas muy diversas. A menudo se forma en las paredes vasculares recién lesionadas, o en las que anteriormente han sufrido algún tipo de lesión; por ejemplo, en caso de arteriosclerosis o de inflamaciones. El origen de un coágulo de sangre puede deberse, también, a la reducción de la velocidad del flujo sanguíneo: el peligro de que se formen cálculos en la sangre es mucho más grande cuando ésta circula con lentitud. Esto puede suceder, por ejemplo, cuando se debe guardar cama durante mucho tiempo, o cuando la sangre se arremolina en los recodos de las varices y los aneurismas.

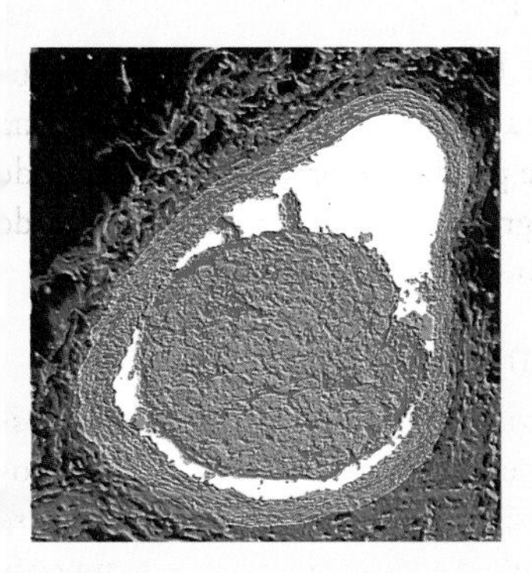

Si un coágulo de sangre bloquea una arteria, las consecuencias pueden ser mortales.

Por último, una trombosis puede deberse asimismo a una alteración en la composición de la sangre, como, por ejemplo, un número de plaquetas (→ Composición de la sangre) demasiado elevado. Las proteínas y ciertas sustancias que favorecen o inhiben la coagulación de la sangre, juegan también un papel importante en este caso.

Causa de muchas enfermedades

Cuando se habla de una trombosis, a lo que realmente nos queremos referir es a una "trombosis venosa". En la mayoría de los casos afecta fundamentalmente a las venas profundas de piernas y pelvis, raramente a los brazos y los hombros. Pero, aparte de esto, la trombosis puede motivar del mismo modo algunas enfermedades orgánicas, como es el caso del infarto de miocardio, provocado por un trombo en una arteria coronaria. Y la trombosis cerebral es una de las muchas causas de un ataque de apoplejía.

De la trombosis a la embolia

El coágulo de sangre se adhiere a las paredes vasculares con mayor o menor fuerza y, en el mejor de los casos, se disuelve por sí solo. Pero el gran peligro está en que el coágulo –o parte de él– sea arrastrado por la corriente sanguínea hasta cualquier parte del cuerpo, y tapone allí una arteria. A un coágulo flotante como este se le llama émbolo (del griego *embalein*: "echar adentro"), de donde se deriva el término "embolia" u "oclusión vascular" que ocasiona. La mayoría de las embolias tienen como causa un coágulo de sangre, pero un vaso sanguíneo también pueden quedar bloqueado por partículas de grasa, bacterias, cuerpos extraños o burbujas de aire.

En una embolia, la oclusión de una arteria puede llegar al extremo de interrumpir el abastecimiento de oxígeno en la región afectada. Una forma de embolia especialmente grave es la embolia pulmonar, que suele darse como consecuencia de una → trombosis de las venas de las piernas.

También los ataques de apoplejía provocados por un coágulo errante, son más frecuentes que los originados por un trombo formado directamente en el cerebro. Estas embolias cerebrales suelen originarse en la aurícula izquierda del corazón.

Un trombo que se desprenda de esta zona puede tener como consecuencia la oclusión vascular en las piernas), y, más raramente, en los brazos, el intestino y los riñones.

Trastornos circulatorios de las piernas (Claudicación intermitente, «pierna de fumador»)

► Síntomas:

- dolores al andar, que obligan a detenerse cada poco;
- también dolores en reposo, sobre todo de noche;
- necrosis y ennegrecimiento del tejido no irrigado por la sangre.

Se llama claudicación permanente a los trastornos circulatorios de las piernas en su fase inicial. Se trata de una patología arterial grave que, en el peor de los casos, puede provocar la amputación del miembro afectado. Los síntomas característicos son dolores en las piernas, que aparecen cuando se anda un trayecto corto y desaparecen de nuevo cuando uno se detiene (en los paseos por la ciudad, parándose a mirar escaparates para tomar un respiro). En la etapa siguiente aparecen los dolores también en la etapa de reposo, hasta que los trastornos circulatorios llegan a ser tan dolorosos y graves que el tejido se necrosa al no recibir la sangre suficiente para su irrigación. En la mayoría de los casos, estos trastornos se deben a un alto grado de arteriosclerosis, que con el paso del tiempo ha producido una "calcificación" de las arterias de la pelvis o de las piernas. Las personas con un alto nivel de colesterol, hipertensión, gota, diabetes, sobrepeso y falta de ejercicio resultan las más afectadas. El problema está en que la sintomatología no aparece hasta que la sección de la arteria se ha reducido en unos dos tercios, momento en el que el deterioro orgánico de la zona afectada se encuentra en estado muy avanzado.

Tratamiento médico

Nada más que advierta los primeros síntomas de un trastorno circulatorio, consulte con su médico enseguida. Con tan sólo comprobar el pulso en ambas piernas, podrá cerciorarse en qué sitios se han estrechado las arterias. Para confirmar el diagnóstico, se suele realizar un examen con ultrasonidos y, a veces, una radiografía con contraste.

Si se realiza un entrenamiento especial, puede lograrse que los dolores aparezcan cada vez a intervalos más largos mientras uno pasea; las sangrías pueden mejorar mucho la circulación, y la toma de ácido acetilsalicílico impide la concreción de coágulos en los vasos sanguíneos estrechados.

Si a pesar de todo las afecciones no mejoran, queda otra posibilidad: dilatar las arterias con ayuda de una insuflación o puentear el estrechamiento quirúrgicamente, con un *bypass* venoso o una prótesis de plástico. El procedimiento en sí es el mismo que el empleado en un estrechamiento de arterias coronarias (→ Insuflación de las arterias u operación de *bypass*). Si estas medidas ya no son posibles, entonces sólo queda la drástica posibilidad de la amputación de la pierna.

Autoayuda

Para que la enfermedad no progrese, es preciso hacer todo lo posible para contener la arteriosclerosis. Para más información sobre medidas preventivas se puede consultar el epígrafe → Angina de pecho y el recuadro → Cómo activar la circulación.

Isquemia cerebral: AIT; ACV

► Síntomas:

- trastornos de la memoria, pérdida de la orientación;
- a veces intranquilidad, agresividad, depresión;
- trastornos transitorios de visión y del lenguaje;
- parálisis transitorias en partes de la cara y de la musculatura del brazo.

Los vasos sanguíneos estrechados por arteriosclerosis causan desde trastornos de la memoria hasta parálisis, trastornos de la visión y fallos del sentido de la orientación. Aunque al principio los síntomas desaparecen antes de 24 horas, si la enfermedad no se trata como es debido, a medida que progresa perduran más cada vez y termina por provocar un ataque de apoplejía (ACV) (→ Infarto cerebral isquémico) y daños permanentes.

Tratamiento médico

En el momento que advierta los primeros síntomas de un trastorno circulatorio cerebral, acuda a la consulta del médico cuanto antes. En la fase inicial es posible conseguir éxitos duraderos con una terapia medicamentosa (ácido acetilsalicílico, por ejemplo), la reducción puntual de la tensión arterial y llevar una vida ordenada (→ Autoayuda).

Autoayuda

La actividad física e intelectual protege contra el "adormecimiento" de las funciones cerebrales. Una dieta alimentaria equilibrada, más vegetariana que otra osa y rica en vitaminas, es una de las piedras angulares que ayudan a prevenir la arteriosclerosis (→ Angina de pecho, apartado de Autoayuda). ¡Y necesariamente hay que dejar de fumar, ya que la nicotina disminuye la sección de los vasos sanguíneos!

Síndrome de Raynaud

▶ Síntomas:

- → primero, coloración blanquecina en uno o varios dedos de la mano;
- → después, coloración azulada;
- → más tarde, enrojecimiento de los dedos afectados;
- → por último, acompañamiento a menudo de hormigueo, ardor y sensación de entumecimiento.

El síndrome de Raynaud se caracteriza por la aparición de trastornos circulatorios paroxísmicos en los dedos de la mano y, muy raras veces, en los dedos de los pies. Se debe a contracciones vasculares que pueden originarse, por ejemplo, como consecuencia de la exposición al frío, intoxicaciones o por la realización de grandes esfuerzos. Se presenta de dos formas distintas: la enfermedad de Raynaud, que afecta mayormente a mujeres jóvenes y en cierto modo resulta inofensiva, y el fenómeno Raynaud, que es síntoma de otras enfermedades como, por ejemplo, la arteriosclerosis o la esclerodermia. Es una patología reumática grave.

El fenómeno Raynaud es un mal muy frecuente en personas que trabajan con martillos neumáticos u otros aparatos vibratorios, y es una dolencia reconocida como enfermedad profesional. La persistencia de trastornos circulatorios en los dedos durante mucho tiempo, puede producir daños tardíos en las paredes de las arterias y necrosis en el tejido.

Tratamiento médico

La enfermedad de Raynaud no suele necesitar ningún tratamiento especial, a no ser la administración de algún medicamento vasodilatador de vez en cuando. El tratamiento del fenómeno Raynaud depende, ante todo, de la patología de base.

Autoayuda

El calor es la terapia más importante, por lo que debe procurar mantener siempre calientes las manos y los pies. Deje de fumar, y notará cómo su circulación mejora de inmediato.

Cómo activar la circulación

Calor y frío aplicados en la medida adecuada y siguiendo determinadas reglas, resultan el mejor ejercicio para las arterias. El calor activa la circulación, y el frío obliga a los vasos sanguíneos a contraerse; y, como contrarreacción, a dilatarse de nuevo. De este modo no sólo se fortalecen las arterias, sino que se activa toda la circulación del cuerpo. Todo eso se puede conseguir muy fácilmente mediante las aplicaciones del agua o talasoterapia: riegos con agua fría, pediluvios o duchas alternas.

Aunque esta hidroterapia no fue inventada precisamente por Kneipp, “doctor en hidroterapia”, su técnica sigue estando vigente aún hoy en día.

El aire muy caliente y seco de la sauna, junto con el enfriamiento posterior, constituye otro tipo de entrenamiento similar al de la hidroterapia de Kneipp. Pero no está indicado para todo el mundo, por lo que debe consultar antes con su médico si resulta o no aconsejable la sauna en su caso.

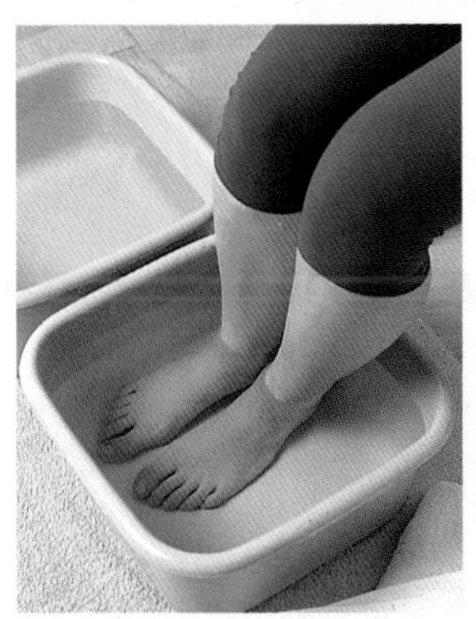

Pediluvios alternativos de frío y calor activan la circulación sanguínea.

Pero lo más apropiado para mantener la buena salud de la circulación sanguínea es practicar ejercicio físico de forma regular, desde el deporte de resistencia hasta los variados ejercicios de piernas, que no presentan contraindicaciones de ninguna clase. Esta agradecida práctica hará que se fortalezcan los músculos de sus pantorrillas de tal forma, que volverá a descubrir el placer de darse grandes caminatas.

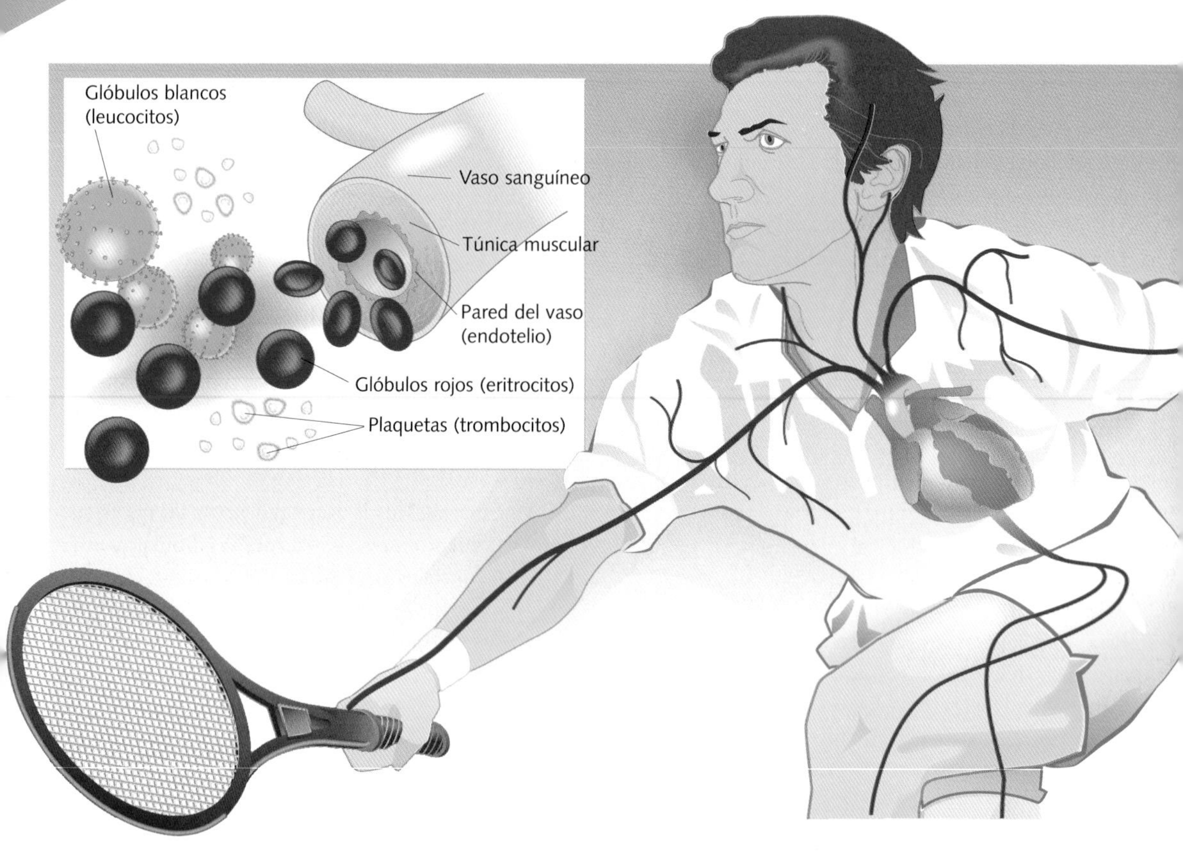

La sangre

- **Funciones y propiedades**
- **Glóbulos y grupos sanguíneos**
- **La hemostasia**

Por el cuerpo de una persona adulta circulan constantemente unos cinco a seis litros de sangre, canalizados por las vías del sistema circulatorio e impulsados por los latidos del corazón. Este "elemento líquido" se encarga de transportar sin cesar, como una cinta transportadora, distintas sustancias desde su lugar de elaboración y procedencia, hasta las regiones del cuerpo donde van a ser consumidas o para las que están destinadas. La carga y descarga se efectúa en todas partes, y las "mercancías en tránsito" son el oxígeno y su producto residual, el anhídrido carbónico, los nutrientes (hidratos de carbono, grasas, proteínas, minerales) y sus residuos desechables, los agentes activos (hormonas, enzimas, vitaminas) y los anticuerpos.

El avituallamiento no es ningún problema

Normalmente, la sangre necesita aproximadamente un minuto para recorrer todo el cuerpo, es decir, el corazón tiene que bombear ¡7 000 litros diarios por término medio! Para que todo marche bien, es preciso que esta cinta transportadora no se detenga nunca y que no haya puntos muertos en el aprovisionamiento. De todo esto se encargan las centrales de control de la circulación y otros sistemas de regulación. La sed, por ejemplo, es un medio que sirve para mantener constantemente la cantidad de sangre; así, si sudamos mucho, a continuación bebemos agua en abundancia para compensar la pérdida de líquido habido.

Composición de la sangre

Casi la mitad de la sangre está formada por materias sólidas, las llamadas células sanguíneas. El resto es un líquido proteínico: el plasma sanguíneo. A la cabeza de las células sanguíneas se hallan los *glóbulos rojos* (eritrocitos). En una persona adulta se cuentan de 4,6 a 5 millones de ellos por centímetro cúbico, frente a los 4 000 a 11 000 *glóbulos blancos* (leucocitos) y las *plaquetas* (trombocitos) de 150 000 a 400 000.

El *plasma sanguíneo* se compone de un 90% de agua, un 8% de proteínas de diferentes clases y un 2% de sales y minerales. En él se encuentran –disueltas o en suspensión– las sustancias que transporta la sangre, muchas de ellas unidas a las proteínas; y otras, como la glucosa, en disolución.

Además de las proteínas de transporte hay otras proteínas que, junto con las plaquetas sanguíneas, son muy importantes para la coagulación. Si se echa sangre en un recipiente y la dejamos allí, las materias sólidas se depositarán en el fondo con ayuda de los llamados factores de coagulación, y encima quedará un líquido amarillento o *suero sanguíneo.*

Glóbulos rojos y blancos

Los glóbulos rojos tienen forma de disco o botón microscópico, y son capaces de deformarse lo necesario para ser capaces de pasar por los vasos sanguíneos más pequeños. Esto es importante, pues su presencia es necesaria en todas las partes del cuerpo al ser los proveedores de oxígeno y encargarse del transporte de anhídrido carbónico al exterior.

El componente de los glóbulos rojos encargado de la importante misión del transporte es la *hemoglobina.* Esta sustancia ferruginosa es también la que da el color rojo a la sangre, en distintas tonalidades según la cantidad de oxígeno que lleve. La sangre es de color rojo claro cuando los glóbulos rojos llevan oxígeno, y de color rojo oscuro a marrón negruzco si transporta anhídrido carbónico. A diferencia de los glóbulos rojos, los leucocitos o glóbulos blancos además de encontrarse en la sangre también lo hacen en los tejidos. La misión de éstos es la protección contra los gérmenes y otros cuerpos extraños indeseados.

El número de células sanguíneas no es siempre el mismo, ni tampoco es igual en todas las personas. Los hombres tienen más glóbulos rojos que las mujeres, aumentando el número de glóbulos blancos en ambos cuando el cuerpo combate alguna infección.

La síntesis de las células sanguíneas se realiza en la médula ósea, que es de color rojo. Allí se forman las tres clases de células de la sangre a partir de una especie única de "células madres", llamadas células pluripotenciales. Estas células se transforman en glóbulos rojos y blancos, y –después de pasar por una serie de fases previas– también en plaquetas. Al final de su vida (unos 120 días en el caso de los glóbulos rojos, y de 7 a 10 días en las plaquetas), se descomponen en el bazo.

Una sangre no es igual a otra

Tanto de una persona a otra como dentro de grandes grupos de población, además de variar el número de plaquetas, la sangre muestra diferentes características. Se conocen más de cien caracteres hereditarios que componen el conjunto de los grupos sanguíneos, entre los cuales se cuentan –como más importantes– el A, B, AB y 0, así como el sistema Rh.

La sangre de los grupos sanguíneos no admite su mezcla al libre albedrío. Este aspecto representa un papel muy importante, sobre todo en las transfusiones de sangre, pero también en el sistema Rh durante el embarazo. La reacción inmunológica al darse la incompatibilidad de la sangre donada ocasiona la aglutinación de ésta y, en el peor de los casos, la muerte de la persona.

Una transfusión de sangre puede salvar una vida... ¡siempre que sea del grupo sanguíneo adecuado!

Cuando la sangre no circula

Cuando se produce una lesión en el árbol vascular, que conlleva una pérdida sanguínea, el "sistema de la coagulación" se pone de inmediato en marcha con objeto de impedir una hemorragia. Su función se aprecia perfectamente en las heridas externas.

Después de sufrir una lesión, las plaquetas son las primeras en actuar al fijarse a la herida y apiñarse para formar un *trombo* (tapón). Al mismo tiempo, el vaso sanguíneo herido se contrae y los factores de la coagulación tejen una red de filamentos proteínicos que sirven de envoltura a las plaquetas y refuerza los bordes o perímetro de la herida.

Por último, las células del tejido conjuntivo cierran la herida herméticamente al cicatrizar y el coágulo de sangre se diluye por completo.

Casos de urgencia

Norma general

¡Las heridas sangrantes deben tomarse siempre en serio! Por pequeña que sea una herida, a su través pueden llegar gérmenes a la sangre y, por lo tanto, provocar infecciones por todo el cuerpo, tan graves como una septicemia. Toda herida de más de dos centímetros de longitud debe tratarla el médico, lo mismo que las heridas pequeñas si están sucias, o si se localizan cerca de los ojos, la boca o la nariz.

Hemorragias/Hematomas

► Síntomas:
- ➜ herida(s) muy sangrante(s);
- ➜ hematomas muy extensos;
- ➜ palidez, vértigo, pérdida del sentido;
- ➜ piel húmeda y fría, respiración superficial y plana.

Las heridas muy sangrantes necesitan ser suturadas lo más pronto posible, pues una pérdida de sangre de un litro puede producir un *shock*; y si es superior a dos litros, incluso la muerte.

Los hematomas casi siempre suelen ser inofensivos, pues en cualquier tipo de lesión se rompen pequeños vasos sanguíneos por los que fluye sangre hacia el tejido circundante, dando lugar a la conocida mancha azulada o moretón.

Pero, según sea el lugar y la cantidad de sangre vertida, los hematomas también pueden tener consecuencias fatales, máxime si se localizan en el cerebro. Grandes hematomas en brazos y piernas pueden dañar la circulación sanguínea, hasta el punto de producir la muerte de músculos y nervios.

Las hemorragias internas se producen después de recibir un golpe seco, o por acelerones y frenazos cuando se conduce un automóvil. Una hemorragia interna también puede producirse al reventarse un aneurisma.

Tratamiento médico

El sangrado de las heridas puede detenerse o bien comprimiéndolas o aplicándoles un vendaje compresivo. Según sea la causa y el tamaño de la lesión, en el centro sanitario se adoptará el tratamiento más apropiado. En los casos de grandes pérdidas de sangre, también se requiere un tratamiento de choque. Las heridas grandes, previa limpieza y desinfección, se cierran con sutura y, si es preciso, aplicando anestesia.

Autoayuda

Si ha perdido mucha sangre o sospecha que tiene alguna hemorragia interna, aunque se sienta con fuerzas suficientes para hacerlo acuda siempre al médico acompañado y nunca a pie o en coche solo.

Septicemia

Siempre que se sospeche la existencia de una septicemia, más adelante se indica lo que debe hacerse en caso de urgencia. Como medida preventiva importante, se debe procurar que la vacunación contra el tétanos esté siempre actualizada.

Anemia de esferocitos

► Síntomas:
- ➜ debilidad, cansancio, poco rendimiento;
- ➜ palidez, posible tono amarillento de la piel;
- ➜ subidas súbitas de fiebre, dolores de espalda y abdomen.

En nuestras latitudes, esta forma de anemia hereditaria es la más frecuente. Una malformación de la membrana celular ocasiona que los glóbulos rojos absorban demasiada agua y se hinchen, adquiriendo forma esférica (por lo que se denominan esferocitos). Esta es la causa que hace que sean destruidos en el bazo con mayor rapidez que los glóbulos rojos normales. Pero este exceso de acción desintegradora agranda el tamaño del bazo, lo que provoca que, con el paso del tiempo, el proceso de destrucción de células sea mayor cada vez.

Tratamiento médico

La extirpación del bazo provoca el aumento de vida de los glóbulos rojos.

Autoayuda

No es posible.

Pruebas clínicas especiales

Importancia de los valores clínicos de la sangre

Además de en las enfermedades de la sangre, los análisis sanguíneos tienen gran importancia en el diagnóstico y tratamiento de muchas dolencias. La sangre refleja otros muchos procesos que tienen lugar en el cuerpo, y puede proporcionar datos importantes sobre distintas patologías.
Así, por ejemplo, si se conoce la cantidad de ciertos componentes sanguíneos y su proporción se puede saber si nuestro sistema inmunológico ya ha iniciado el ataque contra los agentes patógenos infiltrados. Estas informaciones tienen su interpretación al compararlas con valores considerados como "normales", es decir, sanos.

Extracción de sangre

Para proceder al análisis de la sangre, por lo general se extrae una pequeña cantidad de la yema del dedo o de una vena del brazo. Suele hacerse por la mañana y en ayunas, ya que la hora del día y la comida ingerida influyen en las determinaciones. Para cada valoración (hemograma, velocidad de sedimentación globular, determinación de la coagulación de la sangre y de las sustancias disueltas en ella) se utilizan tubitos diferentes, algunos de los cuales ya contienen productos químicos para que el análisis sea más exacto.

Hemograma

El hemograma menor se cuenta entre los análisis más frecuentes. Para ello, con ayuda de un contador de partículas se recuentan los glóbulos rojos, los blancos y las plaquetas que tiene la muestra de sangre. Para realizar un hemograma mayor, se extiende una gota de sangre sobre una plaquita, se colorea y examina microscópicamente y se mide la proporción cuantitativa de los distintos tipos de glóbulos sanguíneos y sus formas. En las leucemias el recuento de glóbulos sanguíneos suele dar un número muy alto de glóbulos blancos, en tanto que en las anemias los glóbulos rojos se encuentran en cantidad muy baja, color pálido y forma típica. Un número muy alto de glóbulos blancos (pero no tanto como en las leucemias), indica que hay alguna infección o inflamación.

Velocidad de sedimentación globular

También conocida como VSG, tiene como objetivo medir la velocidad de precipitación de los glóbulos rojos de una muestra de sangre no coagulada.
Para ello se llena de sangre un tubito estandarizado y, al cabo de 1 y 2 horas, se lee respectivamente la altura (en milímetros) que ocupa la columna de glóbulos rojos. La velocidad de sedimentación es alta cuando existe algún tipo de inflamación, infección y patologías reumáticas y tumores; y es baja, por ejemplo, en las patologías pulmonares.

Sólo duele un poquito, pero para muchos análisis basta extraer una sola gota de sangre del dedo.

Test de coagulación (Test de Quick)

Este test tiene como misión medir la coagulación de la sangre. La medida obtenida es la variación de la sangre analizada, expresada en tanto por ciento, respecto al valor medio.
La prueba, llamada de Quick en honor al médico americano Armand J. Quick, supone una medida de control obligatoria cuando es necesario prescribir a la persona enferma determinados medicamentos que tienen como objetivo lentificar el tiempo de coagulación de la sangre, por ejemplo en el tratamiento con anticoagulantes de diversas enfermedades cardíacas, o para prevenir la posibilidad de una embolia.

¿Qué es un anemia?

La existencia de una anemia (del griego *anaimia*: "falta de sangre") no quiere decir que circule poca sangre por las arterias, sino que la que circula es portadora de pocos glóbulos rojos y, por lo tanto, la hemoglobina es escasa. Entre las diversas causas que la originan, figuran como más frecuentes los trastornos de la producción de sangre (*hematopoyesis*), desencadenados –la mayoría de las veces– por falta de algún elemento importante (→ Anemia por falta de hierro, o → Anemia por falta de vitamina B_{12} y de ácido fólico). Por otro lado, la descomposición demasiado rápida de la sangre y de los glóbulos rojos también puede desencadenar, respectivamente, una anemia. Se habla entonces de una anemia hemolítica. Este tipo de anemias suelen ser hereditarias, pero del mismo modo pueden aparecer como reacción a una transfusión de sangre de un grupo sanguíneo incompatible, a productos químicos o medicamentos y a infecciones como la malaria.

Pero el cuadro patológico de la anemia no siempre es limitado, pues puede ser un fenómeno concomitante de otra patología (por ejemplo, un sangrado digestivo). En un principio, independientemente de sean cuales sean los factores desencadenantes, las afecciones que se manifiestan son siempre las mismas y están condicionadas por un deficiente aprovisionamiento de oxígeno. La hemoglobina, o sustancia que da el color rojo a la sangre, actúa como medio de transporte y hace posible que el oxígeno llegue desde los pulmones y se distribuye por todos los órganos del cuerpo a través de la circulación sanguínea. Por lo tanto, la falta de hemogoblina es siempre sinónimo de escasez de oxígeno.

Cada órgano reacciona ante esta hipoxemia (falta de oxígeno) de distinta manera. Así, piel y mucosas palidecen al contener la sangre que las irriga poca hemoglobina y el oxígeno sea insuficiente para su regeneración; por su parte, el corazón intenta compensar la falta de oxígeno bombeando a la circulación sanguínea más cantidad de sangre por minuto y, como consecuencia, el pulso se acelera. La demanda de oxígeno se incrementa al realizar esfuerzos físicos, deficiencia que cubren los pulmones con una aportación de oxígeno acelerada. Como consecuencia, aparece la disnea. La capacidad de rendimiento del sistema inmunológico queda limitada y, por consiguiente, el peligro de infección es mucho mayor.

Mediante un frotis de sangre se puede analizar mejor la forma, el tamaño y la cantidad de glóbulos rojos.

Anemia por falta de hierro

► Síntomas:

- → palidez, pulso acelerado, cansancio;
- → disnea al realizar esfuerzos físicos;
- → dolores de cabeza, irritabilidad;
- → fragilidad en las uñas de las manos;
- → picores en la lengua, problemas de deglución;
- → inflamación de las comisuras de la boca, piel áspera.

La anemia por falta de hierro es la más frecuente de todas las existentes. El hierro es un elemento importante para la formación de hemoglobina, concentrándose a su vez en ésta la mayor parte (casi el 70%) del que contiene el organismo. El resto "se almacena" –como reserva– en el hígado, el bazo y la médula ósea. En cuanto la cantidad de hierro escasea, el cuerpo comienza a consumir las reservas; pero una vez agotadas éstas, el organismo es incapaz de producir la hemoglobina que necesita y, por lo tanto, se ve privado del oxígeno preciso.

Las causas principales de una anemia por falta de hierro (conocida como *anemia ferropénica*) son: las pérdidas de sangre producidas, por ejemplo, por hemorragias de escasa cuantía pero persistentes (el 80% de las personas afectadas son mujeres, que pierden hierro lenta pero inexorablemente con cada menstruación), o debido a hemorragias que a menudo pasan inadvertidas en enfermedades de tipo gastrointestinal.

Los efectos negativos de la anemia ferropénica se manifiestan, sobre todo, en las épocas de mayor demanda de hierro; por ejemplo, en el embarazo, la lactancia y durante el crecimiento.

Tratamiento médico

Si advierte síntomas de anemia, consulte con su médico. Una vez realizado un hemograma, le diagnosticará si se trata de una falta de hierro. A continuación tratará de aclarar el porqué de esa falta, es decir, buscará una posible pérdida crónica de sangre. Además de tratar la enfermedad de base, se deben recuperar los niveles de hierro. Para esto el médico le impondrá una dieta rica en hierro, que habitualmente acompañará de preparados ferruginosos para tomar durante o después de las comidas, ya que pueden producir trastornos gástricos, sobre todo en personas sensibles.

Autoayuda

Las personas sanas cubren sus necesidades de hierro con la alimentación. La falta de hierro puede prevenirse adoptando una dieta equilibrada, de vital importancia para los jóvenes y para las mujeres que tengan la regla o estén embarazadas. El cuerpo asimila muy bien el hierro contenido en pescados y carnes, pero también el más fácil de aprovechar que aportan los huevos. Las personas vegetarianas, que ingieren muchos productos lácteos e integrales, legumbres y verduras, no tienen que temer una falta de hierro.

Anemia por falta de Vitamina B_{12} y ácido fólico

▶ Síntomas:

- debilidad, cansancio, escaso rendimiento;
- picores en la lengua;
- posibles dolores de estómago crónicos;
- trastornos dolorosos de la sensibilidad de manos y pies, hormigueo;
- inseguridad al andar (sólo en caso de falta de vitamina B_{12}).

La vitamina B_{12} y el ácido fólico, vitaminas solubles en agua pertenecientes al complejo de la vitamina B, son imprescindibles para la maduración de los glóbulos rojos de la sangre. Si el cuerpo no dispone de ellas en cantidad suficiente, se formarán menos glóbulos rojos pero de tamaño mucho más grande de lo normal.

Generalmente el exceso de vitamina B_{12} ingerido, se almacena en el hígado. Para que se pueda asimilar, se necesita la presencia de una proteína sintetizada en la mucosa gástrica: el *factor intrínseco*. Si falta este factor, por ejemplo después de una intervención quirúrgica en el estómago o en caso de una gastritis crónica, se produce una anemia (*anemia perniciosa*). Como las reservas en el hígado son relativamente grandes, sólo aparecen afecciones de estómago al cabo de los años (después de los 45 años de edad, en el caso de una anemia perniciosa).

Aunque pueden darse ambas a la vez, la falta de vitamina B_{12} es algo más frecuente comparada con la del ácido fólico. Como el cuerpo no dispone de un "almacén" en el que depositar el ácido fólico, éste tiene que ser asimilado a través de la alimentación. Por lo tanto, la causa del déficit de ácido fólico hay que buscarla en una dieta deficiente, como ocurre con los alcohólicos y los vegetarianos estrictos, que no toman productos animales. También es frecuente en personas que viven solas. Para cubrir la mayor demanda durante el embarazo y la lactancia, el médico receta preparados de ácido fólico. La falta de este elemento puede producir graves trastornos en el desarrollo del feto.

Tratamiento médico

El médico verificará, mediante un análisis clínico, qué vitaminas son las que faltan; y, siempre que sea posible, eliminará las causas subyacentes que provocaron esta situación. La falta de vitamina B_{12} puede resolverse con unas inyecciones, y, la del ácido fólico, tomando unas tabletas.

Autoyuda

La causa de que la vitamina B_{12} sólo se encuentre en productos de origen animal (carne, pescado, huevos, productos lácteos) o en verduras fermentadas en leche agria (por ejemplo, col fermentada), se debe a que la producen algunos microorganismos. La anemia sólo se puede prevenir cuando no está causada por la falta del factor intrínseco. La escasez del ácido fólico se corrige evitando el alcohol y comiendo muchas verduras, productos lácteos, hígado y levadura.

¿Qué es una leucemia?

Leucemia (del griego *leukós*: "blanco" y *haîma*: "sangre" → Sangre blanca) es el término bajo el que se agrupan las patologías de tipo canceroso originadas en la sangre y caracterizadas por la multiplicación excesiva de glóbulos blancos (*leucocitos*). Se localizan en la médula ósea, en los ganglios linfáticos, en el bazo y, a través de la circulación sanguínea, en todo el cuerpo. Si su cantidad es excesiva, ocasionan trastornos en la formación de la sangre y en la función de algunos órganos. Existen dos formas principales de leucemia, que pueden ser agudas o crónicas: la *leucemia mieloide* (de *myelos*: "médula"), que se desarrolla en la médula ósea a partir de los leucocitos (*mielocitos*), y la *leucemia linfática*, que se produce por la alteración maligna de otra variedad de leucocitos (*linfocitos*). La leucemia linfática aguda es el cáncer más frecuente entre los niños, mientras que las otras formas afectan más a los adultos, e incluso la leucemia linfática crónica lo hace sólo éstos. Todavía no se conocen el origen de la leucemia. Sin embargo, se sospecha que hay factores de riesgo: algunos productos químicos, como el benzol de la gasolina, la radiactividad o los virus cancerígenos. Pero también puede estar provocada por la carga hereditaria de cada persona, que la condiciona durante toda la vida.
El riesgo de contraer infecciones representa un porcentaje muy elevado en los casos de esta clase de enfermedades. No obstante, los nuevos avances tecnológicas han permitido un gran desarrollo de la quimioterapia que ha permitido cosechar grandes éxitos en el tratamiento de la leucemia, sobre todo entre la población infantil, que hoy tiene una mayor probabilidad de curación. Más adelante se recogen todas las informaciones básicas de interés sobre la enfermedades cancerosas, así como consejos e sugerencias.

Leucemia mieloide aguda

▶ Síntomas:

- fiebre, sudores nocturnos, debilidad;
- palidez, cansancio, disnea;
- infecciones bacterianas y micosis frecuentes;
- propensión a los hematomas y a las hemorragias cutáneas;
- posibles adenopatias (aumento de tamaño de los ganglios linfáticos): hepato y espleno-megalia.

En esta forma de leucemia suele darse la presencia de leucocitos inmaduros (*blastos*) en la sangre. En el curso de la enfermedad, las células normales que forman y componen la sangre, van siendo expulsadas de la médula ósea por estos blastos. Si no se trata a tiempo, en pocas semanas o meses la enfermedad puede llegar a provocar la muerte.

Tratamiento médico

El diagnóstico se establece a la vista de los datos que proporciona un hemograma y un análisis de médula ósea. Primero, se aplicará quimioterapia para destruir el mayor número de células afectadas. Como esta medida no suele acabar con todas las células enfermas, el tratamiento se repite y, durante algunos años, se aplica la quimioterapia de mantenimiento. De este modo se consigue que entre el 20 y el 40% de los pacientes consigan vivir alrededor de cinco años sin afección. Pero, por desgracia, la quimioterapia lo que hace es retrasar el proceso de la enfermedad y en ningún caso la cura. Para la curación completa sólo cabe la posibilidad de un trasplante de médula ósea.

Autoayuda

No es posible

Leucemia mieloide crónica

▶ Síntomas:

- cansancio, bajo rendimiento, sudores nocturnos;
- sensación de presión en el hipocondrio izquierdo, por aumento de tamaño del bazo.

Esta enfermedad casi siempre suele descubrirse por casualidad. Tres años después, por término medio, se advierte la presencia masiva de glóbulos blancos inmaduros (*blastos*) en la circulación sanguínea y, a partir de entonces, todo transcurre como en el proceso de la leucemia mieloide aguda.

Tratamiento médico

La quimioterapia es un método muy apropiado para reducir el número de leucitos, pero no para destruir las células originarias malignas. Un trasplante de médula ósea suele significar muchos años de vida.

Autoayuda

No es posible.

Leucemia linfática crónica

▶ Síntomas:

➜ bajo rendimiento, sudores nocturnos;
➜ adenopatías (aumento de tamaño de los ganglios linfáticos);
➜ prurito, eccema, tumores cutáneos, herpes, zóster;
➜ infecciones frecuentes.

Este tipo de leucemia aparece casi siempre a partir de los 50 años de edad y, por suerte, en muchos casos no reduce la esperanza de vida de las personas afectadas por la enfermedad. También se suele descubrir por casualidad al hacerse un análisis de sangre.

Tratamiento médico

Las formas leves de esta patología no necesitan ningún tipo de tratamiento. Las afecciones más grandes se tratan con citostáticos, medicamentos que inhiben el crecimiento del cáncer. También cabe la posibilidad de realizar un trasplante de médula ósea.

Autoayuda

No es posible.

Reducción del número de plaquetas (Trombopenia)

▶ Síntomas:

➜ hemorragias cutáneas en forma de puntos, erupción cutánea;
➜ después de sufrir alguna lesión, hermorragias prolongadas;
➜ hemorragias nasales, menstruaciones de larga duración.

Las plaquetas (*trombocitos*) desempeñan un papel importante en la coagulación de la sangre. Cuando su número es escaso, las hemorragias que se producen se detienen con dificultad.

Su causa puede ser de origen muy diverso: trastornos de la formación de la sangre en la médula ósea, destrucción masiva de trombocitos en un bazo con hiperfunción, eliminación de trombocitos por válvulas cardíacas artificiales o por anticuerpos que pueden formarse como consecuencia de una infección, sobre todo en niños (→ Enfermedad de Werlhof aguda).

Trasplante de médula ósea

En el tratamiento de la leucemia y de otras enfermedades en las que se advierte un grave deterioro de la formación de sangre, el trasplante de médula ósea sana supone un papel decisivo. Normalmente se obtiene de un donante con tejidos casi idénticos (mejor si es de un pariente muy próximo), o del mismo paciente (→ Señas de identidad biológica).

Para prevenir posibles reacciones de rechazo y eliminar todas las células cancerosas, se destruye primero por completo la médula ósea del enfermo con quimioterapia y radiaciones; luego, se extrae la médula ósea de la pelvis del donante y se trasplanta al receptor. La médula ósea o las células aportadas por el propio paciente, se obtendrán en una etapa del tratamiento en que no conste la existencia de células cancerosas y, a continuación, se someterán a un proceso de depuración especial. Las células provenientes del propio paciente se asientan enseguida en los alvéolos medulares de los huesos y comienzan a crecer.

Durante los primeros momentos del trasplante el riesgo de una infección es muy grande, por lo que como medida profiláctica no basta con administrar al paciente antibióticos, sino que, además, tiene que recibir muchos cuidados especiales y ser aislado con medidas higiénicas extremas. Otra complicación es el rechazo del trasplante (→ Defensa indeseada), que sólo se puede excluir si se utiliza médula ósea procedente del propio paciente o de un gemelo univitelino.

Tratamiento médico

Siempre que se presenten hemorragias persistentes y pequeñas heridas no dejen de sangrar sin razón justificada, consulte los síntomas con su médico. En casos de gravedad, se prescribe inmunoglobulina o cortisona; y, en caso de esplenomegalia, puede servir de ayuda una intervención quirúrgica. A veces, las hemorragias grandes no se pueden cortar si no es con una transfusión de concentrados de plaquetas

Autoayuda

No es posible.

Formación de sangre en los niños

Los glóbulos se forman en la placenta durante los dos primeros meses de desarrollo del feto. Más adelante, se inicia la producción de sangre en el hígado del embrión y, en menor medida, también en el bazo. La médula ósea asume esta función a partir del quinto mes.
Durante las primeras semanas, baja poco a poco la concentración inicial de hemoglobina, liberándose gran cantidad de hierro, que se almacena en el hígado como reserva para los primeros meses de vida. Pero estas reservas se agotan pronto, dado que la alimentación del bebé es pobre en hierro. Por este motivo suele haber una falta de oxígeno al final del primer año, que, no obstante, casi siempre se normaliza durante el segundo año.

Anemia por falta de hierro

Las anemias que se producen en la infancia, casi siempre se deben a falta de hierro. A la mayor necesidad de hierro debido al crecimiento y el desarrollo, se une a menudo la falta de este vital elemento por las infecciones, pues el hierro se concentra en las células más como refuerzo inmunológico que con vistas a la producción de sangre. Los síntomas típicos que se presentan en los adultos son: piel áspera, inflamaciones de las comisuras de la boca, picores en la lengua y trastornos de la deglución. En los niños no aparecen éstas, pero sí las demás afecciones como palidez, disnea al realizar esfuerzos físicos, palpitaciones y vértigo. No obstante, el tratamiento será el mismo que para los adultos.

Hemofilia

▶ Síntomas:
- → derrames sanguíneos superficiales en la piel y flujos de sangre;
- → a menudo, hemorragias nasales;
- → hemorragias dolorosas en los miembros (sobre todo en las rodillas, los codos y en los tobillos).

La hemofilia es un trastorno del riego sanguíneo de carácter hereditario, causado por la falta de determinados factores de coagulación. Casi siempre se debe al factor VIII, y, más raramente, al factor IX. Cuanto menor es la concentración de estos factores en la sangre, los síntomas son más graves. Tanto hombres como mujeres pueden transmitir la carga hereditaria de la hemofilia, pero curiosamente sólo enferman los primeros. Las hemorragias suelen aparecer después de los nueve meses de edad, dándose una mayor tendencia durante la infancia y la pubertad. A pesar de los progresos de la Medicina en el tratamiento de la hemofilia, ésta sigue suponiendo una gran fatalidad para quien la padece, pues significa tener que depender de cuidados médicos durante toda la vida. Cualquier lesión de naturaleza grave, siempre supone "peligro de muerte".

Tratamiento médico

El diagnóstico exacto sólo es posible si se determina el grado de concentración en sangre de los factores de coagulación VIII y IX. Las hemorragias graves solamente se pueden cortar con infusiones de un concentrado de plasma sanguíneo. Un miembro sangrante tiene que guardar reposo, y las hemorragias externas han de ser cortadas adoptando toda clase de precauciones. Aunque el plasma de transfusión se somete a controles muy rigurosos, sobre todo para detectar la posible presencia del sida, toda transfusión se acompaña siempre de un cierto riesgo de infección y sólo está recomendada en caso de urgencia.

Autoayuda

No es posible

Enfermedad de Werlhof aguda

▶ Síntomas:
- → hemorragias nasales y manchas cutáneas de poca extensión, que aparecen después de una infección de las vías respiratorias o de un proceso intestinal.

Cuando en la composición de la sangre entra un número escaso de plaquetas, se suelen producir hemorragias con frecuencia. Esta enfermedad se da principalmente durante la infancia (→ Reducción del número de plaquetas), y surge cuando un anticuerpo lanza una ofensiva contra las plaquetas. Aparece generalmente en edades comprendidas entre los dos y los seis años de edad, casi siempre después de una infección vírica.

El tiempo de duración de las hemorragias suele ser inferior a las dos semanas, y el número de plaquetas se suele normalizar una vez pasados de cuatro a ocho meses. La forma crónica de la enfermedad se califica entre las llamadas autoinmunes, y sus causas son desconocidas. Su aparición raramente suele ser antes de los diez años de edad.

Tratamiento médico

La propensión a padecer hemorragias se puede reducir con la administración de corticoides o, también, con altas dosis de inmunoglobulinas. Pero esta prescripción no influye para nada en la duración de la enfermedad de base.

Autoayuda

No es posible.

Leucemia linfática aguda

▶ Síntomas:

- ➜ palidez, vértigo e inapetencia;
- ➜ frecuentes infecciones febriles;
- ➜ posibles dolores de huesos;
- ➜ hemorragias nasales y otras más pequeñas, sobre todo en las piernas;
- ➜ adenopatías;
- ➜ posibles dolores de cabeza, náuseas, vómitos, sensibilidad a la luz, alteraciones psíquicas.

La leucemia linfática aguda es la patología cancerosa que se presenta con mayor frecuencia durante la infancia. Cursa provocando la multiplicación de los precursores de linfocitos (*linfoblastos*), que irrumpen en cantidades masivas en la médula ósea, en los ganglios linfáticos, en el bazo, en el hígado y en la circulación sanguínea. Los primeros síntomas se manifiestan en la infancia, entre los tres y los cinco años de edad.

Tratamiento médico

Si aparecen infecciones con frecuencia y no ceden las adenopatías, si su hijo sufre frecuentes hemorragias o nota algo raro en su aspecto psíquico... ¡consulte cuanto antes con su médico! Aplicando grandes dosis de quimioterapia, se intentará destruir el mayor número posible de células malignas.

Después, las células cancerosas restantes se eliminarán aplicando distintas combinaciones de citostáticos y, a continuación, se prescribirá una terapia de larga duración para impedir un nuevo brote de la enfermedad. El tratamiento completo dura alrededor de unos dos años.

Autoayuda

A pesar de lo penoso que supone una terapia tan larga, no pierda nunca la esperanza. De por sí, las probabilidades de curación de la enfermedad son en la actualidad muy grandes, pero más aun si se trata de niños. Después de pasados seis años, todavía viven el 70% de los niños afectados.

Más delante encontrará informaciones, consejos y sugerencias relativos a las enfermedades de tipo canceroso. Los asociaciones de familiares de niños leucémicos pueden ofrecerle una importante ayuda psíquica y práctica. Las direcciones se las pueden proporcionar en las asociaciones españolas de la lucha contra el cáncer, en los centros de salud y en los organismos oficiales.

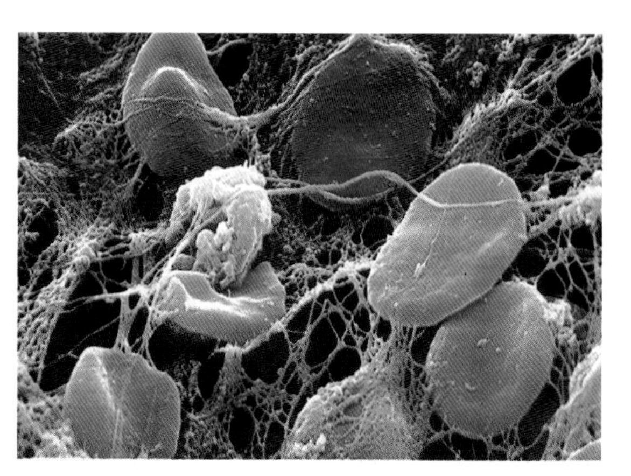

La coagulación sanguínea tiene como misión tejer una red de filamentos proteínicos alrededor de los glóbulos rojos, que se deteriora al sangrar.

Leucemia mieloide aguda

▶ Síntomas:

- ➜ similares a la → leucemia linfática aguda;
- ➜ hepato y esplenomegalias (aumento de tamaño del hígado y bazo, respectivamente).

Esta forma de leucemia es causa corriente de enfermedad entre niños, pero más frecuente en adultos. El tratamiento es muy similar al de la → leucemia linfática aguda, pero las probabilidad de curación es algo menor. Después de seis años desde la fecha del tratamiento, el 40% de los niños enfermos todavía vive.

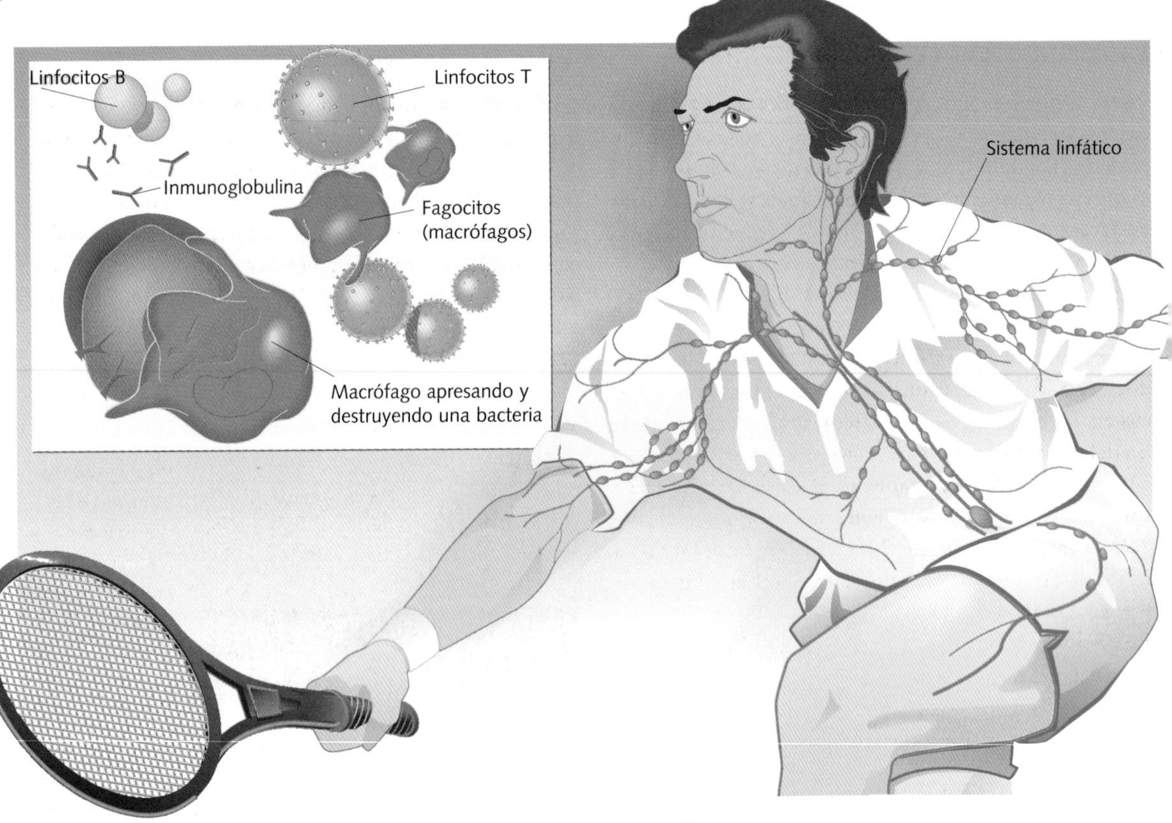

El sistema inmunológico

- **La defensa general**
- **La defensa específica**
- **El sistema linfático**

La vida es una constante lucha en la que el cuerpo tiene que enfrentarse de continuo a microorganismos como bacterias, virus, hongos y parásitos.

Éstos microorganismos intentan introducirse en el cuerpo humano, porque allí encuentran las condiciones óptimas para crecer y multiplicarse con rapidez. Se impone, pues, adoptar medidas de prevención para protegerse contra ellos.

La protección el cuerpo

La piel y las mucosas constituyen la primera barrera defensiva. La piel es como un muro infranqueable para los microorganismos, donde existen zonas de peligro como son los ojos, la nariz, la boca, los oídos, el recto, la uretra y la vagina. Las lesiones más pequeñas también representan una gran puerta abierta a los microorganismos, que desean invadir nuestro cuerpo. Los agentes patógenos que consiguen sortear la barrera de la piel tienen que enfrentarse a una segunda línea defensiva, formada por las secreciones corporales, la mucosidad, la saliva, los jugos gástricos, el sudor y el líquido lacrimal, que obligan a los gérmenes a retirarse, o los destruyen con ayuda de un enzima: la lisozima. Los que también superan esta barrera se encuentran ahora con un sistema de células y proteínas muy bien organizado, cuya única función es la defensa contra los cuerpos extraños.

Todo el sistema inmunológico trabaja según un plan establecido por etapas: la *defensa general* se encarga de luchar contra todo lo extraño y patológico, sin distinción, mientras que la *defensa específica* se dirige contra un enemigo concreto, ya conocido tras un primer encuentro ocurrido hace tiempo y al que se combate en su segundo intento de penetrar en el cuerpo con mucha mayor virulencia que en la primera ocasión.

Las células del sistema inmunitario

El ser humano sano dispone desde su nacimiento de un sistema defensivo. Aparte de los mecanismos de defensa de la piel, mucosas y secreciones, este sistema también se compone de células especializadas entre las que destacan, por un lado, los llamados fagocitos, y, por otro, los linfocitos. Los primeros son una variedad de glóbulos blancos (*leucocitos*), cuya misión consiste en fagocitar, es decir, ingerir y destruir todo lo que pueda dañar al cuerpo, ya se trate de gérmenes, polvo y productos residuales de células o de células cancerosas. Las sustancias resultantes de la descomposición de las células del cuerpo sirven de reclamo para atraer a los fagocitos, que acuden rápidamente al lugar donde se les solicita. En su labor son ayudados por las llamadas "células asesinas naturales" (*células NK*), que tienen la facultad de destruir la células indeseables utilizando otros mecanismos.

Los fagocitos más importantes son de dos clases: los macrófagos, que además de eliminar intrusos eliminan sus residuos, y los neutrófilos que, aunque más pequeños, son los primeros en enfrentarse al intruso.

Especialistas en "acción"

Son algunos componentes que constituyen la defensa específica propiamente dicha del organismo que, a diferencia de la innata defensa general, se adquiere con el paso del tiempo.

La defensa específica o adquirida se basa en una clase concreta de glóbulos blancos o linfocitos que, a su vez, comprenden dos grupos principales: los linfocitos T y los linfocitos B, llamados también, respectivamente, células T y B. Ambos grupos se forman en la médula ósea, sólo que las células T, a diferencia de las células B, maduran primero en el timo hasta convertirse en células aptas funcionalmente.

Durante este proceso se forman varias subclases de células: las *células T cooperadoras* ayudan a otras células en la defensa, las *células T citotóxicas* matan células extrañas directamente y, por último, las *células T supresoras* modulan la defensa para evitar que sean atacados los tejidos endógenos.

Los linfocitos B, o el segundo grupo importante, es el encargado de formar anticuerpos en el organismo, las llamadas inmunoglobulinas (en abreviatura: Ig), como reacción defensiva contra sustancias exógenas. Este tipo de proteínas se encarga de retener a los intrusos, hasta que la acción de los fagocitos acaba con ellos.

¿Amigo o enemigo?

Todas las clases de linfocitos tienen la facultad de poder distinguir las células propias de nuestro organismo de las células extrañas, procedentes del exterior (bacterias, hongos...), por la estructura característica de su superficie. Pero cada linfocito está especializado en la realización de un cometido específico muy concreto. Si en su camino se encuentra con el antígeno que tiene como objetivo, se multiplica y le combate a su manera. Así, los linfocitos B lo hacen mediante anticuerpos y, los linfocitos T, atacan directamente al enemigo o lo llevan ante otros para destruirlo.

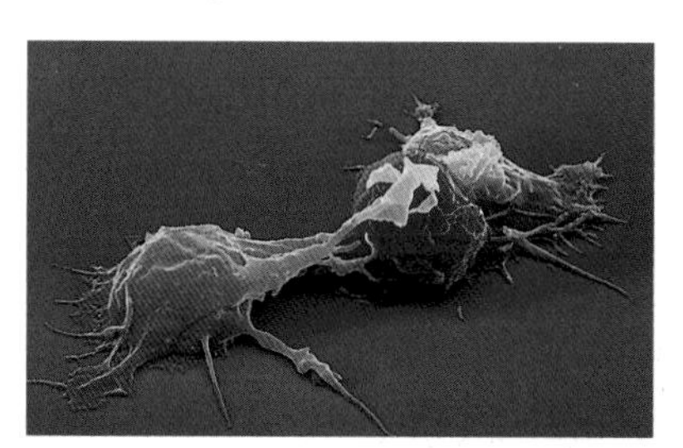

Para proceder a su destrucción, dos linfocitos T atacan una célula cancerosa.

Pero no todos los linfocitos participan en el combate; algunos se transforman en "células de memoria", es decir, circulan por el cuerpo durante meses o años realizando patrullas de vigilancia. Si después de transcurrido el tiempo en su recorrido se encuentran de nuevo con al mismo enemigo, pueden destruirle con mucha más facilidad que en el primer enfrentamiento.

Puntos de apoyo del sistema inmunológico

El sistema linfático, en cuyos órganos se forman los linfocitos y desde donde inician su recorrido por todo el cuerpo, desempeña un papel decisivo en la defensa específica del organismo.

Los órganos linfáticos "primarios" son: la médula ósea, que es el lugar donde nacen todas las células sanguíneas, y el timo, un pequeño órgano situado detrás del esternón, donde maduran las células T.

Los linfocitos pasan después a tejidos como los órganos linfáticos "secundarios": amígdalas, bazo y ganglios linfáticos. Allí se almacenan y constituyen reservas numerosas de linfocitos para, en caso de necesidad, poder neutralizar el efecto nocivo de las bacterias y otros intrusos. Las vías del sistema linfático recorren el cuerpo a modo de una red, y conducen la linfa hasta los vasos sanguíneos del sistema circulatorio.

Los trasplantes

En diciembre de 1967, el cirujano sudafricano Christian Barnard adquirió renombre universal al realizar el primer trasplante de corazón y ser el precursor de la cirugía "a corazón abierto". Desde entonces, la medicina de los trasplantes ha hecho grandes progresos y salvado muchas vidas.

Hoy día se hacen trasplantes de riñón, corazón, hígado y, a veces, hasta de pulmones y páncreas. El trasplante de médula ósea también ha adquirido una gran relevancia en el tratamiento de las enfermedades sanguíneas. Los éxitos más rotundos se han cosechado en los trasplantes de piel, córnea y de los huesecillos del oído.

Defensa indeseada

El sistema inmunológico reacciona a los trasplantes de tejido exógeno adoptando una actitud defensiva, pues su misión es reconocer a los "intrusos" y destruirlos. Por razones desconocidas, esta reacción de rechazo se da con más virulencia en algunos órganos: máxima en los trasplantes de médula ósea, y mínima en los que afectan al hígado. Incluso es nula en los de córnea y los huesecillos del oído, pues estos tejidos no tienen riego sanguíneo propio y, por lo tanto, no entran en contacto directo con la sangre del receptor.

La represión del sistema inmunológico y la intervención quirúrgica, son los mayores retos a los que se enfrentan los trasplantes para mantener los rechazos lo más bajos posible.

Las medidas contra el rechazo deben observarse durante la operación y después de ella, casi siempre durante toda la vida, mediante un tratamiento medicamentoso. La medida más importante antes de la operación es la "tipificación", es decir, la clasificación exacta de todos los caracteres del tejido del receptor, ya que deben coincidir lo más posible con los del donante.

Caracteres biológicos

Para realizar la tipificación, los médicos clasifican los llamados antígenos de histocompatibilidad, que son diferentes en cada persona. Se trata de proteínas que, unidas a la superficie de las células, funcionan como antígenos, capaces de desencadenar una reacción defensiva que actúe contra el tejido del trasplante y provoque su rechazo.

Cuanto mayor sea la coincidencia de los caracteres biológicos (*antígenos de histocompatibilidad*) del donante y del receptor, tanto menor será el peligro de que el cuerpo de éste último rechace el órgano donado. Una coincidencia absoluta de las características del tejido sólo puede darse en gemelos univitelinos, si bien se suelen encontrar también donantes compatibles entre los parientes muy próximos.

Represión selectiva

El gran auge alcanzado por los trasplantes, no se debe sólo al examen meticuloso de la compatibilidad entre los tejidos de donante y receptor. También los medicamentos suponen un papel decisivo en la represión del sistema defensivo de la persona receptora.

En la actualidad, la sustancia más importante en el bloqueo del sistema inmunológico (*supresión inmunológica*) es la ciclosporina A, que se extrae de un hongo. La diferencia con los medicamentos antiguos estriba en que no reprime todo el sistema inmunológico, sólo impide la activación de las células T, cuyo papel es fundamental en la destrucción de los tejidos trasplantados. Con esta sustancia se puede mitigar uno de los problemas de la supresión inmunológica: el elevado aumento o propensión a padecer infecciones.

Por ello, la eficacia de un sistema inmunológico debilitado artificialmente queda limitada no sólo cuando se trata de combatir las células "malignas" del tejido trasplantado, sino que su capacidad queda mermada cuando se trata es defenderlo frente a los ataques de bacterias, virus y hongos.

Transfusiones de sangre

Puede afirmarse que una transfusión es un trasplante, pues lleva consigo el peligro de un posible rechazo si los grupos sanguíneos no son compatibles. Los factores Rh representan, junto con los grupos sanguíneos A, B, AB y 0, los elementos principales que pueden desencadenar una reacción defensiva en una transfusión de sangre. Por este motivo, las personas que tengan el factor Rh negativo no pueden recibir sangre con factor Rh positivo. La incompatibilidad entre grupos o del factor Rh desempeña un papel fundamental en el embarazo. De este modo, cualquiera que sea el grupo sanguíneo que tenga una persona, ésta puede recibir sangre de un donante del grupo 0; y un portador del grupo sanguíneo AB, puede recibir sangre de todos los grupos. Pero hoy día sólo se hacen transfusiones de sangre del mismo grupo.

¿Quién puede donar un órgano?

En los trasplantes de piel, el tejido trasplantado tiene que provenir del propio paciente; pero no es preciso, aunque sí es posible, en los trasplantes de médula ósea. Este trasplante se llama autólogo o autógeno, y es una intervención quirúrgica en la que no se produce reacción o rechazo.

De la multitud de trasplantes exógenos que se realizan, sólo una pequeña parte proceden de donantes vivos (padres, hermanos u otros familiares); el resto se obtiene de personas a las que se les ha diagnosticado "muerte cerebral", y que han manifestaron documentalmente su voluntad de donar sus órganos, o que formaban parte de una asociación de donantes –acreditado con un carné de afiliado– o que sus familiares deciden este punto y hacen posible que renazca la esperanza en otras personas.

El donante de órganos ideal no debe superar los 60 años y, como es lógico, sus órganos tienen que estar sanos y en ningún caso padecer enfermedades infecciosas u otro tipo de patologías.

Desde el donante al receptor

La creciente demanda de órganos, tejidos y médula ósea, hace necesario la creación de un organismo estatal que coordine – a nivel nacional e internacional– las donaciones y trasplantes para dar solución a las largas colas de espera y optar por soluciones efectivas. La Organización Nacional de Trasplantes se encarga de esto, coordinando las donaciones y trasplantes a través de su oficina central. En caso de fallecimiento o muerte por accidente de un donante, desde esta oficina se organiza la extracción múltiple y se coordinan las acciones de tal manera que los receptores más adecuados de la lista facilitada por los coordinadores hospitalarios de los centros de trasplante reciban el órgano en el menor tiempo posible y en unas condiciones que garanticen la intervención quirúrgica. La coordinación de los requisitos, las necesidades, las acciones, el transporte y los horarios que lleva esta oficina es de lo más ajustado y preciso, lo que supone una garantía de éxito.

En la actualidad, el riñón es el órgano que más se trasplanta.

En Europa, por ejemplo, la distribución de los órganos donados corre a cargo de un organismo director establecido en Holanda: la "Eurotransplant Foundation", en la que están integradas Alemania, Holanda, Bélgica, Luxemburgo y Austria. Es el centro que recoge los datos y características de todos los pacientes que esperan un órgano. En cuanto uno de los países miembros anuncia alguna donación de órganos, el ordenador de Eurotransplant selecciona de inmediato el receptor más apropiado.

Para la donación de un órgano se exige la muerte cerebral del donante, que ha de ser certificada, según criterios muy estrictos, por dos médicos que no tengan ningún tipo de relación entre sí. Solamente entonces se concede la autorización para la extracción de los órganos, y, después de analizar los tejidos, se informa a Eurotransplant. El ordenador adjudica, entre los pacientes más idóneos incluidos en una lista de espera, los órganos de manera anónima.

La coincidencia de los tejidos no es el único factor decisivo, pues también se tiene en cuenta –como ya se indicó– el tiempo de espera, la distancia geográfica entre donante y receptor (para reducir el tiempo que los órganos permanecen sin riego sanguíneo) y una clave de adjudicación con la que se procura no perjudicar a ningún país. Así se garantiza que, también, se tengan en cuentan a los pacientes con caracteres histológicos ligeramente extraños.

Linfomas

El término genérico de "linfoma" se emplea para designar a las distintas patologías tumorales que afectan a los ganglios linfáticos. Existen algunas tumoraciones benignas del tejido linfático –como, por ejemplo, enfermedades infecciosas–, y tumoraciones malignas. Estas últimas, según la presencia de un tipo de células concreto, se dividen a su vez en dos grupos principales: los linfomas de Hodgkin y los linfomas No-Hodgkin, entre los que también se cuentan la leucemia linfática y la enfermedad de Kahler.
Asimismo, en los últimos tiempos también se prodigan mucho los linfomas relacionados con el sida. Las probabilidades de curación del linfoma de Hodgkin son relativamente buenas, pero las de los No-Hodgkin se muestran impredecibles de determinar.
Resulta paradójico que formas menos malignas (los denominados "linfomas de bajo grado") no puedan curarse, todo lo más mejorar provisionalmente con la aplicación de quimioterapia y, sin embargo, sí puedan tener curación otras formas tenidas por malignas (los llamados linfomas de alto grado). Más adelante se recoge información, consejos y sugerencias relativos a las enfermedades de tipo canceroso.

Mieloma múltiple (Plasmocitoma)

► Síntomas:
- ➜ dolor de huesos, con posibles fracturas óseas sin motivo aparente;
- ➜ obnubilación, sudores nocturnos, fiebre;
- ➜ pérdida de peso.

La multiplicación cancerosa de células plasmáticas (una clase de linfocitos B) en la médula ósea, hace que se formen grandes cantidades de una inmunoglobulina que, a diferencia de lo que sucede en las personas sanas, no tiene ninguna función de defensa del organismo.
En estado avanzado, estas células malignas impiden, cada vez con más insistencia, que se forme sangre en la médula ósea, lo que provoca anemia, propensión a las infecciones, trastornos de la coagulación y daños renales. Dependiendo del estadio de la enfermedad (su extensión, intensidad, etcétera), la esperanza de vida varía notablemente.

Tratamiento médico

Cuando la enfermedad está muy avanzada, se puede intentar conseguir una mejoría de los síntomas con medicamentos citostáticos. Para evitar y protegerlos de posibles fracturas, los grandes defectos óseos se pueden radiar.
Recientemente se utiliza también una terapia llamada de alta dosis, que consiste en la incorporación de células sanguíneas originarias y de médula ósea.

Autoayuda

No es posible.

Enfermedad de Hodgkin/Linfoma de Hodgkin (Linfogranulomatosis)

► Síntomas:
- ➜ adenopatías (aumento de tamaño de los ganglios linfáticos), a menudo en la zona del cuello, en la que varios de ellos suelen apiñarse en forma de "paquetes";
- ➜ fiebre, sudores nocturnos, pérdida de peso;
- ➜ prurito a veces.

Aunque no se conoce la causa propiamente dicha que produce esta enfermedad, se supone que esta patología maligna del tejido linfático está provocada por linfocitos. Tal vez se trate de la acción de un virus. Afecta generalmente a los ganglios linfáticos y al bazo, pero también puede invadir otros órganos del cuerpo.

Tratamiento médico

Si la hinchazón de los ganglios linfáticos perdura durante mucho tiempo, acuda al médico para que se los extirpe y saque las conclusiones pertinentes del análisis del tejido. Si se confirma el diagnóstico, habrá que reconocer todo el cuerpo para comprobar si la enfermedad ha invadido otros puntos del organismo, que en un 95% de los casos tiene posibilidades de curación con la aplicación de una terapia de radiación si la cantidad de ganglios linfáticos afectados es pequeña.
Si la enfermedad afecta a varios ganglios linfáticos y a algún órgano, entonces la radiación se combina con varias sesiones de quimioterapia. Así, aunque la enfermedad haya avanzado, se suele curar en uno de cada dos pacientes. De todas formas, con el paso del tiempo puede surgir una nueva patología cancerosa causada por el propio tratamiento.

Autoayuda

No es posible.

Inmunodeficiencias

El sistema inmunológico de algunas personas está tan deteriorado, que tienen predisposición a padecer determinados cánceres e infecciones. Estas infecciones, llamadas "oportunistas", suelen manifestarse en forma de inflamaciones de las vías respiratorias y enfermedades causadas por hongos, que aparecen con una frecuencia inusitada o su desarrollo reviste una gravedad fuera de lo habitual. Normalmente están provocadas por agentes patógenos que no causan ningún tipo de afección en personas que tienen un sistema inmunológico sano.

Según la etiología, la inmunodeficiencia puede ser congénita o adquirirse en el transcurso de la vida. Las inmunodeficiencias innatas suelen tener su origen en el padecimiento de algún cáncer, una infección del virus VIH o deberse a una extirpación del bazo. Pero también pueden estar provocadas por un debilitamiento general e intencionado del sistema inmunológico con medicamentos, como ocurre en el caso de los trasplantes o en el tratamiento de inmunopatologías.

Síndrome de Di George

► Síntomas:
- ➔ infecciones y enfermedades cutáneas frecuentes.

El síndrome de Di George es un trastorno congénito del desarrollo de la glándula del timo, por lo que los niños que padecen este defecto disponen de muy pocas células T o ninguna. Además de ésta pueden aparecer otras afecciones, como una mandíbula superior anormalmente pequeña o, quizá, una grieta en el maxilar. También es frecuente la aparición del sarcoma de Kaposi, un cáncer de piel y de las mucosas que, por lo demás, es muy raro.

Tratamiento médico

Si su bebé tiene un mal desarrollo y sufre infecciones con frecuencia, la causa puede ser una inmunodeficiencia. La chispa que mantenga la esperanza de curación es el trasplante de médula ósea, que puede ser donada por un familiar o por un desconocido cuyos tejidos sean compatibles. La mayoría de los niños que padecen este defecto suelen morir muy pronto.

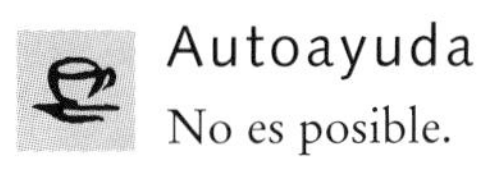

Autoayuda

No es posible.

Inmunodeficiencia combinada grave

► Síntomas:
- ➔ infecciones graves de toda clase;
- ➔ diarrea;
- ➔ neumonía.

La inmunodeficiencia combinada grave (que se conoce por las siglas SCDI, según la denominación inglesa *Severe Combined Inmunodeficency*) es una de las enfermedades de esta clase más frecuentes entre la población. De origen hereditario, esta dolencia se caracteriza por los trastornos de la producción o de la forma correcta de actuar de las células B y T. En ella el timo y los ganglios linfáticos no se han desarrollado, e incluso, en algunos casos, no existe timo. Los primeros síntomas aparecen entre el tercero y el sexto mes de vida y, si no se tratan como es debido, la mayoría de los niños mueren durante el primer año.

Tratamiento médico

Si tiene la sospecha de que su hijo padece una inmunodeficiencia, llévele cuanto antes a su pediatra para que le haga un reconocimiento y descarte o verifique su existencia. El transplante de médula ósea es una oportunidad de curación real de la enfermedad.

Autoayuda

No es posible.

Extirpación del bazo

El bazo es uno de los órganos más importantes del sistema inmunológico. Está situado en el hipocondrio izquierdo y, por lo general, su existencia no se aprecia al tacto. Consta de dos clases de tejidos llamados, respectivamente, pulpa roja y pulpa blanca. En la parte roja del tejido se destruyen los glóbulos rojos viejos, y en la blanca se almacena el tejido linfático diferenciando el de las células B del de las T. En caso de que exista una alteración patológica de las células sanguíneas, tumores o abscesos, o debido a lesiones, puede ser necesario extirpar el bazo. Antes de realizar la operación, se intentará prevenir la progresiva incidencia de infecciones con vacunaciones, por ejemplo contra la bacteria *Haemophilus influenzae* y contra los neumococos.

Enfermedad del HIV/sida (AIDS)

▶ Síntomas:

➜ *Fase I*: no suele aparecer ninguna afección especial; a veces, adenopatías y síntomas de tipo gripal parecidos a los de la fiebre ganglionar de Pfeiffer;

➜ mucho tiempo, a veces años, sin afecciones.

➜ *Fase II:* posibles indicios de una debilidad inmunológica incipiente: erupciones cutáneas, herpes zóster, fiebre, pérdida de peso, candidiasis en boca y garganta (→ Muguet bucal), cansancio, dolores de cabeza, obnubilación del brote en sí del síndrome.

➜ *Fase III:* neumonía grave acompañada de disnea, tos seca y fiebre puede ser el anuncio del brote en sí del síndrome de inmunodeficiencia AIDS.
Otros síntomas posibles son: diarreas graves, problemas de deglución por una micosis en el esófago, infecciones crónicas por herpes simplex (→ Vesículas febriles; → Herpes genital), trastornos de la visión, linfomas No-Hodgkin, cáncer de piel (sarcoma de Karposi), tuberculosis, cambios de personalidad, patologías cerebrales y de la médula espinal, pérdida de facultades psíquicas.

Las siglas inglesas AIDS (en inglés, *Acquired Immune Deficiency Syndrome*), se corresponden en castellano con el Síndrome de Inmunodeficiencia Adquirida (SIDA). Así designan los científicos la última fase de la enfermedad producida por el HIV, el virus de la inmunodeficiencia humana (VIH en español, pero más conocido por la abreviatura inglesa HIV: *Humane Immuno-deficiency Virus*). El sida no presenta un cuadro patológico definido, sino una inmunodeficiencia grave de la cual se derivan, para los afectados, otras enfermedades infecciosas que pueden ser mortales, tumores malignos o ambas cosas a la vez. Como consecuencia, una vez adquirido el virus las personas que padecen la enfermedad suelen morir después de un tiempo más o menos largo.
Sin embargo, ¡padecer una infección de HIV no significa lo mismo que tener el sida! Desde el contagio hasta la manifestación de la enfermedad pueden pasar años. En el 20% de los infectados se mantiene latente sin mostrar ninguna afección hasta pasados 10 años. Es cierto que durante este tiempo los afectados son seropositivos, y que pueden transmitir el agente patógeno a otros, pero en la mayoría de los casos se sienten sanos.

Evolución de la epidemia

La patología se conoce desde 1981, pero es fácil que ya existiesen casos mucho tiempo atrás. En 1983, investigadores franceses y norteamericanos descubrieron el agente patógeno del sida, que aparece en dos formas: HIV-1 (prioritariamente en Europa y Norteamérica) y HIV-2 (sobre todo en África central y oriental).
A finales del siglo XX había ya más de un millón de casos de sida en distintos puntos del mundo. Sin embargo, se calcula que el número de personas afectadas por el HIV en todo el planeta a comienzos del nuevo milenio es de más de 30 millones. Gracias a las campañas de divulgación, la epidemia en Europa, Estados Unidos y América Latina no se ha extendido tanto como se temía en un principio.

Momento preciso en que el virus del sida se desprende de las células donde se ha multiplicado, para invadir las siguientes.

¿Cómo surge el sida?

El HIV invade las células del sistema inmunológico humano, sobre todo las células T cooperadoras, y provoca daños en aquellas células que ejercen un papel fundamental en el sistema defensivo del organismo. El virus incorpora su carga hereditaria a la célula humana. Célula y virus pueden permanecer así durante meses, o incluso años, sin exteriorizar sus efectos. Pero cuando la célula infectada comienza a dividirse, produce entonces más virus para morir a continuación.
El número de células T cooperadoras disminuye a medida que avanza la enfermedad del HIV. Un milímetro cúbico de sangre de una persona sana contiene de 800 a 1 000 células T cooperadoras, mientras que en

personas infectadas, pero sin mostrar afecciones, se cuentan alrededor de unas 500. Según la definición de la OMS (Organización Mundial de la Salud), la enfermedad comienza a considerarse como tal cuando el número de células T cooperadoras está por debajo de las 200 por milímetro cúbico. La destrucción de esas células, tan importantes para la defensa del organismo, origina una inmunodebilidad progresiva. Esto facilita la llegada de las infecciones "oportunistas", provocadas por agentes patógenos inofensivos para un sistema inmunológico intacto. Estas infecciones y los tumores malignos del tejido linfático y de la piel, constituyen un serio peligro para los afectados por la enfermedad.

¿Cómo se transmite el HIV?

El contagio del HIV resulta un tanto difícil, pues no es un virus muy infeccioso. Su transmisión exige el contacto con fluidos corporales donde exista el virus, o células infectadas por éste: esperma, sangre, secreciones vaginales, leche materna y los líquidos de la médula espinal y del cerebro. Aunque se han detectado concentraciones mínimas del virus en la saliva, el sudor y en el humor lacrimal, lo cierto es que, al parecer, no se han dado casos de contagio por estas vías.

El virus suele transmitirse por mantener relaciones sexuales con alguien infectado, o puede producirse por el contacto con sangre (jeringuillas, transfusiones). Son grupos de riesgo los homosexuales, las personas que cambian de pareja sexual a menudo, los drogadictos que se intercambian las jeringuillas, el personal sanitario y las personas que necesitan transfusiones de sangre o productos plasmáticos. Esta vía de contagio está prácticamente excluida en la actualidad, dado el estricto control a que se someten los derivados de la sangre.

Las madres seropositivas pueden transmitir el virus a su hijo durante el parto o al darle el pecho. El índice de contagio que se calcula por estas vías es de un 20%.

En cambio no existe ningún peligro de contagio en contactos cotidianos como abrazos, o el uso de diversos utensilios de cocina, ropa u otros objetos. Tampoco hay riesgo en las piscinas públicas y en instalaciones sanitarias (duchas, lavabos), ni el virus puede transmitirse mediante una infección provocada por las gotitas de estornudos o de la tos; ni tampoco, por las picaduras de mosquito.

El test: ¿HIV positivo?

En principio, existen dos caminos diferentes para detectar una infección de HIV: la prueba directa del virus y la prueba indirecta de los anticuerpos que el propio cuerpo genera para hacer frente al virus. La realización de la prueba viral directa es posible mediante un método que permite multiplicar y hacer visibles partes de la masa hereditaria del virus. Pero el método más utilizado es un test de anticuerpos estandarizado, cuya técnica es mucho más sencilla. Si el resultado es positivo, tiene que confirmarse con un test de control posterior. El problema surge cuando se comprueba la existencia de anticuerpos varias semanas después de la infección, en cuyo caso se procederá a repetir el test si se tiene alguna duda. Por lo general, ¡los test de HIV no se pueden realizar sin la autorización expresa de la persona afectada!

Tratamiento médico

Si se tiene la sospecha de estar contagiado de HIV, debe acudirse a la consulta del médico o dirigirse al centro de orientación sobre el sida más próximo para realizar los análisis de sangre pertinentes.

Aunque la infección producida por HIV es incurable por el momento, se puede influir favorablemente sobre ella con cuidados médicos y tratamiento adecuado. Entre tanto existen medicamentos muy eficaces, que pueden retrasar mucho la multiplicación de los virus si son suministrados con la debida antelación. La prevención contra las infecciones oportunistas, también desempeña un papel de gran relevancia en la terapia del sida. Con este tipo de terapia se puede aumentar, en gran medida, tanto la duración como la calidad de vida. Aunque hasta ahora no existe ninguna vacuna, se juega con la posibilidad de sacar una a medio o largo plazo.

Autoayuda

Lo más importante es la prevención. Si cambia frecuentemente de pareja o mantiene relaciones sexuales desde hace poco con la actual, utilice preservativos como medida profiláctica. Los centros de orientación sobre el sida ofrecen todo tipo de información y apoyo, tanto a los afectados como a sus familiares.

La digestión

«Comer y beber con moderación es bueno para el cuerpo y para el espíritu». Pero tan importante como alimentarse, lo es asimismo la forma en que se hace. No nos referimos sólo a la calidad de los alimentos, sino también a si se degustan tranquila y apaciblemente, o, por el contrario, se hace a toda prisa y sin respiro alguno. Y tampoco hay que olvidarse de tomar bastante agua, de vital importancia para el organismo. Los malos hábitos culinarios repercuten directamente sobre el estómago; pero, antes o después, además de a los órganos propios del aparato digestivo afectará a otros muchos.

Sumario

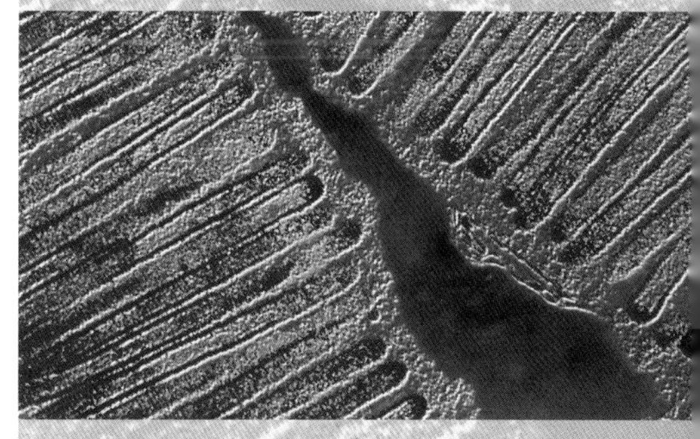

Tejido intestinal.

Lo que debe saberse sobre el comer y el beber

Para aplacar las dos necesidades vitales de nuestro cuerpo como son comer y beber, existen diversas posibilidades de entre las múltiples que ofrece una extensa lista. Así se puede realizar un copioso desayuno, tomar un bocadillo y un zumo de frutas como tentempié de media mañana, almorzar apresuradamente en el comedor de la empresa o bien cenar en un ambiente agradable rodeado de buenos amigos.

Desde tiempos inmemoriales, la comida y la bebida son dos acciones que aparecen íntimamente ligadas con las relaciones sociales. Y, en ciertas civilizaciones, hasta se sigue concediendo hoy día gran importancia al orden con que los comensales deben de sentarse a la mesa.

Ahora bien, una vez que se ha gozado de este placer a través de las sensaciones que transmiten las papilas gustativas de la lengua y del paladar, el proceso que sigue posteriormente en el cuerpo sólo le suele interesar a los médicos. Pero la transformación que siguen los alimentos en su recorrido por el cuerpo humano, es algo increíble y fascinante a la vez. A lo largo del conducto dilatable de siete metros de longitud del tracto digestivo, los alimentos son desgarrados, triturados, amasados, mezclados y segmentados hasta quedar perfectamente desmenuzados y sus nutrientes puedan se[r] absorbidos y asimilados por el organismo.

Una pequeña fábrica

Nada más que la comida entra en la boca, los dientes y las muelas comienzan a desgarrarla y triturarla para bien amasada con saliva, formar el bolo alimenticio. Éste es luego deglutido y transportado por el esófago hasta el estómago, donde el ácido clorhídrico y los enzimas del jugo gástrico lo descomponen para, después, ser entregado en pequeñas porciones al intestino. En el duodeno, o lugar donde comienza el intestino, se añaden la bilis, el jugo pancreático y las secreciones digestivas del hígado y del páncreas. Llegado este momento comienza el objetivo principal de la digestión, pues los nutrientes que contiene el quimo son absorbidos por las minúsculas vellosidades intestinale[s] existentes en la superficie mucosa del intestino, y conducidos –a través de innumerables vasos sanguíneos– hasta la vena porta (tronco venoso de grueso calibre) que se divide en sendas ramas al llegar al hilio hepático una para cada lóbulo, derecho e izquierdo. Allí son transformados en aquellos elementos que el cuerpo

Los dulces y caramelos son golosinas del gusto de todos, pero muy malos para los dientes.

Aunque no result[a] especialmente sana, el éxit[o] entre los jóvenes de la llamad[a] "comida basura" se debe a s[u] rapidez y economía

Una deliciosa cena con la persona querida y en un marco incomparable, es un auténtico placer.

humano precisa, se almacenan los sobrantes aprovechables y se eliminan total o parcialmente aquéllos otros que pudiesen ser nocivos para el organismo.
El viaje prosigue por la circulación sanguínea, hasta llegar, después de pasar por el corazón y los pulmones, a los riñones, donde se filtran y eliminan los elementos solubles del metabolismo. Al final, todo lo que es potencialmente perjudicial para el organismo humano, o sea, todo lo realmente innecesario, se expulsa del cuerpo: gracias a los riñones, las sustancias hidrosolubles, y gracias al intestino las demás sustancias, siendo eliminadas por la orina y las heces respectivamente.

Una acreditada planificación

Para que todas las sustancias se "deslicen" perfectamente, casi todo el tracto digestivo está estructurado según un mismo modelo. Las paredes internas de estos órganos están constituidas por una mucosa, una submucosa y una superficie muscular; por su parte, la parte externa está formada por una superficie serosa y la hoja visceral del peritoneo. Las secreciones producidas por la mucosa convierten el interior del intestino en una superficie deslizante, mientras que la superficie serosa exterior, lisa y húmeda, evita los roces con los órganos vecinos cuando éstos se mueven. Como hemos visto, entre ambas superficies se encuentran la formada por las células musculares lisas, dispuestas en un plano superficial y otro más profundo; entre ambas se sitúa un plexo nervioso, entrelazado mediante fibras con otro plexo (de Meissner) de la submucosa. Ambos plexos aseguran las contracciones involuntarias en el denominado peristaltismo intestinal.

Nada de lastres superfluos

El que un alimento recorra el aparato digestivo en un período de tiempo más o menos prolongado, depende tanto de su composición como de su trituración. La sabrosa carne de cerdo asada, grasa y pesada, necesita para su digestión más tiempo que una copita de aguardiente o ciertos medicamentos, que pasan por el estómago en un santiamén. El bolo alimenticio llega al intestino unas tres horas después de su deglución, y hasta que sus restos son excretados del organismo pueden transcurrir 24 horas o más.
Debe tenerse presente que no todo lo que pasa a través del aparato digestivo es aprovechable. Sin embargo, esto no representa ningún problema; al contrario, el intestino sólo funciona correctamente si se llena con la suficiente cantidad de quimo en forma de lastre. Éste, muy al contrario de lo que se creía antiguamente, contribuye a estimular la digestión y a que todo el organismo permanezca sano.

Rica en vitaminas, la fruta fresca es fundamental en una dieta alimentaria sana.

Las necesidades de agua del organismo humano se cifran, como mínimo, entre litro y medio o dos litros diarios.

Los dulces y caramelos en ningún caso deben sustituir al tradicional bocadillo que las madres preparan a sus hijos para llevar al colegio.

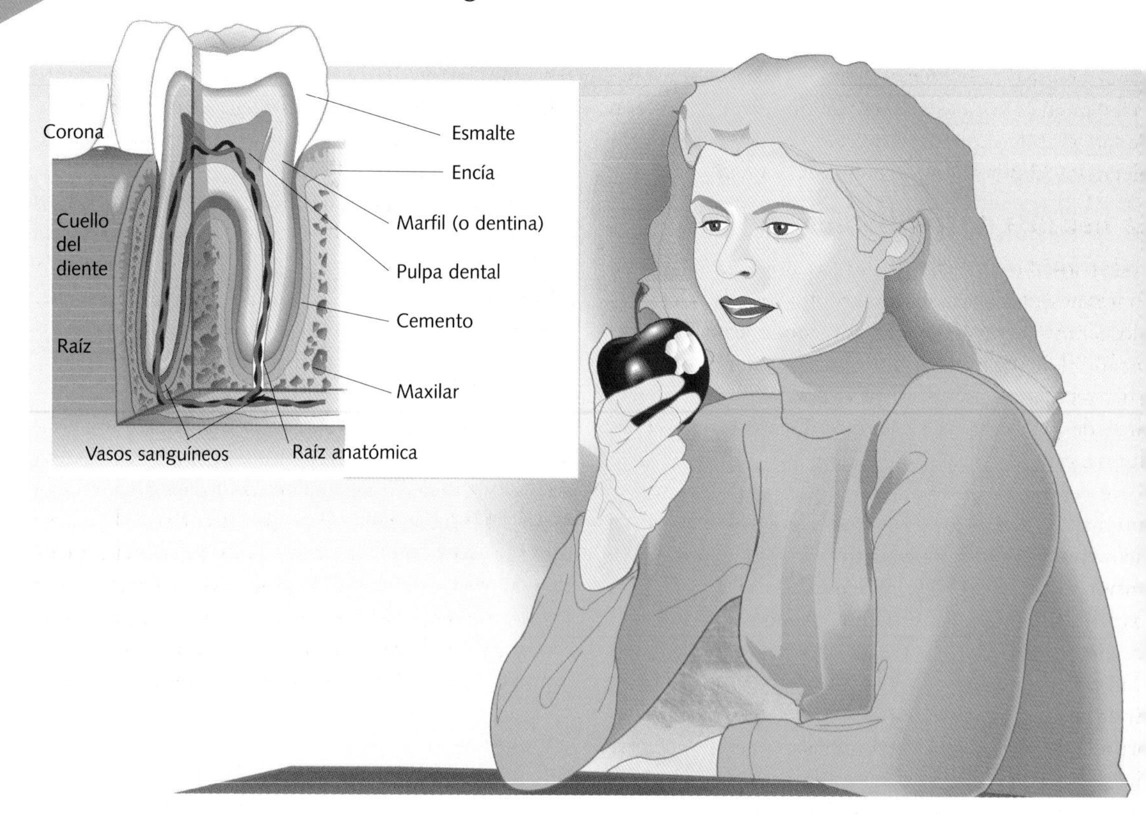

Los dientes

- **La masticación**
- **La dentadura**
- **Anatomía de un diente**

Para comprender cuán importantes son los dientes, basta fijarse en su complejidad. Sin ellos, no estaríamos en condiciones de comer una manzana, pues no conseguiríamos desgarrarla en las porciones que precisa nuestro estómago para cumplir con su objetivo. Y si bien es cierto que no nos moriríamos de hambre, el placer de la comida sería menor y las digestiones más pesadas y dificultosas. Así, cuando con la edad faltan los dientes, se produce cierta sensación de desamparo.

Masticar es un trabajo pesado

La masticación perfecta sólo se garantiza con el concurso de: dientes, lengua, paladar, músculos masticadores y maxilares superior e inferior. Todos son responsables de que el alimento sea desmenuzado y triturado, lo que no sucedería si la dentadura del maxilar superior no coincidiese con la del inferior. En esta labor, los dientes realizan la labor más pesada. Si se estima su vida en 60 años, al final de este tiempo habrán desgarrado y triturado unas 18 toneladas de alimentos, equivalentes a una barra de pan de 4,5 kilómetros de longitud.

Los dientes cambian con los años

La embriología de los dientes comienza antes del nacimiento, ya que la lámina epitelial primitiva se forma hacia la sexta o séptima semana de la vida embrionaria. Hacia la duodécima, los esbozos dentales van adquiriendo aspecto de cúpula. Los dientes se hallan implantados en los alvéolos maxilares, teniéndose que la primera dentición, los dientes de leche o *deciduos* –que también forman la dentición temporal–, aparece hacia los seis meses de edad. Generalmente, la primera erupción dentaria corresponde a los dos incisivos centrales inferiores y, más tarde, también a los superiores. Poco después salen los incisivos laterales, seguidos de los primeros molares y los caninos, para finalmente hacerlo los molares posteriores. Durante dos años crecen veinte dientes de leche, que se reparten a partes iguales entre el maxilar inferior o mandíbula y el maxilar superior. Pero, a partir del sexto año de vida, los dientes definitivos comienzan a empujar desde abajo. Y, sólo a

artir de los 12 a 14 años de edad, se restablece la nor-
nalidad en la boca. Más tarde se produce la erupción
le los terceros molares, o muelas del juicio, que com-
letan las 32 piezas de que consta la dentadura.

.a hechura de los dientes

Todos los dientes están formados por una parte que
obresale de la encía, la *corona*, y otra situada en el alvé-
lo, o *raíz*; partes éstas, separadas ambas entre sí por el
uello. El diente posee una o varias raíces. La corona se
alla recubierta por el esmalte, que, de color blanco,
irve de protección a la *dentina*. Esta sustancia da la
lureza característica al diente y a su vez rodea en su
arte central a la pulpa dental, que ocupa la cavidad
nterna del diente y está formada por un tejido muy
ico en vasos sanguíneos, linfáticos y nervios. Su
nisión es la de proteger al diente contra una presión
xcesiva durante la masticación, así como la de paliar
os efectos del calor, del frío, o, también, de los ácidos;
, naturalmente, de sustancias nocivas y bacterias.
En la corona, el *esmalte* (parte visible del diente) recu-
re a la dentina; y, en la raíz, lo hace el *cemento* (parte
ija del maxilar). Ésta última es la parte calcificada y
nineralizada (calcio, fósforo y fluoruros). Está atrave-
ada por delgados túbulos dentarios, y no posee vasos
anguíneos ni nervios. Por este motivo, las caries sólo
roducen dolor cuando afectan a la dentina, pues
iumerosos y pequeños canalículos –llamados de
Tomes– la atraviesan, procedentes de la pulpa, y le con-
ieren su resistencia característica.
El cemento, sustancia fibrosa similar al hueso y que
arece de vasos sanguíneos, se encarga de envolver a la
lentina en la raíz. Sirve de fijación del diente a las
structuras circundantes y permite los movimientos
rtodóncicos del mismo. Este "recurso" anatómico
acilita la compensación de las diferentes fuerzas que
ntervienen en la masticación y posterior deglución de
os alimentos. El aparato de sostén del diente, denomi-
ado *periodoncio* o *parodontio*, está formado por el
iueso alveolar, el ligamento alveodental, el cemento
jue recubre la raíz y la encía. En el vértice radicular de
a cavidad dental se encuentra el orificio apical, a través
lel cual pasan los vasos y nervios del periodoncio, irri-
gando e inervando la pulpa del diente. Por regla gene-
al, la zona dental existente entre la corona y la raíz
parece cubierta por la encía. Si ésta retrocede por cual-
juier causa, el cuello del diente quedará al descubierto,
lejará de estar protegido y se mostrará muy sensible.
El calor o frío de las comidas produce entonces una
sensación desagradable. Por este motivo es importante
que la encía esté sana. En condiciones normales suele
ser compacta y de un color rosa claro, y no duele ni
sangra al limpiarse los dientes. Entre la encía y el diente se forma una especie de anillo. Si la altura del espacio interdental se reduce en unos dos milímetros, se
habla entonces de una periodontopatía. El sarro, tanto
salival como hemático, puede afectarla produciendo
inflamaciones.

La misión de cada diente

Los dientes tienen diferentes formas, una arquitectura
que es consecuencia directa del objetivo principal o
misión que deben desempeñar. Así, los incisivos son de
cantos afilados, pues se encargan de cortar y desgarrar
la comida; por su parte, los colmillos sujetan el alimento, y los premolares y molares lo trituran hasta formar
el bolo alimenticio. Los premolares poseen una o dos
raíces; y los molares de dos a tres, así como una amplia
superficie trituradora que cuenta con tres o más cúspi-
des que se proyectan.

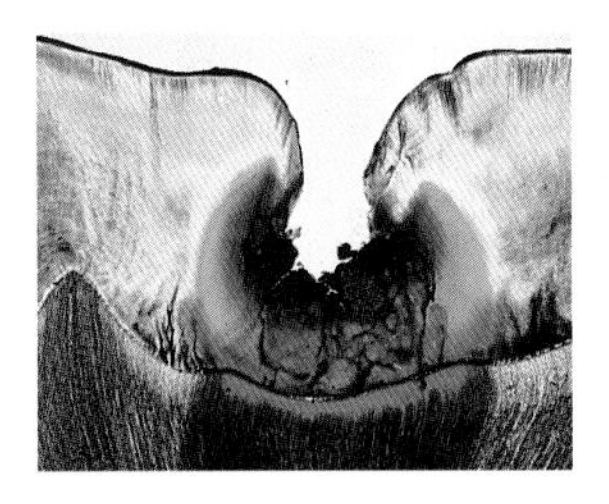

Tan pronto como la caries deja sentir sus efectos de forma dolorosa, es síntoma de que ha penetrado en el interior del diente.

Los cuadrantes de la dentadura

Para en las consultas odontológicas saber a qué diente
nos referimos, se ha procedido a ordenar la dentadura
en dos grandes arcadas y en cuatro cuadrantes con su
respectiva numeración. Para establecer la separación
entre estas zonas, las líneas de separación que forman
los cuatro cuadrantes se trazan verticalmente, pasando
por el centro entre los dos incisivos superiores e inferiores, y horizontalmente, entre los dos maxilares.
El maxilar superior derecho se corresponde con el cuadrante 1; y el superior izquierdo, al cuadrante 2; el
maxilar inferior izquierdo, al cuadrante 3; y el inferior
derecho, al cuadrante 4.
Los dientes de cada cuadrante se numeran correlativa-
mente desde el primer incisivo (1) hasta la muela del
juicio (8). En la dentadura infantil, para determinar el
diente en cuestión se establecen los mismos cuadrantes,
pero aplicándoles la numeración V, VI, VII y VIII.

Casos de urgencia

Por regla general

Las dolores de muelas u odontalgias obligan, a la inmensa mayoría de las personas, a visitar al odontólogo. ¡Sin embargo, aunque no se precise tratamiento, conviene realizarse revisiones periódicas!

Odontalgias

► Síntomas:

- ➜ dolor punzante con alimentos calientes o fríos; dolor fuerte en el diente al dulce o al ácido;
- ➜ dolor de proyección, triturante, penoso, difícilmente localizable, que se irradia a puntos distintos del lugar de estimulación algogénica primitiva (inflamación de la pulpa; Inflamación de las encías, o de su interior);
- ➜ dolores en las arcadas dentales de los niños desde el 4.° al 8.° mes de vida;
- ➜ dolores al salir la muela del juicio;
- ➜ odontalgías que aparecen y desaparecen, debidas al hábito lesivo de rechinar los dientes durante la noche;
- ➜ odontalgias después de un tratamiento odontológico o de la extracción de un diente;
- ➜ odontalgias debidas a la pérdida o lesión de un diente.

Aunque su presencia quizá apunte causas que no sean una enfermedad, los dolores de muelas u odontalgias constituyen siempre una señal de aviso; así, pueden encubrir una situación psicógena de "estrés".

Tratamiento médico

Consulte cuanto antes con su médico estomatólogo, para determinar y tratar las causas del dolor. Para hacer remitir las molestias, como ayuda inmediata le recetará un analgésico.

Autoayuda

Sin que medie el diagnóstico de las causas y, en su caso, el obligado tratamiento odontológico, nadie debe intentar curar sus dolores de muelas.

Hasta que el odontólogo establezca el diagnóstico pertinente, existen algunos productos que pueden resultar de gran alivio: las gárgaras con infusiones de salvia resultan eficaces en caso de inflamaciones; un tampón de algodón impregnado de aceite de clavo, también alivia los dolores; durante la dentición, los niños sienten mejoría al morder unos anillos especiales llenos de un líquido frío; pero también les calma una compresa fría aplicada sobre la mejilla.

Pérdida o contusiones de un diente

► Síntomas:

- ➜ un diente puede romperse parcial o totalmente, agrietarse, caerse a causa de un golpe, quedar sin fijación o, incluso, introducirse en la propia encía;
- ➜ el enrojecimiento delata una hemorragia en la pulpa dental; la coloración pardo grisácea indica la muerte del diente;
- ➜ si un diente fracturado sangra, es síntoma de haberse abierto la pulpa dental.

Entre las causas más frecuentes de las lesiones dentales se encuentran las caídas o los golpes en los que, también, el maxilar puede resultar lesionado.

Tratamiento médico

Debe acudirse lo antes posible al odontólogo. Siempre que no haya pasado más de dos horas y el diente se haya conservado en una solución salina (1 cucharadita de té en 1 litro de agua), o manteniéndolo en la propia boca, el diente caído podrá ser reimplantado. Sin modificar para nada la estructura y configuración habitual de la dentadura, muchos de los casos de fisuras o fracturas parciales podrán tratarse sin problema alguno.

Si un niño pierde algún diente de leche, para evitar el desplazamiento de los restantes dientes debería colocarse en su lugar un diente postizo y asegurarse de que el que empuja se mantenga en el lugar que le corresponde; por dicho motivo, sólo deben extraerse los dientes de leche lesionados y nunca los caducos.

Autoayuda

Lea el apartado → Cuando un diente ha sido extraído.

Pruebas clínicas especiales

El reconocimientos de rutina

El reconocimiento periódico de los dientes debería formar parte de las medidas personales de profilaxis sanitaria. Cada medio año se debería acudir al odontólogo, concretando una fecha para tal menester.
Durante la exploración rutinaria de la dentadura, el odontólogo examinará –mediante la sonda y el odontoscopio– uno a uno todos los dientes. Comprobará si existen caries o encías enfermas, y si los empastes, puentes o prótesis están asegurados . El espejo del odontoscopio le permitirá "echar una mirada" a la parte posterior de los dientes, y, al mismo tiempo, revisar el estado en que se encuentran las encías; también observará la mucosa bucal y el paladar, así como la lengua y los labios. Finalmente, eliminará el sarro depositado sobre la superficie de los dientes y examinará la correcta posición y fijación de los aparatos ortodóncicos.

Análisis de la saliva

Las caries y las inflamaciones de las encías o alveolares están causadas por bacterias. El odontólogo constatará, mediante un análisis de la saliva, la existencia o no de tales bacterias en la cavidad bucal, para así determinar la posibilidad de que surja cualquier enfermedad.

Examen clínico de las encías

El odontólogo determinará la profundidad de los espacios interdentales, es decir, el espacio libre que ocupa la encía entre diente y diente. Para ello se valdrá de una sonda especial, que se halla provista de una escala milimétrica.
Dos milímetros de distancia se considera normal, pero si este espacio es más profundo se habla entonces de una posible bolsa gingival, causada por una acumulación de sarro salival y bacterias (→ Gingivitis, periodontopatías). Las hemorragias de las encías suelen atribuirse a las periodontitis. La encía se examinará delicadamente con la sonda.

Radiografías

La *dentografía* de un diente permite al médico comprobar –sin ningún género de dudas– si la raíz presenta algún tipo de lesión, si ésta o el hueso maxilar sufren alguna inflamación o si existe una caries no visible exteriormente, debido, por ejemplo, a la corona o a un empaste. Mediante este método también podrá controlar si el tratamiento aplicado a una raíz enferma ha sido el correcto, o en qué situación se encuentran las raíces de una muela del juicio que debe extraerse como consecuencia de su estado.
La *radiografía panorámica* (ortopantomografía) muestra ambos maxilares, de articulación a articulación. Esta radiografía sirve para detectar anomalías dentomaxilofaciales, es decir, anomalías de la forma de los dientes, de su número y de su posición, así como las articulaciones. La mandíbula es el único hueso que, por medio de una doble articulación, se une a los huesos del cráneo. El médico podrá comprobar si los dientes situados debajo de los dientes de leche son normales o dobles, así como el ajuste y grosor de ambos maxilares.

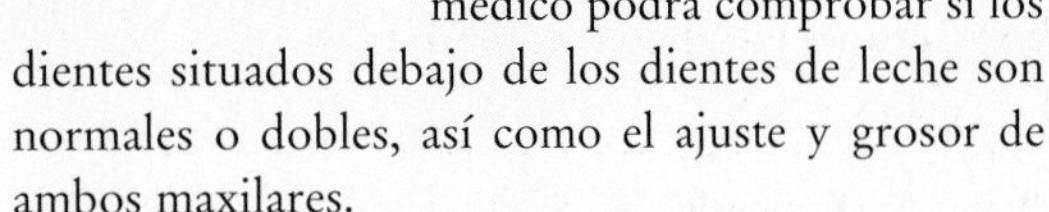

La ortopantomografía muestra una visión global de toda la dentadura.

Aunque por motivos de salud debería descartarse toda dentografía innecesaria, la radiografía es un método de reconocimiento rápido y sencillo.

Examen de las articulaciones maxilares

La comprobación del ajuste de las superficies articuladas (con una cara cóncava y otra convexa) con los huesos del cráneo (los temporales), la articulación propiamente dicha y los dos maxilares se puede realizar mediante un aparato especial.
De esta forma podrán detectarse anomalías que influyen negativamente en los músculos masticadores, o que pueden dificultar el abrir y cerrar la boca. Esta exploración clínica la realiza un experto en ortopedia maxilar.

Caries dental

► Síntomas:
- ➜ aparecen manchas blancas, más tarde pardas o negras; ocupa los espacios interdentales, las superficies de masticación y bordes de encías;
- ➜ dolor agudo cuando el diente toca algo caliente o frío, dulce o ácido;
- ➜ halitosis (olor desagradable del aliento);
- ➜ dolor constante.

En el desarrollo de una caries confluyen varios factores que la hacen posible. Entre ellos se encuentra el sarro hemático, que se forma al no limpiarse los dientes durante mucho tiempo y mezclarse entre sí restos de comida, restos patológicos de la mucosa gingival y productos de las alteraciones de la saliva y de los tejidos de sostén de las piezas dentarias. Es pues lugar preferido para anidar las bacterias, sobre todo si están bien alimentadas con azúcar y almidón; así, al ingerirse dulces, fruta, pasteles o pan blanco. Una persona puede contagiar a otra con diversas bacterias (entre ellas los estreptococos –*Streptococus mutans*–, el principal causante de la caries); por ejemplo, los padres a los hijos si chupan el chupete o la cucharilla antes de dársela al niño. Dichas bacterias fermentan el azúcar y originan ácidos. Éstos atacan el esmalte, luego "ablandan" y destruyen los elementos minerales que contiene la dentina (calcio, fosfatos y fluoruros), y, posteriormente, todo el diente. Las zonas desmineralizadas del esmalte presentan un color blanco; los dolores comienzan cuando la caries ataca la zona de la dentina mórbida. En los casos más graves, la denominada caries penetrante alcanza el interior, la pulpa, para después afectar a la raíz.

Tratamiento médico

Independientemente de las molestias que pueda representar, se recomienda acudir dos veces al año al médico para que realice el reconocimiento rutinario correspondiente. Si nota alguno de los síntomas descritos, debe acudir al odontólogo. Cuando la caries dental ha alcanzado un tamaño importante, la terapéutica curativa procederá, ante todo, a la ablación de toda la zona blanda; luego, al pulido completo de la oquedad y su perfecta desinfección, para, finalmente, proceder a la obturación (*empaste*) de la cavidad dentaria. Si la caries ya ha atacado a la pulpa, el odontólogo deberá realizar una endodoncia. Las obturaciones pueden efectuarse con resinas acrílicas polimerizantes, cementos y silicatos especiales; y la amalgamas, que se realizan con oro o cerámica. Para l obturación de la caries, el material más apropiado emplear dependerá del lugar donde se encuentre l lesión dental, sin olvidarse tampoco de la "cuestió económica".

Autoayuda

La mejor prevención es una correcta → higien y profilaxis dental, así como una alimentación pobre e azúcares. Tan pronto como se acuse una cierta desmi neralización del esmalte, la higiene constante y un terapia adecuada con fluoruros resultarán de gra ayuda. Es conveniente dejarse aconsejar por el médic → Las caries dentales en los dientes de leche.

Inflamación de la pulpa (pulpitis)

► Síntomas:
- ➜ intenso dolor punzante, palpitante, cuya intensidad crece por momentos y que puede extenderse a toda la mejilla.

Si la caries dental no se trata inmediatamente, podrá llegar a afectar a la pulpa. Durante el transcurso de l inflamación se inicia un proceso de putrefacción: e tejido de la cámara pulpar y del canal de la raíz son destruidos, quedando afectados el orificio apical o foramen y el nervio transmisor del dolor. Incluso el propic maxilar puede verse afectado por el desarrollo del proceso inflamatorio. Entonces es posible que se produzcan focos purulentos en el maxilar superior, en la mandíbula o en la cavidad bucal, y se forme un canal por e que se va drenando el pus.

Tratamiento médico

Visite inmediatamente a su médico. Después d la anestesia local, le aplicará la terapia de la raíz. Un vez dormida la zona, taladrará el diente para eliminar e foco enfermo o la pulpa afectada, y, a continuación, obturará el canal radicular con una pasta o un clavc especial para, finalmente, taponar también la corona. S la inflamación afecta al ápice de la raíz, o la misma se produce durante la terapia de la raíz, el médico procederá eventualmente a eliminar la zona apical de la raíz.

Autoayuda

Lea el texto incluido en la página siguiente: → Higiene y profilaxis de los dientes

Higiene y profilaxis de los dientes

• **El cepillo de dientes** es el instrumento más importante de la profilaxis dental, por lo que su elección se hará con sumo cuidado. La cabeza debe ser corta (de unos 25 milímetros), y sus cerdas de tipo medio. Éstas deben formar una superficie plana e igualada, y sus extremos serán redondeados. El mango se adaptará perfectamente a la mano. Después de cada uso, el cepillo se limpiará meticulosamente y, a los dos meses de uso, se sustituirá por otro nuevo.
• **Cepillo de dientes eléctrico** no es que limpie mejor, pero es más cómodo y de fácil utilización. Antes de adquirirlo, es necesario informarse sobre las posibilidades reales de limpieza del aparato. El movimiento de estos aparatos es vertical, que se corresponde con la técnica recomendada por los odontólogos.
• **El hilo dental** sirve para limpiar los estrechos espacios interdentales. Se debe usar una vez al día, efectuando un suave "movimiento de vaivén" entre los dientes. Su correcta utilización exige pasarlo repetidamente entre los dientes, para luego extraerlo tirando de él hacia arriba.
• **El dentífrico** se emplea esencialmente para limpiarse bien los dientes. Se recomienda el uso de pastas dentífricas fluoradas, ya que hasta cierto punto remineralizan el esmalte de los dientes (→ Caries dental).
• **La correcta limpieza** es la principal acción de toda buena higiene y profilaxis. Debe empezarse por los dientes superiores, efectuando la limpieza de delante hacia atrás, tanto por su cara externa como por su parte interna, para proseguir luego por la superficie de masticación. El cepillo deberá formar un ángulo de 45º con los dientes, de forma que las cerdas apunten hacia las encías y llegando en su movimiento hasta donde termina la encía y comienza el diente. Mediante una ligera presión, se ejercen suaves movimientos circulares. La limpieza del diente se efectúa desde del borde inferior de la encía, de tal forma que se evite la introducción de restos en los espacios interdentales. Los dientes en ningún caso deben limpiarse de forma "horizontal", procurando no dañar el marfil con una presión excesiva. Se prestará la máxima atención a los espacios interdentales, especialmente a los de los dientes posteriores.

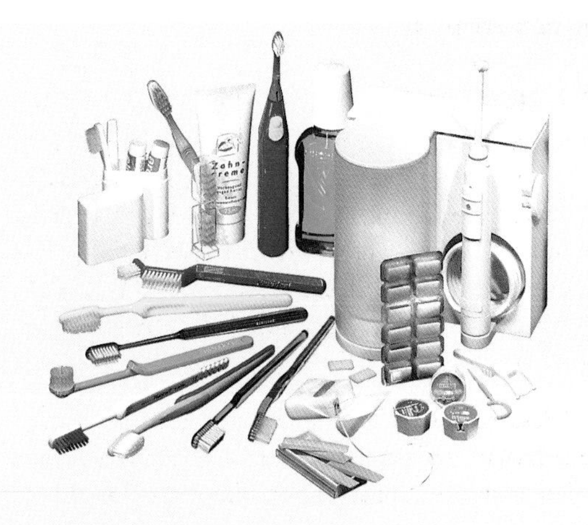

En el mercado se dispone de un gran surtido de productos que posibilitan una buena higiene y profilaxis bucal.

• **Los dientes deben limpiarse** después de cada comida, dos veces al día, y especialmente antes de acostarse. Asimismo, deben limpiarse repetidamente las prótesis dentales, parciales o totales, prestando gran atención a los espacios libres existentes entre la prótesis y los otros dientes. Si después de un refrigerio no se dispone de tiempo para limpiarse los dientes, se recomienda mascar chicle sin azúcar.
• **La higiene y profilaxis** dental es muy importante durante el embarazo, ya que tanto los dientes como las encías son más sensibles a las caries dentales.
• **Para protegerse de las caries**, los niños deberían saber limpiarse bien los dientes.

La alimentación consciente

Una alimentación equilibrada y sana es muy importante para todo el organismo, pues su adopción contribuye a una buena profilaxis dental. Por este motivo, los siguientes puntos son muy recomendables:
• Reducir el consumo de alimentos que contengan azúcar, así como el de pan, galletas y pasteles elaborados con harina blanca; limpiarse inmediatamente los dientes después de cada comida. Es importante conocer la composición de los productos que contienen azúcar "oculto": bebidas, salsas, mostaza o yogures. Evitar los dulces.
• Eliminar de la dieta los alimentos muy ácidos. Los zumos de frutas y la propia fruta contienen ácidos lesivos para los dientes. Una vez más es necesaria la limpieza de los dientes, pero esto ha de hacerse media hora después de haber comido.

Después de una extracción

Un diente puede perderse por un accidente, o una periodontitis (o paradentitis) o al extraerlo (simple o quirúrgicamente). Las complicaciones pueden ser graves en los hemofílicos, en pacientes con enfermedades hematopoyéticas y en personas con una enfermedad leucocitaria o que hayan sido operadas del corazón. Si hay contraindicaciones, es aconsejable renunciar a esta intervención.

En todo caso, han de tenerse presente estos puntos:

• Durante las primeras horas después de la extracción, los posibles efectos de la anestesia hacen desaconsejable conducir.

• Debido al peligro de infección, sólo debe comer fruta fresca cruda, verdura, pan integral o muesli.

• Para evitar el efecto antiagregante en la sangre y que se prolongue la odontorragia (*hemorragia*), si reaparece el dolor se excluirá la aspirina.

• La boca no se debe enjuagar, pues podría eliminar la sangre coagulada que obtura la herida.

• Los esfuerzos físicos quedan prohibidos.

• Al dormir, la cabeza estará un poco elevada.

• Evitar el calor y las bebidas alcohólicas. ¡Y, durante un día como mínimo, el café y la nicotina!

Patologías de las encías y del paradonto

▶ Síntomas:

➜ inflamación de la encía interdental (inflamación gingival), pero no sangra ni duele (gingivitis);

➜ la encía adquiere un color rojo oscuro y aspecto fungoso, se inflama y sangra, formándose las bolsas gingivales, cada vez más profundas, a las que sigue la supuración del hueso alveolar, que se va atrofiando progresivamente (→ periodontitis);

➜ la encía y el hueso se atrofian, el cuello del diente queda al descubierto; deterioro de la sujeción de los dientes.

Como en las caries, la causa de las inflamaciones gingivales (*gingivitis*) es el sarro. Los alimentos suelen tener bacterias, que, una vez en la boca, anidan en las encías. La inflamación se manifiesta al ponerse los bordes de los cuellos gingivales rojos. Si la encía se aleja del diente, se forman "bolsas" donde el sarro se deposita y agrava la inflamación. En caso de que la terapia no sea apropiada, los tejidos de sostén pueden inflamarse (periodontitis). Las periodontopatías pueden ser inflamatorias (*periodontitis*) o degenerativas (*periodontosis*) y sus causas aún no se conocen. Consecuencias: una reabsorción y atrofia del hueso alveolar, contracción de las encías y movilidad dental y, al final, caída del diente. La higiene y profilaxis deficientes, que no eliminen el sarro, los cuerpos extraños o los residuos de los alimentos que se ocultan en los espacios interdentales favorecen el desarrollo de esta enfermedad.

Tratamiento médico

La terapia de la zona gingival y del periodoncio es costosa, el médico ha de eliminar el sarro salival y el hemático, y realizar la necrosis del cemento dental y tratar los tejidos inflamados o enfermos. En caso de periodontosis, podrá colocarse una guía para morder.

Autoayuda

Para prevenir inflamaciones, además de la higiene dental debe acudir de forma regular al odontólogo.

Rechinamiento de dientes

▶ Síntomas:

➜ huellas de desgaste de los tejidos de los dientes;

➜ dolores de muelas (odontalgias), dolor en general y en especial del hueso maxilar, tensión de la musculatura facial y cervical;

➜ periodontosis → Patologías del periodoncio.

Llamado "bruxismo", su causa es el resultado de una combinación de trastornos en la oclusión y las tensiones provocadas por el estrés. Independiente del proceso de masticación, casi siempre se trata de una contracción involuntaria nocturna. La persona afectada no es consciente de que por las noches rechina los dientes.

Tratamiento médico

Después de "sacar" un molde de la dentadura, el odontólogo hará una prótesis de protección para los dientes por las noches mientras se duerme.

Autoayuda

El paciente debe evitar el estrés y los problemas psíquicos. Puede ayudar el realizar ejercicios de relajación y, también, el entrenamiento autógeno.

Empastes, coronas, implantes: obturaciones y prótesis

• **Materiales plásticos para la obturación:** si un diente ha sido afectado por la caries, el odontólogo extirpará el tejido hasta llegar a la dentina sana y, luego, limpiará bien la cavidad. A continuación, introducirá el relleno o amalgama (aleación de mercurio y otros metales). Actualmente sigue la polémica sobre si la amalgama es apropiada para este fin. Al parecer, el peligro surge cuando hay que realizar un nuevo empaste y se debe fresar el relleno antiguo para extraerlo. Hoy día se utilizan otro tipo de rellenos: cemento (oxifosfato de cinc), el silicato ("porcelana"), que se compone de polvo de silicio y aluminio con un fundente (cal, fluoruro de sodio y de calcio), o las resinas acrílicas (autopolimerizantes), compuestas por un polímero de metacrilato de metilo y un monímero de metacrilato de metilo. Sin embargo, este producto carece de la dureza, densidad y adherencia precisas, aunque su utilidad es innegable en casos de restauración del ángulo de los incisivos y de los caninos. La duración de los empastes varía entre 1 y 12 años, para los cementos artificiales, y de 8 a 10 años, para las amalgamas.

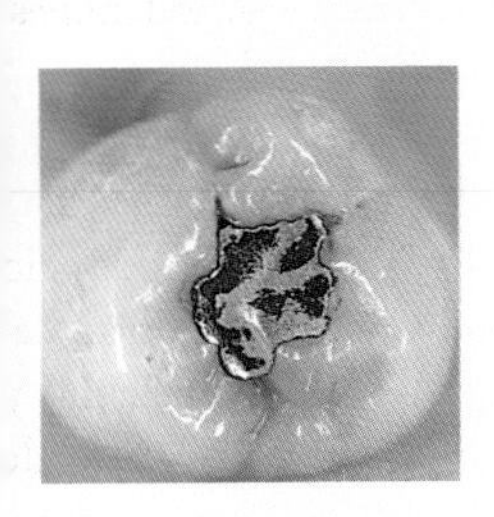

La económica, pero un tanto discutida amalgama.

• **Rellenos para empastes:** la cavidad provocada por la caries requiere su obturación. Primero se obtendrá el molde, haciendo luego la incrustación. Para prepararla, se debe realizar un empaste provisional. Los materiales utilizados son: oro, plata, platino, paladio, cobre, cerámica o material sintético. Es importante que la incrustación ajuste perfectamente, sin ejercer presión. Su duración es de 4 a 6 años, para el material plástico, y de 10 a 15 años, en el caso del oro.

• **Coronas:** si un diente está afectado por una caries, el odontólogo eliminará la parte en cuestión y proceder a un tratamiento de las raíces. Luego, recubrirá el diente con una corona artificial. Para los molares podrá utilizar una corona metálica en forma de cápsula métalica, y, para el resto de los dientes, una prótesis cerámica, de porcelana o acrílica (corona de chaqueta). En odontología las coronas aureoacrílicas de Richmond se sujetan mediante un perno radicular, y las coronas metálicas o de oro con un anclaje.

• **Puentes:** si por un accidente o enfermedad se han perdido uno o varios dientes, el odontólogo realizará uno o varios implantes dentales donde alojará el nuevo diente. Pero es necesario que existan dientes naturales a los que sujetarlos. Los puentes suelen ser metálicos, ocultándose la fijación de los mismos con un producto cerámico.

• **Implante dentario:** son raíces artificiales que se implantan, mediante una intervención quirúrgica. Este implante servirá de sostén a una o varias prótesis. Hay implantes yuxtaóseos, en los que el hueso ahonda por debajo del periostio; y endóseos, que incluyen un cuerpo extraño en el hueso maxilar. Esta técnica tiene varias formas: implantaciones en espiral, tubulares, en arco, extensibles, perforantes (que atraviesan el cuerpo óseo) y en forma de aguja. La parte superior del implante asoma sobre la encía, y sirve de anclaje al nuevo diente. Condición indispensable es que tanto el hueso maxilar como la encía estén sanos. Después de efectuado el implante, debe adoptarse una higiene rigurosa de toda la boca y realizar las correspondientes visitas periódicas al odontólogo.

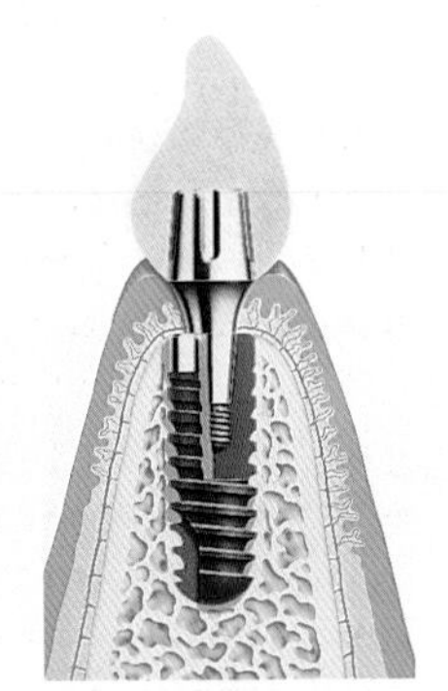

Tornillo y corona de un implante dentario.

• **Prótesis:** las prótesis parciales pueden sujetarse de diferentes formas a los dientes existentes. Su aspecto resulta un tanto repulsivo, pudiendo incluso propiciar la formación de caries dentales y periodontitis. Además de no resultar nada económica, la realización de una prótesis completa, su adaptación y corrección requiere tiempo. Para que la inversión resulte rentable, es importante que la prótesis ajuste perfectamente. En un principio el paciente tiene que acostumbrarse a ella, pues pueden aparecer rozaduras, cambiar el sabor de los alimentos, surgir problemas al hablar y tener la molesta sensación de tener que sujetarla con los músculos faciales. Las prótesis han de limpiarse diariamente y ser controladas periódicamente por el odontólogo.

Dentición

▶ Síntomas:
- ➜ el niño llora de manera permanente;
- ➜ enrojecimiento e hinchazón de las encías;
- ➜ secreción abundante de saliva (ptialismo);
- ➜ posible diarrea y fiebre.

Entre el 4.º y el 6.º mes de vida se produce la erupción de los dientes de leche, empezando por los incisivos inferiores. Por regla general, entre los 20 y 30 meses de edad suele completarse la dentadura con la aparición de los molares. En muchos bebés, ambos arcos maxilares se tensan y al hacerlo producen un profundo dolor; por lo demás, la dentición infantil no suele presentar mayores problemas.

Tratamiento médico

Si las encías se han inflamado y su hijo tiene fiebre y diarrea, es conveniente que el médico le efectúe un reconocimiento ante la posibilidad de que exista una infección. Si transcurridos 12 meses no han aparecido dientes, o la dentadura se ha completado a los 33 meses de edad, debe acudir a la consulta de su médico.

Autoayuda

Para mitigar en lo posible los dolores maxilares, adquiera en la farmacia unos anillos para morder; o, incluso, déle al bebé trozos de pan, manzana o zanahoria. Las raíces de violeta, de venta en las farmacias, son muy poco higiénicas e inapropiadas; tampoco deberían utilizarse los productos que favorezcan la dentición.

Cambio de dientes

▶ Síntomas:
- ➜ los dientes de leche se separan unos de otros;
- ➜ dolor de muelas y hemorragias;
- ➜ las muelas del juicio producen dolor prolongado durante mucho tiempo, siendo posibles las inflamaciones.

A partir del 6.º año, comienza la erupción de los 28 dientes de la dentición permanente. Este cambio suele prolongarse hasta los 14 años. A partir de los 17 años, pueden aparecer las muelas del juicio. Muchas personas no disponen de espacio para que salgan dichas muelas, por lo que pueden llegar a crecer horizontalmente o unidas a otros molares.

Tratamiento médico

Si la dentadura de leche sigue intacta después de los seis años de edad y aparecen dolores de muelas y hemorragias, la causa puede estar en que –por motivos desconocidos– se haya detenido la nueva dentición permanente, o que los dientes monten sobre los de leche. En este caso debe consultarse con el odontólogo, para que examine si han salido todos los dientes y si disponen del espacio necesario.
Con mucha frecuencia, la extracción de las muelas del juicio se hace necesaria; esto puede resultar muy doloroso, pues puede llegar a producir alteraciones del sistema sensitivo de la boca si la extracción ha afectado o lesionado los nervios.

Higiene adecuada de los dientes infantiles

Los padres suelen dar mucha importancia al momento en el su bebé luce su primer diente en su bebé, pero pocos son los que piensan que supone una nueva tarea educativa que debe mantenerse toda la vida. Este primer diente debe limpiarse después de cada comida, utilizando un poco de algodón envuelto en un palillo o bien empleando un paño limpio. Así, el niño se habituará a limpiarse bien los dientes después de cada comida. Si ya le han salido varios dientes, los odontólogos recomiendan utilizar cepillos de cerdas blandas, cabeza corta y un mango redondo y largo especiales para bebés. Sólo a partir de los tres años de edad se deberá comenzar a usar pasta dentífrica (fluorada) para niños, ya que antes el bebé se la tragaría o la escupiría. Aunque los padres tengan que completar la limpieza durante cierto tiempo, los niños desde muy pronto pueden aprender la técnica de una limpieza dental correcta. Esta limpieza deberá efectuarse a pesar de que los dientes de leche se estén cayendo, ya que podrían estar enfermos e influir negativamente en la dentición permanente posterior. Por otra parte, es conveniente que a partir de los tres años de edad, los padres acudan con su hijo al odontólogo.

Autoayuda

El diente que se está cayendo y se mueve en exceso, se puede extraer con el dedo limpio. Para tranquilizar las encías doloridas, se puede enguajar la boca con infusiones de manzanilla y antiinflamatorios.

Caries en los dientes de leche

► Síntomas:

➜ aparecen unas manchas blancas o superficies de color blancuzco, en los incisivos;
➜ si la caries dental aumenta, los dientes adquieren un color pardusco, son cada vez más cortos y, en el peor de los casos, sólo queda un muñón dental pardonegruzco.

Si al bebé se le dan infusiones o zumos con azúcar o miel, las caries tendrán el cultivo apropiado para su desarrollo, pues la bebida cubrirá dientes y encías. Se denomina "síndrome *nursing-Bottle*", es decir, caries ocasionada por el biberón. Posteriormente, entre los responsables de las caries se encuentran los refrescos, los zumos dulces de fruta y los dulces de todo tipo.

Tratamiento médico

El médico, en el intento por detener el desarrollo de la caries, rociará el diente con una laca especial. Con todo, el grado de éxito sólo es regular.

Autoayuda

Las caries dentales pueden evitarse adoptando una dieta adecuada, e inculcando a su hijo unas normas de higiene y de profilaxis correctas. Evite dar a su bebé infusiones dulces o zumos de frutas en el biberón; en lugar de refrescos, ofrézcale tisanas y zumos naturales de fruta. Debe prestar atención a la solidez de las comidas, pues el niño ha de poder masticarlas. Prepare a su hijo comidas sabrosas, eliminando las que pudieran resultar demasiado "dulces".
Pero para no descartar lo dulce, lo más que se le puede dar es un postre tras las comidas. ¡Eso sí, con la condición de que, a continuación, se proceda a limpiar los dientes! Los dulces elaborados con edulcorantes que no producen caries, tienen esta indicación en sus etiquetas. Los frutos secos y las pasas son ricos en nutrientes, pero también aportan mucho azúcar; para los desayunos y las meriendas, lo más apropiados son los mueslis de frutas o las nueces. ¡Pero, después de las comidas, hay que hacer una limpieza a fondo!

Anomalías de la dentición y dentomaxilofaciales

► Síntomas:

➜ dientes oblícuos, caídos;
➜ gran separación, sobre todo entre los incisivos (→ diastema);
➜ si son anomalías de posición, sobresale el maxilar superior o el inferior;
➜ los dientes superiores e inferiores mastican, de forma cruzada, unos sobre otros.

Tanto en los adultos como en los niños, las anomalías dentales no son un problema puramente estético. También pueden ocasionar dificultades en la masticación y el lenguaje, y llegar a causar daños permanentes en los dientes, tanto en el aparato que los sujeta como en las articulaciones maxilares.

A muchos niños el aparato de ortodoncia les cohíbe a la hora de reír.

Tratamiento médico

Para averiguar si una regulación es realmente necesaria y cuándo, conviene dejarse asesorar por un ortopeda maxilar. Según cada caso particular, la ortodoncia tendrá como fin la corrección de las posibles anomalías mediante la confección y aplicación en la dentadura de unos arcos metálicos especiales.
Con todo, debe tenerse presente que una corrección dental requiere de un prolongado espacio de tiempo para que se adviertan de forma visible sus efectos. Entre los inconvenientes, destaca las molestias del aparato bucal al comer o al hablar; y, entre los niños, que los demás se rían de quien lo lleva.

Autoayuda

Infórmese de si realmente la regulación bucal es necesaria. Procure que su hijo comprenda la necesidad de llevar el aparato dental y que, asimismo, se responsabilice de su perfecta higiene.

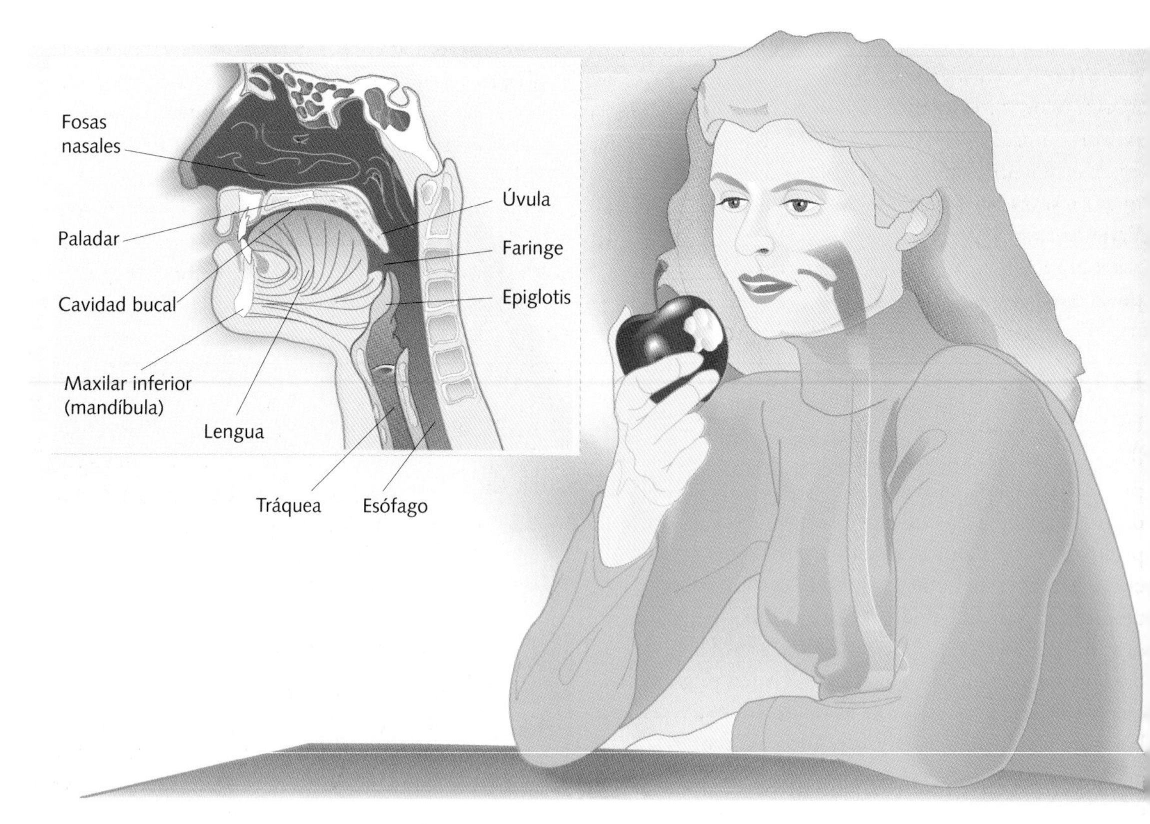

Boca y esófago

- **Cavidad oral**
- **Faringe y esófago**
- **La deglución**

Ante una mesa repleta de sabrosos manjares, la boca se nos "hace agua". Las glándulas salivales se ponen a trabajar, y producen diariamente, por término medio, entre medio litro y un litro y medio de saliva. El 99% de su composición es agua, pero el 1% restante esconde algunas sorpresas; contiene restos celulares, bacterias y leucocitos; pero también, sales, gases y material orgánico, en particular los enzimas ptialina y maltasa, y, finalmente, mocosa.
La saliva lubrica el bolo alimenticio, disuelve las sustancias gustativas, elimina bacterias nocivas y desdobla una parte de los hidratos de carbono de los alimentos.
La cavidad bucal está compuesta por el vestíbulo, entre los dientes y los labios, y por la cavidad bucal, delimitada por las arcadas dentales. Exceptuando los dientes, está recubierta por una mucosa. Y las secreciones de las glándulas salivares, con una serie de bacterias benignas, configuran la flora bucal, muy importante en la defensa contra las infecciones.

La lengua: un órgano con múltiples aplicaciones

No somos conscientes de las cosas que hacemos con la lengua, y que no podríamos realizar si nos faltara. Con su ayuda podemos palpar, absorber, saborear e ingerir alimentos. Asimismo, es un instrumento importante para poder hablar. ¿Y quién no la echaría de menos para saber si un manjar está bien preparado y es sabroso o está estropeado? Gracias a sus movimientos se encarga de trasladar los alimentos de unos dientes a otros, para una vez masticados formar el bolo alimenticio con la lubricación de la saliva.
La lengua posee un esqueleto fibro-muscular, y en la parte dorsal de este vigoroso músculo (formado por 17 músculos más pequeños, todos ellos pares a excepción del lingual superior que es impar) posee unas papilas que intervienen en la sensación del gusto; según su forma, se dividen en: → papilas caliciformes, →

papilas fungiformes, → papilas filiformes, → papilas foliadas y → papilas hemisféricas. Las situadas en el ápice sirven para saborear lo dulce, mientras que las dorsales detectan sabores ácidos. Las que se localizan en la parte dorsal posterior revelan los sabores acres, que transmiten su sensación al cerebro.
Pero tratándose del aspecto gustativo, la lengua sólo es responsable de una primera estimación global. La responsable de captar los aromas, matices y especias es la nariz, que podría denominarse "sentido del gusto".

La faringe, una esclusa muy sensible

Una vez masticado y lubricado, el bolo alimenticio llega a esta cavidad de forma casi cónica. Es el primer punto que se encuentra en su recorrido por el tracto digestivo; es el lugar donde se cruzan los aparatos respiratorio y digestivo (la tráquea y el esófago). La deglución, que es un movimiento reflejo sobre el que no tenemos influencia, dirige el bolo alimenticio por el camino correcto.
La orofaringe o faringe bucal se comunica con la cavidad bucal a través del istmo de las fauces, mientras que la hipofaringe, que se estrecha desde el hioides, finaliza en las aberturas de la laringe y del esófago. Tan pronto como el bolo roza la parte posterior del paladar y de la lengua, se produce la deglución. La laringe se mueve y la epiglotis cierra la laringe (y, por lo tanto, la tráquea). Simultáneamente, el velo del paladar, la continuación blanda del paladar duro, se desplaza hacia atrás y la pared posterior de la faringe se curva hacia adelante. Así se cierra el acceso a la nariz, para que el bolo siga el camino correcto. Los músculos del suelo bucal y la lengua se encargan de trasladar el bolo alimenticio hasta el esófago y de detener, momentáneamente, la respiración.

El esófago, siempre flexible

Resulta asombroso ver cómo una jirafa bebe agua, y ésta pasa a través de su largo cuello para servir de suministro y atender las necesidades de todo el organismo. Milagros parecidos a éste puede realizar el ser humano, pues a pesar de la gravedad puede ingerir alimentos estando en posición vertical invertida, es decir, apoyado sobre su cabeza. Esto se debe al esófago, un conducto musculoso –de unos 30 centímetros de longitud– que sigue a la faringe, pasa luego por el cuello y el tórax, atraviesa el músculo del diafragma y desemboca, tras pasar por el cardias, en el estómago. Internamente está recubierto todo él por una túnica mucosa extensible, pudiéndose adaptar a la forma del bolo alimenticio.
El esófago se encarga de empujar al bolo alimenticio, lubricado con saliva, hacia el estómago; para ello utiliza su capa muscular, compuesta por un estrato de finas fibras circulares y un estrato longitudinal externo, que produce series alternativas de contracciones y movimientos ondulatorios. Con el paso del bolo alimenticio, el esófago se contrae y la musculatura longitudinal efectúa un movimiento ondulatorio que transporta las porciones hasta el estómago.

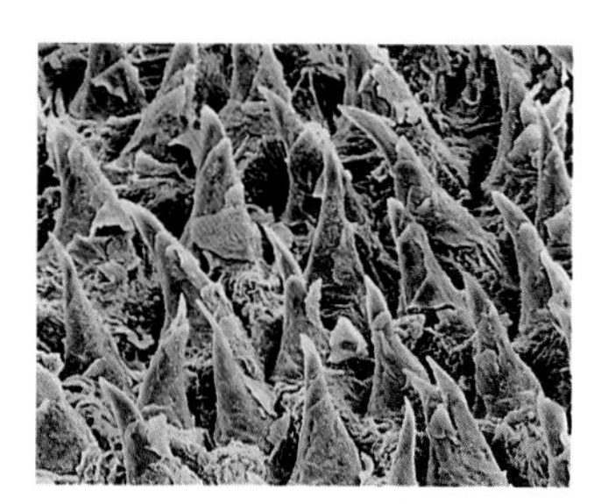

El tamaño aumentado de la lengua deja ver los pequeños conos que conforman las papilas que la recubren.

Cuando un poco de comida queda detenida en el cuello

Para que la comida no se detenga en su discurrir por el organismo, es recomendable masticarla bien y lubricarla a fondo con la saliva; las pastillas deben ingerirse bebiendo siempre abundante agua. En ciertos casos, algunas partículas de alimento de cierto tamaño pueden quedar detenidas en los pasos más angostos del esófago, produciendo dolor en el pecho. Por regla general, un sorbo de agua bastará para "reflotar" la partícula detenida y que pueda seguir su recorrido.

Llegada esperada

Cuando finalmente el bolo alimenticio llega al estómago, éste ya está perfectamente preparado esperando su llegada, pues en el preciso instante en que la saliva se mezcla con la comida, la mucosa gástrica, que posee varios tipos de células secretoras, también comienza a desarrollar su función química y secreta el jugo gástrico necesario para la digestión.
Un potente músculo anular, situado debajo del diafragma, cierra la entrada del estómago que comunica con el esófago para que el ácido del jugo gástrico no pueda invadir y afectar la delicada mucosa esofágica. Cuando el bolo alimenticio hace presión desde arriba sobre este músculo anular, que actúa como esfínter, éste se abre para dar paso al bolo alimenticio, pero se vuelve a cerrar de inmediato tras su paso. Y es en este momento cuanto comienza la labor digestiva del estómago.

Casos de urgencia

Regla general

¡El médico debe reconocer cuanto antes las lesiones producidas en la boca! De tener su origen en la ingestión de sustancias cáusticas, a efectos de diluir el ácido o la lejía en la faringe o el esófago, lavar inmediatamente con agua o con una infusión.

Lesiones en el paladar, lengua y esófago

► Síntomas:
➜ hemorragia, dolor en la zona afectada.

Los niños suelen introducir lapiceros u otros objetos punzantes en la boca. Si por casualidad la punta del objeto golpea y atraviesa el paladar, puede ocasionar lesiones que, en casos graves, afectan a las arterias principales que suministran sangre a la cabeza. Pero también existe el peligro de que se traguen un objeto, y que quede atascado en el esófago. Que un cuerpo extraño, una espina de pescado quede encajado y obstruya el esófago puede suceder aun a los adultos, sobre todo si se tiene una prótesis dental que influya en la sensación de masticación del bolo alimenticio. Frecuentemente, las lesiones en la lengua suelen producirse como consecuencia de un ataque epiléptico.

Tratamiento médico

Eventualmente, el médico extrae el cuerpo extraño con un endoscopio, verificando y controlando que no se haya producido un hematoma ni lesionado algún vaso sanguíneo. Si la herida en el paladar es muy importante, debe proceder a suturarla. La lengua se cura muy bien, de forma que muy pocas veces requiere puntos de sutura.

Autoayuda

No es posible.

Lesiones por sustancias cáusticas

► Síntomas:
➜ dolores, intensa quemazón en la boca;
➜ dolores durante la deglución /disfagia;
➜ eventual pérdida del conocimiento.

Si por cualquier causa alguien bebe un vaso de lejía o de un ácido, provoca graves lesiones en la boca, faringe y esófago; las lejías penetran más profundamente en la mucosa que los ácidos.

Tratamiento médico

Si la lesión es muy reciente, para diluir las lejías o los ácidos y reducir sus efectos conviene beber agua o infusiones. Con cortisona se intentará detener la inflamación producida. En el hospital se procederá, mediante la utilización de un endoscopio, a explorar y diagnosticar el alcance de las lesiones de la mucosa; en ciertos casos, un lavado de estómago sirve para extraer por un tubo la lejía ingerida.

Autoayuda

Para que no se produzcan más lesiones de las ya existentes con el reflujo del contenido cáustico del estómago, debe evitarse provocar el vómito. Se entregará al médico la botella con la lejía/ácido, para que determine su concentración.

Hemorragia de varices en el esófago
(Varices esofágicas)

► Síntomas:
➜ vómito de sangre, generalmente oscura.

Como consecuencia de una cirrosis hepática, en la zona inferior del esófago pueden formarse varices. Las hemorragias producidas por este motivo deben detenerse inmediatamente, pues de no hacerlo pueden ser mortales.

Tratamiento médico

Para detener la hemorragia, el médico utilizará un catéter hinchable y procederá a estrangular temporalmente las venas afectadas; o realizará una obliteración de las venas, inoculando ciertos medicamentos mediante el endoscopio. Si la pérdida de sangre es considerable, será necesario realizar una transfusión.

Autoayuda

No es posible.

Pruebas clínicas especiales

El médico puede inspeccionar, a simple vista, tanto la cavidad bucal como la faríngea. Para el reconocimiento del esófago, invisible a simple vista, dispone de una serie de instrumentos y aparatos técnicos.

Exploración radiográfica con medios de contraste

El trazado y revestimiento interior del esófago son visibles mediante una radiografía, especialmente si previamente se ha ingerido un medio de contraste. La radiografía permite detectar tanto las anomalías anatómicas, como los divertículos esofágicos o los tumores o carcinomas.

Las lesiones esofágicas más superficiales o ligeras son difícilmente reconocibles, siendo necesaria una exploración endoscópica del esófago. El acto de la deglución puede registrarse perfectamente mediante una cámara cinematográfica.

Endoscopia del esófago

Con la ayuda de la transmisión electrónica de imágenes, el médico puede controlar la superficie interior del esófago. Para ello se introduce por la boca un tubo flexible, que penetra en el esófago sin necesidad de la administración de anestesia.

Este método permite al médico reconocer las más mínimas alteraciones de la mucosa esofágica, así como la presencia de tumores. Además puede extraer, para su posterior análisis, muestras del tejido esofágico.

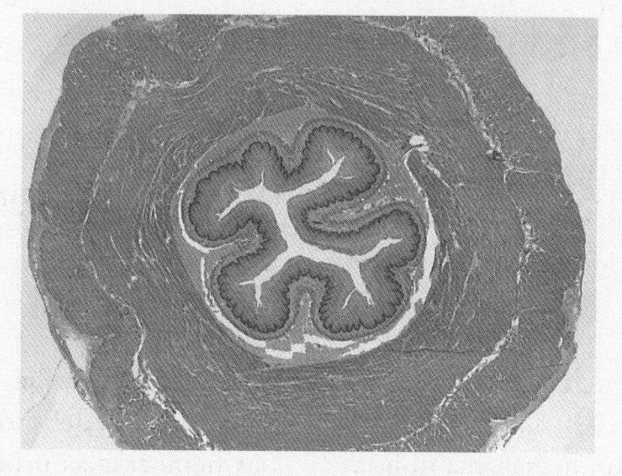

Corte transversal del esófago, por el que también han de pasar los "grandes bocados".

Determinación de la acidosis

Mediante una sonda muy delgada y flexible, que el médico introduce a través de la nariz, se determina el grado de acidez existente en el esófago.

El aparato puede permanecer en el esófago durante mucho tiempo, lo que permite registrar en un aparato portátil la frecuencia y cantidad del reflujo del contenido gástrico así como la duración de la acidez. El reflujo del contenido gástrico puede estar provocado por la realización de determinados movimientos violentos, como agacharse. Las oscilaciones del valor determinado se comparan con las que registra una persona sana, pues su esófago también registra ocasionalmente un reflujo de jugo gástrico.

Medir la presión durante la deglución (manometría)

Para determinar posibles trastornos durante la deglución, se introduce una delgada sonda en el esófago, que sirve para medir la presión de un fluido (gas o líquido) contenido en un espacio cerrado. Esta exploración revela los movimientos musculares que efectúa el esófago durante la deglución, así como las eventuales anomalías y fuerza de la potente musculatura de cierre de del estómago, situado en el extremo final del esófago. Este tipo de exploración se efectúa cuando se padece frecuentemente de acidez de estómago o pirosis, o bien se tienen molestias causadas por el hipo, o si se notan intensos dolores en el pecho que no estén originados por el corazón.

Gammagrafía esofágica

La escintiligrafía o gammagrafía esofágica es una técnica diagnóstica que permite la visualización de un órgano interno del cuerpo, mediante la detección por un contador Geiger de cierta cantidad de radiaciones gamma emitidas por un determinado isótopo.

El paciente ingiere dicha sustancia, y a través de su recorrido por el cuerpo es observado a través de una cámara especial. La imagen así obtenida, el denominado escintilograma, muestra la distribución de la sustancia por el esófago y su posterior transporte; ello permite diagnosticar la capacidad de funcionamiento del esófago.

Alteraciones en la capa superior de la lengua

► Síntomas:

- ➜ fisuras y surcos en la lengua (lengua escrotal);
- ➜ lengua cubierta por una capa blanquecina y grisácea o de color pardao (lengua geográfica);
- ➜ prolongaciones oscuras y pilosas de las papilas linguales (lengua negra pilosa);
- ➜ lengua recubierta por una capa seca, con formaciones nudosas.

Las grietas y surcos suelen ser síntoma de lesiones o, incluso, variantes anatómicas normales (*lengua escrotal*); o, raras veces, de infecciones (*glositis*) o tumoraciones. Las placas que aparecen sobre la lengua suelen ser el resultado de descamaciones celulares del epitelio, restos de comida y moco.

Una placa normal tiene color grisáceo, amarillento o pardo, y puede influir en el sentido gustativo. Con fiebre o falta de líquido, pueden formarse placas secas debido a una menor secreción salivar que pueda limpiar la lengua. Las prolongaciones pilosas (*filiformes*) de las papilas, de los diminutos corpúsculos linguales, aparecen como consecuencia de una dieta pobre en alimentos sólidos. Durante la masticación no se desgastan las papilas, favoreciendo la aparición de la "lengua pilosa", si bien también puede aparecer como consecuencia de una alteración de la flora bucal después de una terapia con antibióticos.

Tratamiento médico

Consulte con el médico cuanto antes si aprecia una nodulación sobre o en la lengua, si observa la presencia de un tumor o una grieta profunda que no desaparece transcurridas unas dos semanas o si no consigue eliminar las placas sobre la misma. En caso de que se sospecharse la existencia de una neoplasia lingual, el médico efectuará un análisis del tejido. Si el tumor es maligno, procede la inmediata intervención quirúrgica.

Autoayuda

Límpiese cuidadosamente los dientes, enjuagando bien la boca. Las placas un poco gruesas pueden eliminarse con el cepillo de dientes.

La lengua negra pilosa debería ser cepillada con una solución concentrada de bicarbonato sódico (disolver bicarbonato en un vaso de agua hasta que no se disuelva más). Si la placa es seca, debe beber mucha agua.

Inflamación de la lengua (glositis)

► Síntomas:

- ➜ superficie lingual lisa, enrojecida;
- ➜ eventualmente, dolorosa hinchazón de la lengua;
- ➜ quemazón en la lengua.

La glositis puede ser tanto de origen mecánico –prótesis dentales mal ajustadas o dientes de cantos muy afilados–, como estar ocasionada por especias, nicotina o bebidas alcohólicas. Si la persona padece una enfermedad infecciosa, la glositis frecuentemente cursa junto con una inflamación de la mucosa bucal; pero también en caso de una debilidad de las defensas del cuerpo, así como por carencia de Vitamina B_{12} y de hierro.

Tratamiento médico

Si las molestias no desaparecen transcurridos unos días, acuda a la consulta del médico. De poder descartarse las causas mecánicas e infecciosas, deberá analizarse la sangre por si existe carencia de vitamina B_{12} y de hierro; de resultar positivo, exigirá la terapia apropiada (→ Anemia por falta de hierro; → Anemia por carencia de Vitamina B_{12} y de ácido fólico).

Autoyauda

Es muy importante una buena higiene y profilaxis bucal y dental, así como el eventual control de la prótesis dental. Las dolencias se alivian realizando enjuagues bucales con infusiones de manzanilla o salvia, una solución al 3% de agua oxigenada o una tintura de aceite de árbol de té.

Las tinturas de aceites vegetales alivian las inflamaciones bucales.

Infección micótica aguda o subaguda (candidiasis)

► Síntomas:

- ➜ puntos de color blanco luminoso y manchas en la mucosa bucal, que pueden sangrar al intentar eliminarlas;
- ➜ hinchazones blancas en los bordes linguales de la mucosa;
- ➜ quemazón en la boca y la faringe;
- ➜ deglución dificultosa.

Candidiasis es el nombre genérico que sirve para designar a las enfermedades provocadas por hongos blastoporos del género *Candida*, cuya especie más importante es la *Candida albicans*.

Suele deberse a una alteración de la flora bucal; por ejemplo, después de una terapia con antibióticos o a inhalaciones de corticoides (→ Asma bronquial alérgico); también, a una debilidad del sistema inmunológico como consecuencia de una diabetes, del sida o durante el proceso de una terapia anticancerosa (→ Hongos). Estos hongos pueden extenderse por el tracto digestivo y atacar ocasionalmente a algunos órganos, como el corazón y los pulmones.

En los frotis de la mucosa bucal aparece el hongo Candida.

Tratamiento médico

Si las manchas que aparecen en la boca sólo pueden eliminarse produciendo sangre, debe acudirse inmediatamente al médico para que proceda a extraer una muestra de las placas. El análisis efectuado en el laboratorio identificará al hongo causante de la enfermedad. Los hongos se eliminan, salvo que hayan seguido reproduciéndose por todo el tracto digestivo, mediante enjuagues de boca y pinceladas con un producto antimicótico o desinfectante.

Si hubiesen atacado también al intestino, a efectos de eliminar al agente patógeno de todo el intestino (→ Dirigir la simbiosis), la terapia medicamentosa deberá combinar el saneamiento de los hongos de este órgano con una dieta alimentaria.

Autoayuda

Siempre que dependa de otras enfermedades, el paciente debe intentar descubrir cuáles son las causas que han intervenido en la alteración de su flora bucal para procurar eliminarlas.

Una buena higiene y la profilaxis bucal y corporal son muy importantes en las enfermedades de tipo micótico. Es recomendable no irritar las mucosas tomando alimentos picantes. Toda persona puede robustecer su sistema inmunológico practicando deporte, realizando siempre actividades al aire libre y llevando una dieta sana y nutritiva.

Cuando se cree tener un "nudo en la garganta"

Todos conocemos esa molesta sensación de tener un nudo que se atraganta en la garganta, que no se consigue deglutir. Esta sensación puede tener diferentes causas, porque el acto de deglutir es un proceso muy complicado, cuyo buen funcionamiento depende, en primer lugar, de que la faringe, el esófago y el cardias estén perfectamente sanos, y, en segundo, del perfecto funcionamiento del cerebro, de los nervios y de los músculos. De prolongarse cierto tiempo la enojoso sensación de estrechez en el cuello, podría tener como consecuencia diferentes enfermedades que requerirían terapias adecuadas. Pero sea cual fuere el caso, ¡lo importante es acudir al médico! Las dificultades en la deglución (*disfagia*) se acompañan de ahogo (*disnea*), ronquera, vómitos o fiebre. Estos síntomas revelarán al médico las causas que originan tales molestias. Un ataque apoplético puede desencadenar igualmente una disfagia, lo mismo que un cuerpo extraño, un divertículo esofágico o una infección faríngea, sin olvidar otras muchas enfermedades. La causa más frecuente de las disfagias que surgen a partir de los 15 años de edad, con dificultad para deglutir alimentos sólidos, suele ser un cáncer de esófago.

Sólo después de haberse descartado toda posible causa de origen físico con la ayuda de radiografías y endoscopias, se procederá a detectar la eventualidad de una de naturaleza psíquica. El conocido "nudo en la garganta" también puede ser la expresión de un temor o dolor, de algo que el lenguaje del propio cuerpo manifiesta o de una incapacidad para asumirlo y asimilarlo.

Estomatitis (inflamación de la mucosa que tapiza la boca)

► Síntomas:
- ➜ mucosa bucal enrojecida;
- ➜ quemazón, dolor en la boca;
- ➜ aumento de la salivación;
- ➜ ampollitas que más tarde revientan;
- ➜ eventualmente, fiebre y dolorosa hinchazón de los ganglios linfáticos del cuello;
- ➜ mal olor de boca.

La inflamación de las mucosas que tapizan la boca puede tener causas muy variadas, desde unos dientes defectuosos hasta diversos productos químicos, pasando por estímulos de calor y frío o, incluso, venenos como mercurio o bismuto. También pueden anidar en la boca ciertas bacterias, virus u hongos causantes de esta enfermedad. Graves enfermedades sanguíneas, como leucemias, septicemias, tuberculosis o sífilis, suelen presentarse acompañadas de una estomatitis. A la inflamación de la mucosa bucal se une frecuentemente una inflamación de las encías, de manera especial en las personas que padecen diabetes.
En personas con un sistema inmunológico sano, la cavidad bucal suele eliminar normalmente la acción patógena de bacterias y virus. Ello requiere una flora bucal normal, es decir, una colonización bacteriana de la boca en proporciones equilibradas y consideradas como normales. Si dicha flora bucal no permanece intacta, las infecciones pueden aparecer con suma rapidez. Las causas se deben ocasionalmente a otras enfermedades, pero también a una higiene bucal y dental defectuosas, así como a ciertos medicamentos; por ejemplo, antibióticos o fármacos que inhiban la actuación de las propias defensas.

Tratamiento médico

Si los síntomas no desaparecen en pocos días, es necesario acudir a la consulta del médico. En primer lugar, se encargará de determinar la causa de la enfermedad, procediendo a la terapia de ésta. Tan pronto se hayan diagnosticado las causas seguras que ocasionaron la enfermedad, las molestias desaparecerán, por regla general con cierta rapidez, gracias al poder autocurativo que posee la cavidad bucal. La terapia se basará en la perfecta desinfección de la cavidad bucal, enjuagando bien la boca, por ejemplo, con una solución al 5% de ácido crómico. Los dientes enfermos deben tratarse y el sarro eliminarse. Si una parte de la mucosa bucal no se cura, se procederá a extraer una muestra para analizar y así poder detectar un posible tumor lo antes posible.

Autoayuda

Se debe prestar una especial atención a la higiene y profilaxis correctas de la boca. Ésta se debe enjuagar regularmente con una solución de agua oxigenada al 3%. Las infusiones de salvia o manzanilla previenen las inflamaciones de la mucosa bucal.

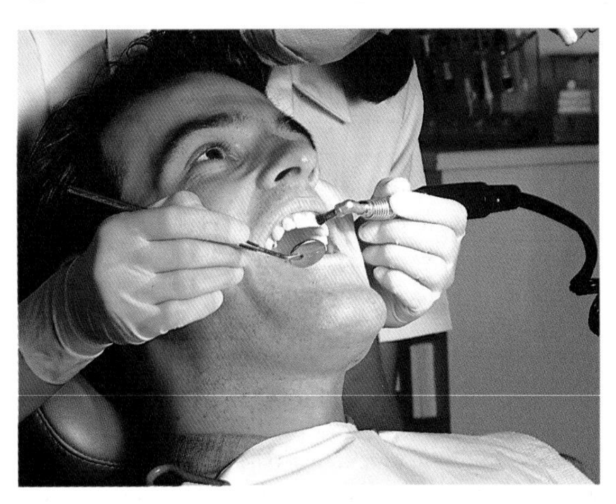

La eliminación periódica del sarro de los dientes evita inflamaciones de la mucosa de la cavidad bucal.

Estomatitis aguda (primera infección de Herpes simple)

► Síntomas:
- ➜ fiebre, cansancio, náuseas;
- ➜ deglución difícil (*disfagia*);
- ➜ vesículas dolorosas con rotura súbita, sobre todo en la zona vestibular de la boca;
- ➜ heridas en la túnica mucosa con aureola rojiza;
- ➜ abundante saliva, desagradable olor de boca;
- ➜ hinchazón de las ganglios linfáticos submaxilares.

La estomatitis aguda herpética es la forma más frecuente de primera infección por el virus Herpes simplex; generalmente ataca a los niños entre los siete meses y los seis años de edad, siendo menos frecuente en la época de la adolescencia. En el 99% de los casos pasa desapercibida. La erupción vesicular, en forma de

racimo, puede ocupar toda la cavidad bucal. La inflamación afecta asimismo al paladar, las encías y la mucosa de las mejillas. La rotura súbita de las vesículas trae consigo la formación de pequeñas erosiones que sangran fácilmente, se rodean de mucosidad y son muy dolorosas. Siempre se advierte una adenopatía satélite reactiva. La enfermedad puede durar unos 15 días.
El contagio del virus a los niños se produce cuando sus padres –previamente infectados– los besan, o cuando les dan la comida con una cucharilla que han tenido previamente en la boca.

Tratamiento médico

De producirse alteraciones dolorosas en la boca, es conveniente que el médico reconozca a su hijo. Esta enfermedad suele desaparecer a los 14 días del inicio. Un lavado de la boca con clorhexidrina puede prevenir una sobreinfección bacteriana. Si los dolores fueran muy intensos, el médico suele prescribir algún analgésico.

Autoyuda

En caso de padecer estomatitis herpética, se impone realizar habitualmente una higiene perfecta de la boca. Ayuda enjuagar periódicamente la boca con agua tibia, infusiones de manzanilla o una solución de manzanilla, así como humedecer las vesículas y heridas con tinturas secantes, como mirra. Procurar que el niño beba mucha agua.

Cáncer en la cavidad bucal

Síntomas:
- manchas blancas, de tacto áspero, en la mucosa bucal;
- pequeños nódulos, que eventualmente se erosionan;
- al principio, endurecimiento indoloro de la lengua;
- heridas en la lengua que no se curan, y que, a veces, pueden volverse dolorosas.

Los tumores en la cavidad bucal pueden desarrollarse tanto en los labios como en el suelo bucal, las mejillas, el paladar y las encías; o sobre la misma lengua.
Sus causas son aún bastante desconocidas, pero su desarrollo está propiciado por el consumo de tabaco y la ingesta de bebidas alcohólicas. Según su localización y extensión, existe la posibilidad de que el tumor afecte al hueso maxilar, pudiendo aparecer también en los ganglios linfáticos y, eventualmente, en todo el cuerpo.

Tratamiento médico

Si sospecha la existencia de un cáncer, debe acudir inmediatamente al médico. Éste realizará lo antes posible un análisis microscópico del tejido afectado. Los tumores en la boca deberían ser extirpados cuanto antes, pues en ciertos casos suelen crecer con suma rapidez. Según los casos, para conseguir la total destrucción de las células malignas se implantará un tratamiento quimioterápico o radioterápico.

Autoayuda

Informes y consejos a partir de la página 576.

Enfermedades de las glándulas salivales. Parotiditis (paperas)

Síntomas:
- hinchazón dolorosa de la glándula parótida;
- deglución dificultosa, eventualmente fiebre.

La parotiditis suele aparecer en la glándula salivar parótida (→ Parotitidis epidémica, también llamada Paperas), pero también puede estar ocasionada por una litiasis salivar, especialmente en las glándulas submaxilares. Al principio, la glándula solamente presenta hinchazón al comer; pero, tan pronto como la deja de secretar saliva, ésta se inflama.
La saliva pierde la necesaria consistencia viscosa y posee un sabor salado.

Tratamiento médico

Si las glándulas salivales se inflaman repetidamente, o no se desinflaman, es necesario acudir inmediatamente al médico. De tratarse de una parotiditis epidémica, o de paperas, bastará con guardar cama; para evitar eventuales complicaciones, es necesario vigilar atentamente la evolución de la enfermedad. La litiasis salivar puede palparse, a veces, debajo de la lengua. La posición exacta se averigua mediante una ecografía o radiografía.
Si el causante de la parotiditis crónica es un cálculo, el médico procederá a dilatar el conducto salival, o a extirparlo mediante una intervención quirúrgica.

Autoayuda

No es posible.

Ardor de estómago (pirosis)/ **Reflujo**

► Síntomas:

- ➔ quemazón o acidez, dolor detrás del esternón y en el estómago, sobre todo después de la ingesta de alimentos;
- ➔ eructos, deglución dificultosa (*disfagia*), afonía;
- ➔ regurgitación de líquidos del jugo gástrico y del bolo alimenticio, de sabor ácido;
- ➔ las molestias aumentan en posición de decúbito supino, al inclinarse y al presionar.

La pirosis se produce cuando el mecanismo de cierre del estómago, o esfínter esofágico inferior, situado en el extremo final del esófago, no cierra correctamente. El ácido del jugo gástrico y el quimo ascienden hacia el esófago, dañando su mucosa. Esto puede deberse también a una → hernia diafragmática (*hernia del hiato esofágico*), a una presión ejercida sobre el abdomen durante el embarazo o al exceso de peso corporal. Pero hay que diferenciar estas molestias de las causadas por el asma, o por una angina de pecho. Si las molestias fuesen frecuentes, tanto la pirosis como el reflujo requieren tratamiento médico; en caso contrario, podría aparecer una esofagitis. Con el paso del tiempo, el jugo gástrico ataca al esófago y la superficie mucosa se va lesionando. Al curarse esas lesiones, en la entrada al estómago pueden aparecer cicatrices, que contribuyen a una estenosis del esófago por lo que, en esas zonas, habrá mayor facilidad para la formación de tumores.

Tratamiento médico

Para comprobar si la mucosa esofágica ha sido dañada y, en su caso, verificar qué importancia revisten las lesiones, el médico se encargará de realizar una endoscopia. Al mismo tiempo extraerá una muestra de tejido esofágico, para realizar una biopsia y descartar un posible tumor. Con la medición de ácidos podrá registrarse, a largo plazo, la frecuencia y duración de las regurgitaciones, para así poder diferenciar la enfermedad por reflujo de una acidez de estómago. De confirmarse el diagnóstico de una enfermedad por reflujo, se prescribirán antiácidos para neutralizar el jugo gástrico. Si no fuera suficiente, se administrarán los agentes anti H2 (inhibidor de los receptores tipo 2 Histanina), o Omeprazol (inhibidor de la bomba de protones).

El café y el tabaco perjudican las mucosas del estómago y del esófago, por lo que en caso de padecer frecuentemente acidez de estómago debe evitarse su consumo.

Autoayuda

Si la acidez de estómago fuese frecuente, es recomendable no tomarla a la ligera y prestarle atención. No conviene que la persona se automedique durante un período de tiempo prolongado, ni siquiera con antiácidos. Pero sí puede aliviar las molestias y evitar una posible esofagitis siguiendo estos consejos:

- Evite el café, zumos de frutas, dulces y caramelos, así como las bebidas alcohólicas, especialmente aguardientes y el vino blanco.
- Deje de fumar y evite el humo del tabaco.
- Todo aquello que ejerza una presión sobre la zona abdominal, favorece el reflujo. Conviene, pues, que no lleve ropa demasiado estrecha y que intente mantenerse en el peso adecuado.
- No incline la cabeza hacia adelante, es preferible ponerse en cuclillas con el cuerpo erguido.
- Para mejorar la digestión, en vez de echarse una siesta dése un paseo después de cada comida.
- Es preferible realizar cinco pequeñas comidas al día, que no tres muy copiosas; también, conviene que descarte los alimentos grasos.
- Los manjares y bebidas excesivamente calientes, afectan directamente la delicada mucosa esofágica.
- No cene demasiado tarde por la noche (lo más tarde, tres horas antes de acostarse).
- Eleve la cabecera de su cama.
- Procure evitar las situaciones de estrés

Acalasia esofágica (achalasie)

Síntomas:

- ➔ creciente dificultad al deglutir (disfagia);
- ➔ regurgitación de alimentos, sensación de náuseas;
- ➔ sensación de plenitud detrás del esternón.

La apertura defectuosa del esfínter esofágico inferior y la obstaculización del paso del alimento del esófago al estómago, produce la difícil deglución de sólidos y de líquidos. El alimento se apelmaza en el extremo inferior del esófago, haciendo que se degenere la red nerviosa de la pared esofágica. Esta enfermedad se desarrolla en el transcurso de un largo período de tiempo.

Tratamiento médico

El diagnóstico se establece mediante una radiografía contrastada. Para detectar la posible presencia de un tumor en el esfínter del esófago, se puede realizar una endoscopia. Asimismo, es preciso medir la presión en el esófago. Se consigue un gran alivio de las molestias administrando medicamentos reductores de la presión esofágica. Con el tiempo, será preciso dilatar el esfínter esofágico aplicando un catéter hinchable o mediante una intervención quirúrgica.

Autoayuda

No es posible.

Divertículos esofágicos (cavidad patológica del esófago)

► Síntomas:

- ➜ esfuerzo de deglución, atragantamientos;
- ➜ sensación de presión en el esófago;
- ➜ regurgitación del alimento, incluso por las noches al dormir.

Cuando la pared esofágica forma cavidades patológicas o anormales, el alimento puede quedar detenido en ellas. Las molestias solamente se producen en caso de que el divertículo sea grande.

Existe el peligro de inflamación de la mucosa que recubre la cavidad, de forma que puede formarse un canal (*fístula*) hasta el pulmón; en este caso, los restos de los alimentos regurgitados puedan penetrar en la tráquea y propiciar una neumonía.

Tratamiento médico

El médico diagnosticará el divertículo mediante una radiografía contrastada y una esofagoscopia. Los divertículos que producen molestias, se eliminan quirúrgicamente.

Autoayuda

No es posible.

Cáncer de esófago

Los síntomas de una enfermedad benigna del esófago, tales como dificultades en la deglución, pirosis o reflujo, pueden indicar el padecimiento de un cáncer de esófago. Sus causas no se conocen muy bien, pero sí se sabe que desempeñan un importante papel el consumo de tabaco y de bebidas alcohólicas, así como la ingestión de comidas y bebidas muy calientes. La terapia consiste en una intervención quirúrgica o radio y quimioterapia. Como el cáncer de esófago suele descubrirse tardíamente y se disemina (*metastatiza*) rápidamente por todo el cuerpo a través de las vías linfáticas, las posibilidades de curación son comparativamente mínimas. Cinco años después de una terapia adecuada, sólo sobrevive uno de cada cinco enfermos.

Hernia diafragmática con desplazamiento del estómago (hernia del hiato)

► Síntomas:

- ➜ acidez de estómago, eventualmente reflujo;
- ➜ en ocasiones, sensación de agobio en el corazón.

El diafragma es la pared divisoria entre el espacio torácico y el abdominal; una pequeña abertura hace posible que el esófago la atraviese para llegar hasta el estómago a su través. Al llegar a la edad adulta esta abertura puede haberse dilatado tanto, que quizá haga desplazarse una parte del estómago hacia la zona torácica. Por regla general no ocasiona grandes molestias, pero sí puede producir pirosis y una inflamación del esófago.

Tratamiento médico

Para efectuar una radiografía contrastada, se coloca la cabeza del paciente en una posición baja y, mientras, se ejerce presión sobre el abdomen. Devolver el estómago a su posición correcta, sólo requiere la intervención quirúrgica en muy raras ocasiones.

Autoayuda

Para procurar evitar la esofagitis, siga los consejos que figuran en la autoayuda de la → pirosis.

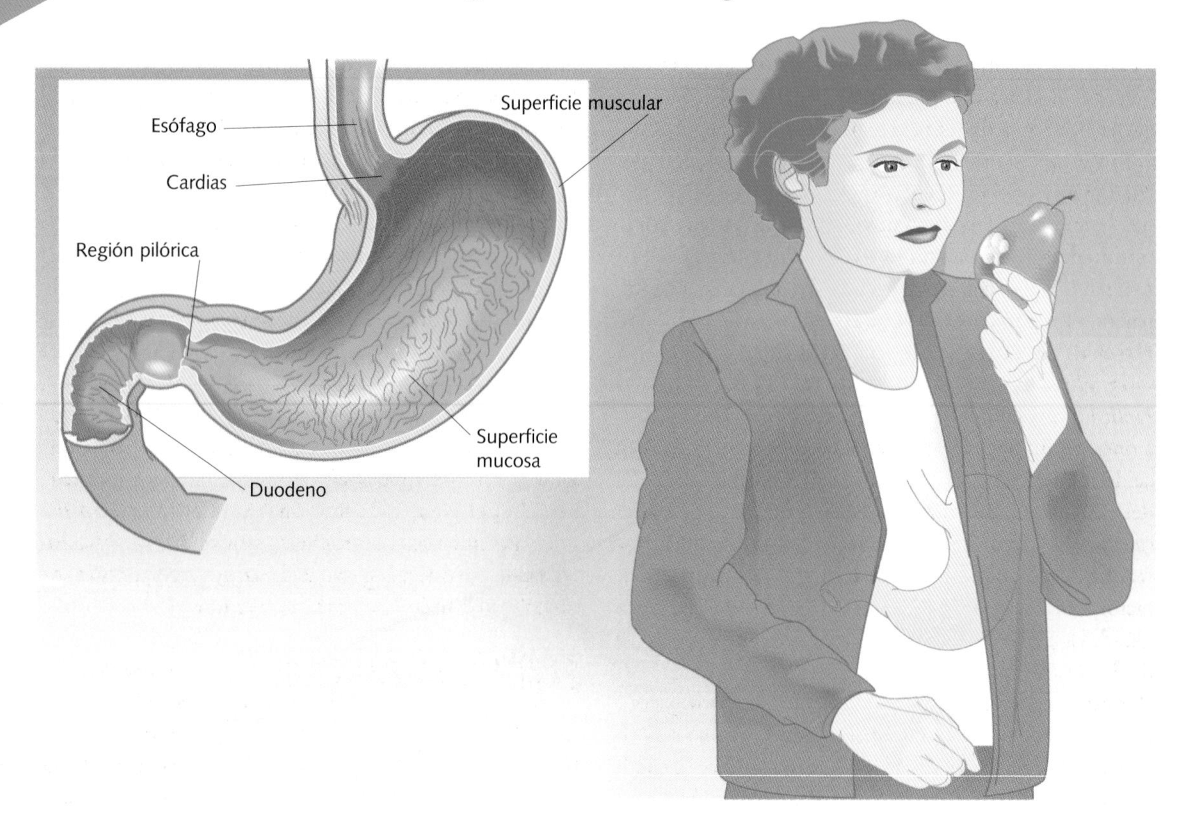

El estómago

- **Órgano digestivo y almacén**
- **El jugo gástrico**
- **Hambre y saciedad**

Gruñe, refunfuña y se rebela si no se le prestan los cuidados precisos, pero también gime, se retuerce y lamenta si se le somete a sobreesfuerzos: es el estómago, el depósito que se encarga de almacenar todos los alimentos y bebidas. Se sitúa en el cuerpo en la parte superior izquierda del abdomen, por debajo del arco de las costillas y separado únicamente del pulmón por el delgadísimo diafragma (motivo por el que se dificulta el acto respiratorio al dilatarse, si está excesivamente lleno). Pero si está vacío, se parece más bien al fuelle de una gaita deshinchada, e incluso a un guante de boxeo. Puede acoger y transformar de una sola vez hasta un litro y medio de alimentos, dependiendo las diferencias individuales del tamaño, la edad y costumbres de cada persona.

Digiere y mezcla todos los alimentos

Cuanto más superficialmente mastiquemos, más trabajo tendrá el estómago. Porque, además de "almacenar" el alimento antes de pasárselo al intestino delgado, es el responsable de la trituración y amasado de los alimentos. Cuando el bolo alimenticio entra en contacto con sus paredes, sus músculos comienzan a moverse, como mínimo tres veces por minuto, produciéndose unas contracciones que van amasando y estrujando el contenido del estómago, además de mezclarlo con el jugo gástrico hasta dejarlo convertido en una pasta fluida o semifluida (*quimo*).

Pero, aunque no seamos conscientes de ello, la musculatura del estómago se mantiene activa en todo momento. Apenas se ha vaciado, comienza a realizar de nuevo movimientos suaves, cuya intensidad va en aumento. El estómago se contrae cada vez más, llegando un momento en que sí somos conscientes de ello al advertir que "tenemos hambre".

Un jugo peligroso

¡Quién no ha tenido acidez de estómago (→ Pirosis), o ha regurgitado el ácido jugo gástrico después de una comida copiosa o de ingerir abundante cantidad de alcohol! El esfínter situado entre el estómago y el esófago no se cierra completamente, y el reflujo del jugo gástrico ataca la delicada mucosa esofágica. Se produce entonces una sensación de quemazón, pues el jugo gástrico es muy ácido debido a que el estómago, además de "almacenar los alimentos", también tiene como misión desinfectar el quimo o pasta alimenticia. En este ambiente ácido del estómago, las bacterias que acompañan a los alimentos no pueden sobrevivir.

Hasta ahora sólo se conoce un agente patógeno, la bacteria *Helicobacter pylori*, que sobrevive (→ A la *Helicobacter pylori* le agrada la acidez) en estas condiciones. El jugo gástrico, muy ácido por la presencia de ácido clorhídrico, es secretado por las células parietales del estómago: contiene moco y enzimas digestivas (*pepsina, tripsina, quimotripsina*). En general, el jugo resultante posee gran capacidad proteolítica (fragmentación de proteínas) y digestiva. Las innumerables glándulas presente en el estómago secretan diariamente de dos a tres litros de jugo gástrico.

Por este motivo existe un mecanismo protector, ya que si no existiese el jugo gástrico podría "devorar" la superficie mucosa del estómago. Para evitarlo, la citada superficie contiene células secretoras que producen un moco que tiene como misión proteger la supeficie y evitar que la mucosa sea digerida por las secreciones. El moco contribuye al buen "deslizamiento" del quimo. Sin embargo, un deficiente riego sanguíneo del estómago, como sucede en los fumadores, puede limitar la producción de este moco y dar lugar a la formación de dolorosas inflamaciones en la mucosa gástrica.

¿Paso libre?

Si se toman sardinas en aceite para la cena, a la mañana siguiente suelen pesar como una losa. Por el contrario, si se sustituyen por un plato de arroz con pescado hervido esto no sucederá, pues, al poco tiempo, se tiene la sensación de que el estómago está vacío. El tiempo de permanencia de los alimentos en el estómago depende de si los principales nutrientes son digeribles o no, de cómo han sido cocinados y de si han sido bien masticados, triturados y lubricados con saliva. Por regla general, la permanencia de los alimentos en el estómago suele ser de cuatro horas.

La labor digestiva del estómago puede acelerarse si se toman alimentos "predigeridos", como sucede con los extractos de carne. Por el contrario, la digestión es más lenta si se incluye en la dieta alimentos fríos, o si se realizan esfuerzos físicos después de la comida, pues la sangre, que el estómago precisa para su función digestiva, fluye en este caso hacia los órganos que más la necesitan, es decir, al corazón y los músculos.

Los componentes sólidos de los alimentos, que serán digeridos en el duodeno –por ejemplo, las grasas–, permanecen a la espera en el estómago, en contacto con la mucosa gástrica del antro, situado poco antes de la salida del estómago. Ésta se encuentra cerrada, y sólo cuando en el duodeno (la continuación inmediata del estómago y primera parte del intestino delgado) exista espacio suficiente, el esfínter pilórico se abre y permite el paso de pequeñas porciones de quimo. Proceso que dirigen unas hormonas elaboradas por el intestino delgado, parte del tracto digestivo que asegura la buena mezcla del contenido intestinal y su contacto íntimo con las mucosas absorbentes, con el fin de que los nutrientes pasen a la circulación sanguínea y, a través de ella, llegar a todos los órganos y tejidos.

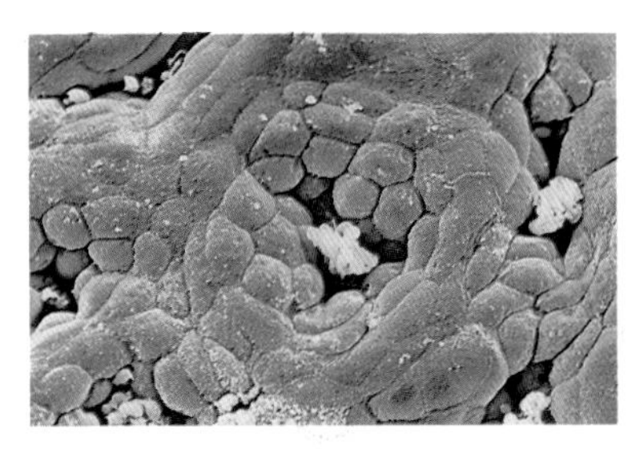

La superficie mucosa del estómago contiene miles de glándulas, que producen el jugo gástrico.

La sensación de "tener hambre"

Se denomina "hambre" a la sensación de tener el estómago vacío. La necesidad de comer después de pasadas varias horas desde la última ingesta, se debe a una señal que envía el cerebro, pues es el sistema nervioso central quien se encarga de controlar el nivel de azúcar de la sangre. Si éste desciende, el estómago exige comida. Por regla general, esta sensación coincide con el estado de plenitud del tracto digestivo. Sin embargo, en esta sensación desempeñan un papel importante las costumbres de cada persona (ciclos de hambre-ingesta-saciedad-hambre), de forma que el hambre suele aparecer siempre a la misma hora, aunque el estómago esté aún semivacío.

La sensación de saciedad procede siempre del estómago. Si está lo suficientemente lleno, informa de su dilatación; pero este mecanismo no funciona si se come de forma presurosa y precipitada. Por consiguiente, si se pretende adelgazar un poco comiendo algo menos, pero sin pasar hambre, se ha de dedicar el tiempo que sea preciso a la hora de comer.

Casos de urgencia

Norma general

Los síntomas que delatan una grave enfermedad gástrica son: vómitos y dolores abdominales. Es muy importante referir al médico con claridad las molestias que se padecen, en qué lugar y si se repiten periódicamente y en qué intervalos de tiempo.

Vómitos

► Síntomas:

➜ náuseas, vómito alimenticio, mucoso o biliar.

Los vómitos la mayoría de las veces son anodinos, pero también pueden ser consecuencia del padecimiento de enfermedades del tracto gastrointestinal, los riñones, hígado o la circulación sanguínea. También pueden obedecer a trastornos del metabolismo, incluso a anomalías de tipo cerebral. Algunas enfermedades psíquicas, como la anorexia o la bulimia, provocan vómitos de manera persistente.

Tratamiento médico

Si las náuseas y los vómitos no cesan, es necesario acudir al servicio de urgencia, sobre todo si son varias las personas que padecen los mismos síntomas (→ Envenenamientos); pero también si se vomita sangre (hematemesis). Los vómitos en niños pequeños requiere siempre un reconocimiento médico.

Autoayuda

¡No comer absolutamente nada! Beber con suma precaución y despacio: infusiones de hierbas, sorbitos de refrescos de cola mezclados con una puntita de sal común o agua mineral sin ácido carbónico.

Hemorragia gastrointestinal

► Síntomas:

➜ palidez, debilidad, mareo, taquicardia;
➜ eventualmente, vómitos de sangre roja y fresca (hematemesis) o color café;
➜ heces negras, líquidas o sólidas (melenas) o de sangre roja (rectorragia).

En todo el tracto intestinal pueden producirse intensas y persistentes hemorragias. Por regla general, su origen se localiza en el esófago, estómago o duodeno. La sangre vomitada puede ser de color rojo claro o café. Pero si la sangre recorre todo el tracto digestivo, las heces serán negras y brillantes ("melenas").

Tratamiento médico

Con el fin de poderla detener, es necesario localizar rápidamente las causas de la hemorragia. Si ésta es de mucha intensidad puede requerir, eventualmente, una transfusión de sangre.

Autoayuda

No es posible.

Síndromes abdominales agudos (dolores abdominales agudos)

► Síntomas:

➜ intensos y repentinos dolores abdominales, unidos a sensación de temor;
➜ pared abdominal tensa;
➜ vómitos, respiración superficial.

Este es un estado morboso, de aparición repentina y sintomatología muy dolorosa. Las posibles causas de su origen pueden ser una perforación de un tumor a través del estómago o duodeno (→ Tumores gastrointestinales), una apendicitis aguda, una pancreatitis aguda, un cólico biliar, trastornos de la micción o, incluso, obedecer a un infarto de miocardio.

Tratamiento médico

Después de haber establecido un diagnóstico claro y conciso de la enfermedad, el médico de urgencias se encargará de administrar un analgésico a la persona enferma.

Autoayuda

¡No comer ni beber nada en absoluto! En la página 784 se incluyen algunas atenciones recomendables de primeros auxilios.

Pruebas clínicas especiales

Radiografía realizada con contraste

De igual manera que se realiza el examen radiológico del esófago, también puede explorarse perfectamente el estómago incorporando medios de contraste que faciliten el establecimiento del diagnóstico. Este procedimiento radiográfico hace posible reconocer la forma y constitución de las paredes del estómago.

Se registran también eventuales alteraciones de la mucosa gástrica, aunque el médico a veces no pueda discernir las diferencias entre cicatrices, úlceras e incluso una tumoración cancerosa. Por dicho motivo es necesario recurrir con frecuencia a otras técnicas diagnósticas, entre las que se incluye la endoscopia que, además de ofrecer la imagen, permite obtener una muestra de tejido para realizar su posterior análisis al microscopio (→ Gastroscopia).

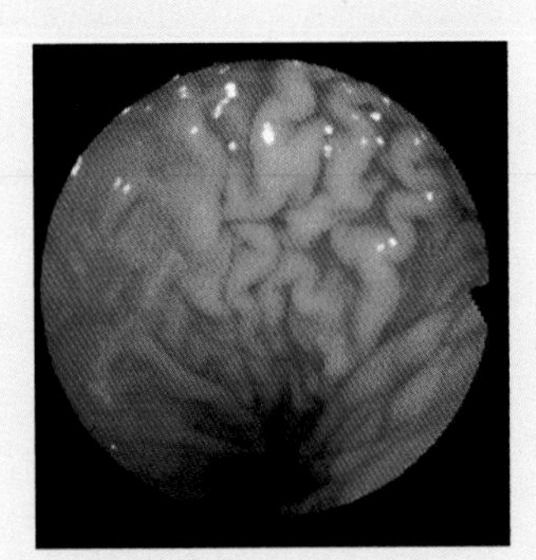

Esta vista del estómago vacío, muestra ahora los muchos pliegues de su pared.

La gastroscopia

La gastroscopia proporciona una exploración más fiable del estómago, pues permite visualizar la mucosa directamente mediante un aparato óptico de gran precisión. Por la boca se introduce un tubo que, electrónicamente, transmite imágenes del estómago (→ El endoscopio). Como el extremo del instrumento es extraordinariamente móvil, el médico puede dirigirlo a voluntad y explorar y observar cada rincón del estómago con minuciosidad y detenimiento.

Con el endoscopio también se pueden obtener, a un mismo tiempo, muestras del tejido de la mucosa alterada. Este tejido, procedente de diferentes lugares de la pared estomacal, se analiza con posterioridad al microscopio por si contuviera células malignas. Para efectuar la gastroscopia, el paciente tiene que ser ligeramente sedado.

Este procedimiento de exploración es muy recomendable realizarlo a todas las personas, mayores de 50 años de edad, que padezcan constantes o inesperados e intensos dolores gastrointestinales.

Pruebas para detectar la bacteria "Helicobacter pylori"

El *Helicobacter pylori* es la única bacteria que puede sobrevivir en el medio ácido del estómago, y está considerada responsable de varias enfermedades gastrointestinales (→ Al *Helicobacter pylori* le agrada lo ácido). Para corroborar la existencia de la infección, se deben realizar diferentes pruebas. Un análisis de sangre demostrará si el sistema inmunológico ha desarrollado anticuerpos que luchen contra la bacteria *Helicobacter pylori* (→ Comprobación de los anticuerpos). Pero para tener la seguridad absoluta, además del análisis de los tejidos será necesario efectuar algunas pruebas más.

Test de la ureasa

La ureasa es un enzima presente en las plantas y algunas bacterias, entre ellas el *Helicobacter pylori*, capaz de desdoblar la urea. Para comprobar si esta bacteria ha anidado en la mucosa gástrica, es obligado realizar un análisis de los tejidos obtenidos previamente mediante una → Gastroscopia del estómago. El tejido se deposita en un caldo de cultivo que contiene urea, para, luego, ser incubado (→ Caldos de cultivo para la obtención de bacterias); al poco tiempo, se podrá comprobarse si el tejido de la mucosa gástrica ha sido infectado por la bacteria *Helicobacter pylori*.

C_{13} Prueba respiratoria

Para realizar esta prueba es preciso que el paciente ingiera un zumo o unas pastillas que contienen un carbono especial, el C_{13} (no es radiactivo), y urea. Si el *Helicobacter pylori* ha desdoblado la urea mediante su enzima → ureasa, de ambos productos sólo se encontrará el C_{13}. Como esta prueba no permite diagnosticar alteraciones de la mucosa gástrica, se aplica, sobre todo, después de una terapia de erradicación de *Helicobacter pylori*, para controlar el resultado del tratamiento.

Dispepsia nerviosa

► Síntomas:

- ➜ presión en el estómago, saciedad, flatulencias;
- ➜ ardor de estómago, reflujo;
- ➜ en ocasiones náuseas, vómitos;
- ➜ dolores espasmódicos de la pared estomacal, a veces ligeros, sordos e incluso intensos.

Si la comida ha sido muy grasa y la ingesta apresurada, el estómago se rebela y todos conocemos sus síntomas. Ahora bien, si el estómago reacciona del mismo modo cuando no hay excesos, conviene consultar esta circunstancia con el médico.

Es importante detectar las causas, pues en estos casos suele hablarse de "estómago nervioso" o de "tener nervios en el estómago", es decir, una dispepsia, un trastorno funcional del estómago que se acompaña de dolores pero sin alteración orgánica alguna. Las molestias están provocadas por un exceso en la producción de jugo gástrico, así como por un acentuado movimiento peristáltico. A veces se debe al estrés y las preocupaciones, o a acontecimientos que por su gravedad pesan como una losa sobre el estómago (pánico, dificultades cotidianas en el trabajo, problemas con la pareja, estrés, etcétera).

El estómago nervioso también puede tener su origen en un efecto secundario de ciertos medicamentos, como antibióticos, productos que contengan hierro o fármacos antiinflamatorios.

Tratamiento médico

Si las molestias de estómago se repiten constantemente, lo recomendable es acudir al médico, pues el "estómago nervioso" puede dar lugar a posteriores y graves gastropatías. Si el médico descarta posibles causas orgánicas, para la dispepsia nerviosa prescribirá eventualmente medicamentos neutralizantes del jugo gástrico o bien un sedante suave. Sin embargo, estos medicamentos sólo actúan e influyen sobre los síntomas, pero en ningún caso sobre las causas.

Autoayuda

Si las molestias son intensidad fuerte, una botella de agua caliente o una manta eléctrica, así como una infusión de hierbas, pueden obrar milagros. La manzanilla combate los dolores espasmódicos, la menta alivia las flatulencias, la raíz de regaliz evita el exceso de acidez en el estómago y la melisa tranquiliza.

Programa de cinco puntos para estómagos enfermos

- Procure limitar en su dieta o, mejor aun, descartar por completo, todo aquello que ataca la mucosa gástrica y estimula la secreción del jugo gástrico: bebidas alcohólicas, café y comidas muy picantes.
- Intente deshabituarse del tabaco.
- Coma con tranquilidad y, en vez de dos o tres comidas abundantes, coma pequeñas cantidades varias veces al día.
- Adopte una dieta de alimentos fácilmente digeribles, en lugar de otros grasos y refinados; dé preferencia en su mesa a platos estofados, frutas, hortalizas y cereales.
- Evite el estrés y las prisas. El ejercicio físico le ayudará a relajar las tensiones.

Gastritis aguda (inflamación aguda de la mucosa del estómago)

► Síntomas:

- ➜ falta de apetito, náuseas, vómitos, eructos;
- ➜ sensación de peso epigástrico y dolor en la zona superior del abdomen.

Las causas de una gastritis aguda pueden ser: exógenas o endógenas. De entre las primeras señalar la ingesta de alcohol, setas venenosas o medicamentos gastrolesivos, como el ácido acetilsalicílico, la cortisona o los antiinflamatorios; también los alimentos en mal estado pueden producir estos síntomas, sin olvidar las alergias o, asimismo, una hipersensibilidad al café o a especias picantes. De entre los segundos, síntomas semejantes pueden aparecer tras una gran tensión psíquica producida por heridas, quemaduras o, incluso, después de un *shock*. Si la persona padece estrés, la producción clorhidropéptica del estómago aumenta proporcionalmente a la vez que disminuye la producción de moco protector. La inflamación puede profundizar tanto en el tejido, que la mucosa gástrica comience a sangrar. Esta sangre se vomita (*hematenesis*) o es evacuada con las heces (*melena*), que serán negras como el betún.

Tratamiento médico

Si se produce un vómito hemático –las heces son negras– o tiene la sospecha de padecer una intoxi-

cación, acuda al médico. Para descartar las enfermedades del tracto gastrointestrinal, de la vesícula biliar y del páncreas es necesario realizar una exploración endoscópica del estómago, además de analizar una muestra del tejido mucoso extraído.
Las molestias cesan pronto si se conoce y se evita la causa. Por regla general, una terapia medicamentosa suele ser innecesaria.

Autoayuda

Para obtener más información respecto a la dispensación de primeros auxilios en caso de intoxicaciones → Dispepsia nerviosa.

Gastritis crónica (inflamación crónica de la mucosa del estómago)

▶ Síntomas:
- después de haber comido, dolores en la zona del estómago;
- sensación de presión y saciedad tras haber comido;
- flatulencias.

Más de la mitad de las personas que tienen 50 años de edad, padecen una gastritis crónica que, en la mayoría de los casos, no produce molestias ni dolores. Sin embargo, en casi todos los casos la mucosa del estómago es atrófica. En los análisis histológicos, es frecuente detectar la presencia de la bacteria *Helicobacter pylori.* Durante el proceso de la enfermedad, la mucosa disminuye de espesor, la musculatura de la pared se atrofia y las glándulas del estómago son sustituidas por otras productoras de moco. En la clínica de la gastritis crónica se detecta anemia debido a la carencia de vitamina B_{12}, que no puede ser absorbida al no producirse en el estómago el factor intrínseco que –como hemos visto– resulta imprescindible para este proceso.

Tratamiento médico

Para emitir un diagnóstico certero, se procederá a extraer una muestra de mucosa del estómago. Por regla general, esta enfermedad se suele detectar casualmente durante un examen gastroscópico, efectuado diferentes motivos. La bacteria *Helicobacter pylori* se combate mediante antibióticos. En caso de comprobarse una carencia de la Vitamina B_{12}, se recomienda efectuar un control anual del estómago a causa del creciente riesgo de contraer un → Carcinoma de estómago.

Autoayuda

Como en → dispepsia nerviosa.

Al "Helicobacter pylori" le agrada el ácido

Hasta hace unos pocos años se creía que el estómago estaba libre de bacterias, pues era inconcebible que éstas pudiesen vivir en un medio tan ácido. Pero entre tanto se descubrió una bacteria, el *Helicobacter pylori*, que ha logrado adaptarse perfectamente al ambiente de acidez que reina en el estómago. Cuanto mayor sea la edad que tenga una persona, tanto mayor será el riesgo de que en su estómago habite vecino tan indeseado. Y, cuanto más intensa sea su presencia, tanto más fácilmente reacciona la mucosa del estómago que exterioriza inflamándose. El *Helicobacter pylori* no tiene por qué producir molestias, pero esta bacteria es la responsable de una serie de enfermedades que tienen su origen en el estómago y duodeno, por regla general, en conexión con otros factores de tipo patógeno, tal como sucede, por ejemplo, en la gastritis crónica, las úlceras gastroduodenales y el cáncer de estómago.

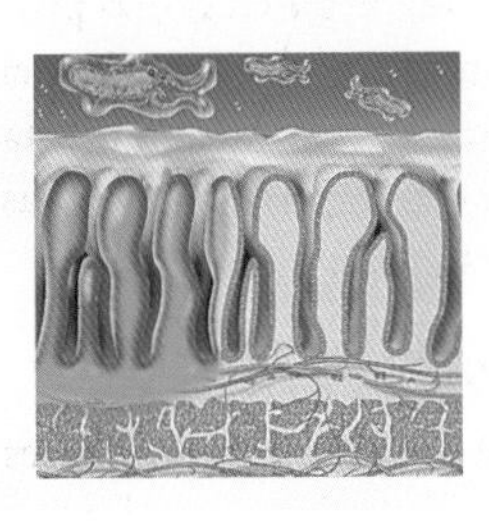

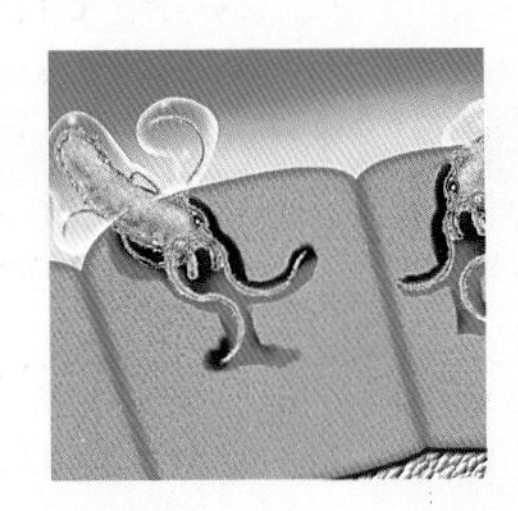

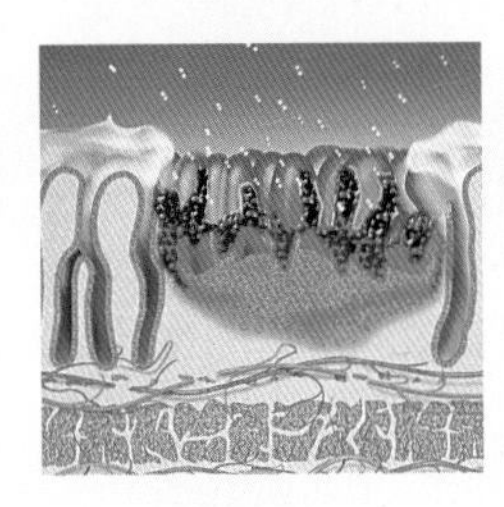

La bacteria Helicobacter pylori puede sobrevivir en medio del ácido del estómago (izda.). Se alimenta de las células de la mucosa gástrica (centro) y las destruye con sus secreciones (dcha).

Úlcera gastroduodenal

► Síntomas:

- úlcera de estómago (úlcera gástrica o péptica): inmediatamente después de comer, dolores rítmicos en la zona gástrica; eventualmente náuseas, vómito hemático; en ocasiones, heces negras (*melena*) que llaman la atención por su olor nauseabundo;
- perforación de estómago: dolores abdominales punzantes, intensa sudoración, pulso muy rápido, debilidad circulatoria;
- úlcera duodenal: dolores entre el ombligo y el arco costal derecho; dolor sin haber ingerido nada, o bien dolor de hambre (incluso nocturno): los dolores mejoran después de comer, pero reaparecen como mucho pasadas 3 horas después de la ingesta.

La úlcera (*ulcus*) de estómago suele aparecer acompañando a una úlcera duodenal, demostrando así la existencia de una relación causal entre ambas. Estas causas frecuentemente se encuentran en el desequilibrio que se da entre los agentes agresivos (jugo gástrico y la pepsina) y los mecanismos protectores de la mucosa (moco y bicarbonato). Este tipo de úlcera destruye la mucosa gástrica y el tejido muscular que la sostiene, pudiendo producir hemorragias, perforar la pared del estómago y originar peritonitis.
Normalmente cursa varias úlceras, que unas curan y otras, localizadas en lugares diferentes, vuelven a sangrar. Sus cicatrizaciones pueden producir estrechamientos que, sobre todo en la zona pilórica, dificultan el vaciado normal del estómago. La predisposición a padecer úlceras puede ser de origen congénito, aunque en su formación colaboran el estrés, la nicotina y muchos medicamentos (sedantes y antiinflamatorios). Pero, en ellas, desempeña un importante papel la colonización de bacterias *Helicobacter pylori* en la mucosa gástrica. Accidentes u operaciones quirúrgicas desencadenan, a veces en muy pocas horas, la formación de una úlcera, la denominada "úlcera de estrés".

Tratamiento médico

Si se acusan molestias en el estómago o en la zona duodenal que se sospeche se deban a una úlcera, la visita al médico es obligada. De haberse producido una perforación estomacal, acuda al servicio de urgencias del hospital. El diagnóstico se asegura mediante una gastroscopia y el análisis histológico de una muestra de tejido: la presencia de bacterias se determina con un "test de ureasa". La terapia incluirá la administración de medicamentos que neutralicen el jugo gástrico y reduzcan su producción. Las bacterias se combaten con la prescripción de antibióticos apropiados.
Transcurridos tres meses de la aplicación de una terapia intensiva para hacer que la úlcera desaparezca, raramente será necesaria una terapéutica quirúrgica del estómago (*gastrectomía*); eso sí, siempre que no se produzcan hemorragias, se repitan constantemente, la úlcera no se cure del todo o exista la sospecha de una nueva ulceración (*recidivas ulcerosas*). Otra posibilidad quirúrgica, consiste en efectuar una vagotomía, es decir, la sección del nervio vago a nivel del esófago, o un drenaje pilórico (*piloroplastia*). Con la vagotomía se suprime el estímulo nervioso de la secreción clorhidropéptica del estómago por lo que, a partir de este instante, el estómago sólo produce la mitad de ácido.

Autoayuda

Consejos para prevenir las úlceras, los puede encontrar en la autoayuda → Dispepsias nerviosas.

Cáncer de estómago (carcinoma gástrico)

► Síntomas:

- digestión difícil (*dispepsia*), sensación precoz y mantenida de saciedad;
- síntomas similares a una dispepsia nerviosa;
- más tarde, falta de apetito y pérdida de peso;
- repugnancia a la carne;
- vómitos hemáticos, heces sanguinolentas.

Los alimentos con una elevada concentración de nitratos, los ahumados o los excesivamente salados, así como la gastritis crónica y la presencia de bacterias *Helicobacter pylori*, elevan el riesgo de sufrir un cáncer de estómago. Otros factores de riego son el tabaco y el alcohol. Por otra parte, las personas con el grupo sanguíneo A son más propensas a padecer el carcinoma gástrico que los restantes grupos. Este carcinoma puede presentar tres tipos morfológicos: infiltrante, ulceroso y vegetante. Histológicamente suele corresponder a un adenocarcinoma, siendo el caso más frecuente el cáncer de estómago. Lo realmente importante es el diagnóstico precoz, ya que la operación puede significar la curación.

Tratamiento médico

Si la clínica de dispepsia nerviosa o de gastritis se prolonga más de tres semanas, se debe acudir al médico. La mucosa del estómago debe explorarse con el endoscopio, y extraer muestras del tejido gástrico para su análisis. Generalmente, un carcinoma gástrico exige la eliminación , parcial o total, del estómago.

Autoayuda

La información general respecto a las enfermedades de tipo cancerígeno, así como importantes consejos, sugerencias e indicaciones podrá encontarlas a partir de la página 576 de este mismo libro.

La intervención quirúrgica del estómago

Las úlceras gástricas sangrantes, las que no se curan o que causan una perforación de la pared del estómago, al igual que los carcinomas gástricos, exigen de una intervención quirúrgica. La gastrectomía es una intervención importante, pero necesaria y, por lo general, los pacientes suelen recuperarse bien después del tiempo necesario de convalecencia.
La gastrectomía consiste en una resección parcial o total del estómago. Toda úlcera cancerosa del estómago, exige su extirpación completa. Según su tamaño, el cirujano se verá obligado a elegir entre realizar una resección parcial o total del órgano, junto con los correspondientes ganglios linfáticos limítrofes. En ciertas ocasiones es necesario proceder también a la extirpación del vecino bazo y de una parte del páncreas, todo ello con el fin de evitar que las células cancerosas proliferen y se dispersen por todo el cuerpo. Si la resección ha de ser total, se sustituirá con una parte del intestino delgado o del grueso.

¿Y luego?

Después de transcurrido un lapso de tiempo prudencial, una gastrectomía no limita excesivamente la vida normal de una persona. Podrá comer todo aquello que más le agrade, pero, a ser posible, siempre en raciones pequeñas (→ Programa de cinco puntos para estómagos enfermos). Si la resección ha sido parcial, cabe la posibilidad –como consecuencia de un vaciado muy rápido del estómago– de que, después de la comida, aparezcan dolores abdominales, náuseas e incluso diarrea.
Durante el período postoperatorio se controlará si el organismo es capaz de absorber la suficiente vitamina B_{12}, debido a que la mucosa gástrica no puede producir ya el factor intrínseco necesario para asimilarla. Mediante una terapia adecuada, podrá evitarse que se produzca una anemia por falta de vitamina B_{12}. Durante los 10 años siguientes a la realización de la intervención de resección parcial, se deberá pasar periódicamente una exploración endoscópica de control para verificar su estado de salud.

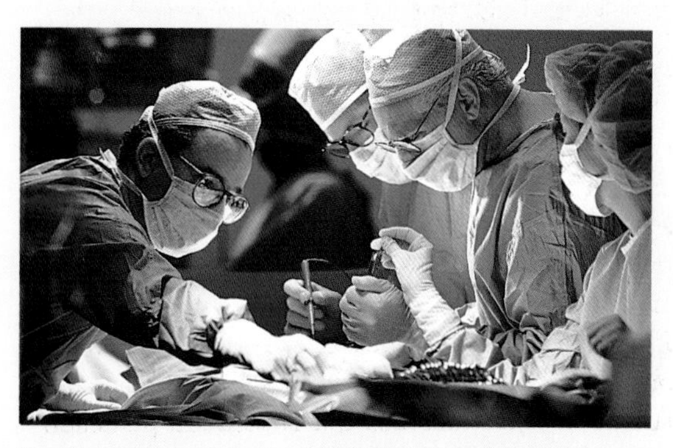

La intervención quirúrgica del estómago muchas veces requiere la resección de una gran parte del mismo.

La Vagotomía

Las úlceras gástricas y duodenales pueden mejorar si se someten a otro tipo de intervención, la vagotomía, que tiene como fin la sección quirúrgica del nervio vago (→ El sistema nervioso periférico). La operación consiste en seccionar diversas ramas de este nervio, que influyen en la formación de ácidos por la mucosa, al reducir la producción del jugo gástrico. Sin embargo, el estómago conserva todas sus funciones restantes. La sensación de saciedad, eructos y reflujo desaparecen poco después de la operación. Pero, a pesar de la intervención quirúrgica de vagotomía, el riesgo de padecer cáncer de estómago aún se mantiene subyacente. Así, aparecen nuevas molestias y, durante los 10 año que siguen a la intervención, se deberán efectuar forzosamente reconocimientos periódicos para controlar la evolución de la enfermedad.

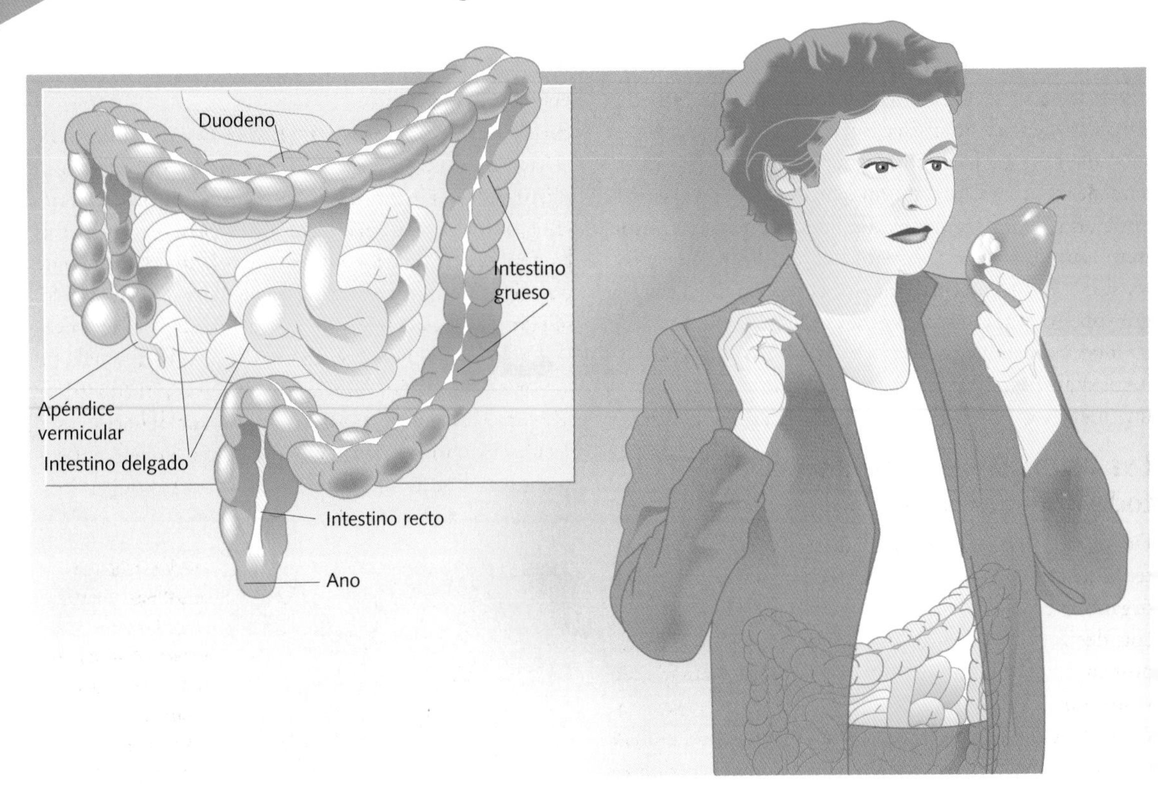

El intestino

- **Intestino delgado e intestino grueso**
- **Digestión y absorción selectiva de nutrientes**
- **Las heces**

En ocasiones nos parece oír ruidos y notar pellizcos en el vientre, acompañados de borgorismos; pero, luego, el silencio reina de nuevo. Así es como el intestino, ese largo tubo de casi siete metros de longitud que une el estómago con el ano, se hace notar. Y para que pueda moverse y evitar que roce en alguna parte de la cavidad intestinal, el peritoneo recubre este largo tubo embrionario por completo.

El intestino es el órgano central de la digestión, donde se produce la absorción de la mayor parte de las sustancias nutritivas del quimo y del quilo. La absorción se realiza de forma selectiva, pues los productos finales han de pasar a los vasos sanguíneos y linfáticos. En el intestino grueso (*colon*) se produce la absorción del agua por la mucosa, que se lubrica para facilitar el tránsito del bolo fecal.

Casi tan grande como un campo de fútbol

Resulta difícil imaginar que en el abdomen humano quepa una superficie de 300 metros cuadrados. Pero semejante extensión la alcanzaría si fuese posible extender la mucosa intestinal, pues la superficie mucosa del intestino delgado (formado por duodeno, yeyuno e íleon), de unos cuatro metros de longitud, aparece surcada por infinidad de pliegues y está poblada por millones de vellosidades intestinales (de 2 000 a 3 000 por centímetro cuadrado), que incrementan considerablemente la superficie epitelial de absorción.

Cuando el quimo pasa al intestino delgado, es tan ácido que podría destruir la mucosa intestinal. Pero el duodeno, de unos 24 centímetros de largo, está bien equipado y sólo cuando dispone del necesario jugo neutralizante alcalino, que ha secretado y vertido en él el páncreas, se abre el esfínter pilórico y el quimo pasa del estómago al duodeno.

Momento en el que el quimo se mezcla homogéneamente, para asegurar un contacto perfecto con la mucosa. Luego, los enzimas del jugo pancreático y del jugo entérico desarrollan su acción, mientras otros enzimas digestivos van desmenuzando los alimentos en elementos constituyentes (aminoácidos, azúcares simples, etcétera). Una vez absorbidos por las mucosas, pasan a los vasos sanguíneos y linfáticos. La musculatura de la pared intestinal se encarga de realizar los movimientos peristálticos, para asegurar así la propulsión del quimo; estos movimientos son contracciones circulares de un segmento del intestino y la relajación inmediata posterior del segmento (contracción y distensión). Así se mezcla y amasa el quimo. Para conseguir una mayor consistencia y fluidez, las glándulas de la mucosa producen alrededor de litro y medio de jugos digestivos, de forma que el quimo se convierte en una mezcla que contiene unos ocho litros de líquido.

Las vellosidades intestinales, toda una maravilla

De un milímetro de altura, conforman un refinado sistema de transporte. Cada vellosidad intestinal es un órgano especializado en la absorción de las sustancias con destino a la sangre y la linfa; en su parte central poseen un vaso linfático y una finísima retícula de vasos sanguíneos, formada por diminutas arterias y venas. Si los vasos sanguíneos están llenos, la vellosidad intestinal se yergue y absorbe los elementos nutrientes del intestino. Luego se contrae y, con la ayuda de unas fibras musculares, bombea la sangre a un vaso sanguíneo que conduce al hígado para, a continuación, volver a llenarse de sangre. Este proceso se repite cuatro o seis veces por minuto.

De esta forma, los elementos de desintegración de las proteínas, hidratos de carbono, vitaminas hidrosolubles, elementos minerales, oligoelementos y agentes activos de los medicamentos pasan a la circulación sanguínea. Los lípidos descompuestos son absorbidos por el vaso linfático del centro de la vellosidad y pasan a la linfa, previa acumulación de todas ellas, y posteriormente circula por el espacio abdominal y torácico antes de incorporarse a la circulación sanguínea.

La "flora intestinal"

El intestino delgado, hasta que todos los elementos de los alimentos han sido absorbidos y entregados a la vías linfática y sanguínea, no deja de moverse. El contenido del intestino es casi líquido cuando, después de presionar sobre el esfínter íleocecal, llega al intestino grueso, que rodea al intestino delgado y tiene metro y medio de longitud. Pero este esfínter también se abre para dar paso a pequeñas porciones. La desembocadura del intestino delgado en el grueso aparece descentrado, con lo cual se crea un espacio sin salida por debajo de dicha desembocadura, el denominado ciego, donde se encuentra el apéndice.

En el intestino grueso se realiza la absorción de agua, así como la lubricación de la mucosa para facilitar el tránsito del bolo fecal. Con el agua se absorben minerales, sales y vitaminas. En él se asientan numerosas bacterias, que forman la flora microbiana (bacterias de putrefacción que desintegran la celulosa de la dieta). Su misión es fermentar los restos de comida no digeridos, y producir vitamina K y ácido fólico. Al final queda un contenido semisólido de color pardusco, producto de la acción desintegradora de los ácidos biliares, que, recubierto por un denso moco secretado por la mucosa de los pliegues del intestino grueso, es transportado al intestino recto.

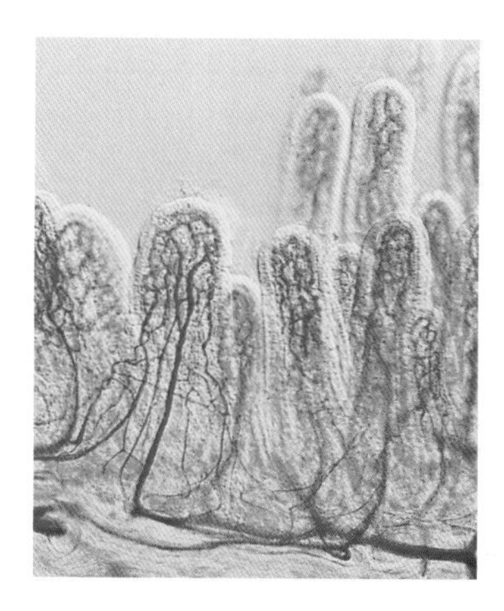

Las vellosidades intestinales están recorridas por finísimos vasos sanguíneos, que absorben los elementos nutrientes del intestino para su posterior transporte.

Un sistema con doble seguro

El intestino recto (*rectum*) es un órgano, con gran capacidad de depósito, donde se acumulan las heces. Lo cierra el ano (*anus*), extremo inferior del recto (canal en cuyo final se encuentra el anillo hemorroidal y dos esfínteres, uno externo y otro interno). El esfínter interior, de movimientos involuntarios, sólo actúa una vez se ha distendido el recto y se siente la necesidad de defecar. Entonces el esfínter externo, un músculo que se rige a voluntad, se abre para dar paso al bolo fecal. El intestino recto se contrae longitudinalmente, y vacía su contenido ayudado por la presión abdominal.

Una persona sana debería evacuar una vez al día, lo que no suponen ningún problema si se lleva una dieta alimentaria rica en fibras.

Los alimentos normales sólo necesitan un día para recorrer el intestino, mientras que los manjares más sofisticados requieren hasta 60 horas para efectuar el mismo trayecto.

Casos de urgencia

Norma general

Los dolores abdominales repentinos, violentos y persistentes, la aparición de sangre en las heces, o su color negro (*melena*), son casos urgentes que requieren el establecimiento de las causas y el diagnóstico del médico. Si un niño pequeño padece diarrea, para evitar una deshidratación –que podría ser muy grave–, es necesario compensar la pérdida de líquidos y minerales.

Apendicitis aguda
(inflamación del apéndice cecal)

► Síntomas:
- ➜ dolores repentinos en la fosa ilíaca derecha del abdomen, que pueden comenzar a la altura del estómago, y aumentan de intensidad al toser o estornudar;
- ➜ pared abdominal dura al tacto;
- ➜ náuseas, vómitos y fiebre (poco elevada).

Entre las causas de este proceso están el atascamiento de las heces, el estreñimiento o la ingestión de elementos extraños con los alimentos, parásitos intestinales sin posibilidad de evacuación. Las causas pueden agravarse en los casos de apendicitis ulcerada o flemonosa, es decir, cuando las lesiones forman úlceras. Si dicha ulceración evoluciona y causa una perforación, el líquido purulento pasa a la cavidad abdominal y ocasiona una peligrosa peritonitis. Después de la perforación los dolores pueden ceder, para ser luego mucho más violentos. Eventualmente, los pacientes pueden haber acusado molestias de una inflamación crónica.

Tratamiento médico

De presentarse el cuadro clínico de una apendicitis aguda, el médico practicará al paciente una apendicectomía (extirpación del apéndice).

Autoayuda

Una bolsa de hielo puede aliviar los dolores. Como el paciente ha de ser operado, no podrá ingerir alimentos ni beber nada. Hasta comprobar el origen del dolor, tampoco se deben tomar analgésicos.

Íleo (obstrucción intestinal)

► Síntomas:
- ➜ dolores abdominales espasmódicos con intervalos de calma sin dolor, abdomen blando al tacto;
- ➜ sensación de saciedad, vómitos;
- ➜ ausencia de defecación y ventoseo.

Una obstrucción intestinal puede tener diferentes causas: mecánicas, por alimentos no digeridos, bolos fecales o, incluso, por un tumor. Los pólipos, los cálculos biliares o unas adherencias pueden bloquear el intestino y hacer que el contenido intestinal no progrese en su avance.
El íleo mecánico por estrangulación se presenta cuando se produce la irrupción de una parte del intestino en otra adyacente, como en la zona inguinal. Pero también pueden ser graves las obstrucciones debidas a una paralización intestinal (*íleo paralítico*). Ésta puede sobrevenir a consecuencia de una intervención quirúrgica o de una inflamación, por ejemplo, de una → Apendicitis aguda.
Debido a la obstrucción, es posible que se produzcan dilataciones locales y la debilitación de la pared intestinal, o bien un déficit en la vascularización intestinal, que genera gravísimas consecuencias para la integridad del intestino.

Tratamiento médico

Si sospecha que tiene una obstrucción intestinal, acuda cuanto antes a la consulta del médico. Además de administrar medicamentos que propicien los movimientos peristálticos del intestino, decidirá de inmediato sobre la necesidad de tener que someterle a una intervención quirúrgica (en los íleos mecánicos debe eliminarse el obstáculo) o la evacuación del contenido intestinal.

Autoayuda

No es posible.

Hemorragias intestinales

→ Hemorragias gastrointestinales.

Pruebas clínicas especiales

Al igual que con el estómago, las radiografías con contraste permiten examinar los movimientos del intestino y explorar el estado de la mucosa intestinal. Además, es posible su observación con el endoscopio. Mediante un análisis de heces podrá juzgarse el estado de la flora microbiana, así como establecer su composición y comprobar la existencia o no de bacterias y parásitos patógenos. Dentro de las campañas para la prevención del cáncer, todas las personas mayores de 25 años deberían someterse anualmente a reconocimiento para detectar posibles focos hemáticos; y, a partir de los 50 años de edad, sería conveniente realizar periódicamente una endoscopia del intestino recto.

Exploración radiográfica con medios de contraste

La realización de una radiografía, sobre todo después de haber ingerido un medio de contraste, permite la observación de los sectores del intestino delgado cercanos al estómago. Con este método es posible analizar el camino que recorre el contraste. El médico observa el movimiento que realiza, los obstáculos, estrechamientos o dilataciones que encuentra y el estado de la mucosa intestinal.

De igual forma que en el reconocimiento radiográfico de estómago, las radiografías aparecen más contrastadas y claras si previamente se forma gas en el intestino. Para plasmar el último y más largo segmento del intestino, que incluye el intestino grueso y el recto, es más sencillo aplicar al paciente un enema con medios de contraste.

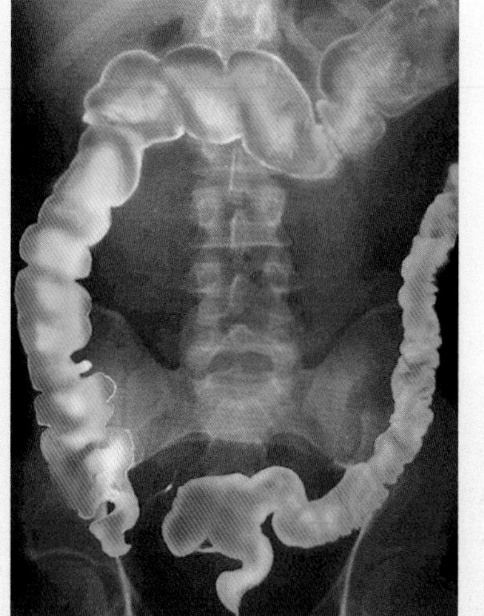

Gracias a los medios de contraste, el intestino grueso y el intestino recto son visibles en la radiografía.

Enteroscopia (rectoscopia)

El médico no puede visualizar todo el intestino con una enteroscopia, pero con el endoscopio podrá extraer muestras de tejido para su posterior análisis, detener una hemorragia o extirpar los pequeños pólipos que localice. Según cual sea el segmento intestinal que se pretenda explorar, tendrán que utilizarse otros procedimientos. El duodeno puede ser explorado mientras se realiza una gastroscopia, para lo cual al paciente se le introducirá un tubo flexible que llegue hasta el estómago.

Para la exploración del intestino grueso y segmentos del intestino delgado se utilizará un colonoscopio, que se introduce por el ano y permite visualizar desde los doce centímetros hasta el metro de profundidad. Este tipo de reconocimiento del intestino requiere que esté perfectamente vacío y limpio. Todo lo expuesto significa que, independientemente del procedimiento empleado para realizar la rectoscopia, no se deberá comer nada durante cierto tiempo, se administrará eventualmente algún laxante y será necesario beber varios litros de agua. Para eliminar los restos de las heces, inmediatamente antes de efectuarse el reconocimiento se aplicará un enema de limpieza.

Como quiera que este tipo de exploración supone la invasión de la esfera íntima, para la mayoría de las personas supone una experiencia un tanto desagradable. Sin embargo, si la persona consigue relajarse es un método que no resulta muy doloroso. Con este fin, se puede realizar unos ejercicios físicos de relajación. El paciente no debe tener reparos si el médico le administra un sedante.

Reconocimiento por ultrasonidos

Los divertículos en la pared intestinal o eventuales tumores, por ejemplo, en casos de enteritis, pueden representarse gráficamente mediante ultrasonidos. Al igual que el endoscopio, el instrumento para realizar el examen se introduce por el ano.

Diarrea

► Síntomas:
- ➜ más de tres defecaciones al día;
- ➜ heces líquidas o semilíquidas;
- ➜ mayor cantidad de heces.

Entre las causas que provocan el síndrome diarreico, se encuentran las siguientes: infecciones por bacterias (→ Intoxicaciones por alimentos), virus (→ Grave infección gastrointestinal) o parásitos (→ Disentería amebiana); también, diferentes medicamentos, laxantes o antibióticos, sin olvidar los problemas de origen psíquico, como estrés, miedo, conflictos de todo tipo, etcétera. Si la diarrea se prolonga durante más de cuatro semanas, las causas pueden estar en una enfermedad intestinal crónica o en una enfermedad celiaca (intolerancia al gluten, proteína presente en la harina de trigo).

Tratamiento médico

Si la diarrea se prolonga más de tres días y en las heces aparecen sangre, moco, pus o grasas, se debe consultar con el médico. Hará un análisis de heces, para determinar la presencia de agentes patógenos, o prescribirá la realización de una endoscopia intestinal. Pero lo más importante es compensar la pérdida de líquidos y minerales, administrando fluidos (en ocasiones, incluso por vía intravenosa). En niños y personas de edad avanzada, las diarreas pueden resultar especialmente graves. Al mismo tiempo, es indispensable investigar las causas de la diarrea para aplicar la terapéutica adecuada.

Autoayuda

Mientras persista la diarrea no se debe comer, ¡pero sí beber mucha agua! Otras indicaciones podrá encontrarlas en → ¿Qué hacer en caso de diarrea?

Estreñimiento

► Síntomas:
- ➜ menos de tres deposiciones a la semana;
- ➜ heces muy consistentes, duras.

Además de depender de su forma de vida y alimentación, el número de deposiciones varía mucho según la persona. Las causas más frecuentes son: una dieta pobre en fibra, la ingesta de poco líquido, la falta de ejercicio físico y retrasar la deposición cuando ésta lo exige. Otras causas de estreñimiento pueden ser: afecciones intestinales, operaciones y diversos medicamentos, como tranquilizantes y somníferos, o los antitusígenos que contengan codeína.
Durante los viajes pueden presentarse estreñimientos causados por la deshabituación de la flora microbiana a la nueva alimentación o, también, debido a las diferencias climáticas.

Tratamiento médico

Si el estreñimiento es persistente o registra una alteración de la norma de evacuación, debe consultar con el médico. Los medicamentos que se sepa propician el estreñimiento, eventualmente pueden sustituirse por otros. Los laxantes sólo se utilizarán moderadamente y durante tiempo determinado, porque también pueden provocar estreñimiento.

Autoayuda

Contra el estreñimiento es muy aconsejable ingerir alimentos muy ricos en fibra, así como beber de un litro y medio a dos litros de agua al día y realizar ejercicio físico regular. Un vaso de agua caliente en ayunas favorece la evacuación; ¡este es un estímulo que conviene tener presente!
Descartar aquellos alimentos que, como los plátanos o el chocolate, favorecen el estreñimiento.

Flatulencias

► Síntomas:
- ➜ aerofagia o expulsión frecuente de aire por el recto, vientre hinchado;
- ➜ dolores abdominales espasmódicos.

Las flatulencias no suelen ser síntoma de una afección intestinal. Los gases son debidos a la deglución de aire, a que las bacterias de la flora intestinal produzcan gases o a las alteraciones de la absorción intestinal, provocadas por la ingestión de algunos alimentos con un elevado contenido en polisacáridos de difícil digestión.

Tratamiento médico

Si además de flatulencias la persona padece otra enfermedad intestinal, debe acudir al médico.

Autoayuda

Si se padecen flatulencias, se recomienda distensión, relajación y tranquilidad; también, infusiones de nís, comino, hinojo o manzanilla, así como la aplicaión de una bolsa de agua caliente sobre el vientre. Evitar las comidas flatulentas (cebollas, ajo, puerros, egumbres, repollo) y, a ser posible, no retener -o acerlo lo menos posible- la expulsión de gases.

nsuficiencia de lactasa

▶ Síntomas:

➜ diarreas, flatulencias, espasmos intestinales después de ingerir leche.

Los problemas digestivos que ocasiona beber un vaso e leche, podrían deberse a la carencia de lactasa de la nucosa intestinal. Este enzima producido por la mucoa se desdobla en lactosa y galactosa, por lo que es de ran importancia para la digestión de la leche y sus erivados.

Entre la población negra y oriental esta insuficiencia es ongénita, aunque también puede desarrollarse como onsecuencia del padecimiento de una enfermedad celíca (→ Alergia a los alimentos).

Tratamiento médico

Para establecer un diagnóstico, se prescribirá la realización de una prueba de tolerancia a la lactosa. Para ello, es necesario beber un vaso de leche en ayunas. Mediante varios análisis de sangre realizados a intervalos de tiempo reducidos, se determinará el aumento de glucosa en sangre (*glucemia*). En caso de insuficiencia a la lactasa, su concentración sólo aumentará mínimamente al no ser absorbida la lactosa. Con la realización de una biopsia de la mucosa del intestino delgado, se detectará la insuficiencia del enzima lactasa en caso de que exista.

Autoayuda

Se recomienda no consumir leche ni productos lácteos preparados con leche no fermentada, como papillas de leche o helados, pero sí se podrá hacer de productos de leche fermentada (yogur). Si la mucosa intestinal produce lactasa, aunque sea en cantidades mínimas, es posible consumir productos lácteos fabricados con leche pobre en lactosa, después de añadirle a la leche la lactasa necesaria.

Todo lo que hace posible una digestión sana

El bienestar físico también depende de la regularidad del intestino. Y, para contribuir a ello, podemos ayudarle de alguna manera consumiendo sólo "productos" que contengan los ingredientes adecuados. Se necesita mucho líquido, de 11/2 a 2 litros de agua diarios. De esta forma, la musculatura intestinal se estimula y ejecuta los movimientos peristálticos necesarios (movimientos ondulantes), contribuyendo, si el intestino está lleno, a la evacuación regular de las heces. Esto se consigue ingiriendo alimentos ricos en fibra, como hortalizas, frutas, ensaladas y productos de harina integral. Una comida sana puede proporcionar también un gran placer. En este sentido, la denominada alimentación integral ha demostrado ser óptima y, desde hace tiempo, ha abandonado su fama de segundona y aburrida "dieta de granos" para pasar a ocupar puestos de preferencia en los gustos de la gente. Es conveniente que cada persona ayude a su intestino a que se mueva, efectuando masajes abdominales y ejercicios físicos para robustecer los músculos abdominales.

El intestino también puede ser educado. Así, es necesario tomarse el tiempo preciso para evacuar las heces y, a ser posible, hacerlo siempre a la misma hora procurando no ser molestado. Si fuere preciso, se estimulará la evacuación de las heces bebiendo un vaso de agua caliente por las mañanas en ayunas.

Si, a pesar de todo, el intestino tiende al estreñimiento, podrá recurrirse a productos naturales de efectos suavemente laxantes, como ruibarbo o dátiles, ciruelas o higos secos.

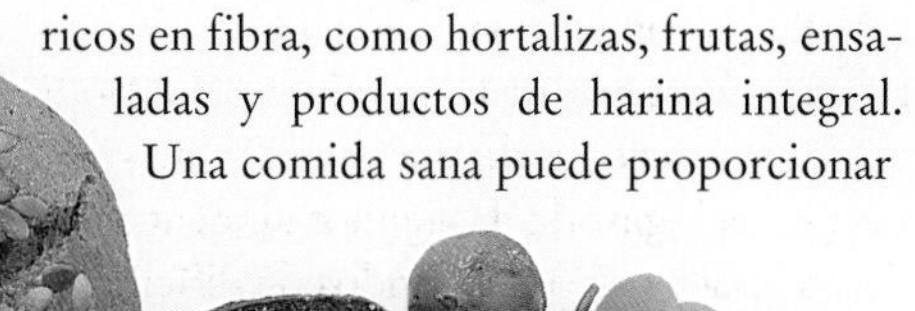

Algunos alimentos como el pan integral, manzanas frescas, higos y frutos secos propician la actividad intestinal.

Síndrome del intestino irritable

► Síntomas:
- ➜ estreñimiento, en algunos casos alternando con diarrea;
- ➜ ligeros dolores espasmódicos en la zona ilíaca;
- ➜ flatulencias, sensación de saciedad.

El intestino irritable no es más que una reacción sin importancia al acto digestivo, originada casi siempre por causas psíquicas. Las molestias suelen aumentar como consecuencia del estrés y los disgustos.

Tratamiento médico

Si las molestias no ceden, conviene acudir al médico para que descarte una enfermedad de tipo orgánico. Muchas veces, incluso una simple conversación con el médico sirve para solucionar un hipotético problema psíquico o de tipo personal.

Autoayuda

Debe seguirse una alimentación mixta rica en fibras, que garantice una buena digestión. Mediante el establecimiento de un plan dietético, deberíamos conocer cuáles son los alimentos más adecuados a las necesidades personales. Beber infusiones de hinojo, comino o anises supone un gran alivio si se padecen flatulencias y espasmos abdominales e intestinales.

Apendicitis crónica

► Síntomas:
- ➜ dolores abdominales repetitivos en la fosa ilíaca derecha, intervalos sin dolor.

Una inflamación benigna del extremo del intestino ciego, con su apéndice vermiforme o cecal, puede ser tratada con antibióticos y llegar a curarse. Pero puede rebrotar, apareciendo una gravísima apendicitis aguda que ponga en peligro la vida del paciente.

Tratamiento médico

Si los dolores se repiten en la fosa ilíaca derecha, lo más recomendable es consultar con el médico.

Mediante una radiografía realizada con un medio de contraste, se podrá determinar si existe o no inflamación del apéndice.

La única terapia perdurable consiste en la extirpación quirúrgica del apéndice vermicular.

Autoayuda

No es posible.

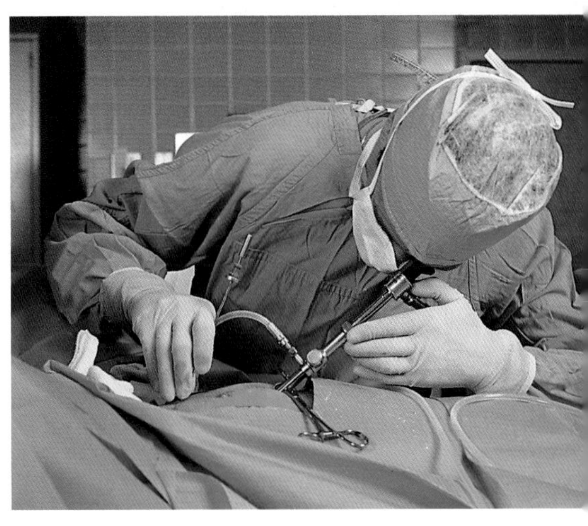

El apéndice cecal puede extirparse con el endoscopio, una intervención nada invasiva que se realiza sin bisturí.

Diverticulitis

► Síntomas:
- ➜ dolores en la fosa ilíaca izquierda;
- ➜ alternan la diarrea con el estreñimiento;
- ➜ eventualmente un doloroso "rodillo" en el abdomen, bien palpable, generalmente a la izquierda.

Conforme avanza la edad, en la mucosa intestinal d muchas personas se van formando divertículos. Ésto son cavidades patológicas o anormales, terminadas e fondo de saco y que se comunican con el intestin grueso. Si la mucosa y el tejido circundante se inflama debido a la presión ejercida por las heces acumuladas estos divertículos pueden ser muy dolorosos e inclus llegar a ser peligrosos.

Así, se corre el riesgo de hemorragias y de que pued perforarse hasta la cavidad abdominal (*peritonitis*), obstruirse y cerrarse (→ Íleo, obstrucción intestinal).

Tratamiento médico

Si los dolores abdominales no ceden y hay san gre en las heces, debe acudirse inmediatamente a l consulta del médico. Después de aplicar un enema co un medio de contraste, los divertículos se aprecian cla ramente en una radiografía o realizando una rectosco

pia. Si las molestias son muy intensas, lo más oportuno es la hospitalización. Para combatir la infección lo más acertado son los antibióticos.
Pero si esta terapia no tuviese el éxito esperado, deberá recurrirse a la cirugía para proceder a extirpar el segmento intestinal enfermo. Si la inflamación de los tejidos circundantes es muy grave, se procederá a la construcción de un ano artificial.

Autoayuda

El mejor remedio para evitar la diverticulitis es adoptar una dieta alimentaria equilibrada y rica en fibras, así como la regular evacuación de las heces.

Colitis ulcerosa (inflamación de la mucosa del colon)

► Síntomas:
- → diarrea y hemorragia rectal;
- → intensos dolores abdominales y espasmos.

Esta enfermedad inflamatoria intestinal, de etiología desconocida pero generalmente crónica y con brotes esporádicos, afecta a la mucosa del colon. De extensión muy variable, la mucosa sangra ligera pero constantemente, siendo finalmente destruida.
Las hemorragias intensas pueden dar lugar a una anemia. La sintomatología de la enfermedad se caracteriza por una clínica que cursa con brotes de diarreas y hemorragias rectales.

Tratamiento médico

El diagnóstico se establece después de realizar una rectoscopia y radiografías con medios de contraste. La administración de determinados medicamentos consigue mantener bajo control la enfermedad. Los brotes de mayor intensidad requieren la inclusión en la medicación de corticoides.
Si la inflamación es aguda y grave, es necesario extirpar el segmento más afectado. La intervención quirúrgica también será precisa, tanto si se corre el riesgo de que las úlceras existentes puedan producir una perforación intestinal como después de una enfermedad prolongada, por existir entonces el riesgo de un carcinoma de intestino grueso.

Autoayuda

Aparte de no ser nada agradable, los problemas psíquicos que plantea la vida al tener que sobrellevarla con una colitis ulcerosa son grandes debido, sobre todo, a los intensos dolores que el paciente padece a menudo. Un psicoterapeuta con experiencia podrá proporcionar al enfermo la ayuda y el apoyo precisos para hacerle el sufrimiento más leve, así como los grupos y asociaciones de personas afectadas por esta misma enfermedad.
No existe ninguna dieta especial para los casos de colitis ulcerosa, pero la adopción de una dieta equilibrada y completa constituye un complemento a la terapia

Enfermedad de Crohn

► Síntomas:
- → dolores abdominales espasmódicos;
- → diarreas, eventualmente con presencia de sangre;
- → ligeros brotes febriles, pérdida de peso;
- → evacuación de secreciones purulentas por pequeñas aberturas situadas en la zona anal (→ Fístulas anales).

Este proceso inflamatorio crónico se localiza en cualquier zona del tubo digestivo, pero especialmente en los segmentos finales del intestino delgado e intestino grueso; aunque también puede afectar a todo el tracto digestivo, desde la boca hasta el ano.
La enfermedad cursa en brotes, entre los que existen períodos asintomáticos que pueden durar varios meses e incluso años. Muchas veces se forman fístulas en la pared intestinal que, además de adherirse a veces a los órganos vecinos, producen estrechamientos y cicatrices. Las causas que producen la enfermedad todavía se desconocen hoy en día.

Tratamiento médico

La aparición de fístulas anales requiere la obligada visita al médico, pues pueden ser los primeros síntomas de la enfermedad. Mediante radiografías con medios de contraste, o con el endoscopio, se realizará la exploración de los segmentos intestinales enfermos; eventualmente, se extraerán también muestras de tejido con el endoscopio.
Si el intestino presenta un acusado estrechamiento, o muchos tumores o fístulas, las zonas afectadas deberán ser extirpadas quirúrgicamente.

Autoayuda

Como en la → colitis ulcerosa.

Megacolon (malformación congénita)

► Síntomas:

→ meteorismo, estreñimiento;
→ defecación dolorosa.

Un megacolon agangliónico es una malformación congénita con ausencia de células ganglionares parasimpáticas en un segmento del colon. Esto hace que en el segmento afectado se produzca una deficiente actividad contráctil, lo que dificulta el avance del contenido intestinal. Cuando los recién nacidos son incapaces de expulsar el meconio, manifiestan síntomas de obstrucción, vómitos y distensión abdominal. En las personas mayores suele aparecer si existen estrechamientos en el intestino recto, debido a los espasmos de un esfínter. Sin embargo, las causas que originan el megacolon no son detectables.

Tratamiento médico

Si padece estreñimiento, debe visitar al médico. Unas radiografías con medios de contraste y una endoscopia intestinal, facilitarán el establecimiento del diagnóstico. Por otro lado, la educación del intestino es fundamental para evacuar regularmente. Este método se apoya en una dieta rica en fibras y la administración de laxantes. El estrechamiento de un esfínter debe ser abierto, bien de forma natural o quirúrgica. La operación requiera la obligada extirpación de aquella parte de la pared intestinal dañada.

Autoayuda

¡Adopte una alimentación rica en fibras! Y no reprima nunca el deseo, siempre imperioso, de defecar.

Pólipos en el intestino grueso

► Síntomas:

→ ocasionalmente, sangre y moco en las heces.

Los pólipos intestinales son tumores fibro-epiteliales benignos, que pueden aparecer en las mucosas y estructuras glandulares. Forman una masa que protuye desde la mucosa hacia la luz intestinal. Como no ocasionan molestias, su descubrimiento en el organismo suele realizarse de manera casual. Pero pueden sangrar o llegar a obstruir el intestino. Los adenomas, o pólipos intestinales, pueden convertirse fácilmente en tumores de carácter maligno.

Tratamiento médico

Si observa la presencia de sangre y moco en las heces, debe acudir al médico. Durante la exploración intestinal con el endoscopio, algunos pólipos pueden extirparse fácilmente. Pero si existe un adenoma entre ellos, es necesario explorar la totalidad del recto por si hubiere más pólipos y extirparlos todos a la vez. Para eliminar los eventuales pólipos que hayan rebrotado, se hace preciso someterse a controles periódicos.

Autoayuda

No es posible.

Carcinoma del intestino grueso

► Síntomas:

→ sangre en las heces;
→ cambio de hábito repentino de defecación, frecuente estreñimiento o diarreas;
→ pérdida de heces con las flatulencias;
→ cansancio, pérdida de apetito y de peso.

Después del de pulmón y el de mama, el carcinoma de intestino grueso es el segundo cáncer más frecuente. Según la zona del intestino afectada, se habla de carcinoma de colon o carcinoma de recto.
El de colon ataca al colon sigmoide, luego al ciego y colon descendente y, con menos frecuencia, al ascendente y al transverso. La formación de este carcinoma se ve favorecida por una dieta rica en grasas animales y pobre en fibra. Otros factores de riesgo son los adenomas, un tipo de → pólipos intestinales, y la colitis ulcerosa. A todo ello hay que sumar la predisposición familiar a padecer esta enfermedad.

Tratamiento médico

Si advierte sangre en las heces, acuda a la consulta de su médico. Muchos tumores pueden ser palpados por tacto rectal, diagnóstico que en la zona alta del intestino corroborará la endoscopia. El tratamiento incluye la resección quirúrgica de la parte afectada y de los ganglios linfáticos. Durante los dos primeros años después de la operación, suelen crecer nuevos tumores que deben ser extirpados. Esta circunstancia hace obligatorios los reconocimientos periódicos.

Autoayuda

Dado que la alimentación desempeña un papel muy importante en la formación de los carcinomas ntestinales, se recomienda seguir una dieta rica en fibra / bien equilibrada. Por otra parte, los reconocimientos preventivos para la detección precoz del carcinoma son convenientes.

Adherencias (bridas)

► Síntomas:

➜ dolores abdominales poco definidos, una y otra vez en el mismo lugar;

➜ eventualmente, vómitos y síntomas de obstrucción intestinal.

Tras una intervención quirúrgica de abdomen, o después de haber sufrido algún tipo de inflamación como, por ejemplo, de ovarios –en el caso de las mujeres– o apendicitis, las superficies que recubren el intestino pueden adherirse entre ellas y llegar a formar una única superficie que ocasiona en el paciente dolores y no pocas molestias de todo tipo. Generalmente, esta unión anormal se produce después de desarrollarse un proceso inflamatorio o traumático. El intestino no podrá entonces moverse libremente; es más, la estructura filamentosa que forma la brida puede llegar a causar un auténtico estrangulamiento de alguna de las asas intestinales, de forma que su contenido no podrá seguir circulando y, entonces, se produce en el íleo una obstrucción intestinal con grave peligro para la vida del propio paciente.

Tratamiento médico

Si los dolores se repiten con frecuencia, aunque sean poco definidos, es aconsejable acudir a la consulta del médico. Pero si los síntomas fuesen de obstrucción intestinal, deberá ir sin pérdida de tiempo al servicio de urgencias del hospital o la clínica más cercana. Las adherencias y bridas pueden ser reconocibles mediante una radiografía o tras la realización de una ecografía, y, si la constricción que causan en el intestino es intensa, deberá procederse de manera inmediata a la extirpación quirúrgica de las mismas.

Autoayuda

No es posible.

Ano artificial, o contra natura

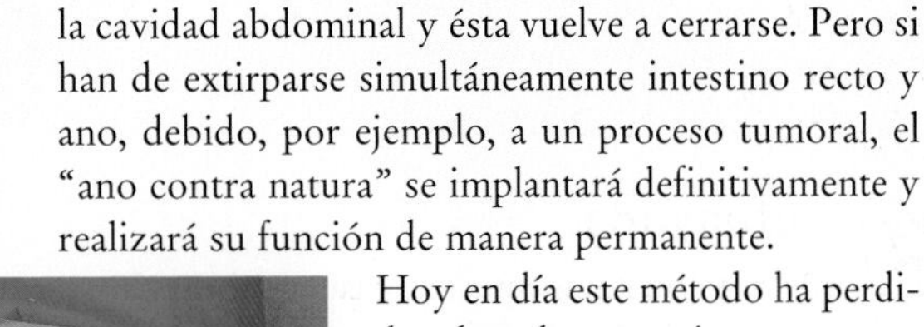

La digestión es un proceso muy pesado y difícil para el intestino, por lo que en ocasiones no le queda la más mínima oportunidad que curarse cuanto antes. Pero en la labor de curación de sus propias enfermedades, los cirujanos sí pueden ayudarlo. Para conseguirlo, apartan temporalmente determinadas secciones del intestino de la digestión, evitando con ello que la mucosa padezca una sobrecarga.

Los cirujanos proceden a seccionar el intestino por encima del lugar enfermo, fijándolo mediante una sutura a una abertura de tipo quirúrgico (*estoma*) practicada en la pared abdominal.

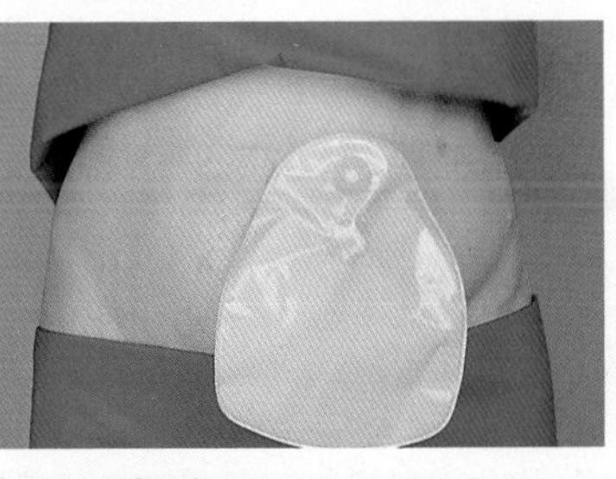

El ano artificial, o "contra natura", es higiénico e indoloro.

A través de esta abertura, el intestino puede evacuar su contenido y las heces se recogen después en una pequeña bolsa de plástico que se adhiere a la piel del abdomen. Una vez curada la enfermedad, la abertura del ano artificial se sutura, el intestino es devuelto a la cavidad abdominal y ésta vuelve a cerrarse. Pero si han de extirparse simultáneamente intestino recto y ano, debido, por ejemplo, a un proceso tumoral, el "ano contra natura" se implantará definitivamente y realizará su función de manera permanente.

Hoy en día este método ha perdido algo de su antiguo espanto. Las modernas bolsitas de plástico que recogen las heces, son tan impermeables que no pierden nada ni dejan escapar el más mínimo olor. Por otra parte, en un plazo de tiempo de medio año, el intestino comienza a habituarse de nuevo a la puntualidad en la evacuación de las heces. De esta forma, el paciente sabrá de antemano cuándo debe procederse al cambio de bolsita.

Antes de abandonar el hospital, el paciente es informado detalladamente sobre los cuidados y el manejo que precisa el uso de un ano artificial.

Gusanos

► Síntomas:

- ➜ dolores abdominales poco definidos, molestias de tipo gripal con las ascárides (*ascariasis*);
- ➜ dolor abdominal, diarreas en caso de presencia masiva de tricocéfalos (*tricocefalosis*);
- ➜ prurito en el ano, eventualmente vaginitis con oxiuros vermiculares (*oxiuriasis*, también *enterobiasis*);
- ➜ pérdida de peso, trastornos indefinidos del estado general con las tenias (*teniasis*).

Los gusanos son parásitos que necesitan vivir en un cuerpo animal o humano para poder subsistir y reproducirse. La fuente de infección más importante para las ascárides, tricocéfalos y oxiuros son los alimentos impuros o sucios, como las hortalizas, verduras y ensaladas abonadas con estiércol animal. Pero la infección también es posible a través de la tierra o polvo que contenga partículas de heces animales.

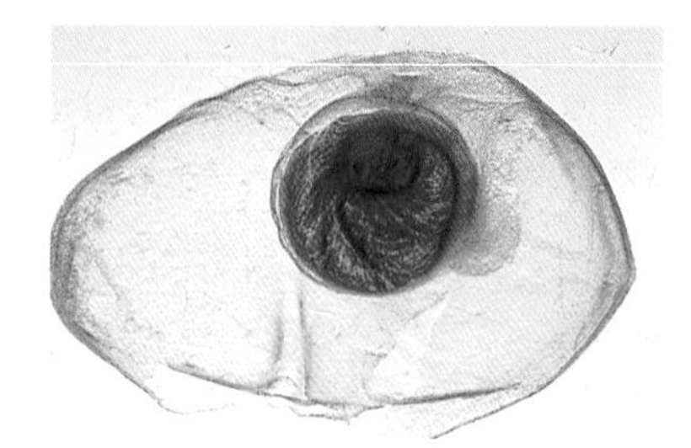

La cisticercosis, producida por comer carne de cerdo, ya casi está erradicada de muchos países.

Una vez infectada la persona, el intenso prurito en el ano obliga a rascarse y los huevos se pasan entonces a las manos y, desde aquí, de nuevo a la boca para repetirse el ciclo. Esto no deja de ser un problema, especialmente con los oxiuros vermiculares, debido a que las hembras depositan sus huevos en los pliegues externos del ano y son sobre todo los niños quienes más fácilmente se infectan con estos gusanos.
Las bayas y los frutos silvestres sin lavar, los arándanos –que crecen a poca distancia del suelo– o las setas del bosque, pueden estar contaminadas con los huevos de las tenias de zorros y perros. Tanto estos cestodos, como los *Echinococcus*, son agentes patógenos culpables del temible quiste hidatídico. Los órganos más frecuentemente afectados son hígado y pulmón, y el tratamiento tiene como objetivo la resección quirúrgica. La carne de cerdo (*Taenia solium*), buey (*Taenia saginata*) o pescado, cruda o insuficientemente asada, puede contener (aunque en casos muy contados) una tenia que en el cuerpo humano podrá desarrollarse hasta alcanzar una longitud de unos 10 metros.

Tratamiento médico

Si en las heces se descubren gusanos o los huevos de éstos, o se manifiestan los síntomas antes descritos, se recomienda acudir al médico. Para que pueda determinar la presencia de gusanos o huevos, conviene llevarle una muestra de las heces. Según la clase de gusano, recetará el adecuado producto antihelmíntico para exterminar los gusanos y librar al intestino de ellos. Cuando se trate de oxiuros vermiculares, lo más apropiado es tratar a toda la familia.

Autoayuda

De producirse una infección vermicular, es necesario llevar una higiene escrupulosa. Así, después de evacuar las heces se deben lavar bien las manos con agua y jabón, evitando con ello una nueva infección. Durante la infección se cambiará diariamente la ropa de cama, la ropa interior y el pijama (o camisón). Toda la ropa se hervirá. Sobre la prevención de la enfermedad, hay que reseñar un par de consejos. Antes de comer cualquier tipo de hortaliza o verdura, hay que asegurarse de lavarlas cuidadosamente. Si se tiene la duda de si han sido abonadas con estiércol animal, es preferible no usarlas. Las setas de bosque y las bayas silvestres que crecen a poca altura del suelo requieren una limpieza especial, pues hay que tener en cuenta que pueden estar infectadas por la tenia de los zorros o perros (peligro de *quiste hidatídico*). Antes de ser congeladas o hervidas, deben lavarse escrupulosamente. El mejor control de la carne en los países meridionales, ha ocasionado que la tenia de cerdos y bueyes hay dejado de ser frecuente. De todos modos, se recomienda no comer carne cruda ni semicruda.

Para prevenir las posibles enfermedades la norma principal es servir a la mesa las hortalizas, frutas y ensaladas sólo después de haber sido bien lavadas.

Hemorroides (almorranas)

► Síntomas:
- ➜ dolor al defecar;
- ➜ sangre roja en las heces;
- ➜ prurito en el ano;
- ➜ a veces, secreción mucosa;
- ➜ sorda sensación de presión, quemazón y dolor en el intestino recto.

Las hemorroides son dilataciones varicosas de los plexos venosos hemorroidales. Son muy frecuentes, ya que su desarrollo se ve favorecido por un terreno constitucionalmente predispuesto (debilidad constitucional de la pared venosa).
Se localizan en las proximidades del esfínter anal, entre la salida del intestino y el recto. Una vez se llenan de sangre, actúan como un cojín y colaboran en la función del esfínter. Pueden ser *hemorroides internas*, si las varices son del plexo hemorroidal superior y están situadas encima de la línea pectinada, y *hemorroides externas*, si lo son del plexo hemorroidal inferior; o, también, *hemorroides mixtas*.
Las causas que provocan las hemorroides pueden estar en una debilidad congénita de la pared. También pueden producirse si la persona está demasiado tiempo de pie o sentada, o debido a un aumento de la presión intraabdominal (a causa de un embarazo, o por sobrepeso), el estreñimiento crónico, el uso de laxantes, la cirrosis hepática, etcétera. Aunque de escasa cuantía, las posibles hemorragias pueden hacer contraer una anemia ferropénica, debido a las continuas pérdidas de hierro que esto origina.

Tratamiento médico

Si las molestias se repiten con frecuencia, conviene visitar al médico. Para diagnosticar y curar los hemorroides, lo primero es descartar la posibilidad de una grave enfermedad. El médico se encargará de realizar una exploración endoscópica del intestino recto. Aunque no debe utilizarse durante un período de tiempo prolongado, pues contiene corticoides que podrían dañar la delicada mucosa intestinal, una pomada antiinflamatoria aliviará los dolores.
Al principio puede lograrse un buen resultado aplicando remedios caseros. Pero si las molestias se repiten, será necesario la prescripción de inyecciones esclerosantes (para endurecer las venas), la aplicación de crioterapia (destrucción local de las hemorroides por congelación) o realizar ligaduras elásticas. En última instancia, sólo es posible la intervención quirúrgica.

Autoayuda

Debe evitarse permanecer demasiado tiempo de pie o sentado; después de evacuar las heces, aplicar la máxima higiene (*baños de asiento*). Por lo demás, una alimentación sana resulta de vital importancia para prevenir las hemorroides.

Fisuras y fístulas anales

► Síntomas:
- ➜ prurito en el ano;
- ➜ pequeñas grietas epidérmicas, muy dolorosas;
- ➜ evacuación de secreciones purulentas por diminutas aberturas en la zona anal.

Las fisuras anales son grietas en la epidermis que descubre la dermis. Al dejar al descubierto las terminaciones nerviosas, suelen ser dolorosas. Su formación es consecuencia de una deficiente y dificultosa evacuación de las heces. Son muy dolorosas, pues se abren una y otra vez sangrando levemente. Es un lugar ideal para la anidación de hongos ascomicetos.
Una fístula anal es una formación de aspecto tubular, que comunica una víscera, una glándula o un tejido con otro. Las fístulas anales ponen en comunicación la piel exterior y la mucosa del intestino recto.
Las fístulas pueden ser tanto internas como externas; pero por lo general, terminan en la piel que rodea externamente al ano. Muchas veces, estas fístulas son consecuencia de enfermedades metabólicas o de la → enfermedad de Crohn.

Tratamiento médico

Si el prurito, las hemorragias y el pus son persistentes, consulte estas incidencias con su médico. Las fístulas se visualizan mediante radiografías y, para que la glándula pueda curarse, deben abrirse y vaciarse completamente de pus. En ciertos casos, cuando se dan fisuras muy dolorosas, podrá necesitarse incluso una intervención quirúrgica.

Autoayuda

Procure realizar una alimentación rica en fibras y beber mucho líquido: con ello se consigue que el contenido intestinal ablande, evitando con ello la formación de fisuras alrededor del ano.

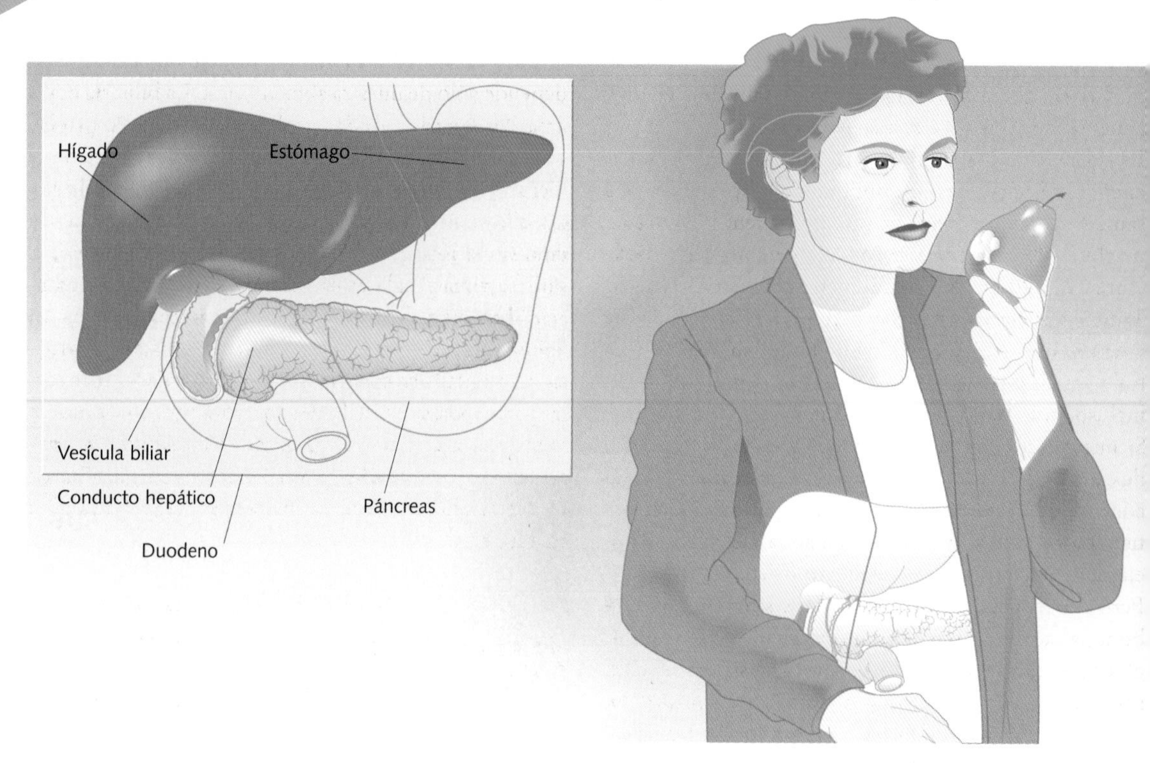

Hígado, vesícula biliar y páncreas

- **Anatomía y propiedades**
- **Digestión y funciones de depósito**
- **Funciones detoxificantes y metabólicas**

Situado en el abdomen, el hígado ocupa la mayor parte del hipocondrio derecho y la región epigástrica. Es el mayor de los órganos del cuerpo humano, y sus 1,5 kilogramos hacen que también sea muy pesado.

Aunque exteriormente el hígado parezca un órgano de una sola pieza, es laberíntico e interiormente está formado por múltiples células entrelazadas en forma de red tridimensional. Presenta un revestimiento peritoneal seroso, debajo del cual se encuentra una superficie fibrosa. La circulación sanguínea está asegurada por un sistema arterial, compuesto principalmente por la arteria hepática y por las arterias hepáticas accesorias, así como por un sistema aferente venoso que aporta la sangre desde el intestino, representado por la vena porta, y un sistema eferente constituido por las venas suprahepáticas que, luego, desembocan en la vena cava inferior para llegar hasta el corazón.

A través de la vena porta, el hígado recibe –para su transformación y almacenamiento– todos los nutrientes absorbidos por el intestino, pero también un gran aporte de oxígeno. Esto es así, porque aunque la saturación de oxígeno de la sangre venosa es muy reducida, la porta transporta un gran flujo sanguíneo.

El resto del oxígeno que el hígado necesita lo obtiene de la sangre que recibe la arteria hepática, que está fuertemente oxigenada.

El almacenamiento como prevención

Esta glándula es como un laboratorio. Almacena azúcar y vitaminas, regula el metabolismo lipídico, elabora y transforma las proteínas, elimina elementos nocivos y produce la bilis.

Los hidratos de carbono son desdoblados y transformados en glucosa por los enzimas salivales, el jugo pancreático y las vellosidades intestinales.
Este azúcar lo utilizado el organismo para producir energía. El hígado es responsable de la aportación a la sangre del azúcar necesario para mantener en ella un nivel de glucosa constante; en una persona sana, oscila entre 70 a 120 mg en 100 milímetros cúbicos de sangre. También se encarga de acumular grandes cantidades de vitaminas; entre ellas, la vitamina A suficiente para todo un año, la vitamina D para unos cuatro meses e, incluso, grandes cantidades de vitamina C.
Si nuestra comida contiene mucho azúcar, o hidratos de carbono, las células hepáticas lo transforman en glucógeno, que queda almacenado en el parénquima hepático hasta que aumente la demanda de azúcar; por ejemplo, al realizar algún esfuerzo físico.
Pero si la comida contiene abundantes hidratos de carbono, al no poder ser todos almacenados en forma de glucógeno, el exceso se desdobla y transforma en grasas que, a través de la sangre, se distribuyen por los diversos órganos y tejidos del organismo. Y cuando llegan las épocas de carestía o hambre, después de transformarlas el hígado nuevamente en glucosa, atienden las necesidades del cuerpo como fuente de energía.

Función detoxificante del hígado

La mayoría de las personas exigen a veces un trabajo desmesurado a su hígado, pues el tabaco y el alcohol que consumen son dos de los peores venenos a los que este órgano se ha de enfrentar. A ellos deben sumarse los ingredientes químicos utilizados en la elaboración de muchos alimentos, así como otros venenos procedentes de los alimentos en mal estado o el perjuicio que supone la mala utilización de los medicamentos. Para que puedan ser excretados a través de los riñones o del intestino, todos estos productos necesitan transformarse en otros solubles en agua, o bien combinarse con otras sustancias. Al mismo tiempo, este órgano contribuye a desactivar ciertas hormonas propias del organismo cuya acción prolongada supone un inconveniente para el correcto funcionamiento corporal.

Grasa: elaboración y descomposición

Una de las tareas más importantes del hígado es el metabolismo de los lípidos, que se encarga de elaborar y transformar las grasas y de producir el jugo biliar. El colesterol, por ejemplo, lo ingerimos con la comida, pero el hígado también lo produce. Esto quiere decir que la cantidad de colesterol presente en la sangre no depende sólo de nuestra alimentación. La bilis, de color amarillo dorado, contiene colesterol. El hígado produce al día un litro de bilis, que almacena en la vesícula y vierte en el duodeno a través de los conductos biliares. La bilis contribuye a la acción del jugo pancreático y emulsiona los lípidos. Durante el reposo digestivo, la bilis se almacenada en la vesícula, donde se concentra por absorción de agua y sales inorgánicas a través del epitelio hacia los vasos de la lámina propia de la mucosa. La vesícula se encuentra en una oquedad situada en la parte posterior del hígado. Tan pronto como se comienza a comer y llega grasa al intestino, las contracciones provocadas por la colecistoquinina hacen que la vesícula comience a abrirse para verter la bilis en el duodeno.

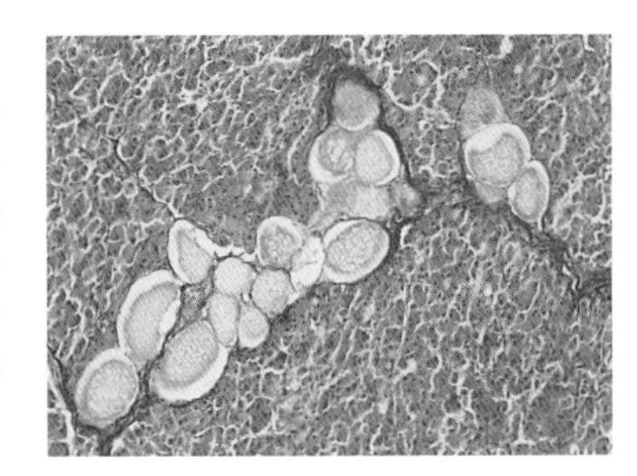

Las células exocrinas del páncreas producen un jugo digestivo sumamente eficaz.

Un órgano con doble función

El páncreas es una glándula que tiene una doble función: exocrina y endocrina. Está situado detrás del estómago, entre el duodeno y el bazo. Mide unos 15 cm de largo, y es la mayor glándula de nuestro cuerpo. Produce diariamente entre uno y dos litros de un jugo digestivo que, gracias a los importantes enzimas que contiene, ayuda a digerir el alimento que ha atravesado el estómago. Esta secreción pancreática contribuye al desdoblamiento de las proteínas, de los lípidos e hidratos de carbono. Efectúa su secreción a través del conducto pancreático, que, junto con el conducto biliar, desemboca en el duodeno.
Pero la secreción pancreática (*función exocrina*) no es el único producto del páncreas. Gracias a su función endocrina, este órgano realiza la regulación del metabolismo de los hidratos de carbono. Para ello elabora las hormonas insulina y glucagón, producidas por unas células que se encuentran diseminadas por todo el órgano, rodeadas de tejido glandular exocrino; se trata de los denominados islotes de Langerhans. La lesión de este aparato "insular" causa la diabetes mellitus.

Casos de urgencia

Norma general

Todas las molestias repentinas y violentas que parezcan apuntar a una patología de la glándula pancreática, han de ser inmediatamente diagnosticadas y tratadas médicamente.

Pancreatitis aguda
(proceso inflamatorio del páncreas)

► Síntomas:
- ➜ agudísimos dolores en el epigastrio, que se irradian en todas direcciones, incluso hasta el pecho; pero, sobre todo, se irradian hacia la espalda, formando un cinturón;
- ➜ náuseas, vómitos biliosos, meteorismo;
- ➜ fiebre, rostro enrojecido, angustia;
- ➜ pulso rápido, taquicardia.

La mitad de los casos de inflamación aguda del páncreas están originados por el enclavamiento de un cálculo biliar en la ampolla duodenal. Esto se debe a que ambos conductos, el pancreático y el biliar, desembocan juntos en el duodeno. Pero la pancreatitis también puede estar causada por una inflamación del duodeno, que provoca una acumulación de las secreciones pancreáticas que afectan al propio tejido glandular. Otra posibilidad muy frecuente es que sea debida a una ingesta excesiva de alcohol, que es asimismo una de las principales causas de las inflamaciones crónicas del páncreas, que reciben el nombre de pancreatitis crónicas.

Tratamiento médico

Si padece alguno de los síntomas descritos, deberá acudir inmediatamente al médico de urgencia. Una inflamación del páncreas no tratada puede, en los casos más graves, significar la muerte.
Los análisis de sangre y orina muestran la actividad del páncreas. Las radiografías y ecografías sirven para comprobar en qué condiciones se encuentra el órgano enfermo. La pancreatitis aguda requiere, frecuentemente, el ingreso hospitalario. Hasta que cesen las molestias, el paciente debe ser alimentado artificialmente. Todos los posibles obstáculos que existan en los conductos biliares deben eliminarse.

Autoayuda

Tan pronto como advierta alguno de los síntomas antes descritos, ¡no debe comer ni beber nada en absoluto!

Cólico biliar

► Síntomas:
- ➜ dolores espasmódicos en la zona superior derecha del abdomen, que se irradian hacia el pecho, los hombros y la espalda;
- ➜ vómito de bilis;
- ➜ frecuentemente, escalofríos.

Los cólicos biliares casi siempre están causados por cálculos biliares, que pueden permanecer durante muchos años en la vesícula biliar sin causar la menor molestia. Pero, también pueden estar originados por una inflamación de los conductos biliares o, incluso, de la propia vesícula biliar. El desencadenante que produce el cólico, casi siempre suele ser una comida con mucha grasa o el estrés psíquico.

Tratamiento médico

Si los dolores persisten sin remitir, es necesario acudir al médico de urgencias. El médico establecerá un diagnóstico diferencial entre un cólico biliar y una → pancreatitis aguda, una → úlcera gástrica y un infarto de miocardio. Esto es preciso, pues los síntomas de las referidas enfermedades son idénticos en su mayor parte.
Los dolores se alivian administrando un antiespasmódico; además, si existe la sospecha de infección de la vesícula biliar, el médico prescribirá un antibiótico. Durante 24 horas no debe ingerirse ningún alimento o líquido en absoluto; luego, una comida ligera preparada sin grasa y sólo asada.
Frecuentemente se procederá a la extirpación de la vesícula biliar, sobre todo si se comprueba la existencia de cálculos.

Autoayuda

¡El paciente debe atenerse estrictamente a la dieta impuesta por el médico! De hacer caso omiso, puede producirse una recaída.

Pruebas clínicas especiales

Si se tiene la más mínima sospecha de enfermedad hepática, el médico observará si hay alteraciones en el color de la piel, las uñas y las mucosas. Mediante una palpación, comprobará la sensibilidad a la presión, las modificaciones de forma y posición del órgano. A veces, incluso es posible palpar la vesícula biliar si ésta se encuentra distendida.

Análisis de laboratorio

Tanto el hígado como el páncreas se encargan de producir múltiples sustancias. Para constatar pues la existencia de la enfermedad, lo primero que habrá que hacer es determinar si se debe a una carencia o a un exceso de tales sustancias.

Los análisis de sangre y orina (en ocasiones se requiere la expulsada durante 24 horas), aportan datos significativos sobre la clase de enfermedad. También son importantes las pruebas de laboratorio, que exploran la vía extrínseca de la coagulación de la sangre (→ Prueba de Quick), conocida también por tasa de protrombina. Esto es así, porque si el hígado está enfermo será incapaz de producir los factores de coagulación en cantidad suficiente. Si se sospecha la existencia de una diabetes mellitus, se realizará la medición de la glucemia y del valor insulínico de la sangre.

La infección producida por el virus de la *hepatitis*, también se diagnostica a través de la sangre. Los anticuerpos formados por el organismo para hacer frente al agente patógeno, informan sobre si existe o no la infección y si es de carácter agudo o crónico.

Los análisis de sangre también proporcionan la información necesaria acerca de si la infección sigue teniendo carácter contagioso.

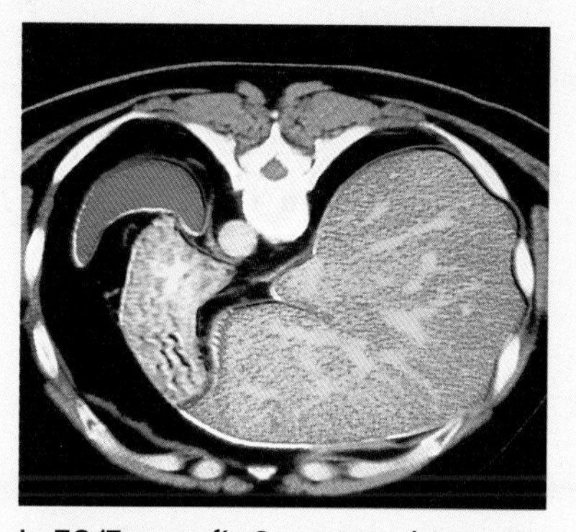

La TC (Tomografía Computarizada) muestra la sección transversal del espacio abdominal; a la derecha, el hígado.

Ultrasonidos

La variante más importante para representar el hígado, los conductos biliares y el páncreas son los reconocimientos realizados con ultrasonidos (*ecografías*). Éstos permiten visualizar la posición, forma, tamaño e irrigación sanguínea de los órganos, así como las posibles alteraciones en los tejidos (quistes, calcificaciones o tumores) y las acumulaciones de grasas. Con este sistema es posible ver los cálculos biliares, indetectables con las radiografías. También permite controlar el vaciado de la vesícula biliar.

La ecografía puede ser complementada con una tomografía computerizada.

Colangiografía y pancreaticografía retrógrada endoscópica

En el fondo, este CPRE no es otra cosa que una radiografía con un medio de contraste. Gracias a este método se pueden visualizar los conductos biliares interiores y exteriores del hígado, la vesícula biliar y el conducto del páncreas. Al mismo tiempo que se introduce un endoscopio por la boca, que llega hasta el duodeno pasando por el esófago y el estómago, el medio de contraste inyectado sigue su curso natural a través de los conductos biliares o por el conducto pancreático. En la pantalla de Rayos X puede observarse el recorrido del sistema de conductos, localizándose las posible irregularidades y obstrucciones por cálculos biliares.

Biopsia del hígado (punción hepática)

Para explorar correctamente el estado del tejido hepático, como, por ejemplo, en caso de inflamación hepática, se necesita una pequeña muestra del tejido en cuestión. Mediante el debido control por ultrasonidos, se introduce una aguja hueca y fina y se extrae el tejido necesario del lugar deseado. O bien se utiliza un endoscopio, que, gracias a la "visión en directo"del lugar, permite extraer fácilmente una muestra del tejido. Ambos métodos precisan la anestesia local del paciente. Posteriormente, el tejido es analizado y estudiado bajo el microscopio.

Ictericia

La ictericia (*icterus*) es un síntoma de diferentes enfermedades del hígado o de los conductos hepáticos. La coloración amarillenta de la piel, la esclerótica, las mucosas y líquidos del organismo se produce por acumulación del pigmento biliar en la sangre y en el cuerpo. A veces, se añade prurito (picor).

La ictericia puede aparecer en el curso de una anemia, o como consecuencia de una hepatitis o de una cirrosis hepática. Pero también puede originarla una inflamación de los conductos hepáticos, cálculos biliares, tumores en el hígado o en la vesícula biliar y hasta parásitos o parasitosis hepática. Lógicamente, la terapia se ajustará a la enfermedad base.

Hepatitis (infección inflamatoria del hígado)

▶ Síntomas:

- ➜ molestias de tipo gripal;
- ➜ falta de apetito, náuseas y repugnancia al alcohol, grasas y nicotina;
- ➜ dolores muy sensibles bajo el arco costal;
- ➜ eventualmente, coloración oscura de la orina;
- ➜ a veces, decoloración de las heces;
- ➜ eventualmente, ictericia y prurito.

Entre las varias causas que generalmente provocan las hepatitis se encuentran los virus, pero también pueden ser debidas al alcohol, tóxicos, medicamentos, bacterias o parásitos. Los cinco virus que hoy se conocen como causantes, clasificados con letras, son: hepatitis A hasta hepatitis E, abreviado HAV hasta HEV. Al principio, todos ellos ocasionan las mismas molestias; dos de cada tres infecciones se curan sin síntomas aparentes.

• **Virus de la hepatitis A** (hepatitis de los viajes), transmitido por vía fecal-oral en países con higiene deficiente. Causantes principales son: los alimentos o las aguas contaminadas. La enfermedad aparece de 14 a 45 días después del contagio. No suele tener repercusiones.

• **Virus de la hepatitis B**, la vía de transmisión más aceptada es la sanguínea, aunque no se descarta la oral o por contacto íntimo (líquido seminal) y vía parenteral, saliva infectada, orina, sangre. El peligro de contagio por transfusiones de sangre o derivados es reducido, debido a los métodos de conservación y controles a que se someten las bolsas. Esta enfermedad puede manifestarse al cabo de medio año.

• **Virus de la hepatitis C**, se contagia por vía sanguínea. El mayor riesgo de infección afecta a los pacientes sometidos a diálisis, receptores de transplantes y drogadictos; éstos últimos, debido a la utilización de jeringuillas sin esterilizar. También existe peligro con los tatuajes. Hasta que aparecen los primeros síntomas de la enfermedad, pueden transcurrir alrededor de seis o doce semanas.

• **Virus de la hepatitis D**, aparece siempre con el virus de la hepatitis B.

• **Virus de la hepatitis E**, se contagia por alimentos contaminados. Fuera de Europa sólo está presente en el este del Mediterráneo, en Asia central y meridional y, sobre todo, en el norte de África.

Por regla general, la enfermedad se prolonga durante unas 12 semanas, aunque puede adoptar forma crónica. Esto sucede muy pocas veces con la hepatitis B, aunque es muy frecuente entre los infectados por hepatitis C (hasta el 50% de los casos). Esta hepatitis crónica puede tener un curso más benigno, de poca afectación en el rendimiento físico, pero que se acompaña de dolores articulares y musculares. Sin embargo, la hepatitis crónica agudizada se caracteriza histológicamente al invadir el lobulillo una infiltración de tipo mononuclear.

Nota: "mononuclear" es un término que agrupa a varios tipos de células del sistema inmunitario. Los dolores son más intensos, y durante el brote infeccioso puede aparecer una → Ictericia. En las mujeres se producen trastornos menstruales, y en los hombres una involución de los caracteres sexuales secundarios.

Debido a la persistente y crónica inflamación infecciosa, el hígado sufre unos daños tales que puede desarrollarse una cirrosis hepática, incrementando a su vez el riesgo de un tumor hepático.

En contados casos, la hepatitis aguda puede desencadenar una necrosis aguda en las células hepáticas que rodean la vena porta y, en pocas semanas, hasta producir la muerte de la persona afectada.

Tratamiento médico

En el momento que sospeche que puede padecer algún tipo de hepatitis, acuda cuando antes a la consulta del médico. Para el establecimiento del diagnóstico es de suma importancia que el paciente exponga toda la historia previa, y que mencione cuáles cree que son las posibles fuentes de infección. La identificación del virus se realiza mediante un análisis de sangre, que indicará los anticuerpos formados para hacer frente a

Antes de viajar a países exóticos, conviene vacunarse contra la hepatitis de tipo A.

los agentes patógenos y revelará en parte la presencia de éstos. En la mayoría de los casos, la hepatitis vírica aguda tiene curación, siempre y cuando se guarde cama y se suprima totalmente la ingesta de alcohol. Además, han de suprimirse aquellos medicamentos que puedan afectar al hígado, exceptuando –claro está– los que se han prescrito al paciente para la terapia de otra posible enfermedad y de los que no puede prescindir.

Autoayuda

Guardar cama es la terapia que procura el descanso necesario al organismo y propicia la curación deseada. La vacunación contra las hepatitis A, B y D es posible. Contra la hepatitis B, además de recomendable para todos los grupos de riesgo, también lo es para todas las personas. Ha sido incorporada al calendario de vacunación infantil.

Hígado graso

▶ Síntomas:

- ➜ dolores en el espacio abdominal superior derecho;
- ➜ falta de apetito, sensación de saciedad;
- ➜ hígado palpablemente engrosado.

En la mayoría de casos, el hígado graso es casi siempre consecuencia directa de una ingesta alcohólica abusiva; y, no tan frecuentemente, un efecto secundario de la diabetes mellitus, una dieta alimentaria inadecuada (sobrepeso), diferentes productos químicos (disolventes, como el tetracloruro de carbono, cloroformo y benzol) o el consumo prolongado de algunos medicamentos, como la cortisona o la tetraciclina.

Si es posible eliminar la causa, el hígado graso retorna lentamente a su estado normal; pero si el agente lesivo continúa actuando, el proceso posiblemente desencadene una cirrosis hepática.

El problema radica en que las molestias solamente aparecen cuando la grasa se ha infiltrado ya en más de la mitad del número de células hepáticas, debido a que la absorción de lípidos por parte de estas células del hígado es mayor que su metabolización.

Una vez declarada la cirrosis hepática, existe el peligro de que el hígado deje de funcionar, y, al mismo tiempo, se produzca una hipertensión portal; por lo tanto, al no poder atravesar ahora la sangre el hígado, buscará otro camino para retornar al corazón lo que puede originar varices esofágicas.

Tratamiento médico

Si sospecha que padece de hígado graso, lo más acertado y oportuno es consultar de inmediato con el médico de cabecera o de familia.

Dado que no existen medicamentos contra esta adiposidad hepática, la única posibilidad de curación consiste en eliminar las causas que la ocasionaron. Esto supone, necesariamente, la prohibición total de ingerir alcohol, ¡aunque hayan sido otras las causas que han originado el hígado graso!

En caso que se deba a algún producto químico, debe evitarse inmediatamente todo contacto con este tipo de sustancias; si la causa reside en los medicamentos, se consultará con el médico para que, eventualmente, los sustituya por otros.

Autoayuda

Debe evitarse toda ingesta de alcohol, procurando además reducir el exceso de peso corporal. El abuso de grasas o de hidratos de carbono, también contribuye a la adiposidad del hígado.

Una alimentación pobre en grasas y sin alcohol resulta muy beneficiosa para todo el organismo, permitiéndole al hígado destruir paulatinamente las vesículas lipídicas que se han ido acumulando en sus células.

Cirrosis hepática (enfermedad degenerativa del hígado)

▶ Síntomas:

- ➜ dilataciones de pequeños vasos sanguíneos bajo la piel (telangiectasias o arañas vasculares);
- ➜ enrojecimiento y endurecimiento con retracción de la piel en manos y pies;
- ➜ ocasionalmente ictericia y prurito;
- ➜ pérdida de los caracteres sexuales secundarios, acusada disminución de la líbido (*impotencia*);
- ➜ trastornos menstruales en la mujer.

Como consecuencia de una hepatitis o una intoxicación, se produce la necrosis de células hepáticas y la sustitución de la arquitectura nodular en la que los nódulos se hallan rodeados de tejido fibroso. Debido a las cicatrizaciones, el hígado se va reduciendo y limitando su funcionamiento. Las ramificaciones vasculares más finas son comprimidas y obstruidas hasta convertirse en un obstáculo para la circulación sanguínea. Se produce también un aumento de la tensión en la vena porta (*hipertensión portal*), que lleva la sangre desde el tracto gastrointestinal ata el hígado. Las consecuencias de esta evolución pueden ser muy graves.
Esta hipertensión portal produce ascitis (acumulación de líquido pobre en proteínas, trasudado, en la cavidad peritoneal), y con ella el abdomen se hincha y adquiere volumen. Además, se forman varices en el esófago, que pueden romperse y originar hemorragias capaces de poner en peligro la vida.
Tan pronto como el hígado deja de realizar su función desintoxicadora, pueden aparecer trastornos cerebrales (→ Encefalopatía hepática), limitaciones del conocimiento y pesadillas. También puede ocurrir que la cirrosis hepática se transforme en un tumor hepático.
En la mitad de los casos, la cirrosis hepática se produce como consecuencia de una ingesta de alcohol abusiva. El 40% de los casos tienen su origen en una hepatitis vírica y sólo pocos casos se deben a enfermedades del metabolismo, medicamentos o a productos químicos y enfermedades infecciosas tropicales.

Tratamiento médico

Tan pronto como aparezcan los primeros síntomas de enfermedad hepática, se debe acudir al médico. Durante las primeras fases de la enfermedad, es posible la regeneración del tejido hepático alterado; pero, en estadios avanzados, la curación el imposible. Los enzimas de los hepatocitos pueden ser detectados en sangre mediante ciertos tipos de análisis, delatando la lesión aguda del órgano y saliendo al exterior sólo cuando son destruidos. Por medio de ultrasonidos y endoscopio, también se realizará una endoscopia para determinar el tamaño y aspecto de la cirrosis.
Al mismo tiempo, mediante una biopsia se extraerá una muestra del tejido afectado para realizar el reconocimiento histológico.

Autoayuda

Aunque no sea la causa de la enfermedad, ¡evite la ingesta de alcohol!

Tumor hepático

▶ Síntomas:

- ➜ en una fase muy avanzada, pérdida de peso;
- ➜ eventualmente, dolores a la presión en la zona superior derecha del abdomen.

Los tumores benignos del hígado no suelen presentar demasiadas molestias, y descubrirlos depende más bien de la casualidad. De la observación realizada en mujeres, se desprende que en parte son causados por anticonceptivos orales.
Los tumores hepáticos malignos son escasos en muchos países, y suelen ser tres veces más frecuentes entre los hombres que entre las mujeres. Suelen sobrevenir como consecuencia de una infección de hepatitis C, o por una cirrosis hepática; pero también debido a las aflatoxinas, venenos de un hongo que crece en ciertos alimentos (pipas de girasol). El cáncer de hígado produce muy pronto metástasis en otros órganos, muy difíciles de descubrir y también de extirpar.

Tratamiento médico

El diagnóstico de la enfermedad se establece tras un reconocimiento con ultrasonidos, o mediante una tomografía computarizada. El análisis histológico del tejido determinará si el tumor es benigno o maligno. Los tumores benignos que se han desarrollado como consecuencia de la ingesta de anticonceptivos, desaparecen tan pronto se suspende su consumo. En caso contrario, el tumor debería ser extirpado para evitar complicaciones y hemorragias en caso de que llegara a romperse o reventar.

Como el cáncer de hígado sólo produce molestias en una fase muy tardía, es difícil de diagnosticar precozmente, lo que dificulta su descubrimiento y la terapia posterior. Pero si su crecimiento se localiza momentáneamente en un solo lóbulo hepático, podrá intervenirse quirúrgicamente.

Autoayuda

En la página 576 de este libro se recoge todo tipo de información -de sumo interés- sobre las diferentes clases de carcinomas, así como algunos consejos e indicaciones importantes sobre muchos de sus aspectos principales.

La dosis hace al veneno

En muchas civilizaciones es costumbre otorgar gran protagonismo a las bebidas alcohólicas. Para muchas personas, una botella de vino, una copa de cava o una jarra de cerveza no pueden faltar en una comida, celebración o cualquier otro acontecimiento festivo. Desde el punto de vista médico, nada hay que objetar a estas costumbres; pero, eso sí, siempre y cuando se haga con moderación y, con la condición añadida, de poseer un hígado sano que permita eliminar sin problemas la bebida. El peligro de la ingesta alcohólica radica en la cantidad que el organismo soporta. Y eso esta es una cuestión individual, pues además de factores como la estatura y el peso corporal, también influye la situación personal y el sexo.

De antiguo la bebida era "cosa de hombres". Beber un poco más de la cuenta suponía una demostración de virilidad, sin pensar que los trastornos del envejecimiento comienzan a una edad no muy avanzada, y que en ocasiones puede sumarse más tarde la → Cirrosis hepática. Esto, no obstante, ha dejado de ser válido, pues las mujeres se han ido equiparando en los hábitos de bebida a los de los hombres, de forma que en la actualidad ambos sexos se hallan sujetos a idénticas consecuencias y peligros. Sin embargo, los efectos nocivos del alcohol son más prematuros en las mujeres, debido a que la capacidad de catabolizar el alcohol es inferior que en el hombre.

La ingesta alcohólica diaria que agota la capacidad del hígado viene a ser de 60 gramos de alcohol en los hombres, mientras que en las mujeres 20 - 30 gramos son suficientes para producir el mismo efecto. Siendo completamente indiferente la clase de alcohol, pues puede ser vino, cava, licores o aguardiente.

¿Cuánto alcohol soporta el hígado?

- 1 l de cerveza = unos 40 g de alcohol.
- 1/2 l de vino = unos 20 a 26 g de alcohol.
- 1 copa de cava (0,1 litro) = 10 g de alcohol.
- 1 copita de aguardiente (0,02 litros) = 7 g de alcohol.

Pero aunque no se superen los valores orientativos citados, el hígado necesita períodos de descanso Por este motivo, conviene que repose y no se debe maltratar diariamente con la ingestión de alcohol. Muchas veces, a la ingesta alcohólica se le suma una copiosa comida que contiene demasiada grasa. El hígado se ve obligado a establecer prioridades y, con el fin de digerir primero el alcohol, almacena primero los lípidos en unas células determinadas, produciéndose la primera señal de que le exigimos un trabajo excesivo: el hígado graso.

Antes de que una lesión hepática produzca las primeras molestias, suelen transcurrir como mínimo unos cinco años de ingesta alcohólica continua y abusiva. A partir de ese momento comenzarán las complicaciones de la enfermedad con otras varias, como pueden ser la hidropesía o ascitis, las varices esofágicas, las encefalitis o la pancreatitis crónica. Y, por regla general, cuando tales complicaciones aparecen suele ser demasiado tarde para restablecer la salud.

Cuanto más elevada sea la graduación alcohólica de una bebida, tanto más prudencia se ha de tener en el beber.

Cálculos biliares (litiasis biliar)

▶ Síntomas:

- ➜ sensibilidad a la presión por debajo del arco costal derecho;
- ➜ flatulencias, sobre todo después de tomar café, bebidas frías y comidas grasas y fritas;
- ➜ eventualmente, dolores espasmódicos en la región epigástrica derecha y central, que irradian hasta el hombro y la espalda.

Los cálculos biliares se forman en la vesícula biliar o en algún conducto biliar. Generalmente se componen de colesterol, sales biliares y biliverdina. Afectan sobre todo a las mujeres, aumentando su frecuencia con la edad. La mayoría de los cálculos biliares se encuentran en la vesícula biliar y no producen molestias. Aunque sí pueden llegar a provocar una colecistitis, que incrementa el riesgo de cáncer en el conducto biliar o, también, en la vesícula biliar.

Si los cálculos biliares se mueven no permanecen estáticos y son inestables, pueden obstruir el camino hacia el intestino y producir entonces un doloroso cólico o una ictericia.

Tratamiento médico

Acudir al médico, lo antes posible, si las molestias se repiten con frecuencia. La mejor manera de detectar la presencia de cálculos biliares es mediante ultrasonidos. Con una radiografía sólo son visibles los cálculos que contienen calcio (un 10%, aproximadamente). Pero si se emplean medios de contraste para la radiografía (*colecistografía*) y la CPRE, se pueden visualizar las obstrucciones que han detenido el avance de estos cálculos.

Asimismo, existen cálculos biliares "mudos", es decir, que no producen molestias y que, a diferencia de los dolorosos –que ejercen presión sobre la vesícula biliar–, no necesitan ser extirpados. Según la constitución y tamaño, podrán ser disueltos, fragmentados o extirpados quirúrgicamente.

Autoayuda

Evite aquellos alimentos cuya ingesta sepa le producen posteriores molestias.

Como prevención, cuantos más cálculos biliares conviene reducir peso corporal (si éste fuere excesivo), adoptando una dieta alimentaria baja en colesterol (pobre en grasas animales) y rica en fibra.

Cálculos biliares: ¿disolverlos o fragmentarlos?

La terapia incluye diferentes métodos para eliminarlos. En determinados casos, podrán disolverse mediante tratamiento médico. La condición previa es que no sean calcificaciones y que tengan un diámetro inferior a un centímetro. Para conseguirlo se administra, durante un período de tiempo prolongado, un preparado de ácido biliar.

Los cálculos de mayor tamaño, como los cálculos renales, pueden fragmentarse mediante ondas de ultrasonidos (*litotricia*). Luego, se expulsan por vía natural, o bien se disuelven con ácido biliar. Pero este método tiene el inconveniente de que, al cabo de unos cinco años, la litiasis tiende a reproducirse, en uno de cada tres pacientes. Los cálculos que quedan atascados en el conducto biliar que desemboca en el duodeno, tendrán que ser extirpados mediante endoscopia utilizando un litotritor, que los tritura y elimina. Por esta misma vía es posible fracturar los cálculos, eliminándolos mediante un lavado.

El método más seguro consiste en la extirpación de toda la vesícula biliar (*colecistectomía*) y la limpieza de los conductos biliares.

Colecistitis (inflamación de la vesícula biliar)

▶ Síntomas:

- ➜ dolores en el hipocondrio derecho (regiones superior y lateral del abdomen);
- ➜ ictericia pasajera;
- ➜ fiebre alternante;
- ➜ inapetencia.

Las colecistitis son casi siempre consecuencia de una dolencia de la vesícula biliar, a la que pueden sumarse infecciones bacterianas procedentes, por vía linfática, del intestino, del hígado o, en menor proporción, de otros órganos del cuerpo infectados.

Si la colecistitis se repite, podría deteriorar gravemente la estructura de la mucosa del colecisto (vesícula biliar), que se tornaría quebradiza, de forma que se evacuaría directamente en el intestino delgado (o en el abdomen, en caso de perforación), lo que ocasionaría una grave peritonitis que pondría en peligro la vida del enfermo.

Tratamiento médico

Si los dolores son muy agudos, acuda al médico sin demora. Para el diagnóstico, se sigue el mismo proceso que para los cálculos biliares. Si la inflamación de la vesícula se repite con frecuencia, debería ser extirpada (una vez han cesado los dolores). En los casos de colecistitis, se emplean antibióticos.

Autoayuda

No es posible.

Pancreatitis crónica (inflamación crónica del páncreas)

► Síntomas:

- ➜ dolores abdominales reiterativos, que pueden durar horas o días y que se irradian hasta la espalda;
- ➜ náuseas, vómitos después de ingerir alimentos grasos.

El padecimiento de una pancreatitis crónica puede producir dolores de larga duración. Aunque su etiología es diversa, la enfermedad suele estar provocada por una ingesta abusiva de alcohol. Después de años de infrafunción del órgano, pueden derivarse otras enfermedades, como diabetes mellitus o bien un carcinoma de páncreas. Con la pancreatitis crónica no se producen enzimas digestivos para metabolizar los lípidos y las proteínas, lo que produce una alimentación carencial. Carencias alimentarias que sólo se hacen patentes después de la destrucción del 90% del tejido glandular.

Tratamiento médico

Nada más que aparezcan estos trastornos, conviene acudir al médico. Para establecer el diagnóstico, se determinará la cantidad de enzimas pancreáticas existentes en suero y en orina (de manera análoga a como se determinaban los enzimas hepatocitarios, que resultaban vertidos al exterior en caso de destrucción de algunas células hepáticas).
El páncreas se controla mediante una radiografía o ecografía, lo que permite detectar aumentos de tamaño, abscesos, calcificaciones y cálculos biliares. Las irregularidades de los conductos pancreáticos son exploradas y visualizadas con la CPRE. Si se padece pancreatitis crónica, la ingesta de alcohol está prohibida. La comida debería repartirse, a lo largo del día, en varias tomas poco abundantes. Para contrarrestar la destrucción del tejido glandular, se administran suplementos de enzimas pancreáticos.
Si estas inflamaciones se repiten con frecuencia, es preciso realizar una pancreatectomía (extirpación del páncreas). Tras la intervención quirúrgica, se prescribirá de por vida un tratamiento sustitutivo con insulina y enzimas pancreáticos.

Autoayuda

Además de los aspectos referentes a la alimentación, la falta del páncreas supone adaptarse a una nueva forma de vida.

Carcinoma de páncreas

► Síntomas:

- ➜ dolores en la zona abdominal superior y la espalda;
- ➜ pérdida de apetito, náuseas, vómitos;
- ➜ ocasionalmente, ictericia.

Después del duodenal y del de estómago, el cáncer de páncreas es el tercero más frecuente del tracto gastrointestinal. Las posibilidades de curación son mínimas, debido a que la tumoración maligna se suele descubrir ya muy tarde. Las causas que lo provocan se desconocen, pero su desarrollo suele estar propiciado por una → Pancreatitis crónica y, probablemente, también por el consumo de tabaco y café.

Tratamiento médico

Si padece los síntomas antes descritos, acuda inmediatamente al médico. También podría tratarse de una pancreatitis aguda. El diagnóstico se determina mediante la utilización de ultrasonidos, tomografía computerizada y CPRE.
La única terapia posible es la intervención quirúrgica, que está destinada a extirpar la zona enferma del páncreas y, eventualmente, también el duodeno y los ganglios linfáticos vecinos. Pero, por lo general, el resultado de la operación suele ser bastante pobre.

Autoayuda

Para obtener más información sobre las enfermedades cancerosas, consejos e indicaciones consulte la página 576 de este mismo libro.

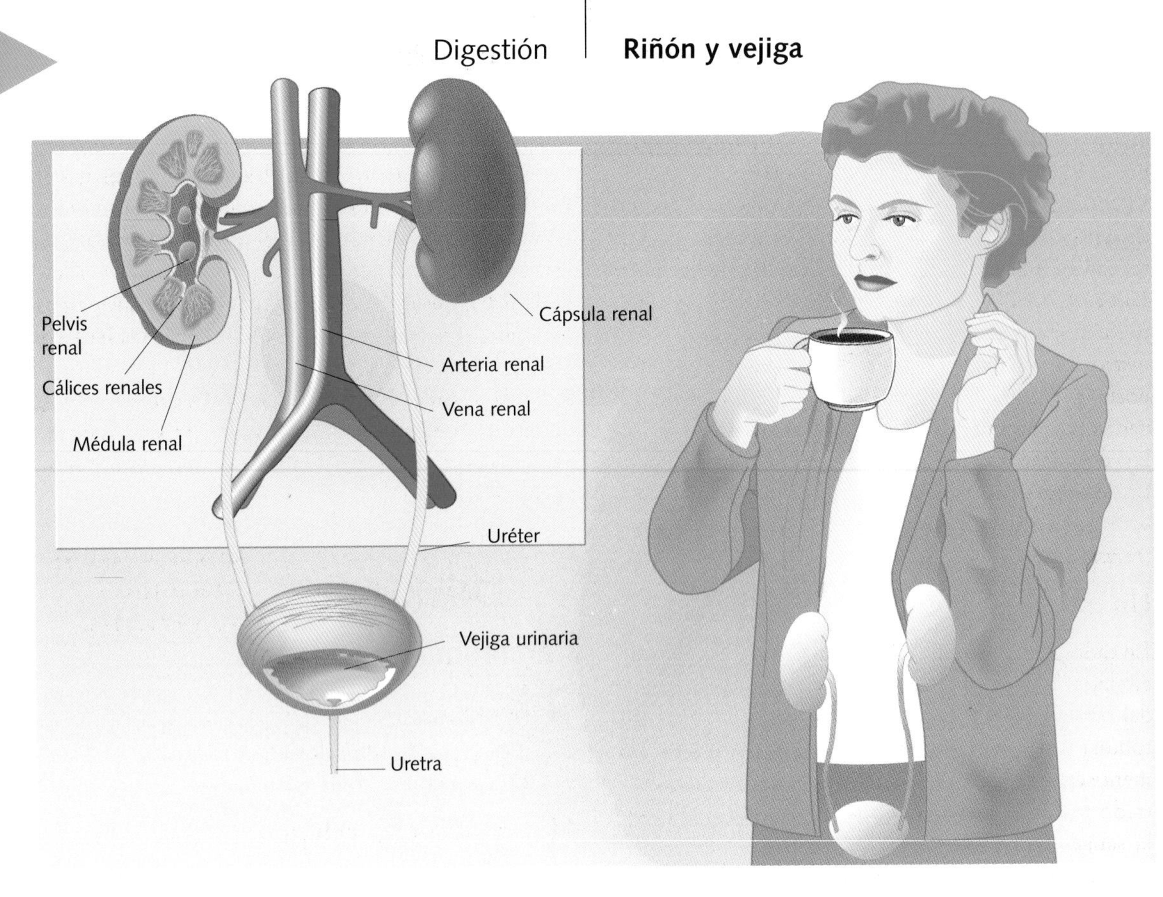

Riñones y vegija urinaria

- **Los riñones, una "depuradora"**
- **Las nefronas**
- **La vejiga urinaria**

Cuando la vejiga está llena y nos avisa, suele ser molesto tener que ir una vez más al lavabo para vaciarla. Y hasta muchas veces nos proponemos beber menos, para que esta necesidad no limite nuestros movimientos.
Pero limitar la bebida sería un error, porque supondría interrumpir la actividad de la "depuradora" de nuestro organismo: los riñones. Ellos se encargan de filtrar la sangre y de eliminar los agentes tóxicos hidrosolubles; también son responsables de la regulación del equilibrio salino y de agua, sin mencionar otras muchas funciones. La renina, un enzima que se produce en los riñones, es muy importante en la regulación de la tensión arterial. Con todo, comparados los riñones con una depuradora éstos tienen la ventaja de que la orina de una persona sana es estéril.

Pequeño, pero vital

Comparados con las tareas que realizan, los riñones son diminutos. El tamaño medio de cada uno es de tan sólo unos 6 por 12 centímetros, y su peso es de unos 150 gramos. Estos dos órganos simétricos están situados en la cavidad abdominal, en una localización retroperitoneal, y dispuestos en las fosas renales, a derecha e izquierda de la columna vertebral. Los mantiene en su lugar el pedúnculo renal del peritoneo, el envoltorio renal y la cápsula adiposa. Junto con los genitales, los riñones y la vejiga urinaria configuran el denominado aparato urogenital.
Cada riñón está provisto de una arteria renal, un vaso sanguíneo que nace en la vena aorta; de esta forma, cada riñón recibe grandes cantidades de sangre. Una vez que

la sangre ha alcanzado las nefronas, fluye de regreso por la vena renal para incorporarse a la circulación.
El riñón se halla rodeado de una cápsula transparente de tejido conectivo fibroso, y otra de adiposo, estructurándose en tres zonas: corteza, médula y pelvis renal. La orina, producida en las nefronas, se recoge y dirige por el uréter hasta la vejiga urinaria. Como este "suministro" es constante, la orina debe ser alejada y transportada de inmediato. Esta misión la tienen encomendada unos finísimos músculos situados en la pared de los dos uréteres. De una a cinco veces por minuto transportan la orina desde la pelvis renal hasta la vejiga urinaria, realizando para ello movimientos ondulantes (*peristálticos*).

Un millón de estaciones filtrantes

En cada riñón existe más de un millón de unidades funcionales, las nefronas: unidad excretora del parénquima del riñón. Cada una de ellas se compone de un sistema tubular y de un glomérulo, fisiológica y anatómicamente diferenciados. En el glomérulo se produce el filtrado plasmático (*orina primitiva*), un ultrafiltrado de la sangre que llega por la arteriola aferente y, luego, avanza hasta el túbulo. En éste tienen lugar los cambios de composición de la orina: la absorción de agua, sales y otras sustancias, producto también de la secreción (ácido úrico, urea, hidrogeniones, potasio, etcétera). La mayor parte de la sangre es devuelta a la circulación sanguínea. A través de los uréteres, la parte desechable es transportada desde la pelvis renal hasta la vejiga.
Si nos fijamos en detalle, cada glomérulo se compone de una cápsula a la que llega un finísimo vaso sanguíneo y de la que sale, a su lado, otro idéntico. Estos capilares suministran la sangre, o bien la transportan de nuevo, una vez drenada, a la circulación sanguínea del organismo. Tales canillos no discurren en línea recta por el interior de la cápsula, sino que forman una especie de "ovillo" con los vasos sanguíneos que recibe el nombre de glomérulo.
Mientras la sangre circula a través del ovillo de vasos, un líquido se filtra en el espacio vacío de la cápsula. Esta es la denominada "orina primitiva", que abandona la cápsula del glomérulo renal para circular a través de los túbulos renales, unos finísimos canales de varios milímetros de longitud. Alrededor de estos túbulos se enrollan otros vasos sanguíneos, que recaptan entre el 99 y 99,5% de la orina primitiva para devolverla a la circulación sanguínea. Por este sistema no sólo se devuelve líquido al cuerpo, sino también importantes sustancias disueltas en la orina primitiva. La orina restante (*orina secundaria*) llega después de discurrir por un sistema de canalillos, donde es nuevamente concentrada en un tubo colector. Dicho tubo desemboca en las papilas renales, y la orina va goteando en los cálices de la pelvis renal. La orina es entonces conducida por los uréteres hasta la vejiga, donde se almacena hasta su posterior evacuación.
De esta forma, diariamente se producen entre 1 y 1,5 litros de orina, ¡mientras los glomérulos producen unos 80 litros de orina primitiva durante este mismo período de tiempo!

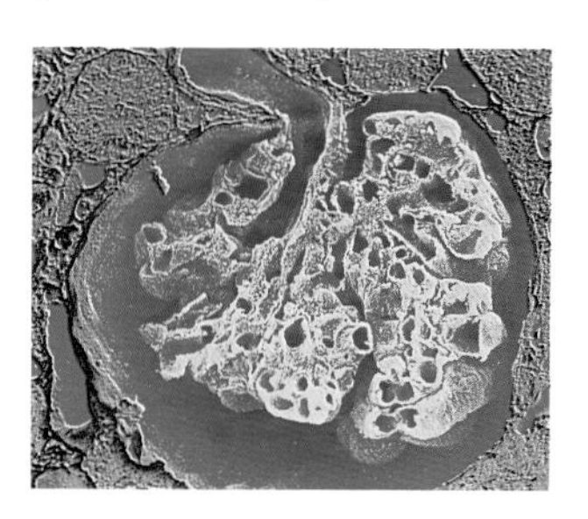

Millones de minúsculas nefronas filtran y purifican la sangre.

El control de la vejiga

Durante la niñez, uno de los primeros actos de "aprendizaje" de la persona consiste en saber cómo controlar la vejiga. Un problema ciertamente difícil, pues exige la coordinación de diversos factores.
Por una parte, sólo poseemos una muy limitada influencia sobre el esfínter vesical, y, por otra, es difícil ser conscientes de cuándo deseamos efectuar la micción, pues esta circunstancia sólo se da en la fase determinada de acumulación de orina en la vejiga. Todo lo demás, tiene carácter reflejo.
Bien protegida por la pelvis, la vejiga está resguardada tras el pubis. Desde un punto de vista histológico, su pared es similar a la del uréter (de 30 a 35 centímetros de longitud), pero más gruesa. La lámina es de tipo colágeno y contiene fibras elásticas. La capa más profunda es más laxa, y posee un mayor número de fibras elásticas. Cuando la vejiga se hincha y llena, el músculo "detrusor" se contrae para expulsar el contenido. La capa muscular está formada por tres haces musculares, cuyos espesores varían según las zonas de la vejiga, que envuelven una parte de la uretra a través de la que se expulsa la orina.
Aunque la vejiga sea capaz de acumular hasta de 0,8 litros, si una persona adulta acumula 0,4 litros de orina en su vejiga, tendrá inmediatamente necesidad de ir al lavabo para evacuar su contenido.

Casos de urgencia

Norma general

Cualquier alteración en el aparato urinario que dificulte o imposibilite la producción de orina y su evacuación, puede ser la causante de graves y rápidas intoxicaciones que ocasionen graves trastornos circulatorios. Por este mismo motivo, ¡si sufre dolores o hemorragias, acuda al médico!

Cólico por cálculos (litiasis renal)

▶ Síntomas:
- ➜ dolor unilateral, que se produce en la región lumbar, irradiándose a veces hasta la vejiga urinaria;
- ➜ náuseas, vómitos;
- ➜ sudoración, hipotensión.

La producción de un cólico reno-ureteral suele deberse a la impactación de un cálculo que dilata los uréteres y hace que queden obstruidos. El dolor se produce como consecuencia de los movimientos de la musculatura de los uréteres, que intentan vencer dicha obstrucción.

Tratamiento médico

Basándose en la irradiación del dolor, el médico establecerá la posición exacta del cálculo. Después de un examen por ultrasonidos, radiografía y análisis de orina, el facultativo prescribirá medicamentos antiespasmódicos, antiinflamatorios y analgésicos. En algunas ocasiones, el cálculo es empujado hacia adelante por el impulso que ejerce la propia orina.

Autoayuda

No es posible.

Hematuria (sangre en la orina)

▶ Síntomas:
- ➜ micción sanguinolenta.

La presencia de sangre en la orina puede deberse a varias causas. Si existen tumores, pueden producirse hemorragias –sobre todo secundarias– en la vejiga y los riñones, no tan frecuentes en las prostatitis benignas o en la cistitis aguda. La coagulación de la sangre en la vejiga urinaria forma tapones que la obstruyen. En este caso se habla de obstrucción de los uréteres, que impide la acumulación de orina en la vejiga.

Tratamiento médico

Después de extraer el trombo de la vejiga, se procede a controlar el foco de la hemorragia para detenerla.

Autoayuda

No es posible.

Anuria (supresión de la eliminación de orina)/**Iscuria** (retención de orina)

▶ Síntomas:
- ➜ *anuria:* menos de 0,1 litro de orina al día;
- ➜ *iscuria:* incapacidad de evacuación de la vejiga.

Las causas que hacen evacuar cantidades mínimas de orina o la incapacidad de evacuación son:
- Por los riñones circula muy poca sangre, como consecuencia, por ejemplo, de una hipotensión.
- La destrucción de las unidades de filtrado (→ Inflamación de glomérulos).
- Cálculos o tumores que impiden la circulación con normalidad de la orina.

La retención de orina puede producirse por un estrechamiento en la uretra, que en los hombres suele deberse a una prostatitis benigna.

Tratamiento médico

Mediante ultrasonidos se establecerá un primer diagnóstico. Si debido a un estrechamiento de los uréteres existen dificultades en la micción, se procederá a introducir una sonda a través de la pared abdominal hasta el riñón, con el fin de vaciar la orina acumulada en la pelvis renal o, si ello es factible, eliminar el obstáculo existente en el uréter. Una vez que la vejiga se halla repleta a rebosar de orina, deberá vaciarse utilizando con este fin una sonda uretral que llegue hasta ella.

Autoayuda

No es posible.

Pruebas clínicas especiales

A través de múltiples señales externas, el médico es capaz de detectar una enfermedad de los riñones. Puñopercutiendo los riñones, palpando la vejiga llena y los correspondientes ganglios linfáticos, averiguará qué alteraciones de tamaño y modificaciones de forma se han producido; también, percutiendo la zona renal podrá comprobar la sensibilidad al dolor de los órganos. Especialmente importante es el análisis de orina en el laboratorio.

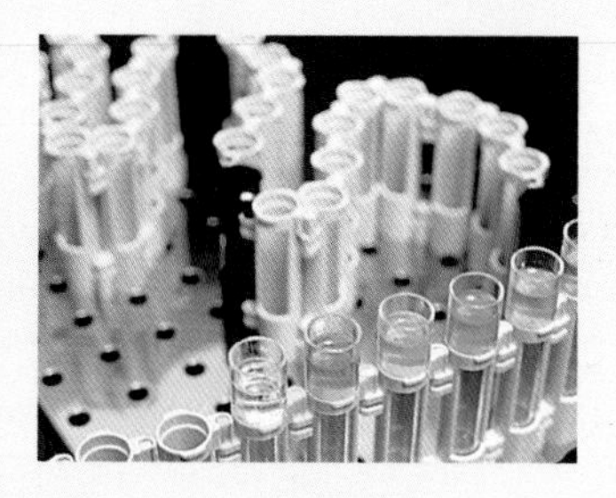

Los análisis clínicos de la orina proporcionan importantes informaciones respecto a diversas enfermedades.

Muestra de orina

En las farmacias expenden unos frasquitos especiales diseñados para recoger la orina. Este método es especialmente apropiado para los hombres, ya que pueden desinfectar previamente la punta del pene, impidiendo de esta forma que puedan penetrar impurezas del exterior en la orina.
En las mujeres resulta particularmente importante que el diagnóstico de una infección sea negativo, ya que las células inflamadas, la sangre o las bacterias presentes en la orina pueden proceder de la vagina o del útero. Por este motivo, la orina de las mujeres debería obtenerse utilizando una pequeña sonda.

Análisis en el laboratorio

En el laboratorio es factible determinar si los riñones cumplen con su misión y hasta qué punto. En el caso de infecciones, se detectarán los agentes patógenos causantes. Las enfermedades en el tejido renal indican una albuminuria de diferentes tipos; glucosa en la orina muestra una diabetes mellitus, que también puede revelar una enfermedad de las cápsulas suprarrenales o de los propios riñones; el cambio de color de la orina puede ser debido a hemorragias o medicamentos, pero también a los colorantes empleados en los alimentos.

Ultrasonidos y radiografías

Con los ultrasonidos pueden diagnosticarse con exactitud todas las alteraciones que se producen en el ámbito del tracto urinario, excepto en los uréteres. Mediante la exploración radiográfica se observa cómo el medio de contraste, inyectado previamente en una vena circula y, luego, es evacuado. Este método permite determinar la capacidad de funcionamiento del riñón (*renografía*). Introducido previamente a través de la uretra, el medio de contraste puede llegar y llenar la vejiga urinaria (*cistografía*), los uréteres y la pelvis renal.

Endoscopia de vejiga y riñones

El endoscopio es un instrumento que permite al médico explorar no sólo la uretra y la vejiga urinaria (*cistoscopia*), sino también –a través de los finos uréteres– visualizar la pelvis renal. La endoscopia es especialmente importante para descubrir o extirpar los tumores localizados en la vejiga urinaria.

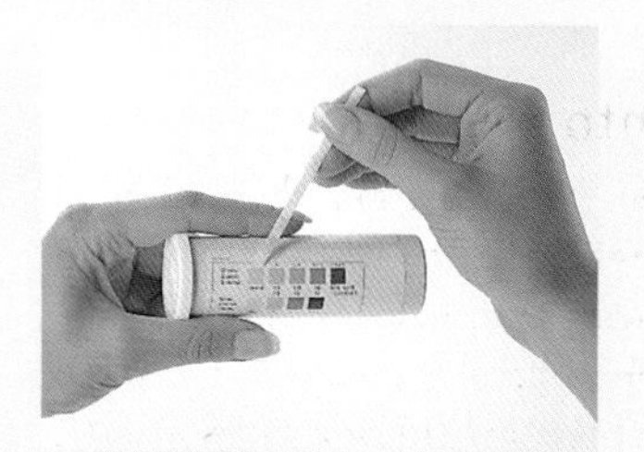

El color permite, en los análisis de orina mediante tira reactiva, un rápido resultado.

Cistometría

Este método, realizado con un catéter muy delgado y flexible, se utiliza para estudiar el mecanismo neuromuscular de la vejiga urinaria midiendo su presión y capacidad, incluyendo el vaciado de orina de la vejiga. Según el grado de acumulación de orina, la *cistometría* muestra el comportamiento de la musculatura de la vejiga.
El *cistometrograma* revela los cambios de presión intervesical a medida que se va llenando la vejiga urinaria con orina. En caso de incontinencia urinaria ocasionada por estrés (→ Incontinencia urinaria), se procede a realizar el perfil de la presión uretral, que indicará la presión ejercida por la musculatura vesical y el volumen de la micción.

Irritación de la vejiga urinaria

► Síntomas:

- frecuentes deseos de micción, evacuando cantidades de orina reducidas;
- ligeros dolores en al hipogastrio.

Los síntomas son parecidos a los de la → Inflamación de la vejiga (*cistitis*), pero no tan acusados. No puede demostrarse la existencia de agentes patógenos causantes de una infección. La irritación de la vejiga es consecuencia de las "informaciones erróneas" que ésta remite al cerebro, "comunicándole" que está llena. Esto provoca entonces tensión en la musculatura vesical, que presenta la creciente necesidad de expulsar la orina, aunque la vejiga permanezca casi vacía.

Tratamiento médico

Si acusa alguno de los síntomas descritos, es necesario que visite a su médico para que le reconozca y pueda diagnosticar si padece una cistitis o una inflamación de los órganos adyacentes. Los antiespasmódicos ayudan a "tranquilizar" la vejiga, pero también se consigue un buen resultado con productos vegetales (semillas de calabaza).

Autoayuda

Además de entrenar a la vejiga para realizar las micciones en intervalos de tiempo cada vez más distantes los unos de los otros, es preciso beber en el trascurso del día mucha cantidad de agua.

Los baños de asiento calientes, la realización de ejercicios físicos para relajarse, el entrenamiento autógeno y gimnasia para la pelvis alivian en gran medida la irritación de la vejiga urinaria.

Los trastornos vesiculares pueden tratarse con infusiones vegetales, semillas de calabaza y, naturalmente, bebiendo mucha agua.

Incontinencia urinaria

► Síntomas:

- *incontinencia urinaria al esfuerzo:* micción involuntaria al toser, reír o inclinarse;
- *tenesmo vesical:* sensación de evacuación incompleta tras haber realizado una micción;
- *incontinencia por rebosamiento:* micción incontrolada cuando la vejiga se llena;
- *incontinencia total*: la vejiga urinaria no puede cerrarse.

Más de la mitad de las mujeres que superan la edad de 35 años, padecen esta micción involuntaria. En los hombres es bastante menos frecuente, ya que suelen padecer más de incontinencia desbordante.

En caso de sufrir incontinencia urinaria al esfuerzo o estrés, la tos, los estornudos y las risas ejercen presión intraabdominal que provoca la pérdida de orina, pues los esfínteres de cierre dejan de funcionar. Asimismo, basta pequeños esfuerzos, como ponerse de pie o caminar, para que se produzca la micción involuntaria. El motivo reside en una débil musculatura pélvica, que no ofrece el apoyo preciso a la vejiga, por lo que retener la orina resulta imposible.

Si se produce la urgencia miccional, llamada incontinencia urgente, los afectados al tener la necesidad de orinar son incapaces de llegar al lavabo. La culpa reside en la musculatura vesical. Las causas pueden ser trastornos nerviosos, cerebrales o de la médula espinal; o una hiperestimulación de los músculos de la pared vesical, de forma que ésta se vacíe sin poder evitarlo.

La causa de la incontinencia por rebosamiento reside en la imposibilidad física de efectuar la micción. En los hombres generalmente está causada por prostatitis, uretritis, cálculos vesicales o una deformación congénita de la uretra. Las consecuencias de un impedimento mecánico suponen que la orina se acumula y remansa en la vejiga. Si del riñón llega más orina a la vejiga, ésta rebosa y se desborda.

Tratamiento médico

Siempre que se produce una micción involuntaria, es necesario acudir al médico. Mediante Rayos X (*uretrocistografía*) o ultrasonidos, o con las denominadas mediciones urodinámicas, podrán diagnosticarse las causas que ocasionan las molestias.

Una vez establecido el diagnóstico, se aplicará la terapia más apropiada en cada caso.

Ayudas en caso de incontinencia

A pesar de su frecuencia entre la población, hablar de incontinencia urinaria sigue siendo un tema tabú, que incluso se oculta al médico, siempre y cuando la presión inguinal no sea ya muy acentuada. Sin embargo, existen posibilidades para enfrentarse al problema.
Contra la incontinencia urinaria al esfuerzo y el estrés, la mayoría de las veces una buena ayuda es una gimnasia de la pelvis para, con su practica, fortalecer la musculatura. También es posible, sin llamar la atención, entrenar los músculos del esfínter. Para ello, en plena micción se interrumpirá el proceso de evacuación, tensando a un tiempo los músculos del esfínter. Finalmente, el cuello de la vejiga puede tratarse con medicamentos, como por ejemplo, con estrógenos en las mujeres. De no conseguirse el resultado apetecido, los ligamentos de la pelvis pueden tensarse mediante una intervención quirúrgica. Si se da la urgencia miccional, la mejoría deseada se conseguirá mediante la administración de fármacos antiespasmódicos.

Aquellas alteraciones que impidan un vaciado completo de la vejiga urinaria, como tumores en el cuello de la vejiga, prostatitis o deformaciones, requerirán la correspondiente intervención quirúrgica.

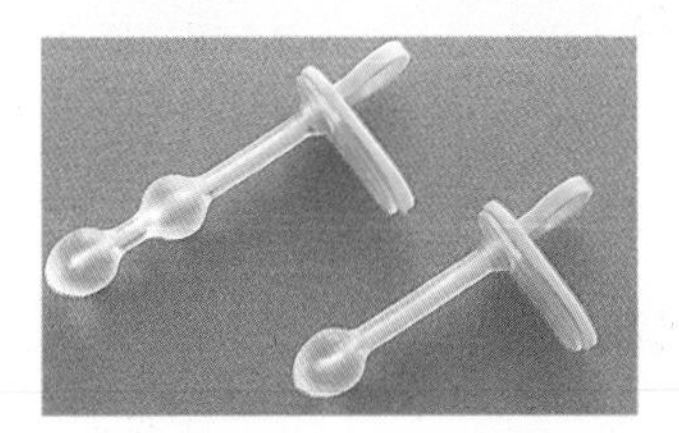

Estos "taponcitos" evitan la pérdida involuntaria de orina en las mujeres.

Algunos métodos extraordinarios siguen siendo los de tipo "conservador". Así, las mujeres pueden ponerse compresas que absorban la orina y además neutralicen el olor. Para los hombres, existe una especie de preservativo que recubre todo el pene y recoge la orina en su interior.
Por otra parte, conviene acostumbrar a la vejiga urinaria a realizar las micciones de forma periódica.

Autoayuda

Véase recuadro → Ayudas en caso de incontinencia.

Cistitis (inflamación de la vejiga)

▶ Síntomas:
- ardor y pinchazos durante la micción;
- frecuentes deseos de evacuar la orina, cantidades de orina mínimas;
- dolores por encima del pubis.

La mayoría de los casos cursan con una inflamación de la mucosa de la vejiga urinaria. En los casos más graves, puede verse incluso afectada la pared de la vejiga. Por regla general, aunque también puede ser consecuencia de una infección "descendente" de los riñones y uréteres, la inflamación está causada por bacterias, hongos o virus que han penetrado por la uretra, procedentes del exterior. Los agentes patógenos pueden anidar en la vejiga por diversos motivos.
Así, si la vejiga urinaria, debido a que se bebe muy poco líquido, no reciba la suficiente cantidad de orina; o a trastornos en la micción, cambio de posición de la vejiga, prostatitis y, en ocasiones, después de una cateterización. Las relaciones sexuales propician en la mujer la aparición de cistitis, debido a que durante las mismas los agentes patógenos penetran más fácilmente en la uretra y la vejiga urinaria. Si no se trata debidamente la infección, existe el peligro de que "ascienda" y llegue hasta los riñones, provocando en ellos una infección de la pelvis renal y, luego, del parénquima (*pielo-nefritos*).

Tratamiento médico

El análisis de orina en el laboratorio detectará la existencia de agentes patógenos. Las bacterias serán combatidas con antibióticos, y los hongos con un producto antimicótico apropiado.

Autoayuda

La mejor prevención contra las cistitis consiste en beber mucha agua. De esta forma, la vejiga permanecerá limpia. La ingesta de infusiones contra las dolencias de riñón y vejiga, sobre todo las de hojas de abedul y de uvaduz (*gayuba*), incrementa la efectividad del agua ingerida.

Uroterolitiasis

▶ Síntomas:

➜ dolores en la zona renal que se irradian a la espalda, hipogastrio y genitales;

➜ náuseas, vómitos.

La formación de cálculos es frecuente, por lo que pueden enclavarse en el uréter y producir dolor a la percusión. Si el cálculo está a la altura de las vértebras lumbares, el dolor será fuerte y se acompañará de una gran retención de orina, así como del aumento de tamaño del riñón, vómitos y fiebre.
Al principio el enclavamiento ilíaco puede parecer una apendicitis, siempre que el cálculo renal esté a la altura de la pelvis; los síntomas son como los de la cistitis. La obstrucción de los uréteres puede producirse en el interior de la vejiga, o ser debida a tumores en los uréteres o a presión durante el embarazo. Si la vejiga no consigue evacuar la orina, el aumento de presión asciende a los riñones y el riego sanguíneo se vuelve deficiente; la sangre deja de filtrarse y el tejido renal se destruye.
Si ambos riñones se ven afectados, la sangre y los tejidos retienen desechos y agua. El final de este proceso patológico es la *insuficiencia renal.*

Tratamiento médico

Durante la fase aguda se procederá a vaciar de orina con un catéter o una fístula renal (comunicación directa entre la pelvis renal y el exterior), hasta que el obstáculo pueda ser eliminado.

Autoayuda

No es posible.

Cálculos renales (piedras en el riñón)

▶ Síntomas:

➜ dolores punzantes que empiezan en la región lumbar debajo del arco costal, que van desplazándose hacia la región inguinal;

➜ a veces sangre en la orina (*hematuria*);

➜ eventualmente, náuseas y vómitos.

Esta enfermedad recibe el nombre de *urolitiasis* o *litiasis renal.* Si como consecuencia de inflamaciones en el tracto urinario se descubre en la orina la presencia de compuestos cálcicos u oxalatos, o hay alteraciones de la acidez (valor pH), estas sustancias químicas pueden formar concreciones diminutas o cálculos grandes. En casos extremos, los cálculos renales pueden atascarse en la pelvis renal. Mientras permanecen fijos no suelen producir dolores, pero cuando se desplazan obligan a los uréteres a dilatarse y se produce el cólico.
Las obstrucciones e inflamaciones de los uréteres propician la formación de concreciones, así como beber poca agua y la composición de los alimentos. Existen enfermedades que favorecen la formación de cálculos renales, ya que modifican la composición de la sangre y orina. Una hiperfunción de las glándulas paratiroideas produce crecientes valores de calcio en sangre; la gota, un aumento de los valores de ácido úrico.
A su vez, todas estas causas originan las variadas composiciones de los cálculos. Aunque las más frecuentes son las del *oxalato cálcico* y *fosfato cálcico*; su pH apenas presenta variaciones. No tan frecuentes son los *cálculos de cistina* (requieren una diuresis amplia y un pH alcalino por encima de 7), y los *cálculos de fosfocarbonato amoniomagnésico* (estruvita), que son secundarios a infecciones urinarias por gérmenes.
Si la pelvis renal aloja durante mucho tiempo un cálculo biliar, lesionará el drenaje de orina en el tejido renal, pudiendo propiciar que se produzca una grave sepsis.

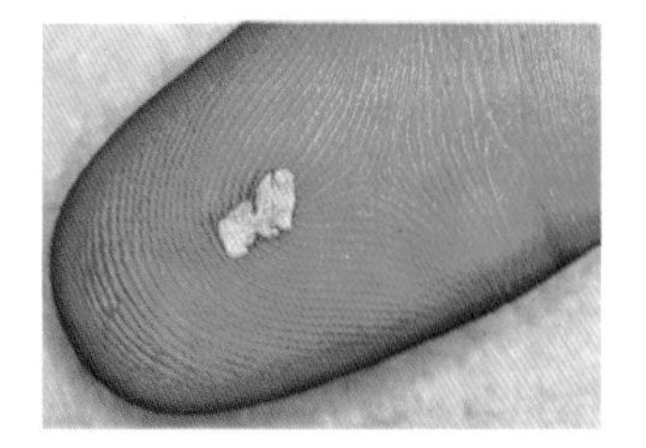

Incluso un cálculo renal tan diminuto como éste, produce los más intensos dolores al ser expulsado a través de los uréteres.

Tratamiento médico

Si padece alguno de los síntomas, es necesario acudir al médico. Se realizarán análisis de sangre y de orina; se analizarán los cálculos expulsados y se explorarán los riñones mediante ultrasonidos. El médico examinará las radiografías y comprobará si los cálculos son de oxalato o de fosfato cálcico; empleando un medio de contraste, podrá detectar los de urato y cistina. Los cálculos del tamaño de un guisante pueden pasar por los uréteres, labor que se puede facilitar bebiendo mucha agua y tomando antiespasmódicos. Algunos medicamentos pueden disolver los cálculos. Los de oxalato cálcico y fosfato cálcico pueden fracturarse con el litotritor, que fragmenta los cálculos con ultrasonidos. Los fragmentos más pequeños, se expulsan durante la micción (*litotricia extracorpórea*).

Autoayuda

Medidas preventivas: mucha agua y mucha actividad física. Conviene beber infusiones de frutas o hierbas medicinales y zumos diluidos; unos 2,5 litros diarios, y más todavía si los días son calurosos y la transpiración del cuerpo mayor.

Pero para obtener un resultado óptimo, esta cantidad de líquido ha de beberse repartida a lo largo de todo el día. Si la persona que tiene cálculos conoce el tipo a los que tiene propensión, es muy recomendable que siga la siguiente dieta que aquí se expone:

- Si los cálculos son formaciones cálcicas, se debe incluir en la dieta: poca leche y productos lácteos y sal, así como agua mineral pobre en calcio.
- Para los cálculos de oxalatos, lo más indicado es evitar las espinacas y el ruibarbo; en su lugar, se pueden tomar alimentos ricos en magnesio (plátanos, copos de avena, arroz natural, etcétera).
- En caso de que sean cálculos de uratos, incluir alimentos pobres en proteínas.

Quistes en los riñones

▶ Síntomas:

➜ eventualmente, dolores en la región lumbar o en el abdomen.

Los quistes son cavidades patológicas, esféricas u ovaladas que crecen en los riñones y que suelen ser de origen congénito. Si son pocos y solitarios, no producen molestias y solamente se les descubre por casualidad en el trascurso de un reconocimiento rutinario.

Pero en la enfermedad poliquística de los riñones las formaciones quísticas son innumerables y se hallan diseminadas por el parénquima.

Los síntomas aparecen alrededor de los 30 y los 40 años de edad, advirtiéndose un aumento de la tensión arterial, así como diversas infecciones de las vías urinarias que suelen llevar a padecer una insuficiencia renal.

Tratamiento médico

Algunos quistes solitarios, sin una sintomatología concreta, no requieren tratamiento alguno. Pero la enfermedad poliquística de los riñones, precisa una terapéutica adecuada a la hipertensión y a las infecciones propias de las vías urinarias.

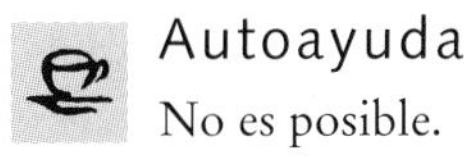

Autoayuda

No es posible.

Pielitis (infección de la pelvis renal)

▶ Síntomas:

➜ fiebre, en ocasiones escalofríos;
➜ micción dolorosa;
➜ dolores de espalda en la región lumbar;
➜ náuseas, dolores abdominales;
➜ cefaleas.

La *pielitis* está producida (*pielonefritis* si se produce la inflamación del parénquima renal) por una invasión de gérmenes que, después de haber penetrado por la uretra y la vejiga, ascienden hasta los riñones.

Esta infección puede verse favorecida por una cistitis previa, dificultades en la micción, una litiasis renal o, incluso, una prostatitis.

Los lactantes y niños pequeños padecen mucho este tipo de enfermedad, así como las mujeres embarazadas y los hombres de edad avanzada; si los niños padecen fiebre, se debe pensar en la posibilidad de que padezcan esta infección de la pelvis renal.

Una pielitis puede convertirse con el tiempo en crónica. En este caso, los síntomas son un gran cansancio y las depresiones que padece la persona, cefaleas, náuseas, así como dolor sordo en la región lumbar, o brotes febriles sin motivo aparente.

Si a la pielitis no se le aplica la terapia adecuada, pueden llegar a formarse abscesos purulentos (carbuncos renales), que pueden llegar a desencadenar una sepsis mortal o en una pielonefritis de carácter crónico.

Tratamiento médico

Si detecta los síntomas descritos, acuda inmediatamente al médico de cabecera o de familia. Le mandará realizar un análisis clínico de sangre y orina, así como una pielografía, técnica radiológica realizada con medio de contraste para su diagnóstico.

Para combatir la infección, le prescribirá antibióticos; y, si fuera preciso, eliminará las obstrucciones que impidan la evacuación de la orina.

Autoayuda

Es necesario beber mucha agua. Si por las vías urinarias circula mucho líquido, las bacterias encuentran más difícil la colonización de las zonas más apropiadas para su asentamiento y posterior colonización.

Glomerulonefritis (inflamación del glomérulo renal)

▶ Síntomas:

- ➜ sangre en la orina (*hematuria*);
- ➜ eventualmente, hipertensión arterial;
- ➜ acumulación de agua en los tejidos, párpados hinchados por las mañanas (*edema palpebral*).

La enfermedad suele deberse al depósito de inmunocomplejos, o a la existencia de anticuerpos contra las estructuras glomerulares. Esta nefropatía lesiona los glomérulos. Pocas veces es aguda, y aparece después de una infección estreptocócica. Otras formas, cuyas causas pueden ser diferentes, pueden desembocar en una insuficiencia renal. En las inflamaciones crónicas, cuyos síntomas aparecen lentamente, se produce la obstrucción de los capilares filtrantes por depósitos albuminosos, y las proteínas y los glóbulos rojos muertos son expulsados a través de la orina. Las consecuencias son: hipertensión arterial, edemas y, con el tiempo, insuficiencia renal.

Tratamiento médico

Si la causa es estreptocócica, se requiere la aplicación de una terapia con antibióticos; pero este tratamiento debe imponerse antes de que se desencadene la glomerulonefritis. Adicionalmente, para eliminar el depósito de inmunocomplejos, podrán administrarse corticoides y otros fármacos. Los edemas y la hipertensión arterial deberán combatirse con tratamientos sintomáticos adecuados.

Autoayuda

Tras consultar con el médico, como medida adicional se adoptará una dieta pobre en sal.

Tumores en el riñón o en la vejiga urinaria

▶ Síntomas:

- ➜ sangre en la orina (*hematuria*);
- ➜ en ocasiones, dolores como en la litiasis renal.

Los tumores en los riñones o la vejiga suelen ser tardíos y, a veces, sólo se descubren al efectuar una exploración con ultrasonidos o un reconocimiento precoz del cáncer. Si el tumor produce una hemorragia, los coágulos pueden obstruir los uréteres, apareciendo dolores espasmódicos similares a los de la litiasis renal. Fumar propicia el desarrollo de tumores vesicales.

Tratamiento médico

En caso de que aparezca sangre en la orina, acuda al médico. Si hay hematuria, y se descarta un origen infeccioso, se efectuará una cistoscopia para descubrir si la causa es un tumor. Se explorará el riñón con ultrasonidos, tomografía computarizada o radiografías. Los tumores se extirparán y, si está afectado el riñón, también los ganglios linfáticos. El riñón podrá conservarse si está en fase inicial. De extirparse la vejiga, se aplicará un evacuador de orina artificial. Se puede crear una vejiga ileal con un segmento del ileón, que se abrirá al exterior a través de la pared abdominal y al que se fijarán los uréteres. Si se descubriera un carcinoma de las vías urinarias, se requerirá tratamiento quirúrgico con quimioterapia, radioterapia y medicamentos.

Autoayuda

Información general y consejos aparecen reseñados a partir de la página 576.

Insuficiencia renal

▶ Síntomas:

- ➜ coloración epidérmica pardoamarillenta;
- ➜ debilidad, cefaleas, cansancio;
- ➜ náuseas, sobre todo por las mañanas, vómitos;
- ➜ eventualmente, poca orina en las micciones (*oligo-anuria*).

La insuficiencia renal aguda puede estar provocada por un *shock* circulatorio. Los riñones no producen orina por un insuficiente riego sanguíneo, y los elementos nocivos permanecen en la sangre. Si el *shock* se trata con éxito, los riñones vuelven a funcionar con normalidad. Pero existen otras causas, una glomerulonefritis u otra enfermedad renal con destrucción de tejido renal, que puede desarrollarse durante varios años. El cuadro clínico aparece nítido cuando la capacidad depuradora queda reducida a 1/6 de lo normal.

Como consecuencia de esta insuficiente excreción, así como a la retención insuficiente de sustratos, surge el síndrome urémico (*uremia*), que es la fase terminal de las insuficiencias renales. Entre los síntomas destacan: hipertensión arterial constante, manifestaciones nerviosas (cefalea persistente), trastornos sensoriales, convulsiones, colorido pálido o grisáceo de la piel (rostro y manos), fiebre, así como náuseas, vómitos y anemia. En las mujeres se retira la menstruación y en los hombres se produce impotencia, así como otros múltiples trastornos y molestias.

Tratamiento médico

El diagnóstico de la enfermedad se establece de acuerdo con los resultados que proporcionan los análisis de sangre y de orina, así como las exploraciones clínicas realizadas con ultrasonidos y mediante análisis de tejidos (*biopsias*). Para detener la progresión de la insuficiencia renal, es necesario el tratamiento de las enfermedades subsidiarias, como la elevada tensión arterial. Además, es necesario imponer al paciente una dieta alimentaria pobre en proteínas (máximo 60 gramos al día). Bajo control médico, el paciente deberá beber 2,5 litros de agua o infusiones al día, al mismo tiempo que se instaura una medicación con diuréticos. Si se presentan síntomas de toxicidad, aún cabe la posibilidad de aplicar la denominada terapia sustitutoria del riñón (diálisis, → El riñón artificial) o proceder al trasplante del órgano afectado.

Autoayuda

Lo único es seguir estrictamente las normas dietéticas prescritas por el médico.

El riñón artificial: hemodiálisis

Si los síntomas son graves, la depuración extrarrenal (diálisis) será el único medio que hará posible la desintoxicación del cuerpo. La diálisis elimina las toxinas que han de ser filtradas y desechadas de la sangre. Existen dos posibilidades de realizar la diálisis: la denominada *hemodiálisis* y la *diálisis peritoneal.*

En la hemodiálisis, un riñón artificial asume las tareas de los órganos enfermos. Este aparato utiliza un procedimiento extrarrenal, y, a través de una membrana semipermeable, depura de la sangre los desechos tóxicos por difusión. Los productos tóxicos depurados son absorbidos por otro líquido. La sangre, "depurada" en unas placas bañadas en una solución salina isotónica, se bombea y reinyecta en la vena. Este proceso dura de cuatro a cinco horas, y tiene que repetirse tres veces a la semana.

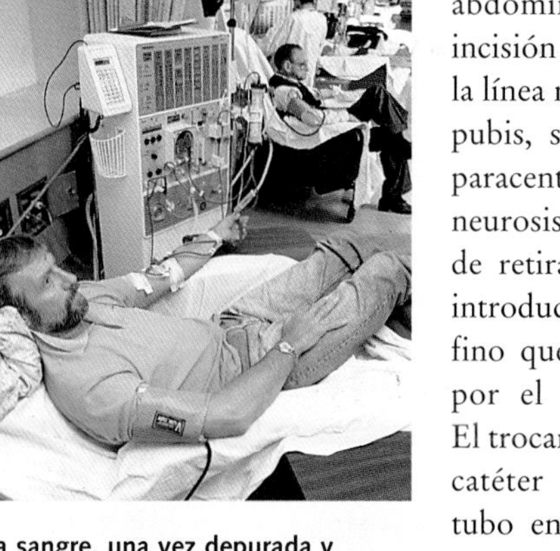

La sangre, una vez depurada y filtrada por este aparato, retorna a la circulación sanguínea del organismo.

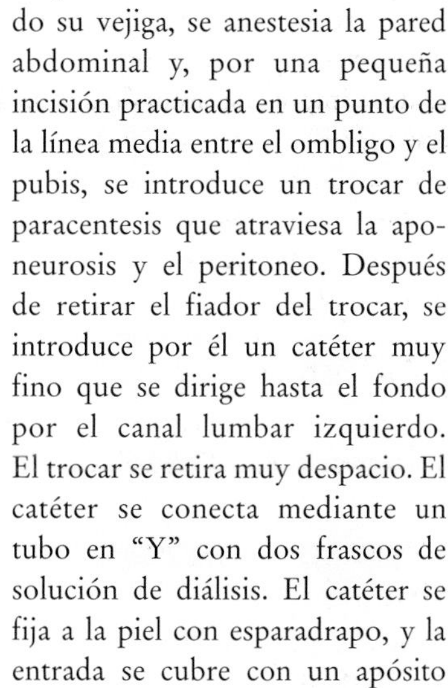

La diálisis peritoneal es un procedimiento depurador extrarrenal (no extracorpóreo) que, por difusión a través del peritoneo, permite extraer los desechos tóxicos acumulados en la sangre y el agua en exceso. Es un método sencillo y muy útil, que aprovecha la capacidad de absorción del peritoneo, sus propiedades como membrana semipermeable y su extensa superficie para establecer a través suyo un intercambio iónico y de otras sustancias cristaloides y difusibles entre la sangre y una solución apropiada introducida en la cavidad abdominal. La técnica más utilizada consiste en que una vez el enfermo ha vaciado su vejiga, se anestesia la pared abdominal y, por una pequeña incisión practicada en un punto de la línea media entre el ombligo y el pubis, se introduce un trocar de paracentesis que atraviesa la aponeurosis y el peritoneo. Después de retirar el fiador del trocar, se introduce por él un catéter muy fino que se dirige hasta el fondo por el canal lumbar izquierdo. El trocar se retira muy despacio. El catéter se conecta mediante un tubo en "Y" con dos frascos de solución de diálisis. El catéter se fija a la piel con esparadrapo, y la entrada se cubre con un apósito estéril. Aunque siempre existe el riesgo de infección a través del catéter, la ventaja de este método de diálisis peritoneal continuo es la movilidad que permite. La mayor independencia se consigue con un trasplante de riñón, pero existe el inconveniente de hallar un donante idóneo. Por este motivo, la diálisis sigue siendo la única solución posible.

Vómitos en los niños

► Síntomas:
- ➜ vómitos;
- ➜ con frecuencia, pérdida de peso o, comparativamente, aumento de peso lento.

Cuanto más pequeño sea el niño, tanto más frecuente será que vomite algo de comida. En los bebés de una a cinco semanas de edad, después de cada ingesta suele producirse una expulsión violenta del contenido gástrico, especialmente cuando se produce una contracción espasmódica del esfínter pilórico. Si han mamado en exceso, los lactantes suelen vomitar fácilmente; pero también vomitan si la alimentación con leches preparadas no posee la composición adecuada, o si es alérgico a ciertos alimentos. Las infecciones, aunque no afecten directamente al tracto gastrointestinal, también producen vómitos, lo mismo que las peritonitis o apendicitis o, también, una obstrucción intestinal. En muy raras ocasiones, la causante de los vómitos suele ser una meningitis. Los niños de más edad vomitan frecuentemente cuando viajan en automóvil.
No tan frecuentes son ya los denominados vómitos cetónicos, que se producen sin una causa concreta pero que suelen prolongarse de dos a cuatro días. Estos trastornos normalmente desaparecen una vez cumplidos los 10 años de edad.

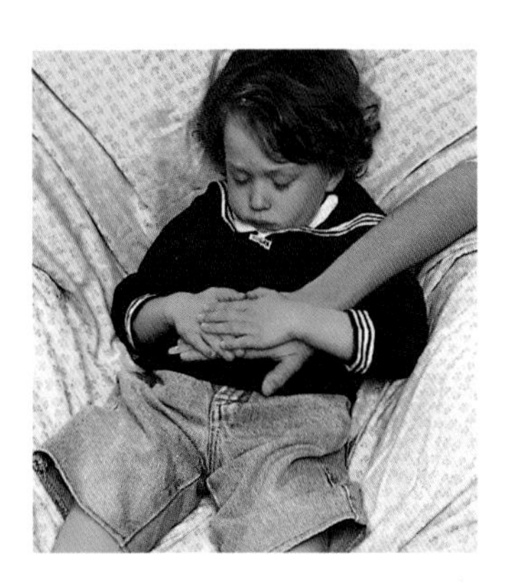

La mano de mamá colocada sobre el abdomen, es la mejor medicina para calmar el dolor de vientre del niño. Pero si no resultase eficaz, podría tratarse de algo más serio.

Tratamiento médico

Si los vómitos del niño no cesan, acuda al médico. Cuanto más pequeño sea un niño, tanto mayor es el peligro de deshidratación. Por este motivo, debe detenerse rápidamente la pérdida de líquidos y elementos minerales; o, en su caso, compensarlos. La terapia se adaptará siempre a las causas diagnosticadas.

¡Mi niño se ha tragado algo!

Si los padres descubren que su hijo ha ingerido algo que no debía (por ejemplo, algún fármaco), pueden provocarle el vómito haciéndole beber agua salada concentrada. El niño deberá beber un vaso de agua tibia con tanta sal común, que los cristales de ésta no se disuelvan en el líquido.
Sin embargo, este remedio no debe aplicarse en el caso de que el niño haya ingerido algo cáustico, como algún producto de limpieza. En este caso, la mejor ayuda consiste en beber agua en grandes cantidades.

Autoayuda

Para compensar la pérdida de líquidos, haga que su hijo beba el agua necesaria.

Diarrea en los niños

► Síntomas:
- ➜ mal humor, rechazo de la comida;
- ➜ vómitos repentinos, dolores abdominales;
- ➜ heces acuosas o pastosas.

Por regla general, la causa más frecuente de diarrea infantil suele ser una casi siempre una infección vírica, y más raramente bacteriana. Pero, a veces, son otras las infecciones que debilitan su cuerpecito.
Entre el 1 y 2% de las diarreas agudas de los lactantes están producidas por la alergia a la leche de vaca. Si la diarrea es persistente, la deshidratación y pérdida de elementos minerales pueden producir trastornos circulatorios en el organismo de los más pequeños.

Tratamiento médico

Cualquier alteración en los lactantes, exige ir al médico inmediatamente; si los niños son algo mayores, sólo si la diarrea no cede transcurridos dos días. Lo más importante es evitar la deshidratación. Para ello, su hijo debe beber mucho líquido (con minerales); si fuera necesario, a través de una sonda gástrica. El niño podrá comer de 12 a 24 horas; y, pasados cuatro o seis días, se restablecerá su alimentación normal.

Autoayuda

Haga que su hijo beba en abundancia, tanto como sea posible.

'streñimiento en los niños

► Síntomas:
- → después de no haber defecado durante varios días, heces muy escasas y duras;
- → dolores al evacuar las heces.

i su hijo no hace de vientre a diario no debe asustarse, ues aún no es un síntoma de estreñimiento. El estreimiento agudo puede producirse si, como consecuenia de un calor excesivo, el lactante tiene fiebre o bebe oca leche. El estreñimiento crónico suele ser el resulado de una dieta alimentaria equivocada: poca fibra, emasiado chocolate y escasez de líquidos.
'odo esto propicia el endurecimiento de las heces y el olor que se produce al expulsarlas. Pueden aparecer suras anales y, como consecuencia, el niño procura vitar la expulsión de las heces. También, una causa osible de los estreñimientos crónicos pueden enconrarse en los problemas psíquicos.

Tratamiento médico

Si su hijo no hace ninguna deposición durante arios días, o si la hace dolorosamente y con heces uras, conviene que lo lleve al médico.
:ste, a través de la pared abdominal, palpará el intestio recto para comprobar su estado. El intestino debe aciarse, bien de modo natural o bien con la ayuda de nos supositorios laxantes o con enemas si el niño es lgo mayor.

Autoayuda

Déle muchos líquidos a su hijo, pero en ningún aso ejerza presión sobre el intestino para que lo vacíe. 'ara estimularlo, es muy recomendable la fruta (peras, látanos, higos). ¡Posiblemente a su hijo le encanten las omidas de una dieta rica en fibras!

:ólicos del lactante

► Síntomas:
- → gritos, retortijones de dolor, pataleos después de cada ingesta, sobre todo al anochecer.

e desconocen las causas de estas molestias que afectan los niños varones entre la cuarta y la decimocuarta emana de vida. Podría ser que los niños, al mamar, igiriesen demasiado aire. Una vez cumplidos los tres ieses de edad, estos trastornos desaparecen.

Tratamiento médico

Aunque siempre es recomendable, no es indispensable acudir al médico. Pero, de esta forma, se podrá descartar que el niño no padece otra enfermedad.

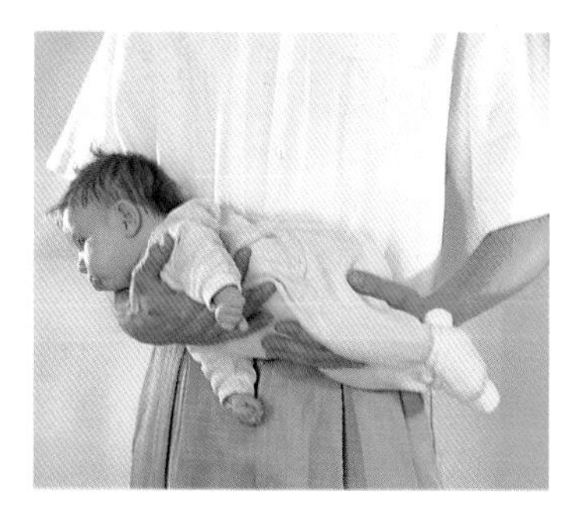

La "posición de aviador" y mantener la mano caliente sobre el abdomen, actúan como antiespasmódicos y tranquilizan al bebé.

Autoayuda

Durante la ingesta es muy importante que haya tranquilidad. Si el niño ha sido anteriormente amamantado, es imprescindible que los orificios de la tetina del biberón sean tan estrechos que la leche sólo gotee muy lentamente al darle al biberón la vuelta en posición vertical. Tampoco es recomendable introducir demasiado la tetina del biberón en la boca del bebé. Durante la lactación, conviene que el lactante eructe una o dos veces. Si se sigue dando el pecho, es muy aconsejable evitar aquellos alimentos que produzcan flatulencias.

Cólico umbilical

► Síntomas:
- → accesos de dolor en la región umbilical.

Reciben este nombre los espasmos intestinales que padecen, sobre todo, las niñas entre los 4 y los 12 años de edad. Estos dolores pueden durar desde unos minutos hasta horas, repitiéndose diariamente u ocasionalmente al cabo de unos meses; las causas radican en emociones, temores o en la ansiedad.

Tratamiento médico

Si las molestias aparecen frecuentemente, procede controlar si los órganos están en perfecto estado. En ciertos casos, un psicólogo aportará la ayuda precisa.

Autoayuda

Un delicado masaje abdominal y una botella de agua caliente, envuelta en un paño húmedo –no demasiado caliente–, relajan y tranquilizan.

¡Mi hijo no come!

A casi todas las madres les preocupa, sobre todo si se trata de su primer retoño, si su hijo come lo suficiente. Así, surgen las comparaciones con otros lactantes y se controla el aumento de peso constantemente. Pero si el lactante pierde el apetito y rechaza la comida se produce toda una catástrofe. Los padres en su afán de cariño recurren entonces a medidas de fuerza, que sólo hacen acentuar el comportamiento rebelde del niño. Y, sin embargo, cada lactante necesita una alimentación abundante y a su medida.

¿Por qué lo hacen?

Los motivos de que un niño no quiera comer son innumerables. En ocasiones, la falta de apetito puede ocultar trastornos o lesiones orgánicas, como, por ejemplo, enfermedades crónicas tales como la mucoviscidiosis, la enfermedad celíaca, una rinitis aguda o una otitis; pero, también, diferentes infecciones de las vías urinarias o cardiopatías congénitas.
Pero, generalmente, son otros los motivos que hacen que el niño rechace la comida. Los lactantes son sumamente sensibles ante las tensiones nerviosas que sufre la madre; así, maman apresuradamente, se atragantan, vomitan y, finalmente, dejan de mamar. En los niños más mayores, todo comienza de forma fortuita, por ejemplo, debido a una infección faríngea con fiebre o una inflamación de la mucosa bucal; la comida deja de complacerle, la deglución se hace dolorosa y, por consiguiente, come mal. La madre se preocupa, pues el niño no consigue alcanzar el peso establecido para su edad y, entonces, recurre a la fuerza para obligarle a comer. Pero con esto sólo se consigue que el niño se resista, y así comienza un lamentable círculo vicioso: la lucha entre madre e hijo se hace diaria, porque ella desea impedir la supuesta ¡muerte del niño por inanición!

El placer de comer

Pero esta terrible situación puede solucionarse empleando un par de trucos. Lo importante es que los niños aprendan: ¡la comida no es una obligación, es un placer! La madre conseguirá este objetivo preparando a su hijo un plato que le resulte muy apetitoso, pero también vistoso, que no contenga demasiada comida y que no se le imponga por la fuerza; de igual modo, es importante que la madre le prepare frecuentemente sus platos preferidos y que no le exija comer aquello que le desagrada. Asimismo, es fundamental enseñar al niño, lo más pronto posible, a utilizar correctamente la cuchara y el tenedor, aunque al principio caiga un poco de comida al mantel o al suelo. A los niños les agrada ser independientes y comer sin ayuda de nadie. Si la madre aún le da el pecho a su hijo, conviene que le amamante varias veces al día: varias pequeñas ingestas al días es preferible a menos y más abundantes. Es recomendable anotar exactamente lo que el niño come y bebe, para así comprobar que las cantidades son suficientes. Porque muchas bebidas, por ejemplo, contienen a veces más calorías de lo que se supone.

Con sólo tener un poco de paciencia, el apetito suele volver otra vez con la misma rapidez que desapareció.

Un menú variado propicia un mayor apetito, incluso en los niños pequeños. El contenido del mismo no debe diferenciarse mucho del establecido para la dieta de los mayores: fruta fresca, hortalizas y verduras, productos lácteos y cereales, a ser posible de trigo integral. Con estos ingredientes y grandes dosis de fantasía se pueden preparar platos muy sabrosos, que agradan mucho a los niños, sobre todo si el plato principal es de pasta.

Apendicitis en los niños

▶ Síntomas:

➜ accesos de dolores abdominales, en el estómago y ombligo, sobre todo en la fosa ilíaca derecha;
➜ náuseas, vómitos, fiebre;
➜ diarrea o estreñimiento;
➜ micción dolorosa.

En los niños es más frecuente la inflamación del apéndice vermicular que en los adultos. Además, la enfermedad discurre de forma más dramática, pues a los dos o tres días de iniciada la inflamación, existe el peligro de perforación del apéndice y de que su contenido se vierta en la cavidad abdominal. La apendicitis frecuentemente se acompaña de tonsilitis (*amigdalitis*), de infección gripal o de diarrea.

Tratamiento médico

Si su hijo se queja de dolores abdominales, llévelo al médico. Una operación temprana, evitará la perforación del apéndice. Si la intervención quirúrgica no fuera necesaria en ese momento, conviene que transcurridas unas cinco horas el niño sea reconocido de nuevo por el médico. Durante este tiempo, no se le debe dar alimento alguno.

Autoayuda

No es posible.

Mucoviscidiosis

(→ página 255)

Enuresis/Incontinencia urinaria

▶ Síntomas:

➜ vaciado vesical durante el sueño (*enuresis*);
➜ micción incontrolada durante el día (*incontinencia urinaria*).

De "orinarse en la cama", sólo puede hablarse si el niño ha cumplido los cuatro años o más de edad. Antes, ¡las micciones involuntarias son naturales! Si las molestias aparecen por el día (sobre todo en las niñas), existirá una inflamación de las vías urinarias. Las emisiones involuntarias de orina nocturnas (*enuresis*), especialmente en niños, apuntan a conflictos psíquicos.

Tratamiento médico

Si las molestias se prolongan en el tiempo, es aconsejable acudir al médico, que determinará si padece una infección de las vías urinarias. Esta incontinencia desaparece si el niño ha aprendido a controlar su vejiga. La vejiga se "entrena" durante el día, procurando vaciarla con un ligero retraso. Pero si fracasan todos los intentos, existe la posibilidad de colocarle un "pantaloncito con avisador" o que duerma sobre un "colchón con avisador". El niño se despertará tan pronto como la vejiga comience a perder orina; de esta forma, el niño aprende a controlar su vejiga y a vaciarla dependiendo de su voluntad.

Autoayuda

El niño puede anotar las noches que permanece seco, o las horas de las micciones, así robustecerá su sentido de la responsabilidad y su propia estima personal. Las medidas coercitivas, que limitan o prohiben la ingesta de bebida por las noches, no suelen tener éxito.

Tumor de Wilms (nefroblastoma)

▶ Síntomas:

➜ tumor en el abdomen, visible y palpable;
➜ dolores abdominales con y sin fiebre;
➜ vómitos, diarreas, pérdida de peso.

Es tumor de Wilms es un tumor infantil que registra una mayor incidencia en los niños entre uno y cinco años de edad. Crece en la cápsula suprarrenal, pero también en el intestino, vasos renales, etcétera. Suele ser bilateral en el 10% de los casos. Al diagnosticarlo, suele detectarse al tiempo metástasis en los pulmones. Si el tumor puede ser extirpado quirúrgicamente a tiempo, existe la posibilidad de curación.

Tratamieno médico

El diagnóstico se asegurará mediante ultrasonidos y una tomografía computarizada. La radiografía del pulmón puede mostrar la eventual presencia de una metástasis. El tumor se extirpa quirúrgicamente, así como las zonas del pulmón afectadas por la metástasis. La terapia siguiente consiste en una quimioterapia o radioterapia. De esta forma, se curan totalmente el 80% de los niños afectados.

Autoayuda

No es posible.

Hombre y mujer

Los cromosomas se encargan de determinar el que una persona sea de sexo femenino o bien de sexo masculino, y de que su cuerpo se defina en tal sentido. Pero, ¿y luego? Una de las preguntas clave que más frecuentemente se plantea la moderna investigación consiste en averiguar cuál es la importancia auténtica y trascendental del gran poder de los genes: «¿Dónde termina la biología y dónde comienza la influencia de la sociedad y del medio ambiente?». La respuesta no cabe lugar a dudas, pues las formaciones propias de los cuerpos masculino y femenino ya han sido estudiadas y analizadas con todo detalle, y establecido el diferente ritmo de comportamiento de ambos cuerpos. Del mismo modo se han establecido los problemas propios de salud de cada sexo, aunque su conocimiento debe interesar por igual a todas las personas independientemente de cuál sea su sexo.

Sumario

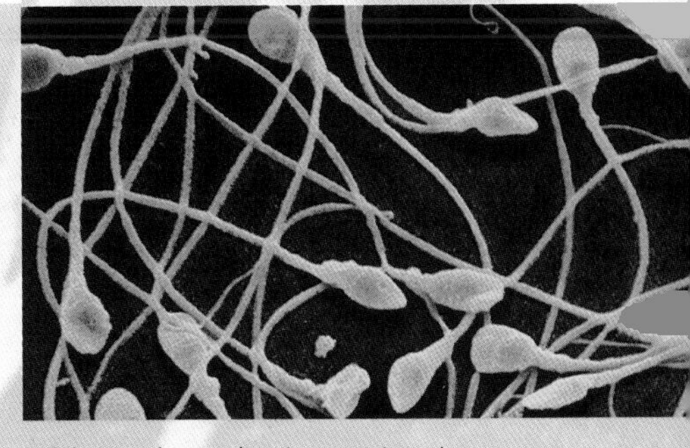

Célula sexual masculina (*espermatozoo*).

Peculiaridades sobre el cuerpo de la mujer y del hombre

Todos conocemos la "pequeña diferencia" que crea la desigualdad entre hombres y mujeres. Pero, aunque encierre tras de si algo de verdad, no deja de suponer un tópico. Si bien es cierto que el pene establece la diferencia que hace desiguales a hombres y mujeres, también lo es que no es decisiva ni significa un "más" para los hombres ni un "menos" para las mujeres. En el debate de quién posee más y quién menos, será justo afirmar que las mujeres cuentan con un "más" importante como es el de ser mamas y poder tener hijos. Pero lo que según los psicoanalistas ha atormentado a las mujeres durante mucho tiempo (aunque fuera inconscientemente), también ha sido motivo de obsesión entre los hombres. Pues si aceptamos la "envidia del pene" entre las mujeres, del mismo modo se da la envidia de poder "dar a luz" entre los hombres.

¿Innato o inculcado?

Es natural que hombres y mujeres se diferencien en muchos aspectos, propiedades y aptitudes físicas. Las mujeres, por ejemplo, poseen más tejido adiposo; los hombres, en cambio, una mayor masa muscular. A ello se debe que las mujeres puedan alimentar, sin necesidad de adoptar una alimentación adicional, a "dos" seres a la vez. Los hombres, gracias a su cuerpo más robusto, un corazón mayor y una más capacidad pulmonar obtienen unos mayores rendimientos físicos, algo que normalmente está vedado a las mujeres. Así, podrían citarse varias docenas más de ejemplos parecidos. A lo largo de muchísimas generaciones, las desigualdades fisiológicas entre hombres y mujeres sirvieron de "punto de partida" imaginario para establecer las diferencias entre los sexos: los hombres eran más grandes y más fuertes, el sexo dominante, equiparado el "más" como el "mejor".

Hasta nuestros días, ha subsistido la idea de que el cerebro un poco más reducido de las mujeres no dejaba de ser una demostración anatómica de su menor inteligencia y capacidad mental; como consuelo, se afirmaba de ellas que tenían mayor sensibilidad y emociones. Además del algo dudoso "coeficiente de inteligencia", desde hace relativamente poco tiempo se habla también del llamado "coeficiente emocional". Este "CE" parece ser más elevado en las mujeres, como con-

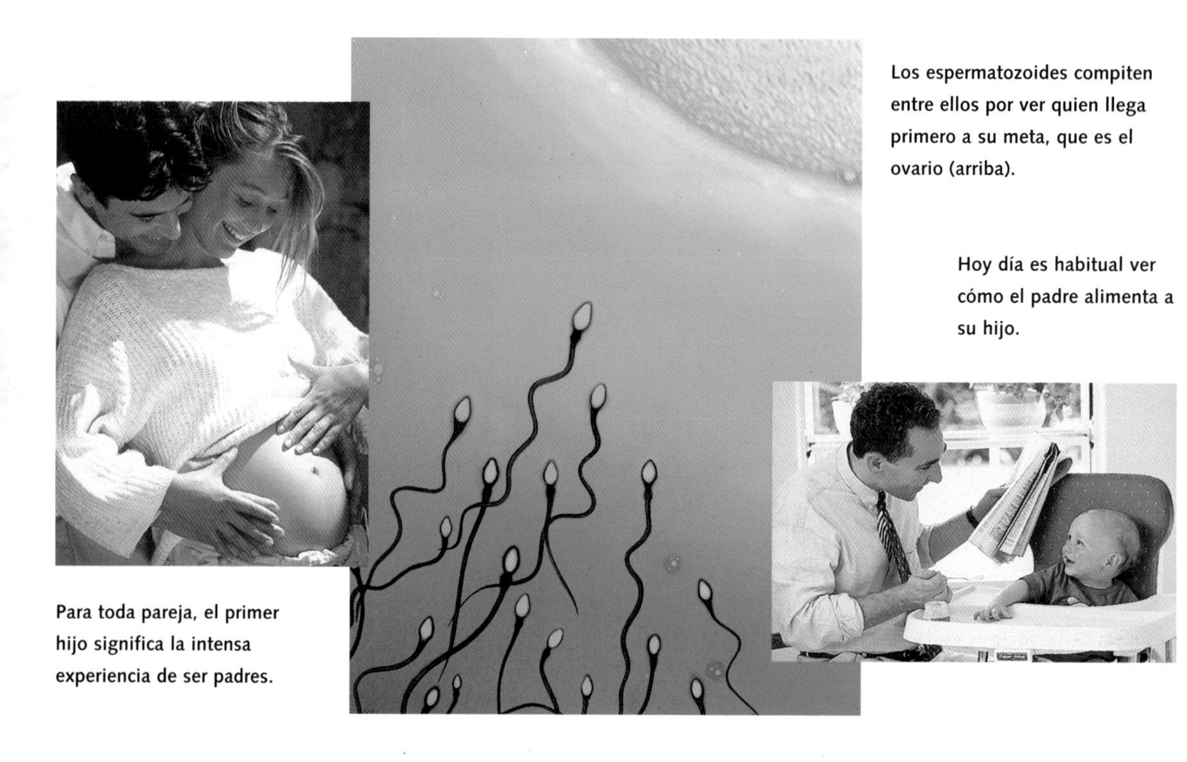

Los espermatozoides compiten entre ellos por ver quien llega primero a su meta, que es el ovario (arriba).

Hoy día es habitual ver cómo el padre alimenta a su hijo.

Para toda pareja, el primer hijo significa la intensa experiencia de ser padres.

secuencia, al parecer, del tamaño algo mayor del hemisferio cerebral derecho que, según los neurobiólogos, está especializado más en los sentimientos que en el pensamiento lógico.

Pero hace ya tiempo que los sociólogos han descubierto que, para fundamentar lo que en realidad los propios hombres han impuesto, "la biología" se utiliza de manera fraudulenta. Dicho de forma sencilla: además de nacimiento, el ser hombre o mujer también se hace o educa. Por otra parte, es natural -y hasta cierto punto lógico- que las diferencias anatómicas existentes entre hombres y mujeres impusieran antiguamente el papel que cada uno debía desempeñar en la vida y la sociedad; así, la fuerza y la resistencia físicas eran aún decisivas para formar y alimentar una familia. Pero los tiempos de "cazadores" y "cosechadores" pertenece ya a una antigüedad muy lejana.

A pesar de todo, la emancipación de las mujeres ha conseguido demostrar que ya no existen argumentos válidos para que las personas del mal llamado "sexo débil" sólo sigan haciendo lo que la tradición social le ha impuesto. Desde entonces, sobre todo en los países y zonas de influencia de desarrollo económico, han ido cambiando muchas cosas; así, si bien es cierto que, por regla general, las mujeres asumen aún las labores caseras diarias y la educación de los hijos, también son cada vez más las que al mismo tiempo ejercen una profesión. Del mismo modo, los hombres "modernos" colaboran en mayor medida en las tareas cotidianas domésticas.

Los polos opuestos se atraen

Independientemente de si los tópicos reflejan o no la realidad, lo que sí hacen es ilustrar lo que tanto hombres como mujeres piensan y esperan unos de otros. Aunque sigan vivas antiguas imágenes, lo cierto es que decir hoy "masculino" no equivale a grande, fuerte, inteligente, enérgico, brusco y ruidoso; ni decir femenino" a bajita, pequeñita, débil, sentimental, reservada, pudorosa, delicada y silenciosa. En la búsqueda de la felicidad en la vida, la mayoría de las personas se fijan como objetivo encontrar un compañero o compañera. Lo que uno no posee, lo busca en el otro.

Pero como bien dice el refranero: «Cada oveja con su pareja». Y así, para mantener una relación estable cada vez son más quienes comprueban cuán importante es poseer unas ideas fundamentales comunes e idénticos intereses.

Reconocer las influencias

Es comprensible que, en la idea que tanto hombres como mujeres tienen de la vida, además de las condiciones y relaciones sociales influyan otros muchos factores. La "biología" tiene indiscutiblemente sus consecuencias, aunque éstas hayan dejado de ser un "destino ineludible" en nuestro ciclo cultural. Hay que aprovechar la oportunidad y aprender a conocer nuestro propio cuerpo, ya que sólo así podremos juzgar dónde finalizan las influencias biológicas y dónde comienzan las que marca la sociedad en la que vivimos.

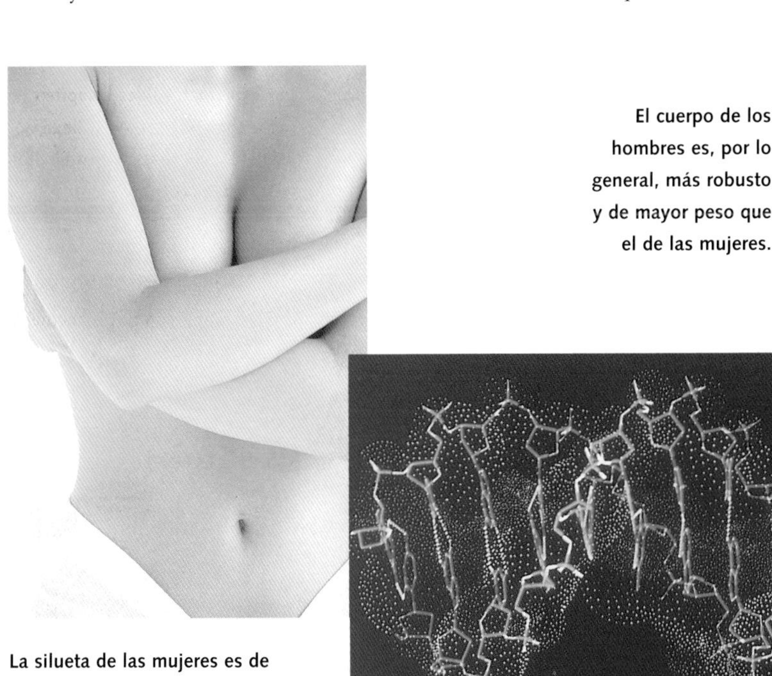

La silueta de las mujeres es de formas suaves y poco musculosa.

El cuerpo de los hombres es, por lo general, más robusto y de mayor peso que el de las mujeres.

El ADN, responsable de la carga hereditaria, tiene forma similar a una doble hélice. Se localiza en el interior de las células y es portador de los genes que identifican a cada persona.

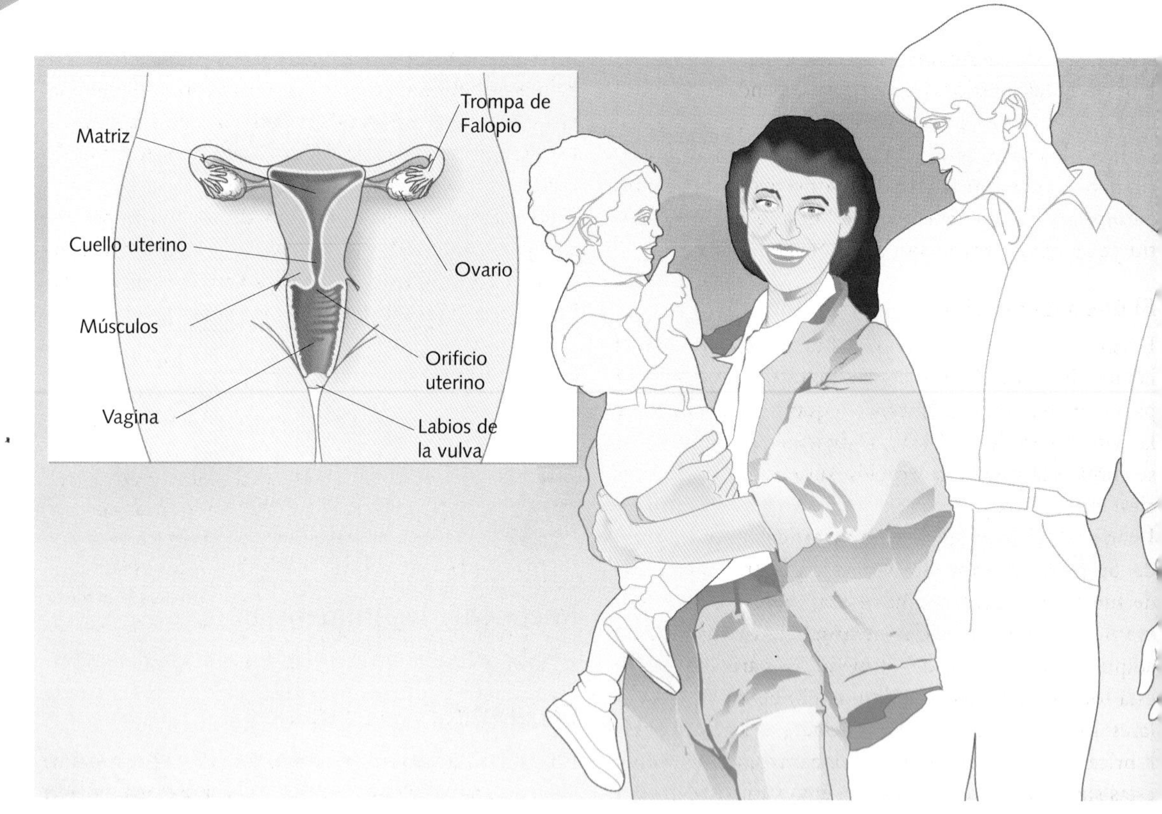

El cuerpo femenino

- **Anatomía de los órganos sexuales**
- **El papel que desempeñan las hormonas**
- **Fases de la evolución**

Para lograr la salud y el bienestar es imprescindible que alma y cuerpo sintonicen a la perfección. Esta cognición tan simple es más familiar en las mujeres que en los hombres. A lo largo de la vida, la mujer experimenta la estrecha relación entre sentimientos y pensamientos y las alteraciones y ritmos del organismo.

La anatomía femenina

El cuerpo de las mujeres suele ser de formas más suaves y delicadas que el de los hombres, motivado por la mayor abundancia de tejido adiposo.

Su cintura es más estrecha y, con el fin de albergar al bebé a lo largo del embarazo, los huesos de las caderas resaltan más y aparecen redondeados. La cavidad pélvica, que aloja numerosas vísceras importantes, puede dilatarse mucho durante el alumbramiento para recuperar posteriormente su antigua posición y tamaño.

Los órganos urogenitales externos

El acceso a la vagina está protegido y cerrado por los labios mayores y menores, que cubren y preservan el clítoris y la abertura de la uretra. En el introito vaginal de la cara anterior de los labios menores desembocan las glándulas de Bartholin que, en número de dos, producen una secreción mucosa que lubrica la cavidad vaginal y el aparato genital externo, especialmente durante el coito. El aparato genital externo recibe el nombre de "vulva".

Los órganos sexuales internos

La vagina

La vagina tiene unos 10 centímetros de largo. Su entrada está cerrada, total o parcialmente, por una membrana mucosa llamada himen. Las paredes de la vagina se componen de músculos elásticos y de mucosa. La humedad del interior de la vagina dependerá del nivel de estrógenos (→ Los ovarios). La secreción vaginal contiene bacterias productoras de ácido láctico, necesario para combatir una posible colonización por agentes patógenos. Un ambiente vaginal "limpio" y sano constituye la mejor prevención contra las infecciones.

El útero (la matriz)

El extremo inferior o cuerpo del útero (*matriz*) con el hocico de tenca (*Portio vaginalis*), es un abultamiento palpable de la vagina. El espacio que sigue al cuello de la matriz o uterino (*cérvix*), se divide en dos partes que se abren a la vagina: la porción supravaginal y la porción intravaginal.
La forma del útero es de pera invertida y algo aplastada. Su pared interior está formada por tres capas, que de fuera hacia dentro son: serosa, *miometrio* y *endometrio*. Durante el ciclo mensual, esta última capa adquiere una textura más gruesa. La pared del útero está formada por un complejo tejido de fibras musculares lisas, que reviste el peritoneo, e interiormente lubrica la mucosa. Durante el embarazo, el espesor de estas superficies musculares aumenta varias veces.

Trompas de Falopio y los ovarios

De los dos ángulos superiores del útero parten las trompas de Falopio (o trompas), que cada una se dirige hacia al ovario correspondiente. Al producirse la ovulación, el óvulo se desplaza por las trompas desde el ovario hasta el útero, mientras el espermatozoide masculino asciende desde el útero hacia el ovario.

Las mamas femeninas

Las mamas son unas glándulas accesorias del aparato genital. Se componen de tejido adiposo blando y de las glándulas mamarias propiamente dichas, donde tienen innumerables conductos galactóforos. Estos conductos desembocan en el pezón, en cuyo vértice se abren diminutos orificios. Cuando el pezón nota un roce, sus finos músculos se contraen y yerguen, reflejo que tiene como fin la lactancia del niño. Para que la lactancia sea posible, después del parto el cuerpo de la mujer libera dos hormonas: la prolactina y la oxitocina.

El ritmo de las hormonas

Para las niñas, la pubertad comienza entre los 8 y los 14 años de edad. Bajo la dirección del hipotálamo, la glándula pituitaria se encarga de producir hormonas que propician la formación de estrógenos y gestágenos. Los primeros determinan el diseño de las formas femeninas y, a partir de este instante, la perfecta sintonía entre las hormonas determinará el ciclo de maduración del óvulo, la ovulación y la menstruación.
Pero esta sintonía en el ritmo de las hormonas, no siempre es tan fácil. Para muchas mujeres, la menstruación son días difíciles, y muchas han de luchar contra "molestias" tanto de tipo psíquico como física.

El estrógeno es una hormona esteroide, que hace posibles los cambios operados en el ciclo menstrual y la aparición de las características sexuales femeninas durante la pubertad.

Fecundidad y sexualidad

Los órganos sexuales desempeñan una doble función: servir para la reproducción y proporcionar placer sexual. Pero no es obligado que la sexualidad y el deseo de tener un hijo sean dos cosas que tengan que ir parejas. Evitar embarazos indeseados es un tema que plantea a muchas mujeres dilemas de difícil solución. Pero no tener al hijo deseado, también supone un problema que a veces no tiene salida.
Aunque conlleven molestias y dolores, el embarazo y parto suponen experiencias felices en la vida de casi todas las mujeres. Pero para aliviarlos o evitarlos, existen diversos métodos de prevención y terapias adecuadas, sin olvidar la ayuda médica durante el parto con el fin de conseguir la máxima seguridad posible para madre e hijo.

La menopausia

En la mujer, a partir de los 45 años de edad los ovarios comienzan a reducir la cantidad de estrógenos producidos y, en un momento determinado –diferente y concreto para cada persona–, se produce la interrupción total de las menstruaciones. En esta fase de la vida de la mujer, el organismo registra una serie de cambios de todo tipo y muchas de ellas padecen diversas molestias tanto en el orden físico como en el psíquico. Este período supone, en la vida de cualquier mujer, la desaparición de la función reproductora.

Casos de urgencia

Norma general

Si advierte intensos dolores abdominales, llame inmediatamente al médico o al servicio de urgencias.

Menorragia

► Síntomas:
- → intensa hemorragia, que embebe más de tres compresas o tampones cada hora;
- → dolores espasmódicos en la zona abdominal inferior;
- → mareos, náuseas, colapso circulatorio.

La pérdida de sangre excesiva puede deberse a una alteración hormonal pasajera, pero también a un aborto, un cáncer en el cuello de la matriz, a miomas o a llevar un dispositivo intrauterino. Otras posibilidades son: inflamaciones, una endometriosis o trastornos de coagulación de la sangre.

Tratamiento médico

Si los síntomas son muy acusados, llame al médico; si existe peligro de colapso circulatorio, llame al servicio de urgencias. La hemorragia se contendrá con hormonas o practicando un raspado. A continuación, es preciso conocer las causas.

Autoayuda

Contra los dolores, alivian el calor y el reposo (→ Menstruación dolorosa).

Embarazo ectópico o extrauterino

► Síntomas:
- → entre la sexta y la octava semana después de la última menstruación, de ligeros a intensos dolores, a veces paroxísmicos, en la zona pelviana; en algunas ocasiones, mareos y tendencia al colapso;
- → ligeras pérdidas hemáticas;
- → al realizar la prueba del embarazo, ésta es siempre positiva.

El embarazo ectópico, o extrauterino, es aquél en el que la blástula se implanta en un lugar distinto del endometrio uterino (puede ser una implantación en la porción intersticial de la trompa, en el cuello uterino, etcétera), donde se desarrolla y da lugar a este tipo de embarazos. Aparece con cierta frecuencia si las trompas padecen malformaciones como consecuencia de inflamaciones (→ Salpingoovaritis), en las endometriosis o después de colocar una espiral.

Tratamiento médico

Acuda inmediatamente al médico; si existe peligro de colapso, llame al servicio de urgencias. Frecuentemente, el embarazo ectópico exige intervención quirúrgica. En la fase inicial, puede aplicarse una eficaz terapia medicamentosa.

Autoayuda

No es posible.

Violación

Todo acto sexual en el que medie la violencia para su consecución, es una violación; incluso dentro del mismo matrimonio. También las amenazas e intimidaciones suponen graves humillaciones y mortificaciones, siendo una expresión más de brutalidad. La consecuencia puede ser un intenso *shock* emocional. Así, después de haber sido violadas, muchas mujeres padecen angustia, pánico e incluso asco, rechazando cualquier tipo de relación sexual con un hombre (→ *Shock* emocional).

Ayudas y terapia médica

Después de una violación se debe acudir inmediatamente al médico o servicio de urgencias del hospital más cercano, para curar las posibles heridas o aliviar los dolores. No es obligado relatar con detalle lo sucedido.

En el hospital extraerán pruebas de esperma y sangre, para así asegurar las pruebas pertinentes que permitan el esclarecimiento de los hechos. Si la mujer violada lo considera necesario, sería conveniente que denunciase el suceso en la comisaria o juzgado.

Hablar de la brutal agresión con personas amigas y de absoluta confianza, es muy recomendable para la persona afectada. La experiencia de un psicoterapeuta, también puede servir de gran ayuda.

Pruebas clínicas especiales

Exploración clínica con el espéculo

En los reconocimientos ginecológicos, la mujer se sentará en una silla especial. Mediante el espéculo, el médico explorará la pared vaginal y el cuello del útero. Con un tampón de algodón realizará un frotis vaginal, para que su posterior análisis permita determinar la eventual presencia de bacterias u hongos.

Preguntas importantes del médico

- ¿Cuándo tuvo usted la primera menstruación? ¿Y la última? ¿Qué intensidad, duración y regularidad tienen sus menstruaciones? ¿Tiene molestias?
- ¿Tiene usted hijos? ¿Han tenido que practicarle la cesárea? ¿Ha sufrido abortos o interrupciones del embarazo provocados? ¿Tuvo posteriormente problemas?
- ¿Qué enfermedades propias de la mujer u otras ha padecido? ¿Ha sufrido algún accidente o intervención quirúrgica?
- ¿Qué medicamentos está tomando?
- ¿Utiliza anticonceptivos? ¿Cuáles?
- ¿Tiene flujo vaginal o dolores entre dos menstruaciones?
- ¿Tiene usted problemas de índole sexual?

Palpación

El médico reconocerá la posición, tamaño, forma y sensibilidad del útero y de los ovarios. Introducirá los dedos de una mano en la vagina y, avanzando hacia el cuello del útero, con la otra palpará el útero y los ovarios por encima de la pared abdominal.

Reconocimiento con ultrasonidos

Esta exploración se emplea si la palpación no ha permitido establecer un diagnóstico concreto que determine el momento de la ovulación, pero también en los reconocimientos preventivos durante el embarazo. Desde la pared abdominal, o a través de la vagina, se realizará el reconocimiento de los órganos de la cavidad pélvica.

Reconocimiento de las mamas

Para detectar posibles nódulos o hinchazones, las mamas serán detenidamente reconocidas. Estos reconocimientos podrán efectuarse también con ultrasonidos, si bien sus resultados no son tan fiables y fidedignos como los que proporciona la mamografía. Se procede colocando la mama entre dos placas, que luego es radiografiada.

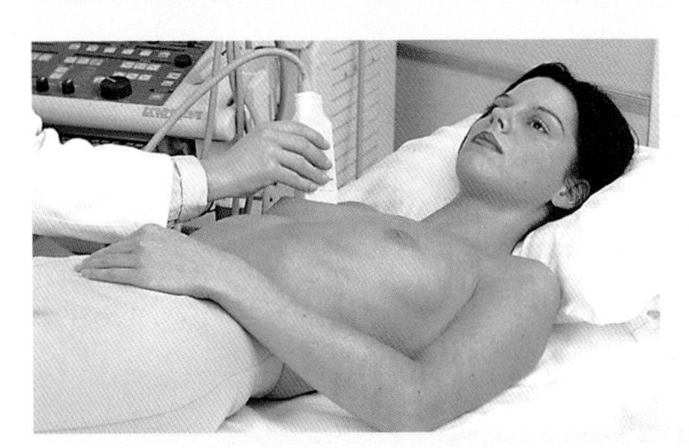

El reconocimiento ecográfico permite visualizar en una pantalla el tejido mamario.

Test hormonal

El décimo día después de la menstruación y otros diez días más tarde, se extraerán sendas muestras de sangre para determinar la cantidad de hormonas sexuales y de prolactina. Esta última es una hormona lactógena activadora de la secreción láctea, y, en ocasiones, de las hormonas tiroideas.

Raspado

Una suave anestesia permitirá aplicar la técnica del raspado –total o parcial– de la mucosa del útero y del cuello del mismo. Posteriormente, el material obtenido será analizado al microscopio.

Diagnóstico precoz del cáncer

Los objetivos de la lucha contra el cáncer se resumen en el examen sistemático de las personas sanas, para así establecer un diagnóstico precoz (exámenes radiológicos, citológicos, endoscópicos biopsias, etcétera), la educación sanitaria en materia anticancerosa y la lucha y tratamiento en centros especializados.

La menstruación

Para muchas mujeres, la menstruación es un período difícil, al que incluso tienen miedo. Las dolencias pueden aparecer antes mismo de comenzar (→ Síndrome premenstrual). Las principales medidas preventivas pueden consistir en ejercicios físicos, una alimentación equilibrada, relajación y una vida sexual sana y satisfactoria, así como períodos de relajación y balneoterapia. Durante la fase hemorrágica del ciclo menstrual, es más importante guardar reposo que atender a las obligaciones.

Síndrome premenstrual

▶ Síntomas:

- ➜ frecuentes molestias anteriores a la menstruación: fijación de líquidos (*hidropesía*) en los tejidos mamarios, manos, pies, abdomen; dolores lumbares; cefaleas; trastornos del sueño; estreñimiento; hemorragias; hambre "canina"; acusados cambios de humor que alternan con momentos de depresión, excitabilidad e intranquilidad.

Un día o dos antes de comenzar la menstruación, muchas mujeres padecen síntomas del Síndrome PreMenstrual (SPM), aunque ciertas molestias pueden aparecer inmediatamente después de iniciada la ovulación. La causa del SPM radica en un desequilibrio de las hormonas sexuales, cuya perfecta armonización se altera por factores puramente psíquicos.

Tratamiento médico

Acuda al ginecólogo, para así descartar otros causas que motiven estas molestias. El médico le proporcionará valiosos consejos que puedan aliviarla de forma efectiva, además de prescribirle los medicamentos necesarios.

Autoayuda

Lo más apropiado es atender las propias necesidades, dejar de lado problemas familiares o profesionales. Las molestias podrán aliviarse, en parte, practicando deporte, realizando actividades físicas y ejercicios de relajación, tomando plantas medicinales y llevando una dieta completa y equilibrada, pobre en sal.

Dismenorrea (menstruación acompañada de dolor)

▶ Síntomas:

- ➜ dolores agudos y espasmos en la región pélvica, que pueden irradiarse hasta la espalda y las piernas;
- ➜ frecuentes hemorragias, estreñimiento o diarrea;
- ➜ sensación de debilidad, mareos, cansancio;

Esta enfermedad es frecuente entre las muchachas y las mujeres jóvenes que usan espiral. Los dolores menstruales pueden ser tan intensos, que causen hemorragias. Otras causas pueden ser: una endometriosis, una metritis o unos miomas.

La dolencia influye de manera decisiva sobre el estado de ánimo. Las muchachas sólo adquieren la madurez de la femineidad lentamente, por lo que ser consciente de que ya es mujer requiere cierto tiempo. Las emociones psíquicas afloran al despedirse para siempre de la niñez, el equilibrio hormonal se altera y, como consecuencia, se producen los dolores.

Algunas plantas medicinales procuran alivio durante la menstruación: argentina (foto), valeriana, borraja, diente de león o hierba sagrada.

Tratamiento médico

El reconocimiento médico es siempre conveniente. La terapia se ajustará a las causas anteriormente expuestas. En muchos casos, la → Autoayuda conseguirá aliviar e incluso eliminar las molestias.

Autoayuda

De gran ayuda sirve la tranquilidad y el reposo. Si alguien habla de la volubilidad femenina no nos debe importunar, pues es preferible hacer siempre aquello que más agrada. Algunas plantas medicinales contribuyen a aliviar las molestias.

Amenorrea (ausencia de menstruación)

► Síntomas:

- → a pesar de la pubertad, ausencia de menstruación;
- → sin menstruación durante más de tres meses.

La amenorrea primaria es señal de que nunca se ha producido la menstruación; por el contrario, la amenorrea secundaria o patológica la padecen mujeres que han tenido menstruaciones normales o periódicas. Una de las causas del cese de la menstruación es el embarazo, pero también pueden serlo trastornos hormonales y enfermedades tiroideas, la diabetes mellitus, los quistes ováricos y los trastornos funcionales de las trompas de Falopio o de las cápsulas suprarrenales. Sin embargo, por su influencia sobre el equilibrio hormonal, la mayoría de las veces las causas son puramente anímicas.
La amenorrea pueden padecerla personas anoréxicas y deportistas de alto nivel. La menstruación también puede retirarse al comenzar la menopausia, al dejar de tomar la "pastilla" anticonceptiva o suprimir la administración de medicamentos contra enfermedades de tipo psíquico, o debido a la quimioterapia.

Tratamiento médico

Ante todo conviene saber el diagnóstico del médico. Si la amenorrea se debe al estrés, una gran ayuda consistirá en relajarse física y psíquicamente, o tomar hierbas medicinales (verbena, serpentaria).

Autoayuda

Algunas cosas como períodos de reposo o ejercicios físicos de relajación, ayudan a cuerpo y alma.

Polimenorrea

► Síntomas:

- → hemorragias de color oscuro entre dos menstruaciones normales.

Las polimenorreas pueden presentarse debido a un descenso del nivel de estrógenos en los días de ovulación, bien sea en forma de hemorragias anteriores o posteriores. Aparecen a intervalos frecuentes. Las hemorragias anteriores son señal de que el cuerpo lúteo produce poca progesterona, lo que puede significar un problema si se desea tener hijos. Las hemorragias posteriores están relacionadas con inflamaciones. Las polimenorreas son frecuentes si se administran anticonceptivos de baja dosificación; igual sucede al comenzar la menopausia.

Tratamiento médico

Si las polimenorreas se repiten, conviene acudir al médico. Por regla general, no suelen ser demasiado importantes. Incluso puede evitarse aplicando el tratamiento terapéutico adecuado, además de realizar un test hormonal con varias mediciones efectuadas durante el tratamiento del ciclo.

Autoayuda

Si las polimenorreas son consecuencia del estrés, hay que relajarse y guardar reposo.

Hipomenorrea e hipermenorrea

► Síntomas:

- → *hipomenorrea*: escasez de hemorragia menstrual, duración inferior a los tres días; se necesitan menos de dos compresas/tampones al día;
- → *hipermenorrea*: hemorragias intensas con duración superior a los siete días, más de seis compresas/tampones al día, completamente embebidos, mareos, sensación de debilidad;
- → *hemorragias intensas*: casos urgentes.

Las hipomenorreas suelen ser benignas y sin mayor importancia. Pueden ser consecuencia de la "píldora", alteración de los ovarios, de la hipófisis, del útero o de otras glándulas endocrinas; también, como consecuencia de un hipogonadismo, un embarazo temprano, al comienzo de la menopausia o por factores psíquicos.
Las hipermenorreas pueden aparecer si se utiliza la espiral, o como consecuencia de una metritis, un mioma, una endometriosis o un cáncer de útero. Pero del mismo modo la hipomenorrea puede tener sus raíces en problemas de origen psíquico.

Tratamiento médico

Conviene acudir al médico; la terapia aplicada se ajustará a las causas que provocaron la dolencia.

Autoayuda

Si las causas son psíquicas, el reposo y la relajación aportarán el alivio deseado.

Esterilidad pasajera

► Síntomas:

→ si entre los 20 y 40 años de edad no se produce el embarazo deseado, una vez transcurridos de seis a doce meses de mentener relaciones sexuales constantes.

Las causas de esta indeseada esterilidad están, en el 50% de los casos, en los hombres; y de la mitad que resta, tampoco son responsables exclusivamente las mujeres. En muchos casos, la causa sigue siendo de origen desconocido. Otras veces, la causa de esta infertilidad, posiblemente pasajera, será de tipo psíquico. Sin embargo, la moderna investigación médica sigue debatiendo sobre la eventual influencia que pudieran ejercer ciertos factores medioambientales.
La fecundación resulta difícil, o completamente imposible, si la mujer carece de ciertos órganos sexuales, o si éstos presentan malformaciones; pero también si la función de los ovarios es deficiente, si no existe la menstruación mensual, si se forman numerosos quistes en los ovarios o si el transporte del óvulo por las trompas de Falopio (→ Salpingoovaritis) encuentra algún obstáculo. Asimismo, si el óvulo no anida correctamente (→ Embarazo ectópico) en el útero o si existe algún tipo de incompatibilidad entre los espermatozoides del homber y la mucosa vaginal de la mujer.

Fecundación artificial

La fecundación o inseminación artificial es, para muchas parejas, la última posibilidad. Sin embargo, o precisamente a pesar de ello, no deben sobrevalorarse las posibilidades de que un embarazo conseguido por este método llegue a feliz término. Para la pareja, son realmente muy relevantes los problemas psíquicos que se derivan de este sistema. Y, además, siguen aún sin resolverse los problemas anímicos a los que más tarde tendrá que enfrentarse el niño.
En muchos países es posible tanto la fecundación en el propio vientre materno (*inseminación*), como fuera del mismo (*fecundación in vitro*).

Fecundación en el vientre materno

Si existe incompatibilidad entre el moco del cuello uterino y los espermatozoides (→ Esterilidad pasajera), o la eyaculación del hombre produce pocos espermatozoides que puedan alcanzar las trompas de Falopio en su desplazamiento, se procederá a inyectarlos directamente en el útero.

Fecundación fuera del vientre materno

Este método se realiza cuando las dos trompas de Falopio de la mujer están obstruidas, dificultando la ovulación. En este caso, y para poder alumbrar a un hijo, se procederá a la denominada "fecundación in vitro". Tras la aplicación de un tratamiento hormonal previo, se procederá a madurar varias blástulas; posteriormente, mediante una endoscopia, se procederá a tratar tres huevos de las trompas, que serán depositados en un tubo de ensayo, donde se unirán al semen del hombre. En casos extremos, hasta es posible inyectar directamente un espermatozoide en uno de los óvulos femeninos.
Después de unos días en la estufa de incubación, los óvulos fecundados se implantan en las trompas uterinas. Si no se rechaza la implantación, se produce el embarazo, que frecuentemente suele ser de gemelos o de trillizos. Los embarazos múltiples suponen un gran riesgo para la vida de la madre y hasta para la de los mismos niños, debido a que en muchas ocasiones se producen partos prematuros. Por este motivo, lo recomendable es no extraer nunca más de tres óvulos de los ovarios para fecundarlos.

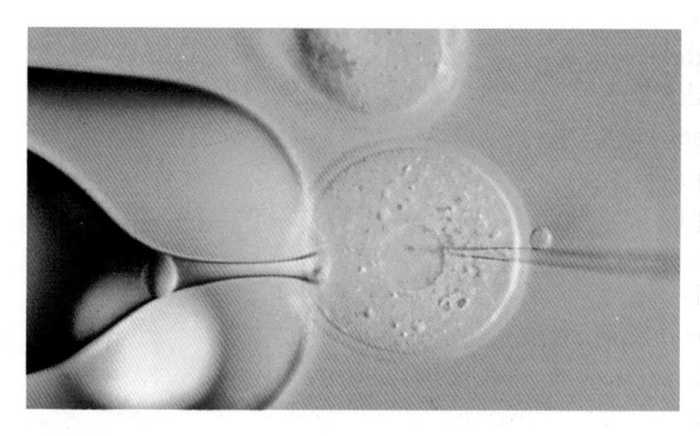

El microscopio permite la fecundación con precisión: aquí vemos como el espermatozoide se introduce en el óvulo.

Tratamiento médico

La esterilidad de la pareja será objeto de examen para, paso a paso, ir descartando causas hasta encontrar la que la origina. En primer lugar, se analiza el esperma del hombre. En la mujer, después de un reconocimiento general, conviene efectuar un test hormonal. Mediante ultrasonidos se visualizará la maduración de las blástulas y la ovulación. En un tubo de ensayo se mezclan el moco del cuello uterino con los espermatozoides. Mediante una endoscopia abdominal se explorarán las trompas de Falopio, así como también se pretenderá determinar la existencia o no de adherencias en los ovarios y las trompas uterinas. Si no se produce la ovulación, los motivos suelen ser, en general, de tipo hormonal. La terapia está destinada a administrar las hormonas que ayuden a la maduración de los óvulos y la ovulación.

Sin embargo, resulta muy conveniente formularse algunas preguntas respecto a eventuales motivos psíquicos: «¿Le desagrada su profesión? ¿Son poco felices o incluso desagradables las relaciones de pareja? ¿Pretenden mejorarlas teniendo un hijo?». Y respeto al hijo: «¿Disponen de tiempo y de espacio adecuado?». Un tratamiento psicoterapéutico puede ayudar en muchos casos a resolver conflictos, quizá inconscientes, contribuyendo con ello a detectar y eliminar temores.

Autoayuda

La reflexión y el diálogo sobre las causas psíquicas de la esterilidad, y el sopesar quizá la posibilidad de una adopción, pueden aliviar la situación e incluso hacer posible el embarazo.

Las molestias de la menopausia

La menopausia es para todas las mujeres una fase muy difícil de su vida, ya que muchas de ellas son conscientes de que a partir de este instante comienzan a envejecer:

- Al reducirse paulatinamente en los ovarios la producción de estrógenos, el cuerpo sufre alteraciones. La menstruación va espaciándose cada vez más, hasta desaparecer por completo. En esta época son frecuentes la inestabilidad vasomotora, la sensación de calor y sudoración –que asciende desde el tórax hasta el cuello y rostro–, trastornos del sueño, irritabilidad y nerviosismo. Si la mujer achaca estos trastornos al climaterio femenino, siempre es aconsejable que acuda a su ginecólogo para que sea quien establezca el diagnóstico acertado.
- Las plantas medicinales producen efectos parecidos a los hormonales, por lo que tomadas de múltiples formas pueden producir cierto alivio. Así, la salvia alivia y reduce las sudoraciones; la valeriana, facilita el sueño y tranquiliza, al igual que la melisa (toronjil) y el lúpulo.
- Sólo si las molestias son muy intensas y no desaparecen con otros medios, es recomendable la administración de estrógenos y gestágenos.
- Para que la mujer logre cierto bienestar y reposo, es importante que asuma durante este tiempo algunas obligaciones y labores que le ayuden a relajarse. La dieta alimentaria ha de ser sana, completa y bien equilibrada.
- Después de la menopausia, muchas mujeres padecen frecuentemente osteoporosis. Para prevenirla, es aconsejable realizar reconocimientos médicos periódicos que la detecten a tiempo.

Esterilización de la mujer

Para las mujeres que son plenamente conscientes de no desear tener más hijos, se plantea la siguiente cuestión: decidirse por una medida anticonceptiva duradera, segura y que no encierre ningún riesgo de enfermedad para su persona. Tanto las mujeres como los hombres pueden optar por la esterilización, es decir, someterse a una infertilidad artificial.

En todo caso, antes de adoptar una decisión es recomendable reflexionar durante algún tiempo, pues la intervención (tanto en la mujer, como en el hombre) es en muchos caso irreversible y no permite restablecer el estado original; además, tiene un coste elevado. Así, transcurridos unos años, algunas personas comprueban que tomaron una decisión equivocada.

La esterilización de la mujer, denominada esterilización tubárica, consiste en la ligadura de las trompas de Falopio. De esta forma se impide el paso del óvulo al útero, y el consiguiente contacto con los espermatozoides que llegan hasta la vagina en busca del óvulo para su fecundación. En muy pocos casos, puede producirse un embarazo extrauterino.

Por este motivo, las mujeres esterilizadas deben de efectuar un test de embarazo si constatan que no les viene la menstruación. La intervención quirúrgica no altera lo más mínimo el nivel hormonal ni modifica el grado de placer sexual.

Vaginismo (vaginismus)

► Síntomas:
- ➜ dolores y espasmos abdominales durante el coito;
- ➜ temor a que el pene penetre en la vagina, y ocasione eventuales lesiones y dolores.

Muchas mujeres, sobre todo jóvenes, padecen con relativa frecuencia contracturas durante el acto sexual o coito. En ciertos casos, el vaginismo puede incluso impedir la penetración del pene en la vagina (lo mismo que de un dedo o un tampón).
Por este motivo, son muchas las mujeres que temen practicar el coito con el hombre. Generalmente son mujeres jóvenes, que apenas tienen experiencia, y que inconscientemente temen entregarse y verse sometidas al hombre. Con todo, tampoco debe descartarse el profundo temor que padecen muchas mujeres a tener un embarazo no deseado.
Este temor frecuentemente está fundamentado en un hecho vivido, de carácter concreto y muy desagradable. Las mujeres que han sido objeto de malos tratos físicos, de abusos, vejaciones de todo tipo e incluso de violaciones les resulta muy difícil establecer una relación de confianza con un hombre. Es cierto que la terrible experiencia ha sido "asumida" y en parte olvidada, pero los trastornos físicos que produce el vaginismo apuntan (¡aún!) a conflictos muy arraigados en el subconsciente de la mujer.

Tratamiento médico

Acuda a su ginecólogo habitual para que establezca y le indique las causas físicas concretas que lo provocan; como, por ejemplo, la estrechez inusual del introito vulvar, o bien una infección que haga la relación sexual dolorosa. Para poner remedio a las posibles causas de índole psíquica, será conveniente solicitar consejo a un terapeuta sexual, a ser posible acompañada de su compañero.

Autoayuda

A la mayoría de mujeres que padecen vaginismo les resulta difícil y penoso hablar de su problema, se avergüenzan y muchas veces piensan que no son "normales". La mujer ha de intentar hablar de su problema, con cierta cautela pero con toda franqueza, bien con su propio compañero sentimental o con una persona de su absoluta confianza.

Prurito vulvar

► Síntomas:
- ➜ prurito y quemazón, más intensos si hace calor;
- ➜ micción dolorosa, enrojecimiento de la piel, escamaciones blanquecinas.

En la mayoría de los casos, el prurito vulvar está causado por infecciones de hongos, bacterias o virus.
También puede ser de tipo psíquico. Habitualmente, suelen padecerlo las mujeres sexualmente insatisfechas.

Tratamiento médico

Si aparecen tales molestias, consulte con su ginecólogo. Si existe inflamación, ésta podría ascender por el útero y llegar incluso a las trompas de Falopio y los ovarios. El médico comprobará, mediante un raspado, la existencia de la inflamación. La terapéutica prescrita se basará en pomadas y ungüentos. Según los casos, también es probable que su compañero requiera idéntico tratamiento. Si las causas fuesen de naturaleza psíquica, lo procedente es la psicoterapia. Procure siempre que los síntomas no se hagan crónicos.

Autoayuda

El prurito se alivia mediante baños de asiento realizados con agua tibia y plantas medicinales que contengan tanino (corteza de roble). La infección se evita incrementando las propias defensas naturales con bacterias del ácido láctico (productos lácteos, yogures).

Dermatitis en los labios vaginales

► Síntomas:
- ➜ alteraciones epidérmicas de color blanquecino, indoloras; a veces, un poco de prurito;
- ➜ nódulos o tumores, con o sin fiebre.

Las alteraciones epidérmicas en los labios mayores y menores de la vagina, casi siempre suelen aparecer a partir de los 70 años de edad, obligando muchas veces a sospechar de una dolencia de tipo canceroso. Lamentablemente, suelen descubrirse demasiado tarde. La presencia de un nódulo indoloro en uno de los labios vaginales, delata la inflamación de las glándulas de Bartholin (*bartholinitis*). La causa casi siempre suele estar en una infección de la glándula ocasionada por gérmenes de procedencia intestinal.

Tratamiento médico

Consulte con su ginecólogo. Si éste verifica que la dermatosis no se debe a una infección, será necesario efectuar un análisis histológico del tejido epidérmico para detectar la posible presencia de células cancerosas. En caso de que se trate de un cáncer, será necesaria una operación de los labios del vestíbulo vaginal y de los ganglios linfáticos inguinales. Muchas veces, será necesario el tratamiento con radioterapia. La inflamación de la glándula de Bartholin se trata con una pomada que contenga alquitrán, que formará un quiste purulento (*absceso*) cuya curación total requerirá el vaciado mediante intervención quirúrgica.

Autoayuda

Baños de asiento tibios, con un desinfectante (permanganato potásico) o plantas medicinales que contengan ácido tánico. Así se alivia la fase inicial.

Flujo vaginal (leucorrea)

▶ Síntomas:

- ➔ secreción blanquecina, olor ligeramente ácido, hacia la mitad del ciclo menstrual más secreción (flujo blanco);
- ➔ por regla general, aumento cambiante del flujo;
- ➔ flujo de olor desagradable, cambio de color.

El flujo blanco (*leucorrea*) durante la fase de madurez sexual es señal de que en la vagina existe un ambiente sano, procurado por las bacterias del ácido láctico. Este flujo se acentúa como consecuencia del placer sexual y de la tensión psíquica. Es más intenso durante la ovulación, y antes y después de la menstruación. Las mujeres jóvenes suelen tener más flujo que las de mayor edad, ya que tras la menopausia la vagina va secándose y pierde la secreción.

El flujo de otro color, o de olor desagradable, suele deberse a una infección bacteriana o micótica (*candidiasis genital*), que puede haber sido contagiada durante el acto sexual o en intervenciones quirúrgicas, raspados, interrupción del embarazo o al colocar el diu.

Al cambiar de compañero sexual, ha de formarse una nueva flora vaginal y, por esto, son frecuentes las inflamaciones cuando se inicia una relación sexual. Si las defensas son débiles, o existen enfermedades no tratadas, los agentes patógenos pueden ascender con cierta frecuencia hasta alcanzar el útero y llegar luego hasta las trompas de Falopio, e incluso hasta los ovarios.

Tratamiento médico

Consulte con su ginecólogo en caso de padecer algunas de las molestias anteriormente reseñadas. Después de obtener una muestra vaginal, determinará las bacterias presentes en el flujo. Como tratamiento, el médico recetará los antibióticos (o antimicóticos) necesarios en forma de supositorios, pomadas, ungüentos o pastillas. Para evitar un nuevo contagio entre la pareja, conviene que el compañero reciba idéntica terapia.

Autoayuda

La prevención se adopta igual que para el πrurito vulvar. El lavado vaginal es inadecuado, pues no tiene sentido y puede resultar hasta dañino. Agua clara y un perfecto aseo, “por delante y por detrás” después de haber defecado, es higiene suficiente.

Enfermedades de transmisión sexual

En el acto sexual pueden contagiarse una serie de enfermedades. A éstas pertenecen las enfermedades venéreas “clásicas”, como la gonorrea, la sífilis y el sida; o infecciones poco específicas de las vías urinarias y genitales, como las micosis (→ Prurito vulvar, → Flujo vaginal), parásitos (→ Piojos, → Sarna), herpes genital y condilomas.

La utilización de preservativos durante el acto sexual puede proteger y evitar sorpresas, como la transmisión de enfermedades contagiosas. Cuando uno de los dos miembros de la pareja padece una enfermedad de transmisión sexual, debe acudir al médico para que le imponga el tratamiento adecuado y evitar contagios. Si la terapia ordenada por el médico incluye antibióticos, convendrá fortalecer la flora intestinal y vaginal, debido a que los antibióticos sólo exterminan agentes patógenos (→ Simbiosis).

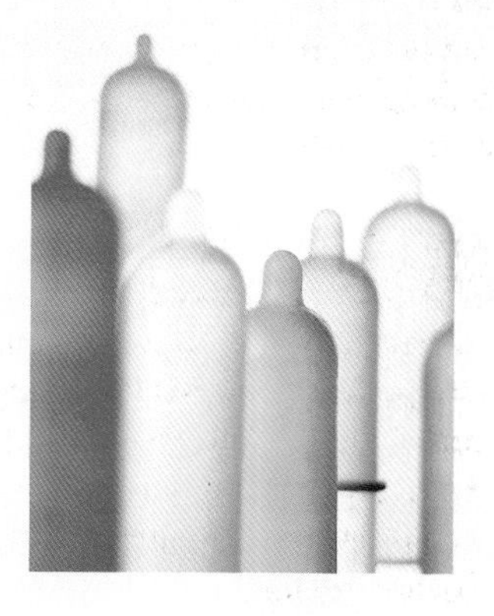

Los preservativos o condones, además de evitar un embarazo no deseado, también protegen frente a enfermedades de transmisión sexual.

Anomalías funcionales de los ovarios

▶ Síntomas:
- ➜ menstruaciones irregulares, o desaparecen;
- ➜ anomalías en la fecundación;
- ➜ vellosidad masculina;
- ➜ producción de leche sin embarazo.

Los ovarios se encargan de producir las hormonas sexuales femeninas, y de preparar los ovarios para su fecundación. El funcionamiento del ovario se altera por problemas psíquicos, enfermedades hipofisiarias, tiroideas o por hormonas producidas por ovarios quísticos, que trastornan el ciclo hormonal regular del ovario.

Tratamiento médico

Para determinar las causas, es necesario que su médico realice su diagnóstico. Mediante un test hormonal corroborará la presencia de hormonas femeninas y masculinas, así como la producción del ácido láctico; también examinará las hormonas de las glándulas tiroideas. Según sea el resultado, la terapia se basará en productos vegetales (verbena, serpentaria) que restablezcan de nuevo el desequilibrio hormonal de la persona, o de las hormonas bloqueadoras. Si las causas fueran psíquicas, una psicoterapia será lo más apropiado.

Autoayuda

Como ayuda y alivio contribuyen mucho aquellas medidas que eliminan el estrés y son relajantes.

Salpingoovaritis

▶ Síntomas:
- ➜ intensos dolores abdominales, unilaterales o bilaterales, que pueden irradiarse a la espalda y las piernas;
- ➜ flujo vaginal más intenso y diferente; es posible tener fiebre, sensación general de estar enfermo.

La salpingoovaritis es un proceso inflamatorio de las trompas de Falopio y de los ovarios. Está causada por agentes patógenos que invaden la vagina, se diseminan y propician trastornos muy agudos. Las trompas uterinas que no reciben la terapia adecuada pueden desencadenar malformaciones, obstruirse y facilitar la formación de adherencias en los ovarios. También pueden impedir la fecundación y producir dolores crónicos.

Tratamiento médico

El proceso inflamatorio puede tratarse con antibióticos. Guardar cama, reposo y tranquilidad aceleran la curación. Si estas inflamaciones se repitiesen o se agravasen, será necesario tratamiento hospitalario.

Autoayuda

El proceso inflamatorio de las trompas uterinas y ovarios se previene aumentando las defensas del organismo, sobre todo las de la vagina, con preparados de ácido láctico (derivados lácteos, yogures). Al mismo tiempo, se tratan las infecciones vaginales o la vaginitis.

Quistes ováricos

▶ Síntomas:
- ➜ casi siempre, presión y tensión en la zona abdominal inferior;
- ➜ a veces dolores repentinos, punzantes, para luego desaparecer todas las molestias;
- ➜ de vez en cuando, hemorragias; a veces, carencia total de menstruación.

Los quistes son cavidades patológicas que, de forma esférica u ovalada, contienen un líquido; están delimitados por varias capas de células. En los ovarios pueden formarse quistes benignos, denominados *quistes foliculares*, debido a la oclusión de un folículo ovárico que puede crecer o desaparecer con el tiempo. Las causas que hacen posible la formación de estos quistes suelen ser alteraciones de tipo hormonal, provocadas por el estrés o por otros motivos. Si el nivel de hormonas masculinas fuera demasiado elevado, se formarían numerosos quistes pequeños en la corteza ovárica (*ovarios poliquísticos*), causantes de la esterilidad. Después de la menopausia, los quistes son siempre motivo de preocupación, ya que pueden apuntar a un → Cáncer de ovario, siendo entonces conveniente su extirpación.

Tratamiento médico

Los quistes muchas veces se descubren de forma casual; después de la siguiente menstruación, puede observarse si se retraen o desaparecen. Pero si aumentan de tamaño con el paso del tiempo, será necesario recurrir a plantas medicinales (hierba sagrada, serpentaria). Si no surtiesen efecto transcurrido cierto tiempo, la pastilla anticonceptiva puede regular el desequilibrio hormonal. Los quistes de gran tamaño se extirpan qui-

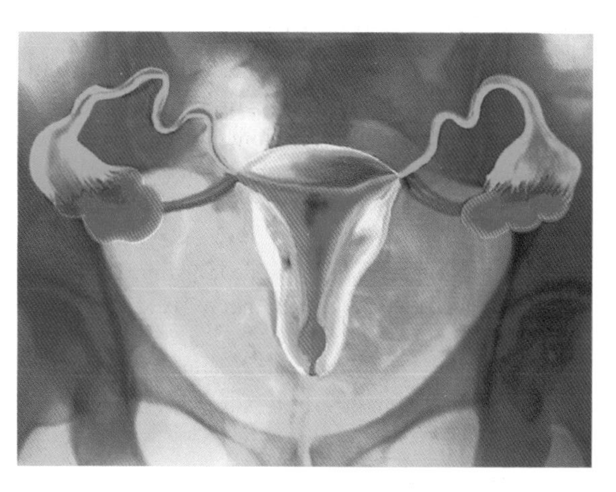

Las infecciones pueden afectar, en su ascenso a través de la vagina y el útero (centro), a las trompas de Falopio y a los ovarios.

rúrgicamente. Los ovarios poliquísticos se tratan con productos que inhiben los efectos de las hormonas sexuales masculinas.

Autoayuda

Evite o reduzca todo aquello que le produzca estrés, y fomente medidas que la relajen o lo impidan. Siempre que la causa sea de tipo psíquico, supondrán siempre una buena ayuda. El calor y el reposo contribuirán a su total desaparición.

Carcinoma ovárico

▶ Síntomas:
- ➜ sensación de presión, dolores abdominales;
- ➜ abdomen hinchado con pérdida de peso y debilidad.

El cáncer de ovarios permanece latente durante mucho tiempo, ya que los dolores sólo aparecen cuando la tumoración aumenta de tamaño y ejerce presión sobre los órganos vecinos, como la vejiga urinaria e intestinos. Si el carcinoma sigue desarrollándose, se desarrollará rápidamente en el peritoneo, intestinos y vejiga. Se forma así una ascitis, una gran acumulación de líquido en el abdomen. El riesgo de este carcinoma afecta en mayor medida a las mujeres de más de 60 años de edad.

Tratamiento médico

Mediante la palpación y una ecografía es posible establecer el denominado "diagnóstico de sospecha" que, posteriormente, se puede confirmar mediante una biopsia del tejido y una endoscopia. Si realmente se tratase de un cáncer, se extirparán quirúrgicamente las trompas uterinas y los ovarios. Luego, a la paciente se le aplicará quimioterapia.

A partir de la página 576, se reseñan importantes informaciones relacionadas con las enfermedades cancerosas, así como consejos e indicaciones.

Autoayuda

No es posible. Lo más aconsejable es realizar frecuentes reconocimientos médicos, para prevenir y obtener un diagnóstico precoz.

Endometriosis

▶ Síntomas:
- ➜ dolores algunos días antes de producirse la menstruación, que será intensa y de carácter doloroso;
- ➜ no es posible tener hijos.

Esta afección de tipo proliferativo se caracteriza por la presencia de mucosa uterina (*endometrio*) fuera de la cavidad uterina; por ejemplo, en las trompas de Falopio e incluso en los órganos vecinos, como la vejiga urinaria o los intestinos. La localización de islotes de este tejido en un lugar que no es el suyo (*ectopía*), sólo se manifiesta clínicamente durante el período fecundo de la mujer, como consecuencia de la sensibilidad del endometrio a las hormonas ováricas. Estos islotes sangran con cada menstruación, pudiendo originar quistes muy dolorosos y llenos de sangre.
En casos extremos, pueden reventar y verter la sangre de la hemorragia en la cavidad abdominal. Si los quistes se localizan en las trompas uterinas, o adheridos a ellas, obstaculizarán la ovulación y el traslado del óvulo hasta el útero.

Tratamiento médico

Mediante una endoscopia o una intervención quirúrgica, se eliminan los pequeños focos. La administración de hormonas permite "secar" grandes focos de endometriosis. Con todo, algunas células de la endometriosis si no se eliminan a tiempo pueden crecer de nuevo y causar molestias.

Autoayuda

No es posible.

Metritis (inflamación del útero)

▶ Síntomas:

➜ dolores abdominales agudos, presión;
➜ flujo vaginal, fiebre y debilidad;
➜ polimenorreas, menstruaciones intensas.

El útero se inflama en raras ocasiones, pues el moco del cuello del útero actúa de barrera contra los agentes patógenos. Pero el peligro de infección existe debido a la presencia de cuerpos extraños (*espiral*), tampones que permanecen más de 12 horas en la matriz o las reducidas defensas del cuerpo causadas quizá por un carcinoma de útero. Si la metritis no se trata debidamente, la infección afectará también a las trompas de Falopio y a los ovarios.

Tratamiento médico

Si padece una metritis, la palpación dolorosa del útero confirmará el diagnóstico. Para aplicar la terapia más correcta con antibióticos, un frotis permitirá descubrir bacterias. Si se forma un absceso, será necesario abrir el cuello de la matriz para eliminar el pus. Una vez aliviada la fase aguda, si existe sospecha de cáncer se procederá a efectuar un raspado.

Autoayuda

Lo más importante es la prevención: cambiar los tampones a tiempo y tratar las posibles infecciones.

Pólipo cervical

▶ Síntomas:

➜ hemorragias poco fluidas, sobre todo después del coito, así como un denso flujo vaginal.

Los pólipos son tumores fibroepiteliales benignos, que pueden aparecer en las mucosas y formarse en el cuello uterino. Quizá aparezcan a consecuencia de una infección vírica, pero la verdadera causa suele desconocerse.

Tratamiento médico

Para diagnosticar con certeza que sólo se trata de pólipos, debe efectuarse siempre un reconocimiento muy detenido. Se extirpan fácilmente mediante una intervención quirúrgica.

Autoayuda

No es posible.

Prolapso uterino

▶ Síntomas:

➜ sensación de presión hacia abajo, sobre todo al realizar fuerza;
➜ dolores de espalda, en la zona lumbar;
➜ sensación de presión en la vagina;
➜ micciones frecuentes en cantidades reducidas;
➜ estreñimiento crónico.

Aparece con la edad en personas que permanecen mucho tiempo sentadas, que realizan trabajos muy pesados o después de varios partos. La caída del útero en la vagina se produce como consecuencia del debilitamiento general y relajación de las estructuras de fijación y apoyo que sujetan los diferentes órganos.

Tratamiento médico

Según las instrucciones del médico, la primera medida que se debe adoptar es practicar habitualmente ejercicios de gimnasia pélvica durante, al menos, medio año. Si la situación no mejora en este tiempo, será necesaria la intervención quirúrgica: se extirpará el útero o se elevará, renovándose la tirantez de la vejiga urinaria y de la pared del intestino recto. Antes de someterse a esta operación, conviene conocer la opinión de varios médicos, pues debe ser el propio paciente quien, tras la oportuna reflexión, decida sobre la conveniencia o no de tal medida.

La alternativa a esta opción puede ser la introducción profunda en la vagina de un anillo de material plástico o goma (*pesario*), para que apoye la matriz por encima de la musculatura pélvica. Este anillo se limpiará, como máximo, cada seis semanas, debido a que produce abundante flujo vaginal. Si éste no huele desagradablemente o está alterado su color, no hay motivo de preocupación. La aplicación de pomadas permite tratar posibles puntos de fricción o de presión en la vagina. El coito podrá practicarse incluso con el pesario colocado.

Autoayuda

La mejor prevención es la aplicación de la terapia durante la fase inicial, practicando una gimnasia que permita fortalecer los músculos de la pelvis. Esta gimnasia debe practicarse después de cada alumbramiento. Los dolores de espalda mejoran si se modifica frecuentemente la posición del cuerpo, se evita realizar grandes esfuerzos físicos y no se realiza mucha fuerza. El estreñimiento y el sobrepeso favorecen poco.

Gimnasia para la musculatura pélvica

Para practicar esta gimnasia no se requieren aparatos especiales. Cada ejercicio conviene repetirlo cinco veces: mantenerse en tensión y respirar profundamente, inspirando y espirando regularmente.
A continuación, descansar como mínimo unos 10 segundos. Esta gimnasia es un complemento perfecto para robustecer también la musculatura abdominal y dorsal, pues alivia los dolores de espalda.

- Mientras permanece sentada en el servicio, intente interrumpir voluntariamente la micción.
- Cuando esté sentada o de pie, pruebe a tensar la musculatura pélvica; procure conseguir que los glúteos se tensen y eleven según sus exigencias.
- Siéntese en una silla o acuéstese sobre la espalda, tense los músculos de la pelvis y, con las rodillas encogidas, sujete y presione fuertemente una toalla enrollada.
- Permanezca acostada en el suelo, tense los músculos de la pelvis y levántela lentamente del suelo hasta que muslos y tronco formen una línea recta.

Ponga una toalla entre las piernas, y ejercite los músculos de la pelvis oprimiéndola con fuerza.

Miomas en el útero

► Síntomas:

- ➜ menstruaciones más intensas, prolongadas y dolorosas;
- ➜ sensación de presión en la zona inferior del abdomen, deseos de orinar, estreñimiento, dolores de espalda.

Los miomas son tumores benignos formados a expensas de células musculares de diferente crecimiento. Aparecen en el embarazo y debido a la influencia de los estrógenos; después de la menopausia, suelen desaparecer automáticamente. Aumentan palpablemente el tamaño del útero y crecen bien en su endometrio, o bien se abomban hacia el exterior e interior del mismo.

Tratamiento médico

Si los síntomas ocasionan molestias, se instaurará un tratamiento. Se prescribirán fármacos que reduzcan los estrógenos, anticonceptivos o se optará por la operación. Algunos miomas pueden extirparse durante la exploración endoscópica; los de mayor tamaño exigen una incisión en el abdomen. La extirpación del útero sólo será necesaria si causan graves molestias.

Autoayuda

No es posible.

Carcinoma cervical/ Carcinoma del útero

► Síntomas:

- ➜ menstruaciones inhabitualmente prolongadas, irregulares, con hemorragias viscosas;
- ➜ hemorragias a partir de la menopausia;
- ➜ hemorragias durante el coito.

Entre otros factores, el carcinoma cervical pueden propiciarlo un primer y temprano embarazo, el tabaquismo y el frecuente cambio de compañero. Es probable que en su gestación desempeñen un importante papel los virus de los papilomas. En su fase inicial, el carcinoma cervical permite su diagnóstico precoz.
El carcinoma del cuerpo uterino se forma por influencia de los estrógenos. Aparece con cierta frecuencia en mujeres sin hijos de más de 60 años de edad, que padecen sobrepeso, o después de un tratamiento prolongado con estrógenos sin el complemento de gestágenos.

Tratamiento médico

En todas las hemorragias que no sean de carácter hormonal, deben aclararse las causas que las provocaron. Si existe un carcinoma cervical en fase inicial, la mayoría de las veces bastará con efectuar una biopsia del tejido uterino. En fase más avanzada y en caso de carcinoma del cuerpo uterino, será necesaria la extirpación del útero. Posteriormente, puede ser necesaria la aplicación de quimioterapia. A partir de la página 576 encontrará información de todo tipo respecto a las enfermedades cancerosas, así como interesantes consejos y advertencias.

Autoayuda

Si cambia de pareja habitualmente, conviene adoptar el uso de preservativos.

Mastitis

► Síntomas:
- presión dolorosa con hinchazón, recalentamiento y enrojecimiento de la mama;
- secreción líquida o purulenta del pezón;
- hinchazón de las glándulas linfáticas en la axila del mismo lado;
- temperatura más elevada o fiebre, escalofríos.

Casi siempre, la inflamación de las mamas aparece durante el período de lactancia (→ Enfermedades durante el puerperio). La leche queda retenida en los conductos galactóforos que, con la concurrencia de bacterias que pasan a través de pequeñas lesiones epidérmicas en la mama o en el pezón, permiten que se origine la inflamación. Pero las mamas también pueden inflamarse en otras ocasiones, especialmente si existe una → mastopatía o un tumor canceroso (→ Cáncer de mama).

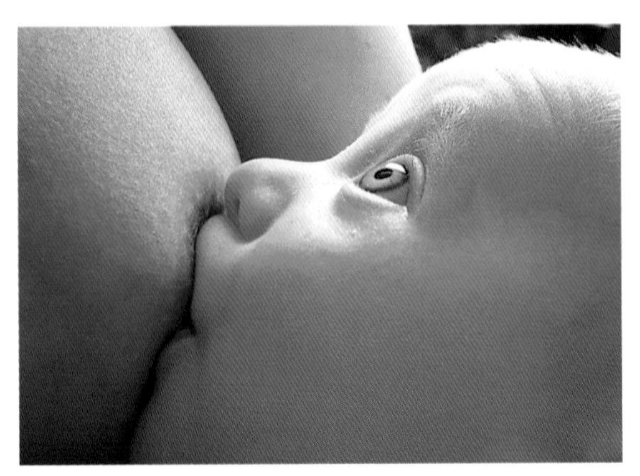

Durante el período de lactancia un problema frecuente son las inflamaciones de los pezones, debidas sobre todo a la acumulación de leche.

Tratamiento médico

La inflamación puede aliviarse mediante la aplicación de frío. En ocasiones se origina un foco purulento (*absceso*), que será abierto una vez superada la fase álgida de la inflamación. Si la fiebre es alta, se prescribirán antibióticos hasta un mínimo de tres días después de desaparecidos los síntomas.
Durante la lactancia se recetarán medicamentos que soporte bien el bebé, o bien tendrá que ser alimentado con biberón durante cierto tiempo.

Autoayuda

Para adoptar una prevención adecuada, se recomienda la máxima higiene de los pezones, sobre todo durante el período de lactancia. Al principio de la inflamación, se aplican siempre compresas con requesón o acetato alumínico, o impregnadas con infusiones de plantas medicinales (por ejemplo, hojas de perejil, semillas de linaza, meliloto y alfalfa, etcétera), que suponen un gran alivio.
Si este tratamiento no surte efecto deseado en uno o dos días, será necesario administrar antibióticos. Y si ha de alimentar al bebé con el biberón durante este tiempo, para habituarlo posteriormente al pecho de nuevo, la madre tendrá que armarse de un poco de paciencia para conseguirlo.

Patologías del pezón

► Síntomas:
- enrojecimiento y descamación, prurito y quemazón;
- secreciones líquidas claras, leche, sangre o pus en el pezón.

Enrojecimiento, descamación, y quemazón parecida a la que produce un eccema, así como secreciones líquidas sanguinolentas, purulentas o de leche, que pueden ser una señal del muy poco frecuente de cáncer de Paget. Si sólo se produce secreción líquida (por ambos pezones), podría tratarse de la elevada producción de una hormona llamada prolactina (→ Hiperproducción de prolactina).

Tratamiento médico

El médico se encargará de realizar un test hormonal, que se completará con una mamografía. En caso de duda, se realizará una biopsia del tejido mamario y del pezón. Si se trata de cáncer de Paget, será necesario un tratamiento que incluya la intervención quirúrgica.
El excesivo contenido de prolactina en la sangre, será tratado con un producto específico que reduzca dicha producción.
De todos modos, siempre tendrá que efectuar un examen del tumor, pues cabe la posibilidad de que un tumor benigno de la hipófisis pueda ser el causante de los excesos en la producción de prolactina.

Autoayuda

No es posible.

Mastopatía

▶ Síntomas:
- ➜ antes de la hemorragia, sensación de tensión y dolor en las mamas;
- ➜ una o múltiples formaciones quísticas, duras, desplazables, diseminadas o en un solo lugar.

La mastopatía es una modificación benigna de la mama. La causa que la origina es una disfunción ovárica, que propicia la formación de numerosos quistes en la glándula mamaria. También recibe el nombre de mastopatía poliquística. Estas formaciones aparecen en casi todas las mujeres antes de la menstruación. El → Carcinoma de mama se desarrolla en muy raras ocasiones.

Tratamiento médico

El reconocimiento médico se hace imprescindible. Si tanto la mamografía como la ecografía no determinan con nitidez que se trata tan sólo de una mastopatía, es necesario efectuar un análisis histológico y de la secreción líquida. Las molestias pueden aliviar con plantas medicinales (hierba sagrada, serpentaria), así como con una terapia hormonal. Se revisión médica es recomendable cada seis meses.

Autoayuda

Toda mujer debe explorar periódicamente sus mamas, sobre todo después de la menstruación. Si advierte alguna alteración, debe consultar lo antes posible con su médico o ginecólogo.

Carcinoma de mama

▶ Síntomas:
- ➜ una o varias formaciones quísticas indoloras, estáticas, o alteraciones en la mama;
- ➜ pezón retraído;
- ➜ alteraciones epidérmicas: piel retraída, hundida y enrojecida;
- ➜ ganglios linfáticos infartados en la axila del mismo lado;
- ➜ secreción líquida por el pezón.

El carcinoma de mama es el más frecuente entre las mujeres de muchos países, pues una de cada diez mujeres lo padece. Investigaciones recientes han revelado la posible existencia de una propensión congénita en el padecimiento del cáncer de mama. Con todo, las causas exactas que lo provocan siguen siendo desconocidas y se sospecha que sean varios los factores que intervienen. Además, parece ser que su aparición se ve favorecida por la debilidad crónica del sistema inmunológico debida, quizá, a constantes y graves problemas físicos y psíquicos, al tabaquismo, la ingesta de alcohol y la alimentación rica en grasas, sin olvidar la obesidad o la toxicidad medioambiental.

A partir de la página 576 encontrará información muy interesante al respecto, así como interesantes consejos e indicaciones.

Tratamiento médico

Toda formación quística sospechosa debe ser extirpada lo antes posible. En las formaciones que no superan los dos centímetros, basta con extraer una muestra del tejido afectado acompañado de un borde de tejido sano. Si el análisis histológico demuestra realmente la presencia de un carcinoma de mama, también es necesario extirpar los ganglios linfáticos de la axila del mismo lado; esto se debe a que el cáncer se propaga a través de ellos por todo el organismo (*metástasis*). Después de la operación, a la paciente se aplicará un tratamiento de quimioterapia.

Si los tumores mamarios fuesen de mayor tamaño, procede realizar forzosamente la ablación radical de la mama. En este caso es posible la implantación de una prótesis, o efectuar una mastoplastia.

Según la estructura del tejido del tumor, se prescribirá bien un tratamiento de quimioterapia, el de los denominados bloqueadores de estrógenos o bien la toma de hormonas.

Autoayuda

Antes de la menstruación, la mujer debe palparse personalmente las mamas. En caso necesario, debe consultar cuanto antes con su ginecólogo para que establezca el posible diagnóstico precoz de la enfermedad. La mujer no debe preocuparse por la primer formación quística que palpe en la mama, pero lo cierto es que cuanto antes se descubra el carcinoma de mama tanto mayores serán las posibilidades de curación.

Si el diagnóstico es de "cáncer", el apoyo y los consejos de otras mujeres afectadas por la misma enfermedad le puede servir de valiosa ayuda. No se debe ocultar la enfermedad, ni a su compañero sentimental ni a su familia. Si los problemas psíquicos llegan a ser graves, la consulta con el psicoterapeuta puede proporcinar un gran alivio y ayuda.

Casos de urgencia

Norma general

Tan pronto como aparezca cualquier tipo de hemorragia con dolores punzantes y espasmódicos del abdomen, acuda a la consulta de su ginecólogo. Siempre es preferible que el médico realice un reconocimiento de más que uno de menos, para así poder instaurar a tiempo el tratamiento necesario.

Aborto

▶ Síntomas:
- ➜ primeras señales: pérdida hemática viscosa, contracciones urinarias;
- ➜ a continuación: hemorragias más intensas, con o sin dolores.

El nacimiento de un niño con un peso inferior a los 3 500 gramos y que no dé señales de vida, será considerado un aborto si es incapaz de sobrevivir a pesar de aplicarle las ayudas técnicas posibles. El aborto puede ser: diferido o interno, embrionario y espontáneo. Las causas pueden ser de enfermedades víricas, a enfermedades graves (→ Diabetes durante el embarazo), intoxicaciones medicamentosas, consumo de drogas, tabaquismo, tóxicos medioambientales (metales pesados) o enfermedades del propio feto, como alteraciones genéticas. Aunque es poco frecuente, en el aborto suele intervenir la carencia de progesterona, una hormona propia y necesaria durante el embarazo. El riesgo de sufrir un aborto aumenta con la edad de la embarazada.

Tratamiento médico

Tan pronto como acuse los primeros síntomas de un aborto, debe acudir inexcusablemente al ginecólogo. En un principio no existe motivo alguno de preocupación, pero la situación puede llegar a ser crítica si se dilata el cuello uterino. Con medidas como guardar cama y un reposo absoluto, quizá logre el médico evitar el aborto. La administración de pastillas o inyecciones sólo tienen sentido práctico si existe carencia de esa hormona. Después de producirse el aborto, será necesario efectuar el raspado de matriz para eliminar los eventuales restos de la placenta y evitar posibles focos infecciosos.

Autoayuda

Evite cualquier tipo de sobrecarga y esfuerzo físico, deje de fumar y prescinda de tomar ciertos medicamentos durante el embarazo.

Parto prematuro

▶ Síntomas:
- ➜ dolores de parto antes de la 37.ª semana;
- ➜ rotura espontánea de la bolsa amniótica antes de la 37.ª semana.

El parto prematuro puede obedecer a múltiples causas: debilidad uterina, infecciones vaginales, una grave enfermedad o sobrecargas psíquicas o físicas. Si se diagnostica un parto múltiple, el alumbramiento puede ser prematuro.

Tratamiento médico

Acuda inmediatamente a la consulta de su ginecólogo si sospecha que puede tener un parto prematuro, pues conviene el ingreso en una clínica especializa en partos prematuros.

Si no existen otros riesgos, conviene que el parto sea completamente natural; en caso contrario, se realizará una cesárea. Después del alumbramiento, el niño será inmediatamente reconocido, identificado y colocado en una incubadora. Muchos niños que nacen prematuramente, padecen dificultades respiratorias debido a que el pulmón se acaba de formar por completo en la trigésimo sexta semana de embarazo. Determinados medicamentos consiguen la madurez pulmonar, aunque el niño necesite aún recibir respiración asistida. Como las funciones circulatorias y metábolicas, así como el equilibrio inmunológico, tampoco están plenamente desarrolladas, necesitará un intenso tratamiento médico. Pero mucho más que los demás recién nacidos, el bebé prematuro necesitará la cálida y cariñosa dedicación psíquica y física de la madre.

Autoayuda

Hacia el final del embarazo, la futura madre debe prescindir de realizar cualquier clase de esfuerzos físicos.

Pruebas clínicas especiales

Tratamiento médico

Además de los reconocimientos ya descritos, durante el embarazo deberán realizarse algunos más destinados especialmente a la madre y al niño. Se efectuarán en el marco de la prevención maternal. Encontrará más información sobre el primer parto y los controles médicos a partir de la página 607.

Análisis del líquido amniótico

A partir de la decimocuarta semana del embarazo, el líquido amniótico contiene las células del niño que informan sobre la masa hereditaria. La denominada amniocentesis consiste en realizar una punción abdominal del saco amniótico para obtener líquido amniótico. Su análisis servirá para detectar enfermedades fecales. Idéntica finalidad tiene entre la octava y la décima semana una segunda prueba, que extrae a través de la vagina una minúscula muestra de las condiciones de la placenta (*biopsia del corion*).
Estas dos exploraciones se realizarán si existen fundadas sospechas de riesgos (por ejemplo, enfermedades hereditarias, en caso de un aborto previo, edad, etcétera), sopesando siempre la posibilidad de proceder a la interrupción del embarazo.

Exploración ecográfica

Durante todo el período del embarazo sano y normal se realizarán reconocimientos ecográficos preventivos. Hacia la vigésima semana del embarazo es posible descubrir, mediante una ecografía, posibles malformaciones del corazón, riñones, columna vertebral, cerebro y miembros del cuerpo; también, el crecimiento y posición de la placenta, así como la cantidad de líquido amniótico. En este punto es posible concretar la posibilidad de que se produzca un parto múltiple, debido a que los niños no se vean aún o que más tarde se oculten uno a otro.
La denominada *ecografía Doppler*, es una exploración clínica especial que controla y mide el riego sanguíneo en la placenta y la circulación sanguínea en el feto. Sirve para comprobar el riego sanguíneo del niño es defectuoso o padece una cardiopatía, de vital importancia para que después del parto pueda recibir la terapia adecuada.

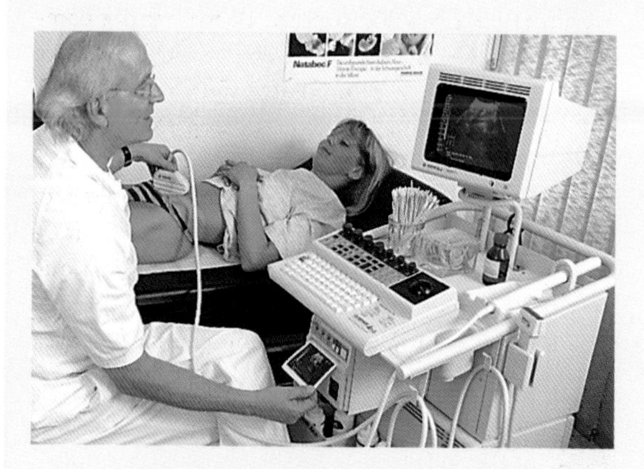

Durante el embarazo, la ecografía permite un perfecto reconocimiento general, así como determinar la posición y forma del feto.

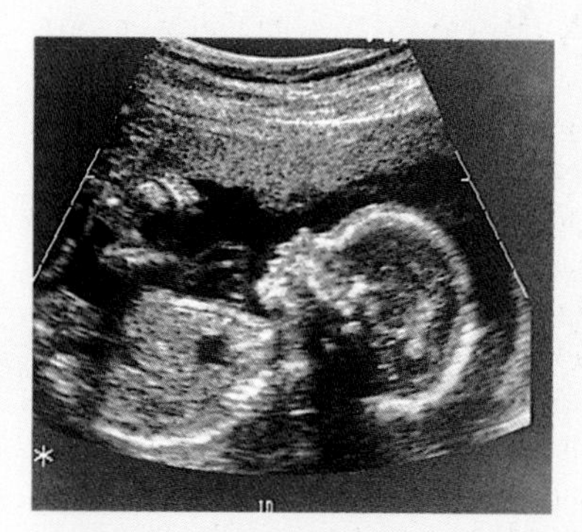

Ecografía del interior del feto: el bebé se visualiza perfectamente a partir de la vigésima semana de embarazo.

Registro de los tonos cardíacos/ Dolores de parto

El registro de los tonos cardíacos-dolores (*cardiotocografía*) se aplica, como medida preventiva, durante las cuatro últimas semanas del embarazo, pero sobre todo durante el parto.
Un aparato registra los dolores y los tonos cardíacos del niño trasmitidos a través de la pared abdominal, que se plasma en las curvas respectivas representadas en su discurrir la una junto a la otra.
Así es posible constatar si el bebé soporta bien los dolores, o si los tonos cardíacos laten más lentamente en cada aparición de dolor. Gracias a este método, es posible detectar inmediatamente las situaciones de emergencia que pueden acarrear peligro tanto para la madre embarazada como para el propio feto.

Infecciones durante el embarazo

Las infecciones que padezca la madre pueden dañar gravemente al niño aún no nacido, sobre todo durante los tres primeros meses del embarazo (→ Infecciones durante el embarazo).

Si la madre padeció la rubéola de niña, conviene analizar su sangre para detectar la posible presencia de anticuerpos contra esta enfermedad. Si no existiese, debería vacunarse a más tardar tres meses antes del embarazo previsto; o, si es posible, no tener contacto con niños enfermos durante el embarazo.

La futura madre también debe comprobar si es inmune a la toxoplasmosis. En caso negativo, debe evitar todo contacto con gatos y no comer carne cruda o semicruda durante el embarazo

Vaginitis y cistitis

▶ Síntomas:

- prurito y quemazón en labios vaginales y vagina;
- flujo más intenso, olor muy desagradable y de otro color;
- frecuentes deseos de orinar, con o sin dolor; quemazón durante la micción.

Durante el embarazo los tejidos reciben una menor aportación de sangre, el sistema inmunológico no es tan fuerte como lo era antes y aumenta la secreción vaginal. Como consecuencia, es más probable que aparezcan diversas infecciones producidas tanto por bacterias como por hongos.

Tratamiento médico

Para aclarar las causas que la provocan, consulte con su ginecólogo. Tanto las infecciones de la vagina como las de la vejiga urinaria, recibirán la misma terapia que cuando no se está embarazada.

No todos los medicamentos pueden utilizarse, pero ni la penicilina ni los fármacos antimicóticos resultan problemáticos. Encontrará más información sobre las infecciones vaginales en las páginas 386 y 387; y en la 365 sobre la vejiga urinaria.

Autoayuda

Consulte las → páginas 386 y 387.

Diabetes mellitus (hiperglucemia) durante el embarazo

▶ Síntomas:

- considerable aumento de peso;
- notable incremento del perímetro abdominal.

Durante el embarazo, la propensión a contraer diabetes puede aparecer por primera vez, debido a que el abastecimiento para dos personas representa un mayor esfuerzo para el páncreas. Por este motivo, las revisiones periódicas durante el embarazo deberán controlar el aumento de la tasa hemática de glucosa (*hiperglucemia*), presencia que corresponde a la pérdida de azúcar en la orina (*glucosuria*).

El aumento de glucosa en la sangre es la característica que define a esta enfermedad. Las mujeres que antes del embarazo ya han padecido diabetes, deberían prestar la máxima atención a los valores de glucosa en la sangre con el fin de mantener el equilibrio óptimo. Además de someterse a todos los controles periódicos prescritos, acuda inmediatamente al ginecólogo si padece infecciones de las vías urinaria.

Si el nivel de glucosa en la sangre oscila mucho, o permanece siempre muy elevado, produce el sobrepeso de madre e hijo, eleva la producción de líquido amniótico y hace que el bebé contraiga más fácilmente enfermedades infecciosas. En casos de hiperglucemia aguda, puede incluso producirse el aborto.

Tratamiento médico

Las mujeres diabéticas deberían informarse, con la debida antelación, sobre la dieta alimentaria y la medicación necesarias. La necesidad de insulina varía mucho durante las diferentes fases del embarazo, por lo que se hace imprescindible el autocontrol diario del nivel de glucosa en la sangre. Si se detecta la diabetes durante el embarazo, deberá intentarse combatirla primero con la dieta alimentaria y, eventualmente, con inyecciones de insulina. En ningún caso deben tomarse pastillas reductoras del nivel de glucosa en sangre.

Autoayuda

Las personas diabéticas deben controlar la dieta alimentaria durante el embarazo, además de conocer la cantidad de hidratos de carbono y azúcar que contiene para evaluar correctamente las necesidades "gastronómicas". Sin ser exagerado, la actividad física ayuda a mantener estable el nivel de glucosa.

Si se practican regularmente ejercicios físicos durante el embarazo, la circulación sanguínea y el nivel de glucosa en sangre se mantienen estables.

Gestosis (enfermedades derivadas del embarazo)

► Síntomas:
- ➜ considerable aumento de peso, con edemas en manos y piernas, poca evacuación de orina;
- ➜ el perímetro abdominal aún es reducido;
- ➜ cefaleas, presión encefálica, zumbidos de oídos y visión dificultosa.

Durante el embarazo, la hipertensión arterial produce consecuencias más graves y rápidas. Las causas que producen la gestosis son desconocidas, sin embargo se sabe que es un trastorno del embarazo cuyas consecuencias sobre el organismo resultan ser patológicas. Entre los factores de riesgo: el aumento constante de peso y la propensión hereditaria a la diabetes mellitus. Además de la retención de líquido que se concentra en los tejidos y da lugar a edemas, la gestosis puede ser culpable de una alteración renal que produce albuminaria. Simultáneamente, el riego sanguíneo es menos fluido, lo que ocasiona el peligro de trombosis. Si la enfermedad no recibe la terapia adecuada, se reduce el riego sanguíneo de la placenta (con el consiguiente peligro de desprendimiento). El desarrollo del feto padece entonces un retroceso y, en el peor de los casos, puede llegar incluso a morir. Para la mujer embarazada, la gestosis puede resultar peligrosa, pues en caso de no recibir la terapia adecuada es capaz de producir ataques espasmódicos o incluso un mortal derrame cerebral. Gracias a los reconocimientos obstétricos preventivos, la enfermedad ya no reviste el dramatismo de otros tiempos y sólo se contrae en muy contadas ocasiones.

Tratamiento médico

Ante todo, lo más importante es vigilar la hipertensión arterial. Una dieta alimentaria rica en proteína y el reposo en cama mejoran el riego sanguíneo de la placenta. Si tales medidas resultarán ineficaces, se prescribirán fármacos que reduzcan la hipertensión arterial, magnesio e infusiones que hagan más fluida la sangre. En ciertos casos, es conveniente provocar un parto prematuro. Por regla general, las molestias desaparecen al poco tiempo.

Autoayuda

No es posible.

Incompatibilidad sanguínea materno-fetal

► Síntomas:
- ➜ la embarazada no acusa síntomas, pero el niño puede sufrir graves daños.

Aunque muy poco frecuente, es posible que se dé la incompatibilidad entre los grupos sanguíneos A, B y AB. Pero mucho mayor es el riesgo de la denominada incompatibilidad del factor Rh . Si una mujer con sangre del factor Rh negativo es fecundada por un hombre con factor Rh positivo, el niño posee el factor Rh positivo, y, al producirse el intercambio de sangre entre madre e hijo, ésta puede generar anticuerpos contra la sangre de factor Rh positivo.
Además, en todo embarazo posterior el organismo reaccionará inmunológicamente frente al niño aún no nacido. Sin un tratamiento adecuado, el niño puede sufrir graves daños como edemas, ictericia, anemia hemolítica, dificultades mentales, hipertonía muscular, temblores y alteraciones del tono muscular.
En el peor de los casos, el niño morirá en el vientre de su madre.

Tratamiento médico

En los casos más graves, se debe realizar una transfusión de sangre a través del cordón umbilical. El parto es preciso provocarlo de forma prematura.

Autoayuda

Si una mujer posee el factor Rh negativo, después del embarazo, su interrupción del embarazo o aborto debe someterse a una terapia que controle sus defensas inmunológicas.

Alteraciones de la placenta

► Síntomas:

➜ sólo producen síntomas las alteraciones que se prolongan en el tiempo; el abdomen sigue bastante plano y el peso aumenta un poco.

La placenta sólo desempeña una misión concreta durante el embarazo, por lo que es normal que "envejezca pronto". La hipertensión arterial, la diabetes mellitus y el tabaquismo propician su pronta calcificación (→ Arteriosclerosis). A largo plazo, todo ello dificulta el abastecimiento sanguíneo al feto y graves consecuencias como un crecimiento mucho más lento y una menor cantidad de líquido amniótico.

Tratamiento médico

En el transcurso de los reconocimientos médicos previos se observarán las posibles alteraciones de la placenta. Si la mujer permanece acostada, el riego sanguíneo mejorará; por este motivo, la primera prescripción médica es guardar cama. En ciertas ocasiones, se aconseja el parto prematuro.

Autoayuda

No es posible.

Dolores de parto prematuros

► Síntomas:

➜ espasmos y contracciones urinarias antes de la semana 32.ª de embarazo, más de seis veces al día; a partir de la semana 32.ª, más de dos veces a la hora;

➜ endurecimiento rítmico del abdomen, con o sin dolores lumbares.

Los dolores de parto prematuros suelen deberse a problemas físicos y psíquicos. Si éstos se eliminan, los dolores desaparecen casi de inmediato. Sin embargo, en ocasiones pueden cerrar el cuello uterino o abrirlo prematuramente.

Tratamiento médico

Visite a su ginecólogo, para que le diagnostique qué es lo que le ocurre. En estos casos, para que los dolores desaparezcan suele recomendarse que la mujer "camine despacio". Las pastillas de magnesio relajan la musculatura uterina. Si no fuera suficiente, o se abriese el cuello del útero, se prescribirán medicamentos que, aunque producen efectos secundarios (taquicardia, temblores y angustia) suele reducir los dolores. Si el cuello uterino se abriese antes de la 26.ª semana, se podrá colocara un anillo de goma (*pesario*). Y sólo en raras ocasiones, será necesario cerrarlo mediante una operación.

Autoayuda

El embarazo en la mujer significa asumir problemas adicionales. Algunas mujeres lo asumen, y opinan que pueden trabajar incluso con mayor perfección que antes. ¡Pero no conviene que la mujer se exponga a semejante estrés! La legislación de cada país recoge los períodos de descanso en el trabajo específicos previstos por la maternidad, que igualmente son aplicables para el ama de casa.

Amniorrexis

► Síntomas:

➜ pérdida de algunas gotas o de todo el líquido amniótico, un líquido claro, lechoso o verdoso; retención imposible.

Es la rotura del amnios o membrana que envuelve al feto, denominada "bolsa de aguas". Si sucede de forma natural antes de la trigésimo sexta semana, existe peligro de infección. Pero normalmente se hace de forma artificial, para provocar el parto durante las siguientes 12 a 24 horas y que así se dé la dilatación suficiente.

Tratamiento médico

Si transcurrido el plazo del embarazo no se inician los dolores, se recurre a la amniorrexis. Los peligros que suponen son: prolapso de cordón e infección del líquido amniótico por gérmenes si no se produce el parto en 24 horas. No obstante, deben evitarse los partos prematuros. Los antibióticos y otros medicamentos pueden aliviar el dolor. Cuando exista una hemorragia por placenta previa marginal, se puede recurrir a la amniorrexis con fines hemostáticos, de modo que la parte presentada se adapte a la superficie sangrante y provoque el taponamiento.

Autoayuda

Las infecciones vaginales crónicas afectan directamente a la bolsa amniótica, provocando las amniorrexis. Las infecciones requieren una terapia inmediata.

Presentación podálica

► Síntomas:

- ➜ la forma esférica de la cabeza del niño se puede palpar debajo del arco costal;
- ➜ movimientos del feto en la fosa ilíaca.

Un 5% de los niños permanecen hasta el parto en la posición podálica (cabeza hacia arriba). Situado longitudinalmente, el feto presenta este carácter al presentarse en el canal del parto con el tronco situado debajo de las crestas ilíacas. La mayoría de los niños se gira para nacer con la cabeza por delante, en la presentación de occipucio o cefálico.

Tratamiento médico

El médico incluye el control de la posición del feto. Hasta la 38.ª semana, mediante la administración de calmantes, al niño normal se le puede intentar dar la vuelta. El parto desde esta posición requiere más tiempo. Por este motivo, sobre todo en las mujeres primíparas, se suele realizar la cesárea. Esta intervención será siempre recomendable si el niño es algo grande, si se presentan ciertas complicaciones y riesgos (como, por ejemplo, diabetes, gestosis), o si el parto pudiese resultar problemático o si se demorase en exceso.

Mediante unos ejercicios que eleven la pelvis, el feto se girará y adoptará la posición correcta.

Autoayuda

Si practica el "puente indio", el feto se colocará solo en la parte más estrecha: acuéstese diariamente sobre el suelo dos o tres veces durante cinco minutos y coloque dos cojines bajo la región lumbar. El abdomen se abombará, permaneciendo los hombros y los pies apoyados en el suelo. Respire hondo y tranquilícese.

Parto desde la posición podálica

La cesárea no siempre es necesaria, ni siquiera cuando el bebé se encuentra en posición invertida. Sin embargo, pueden presentarse momentos críticos: el culito, de tamaño relativamente pequeño comparado con la cabeza, no logra dilatar tanto el cuello uterino y la vagina como ella. A esto se debe que la fase del período expulsivo del feto requiera muchas veces más tiempo, pudiéndose presentar además falta de oxígeno.

Dado que la cabecita será lo último en aparecer, también puede ocurrir que aplaste al cordón umbilical, que sigue abasteciendo de sangre a la placenta y al feto. Primero aparecen la pelvis y las piernecitas, presentándose así todo el cuerpo hasta el ombligo; luego, siguen el tórax y los hombros. Para que los bracitos no sufran ni se desarticulen, se extraerán con sumo cuidado para que, al final, aparezca la cabecita y salga fuera todo el niño.

Enfermedades en el puerperio

► Síntomas:

- ➜ pocos días después del parto, desaparición de secreciones vulvares; fiebre y dolores abdominales;
- ➜ enrojecimiento, tensión dolorosa, mamas muy calientes;
- ➜ enrojecimiento y presión dolorosa en las pantorrillas;
- ➜ depresión persistente, irritabilidad.

Las enfermedades que pueden contraer las puérperas, casi siempre suelen ser infecciones del útero o de las mamas; también, incluso trombosis. En la → página 60 encontrará información sobre la denominada depresión puerperal, un bajón anímico que afecta a muchas mujeres después del parto.

Tratamiento médico

En las páginas anteriormente mencionadas, obtendrá información sobre la terapia que se debe aplicar a la puérpera.

Autoayuda

En el puerperio se debe dar la máxima atención a la higiene personal, del pezón y de la zona vaginal.

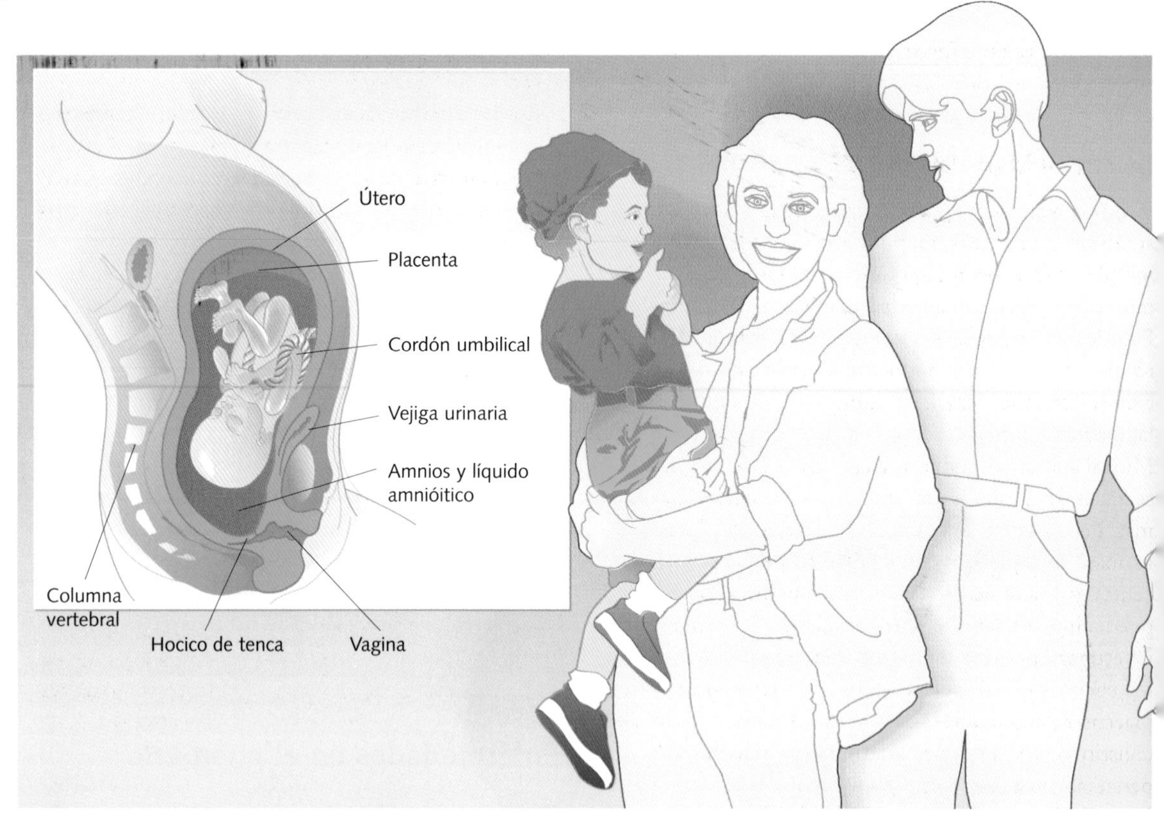

El desarrollo sexual del niño

- **La sensación de placer en el niño**
- **Las fases de la madurez**
- **Identidad sexual**

Para la mayoría de los adultos, hablar de la sexualidad infantil conlleva una enorme cantidad de problemas de diversa índole. Las convicciones morales y los convencionalismos son barreras muy difíciles de superar y, en lugar de adentrarse en el modo de ser y pensar del niño –con sus experiencias carentes aún de toda malicia–, exponer la situación desde el propio punto de vista de un adulto es algo harto difícil.

Tampoco soluciona el problema pretender negar la evidencia de la existencia de una sexualidad infantil. Al contrario, afirmar su existencia como una parte importante del desarrollo infantil, será de gran ayuda para ambas partes.

Lo que de ninguna de las maneras debe suceder, es "confundirla" con la sexualidad de las personas adultas.

La sensación de placer en el niño

Durante la infancia, las sensaciones sexuales del niño no se diferencian en nada de cualesquiera otras percepciones físicas. Lo fundamental no es que el niño acaricie o juegue con una determinada parte de su cuerpo, como pueden ser, por ejemplo, sus genitales, sino cómo reacciona frente a estas estímulos físicos.

El niño no exterioriza sus sensaciones placenteras, porque su placer no es el que proporciona la simple genitalidad. Interioriza su satisfacción. Su curiosidad le inducirá a conocer nuevos estímulos: las caricias de su madre al mamar, el placer de vaciar su intestino y vejiga (*sexualidad anal*), la succión del dedo pulgar (*sexualidad oral*) o cuando sus manitas juegan con el pene o el clítoris, respectivamente.

La masturbación también forma parte del comportamiento natural del niño. En lactantes de cuatro meses de edad, se ha podido demostrar que después de una excitación puede producirse el orgasmo. Conforme van pasando los años, esta sensación de placer va desapareciendo. El niño incorpora otras percepciones, pero sin perder jamás del todo su innata predisposición física a gozar de una placentera excitación sexual.

La curiosidad infantil

El niño no siente vergüenza al investigar y explorarse a sí mismo y a su entorno, pues desconoce los prejuicios morales que le serán inculcados más tarde, aun siendo muy diferentes de unas culturas a otras.
Para los melanesios, habitantes de los Mares del Sur, resulta incomprensible que de acuerdo con sus tradiciones una muchacha o un muchacho no hayan copulado aún a los cinco años de edad.
Muy al contrario, en nuestra civilización las actividades sexuales de los niños más que extrañeza causarían alarma. Pero no se prohiben los juegos de "papás y mamás", porque parecen ser juegos sexualmente inocentes y tolerables. Así, cuando juegan a "médicos" puede interpretarse como un deseo "científico" de investigar lo desconocido y se acepta la exploración de los cuerpos como algo natural. Pero, en realidad, esta placentera exploración del cuerpo durante la infancia constituye un importante paso en el desarrollo de una personalidad capacitada para el amor.
La curiosidad sexual de los niños alcanza su momento cumbre entre los tres y los cinco años de edad. Si a los niños se les concede libertad, comenzarán a desempeñar papeles sexuales de lo que, en su fantasía, consideran el mundo de los adultos. Sin embargo, existe una tendencia a que practiquen juegos de "su" sexo con amigos, quizá con la instintiva intención de comprobar y afianzar el papel sexual que deben desempeñar.

Cuerpo y alma

Conviene diferenciar las dos partes en que se divide el desarrollo sexual del niño, o del adolescente: la física y la psíquica. La unión entre ambas es muy ligera, apenas perceptible, un hecho que hoy se verifica con claridad: la madurez sexual se adelanta, mientras se demora cada vez más la madurez psíquica necesaria para crear una relación estable de pareja con otra persona.
La primera relación sexual no va casi nunca unida, o no debería ir, a la madurez necesaria para la reproducción. Más bien es la consecuencia de una predisposición sensorial, aunque no dejen de influir factores de tipo socioeconómico y cultural. Pero si la actividad sexual se valora con una nota tan alta, es sintomático de lo mucho que se espera ella. Este es el motivo principal por el que también ejerce presión tan grande entre los jóvenes, olvidándose de otros objetivos o tareas que relegan a último término. Como podrá comprobarse, los cambios hormonales y el proceso de maduración psíquica tienen pocos puntos en común. Los niños que prematuramente alcanzan la pubertad, se enamoran al mismo tiempo que aquéllos otros con una pubertad más tardía.

Los papeles sexuales que deben desempeñar

Los niños aprenden de sus padres los estereotipos de comportamiento y las sensaciones de su propio sexo, pero también las del sexo contrario. Lo que observan en su ascendiente de su mismo sexo, lo acuñará su facultad perceptiva para establecer su comportamiento posterior.

Despreocupados y con toda naturalidad, los niños exploran con gran curiosidad los secretos del cuerpo.

El diseño de la propia identidad sexual se establece en la más temprana infancia: quien fue educado como muchacho durante su infancia, toda su vida se identificará con las formas de comportamiento masculinas; y la que fue educada como muchacha, adoptará las femeninas. La identificación con el papel sexual que debe desempeñar en la vida no es, sin embargo, consecuencia evidente del sexo biológico, a no ser que éste haga preciso, invirtiendo los papeles, la necesidad de dicho comportamiento.

La conducta de los padres

El desarrollo sexual libre e inconsciente del niño exige la premisa de unos padres que posean una conducta afirmativa y comprensiva, porque la curiosidad y las sensaciones placenteras del niño nada saben aún de los tabúes morales y culturales que impone la sociedad.
Con todo, los padres serán siempre los responsables de que su hijo encuentre el camino correcto entre los convencionalismos y las posibilidades de su época y cultura. Pero actuar comprensivamente y armonizar entre estos dos polos, es tarea no demasiado fácil.

La herencia

La herencia es la transmisión de los genes, de la información genética, de una generación a la siguiente. En el momento de la fecundación, el óvulo contiene el "plan estructural" de la nueva vida y, gracias a los genes, a los nueve meses nacerá un ser humano. El conjunto de características y propiedades del nuevo ser viene determinado tanto por influencias externas como por las informaciones hereditarias.

Los cromosomas

Los genes son como perlas alineadas en estructuras filiformes, que se conocen como cromosomas. Cada una de estas estructuras está formada por el ADN (ácido desoxirribonucleico), que se parece a una doble hélice. En el núcleo de la célula del cuerpo humano se encuentran 46 cromosomas, entre los que figuran dos para determinar el sexo y encargarse de su desarrollo, que por su forma reciben los nombres de cromosoma "X" y cromosoma "Y". Toda mujer sana posee dos cromosomas X; y todo hombre sano, un cromosoma Y y otro X. Exceptuando los cromosomas X e Y en el hombre, dos cromosomas son siempre parecidos; por consiguiente, pueden formarse 23 pares de cromosomas (los llamados *cromosomas homólogos*).

El proceso de la división celular

Al dividirse una célula, es indispensable que primero doble su número de cromosomas para que de ella puedan nacer dos células hijas que posean la misma información hereditaria (*mitosis*).

La división celular que hace posible la maduración de las células sexuales (óvulos en la mujer, espermatozoides en el hombre), discurre de forma distinta según el sexo. Si cada una de las células sexuales tuviese 46 cromosomas, al fundirse en una sola durante la fecundación crearían una célula con 92 cromosomas. Así, si bien en cada formación de óvulos o espermatozoides se dobla el número de cromosomas, lo cierto es que luego se reparte entre cuatro células (*meiosis*). Cada una de las nuevas células sexuales maduras contiene sólo la mitad de cromosomas. El óvulo fecundado poseerá 23 cromosomas del padre y 23 de la madre, y un cromosoma femenino y otro cromosoma masculino formarán cada pareja.

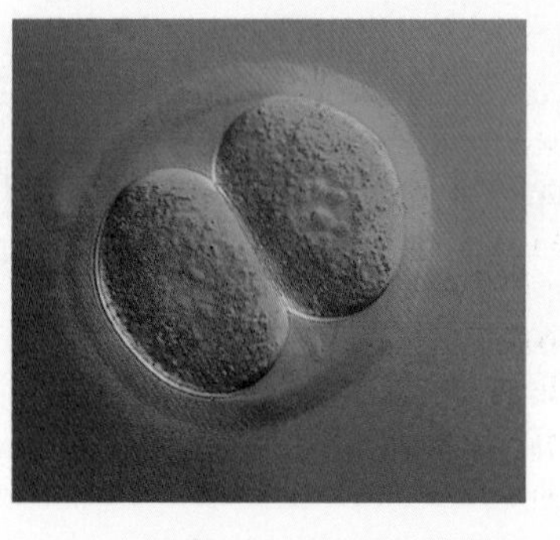

El óvulo fecundado se divide por primera vez, para comenzar así el desarrollo del nuevo ser.

El milagro de la herencia genética pasa de generación a generación, de abuelos a padres, y de éstos a los hijos.

Las reglas de la herencia

Los genes que contienen los dos cromosomas que forman cada pareja, portan sus respectivas características. Estos genes pueden actuar bien conjuntamente, o bien uno de ellos "someter" al otro. El gen "más fuerte" se denomina dominante; el otro, recesivo.

Un ejemplo: toda persona posee uno de los grupos sanguíneos A, B, AB ó 0. La predisposición para los grupos sanguíneos A o B son dominantes; la predisposición para el grupo sanguíneo 0, es recesiva. El padre transmite el gen para el grupo sanguíneo A, la madre para el grupo sanguíneo B, actuando ambos genes de forma codominante. El niño poseerá entonces el grupo sanguíneo AB.

Si el padre transmite el gen para el grupo sanguíneo 0, el niño generará entonces el grupo sanguíneo B, debido a que B es el dominante. Sólo si ambos padres transmi-

tienen la información genética para el grupo sanguíneo 0, el niño recibirá también el grupo sanguíneo 0.
Las dolencias se heredan de forma dominante, siempre que uno de los padres padezca dicha enfermedad. En caso de una dolencia congénita recesiva, el gen transmisor de la enfermedad será dominado u "ocultado" por el gen de la persona sana.
Sólo si ambos padres poseen el gen recesivo de la enfermedad, el niño tendrá unas probabilidades del 25% de enfermar. Sin embargo, la probabilidad de que ambos padres padezcan la misma enfermedad hereditaria recesiva es mínima.

Mutaciones de los genes

Reciben el nombre de mutaciones las variaciones bruscas, de carácter heredable, que se producen en el patrimonio hereditario. El desarrollo evolutivo de los seres humanos, y su cada vez mejor adaptación al mundo o medio ambiente, se basa en mutaciones "propiciadas por el éxito conseguido". Pero, tales variaciones de genes también pueden producir enfermedades.
Las sustancias que favorecen la mutación, reciben el nombre de "mutágenos" o "mutagénicos". Son sustancias capaces de alterar la estructura de los ácidos nucleicos presentes en el patrimonio genético. Pueden ser, por ejemplo, diferentes tipos de virus, agentes químicos, rayos X o incluso emisiones radiactivas. Muchas de las sustancias cancerígenas se supone que actúan como mutágenos.
Las mutaciones pueden ser inofensivas, pero también causar importantes transformaciones celulares. Los rayos X, por ejemplo, pueden desencadenar un comportamiento celular completamente diferente al normal. Muchas veces, nuestro propio sistema defensivo considera tales células como extrañas y las elimina. Pero de pasar desapercibidas, pueden causar diferentes enfermedades. Sin embargo, las mutaciones también son capaces de afectar a una mínima parte de un gen. En muchos casos, semejante variación de la célula puede ser anulada.
Los efectos de una mutación dependen de la célula afectada. Si se trata de una célula "normal" del cuerpo, la variación se limitará a una región determinada del organismo; pero si se trata de un óvulo o de un espermatozoide, la mutación afectará al niño que nazca de la fecundación y su organismo sufrirá las consecuencias.

Análisis cromosómico durante el embarazo

Si existe la más mínima sospecha de que un niño pudiera padecer una enfermedad hereditaria o nacer con un impedimento, se hace preciso realizar un análisis cromosómico durante el embarazo.
Las mujeres de más de 35 años de edad deberían tener en cuenta siempre la necesidad de hacerse un análisis de este tipo, pues en ellas, más que en los hombres, el riesgo de alumbrar un hijo con el síndrome de Down es más elevado
Antes de someterse a dicho análisis, ambos padres deberían estar plenamente de acuerdo sobre su proceder después de conocer los posibles resultados y eventuales consecuencias. Las células necesarias para el análisis pueden obtenerse del líquido amniótico, de la placenta o de la sangre del cordón umbilical del niño aún no nacido.

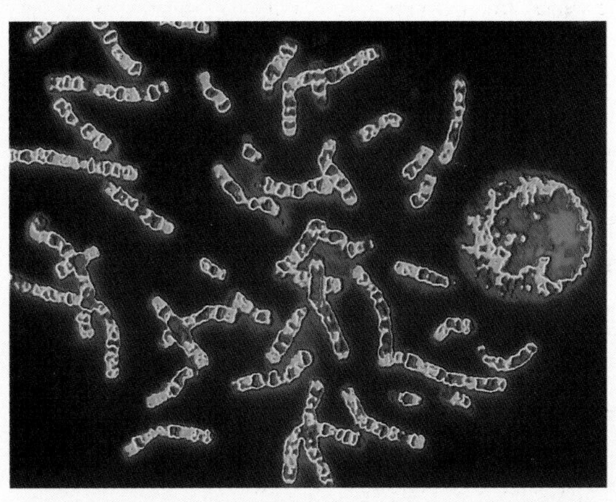

Normalmente la célula de todo ser humano contiene 46 cromosomas, incluso la del niño aún no nacido.

Las células se preparan de tal forma que los cromosomas aparecen uno junto al otro; luego son coloreados, fotografiados al microscopio y ordenados por pares. De esta forma podrá determinarse si el número, forma, tamaño y estructura de los cromosomas son normales; asimismo, podrá comprobarse, de acuerdo con los cromosomas X e Y, cuál será el sexo del niño que ha de nacer. Las modernas técnicas de control actuales permiten detectar la más mínima variación o anormalidad.

El proceso normal de crecimiento

El concepto de "crecimiento" incluye los procesos que tienen como objetivo el aumento del tamaño, estatura, peso y madurez del cuerpo del niño.

Estos procesos están influenciados por múltiples factores, entre los que se encuentra la información genética, pero también son consecuencia de la dieta alimentaria, del estado de salud, de las condiciones familiares y del medio ambiente. Por otra parte, hay que indicar que en el proceso de crecimiento normal desempeñan un papel importante las hormonas de crecimiento y sexuales.

Durante las fases de niñez y adolescencia, la velocidad de crecimiento es diferente de una persona a otra. En el transcurso del primer año, el crecimiento del niño es de unos 25 centímetros; pero, cuando alcanza la edad escolar, tan sólo supone 5 centímetros. Al llegar a la pubertad crece velozmente; y, dado que ésta se inicia antes en las muchachas, su estatura supera durante un tiempo a la de los muchachos.

Con el crecimiento se aumenta de peso, y, además, se modifican las proporciones corporales: en comparación con la cabeza, que en el parto ya presentaba el 65% de su circunferencia final, tanto el cuerpo como los brazos y piernas se van haciendo cada vez más grandes.

Enanismo familiar

► Síntomas:

➜ la talla es considerablemente menor en comparación con la media; sin embargo, las proporciones del cuerpo son normales.

Una persona se considera que padece "enanismo familiar", siempre que su estatura sea inferior a la media de la población y sus padres también sean muy pequeños. Los factores hereditarios desempeñan un papel fundamental, pues no existen trastornos orgánicos ni psíquicos.

Tratamiento médico

El médico descartará la posible existencia de una enfermedad, como causante directa de una estatura inferior a lo normal. No es posible influir en el proceso normal de crecimiento del cuerpo mediante la prescripción de medicamentos.

Autoayuda

No es posible.

Gigantismo familiar

► Síntomas:

➜ la talla es considerablemente superior a la talla media de las personas; las proporciones corporales, sin embargo, son normales.

El crecimiento desmesurado de un niño o de un muchacho, hasta alcanzar una estatura que supera en mucho la talla media de sus compañeros de la misma edad, casi siempre apunta al padecimiento de un trastorno hereditario; hoy día, las muchachas pueden llegar hasta los 185 centímetros de talla, y los muchachos hasta los dos metros. Sobre todo en las muchachas, una extraordinaria estatura puede ser causa de problemas psíquicos y sociales.

Tratamiento médico

Conviene que el médico establezca la causa del desmesurado crecimiento. Si se sospecha que la estatura final sea muy superior a la normal, quizá se deban prescribir hormonas sexuales durante la edad infantil. Asimismo, la psicoterapia puede ser muy positiva.

Autoayuda

Es imposible.

No todos los niños crecen con la misma rapidez, un par de centímetros no debe preocupar en absoluto.

Pubertad precoz

► Síntomas:

➜ desarrollo precoz de los órganos sexuales y crecimiento acelerado.

Como consecuencia de una mayor producción de hormonas sexuales, puede aparecer la maduración sexual (*Pubertas praecox)* varios años antes de lo normal. Las muchachas enferman con más frecuencia que los muchachos. Además de factores hereditarios, también pueden influir ciertos trastornos orgánico-cerebrales, como por ejemplo tumores, al producir mayor cantidad de hormonas sexuales.
No confundir con pseudo-pubertad.

Tratamiento médico

El médico determinará las causas que originan la pubertad precoz. La aplicación de la terapia tendrá como objetivo demorar o detener en gran medida la producción de hormonas sexuales.

Autoayuda

No es posible.

Hipotiroidismo (hipofunción de la glándula tiroides en los niños)

En la página 512 se recoge información pormenorizada referente a esta enfermedad, que produce aletargamiento, somnolencia, cansancio, pérdida de apetito, aumento de peso e hipersensibilidad al frío.

Tardanza en el desarrollo constitucional

► Síntomas:

➜ crecimiento más lento, pubertad tardía e infantilismo.

Se habla de retraso en el desarrollo constitucional, cuando la pubertad comienza entre dos y cuatro años más tarde de lo habitual y el desarrollo físico sufre una demora; por ejemplo, si el crecimiento del muchacho sólo finaliza después de haber cumplido los 20 años de edad. Esta desviación se puede deber a un trastorno en la producción de hormonas del crecimiento. A veces, es posible confirmar que uno de los padres ha padecido una anomalía semejante.

Tratamiento médico

Lo primero es establecer lo más pronto posible el diagnóstico que determine las causas de este desarrollo tardío, ya que más tarde los problemas psíquicos pueden ser importantes.
Los jóvenes afectados se sienten infravalorados, por lo que les resulta difícil estudiar y sufren depresiones o agresiones y sus consecuencias. De gran ayuda para el joven puede ser el conocimiento de que este retraso tiene un límite en el tiempo, es decir, que no es una "enfermedad" permanente y que sólo precisa de tratamiento psicoterapéutico.
Si se plantean graves problemas psíquicos, podrá estudiarse la posibilidad de adoptar una terapia hormonal con el fin de fortalecer el desarrollo muscular.

Autoayuda

No es posible.

El desarrollo normal

Durante el desarrollo, que comienza siendo niño y termina cuando se es adulto, cada persona fomenta una serie de capacidades individuales físicas, mentales, emocionales y sociales.
Las múltiples propiedades van desarrollándose en las diferentes épocas de la vida, variando en gran medida de unas personas a otras. Si un niño desarrolla una capacidad más tarde que los demás, no significa, ni mucho menos, que sea un "retrasado" físico o mental. Lo más probable es que haya aprovechado este tiempo para aprender otras cosas que surgirán más tarde en el "programa". Para buen desarrollo del niño es de vital importancia el cariño que supone la dedicación y comprensión, incluso en situaciones críticas de su vida, así como el apoyo y estímulos a su capacidad individual, que deben prestarle sus padres, amigos y educadores.
Esta falta de dedicación y comprensión se manifiesta de forma fehaciente en los trastornos que padecen muchos niños desde la más temprana infancia. Por el contrario, son sumamente raros los trastornos de tipo hereditario que afectan al desarrollo, sobre todo mentales, de los niños.
Los trastornos sí pueden ser, por ejemplo, consecuencia de enfermedades metabólicas, como el síndrome de Down, las infecciones prenatales y las influencias nocivas durante el embarazo.

Hipospadias (hipospadia)

► Síntomas:
- el orificio de la uretra no encaja bien en el glande, sino que existe cierta desviación;
- micción desviada;
- prepucio colgante, en forma de delantal, y pene torcido.

Es una malformación de la uretra en el hombre. El orificio normal se encuentra situado a una distancia variable de la extremidad del glande, aunque a veces puede estar en la base del pene, cerca de los testículos.

Tratamiento médico

A la edad de uno o dos años, el hipospadias puede corregirse mediante una intervención quirúrgica. Durante la misma, el pene se alarga y se le inserta un tubito de piel que llega hasta la punta del glande para que funcione como una nueva uretra.
Por regla general, esta operación ofrece unos resultados satisfactorios y no impide en absoluto las micciones ni la posterior actividad sexual.

Autoayuda

No es posible.

Testículos no descendidos

► Síntomas:
- uno o ambos testículos permanecen temporal o permanentemente en el canal inguinal, sin poderse palpar en el escroto.

Por regla general, es el testículo que permanece en la cavidad intraabdominal del niño aún no nacido y va descendiendo por el conducto inguinal hasta el escroto durante el embarazo, a más tardar al cumplir un año. A veces, el testículo permanece fijo en el conducto inguinal. Pero un testículo puede, como consecuencia de una gran movilidad, ascender temporalmente y quedarse en el conducto inguinal (*testículo en ascensor*). Para la posterior capacidad fecundadora, es muy importante que el descenso del testículo se haya completado al final del primer año de vida.
De no producirse, existe el riesgo de que pudiera aparecer un tumor maligno o testiculoma; en los niños con testículos no descendidos, este peligro es muy superior al que presentan los casos normales.

Tratamiento médico

Para colocar los testículos en el lugar correcto del escroto, es posible la aplicación de una terapia hormonal adecuada o una operación.

Autoayuda

El buen resultado del tratamiento sólo se aprecia palpando y comprobando la correcta colocación de los testículos en el escroto.

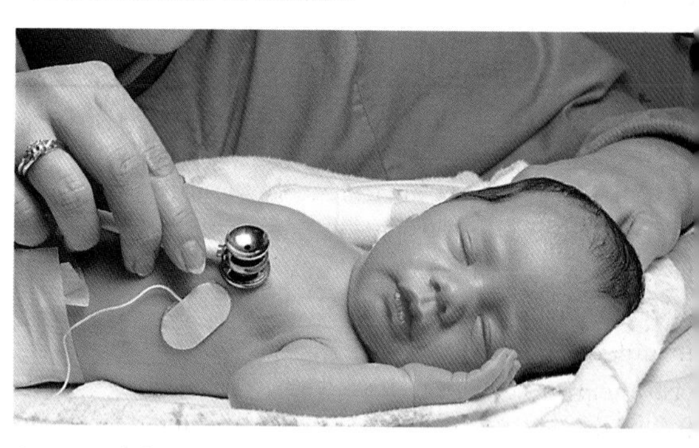

Como medida preventiva, todo niño recién nacido es reconocido, repitiéndose la exploración unos días después.

Fimosis

► Síntomas:
- estenosis o estrechamiento del orificio del prepucio, que hace imposible dejar el glande al descubierto por completo;
- micción muy delgada y fina; el prepucio se hincha durante la micción.

En la fimosis el prepucio es tan estrecho, que es imposible retirarlo del todo para dejar al descubierto el glande. Debe diferenciarse de la fimosis fisiológica, donde el prepucio y el glande aparecen estrechamente unidos y el prepucio no se despega del glande hasta alcanzar los tres años de edad.

Tratamiento médico

Previa anestesia, una sencilla operación permite deja al descubierto el glande tras recortar la piel sobrante en forma circular.
De esta forma se reduce también el riesgo de enfermar de cáncer de pene (→ Inflamación/Úlceras del pene), o de causar un carcinoma de útero a la compañera.

Autoayuda

No es posible.

Espina bífida

► Síntomas:

- ➜ trastornos, que incluyen desde cojera hasta una tetraplejia debida a una hernia medular;
- ➜ problemas renales y de la vejiga urinaria.

Esta malformación es de origen congénito, y consiste en una fisura en la columna vertebral. Suele deberse a un defecto de soldadura de uno o varios arcos vertebrales, a través de los cuales las meninges, y en ocasiones la médula, forman una hernia –con aspecto de tumor– que contiene líquido cefalorraquídeo.

Exteriormente es posible que no se perciba nada. En la denominada espina bífida abierta, o mielomeningocele, la más grave, falta la soldadura y la espina bífida coexiste con una extroflexión de la meninge y de fibras medulares. Puede darse simultáneamente con la mielocistomeningocele. Los niños que padecen de espina bífida abierta, suelen tener los pies y las manos paralizados. Frecuentemente se suma una exagerada concentración de líquido en el cerebro (*hidrocefalia*), así como trastornos de tipo nervioso. Esta malformación está motivada por muchas causas; así, la poco frecuente por una terapia con cistostáticos durante el principio del embarazo, o a variaciones cromosómicas.

Tratamiento médico

En muchos casos, será precisa la intervención quirúrgica durante los primeros días de vida. El tejido nervioso se desplaza hasta el canal medular, que luego se cierra. Para evitar daños cerebrales, si se desarrolla una hidrocefalia el líquido tendrá que ser drenado. Los niños que padezcan una parálisis de pies o manos, necesitarán una terapia ortopédica.

Autoayuda

No es posible.

Labio leporino

► Síntomas:

- ➜ fisura vertical del labio y del maxilar;
- ➜ problemas para beber, hablar y respirar.

La malformación congénita del labio superior y maxilar es un defecto de soldadura de los arcos maxilares y brote medio intermaxilar. El labio leporino puede ir acompañado de una fisura del paladar. El promedio de padecer la malformación está en uno de cada mil niños nacidos, que en la cuarta parte de los casos se hereda.

Tratamiento médico

La corrección ortopédico-maxilar de labio leporino debe iniciarse, mediante una prótesis palatina, durante la primera semana de vida. La fisura labial se somete a una operación plástica a los dos a tres meses de edad; la fisura maxilar o palatina, entre uno y tres años de edad. Por regla general, se consiguen resultados estéticos satisfactorios.

Después del tratamiento dental y de logopedia, casi nada recuerda la malformación original.

Autoayuda

No es posible.

Pie equinovaro-supinado
(pie torcido congénito o zambo)

► Síntomas:

- ➜ talón girado hacia el interior;
- ➜ pie doblado hacia abajo y hacia adentro;
- ➜ frecuente malformación de la pierna, musculatura de la pantorrilla subdesarrollada.

Con este nombre se designan diversas malformaciones de los pies. Esta malformación sólo afecta a un niño de cada mil. Los niños lo padecen dos veces más que las niñas. Las causas que provocan esta malformación se desconocen, pero bien podrían ser hereditarias.

La deformación quizá se deba a una intensa presión ejercida sobre los pies del niño al final del embarazo. Por regla general, el defecto se normaliza en muy poco tiempo sin necesidad de emplear terapia alguna.

Tratamiento médico

Debido a que el esqueleto, tendones y articulaciones son aún maleables, la terapia suele comenzar durante el primer día de vida del niño. Para evitar el deterioro de los tejidos, la corrección de la posición del pie se realiza escalonadamente. También, a partir del cuarto mes de vida, es posible alargar los tendones y los ligamentos. Unas guías ortopédicas para los pies y algunos movimientos gimnásticos adecuados, modificarán paulatinamente la posición del pie.

Autoayuda

No es posible.

Síndrome de Down (mongolismo)

▶ Síntomas:

➜ retraso mental y físico con alteraciones morfológicas, defecto intelectivo constante;
➜ posibles cardiopatías, elevada tendencia a contraer infecciones;
➜ rostro aplanado con ojos salientes, muy separados, con párpados inclinados; fisuras palpebrales oblicuas, estrechas, de forma almendrada, presentando un pliegue llamado *epicanto* ("mongolismo");
➜ dedos cortos, palma de la mano muy ancha.

La célula del cuerpo humano contiene 46 cromosomas, de los que siempre dos se parecen y forman una pareja. Sin embargo, en el síndrome de Down cada célula posee tres en lugar de dos cromosomas del número 21 (de ahí también el nombre de "trisomía 21"). La causa es una unión equivocada de los cromosomas al madurar en la célula femenina. A mayor edad de la madre, aumenta la posibilidad de que el reparto de cromosomas sea defectuoso: si ha cumplido los 36 años de edad, la probabilidad aumenta en un 1%; y si su edad es de 44 años, dicha probabilidad alcanza ya, aproximadamente, el 10%. Por este motivo, las mujeres de más de 35 años de edad deberían someterse a un análisis de cromosomas del hijo aún no nacido. Se estima que de 600 a 800 niños recién nacidos, sólo uno padecerá el síndrome de Down.

El malentendido en la información genética, influye muy negativamente en el desarrollo físico y mental del niño. La mortalidad en las personas con síndrome de Down siempre es mayor en cada edad, teniendo que sólo un 8% suele superar los 40 años de edad.

Tratamiento médico

Las posibilidades actualmente disponibles, hacen factible que los niños que padecen el síndrome de Down puedan ser física y mentalmente motivados;

Protección y estímulo: principio fundamental

El desarrollo de los niños que padecen de síndrome de Down, viene determinado por sus condiciones de vida: la dedicación que se les dispensa, la integración plena en la vida familiar y unos programas de estímulo y apoyo, iniciados más tempranamente, conseguirán que estos niños desarrollen más facultades de las que inicialmente tenían. Si se sienten amados y protegidos, crecen y se desarrollan con normalidad -teniendo en cuenta la enfermedad-, hasta convertirse en personas cordiales, cariñosas y alegres. Aunque algunas personas los traten a veces con desprecio y los rechacen, o como mucho se compadezcan al advertir su aspecto, consolidan su propia vida y son felices en su mundo.

Ha de estimularse, ineludiblemente, la acusada agudeza que estos niños tienen del ritmo y de la música. La pasividad física se dejará de lado, fomentando estímulos que incluyan ejercicios gimnásticos adecuados para ellos. El desarrollo del habla se demora, por lo que una logopedia adecuada puede ser de gran ayuda. La logopedia, conjuntamente con un programa de aprendizaje especial, creará las bases de una buena comunicación. Aunque necesiten ayuda durante toda su vida, estas personas, estimuladas correcta y debidamente, pueden llegar a realizar trabajos por su cuenta, sin ayuda ajena. Los niños "normales" suelen aceptar siempre, de muy buen grado, a los niños con el síndrome de Down como compañeros de juego. También ha podido demostrarse que evolucionan muy positivamente en las escuelas públicas aunque, lamentablemente, difícilmente son admitidos. La sociedad tiene que concienciarse y resolver esta cuestión y otras muchas más de la problemática que presentan los niños con síndrome de Down, con el fin de que sean debidamente protegidos y plenamente aceptados y estimulados para conseguir su plena integración familiar y social.

Para el desarrollo de los niños con síndrome de Down, la convivencia con otros niños sanos es muy importante.

Las minusvalías físicas pueden llegar a corregirse con operaciones. Aplicándole al niño las vacunas necesarias, podrá prevenirse el riesgo de que contraiga ciertas clases de infecciones.

Autoayuda

Véase el apartado → Protección y estímulo: principio fundamental. Encontrará consejo y ayudas en las asociaciones de padres con hijos afectados.

Síndrome de Klinefelter

► Síntomas:

- ➜ testículos pequeños, formación de una mama femenina, carencia de vellosidad masculina;
- ➜ talla mucho mayor de la normal;
- ➜ por lo general, esterilidad.

Normalmente, cada célula del cuerpo masculino contiene un cromosoma X y otro Y. Este síndrome se caracteriza por la anomalía en el desarrollo de las gónadas (*disontogenia gonádica*), vinculada a una alteración cromosómica. En este síndrome, al cromosoma anterior se le une otro cromosoma X.

El cromosoma femenino sobrante, trastorna el funcionamiento de las glándulas masculinas. Por este motivo se producen menos hormonas masculinas, lo que influye negativamente en el desarrollo de las características sexuales masculinas. Según las estadísticas, de cada 1 000 niños nacidos, sólo uno o dos nacerán con el síndrome de Klinefelter.

Tratamiento médico

La carencia de hormonas masculinas se compensa administrando testosterona. Gracias a esta terapia hormonal se consigue que al hombre le crezca la barba, adquiera la típica vellosidad masculina y que el tono de la voz se vuelva más grave.

Pero sus testículos seguirán siendo pequeños, la esterilidad se mantendrá y, además, su cuerpo conservará las formas femeninas.

Ocasionalmente tendrá que someterse a un posterior tratamiento psicoterapéutico y, por lo general, las eventuales dificultades para progresar en sus estudios podrán compensarse si se tiene alguna clase de estímulos especiales.

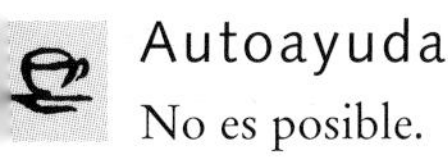

Autoayuda

No es posible.

Síndrome de Turner

► Síntomas:

- ➜ enanismo;
- ➜ escaso desarrollo de las mamas, sin vellosidad en el pubis y axilas;
- ➜ carencia de menstruación, esterilidad;
- ➜ posibles malformaciones de los órganos internos.

El síndrome de Turner se basa en una "equivocación" acaecida en la división celular, poco antes o después de haber concebido. Aproximadamente la mitad de las mujeres afectadas poseen un solo cromosoma X en lugar de los dos habituales, si bien la otra mitad cuenta con dos cromosomas X, aunque transformados en su estructura. En casi todos los casos se producen graves malformaciones, tanto que la mayoría de los niños mueren en el vientre de la propia madre.

Por el contrario, las niñas que han nacido (una de cada 2 500 nacimientos de niñas) pueden llevar una vida relativamente normal.

Por regla general, en el lugar de los ovarios aparecen unos cordones de tejido conjuntivo; la consecuencia directa es la esterilidad. Sin embargo, las trompas de Falopio, el útero y los órganos sexuales externos son normales. Si durante la pubertad la niña no recibe el tratamiento adecuado, no se produce el crecimiento esperado; del mismo modo, tampoco crecen las mamas ni la vellosidad púbica y axilar. Pero, por regla general, el desarrollo mental suele ser normal.

Tratamiento médico

Si el síndrome de Turner se diagnostica correctamente antes de la pubertad, el crecimiento del cuerpo podrá estimularse mediante una prolongada terapia con sustancias que refuercen la estructura muscular (anabolizantes), combinados eventualmente con una hormona de crecimiento. A partir de los 14 años de edad se administrarán, durante varios meses, hormonas femeninas con el fin de desarrollar las mamas y el útero para que alcancen el tamaño deseado. A continuación, se aplicará regularmente una terapia que incluya la administración de estrógenos y progesterona. Con ello se propicia el comienzo de las menstruaciones, aunque las afectadas suelen padecer esterilidad de por vida.

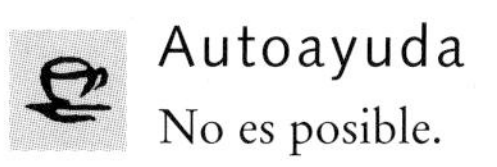

Autoayuda

No es posible.

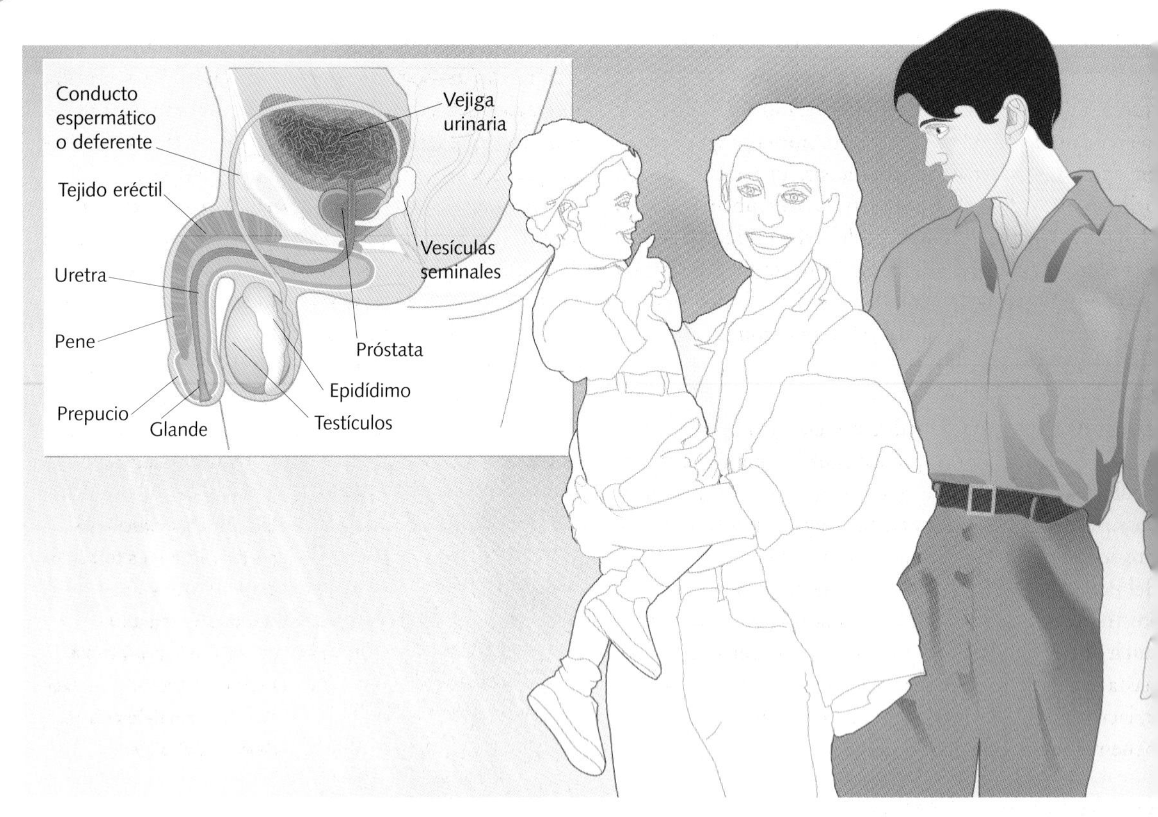

El cuerpo masculino

- **Anatomía de los órganos sexuales**
- **El papel que desempeñan las hormonas**
- **Facultad de procrear**

En todas las civilizaciones, tanto el pene como la facultad de procrear que tiene han sido considerados de siempre el símbolo de la fuerza creativa y del poder que recae en el hombre. Del mismo modo, también entre nosotros la percepción del propio ser va aún íntimamente ligada a ambos. De no lograrse el objetivo sexual previsto, la virilidad del hombre se pone inmediatamente en entredicho.

Sin embargo, si la persona se preocupa mental e intuitivamente de su propia sexualidad, conseguirá arrinconar estos tópicos y alcanzar la libertad personal.

La anatomía masculina

Por término medio, los hombres suelen ser más altos y de mayor peso que las mujeres. También, en comparación con el mayor tejido adiposo que poseen éstas, su estructura ósea es más maciza y la complexión muscular considerable. Aunque las excepciones confirman la regla, la pelvis es más estrecha y la famosa anchura de hombros se debe a su mayor estatura.

Los hombres también pueden ser pequeños y de formas redondeadas.

Los órganos sexuales externos

Los dos órganos sexuales externos del hombre (o genitales) son: el miembro masculino (*pene*) y el escroto, que contiene en su interior a los dos testículos, el epidídimo y parte de los tubos seminíferos.

El pene

El pene, de forma de asta cilíndrica, tiene en su extremo libre al glande; y, en la cara inferior, en el denominado cuerpo cavernoso del pene, se encuentra la uretra que, procedente de la vejiga urinaria y la próstata, desemboca en la punta del pene. El cuerpo del pene ambién está compuesto por el tejido eréctil, un conunto de sinusoides venosos cavernosos vacíos, pero que se dilatan al entrar sangre a presión para provocar a erección. El glande está cubierto por el prepucio que, n ocasiones, puede causar fimosis, una estenosis del rificio que dificulta o imposibilita descubrir del todo l glande. De ninguna manera debería intentarse retirar la fuerza el prepucio del pene de un niño con fimosis por muy "cuidadosamente" que se haga). Una sencilla ntervención quirúrgica bastará para eliminarlo.

La erección del pene

El hombre se excita sexualmente ejerciendo una ligera resión y frotamiento que estimule el pene y los tesículos, acción que a su vez estimula los centros nerviosos de la médula espinal. La sangre fluye entonces a resión elevada y en mayor cantidad en el tejido eréctil lel pene, que se endurece y yergue hasta ponerse erecto. Así erecto penetra en la vagina femenina y, al producirse la eyaculación, introduce los espermatozoides asta el conducto de acceso al útero. Después de la eyaculación, la sangre fluye de nuevo con normalidad y el ene recobra su tamaño habitual.

Los órganos sexuales internos

A estos órganos pertenecen los testículos, los epidídimos y los conductos espermáticos o deferentes, así como la próstata y las vesículas seminales.

Testículos, epidídimos y conductos deferentes

Los testículos se encargan de producir testosterona, la ormona masculina más importante; también, tienen or misión la producción y maduración de las células exuales. Estos procesos comienzan a iniciarse de orma evidentedurante la pubertad, estando controlaos por la glándula hipófisis o por la pituitaria, situada n la base del cerebro.
Los espermatozoides son almacenados –sobre todo– en os epidídimos, que son una parte del testículo situada n su parte posterosuperior. Al producirse la eyaculaión, los espermatozoides circulan en sentido ascenlente por el conducto deferente hasta la próstata y, lesde ésta, descienden de nuevo por la uretra para salir l exterior del pene por el glande.

Próstata y vesículas seminales

La próstata y las vesículas seminales pertenecen a las glándulas sexuales masculinas. Estas últimas están ituadas entre la vejiga urinaria y el recto, encima de la próstata, y vierten su contenido en la uretra prostática por medio de los canales eyaculadores. La secreción que producen contribuye a generar la parte líquida del esperma, que contiene fructosa y un pigmento flavínico que le confiere el color blanquecino típico.
La próstata es una glándula de secreción externa del aparato urogenital masculino, que se compone de 30 a 50 pequeñas glándulas individuales; su tamaño aproximado es el de una castaña. Produce un líquido lechoso, ligeramente ácido, que motiva a las vesículas seminales a moverse, y que es vertido en la uretra en el momento de la eyaculación. Está situada debajo de la vejiga urinaria, y rodea a un fragmento de la uretra, con la que está unida a través de múltiples y diminutos canales.

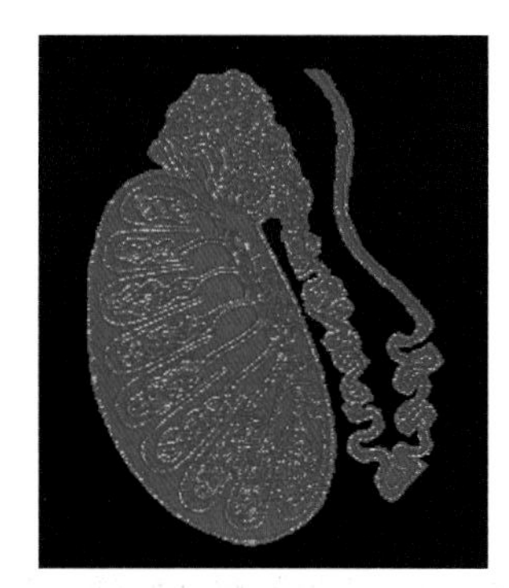

Los gametos masculinos producidos en los testículos se almacenan en el epidídimo (arriba). Al producirse la eyaculación llegan a la próstata a través del conducto deferente y, desde alí, al pene.

Capacidad de reproducción y esterilidad

Durante la etapa de la infancia, los testículos no son capaces de producir todavía la hormona sexual testosterona en cantidad suficiente, ni espermatozoides que puedan fecundar el óvulo femenino.
Entre los 10 y los 16 años de edad comienza la pubertad en los muchachos, momento en el que los órganos sexuales se desarrollan por completo. Una señal de la pubertad es el denominado "cambio de voz" que se experimenta, así como la vellosidad masculina y el mayor crecimiento de estatura.
Entre los 20 y los 30 años de edad, la función testicular alcanza su momento cumbre en el hombre. Conforme aumenta la edad, los testículos disminuyen un poco su tamaño, aunque se mantiene, generalmente hasta una edad avanzada, la producción de testosterona y la maduración de gametos masculinos. Y, con ello, la capacidad de reproducción.
Un hombre joven puede conseguir rápida y frecuentemente erecciones y orgasmos. Más tarde, y a lo largo de su vida, se irá reduciendo la fase hasta la eyaculación.

Casos de urgencia

Norma general

Si padece intensos dolores en la zona testicular o la región pélvica, o si se produce alguna lesión en los genitales, acuda lo antes posible al médico.

Orquitis

► Síntomas:

➜ intensos dolores en la zona testicular y abdominal inferior; en ocasiones: náuseas, vómitos, fiebre, sudoración, reacciones circulatorias; la piel del escroto permanece tensa.

El nombre de orquitis sirve para designar a las inflamaciones testiculares, siempre importantes desde el punto de vista clínico. La aparición de dolores testiculares es siempre señal de alarma.

Debido al peligro de esterilidad, es necesario un reconocimiento por parte de un urólogo. Pueden existir *orquitis traumáticas* (por traumatismo del testículo), con hematocele, pero otras están causadas por la inflamación de los epidídimos, así como por trastornos vasculares. Al girarse el testículo en el interior del escroto del lactante o durante la pubertad, pueden obstruirse los conductos espermáticos y sus vasos sanguíneos.

Tratamiento médico

En caso de inflamación, suelen administrarse antibióticos. Pero si un testículo se gira, habrá que intentar volverlo a su posición original aplicando anestesia; si no se consigue, será preciso operar.

Autoayuda

Para aliviar y acelerar la curación, aplíque paños fríos en los testículos.

Parafimosis (estrangulación del glande)

► Síntomas:

➜ dolorosa hinchazón del glande.

Se origina a consecuencia de la estrechez del prepucio, que se retrae detrás de la corona. Ocurre en niños y hombres con fimosis congénita, y que se hace patente durante la erección. El prepucio envuelve al glande y lo oprime, produciendo una dolorosa hinchazón. De no solucionarse el problema, pueden surgir trastornos circulatorios o necrosis del glande.

Tratamiento médico

Mediante una suave presión, el médico intentará adelantar el prepucio; si no lo consigue, es preciso seccionar el anillo del prepucio que estrangula al glande. Para evitar que se repita, debe sopesarse la posibilidad de proceder a la circuncisión.

Autoayuda

Mediante una ligera presión del glande y un masaje, es posible adelantar el prepucio para que cubra el glande; si no lo consigue, acuda al médico.

Priapismo (erecciones permanentes)

► Síntomas:

➜ erecciones permanentes del miembro masculino, aparecen de forma aguda y provocan intensos dolores.

Esta afección se caracteriza por la aparición de intensas y prolongadas erecciones, sin que medie apetito sexual ni eyaculación.

Se debe a un trastorno del sistema nervioso y de los vasos sanguíneos. Los motivos que la desencadenan pueden ser: enfermedades de la sangre, ciertos medicamentos y lesiones del sistema nervioso. Si el priapismo no recibe la terapia adecuada, puede prolongarse durante un tiempo de dos a tres semanas; luego, desaparece. Pero, la formación de cicatrices, produce impotencia.

Tratamiento médico

La terapia consiste en una punción sobre el tejido eréctil del pene, una ligera sangría y medicamentos especiales; en ciertos casos, requiere la intervención quirúrgica.

Autoayuda

No es posible. Si la erección se prolonga durante más de dos horas, acuda urgentemente a la consulta de su urólogo.

Pruebas clínicas especiales

Ante todo un consejo

Debido a que las exploraciones urológicas afectan a una zona muy íntima, además de que algún reconocimiento puede ser un tanto desagradable, muchos hombres evitan la visita al urólogo. Pero hay que tener en cuenta que, cuanto antes se diagnostique correctamente una enfermedad, tanto mayores y mejores serán las posibilidades de curación. Esperar que las molestias desaparezcan por sí solas, no es más que "una solución sin visos de solución".

Reconocimiento externo

Para comprobar si existen alteraciones patológicas, el médico observará y palpará el pene y los testículos. Las formaciones quísticas e hinchazones indoloras de los testículos, pueden indicar la existencia de un tumor. Por esto, se recomienda que sea la propia persona quien palpe regularmente sus testículos.

Ecografía

Mediante una ecografía pueden explorarse visualmente riñones, vejiga urinaria, próstata y testículos. De esta forma, se consigue información fidedigna sobre la hipertrofia prostática y sus consecuencias (orina residual, cálculos en la vejiga).

Exploración clínica del conducto inguinal

El conducto inguinal comunica la cavidad abdominal y el escroto. Normalmente es tan angosto que a su través sólo puede discurrir el conducto espermático, pero en ciertas ocasiones aumenta tanto de tamaño que hasta los vólvulos intestinales pueden penetrar en el escroto. Esta enfermedad, denominada hernia inguinal, es frecuente en los hombres; aunque puede diagnosticarse a tiempo, al examinarse clínicamente el conducto inguinal: el médico palpa con el dedo el escroto del hombre, que permanece erguido. La abertura exterior del conducto inguinal se explora fácilmente, sin problemas y de forma indolora. El médico hará entonces toser al paciente, para comprobar si palpa vólvulos intestinales que, como consecuencia de la mayor presión, empujan a través del conducto inguinal.

Análisis del líquido seminal

Si a pesar de mantener relaciones sexuales periódicas no se produce la fecundación deseada, conviene analizar el líquido seminal para averiguar su capacidad de reproducción. El análisis incluye la composición química de la eyaculación, cantidad, color y composición, así como el número, aspecto y movilidad de los espermatozoides. Estas pruebas especiales, incluso permiten determinar la capacidad de fecundación que poseen los espermatozoides.

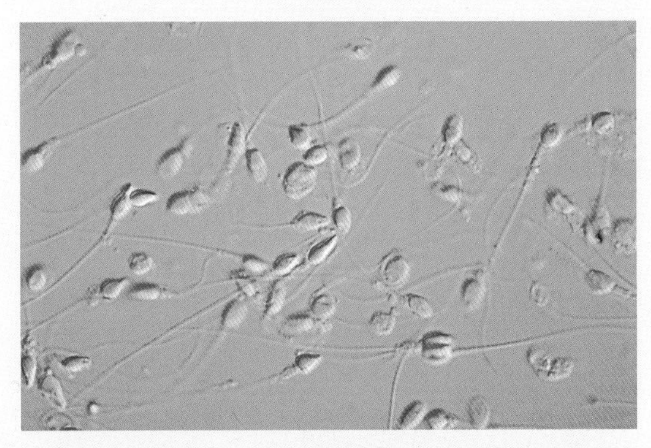

El análisis del líquido seminal permite controlar la cantidad, movilidad y madurez de los espermatozoides.

Palpar la próstata

La próstata se localiza debajo de la vejiga urinaria; la palpación correcta se realiza a través del ano. Para efectuar la exploración, el médico introduce el dedo índice (con guantes y crema deslizante) por el intestino recto del hombre, arrodillado o inclinado hacia adelante, y palpa esta glándula del tamaño de una castaña. La exploración resulta un tanto desagradable, pero por regla general es indolora. Durante el transcurso de la misma, el médico podrá comprobar también la existencia de eventuales alteraciones en los intestinos recto y grueso (tumores malignos y benignos, hemorroides).

Reconocimiento precoz del cáncer

En la página 609 se recoge todo tipo de información relacionada con el reconocimiento de cáncer de los genitales, de la próstata y del intestino.

Impotencia (incapacidad de erección)

► Síntomas:
➜ incapacidad de erección durante una estimulación erótica (*impotencia coeundi*).

En el hombre joven la incapacidad de erección suele ser de origen psíquico (*impotencia psíquica*), y orgánica en los de más edad. Algunas lesiones guardan relación, eventualmente, con trastornos hormonales.

Tratamiento médico

Pueden adoptarse terapias medicamentosas, operaciones y ayudas mecánicas; pero también es importante la terapia sexual. Si no se obtienen resultados positivos, cabe implantar una prótesis en el pene.

Autoayuda

La potencia masculina se puede fomentar mediante plantas medicinales y especies animales.

Esterilidad

► Síntomas:
➜ a pesar de mantener unas relaciones sexuales normales, no se producen embarazos.

Denominada *impotencia generandi*, durante el acto sexual la fecundación de la mujer no se produce. Las causas casi siempre radican en el hombre; después de hablar con su compañera sobre la fecundación, conviene que el hombre se someta a un reconocimiento (→ Análisis del líquido seminal). La esterilidad puede deberse a trastornos en la formación de gametos o en el transporte espermático (lesiones, orquitis, inflamación de los epidídimos, vesículas seminales y de la próstata), sin descartar factores psíquicos.

Tratamiento médico

Según sea la causa, podrá prescribirse una terapia hormonal u optar por medidas quirúrgicas. La psicoterapia también proporciona resultados positivos. Si con ninguno de estos sistemas se obtienen los resultados esperados, existe la posibilidad de recurrir a la inseminación artificial.

Autoayuda

Como en las mujeres (→ página 385).

Esterilidad del hombre

Para las parejas que han decidido definitivamente no tener más hijos, la esterilización es el método anticonceptivo por excelencia. Esta esterilización eugenésica puede practicarse tanto en el hombre como en la mujer.
La intervención en el hombre se realiza generalmente de forma ambulatoria, después de aplicar una ligera anestesia local.
Para realizar dicha operación el médico practica una incisión en el escroto y secciona los conductos deferentes. El sistema hormonal no se ve afectado y el hombre conserva su apetito sexual y la capacidad para realizar el acto sexual con toda normalidad. Posteriormente, es posible "reconstruir" los conductos deferentes.
Conforme transcurre el tiempo desde que se efectuó la primera intervención quirúrgica, las probabilidades de restablecer la capacidad reproductora en el varón son cada vez más escasas.

Infecciones/Tumores en el pene

► Síntomas:
➜ prurito y dolor bajo el prepucio;
➜ eventualmente inflamación del glande, con mucosa enrojecida e inflamación del folículo interno del prepucio (*balanopostitis*).

Fundamentalmente están causadas por falta de higiene o por la fimosis, que pueden provocar la inflamación del glande y del prepucio. ¡Las inflamaciones e infecciones del pene que no se curan a corto plazo, pueden indicar la presencia de un carcinoma!

Tratamiento médico

Como medida preventiva, el médico eliminará quirúrgicamente el prepucio. Observando una cuidadosa higiene, las inflamaciones se curan solas.
En caso de padecer un cáncer de pene, el tratamiento precoz (radiaciones y extirpación quirúrgica) ofrece las mejores garantías de éxito.

Autoayuda

Lávese diaria y minuciosamente el pene, sobre todo la corona. De esta forma, también protegerá a su compañera de infecciones.

Hidrocele (acumulación de líquido)

▶ Síntomas:
➔ tumor indoloro en el escroto.

El hidrocele es una acumulación anormal de líquido en una cavidad saculada del organismo, especialmente en la superficie testicular.
Esta anomalía benigna puede estar originada por anteriores lesiones o inflamaciones. La causa también puede ser una elevada presión en la cavidad abdominal, debida a diferentes enfermedades, provocando entonces el denominado hidrocele.

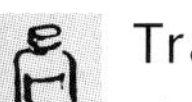

Tratamiento médico

Si el tamaño del hidrocele aumenta en exceso, deberá vaciarse mediante una punción o en el transcurso de una intervención quirúrgica.

Autoayuda

No es posible.

Varicocele

▶ Síntomas:
➔ tumefacción flácida, palpable, por dilatación varicosa desde las venas del cordón espermático; casi siempre suele ser indolora.

El nombre de varicocele sirve para designar las parestesias, sensación de peso y alargamiento, del tejido venoso en el escroto. Con el tiempo se produce un empequeñecimiento del testículo afectado, reduciéndose asimismo el número y calidad de los espermatozoides.

Tratamiento médico

En caso de molestias, o si se desea tener un hijo, se hace necesaria la terapia del varicocele. Puede conseguirse mediante una "soldadura" de las venas varicosas, o con una sencilla intervención quirúrgica.

Autoayuda

No es posible.

Orquitis

(→ testitis, página 412).

Enfermedades de transmisión sexual

→ página 387.

Epididimitis (inflamación del epidídimo)

▶ Síntomas:
➔ inflamación, intensos dolores, frecuentemente en la zona inguinal, que se irradian al abdomen.

La inflamación del epidídimo es bastante frecuente. Entre las causas que lo provocan están las infecciones de las vías urinarias inferiores, que se propagan por los conductos espermáticos. La aplicación constante de un catéter, propicia la aparición de infecciones. El peligro radica en la oclusión de los canales espermáticos, que pueden causar esterilidad.

Tratamiento médico

Antibióticos, antipiréticos y antiinflamatorios. En los casos agudos, se debe guardar cama.

Autoayuda

Como complemento a la terapia médica, eleve la posición del escroto y cúbralo con paños empapados en agua fría.

Tumores en los testículos

▶ Síntomas:
➔ neoplasia indolora o una formación quística dura, palpable en el escroto; trastornos hormonales.

Los tumores en los testículos suelen ser malformaciones malignas, especialmente en edades relativamente tempranas. Las causas concretas se desconocen, aunque el riesgo de tumor maligno es mayor en los niños nacidos con testículos no descendidos.

Tratamiento médico

Es conveniente que el urólogo diagnostique posibles variaciones, como pueden ser una orquitis o una epididimitis. Los tumores malignos, carcinomas y sarcomas se extirparán quirúrgicamente; luego, el paciente recibirá radioterapia o una terapia medicamentosa.

Autoayuda

Observe regularmente sus testículos, realizando además reconocimientos periódicos para la detección precoz del cáncer como medida preventiva.

Prostatitis

► Síntomas:
- ➜ micciones frecuentes y dolorosas;
- ➜ dolores en la región intestinal y al defecar;
- ➜ fiebre (eventualmente con escalofríos).

Si existe una infección de la uretra, la vejiga urinaria o los conductos espermáticos, también puede producirse una infección bacteriana de la próstata.

Tratamiento médico

El diagnóstico se determinará previa palpación de la próstata y la comprobación de la presencia de bacterias y pus en la orina. Para evitar la formación de un absceso, o que se presente una prostatitis crónica, se tratará con antibióticos y antiinflamatorios.

Autoayuda

Debe guardar reposo absoluto en cama y, como complemento a la terapéutica establecida, tomar laxantes y aplicarse paños refrescantes. Hasta que no desaparezca la inflamación prostática y se contribuya a su curación, conviene abstenerse de practicar todo tipo de actividad sexual.

Prostatitis crónica

► Síntomas:
- ➜ micciones frecuentes y dolorosas, espasmos vesicales, orina turbia, sanguinolenta y de olor desagradable;
- ➜ molestias en las zonas intestinal y anal (sensación de presión, espasmos intestinales, irregularidad en la defecación);
- ➜ frecuente impotencia sexual y pérdida del apetito sexual, debido a dolores en el coito.

Si la → prostatitis aguda no se trata adecuadamente, podrá desarrollarse una prostatitis de tipo crónico.
Los síntomas descritos con anterioridad, también aparecen en las denominadas prostatodinias, un trastorno vegetativo (→ Sistema nervioso vegetativo) sin alteraciones orgánicas.

Tratamiento médico

Si las causas son de origen bacteriano, la terapia con antibióticos dará los resultados esperados. Para la prostatodinia se prescribirá una terapia tranquilizante, administrándose productos que favorezcan la buena circulación sanguínea, así como una suave hidroterapia.

Autoayuda

Según las molestias más importantes que padezca, se recomiendan paños refrescantes, baños de asiento y la aplicación de supositorios analgésicos o antiespasmódicos; las heces deberían ser blandas.

Hipertrofia de la próstata / Adenoma prostático

► Síntomas:
- ➜ dificultades al iniciar la micción, la micción se interrumpe;
- ➜ evacuación incompleta de la vejiga, goteo de orina;
- ➜ micciones frecuentes, aumenta la necesidad de orinar por la noche.

Del tamaño de una castaña, la próstata se sitúa detrás de la vejiga, rodeando una parte de la uretra. En los hombres de más de 50 años de edad, debido a alteraciones en el equilibrio hormonal, puede haber aumentado su tamaño hasta alcanzar el de una pelota de tenis. Las molestias aparecen durante la micción, siendo los intervalos de tiempo entre ellas cada vez más reducidos. En casos aislados, aparece una dolorosa retención de orina y hematuria.
Debido al peligro de formación de cálculos e infecciones renales, es preciso acudir al médico.
La hipertrofia de la próstata se diagnostica mediante la realización de una palpación; también es recomendable realizar una ecografía y, mediante una biopsia, determinar la posible existencia (a veces simultánea) de un cáncer de próstata.

Tratamiento médico

La terapia se ajustará al estado de hipertrofia que presente la próstata. Si el adenoma prostático no se ha desarrollado excesivamente, el médico podrá recetar medicamentos y plantas medicinales (polen de centeno, ortigas, semillas de calabaza, Beta-Sitosterina). Si la hipertrofia ha seguido aumentando, la intervención quirúrgica (*prostatectomía*) proporcionará al paciente el alivio deseado.

Autoayuda

En las fases iniciales pueden aplicar una serie de

Las semillas de calabaza son un buen producto vegetal para la prevención y el tratamiento de la próstata.

medidas caseras que le alivien las molestias, pero que en ningún caso conseguirán reducir el tamaño de la próstata. Evite las comidas picantes, el exceso de café y la ingesta de alcohol. Muy convenientes son los baños de asiento y la aplicación de compresas frías, así como los hierbas medicinales reseñadas, sin olvidar las infusiones diuréticas. También ayuda la normalización de la actividad intestinal, mucho ejercicio físico y cuidarse de no pasar frío en la parte inferior del cuerpo.

Cáncer de próstata

▶ Síntomas:

- ➜ molestias durante la micción, las mismas que en caso de un → adenoma prostático;
- ➜ sangre en la orina (a veces, hematuria);
- ➜ en las metástasis, dolores en la columna vertebral (ciática, dolores lumbares, pelvis).

El cáncer de próstata es muy frecuente en hombres de edad avanzada. Crece lentamente, y sólo se detecta debido a las molestias físicas que ocasiona. Entre otros factores de riesgo, una alimentación rica en grasas y pobre en fibras es fundamental para su desarrollo; los vegetarianos pocas veces padecen cáncer de próstata.

Tratamiento médico

Dado que el cáncer crece en la zona exterior de la próstata, se puede palpar a través del intestino recto; la extracción de una muestra de tejido permitirá efectuar la correspondiente biopsia en el laboratorio, que verifique la certeza del diagnóstico. Si realmente existe cáncer de próstata, deberá realizarse de inmediato una prostatectomía (extirpación de la próstata).

Autoayuda

Con el fin de establecer un diagnóstico precoz del cáncer, especialmente importante es el reconocimiento anual. La alimentación ha de ser equilibrada, pobre en grasas y rica en vitaminas y fibras. Evite la ingestión de alcohol y deje de fumar.
Aunque es cierto que todas estas medidas no pueden curar el cáncer una vez se ha detectado su presencia, sirven de terapia complementaria que refuerza las defensas autocurativas del organismo.

La operación de la próstata

Con el fin de extirpar las adherencias de un → Adenoma prostático, puede optarse entre dos posibilidades: la operación a través de la uretra (prostatectomía uretral), actualmente muy practicada, o, si la hipertrofia prostática es ya muy considerable, la intervención quirúrgica a través de una abertura practicada en la pared abdominal.

• En la prostatectomía uretral se introduce por la uretra una delgada cánula, el denominado resectoscopio. El tejido que debe ser extirpado se desprende –trozo a trozo– con un hilo metálico muy caliente, siendo luego expulsados los trocitos por el resectoscopio (instrumento para extirpar tejido de la próstata a través de la uretra). Normalmente, la potencia sexual masculina no sufre la menor alteración tras la operación; pero lo que no se conserva es la capacidad reproductora. La incontinencia urinaria es una complicación poco frecuente.

• La intervención quirúrgica abierta consiste en el raspado y eliminación del tejido excesivo, permaneciendo intacta la cápsula prostática. También en este caso, y como regla general, la potencia sexual del hombre no sufre la menor modificación, pero también se pierde la capacidad reproductora.

• En caso de → cáncer de próstata, tienen que extirparse toda la glándula y las vesículas seminales, así como una parte de la vejiga urinaria y de la uretra. Con este método, la incontinencia, aunque muy poco frecuente, puede ser una complicación que hay que tener en cuenta.

En situaciones patológicas muy avanzadas, también tendrán que seccionarse las fibras nerviosas necesarias para la erección, por lo que se produce una impotencia.

Músculos y huesos

En la vida todo es movimiento, desde los seres unicelulares hasta los seres superiores. Todo gira, se modifica y se mueve. Pero, ¿a qué obedece todo ésto? En el "orden" natural del Universo todo parece establecido y predeterminado, de tal manera que el ser humano en su evolución ha adoptado la posición de bípedo al erguirse y andar sobre sus pies. Huesos y músculos, tendones y ligamentos proporcionan al cuerpo apoyo, a la vez que hacen que todo el el esqueleto humano funcione armónicamente. Pero, lamentablemente, son muchas las personas que bien de nacimiento o en el transcurso de la vida, experimentan cómo estos elementos no siempre cumplen la misión para la que están destinados. Por este motivo es tan importante la movilidad, porque: ¡Se es tan joven como lo son nuestras articulaciones!

Sumario

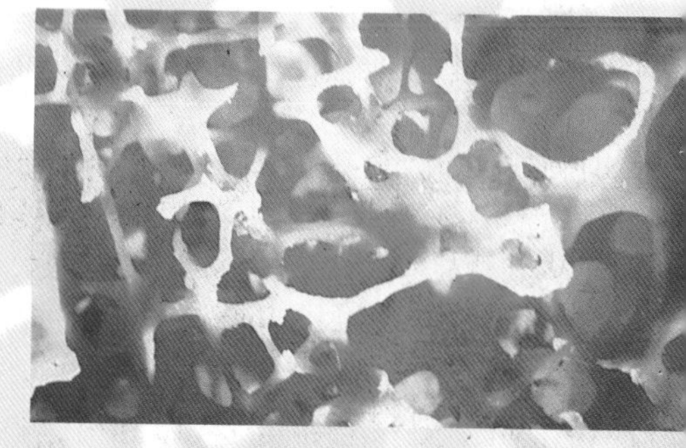

Estructura ósea.

Lo que debe saberse sobre los músculos y los huesos

El movimiento es un rasgo distintivo de todo aquello que tiene vida; incluso aquellos organismos que denominamos unicelulares, poseen frecuentemente órganos con los que consiguen desplazarse de un lugar a otro. También las plantas se mueven, a pesar de que se arraigan y echan raíces quedando fuertemente sujetas a la tierra en el mismo lugar. Sin embargo, su "movimiento" es algo diferente a la forma como lo hacen las personas y los animales; de este modo, crecen -aunque sea en el mismo lugar-, florecen y, por último se marchitan. La amplitud de movimientos o la capacidad de traslación de los seres vivos superiores, depende de diferentes factores. El más importante quizá sea aquél que afecta a la estructura del aparato locomotor, es decir, a los huesos, músculos, tendones y ligamentos. La destreza que ha desarrollado el ser humano para poder caminar sobre dos piernas y moverse, es realmente única en todo el reino animal. Sin embargo, la bipedestación tiene sus ventajas y desventajas. Por una parte, el hecho de que a lo largo de su evolución se haya puesto de pie y erguido ha sido, indiscutiblemente, una de las premisas fundamentales para que el cerebro humano se desarrollase más que el de sus parientes los antropoides. Por otra parte, en comparación con nuestros parientes los primates, aunque es cierto que hemos perdido cierta capacidad de movimiento –por lo menos tal y como entendemos desde nuestro particular punto de vista– hemos ganado en elegancia y prestancia.

Típicamente humana es la forma de mantener erguida la cabeza, así como la delicada y suave triple curvatura en forma de "S" de la columna vertebral, la amplia pelvis y las piernas rectas. Pero también los pies y las manos (a pesar de su parecido anatómico), nos diferencian claramente de los otros primates. El pie se adaptó a su nueva y vital actividad, y dejó de ser prensil; la mano, por su parte, también pasó de ser mero órgano prensil a convertirse no sólo en medio de expresión del lenguaje corporal, elegante y de hábiles movimientos, sino también en órgano sensorial con cuya ayuda el ser humano es capaz de "captar" el mundo, en el verdadero sentido de la palabra.

Un juego con reglas fijas

El movimiento es un proceso extraordinariamente complejo, en el que siempre colaboran tres sistemas: el *sistema nervioso central* (como centro motor voluntario), donde nacen los estímulos que, transportados por los nervios hasta los músculos estriados, ordenan su

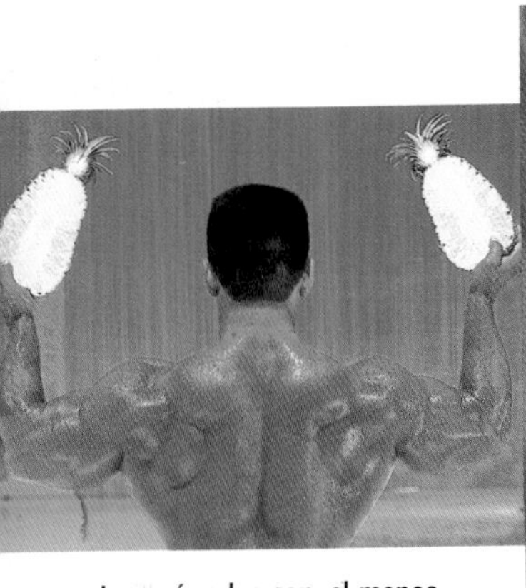

Los músculos son, al menos en el hombre, símbolo de salud y atractivo físico.

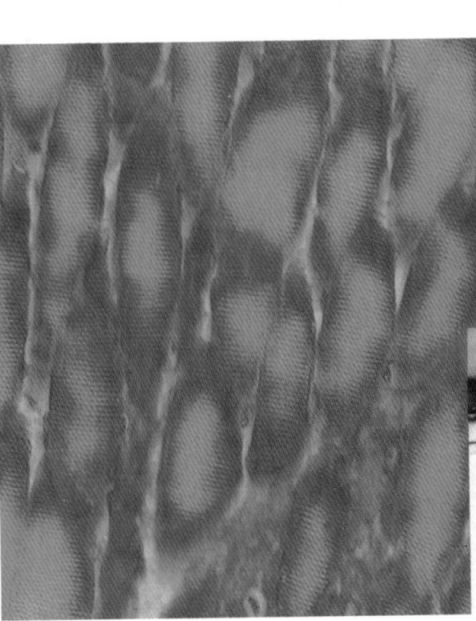

La musculatura estriada proporciona al esqueleto la firmeza necesaria.

El buen riego sanguíneo que aporta la práctica deportiva continuada, refuerza los músculos.

contracción. Los *músculos* son los elementos dinámicos del aparato locomotor, que obedecen las órdenes emanadas del cerebro y pueden ejecutar movimientos de flexión, extensión, abducción, aducción, rotación interna o externa, pronación y supinación; son los verdaderos artífices del movimiento de las articulaciones. El *sistema esquelético*, o parte estática del aparato locomotor, formado por huesos, articulaciones y ligamentos, que proporcionan al cuerpo la estabilidad que necesita para mantenerse erguido y le permite, en colaboración con la musculatura, una gran movilidad.
Todo movimiento ha de ser aprendido en un momento u otro de la vida y, luego, practicado habitualmente. Más tarde se realizará de forma involuntaria y el sujeto estará en condiciones de concentrar simultáneamente su atención en otra cosa como, por ejemplo, conversar con el compañero al tiempo que se va en bicicleta.
Los músculos están colocados de tal forma que aparte de provocar un movimiento determinado en la articulación, también la protegen y estabilizan. Esto quiere decir que si nos inclinamos hacia un lado, los músculos flexores se tensan y, simultáneamente, los músculos extensores se relajan.
Si no realizaran esta labor, o lo hiciesen de una manera deficiente, debido a que los ligamentos estuviesen dañados o a que el cerebro, como consecuencia de ciertos dolores articulares los deseará tranquilizar, el resultado inmediato sería una articulación inestable, que mostraría "flaqueza". La combinación armónica de los diferentes grupos musculares es la condición previa indispensable para conseguir unos movimientos precisos. Esta cuestión es especialmente importante cuando el movimiento se realiza en dirección a la fuerza de gravedad; por ejemplo, cuando nos inclinamos hacia adelante. Los músculos flexores inician el movimiento pero, a partir de un instante determinado, se verán detenidos en su avance por los músculos extensores con el fin de no nos caigamos al suelo.

Una carga para toda la vida

Las fuerzas que actúan sobre los huesos y las articulaciones son realmente importantes. Así, todo el peso del cuerpo descansa sobre la superficie de los pocos centímetros cuadrados de las plantas de los pies. Si además corremos o saltamos, la presión que éstos deben soportar multiplica varias veces la inicial. El cuerpo intenta reducir en lo posible el desgaste, por lo que procura que la superficie articulada reciba una carga lo más uniforme posible en ambas piernas.
Sin embargo, existen desviaciones del eje óptimo del cuerpo, que pueden tener un origen hereditario o, también, pueden haber sido provocados por accidentes o por realizar esfuerzos desmesurados. Téngase presente que aquello que en los niños y jóvenes comienza por falta de movimiento o por llevar pesos excesivos, hará que en la edad adulta se manifieste en forma de lesiones musculares y de hernias discales.
Y recuerde: «prevenir es siempre mejor que curar».

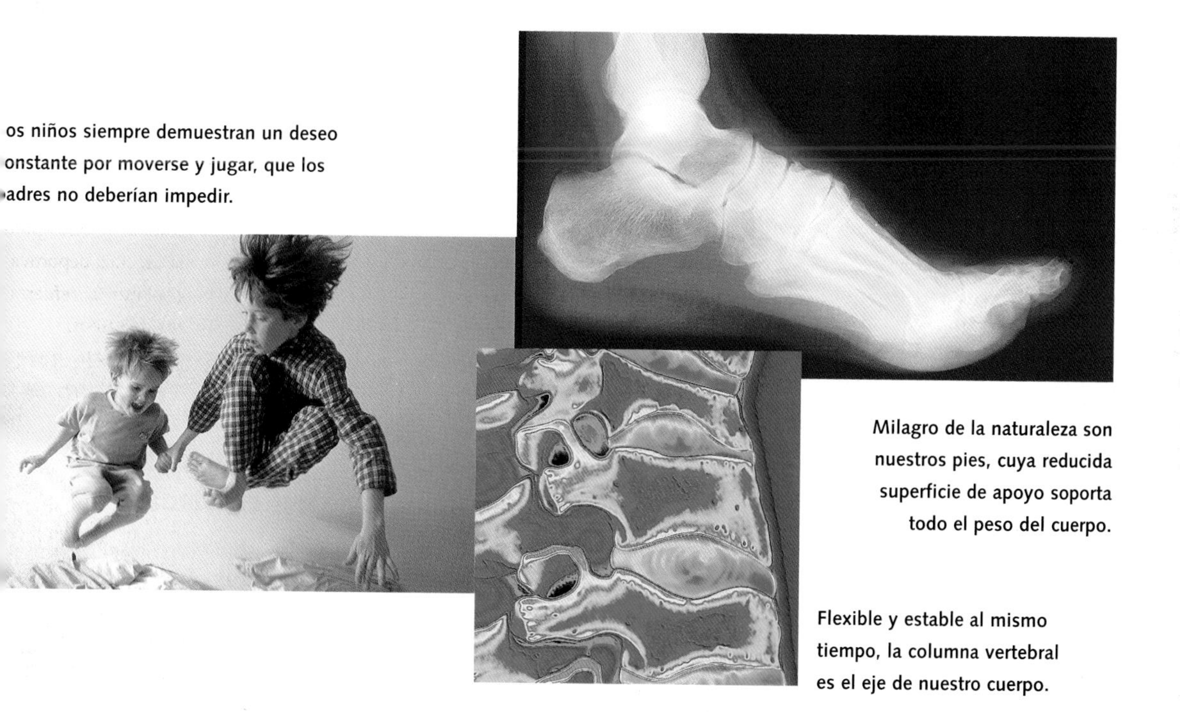

os niños siempre demuestran un deseo onstante por moverse y jugar, que los adres no deberían impedir.

Milagro de la naturaleza son nuestros pies, cuya reducida superficie de apoyo soporta todo el peso del cuerpo.

Flexible y estable al mismo tiempo, la columna vertebral es el eje de nuestro cuerpo.

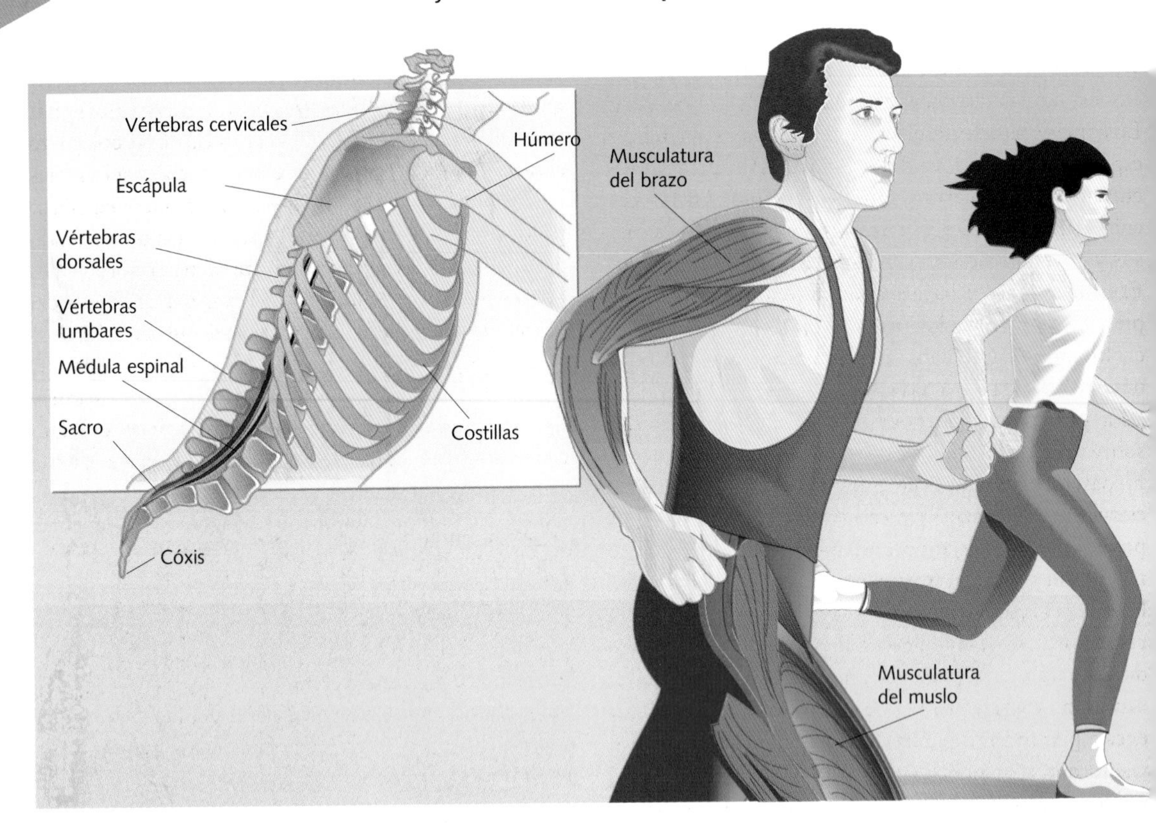

El aparato locomotor

- **La estructura del esqueleto**
- **Huesos, articulaciones y ligamentos**
- **Músculos y tendones**

El esqueleto es el conjunto de huesos que compone nuestro cuerpo. Su misión es proporcionar al ser humano una forma estable, y en albergar y proteger los órganos del Sistema Nervioso Central (SNC), cerebro y médula espinal. Forma, conjuntamente con la musculatura, parte del aparato locomotor del ser humano.

La columna vertebral

El elemento que soporta el peso del esqueleto es la columna vertebral, que tiene tres curvaturas anteroposteriores en forma de doble "S".
Su longitud es de 73 a 75 cm, y su grosor de 34 mm en la región cervical y de 7 cm a nivel del sacro. Está compuesta por un total de 33 ó 34 vértebras: 7 cervicales, 12 dorsales, 5 lumbares y 9 ó 10 sacras, que se sueldan para formar el sacro y el cóccix.

La vértebra tiene forma de anillo, pudiendo distinguirse una parte ventral, voluminosa y maciza –llamada cuerpo vertebral–, y un cerco (*arco vertebral*), que delimita con el cuerpo un orificio central. El cuerpo vertebral es una formación cilíndrica ósea con dos caras planas, reborde compacto y parte central esponjosa; junto a ella se sitúan los discos intervertebrales. Por la parte dorsal del cilindro nacen las raíces del arco vertebral. El conducto vertebral es la suma de todos los orificios vertebrales, y la columna vertebral en su conjunto sirve de protección a la médula espinal. Los nervios espinales salen del canal vertebral a través de los orificios de conjunción o intervertebrales. Éstos transportan los impulsos que hacen posible, por ejemplo, el movimiento de brazos y piernas. Los movimientos de conjunto que puede realizar la columna vertebral son: flexión, extensión, inclinación lateral y rotación.

Los miembros o extremidades

Son cada uno de los apéndices del tronco, destinados a la locomoción o a la aprehensión. En principio, brazos

y piernas poseen una estructura idéntica; pero las funciones que realizan han ido modificando su anatomía. Los brazos han desarrollado una movilidad y habilidad especiales; y las piernas, la estabilidad. Por esto, las articulaciones de la pierna tienen una movilidad más reducida que sus homólogas de los brazos; además, los huesos y músculos son un poco más robustos.
Esta diferencia se hace patente al comparar manos y pies. Cada uno de ellos se compone de 26 huesos, pero en los pies la movilidad de los huesos entre sí se ha desarrollado poco, y con ello la habilidad y agilidad para palpar y aprehender. Los pies nos garantizan, sobre todo, la estabilidad de todo el cuerpo.
El parecido fundamental que puede observarse en la estructura de brazos y pies es que cada uno de ellos posee un hueso largo que, a través de una articulación recubierta de cartílago articular, permanece unido a dos huesos más cortos (articulaciones del codo y la rodilla, respectivamente). Sin embargo, ambas presentan grandes diferencias: el fémur posee en su epífisis superior una gran cabeza en forma de tres cuartos de esfera que encaja perfectamente en la cavidad cotiloidea de la pelvis. El húmero del brazo se articula con la cavidad glenoidea (poco profunda) del omóplato, mediante un contacto mucho menos completo.

Huesos y articulaciones

Según su misión, los huesos tienen distintas formas: los cortos (*carpo, tarso, vértebras*) son apropiados donde la movilidad es grande, como los dedos. Las formas de estos huesos cortos son elásticas, como en el pie, las muñecas o la columna. Los huesos planos (*bóveda del cráneo, ilion, esternón*) rodean y protegen el cerebro, la pelvis o los intestinos. Los huesos largos (*húmero, fémur*) forman el esqueleto de las extremidades.
Independientemente de la forma, la estructura del hueso es idéntica: están envueltos por el periostio, una membrana de tejido conectivo que los rodea por todas partes excepto por las superficies articulares, donde está recubierto de cartílago, así como en los puntos de inserción de tendones y ligamentos. El periostio está atravesado por nervios, y es muy sensible. Está compuesto por una capa externa de tejido conjuntivo, con fibroblastos, y de otra interna que posee células osteógenas, generadoras de tejido óseo. Existe otra membrana, rica en células, que tapiza el interior del hueso, el endostio. Entre ambas, se localiza el tejido óseo.
Este tejido óseo se compone de una porción orgánica formada por fibras colágenas y células, inmersas en la sustancia fundamental, y una porción inorgánica, integrada por sales cálcicas (*fosfatos* y *carbonatos*). Las sales cálcicas dan dureza al hueso, y las fibras colágenas elasticidad, incrementando su resistencia. Esta estructura no es inerte sino que, según su actividad, en ella se produce una reabsorción y la neoformación de tejido óseo, adaptándolo a la carga que debe soportar. Los huesos pueden estar unidos de forma fija, como los del cráneo, o mediante una articulación, que permite desplazarse uno respecto del otro al coincidir sus extremos (*epífisis*) en ella. La movilidad de ambas queda asegurada por una capa de tejido cartilaginoso; y la estabilidad, por unos ligamentos, poco elásticos, así como por la musculatura.

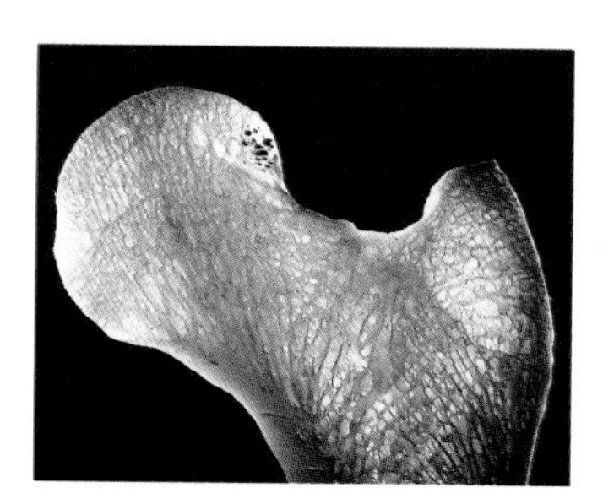

El fino tejido óseo de un hueso sano le proporciona gran dureza y cierta elasticidad, que hace que sea la estructura de sostén de los tejidos blandos del organismo.

Músculos y tendones

Los músculos constituyen la parte activa del aparato locomotor. El cuerpo humano posee unos 700. Cuando se contraen bajo el impulso de los nervios, traccionan en la dirección de los huesos, a los que se hallan firmemente unidos mediante los tendones. Éstos son una estructura fibrosa mediante la cual el músculo se inserta al hueso, y que se deslizan por unas vainas que impiden el rozamiento entre los haces de fibras y el hueso. Se componen casi exclusivamente de fibras de colágeno, que entran en el periostio y que enlazan músculo y hueso a través como si fueran minúsculos cordones.

Los frecuentes dolores de espalda

Dice el refrán que «piedra movediza no crea moho». Y esto es válido para el aparato locomotor; es el mejor remedio contra el "dolor de espalda", una enfermedad muy extendida, aunque se ignore si es como resultado de andar erguidos o del estrés y las tensiones de la sociedad actual. La realidad es que si no se utilizan, los músculos se atrofian, los ligamentos se acortan y las articulaciones adquieren rigidez. Pero practicar mucho deporte puede ser contraproducente, ya que produce desgaste en las articulaciones. Todo está en hacer las cosas "en su justa medida".

Casos de urgencia

Normas generales

Acuda a "urgencias" si padece dolores después de un accidente, si tiene limitado el movimiento, o algún miembro ha adoptado una posición anómala.

Distensión muscular/Desgarro fibras musculares/Rotura muscular

► Síntomas:
- ➜ intensos y repentinos dolores tras una contracción muscular o, también, como consecuencia de un golpe;
- ➜ hinchazón, hematoma, tumefacción palpable.

La tensión activa violenta de la musculatura puede hacer que el músculo sufra una laceración y producir desgarros o roturas (rotura de fibras musculares). La rotura muscular completa sucede en raras ocasiones.

Tratamiento médico

Si sospecha que padece de distensión o tiene un desgarro, acuda al médico. Una ecografía permitirá ver el desgarro, y apreciar su alcance y gravedad. La terapia incluye cuidados y reposo, aplicación de compresas frías y la administración de analgésicos y antiinflamatorios. La gimnasia de recuperación es necesaria para evitar lesiones musculares crónicas.

Autoayuda

Las distensiones musculares y las roturas de fibras figuran entre las lesiones más frecuentes entre los deportistas. Antes de practicar ejercicio, para evitar muchas lesiones, es imprescindible realizar ejercicios de calentamiento.

Fractura

► Síntomas:
- ➜ dolor e hinchazón en la zona de la fractura;
- ➜ el miembro fracturado está deformado y apenas puede moverse;
- ➜ hematoma en la zona circundante.

Las fracturas pueden ser traumáticas, patológicas y espontáneas. Normalmente suelen producirse por accidentes, deportes y caídas en el hogar.

¡En personas mayores, un ligero golpe puede producir una fractura!

Tratamiento médico

En fracturas abiertas -en las que el hueso asoma a través de la piel- y en las lesiones de la columna, el transporte del herido se hará en ambulancia. En el hospital se realizarán radiografías de la fractura. Según la clase y lugar de la fractura se procederá, incluso mediante operación, a reducir la fractura colocando los huesos en su lugar.

Autoayuda

Es importante mantener inmovilizado el miembro fracturado. En la → página 790, se reseñan importantes medidas sobre primeros auxilios.

Síndrome compartimental

► Síntomas:
- ➜ insoportables dolores en la zona (en la pierna o el antebrazo) bajo la escayola;
- ➜ los dolores son la consecuencia de un accidente, y menos frecuentemente por sobrecarga muscular.

Los músculos de pierna y antebrazo están encerrados en celdas, limitadas por densas capas de tejido conjuntivo. En caso de hemorragia o hinchazón, estas capas constriñen la musculatura tanto más cuanto la presión ejercida por la colocación de vendajes de yeso inmovilizadores sea mayor. La consecuencia es una menor circulación sanguínea, que incluso puede provocar una necrosis del tejido muscular.

Tratamiento médico

El médico retirará el yeso, y, ocasionalmente –en caso de existir la sospecha de síndrome compartimental–, tendrá que eliminar quirúrgicamente las capas de tejido conjuntivo; de no hacerlo lo antes posible, podría producirse una necrosis de los músculos y los nervios.

Autoayuda

Las compresas frías son el mejor alivio.

Pruebas clínicas especiales

La exploración física

Durante el reconocimiento, el médico comprueba la posición y amplitud de movimientos de las articulaciones. A continuación explora el esqueleto, verificando si la columna vertebral posee la configuración correcta; luego, los hombros, las caderas, etcétera, por si uno estuviera más alto que el otro o si existiesen desviaciones de los ejes normales (piernas en X o en O). Además de la capacidad de movimientos, también observará la estabilidad de las articulaciones.

Diagnóstico por imagen

• **Rayos X.** Las radiografías permiten observar la forma y estructura de los huesos, pero no recogen y por lo tanto no pueden verse las partes cartilaginosa y blanda (por ejemplo, del tejido intervertebral o los meniscos de las rodillas). Estas estructuras sólo se ven con los rayos X, pues dejan pasarlos a su través sin detenerlos. Su observación es imprescindible para diagnosticar ciertas lesiones (de menisco, hernias discales, inflamaciones o tumores). Las lesiones de los ligamentos o cápsulas articulares se detectan por la mayor movilidad de los huesos, de los que se suspenden unos pesos para realizar las radiografías. Con este sistema es posible separarlos y moverlos. La limitación de los rayos X es (además de emitir radiaciones) el que las partes blandas no aparezcan. Una variante de la radiografía es la artrografía, que permite estudiar radiográficamente una articulación al hacer incluso visibles los elementos transparentes a los rayos X, mediante un medio de contraste.

• **Escáner.** La tomografía computarizada o escáner utiliza rayos X. Permite observar el cuerpo por "cortes", y muestra los huesos y las partes blandas. Así es posible comprobar si hay prolapso de un disco intervertebral, y la consiguiente presión sobre la médula o las raíces nerviosas. También es posible medir la densidad del hueso, valorando su contenido cálcico para el control de la osteoporosis.

• **Resonancia magnética.** La resonancia magnética en vez de con rayos X funciona con campos electromagnéticos, por lo que es muy apropiada para representar la médula espinal, los espacios interiores de las articulaciones y los discos intervertebrales.

• **Ecografía.** La ultrasonografía o ecografía permite representar las partes blandas (tendones o la cabeza femoral cartilaginosa de un lactante). Con las ondas ecográficas es posible visualizar las estructuras óseas, pero no así establecer un diagnóstico.

• **Gammagrafía.** La escintigrafía o gammagrafía se basa en que ciertas sustancias radiactivas se concentran en aquel lugar del hueso donde, debido a inflamaciones, lesiones o tumores, éste padece algún tipo de degradación (→ Escintigrafía).

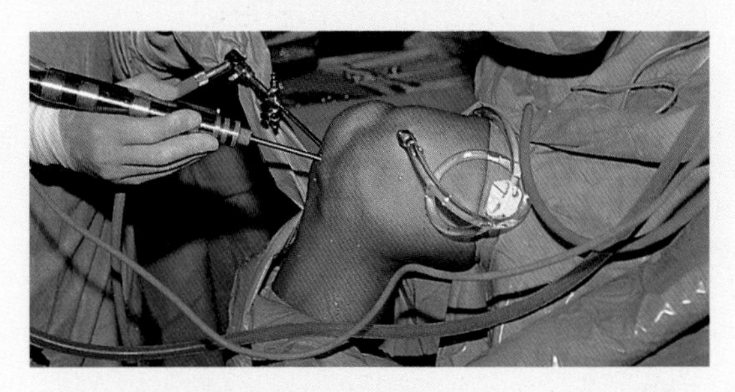

La artroscopia permite ver, mediante preciosos instrumentos ópticos, el interior de la rodilla.

Artrocentesis y artroscopia

Para realizar una *punción articular* se utiliza una aguja finísima, con la que se extrae el líquido formado en la cavidad articular para su posterior análisis. Del mismo modo se emplea para eliminar el líquido formado en las articulaciones a causa de hematomas (*hemartros*), y también para inyectar medicamentos en la articulación enferma.

La *artroscopia* permite la visión directa del interior de una articulación. Asimismo, con ayuda del artroscopio y de unas pinzas especiales, se pueden tomar muestras de las zonas de la membrana sinovial más afectadas. Las superficies articulares, los cartílagos y los meniscos se ven nítidamente, por lo que también se usa para aplicar una terapia de descongestión y curación. Los músculos, ligamentos y tendones no son seccionados, lo que posibilita una curación más temprana que en caso de intervención quirúrgica.

El aspecto negativo de todos los procedimientos que requieren abrir la articulación, es el gran riesgo de infecciones que comportan y el mayor período de convalecencia que precisan.

Fracturas óseas (Fracturas)

▶ Síntomas:

- ➜ dolores, hinchazón;
- ➜ posición incorrecta de la parte afectada;
- ➜ el miembro lesionado, apenas puede moverse.

Cuando sobre los huesos actúa una sobrecarga que no pueden resistir, se rompen. Las fracturas pueden ser de tipo: *traumático*, si se producen por un traumatismo único y violento que actúa sobre el tejido óseo sano; *patológico*, como consecuencia de un proceso patológico (→ Osteoporosis) y, por último, *espontáneo*, debido a diversos efectos musculares o como resultado de una sobrecarga que ocasiona su fractura.
En personas mayores, una caída suele ocasionar frecuentemente la fractura del cuello del fémur. Si el hueso fracturado asoma al exterior a través de la piel, se habla entonces de fractura abierta. Normalmente esto suele suceder con cierta frecuencia en las fracturas de pierna, debido a que la piel se encuentra en contacto directo por encima del propio hueso.

Tratamiento médico

Si los dolores y la inmovilidad del miembro afectado indican la posible existencia de una fractura, acuda inmediatamente al médico. Esto suele sucederles con cierta frecuencia a las personas de cierta edad después de haber sufrido una caída, aunque al principio normalmente sólo padecen unos ligeros dolores en la cadera o en la columna vertebral.
El tratamiento indicado para una fractura dependerá del lugar y de la gravedad de la lesión, que el médico determinará después de haber estudiado la radiografía. Por regla general, el tratamiento suele tener dos fases distintas: el de *reducción* y, posteriormente, el de *contención*. Siempre que sea posible, el tratamiento será "conservador", es decir, se procederá a colocar los huesos en su posición normal (sin anestesia general, aunque sí con una ligera anestesia local) de forma que, mediante la inmovilización con yeso, el miembro permanezca en reposo y los huesos puedan volver a soldarse previa formación de un callo óseo.
En las fracturas difíciles, eventualmente astilladas, la reducción de la fractura requiere de intervención quirúrgica con el fin de colocar nuevamente los huesos en su posición correcta. Tan pronto como sea posible, se comenzará a practicar la gimnasia de recuperación, para así evitar posibles secuelas, como lesiones de ligamentos y tendones, atrofia muscular o la retracción de las cápsulas articulares.

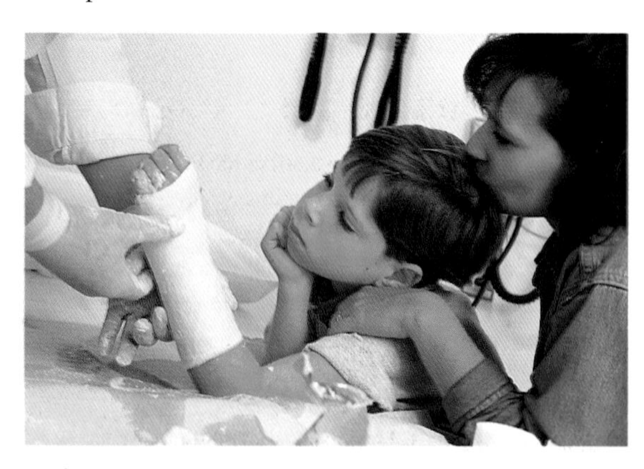

Las fracturas curan con mucha mayor rapidez en los niños que en las personas adultas.

Aunque por regla general las fracturas curan bien, también es posible que surjan complicaciones como, por ejemplo, las lesiones producidas en los vasos o los nervios debido a los fragmentos óseos agudos y afilados que se hallan sueltos. Si la escayola produce dolores o trastornos que afecten a la sensibilidad de los dedos de las manos o de los pies de la persona que sufre la lesión, se debe acudir de inmediato al médico, pues la hinchazón producida bajo el vendaje de yeso también podría dañar los vasos sanguíneos y los nervios de gravedad.
Esto es relativamente frecuente en las fracturas de piernas y antebrazos, lugares en los que puede producirse el denominado síndrome compartimental, que si no se trata a tiempo puede llegar a producir una necrosis en los músculos y nervios.
Después de una fractura, otra complicación relativamente frecuente en mujeres de edad avanzada es el denominado síndrome de Sudeck, un trastorno metabólico y circulatorio en la zona de la fractura. El tejido

Las fracturas más frecuentes

- Radio (encima de la muñeca).
- Clavícula.
- Húmero (en los niños generalmente a poca distancia del codo, en los adultos, debajo de los hombros).
- Pierna.
- Cuello del fémur.

no recibe sangre que lo irrigue y, consecuentemente, se produce la atrofia de músculos, huesos y piel de la parte afectada. Si la fractura es abierta, el peligro de padecer una osteomielitis es mucho mayor. Cuando la línea de fractura atraviesa una articulación o los huesos crecen de forma distinta a la considerada como normal, puede aparecer un desgaste prematuro de la articulación. Si se lesionan el llamado cartílago de crecimiento, las fracturas de huesos en los niños pueden influir en un deficiente crecimiento óseo posterior. En otras ocasiones, y como consecuencia de una mayor vascularización, los huesos creen con más fuerza. Ambos casos pueden dar lugar a una diferencia de longitud de las piernas, o bien provocar que no se puedan doblar.

Autoyuda

Entre las primeras medidas que deben adoptarse en caso de que una persona sufra un accidente que le ocasione una fractura, figura la inmovilización de la parte fracturada. Así, en caso de que se trate de una fractura de brazo, deberá sujetar el citado miembro fuertemente al cuerpo; si por el contrario fuera una pierna, átela a la otra con un palo o bastón largo.
La persona accidentada en ningún caso debe intentar reducir la fractura personalmente, pues podrían lesionarse los vasos sanguíneos y los nervios del miembro afectado. Además, se causaría dolores innecesarios. Si las fracturas son abiertas, sobre la mismas sólo se depositarán compresas estériles (sin vendajes).

Vendajes de yeso y férulas

Las fracturas solamente se curan evitando por completo el movimiento de la parte fracturada. Para conseguirlo, se procede a su completa inmovilización: para ello se rodea con yeso la parte afectada (*vendaje de yeso*), o bien se dispone una tablilla de yeso sujeta con un vendaje elástico (*férula*). La capa de yeso es importante que incluya también una parte más amplia de la zona fracturada; frecuentemente, hasta incluye las dos articulaciones adyacentes.
Además del yeso clásico también existen vendajes de material sintético, más ligeros e impermeables; pero, lamentablemente, son bastante más caros que el primero.
En ocasiones es necesaria la tracción de los huesos fracturados, con el fin de que la musculatura no desplace los extremos óseos del lugar habitual que deben ocupar. En estos casos, se opta por un dispositivo extensor dotado de unos pesos o tornillos.

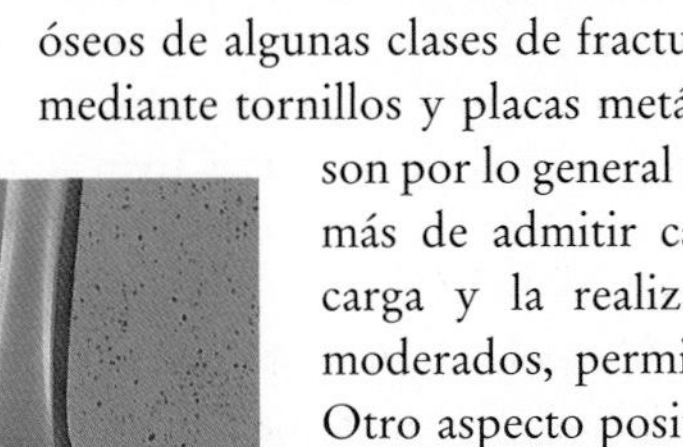

Inmovilización de la región tibioperonea de la pierna mediante tornillos.

Reparación quirúrgica

El tiempo que necesita una fractura para consolidarse, depende del lugar en el que se encuentre. Los huesos de los dedos tardan unas tres semanas en osificarse; en el muslo unos tres meses como mínimo y, si se trata de complicadas fracturas fragmentadas, el tiempo es bastante más. Para evitar secuelas, como anquilosis articulares o atrofias musculares, los fragmentos óseos de algunas clases de fracturas se unen entre sí mediante tornillos y placas metálicas. Estas técnicas son por lo general tan sólidas que, además de admitir casi de inmediato la carga y la realización de esfuerzos moderados, permiten el movimiento. Otro aspecto positivo de las intervenciones quirúrgicas es que se pueden recomponer los múltiples fragmentos de la fractura. En las fracturas abiertas, con partes blandas lesionadas por fragmentos óseos y heridas infectadas, o que sea necesario extraer partes enteras de un hueso, se procederá a aplicar un fijador externo. Con este fin se colocan –por encima y por debajo de la fractura– unos tornillos que penetran y se fijan en el hueso, y que luego se estabilizan exteriormente mediante un dispositivo metálico; el lugar de la fractura queda de esta forma perfectamente inmovilizado. Gracias a este sistema se evitan lesiones en el tejido de la zona de la fractura.
No obstante, el método quirúrgico tiene una parte negativa. Casi todos los elementos metálicos utilizados han de ser extraídos quirúrgicamente más tarde, porque posteriormente podrían producir procesos de desintegración de los huesos. Después de esta segunda intervención quirúrgica, es preciso inmovilizar una vez más la zona fracturada.

Osteoporosis

► Síntomas:

➜ dolores de espalda, sobre todo en la zona de la columna vertebral;
➜ formación de una ligera joroba;
➜ fractura de huesos, sin traumatismo previo.

Esta enfermedad consiste en una mayor fragilidad del hueso que, como consecuencia del adelgazamiento de las laminillas que lo forman (*travéculas*), confiere al tejido un aspecto poroso. Es un trastorno de la matriz proteica del hueso, que conduce a una desmineralización esquelética. En todo ser humano, a partir de los 35-40 años de edad se empieza a da un proceso natural de desmineralización ósea que, no por ello, debe convertirse necesariamente en una enfermedad a edad más avanzada. Sólo cuando se alcanza un límite crítico determinado, propiciado por ciertos factores de riesgo, aparecen las molestias que, muchas veces, se unen a fracturas de la columna, carpo y fémur. Las limitaciones físicas y psíquicas son considerables, sobre todo si aparecen dolores crónicos. Para las personas de edad muy avanzada, la fractura de un hueso, sobre todo del fémur (*osteoporosis senil*), puede exigir cuidados constantes, de forma que pierden la libertad de movimientos y ven cómo su calidad de vida se ve así afectada y perjudicada de manera evidente.
Un riesgo especial afecta a las mujeres, sobre todo después de la menopausia, debido a que la falta de hormonas sexuales propicia la desmineralización ósea. Suele afectar más a las mujeres delgadas, sobre todo a aquéllas que en su juventud fueron extremadamente delgadas y cuya mineralización ósea del esqueleto fue escasa. Las mujeres con mayor propensión a padecer osteoporosis son: las que no han tenido hijos, y las de pubertad tardía y menopausia temprana.

Factores de riesgo para la osteoporosis

- Falta de movimiento, guardar cama durante mucho tiempo.
- Insuficiente ingesta cálcica, diferentes enfermedades del tracto gastrointestinal, enfermedades del metabolismo, patologías renales.
- Tabaquismo, elevada y constante ingesta alcohólica, así como elevado consumo de café.
- Piel clara, esqueleto frágil.
- Antecedentes de osteoporosis en la familia.
- Terapias prolongadas con corticoides.

El menor peso que soportan los huesos en al agua, hace que la gimnasia acuática ayude a combatir la osteoporosis.

Tratamiento médico

Si la persona padece constantes dolores de espalda y concurren algunos de los factores de riesgo citados, debe consultar con su médico. Por medio de las radiografías y por la medición de la densidad ósea (→ Densitometría) se mostrará la condición de los huesos; también, en el transcurso de una terapia es posible conatatar de manera fehaciente si la pérdida de masa ósea sigue avanzando o se ha detenido.
Los objetivos principales del tratamiento son: aliviar los dolores y conseguir que la desmineralización ósea se desarrolle más lentamente, o bien conseguir la formación de nueva masa ósea. Según la fase de la enfermedad, podrán administrarse estrógenos, calcio, calcitonina, bifosfonatos, o determinadas combinaciones de todos ellos. En la terapia base figuran calcio y vitamina D. Pero los medicamentos sólo serán eficaces si tanto los huesos como la musculatura se someten a un fortalecimiento mediante gimnasia de recuperación.
Cuando se trate de vértebras fracturadas o lesionadas, se utilizará un corsé ortopédico.

Autoayuda

Si durante su juventud ha practicado deporte y sus huesos han tenido un buen aporte de calcio, el riesgo de padecer osteoporosis será mínimo.
Pero si ya padece esta enfermedad, debe realizar mucho ejercicio y adoptar una dieta alimentaria equilibrada y sana; con ello conseguirá alcanzar una mejora conside-

rable. Nunca es demasiado tarde para empezar a hacer un poco de gimnasia a diario, dar un paseo a paso rápido y practicar natación durante una o dos horas semanales. La natación fortalece los músculos y estimula el proceso de osificación.
Pero también es preciso ingerir el suficiente calcio con la alimentación. Los adultos necesitan 200 miligramos al día, por ejemplo, 100 gramos de queso o 1 litro de leche (la leche desnatada es mejor para mantener el nivel adecuado de colesterol).

Osteomalacia

▶ Síntomas:
- ➜ dolores óseos agudos y profundos al sentarse, especialmente en la zona pélvica, glúteos y en el talón (problemas de deambulación).

La deficiente fijación de fósforo y calcio sobre la trama proteica del hueso o tejido osteoide, como consecuencia de la falta de vitamina D, es lo que causa esta enfermedad. Puede deberse a una enfermedad crónica del intestino, hígado o riñones. Entre los niños, la causa principal era el raquitismo, hoy ya casi extinguido.

Tratamiento médico

Si padece dolores óseos de modo casi permanente, consulte con su médico para que establezca el diagnóstico y prescriba su tratamiento de inmediato. Para endurecer los huesos, la terapia básica siempre incluye productos ricos en vitamina D.

Autoayuda

Complete la terapia medicamentosa con otra rica en calcio (productos lácteos, pescado, aceite de hígado de bacalao, huevos, setas) y vitamina D.

Tumores óseos

▶ Síntomas:
- ➜ dolores óseos;
- ➜ hinchazones.

Por regla general, los tumores que aparecen en huesos o cartílagos suelen ser benignos; los malignos, suelen ser muy poco frecuentes. Sin embargo, entre los niños existe un cáncer de huesos, el denominado osteosarcoma, que afecta principalmente a la zona de las rodillas. Entre los adultos, los tumores óseos más extendidos son las metástasis de cáncer de mama, próstata, pulmón, tiroides o riñones.

Tratamiento médico

Si los niños se quejan de dolores, siempre es síntoma de alarma, porque lo que no existe son "dolores de crecimiento". Los tumores pueden ser extirpados quirúrgicamente, aunque el éxito del tratamiento es muy variable dependiendo de si los tumores de huesos y cartílagos son o no malignos. Mediante la combinación de cirugía y quimioterapia, dos de cada tres niños afectados de osteosarcoma se curan. Si hubiere metástasis (→ El cáncer), la terapia se adecuará al tipo de cáncer que las originó, aunque en estos casos el tratamiento no suele ser más que paliativo.

Autoayuda

No es posible.

Osteomielitis (inflamación del tejido óseo)

▶ Síntomas:
- ➜ dolor y tumefacción en el hueso;
- ➜ eventualmente, fiebre y malestar general;
- ➜ a veces, supuración purulenta por la piel debido a una fistulación;
- ➜ derrame en las articulaciones vecinas.

Los agentes patógenos causantes de osteomielitis pueden invadir el organismo de diversas formas: a través de una herida, por fracturas abiertas o bien durante una intervención quirúrgica del hueso.
Sobre todo en los niños, y en personas con pocas defensas inmunitarias, los agentes patógenos procedentes de otras inflamaciones o infecciones pueden alcanzar el hueso por vía sanguínea, afectándolo directamente. Una peligrosa y "traidora" forma de esta enfermedad es la tuberculosis ósea.

Tratamiento médico

La terapia de osteomielitis aguda, requiere elevadas dosis de antibióticos. Si la enfermedad es crónica, el foco de la inflamación debe ser drenado quirúrgicamente. La terapia es muy prolongada, siendo necesarias a veces varias intervenciones quirúrgicas.

Autoayuda

No es posible.

Contusión

Lesión traumática de las articulaciones, provocada por un traumatismo o golpe violento y fuerte.

Esguince

Lesión traumática, que implica una afectación del aparato ligamentoso. Se clasifican en distintos grados, siendo el último de ellos la rotura ligamentosa.

Luxación

▶ Síntomas:
- ➜ intensos dolores en la articulación afectada;
- ➜ incapacidad de mover la articulación;
- ➜ desplazamiento visible de la articulación, tumefacción.

En la luxación existe un desplazamiento de los extremos óseos de la articulación. Se da al superar el radio de movimiento de una articulación, cuando los huesos y las superficies articulares dejan de estar en contacto. La luxación se ocasiona al producirse un desgarro de ligamentos, tendones y cápsulas articulares. Las articulaciones más afectadas son: hombro, codo y rodilla. Si se repiten, puede deberse al desgaste y laxitud de ligamentos y cápsula, es decir, el resultado de lesiones e inflamaciones antiguas.

Tratamiento médico

El médico u ortopeda se encargará de reducir la luxación. Si la articulación se encuentra inestable, se debe inmovilizar para, más tarde, realizar la gimnasia de recuperación apropiada. En caso de que se repita, se procederá a estabilizar quirúrgicamente la articulación mediante el tensado de ligamentos y cápsulas.

Cuando la articulación se hincha

El derrame producido en una articulación es síntoma de sobrecargas, desgastes, contusiones, torceduras o enfermedades inflamatorias. La hinchazón suele ser dolorosa y sensible al roce, al tiempo que limita la movilidad. Consulte con su médico si la hinchazón no desaparece al colocar la articulación en alto y aliviarla con compresas frías.

La luxación de la articulación de la rodilla es siempre muy dolorosa, tanto dentro como fuera de un campo de fútbol.

Autoayuda

Debe evitarse reducir la luxación uno mismo, pues se podrían ocasionar laceraciones de tendones o músculos o, incluso, atrapamiento de vasos o nervios.

Patologías del menisco

▶ Síntomas:
- ➜ dolores agudos en la rodilla, que aumentan al moverla;
- ➜ limitación de los movimientos flexo-extensores;
- ➜ bloqueo de la rodilla en ligera semiflexión.

Los meniscos son formaciones fibrocartilaginosas en forma de media luna que, sin separarlas, en algunas articulaciones se interponen entre las dos superficies articulares. Las patologías más frecuentes son las roturas. En el cuerpo humano actúan como "amortiguadores" de la articulación de la rodilla. Si con el tiempo se desgastan, pueden fracturarse al efectuar un movimiento de torsión de la pierna.

Tratamiento médico

Las fisuras leves en el menisco pueden tratarse con bolsas de hielo y vendajes. Pero si el cartílago se ha roto, es necesario extirpar los fragmentos (*meniscectomía*). Si no se hace, podría producirse una inflamación e incluso un desgaste de la articulación. Estos fragmentos sólo se pueden suturar en personas muy jóvenes; luego, se evitarán los esfuerzos de la rodilla sin inmovilizarla. Pocos días después de la intervención, se comenzará con la gimnasia de recuperación.

Autoayuda

Para aliviar las hinchazones y los dolores, deje la rodilla en absoluto reposo y aplique bolsas de hielo.

Artritis reumatoide

► Síntomas:

- ➜ estado general de decaimiento, cansancio;
- ➜ dolor, hinchazón y dificultad de movimiento;
- ➜ rigidez matutina de más de una hora de duración, en una o varias articulaciones, en los dedos de las manos, pies, rodillas...

La artritis reumatoide es una enfermedad autoinmune, en la que el sistema defensivo no reconoce como propias ciertas estructuras y las ataca, lo que genera anticuerpos y pone en marcha una serie de mecanismos inmunológicos. La enfermedad cursa como una afección inflamatoria que afecta a varias articulaciones, por lo que se denomina poliartritis.
Con el tiempo se produce la destrucción del cartílago articular protector y, finalmente, la articulación se va deformando cada vez más y adquiriendo más inmovilidad. Un rasgo característico es su proceso crónico e intermitente, apareciendo en forma de brotes.
Además de las formas más benignas, que durante años sólo afectan a ciertas articulaciones, existen formas graves en las que las articulaciones quedan destruidas en pocos meses. Estas inflamaciones pueden afectar a cualquier órgano, riñones, pulmones y, sobre todo –en los niños–, los ojos. Lamentablemente, esta enfermedad sólo permite su alivio pero no la curación.

Tratamiento médico

Cuando las dolencias articulares no desaparecen en unos pocos días, se debe consultar con el médico. La presencia del factor reumatoide (anticuerpos contra proteínas del propio cuerpo), puede indicar que se trata de una artritis reumatoide.
Para el diagnóstico es necesaria una exploración completa, y pruebas complementarias radiográficas y analíticas. La terapia debe ajustarse a cada persona; en los casos más graves, el reumatólogo dirigirá el tratamiento. En la fase aguda, se administrarán medicamentos antiinflamatorios. Y junto a éstos, para tratar de frenar la evolución, otros como sales de oro, penicilamina o antimaláricos de síntesis. También se emplean inhibidores del sistema inmunológico, como corticoides, metotrexate, etcétera. Ahora bien, estos medicamentos pueden producir graves efectos secundarios, y no todos los pacientes están en condiciones de soportarlos. La gimnasia de recuperación ayuda a recobrar la movilidad, lo mismo que la ergoterapia o tratamiento de ciertos estados patológicos de la vida cotidiana por el trabajo manual. A los dedos rígidos les facilitará su labor con una cubertería de mesa más gruesa, así como el uso de electrodomésticos; los zapatos ortopédicos aliviarán los dolores articulares del pie.
También forman parte de la terapia la práctica de movimientos en la piscina y las aplicaciones de agua caliente o fría. En casos extremos, se recurrirá a la extirpación quirúrgica de una de las capas de la cápsula articular (*sinovectomía*); y cuando el grado de destrucción no permita la funcionalidad, a la reposición protésica de la articulación afectada.

Autoayuda

Cualquier enfermedad crónica modifica la vida de una persona, sobre todo si los dolores son constantes. En este estado es importante no resignarse y gozar de los instantes de reposo que permite la enfermedad, como también lo es saber descubrir todo aquello que puede servir de ayuda o alivio. La adopción de una dieta alimentaria integral, descartando la carne de cerdo, ha aportado una visible mejoría a muchos reumáticos, sin que aún se puedan explicar los motivos. Las asociaciones de afectados y los organismos sanitarios le orientarán y darán apoyo.

¿Qué es el reumatismo?

Este nombre genérico se emplea para designar a cualesquiera de las enfermedades de tipo agudo, subagudo o crónico que afectan al aparato locomotor que forma parte del organismo de las personas. En círculos médicos, la expresión "reumatismo" se considera inexacta y anticuada.
Hoy en día están identificadas más de un centenar, la mayoría de las cuales son, a su vez, enfermedades autoinmunes. El intenso y profundo dolor de los reumatismos puede aumentar, e incluso llegar a convertirse en un grave impedimento en el desarrollo de la actividad cotidiana. Sin embargo, las causas que lo provocan son muy distintas: desde el desgaste de las articulaciones, como en el caso de la artrosis, o deberse a inflamaciones, como sucede en la → Artritis reumatoide y la gota.

Gota

▶ Síntomas:

➜ dolor y tumefacción, casi siempre en una sola articulación y normalmente en el dedo gordo del pie, rodillas y otras articulaciones;

➜ la articulación adquiere una coloración rojo azulada, con quemazón e hinchazón.

La enfermedad se debe a alteraciones del metabolismo del ácido úrico. El primer ataque suele ser repentino, por la noche o a primeras horas de la mañana, cediendo su virulencia con la terapia adecuada. Pero los ataques suelen repetirse, y la dolencia en su evolución se hace crónica. Debido a la inflamación, las articulaciones se destruyen y deforman. Frecuentes consecuencias tardías suelen ser: lesiones renales (*riñón gotoso*), cálculos renales, hipertensión arterial y arterosclerosis. Una lesión característica es el tofo gotoso, acúmulo de urato monosódico, que adopta la forma de nódulos blanquecinos en diversas partes del cuerpo (alrededor de las articulaciones), pero sin signos inflamatorios ni dolorosos. Son muy típicos en las orejas.
La gota es una enfermedad metabólica que guarda estrecha relación con la dieta alimentaria. Los intensos dolores se deben a los cristales de ácido úrico, producido al desdoblarse las purinas o sustancias de desecho de los núcleos de las células, que se concentran en las articulaciones. Normalmente los riñones se encargan de eliminarlo, pero si su nivel en la sangre es muy elevado y exige un sobreesfuerzo al riñón, los cristales se irán depositando en las articulaciones. Por regla general, el cuerpo humano produce ácido úrico cuando la alimentación es abundante, muy grasa y rica en proteínas; en raras ocasiones, la causa puede ser un tumor.
El primer ataque de gota es muy violento, y suele producirse después de una comida abundante de carne y alcohol, lo que dificulta la expulsión del ácido úrico. Por este motivo, las grandes comilonas son muy "peligrosas". Los hombres padecen más de gota que las mujeres, y la predisposición es hereditaria.

Tratamiento médico

Los dolores que aparecen durante una crisis, obligan al paciente a consultar con su médico. El diagnóstico correcto se establece mediante la exploración, la determinación del nivel de hiperuricemia y unas radiografías de la articulación. Para la terapia de la crisis gotosa se administran colchizina (extracto del cólquico), corticoides y antiinflamatorios Para prevenir futuros ataques y las consecuencias crónicas, es necesario reducir el nivel de ácido úrico en la sangre. Para conseguirlo se administran medicamentos que reducen la producción de ácido úrico en el cuerpo, o que incrementan la expulsión del mismo a través de los riñones.

Autoayuda

Si padece una crisis de gota, guarde reposo absoluto. Para combatir los dolores, aplíquese compresas frías. Pero, a la larga, la mejor autoayuda es obser-

La dieta alimentaria influye en el padecimiento de gota

Los enfermos de gota deberían descartar por completo de su dieta alimentaria:

- Guisantes, lentejas, judías.
- Vísceras, carne de pollo y ganso.
- Conservas de pescado, pescado frito, caviar y marisco.
- Productos lácteos de gran riqueza grasa.
- Azúcar y dulces de toda clase.

Se recomiendan, si bien sólo en cantidades reducidas:

- Setas, espinacas, plátanos, frutos secos o nueces.
- Carne magra de pavo hervida.
- Filetes de pescado, marisco.
- Café, té o cacao.

Tanto la carne magra como el pescado son ricos en purinas, que contribuyen a elevar los valores de ácido úrico.

var una dieta alimentaria sana y que propicie la necesaria pérdida de peso. Es importante que los alimentos sean pobres en proteínas, aunque también es posible tomar productos lácteos y huevos; no obstante, es recomendable no abusar de estos productos, pues la gota supone un factor de riesgo muy elevado para la arterosclerosis. Por esto, es necesario vigilar los valores medios de colesterol.
Por lo demás, una dieta equilibrada, con poca carne y mucha fruta fresca y verduras (salvo unas pocas excepciones) es lo mejor para la gota. De gran importancia es beber un mínimo de dos litros de líquido al día en forma de infusiones y agua mineral pobre en sodio. Debe tenerse mucha precaución con el alcohol, pues puede desencadenar el ataque de gota.
Si no puede descartar la carne, debe seguir al menos dos días de dieta vegetariana a la semana.

Artritis sépticas

▶ Síntomas:

- ➜ articulación enrojecida, dolorosa e hinchada;
- ➜ limitación de la movilidad articular;
- ➜ malestar general, fiebre.

Las articulaciones pueden infectarse con agentes patógenos como consecuencia de heridas, intervenciones quirúrgicas o punciones articulares (¡la causa más frecuente!). Algunos agentes patógenos, como los que ocasionan la tuberculosis y la gonorrea, llegan a las articulaciones a través de la sangre.
Las bacterias encuentran allí unas condiciones óptimas, pues la cavidad articular está repleta de un líquido que no contiene células rivales, reproduciéndose fácil y rápidamente antes de que el cuerpo comience a defenderse. La inflamación con que reacciona el cuerpo, también conduce a un deterioro completo de los cartílagos y cápsula articular. Las articulaciones se deforman, adquieren rigidez y pueden llegar incluso a perder la movilidad por completo.

Tratamiento médico

Si observa hinchazones en las articulaciones y dolor, consulte con su médico lo antes posible. La exploración radiográfica y una artroscopia revelarán el grado de deterioro de la articulación.
Para evitar su destrucción, se administrarán antibióticos y se realizará un drenaje. También, para eliminar el tejido de granulación, ocasionalmente será necesaria la intervención quirúrgica. A continuación, la articulación se inmovilizará por un corto tiempo, por ser grande el peligro de rigidez absoluta. Aplicando la terapia adecuada, es posible conseguir una curación completa; en caso contrario, existe la amenaza de sufrir una dolencia articular permanente.

Autoayuda

No es posible.

Artropatías por inmunocomplejos

▶ Síntomas:

- ➜ aparecen en pacientes que están padeciendo o acaban de padecer infecciones de las vías urinarias, garganta o intestinos;
- ➜ hinchazón y dolor en numerosas articulaciones;
- ➜ en los casos graves, aparecen heridas abiertas en las regiones bucal y anal, conjuntivitis, etc.

Cuando existe un foco séptico en otro lugar del cuerpo, las articulaciones pueden verse afectadas sin haber sido atacadas directamente por agentes patógenos. Por regla general, las molestias desaparecen a los pocos días, aunque en muchos casos requieren una terapia adecuada a cada caso particular.
El síndrome de Reiter se manifiesta con la infección de las vías urinarias, pudiendo cursar a un tiempo con infección gastrointestinal. A continuación le siguen conjuntivitis y la inflamación de las articulaciones, sobre todo de pies y rodillas.
A raíz de una amigdalitis, los niños y jóvenes son los más propensos a padecer de fiebre reumática que, en el peor de los casos, puede afectar al corazón.

Tratamiento médico

De producirse en los niños hinchazones articulares muy dolorosas, acompañadas de faringitis, debe acudir al médico. Las infecciones causantes de la artritis se tratarán con antibióticos, y, para disminuir la inflamación articular, se administrarán fármacos antiinflamatorios; en los casos más graves, también corticoides. En los niños, tras padecer anginas purulentas o escarlatina, deberá verificarse si el corazón y los riñones han sufrido alguna lesión.

Autoayuda

Las compresas frías sobre la articulación hinchada alivian los dolores.

Artrosis

► Síntomas:

- ➜ por las mañanas, cierta rigidez en los miembros y dolor más o menos acentuado al comenzar a movilizar la articulación, que disminuye con el reposo;
- ➜ hinchazón de las articulaciones, dolor a la presión, deformación de las manos;
- ➜ creciente paralización de las articulaciones;
- ➜ inseguridad al andar por culpa de la artrosis en la(s) rodilla(s);
- ➜ dolores en las ingles y cojera involuntaria a consecuencia de la artrosis de cadera.

La artrosis es una lesión degenerativa de las articulaciones, que sobreviene como resultado del envejecimiento. Desde un punto de vista anatomopatológico pertenece a las artropatías crónicas, que producen lesiones destructivas de los cartílagos articulares y proliferación de tejido óseo; también, puede afectar a las sinoviales. El deterioro de la articulación comienza con cierta aspereza de la capa cartilaginosa, cuando el roce constante entre ambos extremos óseos lleva al desgaste completo de los cartílagos.

Además de la sobrecarga que padecen las articulaciones (por ejemplo, en la rodilla), también existen otros factores que desempeñan un importante papel.

Factores de riesgo para la artrosis

- Sobrepeso.
- Posición incorrecta congénita de la cadera o de las piernas, con desigual desgaste de las articulaciones.
- Deporte de competición.
- Fracturas próximas a las articulaciones.
- Inflamaciones articulares.
- Meniscopatías y lesiones.
- Desgarro de ligamentos.
- Inmovilización prolongada de una articulación.

El deterioro de las células cartilaginosas produce inflamación, reconocible por la hinchazón de la articulación. Si falta esta capa cartilaginosa que protege al hueso, éste también comienza a destruirse. Al fallar el cartílago, la articulación pierde movilidad; el hueso subcondral intenta recuperar parte de esta movilidad, y, para aumentar la superficie articular, crece dando origen a unas excrecencias denominadas osteofitos.

Las artrosis más frecuentes son las que afectan a las rodillas (*gonartrosis*) y a las caderas (*coxartrosis*), por ser estas dos articulaciones las que más peso soportan. Al correr y saltar, la rodilla debe amortiguar fuerzas que superan varias veces el peso del propio cuerpo. Mientras que el desgaste mecánico de la rodilla comienza a partir de los 50 años de edad, la artrosis de la cadera es una enfermedad típica de edad más avanzada, que afecta tanto a hombres como a mujeres pasados los 60 años de edad. En ocasiones, la posición defectuosa congénita de la cadera puede ser la causa de dicha artrosis, como pueden ser los trastornos circulatorios en la cabeza del fémur.

Tratamiento médico

Si las molestias persisten, conviene acudir al médico. Para establecer un diagnóstico correcto, la exploración y los análisis son pruebas decisivas. Las ligeras modificaciones que a veces se aprecian en las radiografías, no siempre resultan definitivas. A partir de los 60 años, aunque no se observen molestias, casi todas las personas muestran indicios de artrosis.

Para mitigar los dolores, suelen prescribirse analgésicos. En caso de inflamación articular aguda, son útiles las compresas de hielo. Si las molestias se hacen crónicas, las aplicaciones de calor aportan gran alivio. Para mejorar la movilidad articular se recomienda la gimnasia de recuperación. Su objetivo es el fortalecimiento de los grupos musculares que sujetan la articulación, o bien colocarla en su posición natural para evitar la distensión de las ahora más cortas cápsulas articulares.

Para evitar los factores que desencadenan la artrosis, en primer lugar es importante la → Autoayuda. Pero para colocar la articulación en una posición menos sobrecargada y evitar con ello nuevas degeneraciones, también puede ser necesaria la cirugía ortopédica. Si todas estas medidas no aportan la movilidad deseada a la articulación y no desaparecen los dolores, existen aún dos posibilidades más: la implantación de una prótesis articular o de una artrodesis quirúrgica, es decir, la fijación quirúrgica de una articulación llamada también anquilosis artificial. Esta intervención tiene como objeto eliminar el cartílago existente sobre las superficies articulares, fijando ambas mediante un tornillo roscado. La operación libera al paciente de todos los dolores y asegura la estabilidad de la articulación.

Autoayuda

Como sucede en toda enfermedad crónica, para soportar los dolores de la artrosis el paciente necesita aguante y cierto grado de tenacidad. Aunque gran parte de las dolencias se pueden aplacar con gimnasia médica, que incluya diariamente la práctica de ejercicios apropiados, el paciente experimentará mejorías y empeoramientos, como consecuencia de la "sensibilidad de las articulaciones" a los cambios climáticos. Pero, a veces, el azar también desempeña cierto papel. Dejando de lado el sobrepeso, se ha demostrado que la dieta alimentaria influye en gran medida sobre el desarrollo de la enfermedad. El cambio a una alimentación integral, pobre en carnes y rica en fibra, muchas veces se considera positiva. Sin embargo, son muy discutidos los efectos de los productos cartilaginosos necesarios para la estructura articular. Por el contrario, la acupuntura ha demostrado de siempre su eficacia para combatir y reducir los dolores de tipo articular.

El simple chasquido de las articulaciones no significa necesariamente que se padezca la enfermedad, pero para que el "desgaste óseo" debido a la edad no se transforme un día en artrosis, sería conveniente atender a los siguientes consejos:

- Manténgase en su peso ideal, según su estatura.
- Para mantener sus articulaciones jóvenes, realice diariamente ejercicios físicos adecuados.
- Limite la práctica de deportes y movimientos que signifiquen un sobreesfuerzo para las articulaciones.
- Intente evitar o suavizar los posibles golpes en las articulaciones.
- Al practicar deporte, lleve el calzado adecuado y, a ser posible, corra sobre una superficie blanda.
- Evite la sobrecarga al realizar flexiones y tracciones. Es necesario que aprenda las técnicas de levantamiento; así, para las labores de jardinería, utilice un taburete o una banqueta dond pueda sentarse.
- Coloque el sillín de la bicicleta a una altura que le permita pedalear con la espalda erguida.
- Al subir una escalera o escalar una montaña, es preferible que no fuerce las articulaciones y dé dos pasos pequeños en vez de tan sólo uno grande.

Artroplastias y prótesis

Las enfermedades reumáticas, la artrosis y los accidentes pueden exigir la implantación de una articulación artificial para aliviar los dolores y devolver la anterior movilidad natural o, como mínimo, una parte de ella. Estas intervenciones suelen practicarse, sobre todo, en las caderas y, en menor medida, también en la rodilla y en las pequeñas articulaciones de los dedos. Actualmente, hay implantes de metal, material sintético y cerámica para casi todas las articulaciones. No obstante, suele ser más positivo colocar la articulación en su posición original mediante una intervención quirúrgica. Antes de optar por una operación, conviene tener en cuenta que los implantes sólo pueden imitar las funciones naturales y que su duración es limitada (en el caso de la articulación de la cadera, como máximo, de 10 a 15 años).

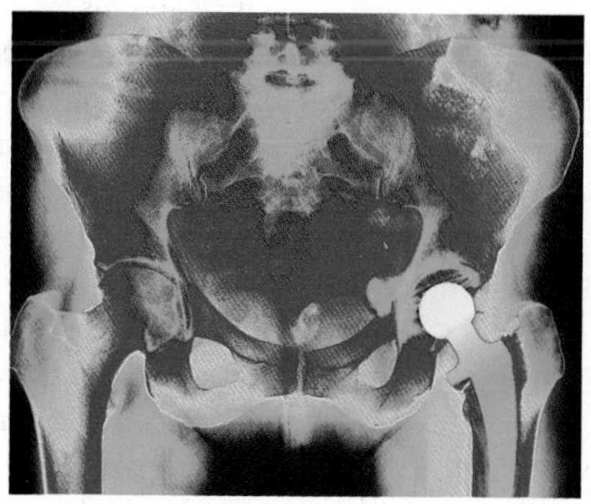

La prótesis articular de cadera libra de dolores a muchísimas personas.

Si las lesiones son muy graves, la circulación sanguínea (→ Pierna de fumador; → Diabetes mellitus) muy deficiente o existen tumores malignos, sólo la amputación del brazo o la pierna podrán salvar la vida. En este caso, posteriormente se intentará recomponer artificialmente el aspecto y la funcionalidad de la parte amputada.

Esto se conseguirá bastante bien con una prótesis del pie o pierna; la mayoría de los pacientes pueden incluso caminar con ellas. Los múltiples y precisos movimientos de la mano sólo pueden ser parcialmente imitados con prótesis "mioeléctricas", que permiten dirigir sus movimientos desde la parte superior del brazo, después de un período de práctica.

El gran problema para todas las personas que llevan una de estas prótesis, es habituarse a la extraña sensación de llevar "algo" ajeno al propio cuerpo, hábito que suele requerir de varios años de práctica.

Artrosis de la columna vertebral/ Hernias discales

▶ Síntomas:

- ➔ anquilosamiento por las mañanas, con dolores de espalda al moverse;
- ➔ sensación de "partirse por la mitad";
- ➔ posición forzada para evitar dolores;
- ➔ las molestias desaparecen durante el día;
- ➔ aparición repetida de ciática;
- ➔ tensión en la zona de las vértebras cervicales;
- ➔ los dolores se irradian hacia los brazos y las piernas;
- ➔ sensación de insensibilidad y parálisis.

La artrosis de la columna vertebral, con desgaste de las vértebras y los discos intervertebrales, puede considerarse propio de la evolución del ser humano. Este proceso de envejecimiento natural, comienza a darse a partir de los 40 años de edad. Es el "precio" que pagamos por el hecho de mantenernos erguidos, pues los discos intervertebrales han de soportar el peso del cuerpo y, además, amortiguar los movimientos bruscos o violentos; éstos van perdiendo su elasticidad y se atrofian, por lo que la presión que han de soportar las articulaciones vertebrales es cada vez mayor y provoca la artrosis, que causa dolores y molestias. Este proceso acaba por afectar a la columna vertebral, que va viciando su posición habitual al alterar su forma natural para evitar dolores y tensiones musculares. Tan pronto como los discos intervertebrales se deterioran y son incapaces de soportar la presión del cuerpo, el anillo fibroso del disco se va abriendo y el núcleo atraviesa las placas intervertebrales. Esto da lugar a una hernia discal intraósea (*protrusión*), que no tiene por qué provocar forzosamente dolores; pero si la hernia ejerce presión sobre un nervio, el dolor puede ser muy intenso. El descanso y la tranquilidad de la columna vertebral pueden hacer que desaparezca la hernia y la presión sobre el nervio. Sin embargo, también puede ser la fase previa de una hernia discal extraósea, con rotura del anillo fibroso (*prolapso*) y salida del núcleo. Esta situación provoca una compresión de la médula espinal y de las raíces nerviosas que asoman por los orificios intervertebrales, lo que suele ocasionar unos intensos dolores que se irradian hacia las piernas, en caso de hernia discal lumbar, o hacia los brazos, si se trata de hernia cervical. Al mismo tiempo, aparece sensación de insensibilidad; a veces, incluso parálisis (→ Ciática).

Tratamiento médico

Si padece frecuentes dolores de espalda, o de repente siente intensos dolores, trastornos de la sensibilidad y pérdidas de fuerza consulte urgentemente con su médico. Si las molestias son intensas, después de comprobar la movilidad y las funciones nerviosas se realizará un examen radiográfico o una tomografía computerizada. En caso de que el estado sea muy agudo, se aliviarán los dolores y se tratará de que la musculatura recobre su tono habitual mediante reposo absoluto y terapia medicamentosa. Las protrusiones discales pueden recobrar su estado original. Pero si los dolores fueran intensos o existiese daño nervioso, deberá extirparse el disco intervertebral. Esto no siempre significa una operación complicada, ya que muchas veces se consigue con una endoscopia. Pero la operación eliminará el prolapso discal, ¡nunca su causa! Para lograrlo, deberá seguir una terapia o gimnasia médica; los baños de fango y los masajes procuran alivio.

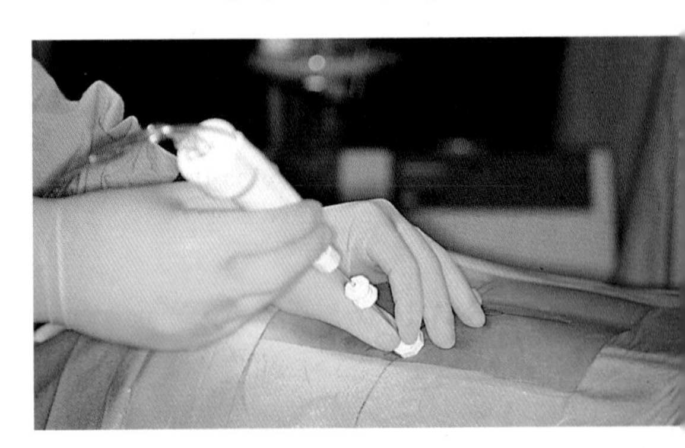

La intervención de los discos intervertebrales con el endoscopio sólo requiere una punción cutánea de un centímetro.

Autoayuda

Aunque su columna vertebral presente síntomas de desgaste, diariamente debe practicar ejercicios gimnásticos adecuados. Ello le reportará un gran alivio. Para la "gimnasia dorsal", nunca es demasiado tarde: son muchos los centros de rehabilitación y recuperación que ofrecen programas de ejercicios apropiados Allí le enseñarán a fortalecer los músculos de la espalda. También es muy importante que el paciente conozca la influencia negativa que sobre su estado ejercen los períodos de estrés y los problemas psíquicos.
Con el fin de evitar el agobio que este "paquete" de cargas y problemas ejerce, conviene soslayarlos y no darles importancia.

Lumbago y ciática

Inesperadamente cualquier persona puede sufrir un ataque de lumbago (*lumbalgia*), un dolor punzante en la región lumbar que llega a ser tan intenso como para impedir todo movimiento. La causa principal es el desgaste o artrosis de la columna vertebral, especialmente de los discos intervertebrales que la componen. Tan pronto como éstos se han "desgastado", las vértebras pueden rozar unas con otras y comprimir los nervios que pasan por la médula espinal. Pero este proceso agrava aun más la situación: las articulaciones vertebrales se comprimen unas contra otras, alteran su posición y los dolores se intensifican en gran medida.

Pero por muy dolorosa que sea una lumbalgia, nunca produce alteraciones en la fuerza y la sensibilidad de los miembros. Los dolores son muy parecidos a los que produce el nervio ciático, que es el principal nervio que se encuentra en la pierna. Cuando el nervio ciático se comprime (por ejemplo, debido a una hernia discal lumbar), se origina un dolor que desciende por la región glútea, cara posterior del muslo y cara externa de la pierna, hasta el tobillo y borde externo del pie.

Escoliosis

▶ Síntomas:

➜ curvatura lateral de la columna vertebral;
➜ posición inclinada del tronco;
➜ en los casos graves, joroba visible.

Desde que el raquitismo ha sido eficazmente combatido en los países desarrollados, estas desviaciones de la columna vertebral suelen ser muy poco frecuentes, excepto algunas formas ligeras que suelen aparecer durante la etapa de la pubertad.

El deficiente equilibrio muscular, provoca la desviación de los huesos durante el crecimiento. Las vértebras se colocan de forma desigual unas encima de otras -sin ajustarse- y las consecuencias son: sobrecarga de la musculatura, dolores de espalda y artrosis precoz de las articulaciones vertebrales.

Tratamiento médico

Si durante el crecimiento se practica gimnasia correctora y eventualmente se utiliza un corsé ortopédico, la escoliosis puede corregirse. Pero en caso de que la terapia se aplique demasiado tarde, la intervención quirúrgica es a veces necesaria. Consiste en una artrodesis de varios grupos de vértebras. También se endereza, mediante un implante de elementos metálicos.

Autoayuda

La prevención comienza cuando el niño es aún lactante; además de acostarlo alternativamente sobre cada lado, se adoptara la profilaxis contra el raquitismo. Más tarde es importante que la mochila del colegio siempre se lleve correctamente sobre la espalda, evitando que cargue con pesadas carteras de mano.

Espondilitis anquilopoyética

▶ Síntomas:

➜ comienza con dolores en la región glútea y zona lumbar de la espalda, que se intensifican mucho durante la segunda mitad de la noche, de forma que los pacientes deben levantarse y pasear para aliviar los dolores;
➜ transcurridos unos años, anquilosis de la columna vertebral en posición inclinada.

De causa desconocida, esta enfermedad es más frecuente entre los hombres que entre las mujeres, afecta sobre todo a las articulaciones vertebrales y al hueso sacro. La destrucción de los cartílagos y cápsulas articulares hace que los huesos se vayan fusionando, por lo que la columna vertebral y la caja torácica quedan inmovilizadas. La inflamación se detiene después de haber pasado algunos años.

Tratamiento médico

Si padece intensos dolores de espalda, consulte cuento antes con su médico. El diagnóstico se complementa mediante una serie de pruebas de laboratorio, entre las que se encuentra la detección del denominado antígeno HLA-B27.

Los medicamentos antiinflamatorios alivian el proceso patológico y permiten practicar una intensa gimnasia médica, imprescindible con el fin de conservar la movilidad de las articulaciones.

Autoayuda

La gimnasia médica y el deporte (sobre todo, natación) le ayudará, hasta que la enfermedad se detenga, a frenar la anquilosis del tronco.

Sobrecarga muscular

► Síntomas:
➜ sensación de musculatura tensa;
➜ endurecimiento palpable de los músculos;
➜ dolores a la presión, o con el movimiento.

Los dolores tienen como objetivo tranquilizar la zona del cuerpo que más duele; para conseguirlo, los músculos se tensan. Pero esta sobrecarga desencadena nuevos dolores, que originan una nueva sobrecarga. Toda enfermedad articular es capaz de poner en marcha este mecanismo, aunque también lo provoca una postura viciada en el trabajo o al sentarse. La sobrecarga afecta principalmente la zona de los hombros, el cuello y la lumbar, casi siempre como consecuencia de una postura inadecuada o de una musculatura que ha sido poco entrenada, sin olvidar el desgaste que con la edad se padece de la columna vertebral.

Tratamiento médico

Si a pesar de la → Autoayuda padece dolores que no desaparecen, acuda a la consulta del médico. Cuando las molestias son agudas, como en la lumbalgia, el médico le prescribirá medicamentos para relajar la tensión muscular, que interrumpirán el circuito "dolor-tensión-dolor". Con el entrenamiento constante de la musculatura conseguirá una mejora apreciable, y la corrección adecuada de la postura de su cuerpo.

Agujetas

Son dolores similares a punzadas, que el cuerpo acusa de forma especial en las extremidades y que aparecen al haber realizado ejercicios físicos violentos, continuados o con un extraordinario gasto de energía. Pero si se deben a otra causa, es que algo se ha hecho mal.
El esfuerzo excesivo sin precalentamiento, o unos músculos poco entrenados o entumecidos, además de provocar una sobrecarga muscular, favorece la concentración de ácido láctico. Cuando sólo son agujetas, no se producen daños permanentes. De todos modos, lo ideal es entrenarse frecuentemente, calentando previamente los músculos con ejercicios ligeros para ir aumentando progresivamente su intensidad, las dificultades y los esfuerzos.

Autoayuda

Si está afectado por una sobrecarga muscular, aplíquese alternativamente calor y frío. Según sea el tipo de sobrecarga, el alivio lo proporciona generalmente la aplicación de compresas muy frías después de un baño muy caliente. Ejercicios gimnásticos médicos adecuados son el complemento ideal para revigorizar la musculatura porque con ellos se detectan y corrigen posturas y hábitos viciosos.

Calambres

► Síntomas:
➜ dolores musculares repentinos y muy intensos, que suelen aparecer después de una sobrecarga muscular, aunque también se manifiestan durante la noche.

Es un espasmo doloroso involuntario, que puede atacar a uno o a varios grupos de músculos. Se presentan en reposo o durante la práctica de ejercicio. La reiterada frecuencia de los calambres puede indicar otras causas de origen patológico, como una polineuropatía. De su cuadro clínico son típicas: la intensa quemazón y la sensación de tensión en las piernas. A veces un paseo a ritmo suave puede suponer un auténtico alivio, así como el baño de los pies. Generalmente, la carencia de magnesio sólo produce calambres musculares a los pacientes de diálisis y durante el embarazo.

Tratamiento médico

Las "piernas intranquilas" pueden curarse con medicamentos. Durante el embarazo, una eventual terapia con magnesio puede ser adecuada.

Autoayuda

Los calambres aparecen con el frío, o bien cuando al practicar deporte los músculos no han sido calentados con anterioridad. Al producirse el calambre, la extensión del músculo proporciona cierto alivio.

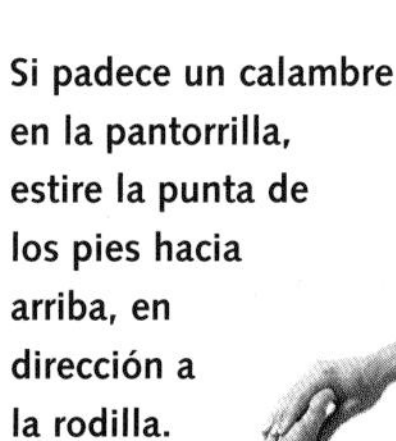

Si padece un calambre en la pantorrilla, estire la punta de los pies hacia arriba, en dirección a la rodilla.

Atrofia muscular (amiotrofias)

Cuando, sin causas traumáticas que lo justifiquen, los músculos comienzan a debilitarse y a atrofiarse, debe sopesarse la posibilidad de padecer alguna enfermedad. Entre el amplio grupo de las más usuales destacan las denominadas autoinmunes (→ Miastenia), trastornos hormonales, intoxicaciones, enfermedades renales y cardíacas, haber guardado cama durante mucho tiempo, falta de movimiento o enfermedades hereditarias que provocan el aumento de la atrofia muscular. También, las llamadas distrofias musculares, que suelen aparecer, sobre todo, en la edad infantil y la adolescencia.

Desgarro muscular (desgarro de fibra muscular)

→ Página 424

Vacío muscular con hernia

▶ **Síntomas:**

➜ ligera hinchazón en la zona umbilical, o inguinal, que se deja comprimir;
➜ suele producirse al levantar pesos, toser, o al realizar algún esfuerzo (defecar);
➜ intensos dolores en las hernias "estranguladas".

En algunos lugares especialmente débiles, o en donde exista cierta separación en la musculatura que forma la pared abdominal, la masa intestinal puede desplazarse y protruir. Cuando se trata de una hernia estrangulada, su complicación es temible y reviste gravedad, pues se trata de una constricción brusca y permanente de una víscera intrabdominal.
El típico canal herniario es la zona inguinal, más frecuente en los hombres que en las mujeres. Otros puntos débiles se encuentran en el ombligo o en el epigastrio. También, el tejido de las cicatrices sobre la pared abdominal puede "romperse".

Tratamiento médico

Si los dolores son muy intensos, avise inmediatamente al servicio de urgencias. Una hernia estrangulada requiere la intervención quirúrgica en un plazo de tiempo lo más breve posible. Si la hernia se puede reducir una y otra vez al presionar, el médico decidirá –según sea su situación y tamaño– si es necesaria o no la operación, prescribirá los correspondientes ejercicios físicos que contribuyan a reforzar la musculatura o recomendará el uso de un braguero.

Autoayuda

Un baño bien caliente contribuye a reducir pasajeramente el tamaño de su hernia. Pero si la cirugía es necesaria lo más acertado es optar por esta alternativa cuanto antes, pues en caso contrario se expone innecesariamente al estrangulamiento de la hernia.

Miastenia (miastenia grave)

▶ **Síntomas:**

➜ fatiga muscular que aumenta conforme transcurren las horas del día;
➜ inicio de la enfermedad con síntomas oculares: los párpados se cierran; y se ven imágenes dobles después de una lectura prolongada o de mirar hacia arriba.

La miastenia es una enfermedad autoinmune. Se caracteriza por la existencia de un trastorno en la reacción de los músculos a las señales nerviosas emitidas. La causa está en que el sistema inmunitario fabrica por error una serie de anticuerpos (*autoanticuerpos*), que atacan y destruyen el receptor de los músculos que recibe dichas señales nerviosas (la llamada *placa motora*).
La enfermedad puede empezar tanto repentina como paulatinamente, su curso puede ser benigno y volver a desaparecer. Pero si se produce una parálisis de la musculatura respiratoria, puede ser mortal.

Tratamiento médico

Tan pronto como advierta los primeros síntomas de miastenia, ¡acuda inmediatamente al neurólogo! El médico le prescribirá fármacos para que mejore la transmisión de estímulos desde los nervios hasta las células musculares; además, cortisona para detener la acción del sistema inmunológico.
Con el objetivo de eliminar anticuerpos del organismo, en ciertas ocasiones será incluso necesario proceder a una depuración extracorpórea de la sangre (→ El recurso del riñón artificial).

Autoayuda

No es posible.

Traumatismo cervical

► Síntomas:

- ➜ después de un accidente, dolor y limitación de movimientos de las vértebras cervicales;
- ➜ sobrecarga muscular en cuello y hombros;
- ➜ cefaleas, náuseas, mareos.

El traumatismo cervical suele ser frecuente en los accidentes de tráfico, cuando el vehículo recibe el golpe por detrás. El movimiento rápido y violento de la cabeza produce contusión, esguince cervical y, en ocasiones, fracturas vertebrales.
Los dolores aparecen inmediatamente, o se produce una dolorosa sobrecarga muscular.

Tratamiento médico

Si después de un accidente siente molestias en las vértebras cervicales, es imprescindible que le reconozca el médico de inmediato. La posible fractura de vértebras se descartará a la vista de las radiografías del cuello. La terapia consiste en la inmovilización del cuello con un collarín, así como la administración de analgésicos y relajantes musculares. La gimnasia de recuperación comenzará cuanto antes.

Autoayuda

Coloque el apoyacabezas de su coche de tal manera que le proteja realmente la cabeza.

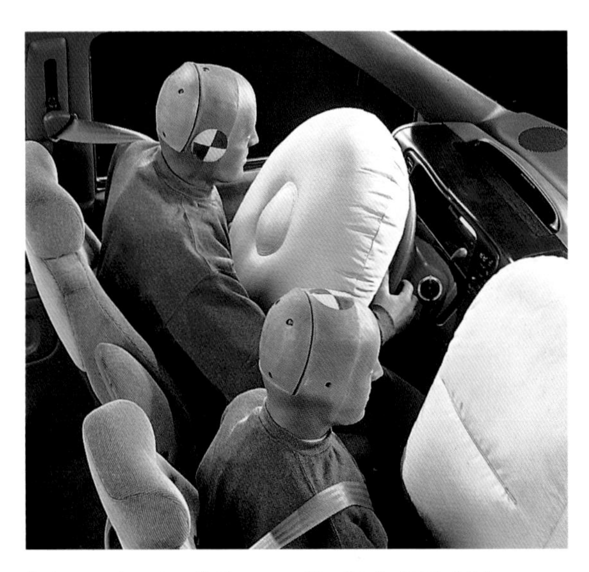

En las pruebas de colisión, se verifica la efectividad del apoyacabezas y del airbag para evitar traumatismos.

Esguince/Rotura de ligamentos

► Síntomas:

- ➜ dolores en la articulación, hinchazón;
- ➜ limitación de movimientos;
- ➜ eventualmente, hematoma sobre la articulación.

Las lesiones ligamentosas en forma de esguinces o roturas de ligamentos, son frecuentes entre los deportistas y, también, entre aquellas personas que sufren sobrecargas musculares. Estos esguinces o roturas de ligamentos desestabilizan las articulaciones. Entre los deportistas, las más frecuentes se registran en los tobillos y en las rodillas.

Tratamiento médico

Los esguinces se curan inmovilizando la articulación afectada. Las roturas de ligamentos exigen a veces la sutura quirúrgica, e incluso la sustitución del ligamento afectado por uno artificial.

Autoayuda

En un primer momento, el frío le aliviará los dolores y le rebajará la hinchazón.

Desgarros tendinosos/ Rotura de tendones

► Síntomas:

- ➜ después de un movimiento violento, intensos dolores;
- ➜ al romperse un tendón grande, como el talón de Aquiles, ruido como de latigazo.

Cuando el tejido (por ejemplo, al comenzar el deporte) tiene mal riego sanguíneo, el tendón puede sufrir un desgarro debido a una sobrecarga o caída. Sólo sufren roturas los tendones previamente lacerados.

Tratamiento médico

Los desgarros se curan inmovilizando la articulación. Si el desgarro es de un gran tendón de la pierna, será necesario operarlo. Para recuperar la plena movilidad, la gimnasia de recuperación es imprescindible.

Autoayuda

Coloque la parte afectada en posición elevada y, para contribuir a la curación, aplique compresas frías.

Tenosinovitis (inflamación de la vaina tendinosa)

► Síntomas:
➜ dolores en la mano, antebrazo o pierna, que aumentan con el movimiento;
➜ enrojecimiento cutáneo, hinchazón, fiebre;
➜ suave "crepitación" (audible) de los tendones.

Las tenosinovitis pueden deberse a sobrecargas, pero las localizadas en la mano pueden serlo por bacterias que han entrado en el cuerpo a través de heridas.

Tratamiento médico

A la menor sospecha de tenosinovitis, acuda a la consulta del médico. Si las molestias fuesen consecuencia de una sobrecarga, la curación requiere reposo, aplicación de compresas frías y la toma de antiinflamatorios. Pero si está causada por bacterias, existe el riesgo de destrucción de los tendones y sus vainas. Para evitarlo, debe eliminarse el foco infeccioso mediante una operación; luego, se administrarán antibióticos.

Autoayuda

Como medida de precaución, evite las sobrecargas. ¡Trate con cuidado la parte del cuerpo inflamada!

Sinovitis (inflamación de las membranas sinoviales)

► Síntomas:
➜ enrojecimiento cutáneo, hinchazón y dolor en la zona de una articulación;
➜ acusada limitación de la movilidad articular;
➜ ligera crepitación al palpar la hinchazón.

La capa sinovial es la más interna de la cápsula articular de las articulaciones (codos, muñecas, caderas, tobillos, articulaciones de los dedos). Entre las causas más frecuentes de inflamación están: los traumatismos, las enfermedades reumáticas (*artritis reumatoide*) y las infecciones.

Tratamiento médico

Si las molestias son constantes, acuda al médico. La curación deseada suele conseguirse con compresas frías, antiinflamatorios y reposo. En caso de que las inflamaciones se repitan, será preciso extirpar las membranas sinoviales (*sinovectomía*).

Autoayuda

Procure evitar las sobrecargas musculares constantes. Si por motivos profesionales no fuese posible, procure intercalar de cuando en cuando algún momento de descanso durante su jornada de trabajo.

Epicondinitis

► Síntomas:
➜ dolor a la presión o el movimiento del codo, que aumenta con la sobrecarga y que se irradia hasta la muñeca y los hombros.

La epicondinitis es la inflamación de los tendones que se insertan en el epicóndilo.
La sobrecarga crónica produce, principalmente en los deportistas de elite, dolorosas inflamaciones en el codo.

Tratamiento médico

La curación se logra con reposo, la aplicación de pomadas y el vendaje. En ocasiones es necesaria la inmovilización con yeso, o incluso la cirugía.

Autoayuda

→ Sinovitis.

Periartritis escapulohumeral

► Síntomas:
➜ molestias en el hombro al levantarlo;
➜ dolores, frecuentemente muy intensos, durante la noche.

Los movimientos amplios suponen una sobrecarga muscular y tendinosa, que normalmente se acompaña de inflamación pertinente.
Las reacciones por sobrecarga son frecuentes, al igual que el "codo de tenista".

Tratamiento médico

Si las molestias no se le quitan, consulte con su médico. Como terapia le prescribirá analgésicos, antiinflamatorios y gimnasia médica.

Autoayuda

Antes de inmovilizar por su propia iniciativa el hombro, consulte primero con su médico para no correr el riesgo de anquilosarlo.

Cuando duelen los pies

El peso del ser humano descansa sobre los pies, que además le permiten caminar. En comparación con el resto del cuerpo, la superficie de los pies es pequeña, pero su esqueleto está formado por un complejo sistema de huesos, músculos, ligamentos y tendones. El pie ideal no existe, y de sus deformidades sólo se habla cuando aparecen los dolores por culpa de una postura determinada. Las causas no se deben a la malformación de los huesos que lo componen, sino una debilidad del aparato músculo-ligamentoso.

Todo depende de la postura adoptada

La posición viciada de los pies puede ser congénita o adquirirse con el paso de los años. Son hereditarios, por ejemplo, los *pies equinovaro-supinados* o *Pes varus* (posición del pie hacia dentro y hacia arriba); en algunos casos, los dedos de los pies, de aspecto falciforme, apuntan hacia dentro. Mientras en el primer caso la inmovilización con yeso, e incluso a veces la cirugía, pueden corregir paulatinamente la posición del pie, en el segundo suele ser suficiente una buena técnica de masaje que los mismos padres, previa instrucción, pueden practicar directamente al niño.

Mucho más frecuentes son las malformaciones adquiridas. Tanto en el pie con los dedos en abducción, la deformación de pie más frecuente, así como en el pie plano, la bóveda plantar está hundida. Un pie sano posee dos bóvedas: una longitudinal, cuyo arco abarca desde el talón hasta los dedos (el pie plano no la tiene), y otra transversal, entre los bordes interior y exterior del pie (aplanada en el pie en abducción).

Si ambas bóvedas descienden, el pie soporta mal las cargas. Esto produce cada vez más dolor y lesiones en los pies; por ejemplo, debajo del tenar o la zona lateral del dedo grande del pie. En el pie valgo o *Pes valfus abductus*, las falanges apuntan hacia dentro mientras el borde interior del pie se apoya directamente sobre el suelo.

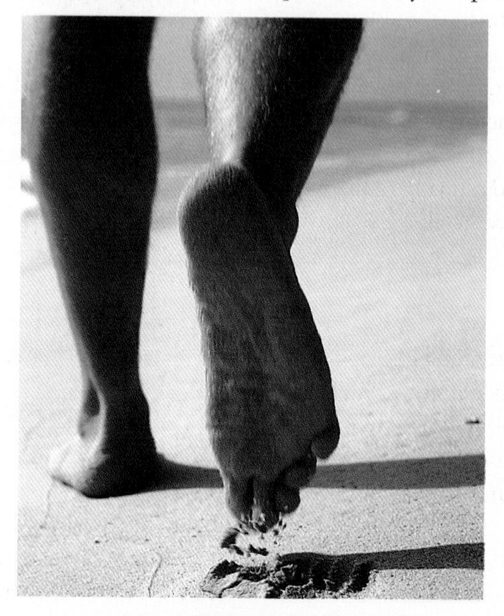

Caminar con los pies descalzos sobre la arena, es bueno para los pies... ¡y para la mente!

Tratamiento de pies enfermos

Las plantillas realizadas a medida, así como unos zapatos ortopédicos que permitan apoyar la bóveda plantar en su posición natural, pueden significar un alivio para las personas adultas y, además, evitar el progreso de la malformación del pie. En muy pocas ocasiones será necesaria la intervención quirúrgica para reducir, por ejemplo, la falange luxada del dedo grande del pie, eliminando al mismo tiempo los dolores y posibles problemas estéticos.

La salud del pie

Las posiciones inadecuadas del pie son una enfermedad de la civilización. Caminar descalzos sobre un suelo irregular es un entrenamiento natural para los músculos de los pies, algo que debería ser indispensable para los habitantes de las grandes ciudades. Los zapatos privan al pie de parte del trabajo que tiene que realizar, y lo oprimen, obligándolo a permanecer en una situación incómoda y poco natural como en caso de usarse zapatos puntiagudos y, más aún, si se llevan tacones altos. Quien quiera lo mejor para sus pies, aprovechará cualquier ocasión para caminar descalzo, además de practicar una gimnasia adecuada (caminar sobre las puntas de los dedos y, luego, sobre los talones; ejercicios de aprehensión con los dedos).

Deben descartarse los zapatos estrechos y los tacones altos. Los pies sanos no necesitan plantillas, pero un masaje contribuye a restablecer la circulación sanguínea y a que se relajen, lo que también es bueno para su musculatura.

Luxaciones congénitas de cadera

▶ Síntomas:
- ➜ chasquido al movilizar la articulación de la cadera del niño;
- ➜ dificultad para abrir las piernas;
- ➜ las piernas parecen tener diferente longitud.

Las posturas viciadas de la cadera forman parte de las deformaciones más frecuentes del esqueleto humano. Las causas de *luxación congénita* pueden ser: la falta de espacio en el útero (en caso de gemelos, o escaso líquido amniótico), como consecuencia de enfermedades del sistema nervioso o los trastornos de la anatomía ósea. En la *displasia de la articulación pélvica*, la malformación de la cabeza femoral impide que encaje en el centro de la cavidad cotiloidea y permanece ligeramente desplazada. En la *luxación de la articulación de cadera*, la cabeza femoral llega a no encajar en la cavidad.

Tratamiento médico

En los reconocimientos preventivos después del nacimiento, o durante el primer año de vida, es fácil diagnosticar la luxación. La displasia puede corregirse mediante pañales o braguitas especiales. Sin el tratamiento adecuado, existe el peligro de que se transforme en una luxación de la articulación de la cadera, o bien en una artrosis que ocasione daños irreversibles.
Si la luxación de cadera se trata inmediatamente después del nacimiento, las perspectivas de curación son óptimas. Para estimular la formación del cotilo, en el hospital se procede a dilatar la articulación; a continuación, se coloca un vendaje de yeso o una braguita especial, que el bebé deberá llevar durante algunas semanas o unos pocos meses.

Autoayuda

Informe al médico si en su familia existen antecedentes de luxaciones congénitas de cadera. La inmovilización prolongada supone una limitación movimientos desagradable para el niño, pero si se sabe querido y cuidado dicha situación la supera fácilmente.

Raquitismo

Gracias a la administración profiláctica de vitamina D a los niños en su primer año, el raquitismo aparece en países desarrollados raras ocasiones (→ Osteomalacia). Esta medida se debería extender al resto de países.

Genu varum y genu valgum

▶ Síntomas:
- ➜ diferentes tipos de deformación de las piernas.

Estas deformaciones son conocidas por el problema estético que plantean. Los niños con *genu varum* tienen una deformidad que consiste en la angulación hacia fuera de la articulación de la rodilla, con desviación hacia dentro del eje longitudinal de la tibia. En aquellos que padecen *genu valgum*, la deformidad consiste en la angulación interna de la rodilla con desviación hacia fuera del eje longitudinal de la tibia. Las causas radican en un trastorno del crecimiento de los huesos de la pierna, a veces como consecuencia de un accidente o de una inflamación, pero casi siempre sin causa aparente.

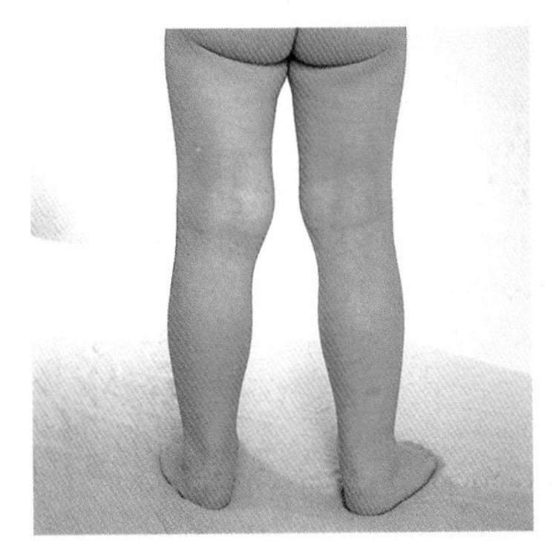

Las piernas en genu valgum son normales, siempre y cuando su hijo no haya cumplido aún los 10 años de edad y no le duelan las rodillas.

Tratamiento médico

Si como padre observa estas desviaciones en las piernas de su hijo, haga que su médico le realice una exploración. Si las desviaciones son mínimas, la terapia simplemente incluirá unas plantillas, la elevación de los bordes de los zapatos y la gimnasia médica.
Otras veces, sólo la reparación mediante una intervención quirúrgica conseguirá restablecer la alineación correcta de los huesos.

Autoayuda

No debe preocupar en exceso, pues las piernas de los niños sanos suelen adoptar la posición *genu varum* hasta los dos años de edad; luego, hasta los 10 años, predomina más la posición *genu valgum*. Si como padre está preocupado, consulte con el pediatra.
Los posibles dolores de rodilla de su hijo no debe atribuirlos a estas desviaciones de posición, pues pueden ser síntoma de una osteomielitis o de un tumor óseo. Lleve a su hijo inmediatamente al médico.

Piernas desiguales (desmetrias)

► Síntomas:

→ en los casos benignos, sólo dolor de espalda;
→ rigidez de hombros y de cadera;
→ balancearse o cojear al caminar.

Las piernas del ser humano sólo son igual de largas en muy raras ocasiones. Estas desigualdades, de hasta un centímetro, las asume con normalidad el propio cuerpo. Pero si la diferencia es mayor, como consecuencia de una fractura que condiciona el crecimiento igual de ambas extremidades, puede hacer que todas las articulaciones, desde la tibiotarsiana hasta la última de las vértebras cervicales, padezcan una sobrecarga desigual, de forma que se irán deformando paulatinamente y produciendo dolores.

Tratamiento médico

Si como padre cree que las piernas de su hijo no son igual de largas, consulte con el pediatra. La compensación se consigue aplicando una plantilla en el tacón del zapato, o mediante la elevación de las suelas; en los casos más graves, será necesaria la cirugía.

Autoayuda

No es posible.

Trastornos del crecimiento

Si comparado con otros de su misma edad, el niño es claramente mayor o más pequeño, en principio no debe preocupar demasiado. Para asegurarse, lo más apropiado es pedir consejo al médico.
A veces, las causas de un crecimiento anormal pueden tener su origen en el padecimiento de enfermedades crónicas o en trastornos de tipo hormonal.

Lordosis y cifosis

► Síntomas:

Lordosis:
→ la pelvis cae hacia delante;
→ el abdomen se abomba hacia delante.

Cifosis:
→ la parte superior de la espalda forma una joroba;
→ hombros caídos hacia delante.

Son acentuaciones de las curvas de la columna (se denomina *lordosis*, cuando es convexa hacia adelante; y *cifosis*, cuando lo es hacia atrás). Son consecuencia de la falta de ejercicio de la musculatura del tronco, pues los músculos se atrofian y se adquiere la malformación. A largo plazo, se padecen dolores de espalda.
La causa en los niños suele ser la falta de ejercicio: pasan horas en la escuela, mal sentados, no se presta atención a su postura y, por las tardes, vuelven a sentarse frente al ordenador o ante el televisor.

Tratamiento médico

Para evitar la curvatura de la columna, haga que un médico reconozca a su hijo. La mejor terapia es el ejercicio físico; en la mayoría de los casos, está indicada la cinesiterapia activa (*medicina correctiva*).

Autoayuda

Practique deporte en compañía de sus hijos. La natación es un gran ejercicio para los músculos del pecho y espalda. Repetirle a un niño que camine derecho suele producir el efecto contrario al que se busca.

Enfermedad de Scheuermann (cifosis dorsal dolorosa en el adolescente)

► Síntomas:

→ formación de una acusada convexidad dorsal, a veces dolores de espalda.

Este trastorno afecta a los niños en edad escolar y está causado por la epifisitis de las vértebras dorsales, que adquieren una acusada convexidad. Estas vértebras pueden llegar a colisionar y producir dolores.

Tratamiento médico

Si el niño se queja de dolores de espalda, conviene que sus padres lo lleven al médico. Éste como primera medida le prescribirá unos ejercicios de gimnasia correctiva (*cinesiterapia activa*), reservando la cirugía para casos muy concretos.

Autoayuda

Evite aquellos deportes en los que su práctica requiera de movimientos violentos (por ejemplo, ejercicios de salto, hípica, culturismo), ya que actúan directamente sobre la acusada convexidad dorsal de la columna vertebral. Por el contrario, es recomendable practicar natación o remo.

¿Necesitan los niños la cinesiterapia activa?

Los niños tienen una considerable capacidad para soportar el dolor, por lo que con el fin de evitar malformaciones (tanto congénitas como adquiridas) y todo tipo de enfermedades reumáticas, es sumamente importante para ellos comenzar lo más pronto posible con una gimnasia correctora activa. Sólo mediante la cinesiterapia y la adecuada prevención activa durante su crecimiento, podrán evitarse daños y malformaciones durante la edad adulta.

La cinesiterapia, o gimnasia correctora, es un método terapéutico parecido a un juego. Esta gimnasia correctora puede practicarse tanto individualmente como en grupos reducidos, lo que divierte aún más a los niños. Existen terapias destinadas especialmente a los niños nacidos de forma prematura, así como para aquéllos que por falta de oxígeno durante el parto han sufrido lesiones cerebrales que les han impedido su correcto y normal desarrollo.

A estos niños se les puede prestar una mayor atención haciendo que practique regularmente ejercicios terapéuticos específicos, sobre todo si padecen retraso mental (que no suele ser habitual entre los niños con parálisis espásticas). Sin embargo, estos ejercicios sólo reportan beneficio si son repetidos posteriormente en casa. Practique todos los días 10 minutos de gimnasia con su hijo. Estos ejercicios también son beneficiosos para los padres.

Los juegos gimnásticos con una gran pelota sirven de entretenimiento y, además, fortalecen la musculatura dorsal.

Artritis juvenil

► Síntomas:

- ➜ articulaciones hinchadas y dolorosas;
- ➜ cierto anquilosamiento por las mañanas, se adoptan posturas para evitar el dolor;
- ➜ en ocasiones fiebre, acusado malestar general;
- ➜ palidez, ojos enrojecidos.

La artritis juvenil es una enfermedad de tipo autoinmune, similar a la artitris reumatoide de los adultos. A las habituales inflamaciones de las articulaciones, ocasionalmente hay que sumar las inflamaciones de los órganos internos. La curación en los niños suele producirse transcurridos algunos años después de contraer la enfermedad, pero muchas veces quedan secuelas que se manifiestan en lesiones de las articulaciones. De esta enfermedad conviene advertir que al menos existen tres subtipos, cada uno de ellos con distinta clínica y diferente pronóstico evolutivo; por otra parte, también hay que aclarar que los niños también pueden padecer de artritis reumatoide, similar en todo a la del adulto.

Tratamiento médico

Si su hijo padece una dolorosa inflamación articular, haga que el médico lo reconozca para descartar una artritis crónica juvenil. Aunque la articulación produzca dolor, siempre que sea posible se evitará su inmovilización; la gimnasia correctora evitará la anquilosis de la articulación. Se aplicará frío y se administrarán medicamentos antiflogísticos (*antiinflamatorios*) y analgésicos. Si el niño está muy enfermo se le impondrá, igual que a los adultos, una terapia con fármacos antievolutivos, incluso inmunorreguladores.

Autoayuda

La artritis crónica juvenil significa un gran impacto en la vida del niño y en la de toda la familia. A pesar de los intensos dolores que padece el niño, los padres han de intentar llenar su vida de alicientes. Deben acompañarle durante la gimnasia correctora; los padres han de pensar siempre que ellos son el mejor analgésico, y el más importante consuelo para su hijo enfermo. Los asociaciones de afectados y organismos competentes podrán proporcionarle un gran apoyo.

Piel y pelo

Nada hay tan perfecto para proteger el cuerpo humano como nuestra propia piel. Esta delicada y a la vez compleja superficie cutánea impide la penetración en el organismo de bacterias, virus y hongos, detiene los productos químicos, no permite que se adentren y evita que nos afecten en toda su intensidad el calor, el frío y los rayos solares. Sin embargo, no es un manto impenetrable: porque "respira" y puede, gracias a ello, regular exactamente la temperatura de nuestro cuerpo. Pero aparte de la envoltura, las múltiples propiedades de la piel hacen que sea una parte integrante y de vital importancia para nuestro cuerpo, como así nos demuestran rápidamente las muchas enfermedades y lesiones que nos puede evitar.

Sumario

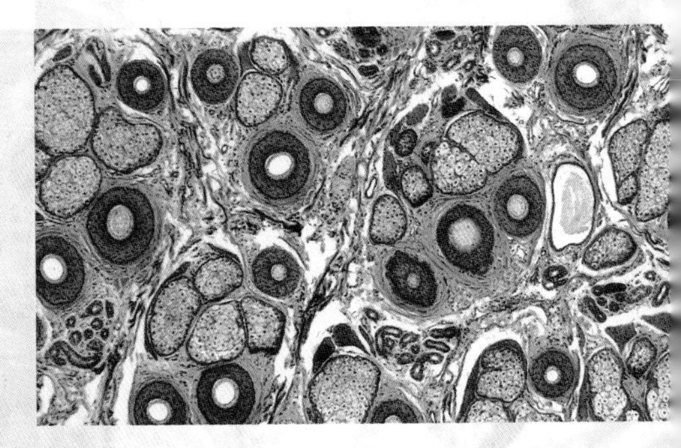

Cuero cabelludo.

Lo que debe saberse sobre la piel

Muchas veces no somos plenamente conscientes de que la piel es algo más que una simple "envoltura" que protege nuestro cuerpo. Cuando en verano deseamos que en vez de su palidez habitual luzca bronceada, debemos tener en cuenta la intensidad cada vez más fuerte de los rayos del sol –debido a la disminución del grosor de la capa de ozono– y que ha de estar limpia y no demasiado seca, pero sin que jamás huela a sudor.

Pero que la piel no es una simple estructura tisular se puede experimentar dolorosamente cuando uno se quema accidentalmente un dedo en el ardiente fogón de la cocina o con cualquier otro foco de calor, la piel del brazo se escoria o padece una sencilla inflamación cutánea. Incluso la vida puede correr grave peligro si, como consecuencia de graves quemaduras, se pierde una parte importante de la piel al quemarse.

Lo que nos sucede debajo de la piel

«Dejar la piel en el empeño», «salvar el pellejo», «no quisiera estar en su pellejo», «soltar la piel», etcétera, son algunas de las muchas frases hechas que hacen referencia a la "piel" o "pellejo" para expresar profundos sentimientos del ser humano. Y es que la piel es el espejo que refleja el estado anímico y físico de las personas. «Enrojecemos de ira», nos podemos quedar «blancos como la pared» y nos vemos pálidos en el espejo cuando padecemos la gripe, pero nuestras mejillas están sonrosadas cuando regresamos a casa después de dar un buen paseo.

Cómo se transforma nuestra piel

El insomnio, una dieta alimentaria desequilibrada, el tabaquismo, los problemas de tipo psíquico, la prolongada o excesiva exposición al sol y un largo etcétera de muchas otras cosas forman la interminable lista de todo aquello que puede dejar huella sobre nuestra piel.

Conforme avanza la vida, también la piel se va adaptando a este proceso evolutivo. Su grosor disminuye cada vez más, va perdiendo grasa y agua y reduce su elasticidad. Y aparecen las arrugas. Ni las cremas ni las lociones hidratantes más prometedoras pueden detener este inexorable proceso de envejecimiento, como mucho quizá logren retardarlo un tiempo.

El color de nuestra piel

El color claro u oscuro de nuestra piel y cabellos lo determina el pigmento melanina, producido por unas células especiales pigmentadas llamadas melanocitos.

La alopecia temprana suele ser casi siempre hereditaria; en este caso, sólo queda el consuelo de "sentirse bien consigo mismo".

La claridad u oscuridad de nuestros cabellos depende del pigmento melanina, que se encuentra en las células de las raíces capilares.

Los cuatro tipos de piel humana se diferencian por las células pigmentarias y las sustancias orgánicas coloreadas que contienen.

Las personas de piel oscura poseen igual cantidad de melanocitos que los de piel clara, pero la diferencia de color debe atribuirse a la distinta cantidad de pigmento producido por cada célula. La exposición al sol estimula la producción de melanina, debido a que el pigmento se encarga de proteger capas de piel más profundas; para conseguirlo, absorbe la peligrosa radiación ultravioleta del sol y la transforma en la inofensiva radiación infrarroja (*calor*).

Nuestra piel no está desnuda

Pelos, uñas y glándulas cutáneas, que tienen sus terminaciones o desembocan en la superficie cutánea y la protegen a la piel y reciben en conjunto las denominaciones de formación epidérmica y estructura córnea de la dermis; también, el de anejos cutáneos. Por consiguiente, casi ninguna zona de nuestro cuerpo está realmente desprotegida frente a los agentes externos.

La misión más importante la asume el pelo de la cabeza, que tiene como misión proteger al cerebro de los extremadamente peligrosos rayos solares. Pero también los pelos presentes en el resto del cuerpo desempeñan destacadas misiones; así, las cejas son responsables de que el sudor que se produce en la frente no se escurra hasta los ojos, las pestañas impiden que cuerpos extraños puedan entrar en los ojos y dañarlos, los pelos de las fosas nasales evitan que la suciedad o los insectos invadan el cuerpo al respirar, etcétera. Pero, comparado con los animales, el ser humano posee relativamente poco pelo en el cuerpo, pues ha dejado de cumplir su primitiva misión de proteger del frío cuando no había otros medios.

Las uñas, además de servir para realizar múltiples acciones, protegen las puntas de los dedos de manos y pies. Al mismo tiempo, ofrecen al blando lecho ungular o ungueal de los dedos una resistente protección y hacen posible la sensibilidad del fino tacto.

Las glándulas cutáneas se dividen en sebáceas, sudoríparas y odoríferas. Además, en el conducto externo del oído se encuentran unas glándulas especiales que producen el cerumen para su protección.

Las glándulas sebáceas se localizan en las inmediaciones de la raíz del pelo. Su secreción es el sebo, que sirve de protección y evita que la piel se seque.

Las glándulas sudoríparas secretan el sudor, y forman parte del complejo sistema que se encarga de la regulación térmica del organismo. La evaporación del sudor, hacen que se reduzca el calor del cuerpo. Estas glándulas se distribuyen por casi toda la piel.

Las glándulas odoríferas (mutación de las sudoríparas) producen, a partir de la pubertad, sustancias olorosas. Se localizan sobre todo en las axilas y las zonas genital y anal. Son las que se encargan de producir el olor propio y característico de cada persona.

La disminución del contenido de agua y grasas con la edad, hace que el espesor de la piel disminuya.

En primer plano, los pelos, de los que cada ser humano posee en la cabeza alrededor de 100 000.

De la misma manera que un sol intenso reseca la tierra, también daña nuestra piel.

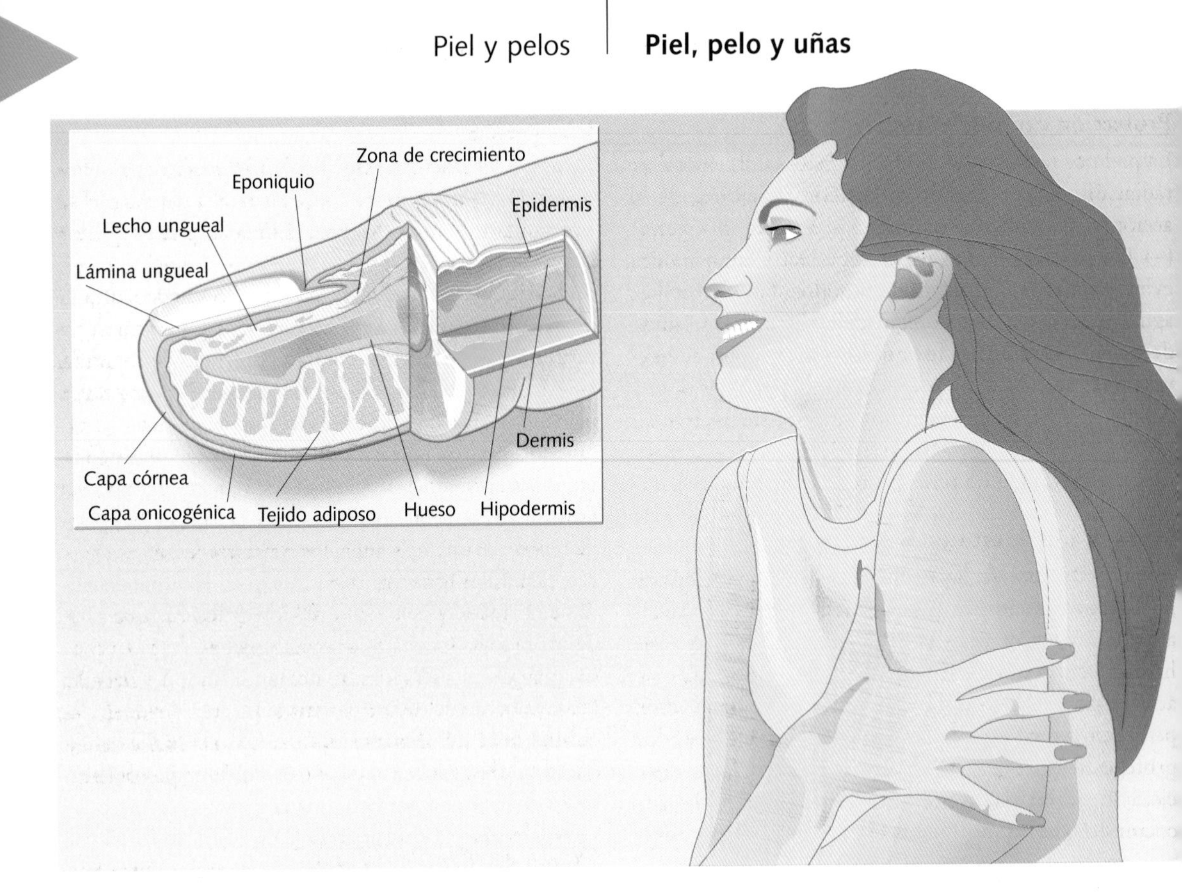

Piel, pelo y uñas

- **La piel: un órgano especializado**
- **Estructura y crecimiento de los pelos**
- **Anatomía de las uñas**

En una reducida superficie de la piel se concentran múltiples células sensoriales, glándulas y capas de tejidos muy diferentes. Para hacerse una idea, en la anatomía de la estructura tisular que envuelve casi toda la superficie externa del cuerpo se debe diferenciar: epidermis, dermis e hipodermis.

La capa externa o epidermis es un epitelio plano compuesto por cinco capas o estratos. El proceso de renovación constante hace que las células de la capa germinativa asciendan hacia la superficie o epidermis. Una vez allí, son expulsadas en un proceso cíclico que se repite al cabo de unas cuatro semanas. Además de las células epidérmicas, en esta capa existen otras cuatro clases de células: las que producen el pigmento melanina (→ El color de nuestra piel), las células de Langerhans y los Linfocitos T –formando parte del sistema inmunológico–, y las células encargadas de transmitir las sensaciones al cerebrto o de Merkel.

La dermis es una capa de tejido que, situada entre la epidermis y la hipodermis, envuelve al organismo. Además de permitir su nutrición e inervación, su función consiste en dar a la piel consistencia, resistencia y elasticidad. Dispuesto irregularmente, su tejido es conectivo. En la dermis media predominan las fibras elásticas. La dermis contiene además vasos sanguíneos, nervios, glándulas sebáceas y canales evacuadores de las glándulas sudoríparas.

La hipodermis es una aponeurosis subcutánea o capa profunda de la piel, sita debajo de la dermis. Presenta numerosas formaciones adiposas (→ Celulitis), que tienen continuidad en las del tejido celular subcutáneo Aquí también se encuentran las glándulas sudoríparas y los bulbos del pelo (→ Los pelos).

Las obligaciones de la piel

La piel es, con una superficie media de 1,8 metros cuadrados y un peso de 5 a 10 kilos, uno de los órganos más grandes del cuerpo humano.

Protección exterior e interior

La piel nos protege de los efectos físicos del frío, calor, radiación solar y presión atmosférica; también, de la acción de productos químicos y agentes patógenos (→ Un sensible manto protector). Del mismo modo, evita la entrada y pérdida de líquidos. Sólo evacua el agua que precisa para su regulación térmica; la pérdida de grandes cantidades de líquido, por ejemplo, en graves llagas producidas por quemaduras, puede poner en peligro la vida. El tejido adiposo hipodérmico sirve de "parachoques" a los órganos situados bajo ella; además, este acúmulo de grasa protege al cuerpo del frío.

Transmisión de estímulos sensoriales

A través de numerosas células sensoriales (*receptores*), la piel nos proporciona información sobre el medio ambiente que nos rodea: los termorreceptores nos hacen sentir el calor y el frío, y los receptores físicos se activan por la presión, el tacto y el dolor. Esta última percepción sensorial es muy importante, ya que nos protege al "obligarnos" a realizar lo correcto; por ejemplo, retirar la mano de la placa ardiente de una cocina eléctrica.

Termorregulación de la piel

Para que órganos como el cerebro, la médula espinal, el corazón, los riñones, el hígado y el bazo puedan trabajar con absoluta normalidad, es obligado que el cuerpo conserve una temperatura uniforme próxima a los 37 grados centígrados. Por consiguiente, a pesar de las oscilaciones térmicas que pueda haber en el exterior, el calor del cuerpo ha de permanecer constante. Este proceso recibe el nombre de termorregulación.

Para que el hipotálamo pueda dirigir desde el diencéfalo el proceso de termorregulación, tiene que recibir de los receptores de calor y frío –situados en la piel y en el interior del cuerpo– las informaciones necesarias sobre la temperatura exterior y del propio cuerpo. Mucho antes de que la temperatura del cuerpo descienda a niveles por debajo de lo considerado como normal, se reduce la adecuada vascularización de la piel mediante el estrechamiento de la luz de los vasos sanguíneos. De esta forma, se limita la pérdida de calor del cuerpo.

Por el contrario, si existe el peligro de un aumento excesivo de la temperatura corporal, la circulación sanguínea se incrementa automáticamente con el objeto de "perder" el calor a través de la superficie cutánea. Si esto no fuera suficiente, las glándulas sudoríparas comenzarían a trabajar.

Los pelos

La parte del pelo que aflora de la piel recibe el nombre de tronco del pelo, mientras que la oculta bajo la piel se denomina raíz del pelo. Esta última amplía su grosor hacia el interior, hasta convertirse en el conocido como bulbo del pelo. En el núcleo del bulbo se encuentra la papila pilosa, muy vascularizada y responsable de la nutrición del pelo en crecimiento, así como de la matriz germinativa, que se encarga de la producción de nuevos pelos. Por cada pelo que brota, hay en la piel una glándula sebácea. Los pelos no crecen uniformemente, sino que pasan por las tres fases del ciclo piloso. Durante la fase de crecimiento activo (*anageno* o *anagén*), que dura entre tres y seis años, los pelos crecen un promedio de 0,35 milímetros al día.

El ser humano posee unos 100 000 pelos en la cabeza, de los que un 15 ó 20% se encuentran en fase de reposo (*telogeno* o *telogén*) y, otros, en fase intermedia (*catageno* o *catagén*). Por otra parte, es lo normal es perder de 70 a 100 de estos pelos. Salvo la planta de las manos y pies, todo el cuerpo está cubierto por pelos.

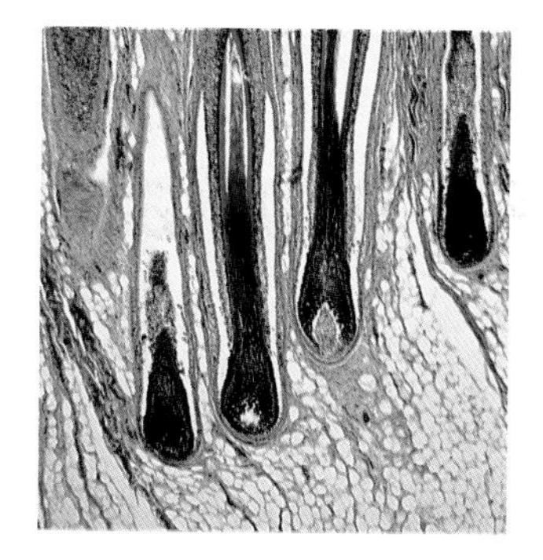

Las raíces germinativas del pelo aparecen en nuestro cuero cabelludo a escasa distancia unas de las otras. En ellas, el pelo crece y se abastece de nutrientes.

Las uñas

Es la estructura córnea de la dermis, situada en el extremo distal del dorso de los dedos de manos y pies. Poseen forma de una placa curvada, que luego se extiende para formar el surco ungular o ungueal. Las células epidérmicas más profundas constituyen la pared más honda, que se transforma en la matriz de la uña; las más superficiales forman la uña que, rodeada por el surco ungular, tiene en su superficie una sustancia pura llamada queratina. A diferencia de los pelos, las uñas crecen de forma uniforme y un promedio de unos 0,1 milímetros diarios. Si una uña se extirpa, pasados unos cuatro meses ha crecido ya otra nueva. Las infecciones, intoxicaciones o enfermedades de la piel pueden producir alteraciones en las uñas.

Casos de urgencia

Normas generales

Muchas alteraciones de la piel, no afectan sólo externamente. En caso de duda, consulte con su médico cualquier variación: «más vale prevenir que curar».

Erisipela

► Síntomas:
- ➜ enrojecimiento doloroso, recalentamiento e hinchazón de una zona de la piel, con ramificaciones en forma de ala de mariposa;
- ➜ cefaleas, fiebre (elevada), escalofríos.

Esta dermatitis superficial de la piel, casi siempre tiene como etiología un estreptococo. La "puerta de acceso" que utilizan los agentes patógenos son: pequeñas heridas o alguna micosis en los pies. La erisipela que afecta al rostro puede presentar una complicación muy grave, incluso con grave peligro para la vida: una trombosis de las venas cerebrales.

Tratamiento médico

Llame al médico, para que le recete los antibióticos adecuados. La erisipela obliga a guardar cama, colocando en alto la parte del cuerpo afectada.

Autoayuda

Hasta la llegada del médico, alivie las molestias aplicando compresas frías sobre la zona afectada.

Quemaduras y causticidad

► Síntomas:
- ➜ quemaduras de primer grado: enrojecimiento e hinchazón;
- ➜ quemaduras de segundo grado: aparición de flictenas (*ampollas*);
- ➜ quemaduras de tercer grado: piel grisácea, blanca o negra;
- ➜ destrucción de un tejido por un producto cáustico: síntomas como en las quemaduras.

Según la gravedad y extensión, la quemadura podrá o no ser tratada por un médico. Las pequeñas de primer o segundo grado pueden tratarse personalmente; pero si afectan a una gran superficie, acuda a la consulta del médico o al servicio de urgencias. Los niños han de ser reconocidos y tratados por el médico. Si la superficie quemada es amplia y se han producido graves lesiones, existe el peligro de padecer un *shock*. Las lesiones ocasionadas por productos cáusticos, requieren siempre el tratamiento del médico.

Tratamiento médico

La gravedad de una quemadura urge un rápido tratamiento, para protegerla de infecciones. Para compensar la deshidratación, necesitará una terapia con infusiones. (→ Tratamiento de quemaduras y efectos cáusticos).

Autoayuda

Si se ha quemado la piel con un producto cáustico, deje correr sobre la zona afectada agua abundante; no unte las heridas con pomadas ni aceites, ni le eche harina o cualquier otro producto.

Síndrome de Lyell

► Síntomas:
- ➜ enrojecimiento, sensación de calor, repentina aparición de flictenas (*ampollas*), se desprenden grandes superficies de piel que luego permanecen, como si fuesen un paño húmedo, sobre la zona lesionada;
- ➜ fiebre elevada, sensación de estar gravemente enfermo.

El síndrome de Lyell es una necrólisis epidérmica tóxica. Existen dos formas etiológicas: la tóxico-alérgica (por fármacos tipo sulfamidas) y la infecciosa (debida al estafilococo). Casi siempre se contrae por la ingestión de algún medicamento. En los lactantes, niños y personas con defensas débiles la causa también puede ser una infección por estafilococos.

Tratamiento médico

Como el síndrome de Lyell puede poner la vida en peligro, exige cuidados médicos intensivos.

Autoayuda

Acuda rápidamente al servicio de urgencias.

Pruebas clínicas especiales

El diálogo

Para aportarle orientación sobre la patología, refiera al médico el comienzo, curso y carácter de las molestias. El dermatólogo quizá le pregunte sobre cuándo aparecieron las primeras alteraciones y qué zona del cuerpo afectaron; también querrá saber si tiene síntomas de prurito o dolor, cuál es su estado general, qué enfermedades cutáneas ha padecido y qué medicamentos ha tomado.

Observaciones de la piel

El método de reconocimiento más importante utilizado por los dermatólogos consiste en la observación detallada de la piel del paciente. Por este motivo, en el transcurso de la primera visita reconocerá la piel, incluyendo pelos y uñas. Prestará especial atención a los cambios de pigmentación, ya que pueden delatar un melanoma maligno.

Las alteraciones visibles de la piel reciben el nombre de eflorescencias. Las más importantes son:

- **Mancha.** Alteración del color de la piel, pero sin hinchazón o eminencias. También se llama mácula.
- **Pápula.** Lesión de la piel que produce una eminencia abultada; son elevaciones cutáneas circunscritas menores de entre 0,5 y 1 cm.
- **Habón.** Lesión cutánea con elevación de la piel de coloración rojo pálido y superficie plana; suele desaparecer en pocas horas. También recibe el nombre de roncha. Es la lesión característica de la urticaria.
- **Ampolla.** Elevación de la epidermis por acúmulo de líquido en una cavidad formada entre la dermis y la epidermis. Es mayor de 0,5 cm de diámetro.
- **Flictena.** Lesión cutánea elemental, de tamaño superior a una vesícula y contenido seroso. Su superficie puede ser tanto tensa como blanda.
- **Pústula.** Elevación circunscrita de la piel de contenido purulento. Tiende a desecarse y da lugar a la formación de una costra, que por lo general cura sin dejar cicatriz alguna.

Reconocimiento microscópico

Para emitir un diagnóstico con la más absoluta certeza, no basta a veces con el diálogo y una detallada observación de los síntomas que se padecen. Por ello frecuentemente se recurre, previa anestesia local, a extraer una prueba de piel para analizarla al microscopio. Si las alteraciones de la piel son malignas, podrá utilizarse la cirugía. En este caso el tumor será extirpado, pero la herida sólo se cerrará después de asegurarse de que el perímetro de la zona seccionada está compuesto por tejido sano. Durante este tiempo, la herida permanecerá cubierta con una fina compresa de material plástico celular.

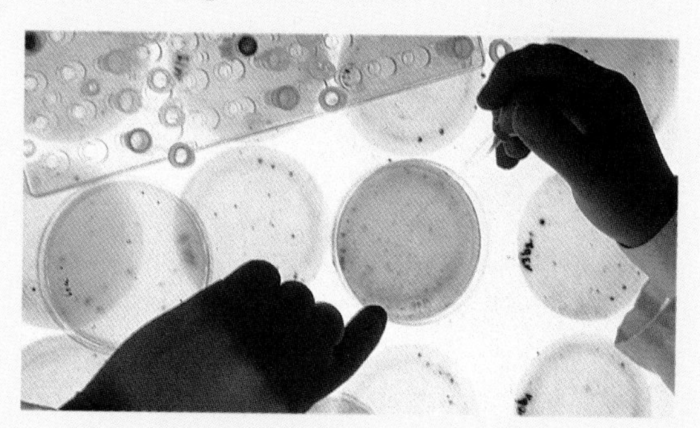

Los hongos se reproducen en un caldo de cultivo, diferenciándose entre sí por su crecimiento, forma y color.

Comprobación de hongos

Para detectar posibles micosis que padezca la piel, se realizará un raspado de las escamas de la zona afectada para analizarlas al microscopio. Casi siempre el método seguido incluye la realización de un cultivo de estos hongos en el laboratorio, es decir, se ponen éstos entonces en un caldo de cultivo especial.

En la onicomicosis se corta un trocito de uña y se procede de igual modo que con las escamas de piel. Algunas enfermedades pueden ser diagnosticadas con la ayuda de la luz de Wood, debido a que los hongos iluminados con ella adquieren una coloración fluorescente que los delata.

Estado de las raíces capilares

Para diagnosticar determinadas enfermedades capilares, se arranca un mechón de unos 50 cabellos que se analizan al microscopio. La realización de esta comprobación exige no lavar el cabello durante los cinco días inmediatos anteriores, pues, en caso contrario, el resultado quedaría falseado.

Impétigo

▶ Síntomas:
- ➔ manchas rojas, vesículas y ampollas que revientan rápidamente, costras de color amarillo miel.

El impétigo es una infección cutánea superficial, muy contagiosa, producida por estafilococos, estreptococos o por ambos a la vez (forma mixta). Afecta principalmente a los niños, que muestra de manera especial las típicas costras de color amarillo miel en el rostro, raras veces en el cuerpo. Las alteraciones de la piel curan sin dejar cicatrices. Sólo de vez en cuando aparece como secuela una enfermedad renal, la nefritis de impétigo.

Tratamiento médico

Si la infección cutánea ocupa una gran superficie, consulte lo antes posible con el médico. Debido a que la enfermedad requiere mucho tiempo para su curación, y siempre existe el peligro de que surjan complicaciones renales, la terapia médica es siempre aconsejable. Las costras se lavan y eliminan con líquidos o cremas desinfectantes. Si la afección es muy intensa y existe un eccema atópico (→ Neurodermitis), la administración de antibióticos se hace necesaria.

Autoayuda

Debido a que esta enfermedad es sumamente contagiosa para otros niños, haga que su hijo mantenga una escrupulosa higiene. La ropa personal y de cama deberían cambiarse con mucha frecuencia, y la piel lavarse siempre con preparados desinfectantes.

Foliculitis, furúnculo, carbunco

▶ Síntomas:
- ➔ **foliculitis:** pústulas de color amarillo claro;
- ➔ **furúnculo:** tumefacción acuminada (*clavo*) y formación de una pequeña escara dolorosa;
- ➔ **carbunco:** amplia zona cutánea endurecida, muy dolorosa; eventualmente fiebre, hinchazón de los ganglios linfáticos.

La foliculitis consiste en la infección de un folículo piloso sebáceo, que produce la inflamación de un pelo. En su desarrollo suelen aparecer pústulas del tamaño de la cabeza de una aguja.

Si los agentes patógenos invaden zonas más profundas, aparece un furúnculo o tumefacción acuminada (*clavo*), enrojecida y purulenta, sumamente dolorosa a la presión. Si el proceso inflamatorio afecta a varios bulbos pilosos, se habla de carbunco. Cuando aparecen numerosos furúnculos, se dice que se trata de una furunculosis. Puede estar causada por una diabetes mellitus, o por una debilidad inmunológica, pero muchas veces el motivo es indetectable.

Tratamiento médico

En caso de que le salga un furúnculo en la nariz o en el labio superior, debe acudir obligatoriamente y de inmediato al médico, ya que existe el peligro de trombosis venosa cerebral. Si se trata de una foliculitis, después de una perfecta desinfección aplicando una solución o pomada antibiótica, las pústulas se vacían. Cuando se padecen furúnculos o carbuncos, el médico prescribirá siempre una terapia con antibióticos.

Autoayuda

En caso de que sufra un furúnculo o carbunco, conviene que mantenga en reposo la zona del cuerpo afectada y, de ser posible, colocada en una posición algo más elevada. Bajo ningún concepto intente vaciar de pus el furúnculo o carbunco.

Absceso

▶ Síntomas:
- ➔ enrojecimiento, hinchazón;
- ➔ dolor, zona muy caliente;
- ➔ fiebre, decaimiento general.

El absceso es una acumulación de pus dentro de la cavidad anormal de un tejido, formada por la desintegración de éste. Los abscesos se producen en todas las partes del cuerpo. Los gérmenes que producen el pus llegan del exterior, a través de lesiones cutáneas o por vía sanguínea, hasta los órganos internos (hígado, pulmón, cerebro). Los abscesos se forman en las axilas, en las ingles y en la región anal.

Tratamiento médico

En caso de fiebre y decaimiento general, o si el absceso se encuentra en la zona de la nariz o el labio superior (→ Trombosis venosa cerebral), consulte obligatoriamente y de inmediato con su médico. La medida más importante que debe adoptar es la denominada laminación y corte del absceso. Estas acciones deberían realizarse cuando el absceso esté "maduro", es decir, cuando su contenido sea completamente líquido. Si al palparlo bascula a un lado y otro como si fuese un cojín de agua, indica que ha llegado el momento oportuno de su laminación y corte. En ciertos casos se necesaria la administración de antibióticos.

Autoayuda

Mantenga la zona del cuerpo afectada en el más absoluto reposo. ¡Y no intente, de ninguna de las maneras, exprimir el absceso! En los abscesos de tipo más benigno, puede aplicarse compresas humedecidas en manzanilla o en cola de caballo (*equiseto*).

Flemones

► Síntomas:

➜ enrojecimiento, zona recalentada, hinchazón muy dolorosa, fiebre y sensación de enfermedad.

Los flemones, especialmente los difusos, son infecciones agudas producidas por gérmenes piógenos o formadores de pus (→ Estreptococos), que se extienden rápidamente en todas las direcciones del cuerpo. Los flemones de la palma de la mano pueden limitar el movimiento y las funciones propias de los dedos, e incluso las de toda la mano.

Tratamiento médico

En caso de que padezca un flemón, acuda de inmediato al médico. Primero le intentará reducir la inflamación de forma conservadora, es decir, sin necesidad de operar el flemón.
Esta terapia se basa en la prescripción y la administración de una elevada dosis de antibióticos. Si en un plazo de tiempo de dos días la inflamación no se reduce de manera considerable y aparecen nuevamente todos los síntomas característicos, será necesaria la intervención quirúrgica para su eliminación.

Autoayuda

Lo más adecuado y conveniente es mantener en absoluto reposo la zona afectada por el flemón, y, si fuera posible, colocarla en alto. La aplicación de unas compresas húmedas pueden proporcionar alivio y reducir las molestias. ¡Pero, de ninguna de las maneras, retrase o suspenda la visita al médico!

Un poco de higiene corporal, a veces es mucho

El lema "cuanto más, mejor", sirve para que en los países desarrollados se gaste un promedio de 10 000 pesetas anuales en higiene corporal. No existen dudas de que la falta de higiene influye negativamente sobre el estado de salud, pero también es cierto que los excesos en sentido contrario ocasionan hoy en día muchos más daños, por lo menos en nuestras latitudes. Sometida a duchas, baños y lavados constantes la piel sufre una auténtica lixiviación y pierde su película protectora natural que nos protege frente a posibles agresiones externas. Así puede secarse, sentir picazón y tener propensión a contraer eccemas, infecciones y micosis.

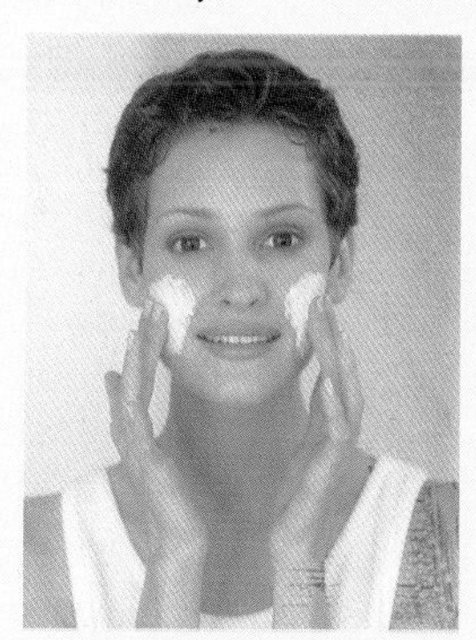

La aplicación de cremas sólo es necesaria si tiene la piel seca.

Consejos para la higiene corporal

• Siempre que la piel esté sana, no existe ninguna contraindicación para ducharse a diario. En cualquier caso, conviene no emplear mucho jabón o gel en la ducha.

• Después de un lavado corporal suave, la piel no necesita cremas, lociones o cualquier otro producto. Al contrario, esto podría hacerle perder su capacidad de autorregulación.

• La situación es diferente en caso de una piel seca y sensible. Es cierto que nada impide darse una ducha diaria, pero como alternativa conviene sustituirla por baños donde el jabón o el gel habitual se reemplace por algún producto graso. Después de la ducha o baño, con la piel aún húmeda, la aplicación de una crema resulta muy acertado.

• Dormir lo suficiente y una dieta alimentaria equilibrada son la base para mantener la piel sana. Lo que en cualquier caso debe evitarse es el estrés, el consumo abusivo de alcohol y tabaco y la excesiva exposición al sol.

Verrugas virales

► Síntomas:

- numerosas pápulas del color de la piel, con una ligera hendidura en el centro;
- tienen el tamaño de una cabeza de alfiler o el de un guisante;
- aparecen en solitario o formando grupos.

Las verrugas virales son transmitidas por un virus. Entre los niños son muy frecuentes, especialmente si padecen un eccema atópico. Este tipo de verrugas aparecen principalmente en el rostro, cuello, tronco y región urogenital. El contagio es posible por contacto físico y a través de las prendas de vestir o toallas.

Tratamiento médico

La persona que padezca un eccema atópico o una debilidad inmunológica, debería consultar cuanto antes con su dermatólogo, ya que puede producirse un importante brote de verrugas virales.
Para evitar el contagio a los demás, debe adoptarse la correspondiente terapia. Consiste ésta en presionar y exprimir el pastoso contenido de las verrugas, así como en extirparlas por medio de una operación.

Autoayuda

Evite rascarse las verrugas, pues con ello sólo conseguirá propiciar su reproducción.

¿Qué hay de verdad en la "magia de las verrugas"?

Aunque científicamente es cierto que no ha podido ser demostrada su eficacia, las terapias de sugestión, llamadas desde muy antiguo la "magia de las verrugas", parece ser que consiguen buenos resultados. Toda su efectividad parece circunscribirse al ámbito infantil, cuando para que desaparezcan se obliga a los niños a rezar o a realizar conjuros de las verrugas, sin olvidarse de otros "remedios" naturales como la aplicación de "babas de caracol" u otros de naturaleza semejante.
De todos modos, si dos de cada tres verrugas desaparezcan por sí solas transcurridos de año y medio a dos años, todo parece indicar que la fuerza de la "magia de las verrugas" produce su efecto.

Verrugas

Generalmente benignas, estas neoformaciones cutáneas tienen apariencia y etiología diversas. Las producen unos virus humanos llamados papovavirus. Hay dos formas comunes: verrugas vulgares y condilomas.

Verrugas vulgares

► Síntomas:

- pequeñas prominencias córneas, bien delimitadas, de color amarillo grisáceo;
- superficie vellosa o amelonada.

Las verrugas vulgares se localizan en mayor medida en la parte dorsal de pies y manos, especialmente alrededor de las uñas. Los niños y jóvenes son los más afectados. Las verrugas vulgares que surgen en las plantas de los pies pueden ser muy dolorosas, debido a la compresión que sufren como consecuencia del peso del cuerpo. Suelen pinchar como un espino y, por eso, reciben el nombre de "verrugas espino".

Condilomas acuminados

► Síntomas:

- vegetaciones venéreas, en forma de coliflores, o crestas de gallo, se localizan preferentemente en las zonas genital y anal.

Conocidas como verrugas venéreas, es el tipo más corriente de papiloma. Forman excoriaciones papiliformes, contagiosas y autoinoculables, que pueden llegar a constituir masas de gran tamaño. Se contagian por transmisión sexual.

Tratamiento médico

Los condilomas acuminados requieren siempre tratamiento médico, mientras que las verrugas vulgares pueden curarse solas. La terapia de los condilomas requiere la aplicación de una solución de podofilina, o bien su extirpación quirúrgica. Las verrugas vulgares precisan un tratamiento con preparados de ácido salicílico, su congelación o su eliminación quirúrgica.

Autoayuda

En caso de que padezca un condiloma acuminado, mantenga seca la región afectada mediante la aplicación de compresas de lino. Para prevenir una nueva infección, conviene que su pareja también reciba la terapia. Si pasa frecuentemente mucho frío en las manos y pies, o le sudan en abundancia, puede padecer de verrugas vulgares. Por este motivo son muy recomendables los baños alternos de manos y pies, además de la práctica de algunos ejercicios gimnásticos. Las verrugas vulgares pueden tratarse homeopáticamente con el medicamento Thuja occidentalis (ingerir 15 gotas F6 tres veces al día, o aplicar la tintura original con un pincel sobre la zona afectada).

Zóster, herpes zóster

► Síntomas:

- ➜ dolores y quemazón;
- ➜ dermatosis vesiculosa sobre fondo enrojecido, erupción de distribución casi siempre hemilateral (pero puede ser intercostal, etc.), aparece "un cinturón" que rodea todo el cuerpo.

El herpes zóster está causado por el rebrote de una primera, o también segunda, infección del virus de la varicela-zóster. La primera infección produce la varicela, para, a continuación, reposar el virus o mantenerse latente durante muchos años e incluso decenios. Esta enfermedad afecta a las personas a cualquier edad, pero es mucho más frecuente entre los 60 y los 70 años. En muchas ocasiones, el intenso enrojecimiento de la zona afectada produce fuertes dolores. Después de haberse secado las vesículas, en las personas de edad estos dolores nerviosos persisten mucho tiempo. Si se localiza en la región oftálmica, el herpes zóster puede ser especialmente temible. También existe el peligro de que afecte a los nervios auditivos.

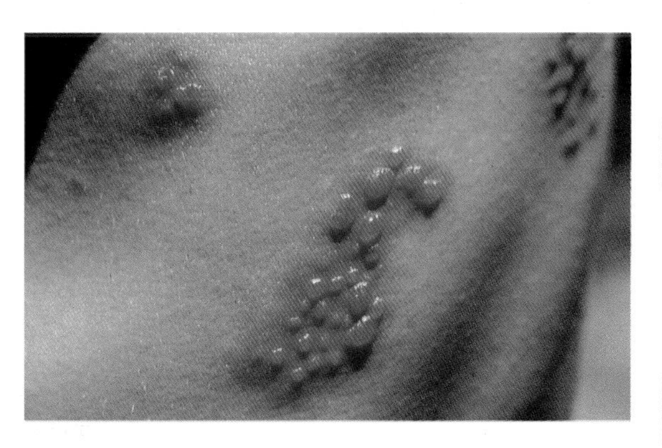

Para evitar que queden cicatrices, las vesículas del herpes zóster no deben rascarse.

Tratamiento médico

Si el herpes zóster afecta a la cabeza y el proceso de la enfermedad es difícil, ¡consulte inmediatamente con su médico! Para detener la reproducción de los virus (*viricidas*), administrará un medicamento en forma de pastillas o infusiones. Sobre la superficie cutánea enferma también es posible aplicar una mixtura de cinc, a la que se adiciona una buena dosis de desinfectante. El tratamiento analgésico para eliminar los dolores, se ajustará a la intensidad y duración con que se manifiesten los mismos.

Autoayuda

Tres veces al día, para acelerar la desecación de las vesículas, aplíquese muy suavemente alcohol para friegas (tenga precaución con los ojos).

Herpes simple (*herpes simplex*)

► Síntomas:

- ➜ formación de vesículas sobre fondo enrojecido;
- ➜ escozor, sensación de piel tensa;
- ➜ costras oscuras.

El herpes simple es una dermatosis viral, caracterizada por la aparición de grupos de vesículas de idénticas dimensiones en las zonas de transición entre piel y mucosas. Afecta, pues, a las zonas limítrofes de los labios (*herpes labialis*) y de la región anogenital (→ Herpes genitalis); pero, en ocasiones, exclusivamente a las mucosas. La primera infección produce estomatitis, permaneciendo latente y en una segunda manifestarse el herpes simple. Una de las causas del rebrote es la radiación solar. Muchas mujeres lo padecen durante bastante tiempo, antes o después de la menstruación. Pero también influyen otras enfermedades con fiebre o ciertas intervenciones odontológicas.

Tratamiento médico

Si el proceso patológico es difícil y en los niños se presenta además con la presencia de eccemas atópicos (→ Neurodermitis), consulte con su médico para que le indique la terapia adecuada que incluya la prescripción de un producto antivírico y un antibiótico.

Autoayuda

Si padece herpes simple con cierta frecuencia, intente robustecer las defensas inmunológicas de su organismo para hacer frente.

Micosis

Las micosis son enfermedades muy frecuentes que, producidas por hongos, pueden provocar auténticas epidemias. Estos hongos se dividen en saprofitos (no patógenos), de la piel o mucosas, y patógenos. Entre estos últimos se distinguen: dermatófitos (hongos de la piel), los ascomicetos y micromicetos. De todos modos, no todo contacto con los hongos llega a producir una micosis.

¿Qué favorece las micosis?

Para reproducirse, los hongos prefieren un lugar oscuro y húmedo. La piel, algo blanda debido a su humedad, constituye un caldo de cultivo ideal para ellos. Por este motivo, las personas obesas o que sudan mucho se ven más afectadas por micosis que las demás.
Pero también las alteraciones hormonales durante el embarazo, o bien después de tomar la píldora anticonceptiva, propician la aparición de micosis; tampoco hay que olvidar los productos con cortisona, los antibióticos y los fármacos para combatir el cáncer. Además, su aparición se ve favorecida por la diabetes mellitus, la edad y la debilidad inmunológica.

Pitiriasis

▶ Síntomas:

- ➜ manchas pardo amarillentas, con escamas; funfuráceas (parecidas al salvado);
- ➜ manchas blanquecinas, especialmente en el tronco, acompañadas casi siempre de prurito.

La pitiriasis afecta sobre todo a las personas que sudan mucho; así, a los deportistas o a quienes padecen sobrepeso. Otra de las causas que más favorece la aparición de la pitiriasis son las enfermedades que producen intensa sudoración, como tuberculosis, diabetes, hiperfunción pancreática o sida. Además de las manchas típicas, del tamaño de una lenteja hasta el de una moneda de tamaño medio y color gris amarillento, la pitiriasis alba muestra focos de color blanquecino.

Tratamiento médico

Como generalmente no existen molestias, sólo se suele acudir al médico por cuestiones estéticas en el cuerpo. El tratamiento de la pitiriasis incluye la aplicación de champú de sulfato de selenio, o champús en forma de crema con antibióticos (*antimicóticos*).

Autoayuda

Evite el contacto con la piel de vestidos o ropas que no sean lavables, pues los hongos permanecen en los pliegues de las vestiduras y pueden producir infecciones reiteradas. Las lociones para el cuero cabelludo y las cremas solares, frecuentemente ofrecen condiciones de reproducción ideales para los hongos, por lo que siempre que exista una propensión a padecer pitiriasis, debe descartarse su uso.

Micosis de los pies (pie de atleta)

▶ Síntomas:

- ➜ prurito, enrojecimiento, vesículas y zonas húmedas entre los dedos;
- ➜ escamación, grietas en los surcos interdigitales y mayor encallecimiento de la planta del pie.

La micosis de los pies, además de ser la más frecuente, también es una de las enfermedades cutáneas más extendida por nuestras latitudes. El nombre de "pie de atleta" se debe a la especial afección que sufren los deportistas, una parasitación por hongos de las familias *Microsporum*, *Trichophyton* y *Epidermophyton* que se localiza en los surcos interdigitales de los pies e incluso debajo de los dedos. Las rejillas húmedas en duchas y piscinas son una de las fuentes infecciosas principales; las zapatillas impermeables o las botas de goma, usadas debido a exigencias de tipo profesional, propician este tipo de enfermedades, así como ponerse calcetines o medias largas de material sintético.
Si las zonas interdigitales sufren la infección, las descamaciones se acompañan de un intenso prurito. Por el contrario, si es la planta del pie la afectada, la piel se seca y forma focos de escamas perfectamente delimita-

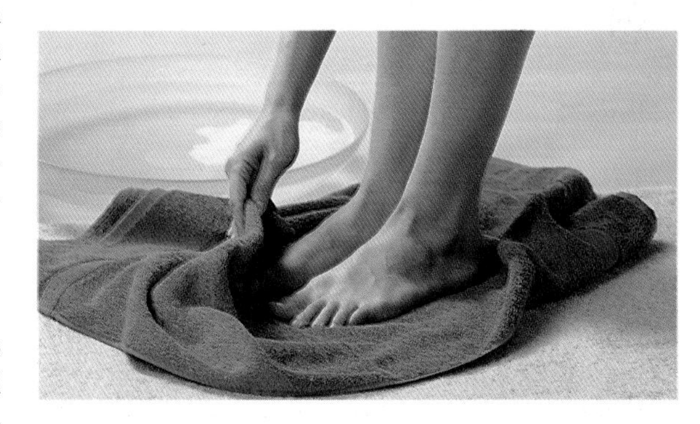

Los hongos se reproducen con la humedad, por lo que los pies deben secarse bien y usar zapatos que transpiren.

dos. También es importante recordar que idénticos síntomas, aunque en muy raras ocasiones, pueden aparecer en las palmas de las manos.

Tratamiento médico

Dado que los agentes causantes de la micosis de los pies pueden entrar en el cuerpo, entre ellos los que provocan la erisipela, resulta aconsejable consultar siempre con el dermatólogo. El tratamiento consistirá en la aplicación de productos antimicóticos en forma de soluciones o ungüentos. Los casos más graves necesitarán la prescripción de pastillas.

Autoayuda

Póngase calzado que permita la transpiración del pie, calcetines de fibra natural y, después del baño, ducha o haber practicado natación, séquese bien los pies, especialmente los espacios interdigitales. Sólo así podrá evitar la micosis del pie. También, para que los pies se sequen bien, puede utilizarse polvos de talco.

Dermatomicosis (*tinea corporis*)

▶ Síntomas:

➜ focos redondos u ovalados, rojos en los bordes y levantados; intenso prurito y descamación.

Frecuentemente, esta forma de enfermedad micótica ataca a los niños. Muchas veces la causa está en el contacto con animales (generalmente gatos), sobre todo durante las vacaciones en zonas cálidas y húmedas. En los hombres afecta especialmente a la cara interna de los muslos e ingles; en las mujeres, la mayor parte de las veces, al pliegue cutáneo inferior de la mama.

Tratamiento médico

Si las manifestaciones cutáneas son muy acusadas, consulte con el dermatólogo. El tratamiento es idéntico al empleado en el caso del → pie de atleta.

Autoayuda

Cuando se reside o viaja a países cálidos y húmedos, como los mediterráneos, es recomendable que tanto padres como hijos se abstengan de acariciar a los animales. También es importante vestir siempre prendas de fibras naturales y transpirables. Para mantener los pies bien secos, nada como colocar unos pañitos de lino bajo los críticos "pliegues cutáneos" (anteriormente descritos).

Infección de Candida (candidiasis cutánea)

▶ Síntomas:

➜ prurito, piel enrojecida, supuración, descamación, pústulas blanco-amarillentas.

El hongo *Candida albicans* también se encuentra en personas sanas, pero solamente adopta carácter patógeno si se dan los factores favorables que hagan posible su actividad. Este hongo también puede dar lugar a numerosas infecciones (→ Ascomicetos; → Candidiasis; → Vulvovaginitis; → Onicomicosis; → Dermatitis de los pañales). Las zonas de la piel más afectadas por la candidiasis cutánea pueden ser los glúteos, la zona inguinal y, en las mujeres, el pliegue cutáneo de debajo de la mama.

Cultivo del hongo denominado Candida albicans, donde pueden verse sus formaciones filiformes.

Tratamiento médico

Para descubrir los factores más favorables de desarrollo del hongo y eliminarlos, es necesario acudir periódicamente al dermatólogo, que prescribirá los productos antimicóticos oportunos.

Autoayuda

Adquiera siempre prendas de vestir que sean transpirables y, si es posible, reduzca su peso corporal.

Un antídoto sensible

La piel sana, ilesa, constituye un eficaz escudo protector muiy eficaz contra todo tipo de bacterias, virus y hongos. Pero hasta las más insignificantes lesiones o heridas pueden servir de "puerta de acceso" por el que penetran los agentes patógenos en el organismo.

Si la piel, debido a la humedad, se ablanda excesivamente, no podrá defenderse de los ataques de estos agentes. La infección normal, especialmente de las mucosas, tiene como consecuencia las infecciones por hongos o la micosis. Se combate eficazmente con medicamentos a base de antibióticos.

Enfermedades cutáneas debidas a parásitos

Los parásitos son organismos que viven a expensas de un individuo de otra especie, pudiendo llegar a alterar su salud y provocarle numerosas enfermedades.
Aunque las pulgas y los piojos han desaparecido casi por completo de nuestra sociedad, no por ello deja de reaparecer de vez en cuando algún que otro brote.

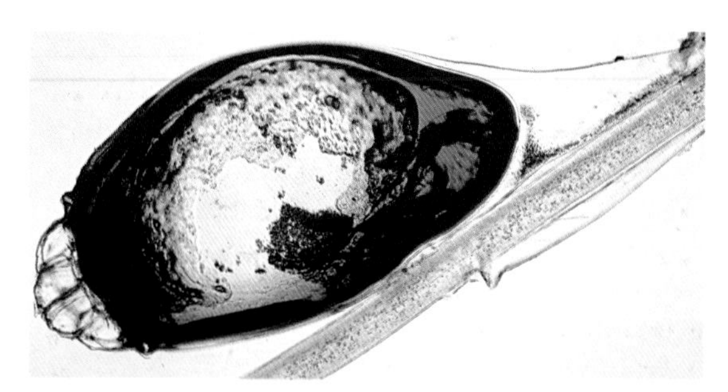

Los piojos de la cabeza adhieren sus huevos (liendres) a los cabellos, por lo que resulta difícil eliminarlos por completo,

Piojos

▶ Síntomas:

- ➜ todos los piojos: prurito, liendres (huevos adheridos fijamente);
- ➜ piojos de la cabeza: producen modificaciones cutáneas que supuran formando costras y escamas (*eccema de piojos*);
- ➜ piojos de la ropa: enrojecimiento, habones, cambios del color de la piel;
- ➜ piojos del pubis o ladillas: manchas gris-azuladas.

Los **piojos de la cabeza** (*Pediculus capitis*) suelen ocupar la parte posterior de la cabeza; es aquí donde la hembra pone sus huevos (liendres). A diferencia de la caspa, las liendres se eliminan con dificultad. El eccema de los piojos afecta sobre todo a la nuca.
Los **piojos de los vestidos** (*Pediculus vestimenti*) viven en la ropa interior y sobre las ropas. El intenso prurito que producen obliga a rascarse, formándose entonces heridas, lo que abre las puertas a infecciones bacterianas y alteraciones cutáneas.
Los **piojos del pubis** o **ladillas** (*Phthrius pubis*) se transmiten por el contacto sexual, y por la ropa de cama, toallas y vestidos. En los adultos ocupan la zona púbica y las axilas, mientras que en los niños están presentes en cejas y pestañas.

Tratamiento médico

Si los síntomas cutáneos son infecciosos, no dude en visitar al dermatólogo. Para eliminar los piojos existen muchos productos, aunque las mujeres embarazadas o que estén en el período de lactancia no deberían utilizarlos de ningún modo.

Autoayuda

Los piojos de los vestidos se eliminan introduciendo las prendas en una bolsa de plástico bien cerrada, y dejándolas allí varias semanas. Los de la cabeza se combaten con una mezcla, a partes iguales, de agua y vinagre: mojarse diariamente la cabeza y dejar una hora; luego, pasar el peine varias veces por los cabellos.

Pulgas

▶ Síntomas:

- ➜ intenso prurito, manchas rojo claro en grupos o líneas, punto de sangre central (picadura).

Hay tantas especies de pulgas, como diferentes huéspedes. Pican con su aparato chupador, sobre las partes al descubierto del cuerpo (tronco, piernas). Las pulgas de gatos, pájaros y perros atacan a las personas.

Tratamiento médico

Si el prurito es martirizante, conviene visitar al médico. Productos mentolados, lociones de cinc o ungüentos de corticoides lo aliviarán.

Autoayuda

Aplique este tratamiento a los animales domésticos. Y no les deje dormir en la cama o en el sofá, pues ahí anidan sus larvas con gran facilidad.

Chinches

▶ Síntomas:

- ➜ prurito, habones, pápulas;
- ➜ punto de sangre central (picadura);
- ➜ raras veces, ampollas y vesículas.

Estos insectos hematófagos, que huyen de la luz y que durante el día se ocultan entre el papel de las paredes, grietas del suelo y muebles, detrás de cuadros y armarios, aparecen durante la noche y se dejan caer desde el techo sobre la persona que duerme para alimentarse chupando su sangre.

Tratamiento médico

En caso de prurito o formación de vesículas, debe consultar con el médico. Tratamiento → pulgas.

Autoayuda

Combata las chinches con un insecticida adecuado. De la desinsectación de su casa o vivienda, puede encargarse una empresa especializada.

Sarna

▶ Síntomas:

- ➜ insistente prurito, sobre todo por las noches;
- ➜ surcos en la piel, focos inflamatorios, vesículas perláceas.

Las hembras del ácaro *Sarcoptes scabiei* excavan surcos en la piel y depositan allí sus huevos. En personas adultas atacan preferentemente los espacios interdigitales de la mano, la muñeca, los pezones y la zona urogenital; en los lactantes, suelen afectar a las palmas de las manos, de los pies, tobillos, dorso de los dedos y las nalgas. La transmisión de la sarna se efectúa siempre por contacto corporal.

Tratamiento médico

De producirse inflamaciones cutáneas, conviene que consulte con su médico para que le prescriba productos acaricidas que eliminen el *Sarcoptes scabiei.*

Autoayuda

Después de hervir toallas, sábanas y ropa, prescinda de secarlas al aire libre.

Sarna de los cereales

▶ Síntomas:

- ➜ intensa picazón, manchas, pápulas, habones.

El contagio con larvas de la sarna de los cereales es muy fácil en el campo. Esta sarna aparece sobre todo entre junio y septiembre, los meses de la recolección. Es frecuente en muchos países agrícolas. Las alteraciones cutáneas aparecen al principio en aquellas zonas del cuerpo desprotegidas, pero más tarde también afecta a las que están protegidas por la vestimenta.

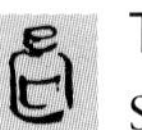

Tratamiento médico

Similar al de las → pulgas.

Autoayuda

Asegúrese una buena protección con zapatos cerrados y vestidos que cubran brazos y piernas.

Garrapatas

Estos ácaros atacan a las personas en zonas donde haya prados, bosques y matorrales. Si la persona no se da cuenta, las garrapatas viven como parásitos fijadas a la piel y chupando la sangre pudiendo producir la necrosis de la zona afectada. Es necesario protegerse o eliminarlas lo más rápidamente posible, pues aparte de las reacciones inflamatorias de diferente virulencia que sus picaduras producen, también pueden transmitir el virus de la peligrosa meningoencefalitis o la borrelia, el agente patógeno de la enfermedad de Lyme. Esta enfermedad se detecta en la piel por el eritema crónico migratorio (*Erythema chronic migrans*), que produce, un enrojecimiento que se extiende desde el lugar de la picadura y que palidece en el centro.
La picadura de garrapata ha de observarse atentamente durante varias semanas; si en este tiempo aparece alguna alteración cutánea, debe hacer que la vea el médico.

Picadura de insectos

▶ Síntomas:

- ➜ **avispa, abejorro, abeja, avispón:** enrojecimiento, hinchazón, dolor;
- ➜ **tábanos, mosquitos:** prurito, habones, pápulas.

En caso alergia producida por una picadura de insectos, sobre todo de avispas, abejorros, abejas y avispones, se pueden producir síntomas acusados de malestar general y llegar incluso a producirse el gravísimo *shock* anafiláctico, con el consiguiente riesgo para la vida de la persona afectada.

Tratamiento médico

En caso de tener alergia a las picaduras de insectos, acuda inmediatamente al médico. Y si advierte síntomas de *shock* anafiláctico, ¡llame rápidamente al servicio de urgencias!

Autoayuda

Las mezclas de aceites esenciales le ofrecen protección natural contra las picaduras de insectos. De gran alivio son: la aplicación en la zona de compresas frías, el acetato de alúmina y el zumo de cebollas.

Eccemas (inflamaciones de la piel)

► Síntomas:

- enrojecimiento cutáneo, hinchazón y formación de vesículas;
- supuración, descamación, formación de costras;
- engrosamientos de la piel;
- intenso prurito.

Los eccemas pueden ser: *exógenos* (externos) y *endógenos* (internos). El eccema endógeno (*atópico*), también recibe el nombre de neurodermitis. Esta enfermedad cutánea es una enfermedad de tipo alérgico, que afecta en primer lugar a los niños y a los jóvenes.
En la → página 526 encontrará amplia información que le ayudará en caso de neurodermitis.

Eccemas exógenos

A las inflamaciones externas de la piel pertenecen:

- El eccema tóxico agudo.
- El eccema por desgaste.
- El eccema de contacto alérgico.

El **eccema tóxico agudo** se produce si la piel ha estado en contacto con productos químicos agresivos (ácidos, lejías, disolventes). Se produce un efecto casi inmediato de dichos productos sobre la piel. Primero aparece enrojecimiento; luego, hinchazón de la piel, y, finalmente, unas ampollas que pueden reventar. Durante el proceso siguiente, se forman costras y escamas.
El **eccema por desgaste** (eccema tóxico acumulativo) tiene su origen en el contacto constante y repetido con productos de higiene corporal: jabones, champús, tintes, productos refrescantes y cremosos, así como productos utilizados en la industria para el fresado y taladrado. Este eccema lo padecen principalmente aquellas personas que realizan trabajos que requieren estar en contacto continuo con agua; por ejemplo, peluqueros, personal de tintorerías, trabajadores de la construcción y metalurgia.
En el **eccema de contacto alérgico**, la piel está hipersensibilizada frente a una o varias sustancias; por ejemplo, frente a metales (níquel, plomo), plantas, cosméticos, medicamentos o sustancias químicas de productos textiles. El mero hecho de tocar alguna partícula de estas sustancias o productos, es suficiente para provocar una inflamación de la piel.
Para obtener información más amplia y detallada sobre el eccema de contacto, → página 526.

Dolencias cutáneas como enfermedad profesional

Gran parte de las enfermedades profesionales reconocidas, son dolencias cutáneas. Si el médico opina que la dolencia se deriva del ejercicio de una actividad laboral, emitirá el diagnóstico correspondiente de enfermedad profesional. A partir de este informe, el colegio estudiará si el diagnóstico emitido por el médico es correcto o no.
Si la dolencia cutánea es aceptada como enfermedad profesional, el organismo oficial que tenga esta competencia asumirá los costes del retiro profesional o los de reciclaje del trabajador, así como los propios del tratamiento médico.
Para que una dolencia sea reconocida como enfermedad profesional, es necesario que se trate de una dolencia cutánea "grave" o "repetidamente recidivante", que obliga al trabajador a abandonar constantemente el lugar de trabajo. Todos los países tienen su propia legislación al respecto.

Tratamiento médico

Los eccemas agudos que supuran, se tratan con la aplicación de compresas húmedas y cremas intensamente hidratadas o con lociones; por el contrario, si las molestias son crónicas y la piel es seca, gruesa y agrietada, se aplicarán cremas muy grasas.
Muchas veces, sobre todo al iniciar la terapia, se prescriben corticoides. El prurito, de efectos realmente intensos, puede aliviarse con antihistamínicos. Si se trata de un eccema de contacto alérgico, el médico de cabecera se encargará de realizar diversas pruebas para descubrir la sustancia que desencadena la alergia.

Autoayuda

Los eccemas agudos que supuran, se tratan con la aplicación de compresas húmedas y cremas intensamente hidratadas o con lociones; por el contrario, si las molestias son crónicas y la piel es seca, gruesa y agrietada, se emplearán cremas muy grasas.
Muchas veces, sobre todo al iniciar la terapia, se hace imprescindible la prescripción de productos con corticoides. El prurito, de efectos realmente intensos, puede aliviarse con antihistamínicos. Si se trata de un eccema de contacto alérgico, el médico de cabecera se encargará de realizar diversas pruebas para descubrir la sustancia que desencadena la alergia.

Dermatitis de los pañales

▶ Síntomas:

➜ enrojecimiento, vesículas, supuración, costras, prurito en la zona cubierta por los pañales.

La dermatitis provocada por los pañales es bastante frecuente. Se origina cuando los pañales mojados están largo tiempo en contacto con la piel, pues el calor húmedo favorece la reproducción de unas bacterias que descomponen la orina y el amoníaco que ataca la piel.

Tratamiento médico

Si el prurito es muy intenso o el niño tiene fiebre, conviene que el médico lo reconozca. El tratamiento incluye la aplicación de productos secantes y, si fuese necesario, de cremas con corticoides.
Si existe un foco bacteriano, puede utilizarse desinfectantes; pero si fuese de origen micótico, se aplicarán pomadas antimicóticas.

Autoayuda

Cambie los pañales al niño con más frecuencia, procurando que permanezca seco; la mejor prevención, es no ajustarle excesivamente los pañales.

Granulomas por cuerpos extraños

▶ Síntomas:

➜ tumoración y nódulos inflamados.

Producidos por cuerpos extraños, los granulomas son reacciones inflamatorias provocadas al introducirse en la piel espinas de cactáceas, pelo de ganado vacuno (el denominado "granuloma del ordeñador"), pelos humanos o pelos de orugas.
Si no se retira de la piel, la boca chupadora con la que pican las garrapatas también produce esta afección; del mismo modo, muchos otros cuerpos o elementos provocan esta reacción defensiva.

Tratamiento médico

Si tiene un granuloma, la extirpación del tejido afectado por el dermatólogo procura su rápida curación. En caso de que sufra una herida que precise la intervención inmediata del médico, infórmele de las circunstancias en que se ha producido y de qué es lo que se le ha insertado en la piel.

Autoayuda

No es posible.

El prurito, un martirio innecesario

El prurito es una desagradable sensación de picor o picazón que obliga a rascarse. Esta comezón es en realidad una parestesia originada por causas muy diversas, locales o de carácter general.
Esta particular sensación es muy conveniente, porque gracias a ella es posible averiguar si nuestra piel alberga parásitos o cuerpos extraños que, al rascarnos, pueden ser eliminados. Por otra parte, al igual que el dolor, el prurito puede ser una señal de alarma que nos revele la existencia de un trastorno en nuestro cuerpo. Tanto enfermedades cutáneas como enfermedades internas, del tipo de la diabetes mellitus, pueden ir asociadas a una intensa comezón. Pero, con cierta frecuencia, este prurito se independiza y, de ser síntoma de una enfermedad, pasa a convertirse en una auténtica tortura.

Si su hijo se rasca con cierta frecuencia, averigüe si la causa es alguna enfermedad cutánea.

Así actúa el sol sobre la piel

La acción del sol estimula el metabolismo y la producción de hormonas, lo que refuerza el sistema inmunológico y propicia el bienestar personal (→ Helioterapia). La luz solar también puede aliviar ciertas dolencias cutáneas, como el acné y la psoriasis; gracias a su intervención, la piel produce la importante vitamina D, tan necesaria para el desarrollo del cuerpo y los huesos.

Peligros de la irradiación solar

El bienestar que produce una corta irradiación solar, puede convertirse en una desagradable lista de contrariedades si la exposición al sol se prolongada más de lo debido: la piel envejece rápidamente y crece constantemente el número de arrugas; aunque ésta quizá sea la consecuencia menos desagradable, pues en la actualidad se sabe con certeza que el sol, lamentablemente, es un factor determinante en la aparición del cáncer de piel.
Mientras que en el melanoma maligno su aparición se achaca al número de insolaciones sufridas, en los denominados carcinomas anaplásicos y carcinomas espinocelulares el papel determinante fundamental corresponde a la dosis total de luz solar que la persona ha recibido a lo largo de su vida.

¿Cómo reacciona la piel frente al sol?

El ser humano reacciona frente a la irradiación solar de diferentes maneras, siempre según su tipo de piel:
Tipo de piel I: piel muy clara, abundantes pecas, cabellos de color rubio claro o rojizo, → siempre insolación, no se suele broncear.
Tipo de piel II: piel clara, cabellos claros algunas veces, → en ocasiones insolación, ocasionalmente se broncea con protección.
Tipo de piel III: piel clara sin pecas, → a veces insolación, con protección se broncea siempre.
Tipo de piel IV: piel moreno claro sin pecas, cabellos castaño oscuro o negros, → jamás insolación, se broncea siempre, incluso sin protección alguna.
Pida información a su dermatólogo o farmacéutico respecto al tiempo de exposición solar que puede soportar su piel, así como los tipos de crema o loción protectora y el factor de protección que necesita.

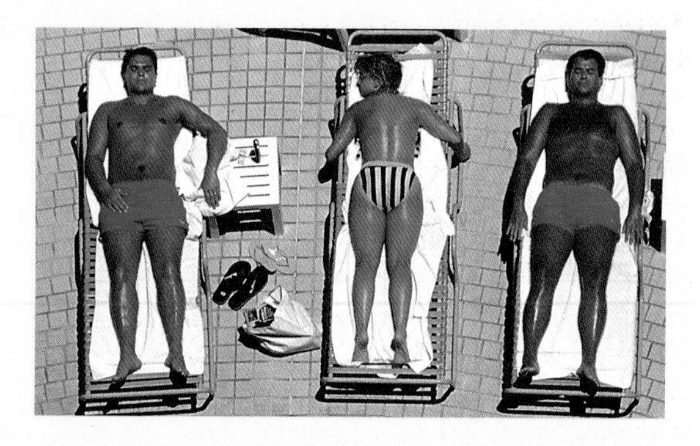

El bronceado de la piel no debiera ser un ideal de belleza, pues la intensa irradiación solar es perjudicial.

Así se evitan las quemaduras de sol

¡Los niños que tienen menos de un año de edad, no deben tomar nunca baños de sol! Cuando son ya un poco mayores, podrán exponer los brazos y las piernas al sol. Pero para no llevarse desagradables sorpresas, se han de tener en cuenta siempre las siguientes medidas de protección:

- Acostumbre lenta y progresivamente la piel a la irradiación solar; así, además de las desagradables insolaciones podrá evitar también las alergias solares.
- Algunos medicamentos pueden acentuar la sensibilidad a los rayos solares, pregunte a su médico que le informe al respecto.
- Media hora antes de exponerse al sol, aplíquese una loción o crema protectora y, al salir del agua, renueve la aplicación. Para los labios, emplee siempre un protector labial adecuado.
- Lleve siempre puesto un sombrero ligero.
- Proteja sus ojos con unas gafas de sol que absorban los rayos UV.
- Repose a la sombra entre las 11 y las 15 horas, pues es el momento del día de mayor irradiación solar.
- Aunque tenga calor, como el viento o la brisa enfrían, tenga la precaución de no exponerse al sol en estas condiciones. El agua y la arena acentúan la radiación debido a la reverberación.
- La irradiación solar es más intensa en la montaña que en el llano. Incluso con el cielo encapotado, la piel sufre de un 70 a un 80% más de irradiación solar.

Quemaduras

► Síntomas:

- **primer grado:** enrojecimiento e hinchazón;
- **segundo grado:** aparición de flictenas (ampollas);
- **tercer grado:** profunda destrucción de los tejidos.

Además del grado de la quemadura (→ Síntomas), la gravedad de la misma también queda determinada por la superficie total afectada. Un 9% de la extensión del cuerpo –que corresponde, aproximadamente, a un brazo– se considera ya una quemadura de tercer grado: existe el peligro de *shock* y la persona afectada ha de permanecer ingresada en el hospital.
Las quemaduras de primer y segundo grados se incluyen dentro de las superficiales, a diferencia de las formas graves de segundo y las de tercer grados que se tienen por profundas. Las repercusiones que la quemadura puede producir en el conjunto del organismo depende, fundamentalmente y en gran parte, de la edad del paciente. Una insolación con doloroso enrojecimiento de la piel, casi siempre corresponde a una quemadura de primer grado.

Tratamiento médico

Si, aun siendo de primer grado, las quemaduras afectan a una gran superficie de piel, o si se trata de quemaduras graves de segundo grado, acuda sin excusas y lo antes posible al médico o solicite la prestación del servicio de urgencias. Los niños pequeños han de ser reconocidos siempre por el médico, tanto si se trata de quemaduras como si sólo son escaldaduras hechas con agua hirviendo o vapor de agua.
Además de prevenir una cicatrización demasiado abundante, la terapia tiene como objetivo proteger al organismo de posibles infecciones. En los casos más graves, incluso será necesario proceder a un trasplante de piel. Si las heridas han sido graves y grandes, se incluirá una gimnasia de recuperación con el fin de evitar la limitación de movimientos.

Autoayuda

Trate personalmente las quemaduras de primer o segundo grado. Mantenga la piel quemada o escaldada de 10 a 15 minutos bajo un chorro de agua fría; y, posteriormente, evite aplicarse cremas, aceites o polvos. En ningún caso abra las ampollas o flictenas. Si las quemaduras son de sol, alivie los dolores aplicando compresas de agua fría untadas con requesón o yogur.

Síndromes por radiación aguda

► Síntomas:

- **daños agudos por radiación:** enrojecimiento de la piel, caída del pelo, formación de ampollas, es posible una lesión profunda de los tejidos;
- **daños crónicos por radiación:** el edema de Röntgen con zonas de pigmentación incrementada/disminuida o con aparición de venitas y ulceraciones (*úlcera de rayos X*).

Los rayos X, así como otros muchas radiaciones electromagnéticas o ionizantes empleadas en el tratamiento de tumores malignos, o que se utilizaban antiguamente, pueden producir los síntomas reseñados. La enfermedad aguda por radiación puede aparecer a los pocos días; los daños crónicos, después de pasados algunos años de padecer el síndrome.

Tratamiento médico

Los daños agudos causados por una radiación intensa, suelen tratarse con polvos; los crónicos, que aparecen con el tiempo, por regla general requieren una terapia quirúrgica.

Autoayuda

No es posible.

Congelación

► Síntomas:

- **primer grado:** piel pálida, insensible, hinchazón después de calentarse, dolores, picazón;
- **segundo grado:** formación de ampollas;
- **tercer grado:** necrosis de los tejidos.

Afecta sobre todo a los pabellones auditivos, dedos de las manos y pies, y punta de la nariz.

Tratamiento médico

En las congelaciones de segundo y tercer grado debe acudir obligatoriamente al médico. Para la terapia, → congelación pabellón auditivo. Encontrará información detallada y autoayuda en → refrigeración.

Autoayuda

Durante los paseos invernales no se olvide de resguardarse del frío utilizando gorro, guantes y calcetines gruesos.

Seborrea

► Síntomas:

➜ piel grasa, brillante y pelo graso y desgreñado.

Se llama así a la producción y secreción excesivas de materia grasa (*sebo*) por las glándulas sebáceas. Esta grasa protege a la piel contra la sequedad.

Las hormonas sexuales regulan la actividad de estas glándulas en su producción; labor que, por lo general, es de tipo congénito. La secreción de sebo aumenta durante la etapa de la pubertad para disminuir después. La secreción excesiva de sebo hace que la piel y los cabellos se engrasen con una mayor frecuencia.

Tratamiento médico

En realidad, la seborrea no es una enfermedad que requiera una terapia concreta. Sin embargo, la piel seborreica es caldo de cultivo propicio para las enfermedades purulentas y las micosis.

Autoayuda

Aunque muy importante es lavarse siempre bien la cara, aun lo es más hacerlo con productos suaves. Por ello, utilice –incluso para la cabeza– jabones suaves con pH neutro.

Acné

► Síntomas:

➜ piel grasa en la frente, nariz y mentón;
➜ marcas en el rostro y la espalda;
➜ nódulos inflamados, enrojecidos o purulentos.

Pocos son los jóvenes a los que no afecta el acné, alteración dermatológica producida por la retención de la secreción de las glándulas sebáceas, que ocasiona la inflamación o infección de éstas.

Esta enfermedad aparece durante la adolescencia, y obedece a alteraciones hormonales que se acompañan de una mayor producción de hormonas sexuales masculinas (enlos jóvenes de ambos sexos). Este es el motivo por el que se produce una mayor secreción sebácea, el endurecimiento de los conductos de evacuación de dichas glándulas y la consiguiente formación de los "comedones" (especie de tapones).

Si las glándulas sebáceas se inflaman y obturan, y no pueden evacuar su secreción, aparecen los granos y las diminutas formaciones quísticas en la piel.

Tratamiento médico

Si el acné reviste cierta gravedad, con granos y nudos inflamados e infectados, acuda obligatoriamente

Tatuaje y "piercing"

Las opiniones que sobre el tatuaje y el *piercing* tiene la sociedad actual están muy divididas, pero estos dos métodos de "embellecimiento" milenario han experimentado un auge sensacional en los últimos tiempos. La decisión de hacerse un tatuaje que embellezca el cuerpo, supone una determinación para toda la vida. Debe tenerse presente que el tatuaje es un dibujo permanente, realizado mediante la inserción de sustancias colorantes indelebles bajo la piel, de forma que no existe procedimiento alguno –ni tan siquiera con el láser– que pueda eliminarlo posteriormente sin que deje la menor huella. También puede producir reacciones cutáneas inesperadas, debidas casi siempre a una manipulación poco higiénica, a la incompatibilidad con los pigmentos empleados o por la mala aplicación de la técnica. La persona que realice el tatuaje ha de ser un profesional que adopte las oportunas medidas higiénicas: guantes de goma, agujas esterilizadas, desinfección cutánea, un envase de pigmentos nuevos para cada cliente, etcétera. En caso de no cumplirse estas sencillas medidas asépticas, existe un evidente peligro de infección de la herida y la posible transmisión de enfermedades infecciosas.

El *piercing* también exige similares medidas higiénicas, pues en caso contrario las heridas pueden infectarse. Al pincharla piel es posible que se produzca un poco de sangre o que se lesione algún nervioso, cosa esto último poco frecuente. Para evitar la reacciones cutáneas, conviene que los objetos del *piercing* sean de oro o de acero.

Los tatuajes de la piel son "complementos" muy difíciles y caros si después se desean quitar.

al dermatólogo para evitar la posible formación de cicatrices. En las afecciones más sencillas, basta con aplicar un producto limpiador de la piel o una crema antibiótica. Si los granos son muy grandes y se infectan con facilidad, la terapia incluirá antibióticos.

Autoayuda

Dado que la mayoría de los productos contra el acné sólo son eficaces a largo plazo, aplíqueselos regularmente y tenga paciencia. ¡No exprima nunca los granos con los dedos para vaciarlos! Su contenido afectaría a la piel circundante, con el agravamiento de la inflamación y la infección. Incluso podrían quedar cicatrices. En el aseo diario utilice jabones líquidos con el mismo pH de la piel, pero nunca jabones de tocador. También puede aplicarse emulsiones hidratantes, prescindiendo siempre de cremas o pomadas grasas.
Efectúe, dos o tres veces a la semana, una limpieza profunda de la piel con una crema exfoliante.

Rosácea

▶ Síntomas:

➜ manchas rojas, pequeños nódulos, pústulas, venitas en las mejillas, nariz, frente y mentón.

Esta lesión cutánea, que se localiza en el rostro, se caracteriza por una congestión con vasodilatación vascular. También se conoce como "barro" o "acné rosácea". Se desconocen las causas de por qué aparece hacia los 30 ó 40 años de edad.
Al extenderse hacia los ojos, una parte de las personas afectadas tienen complicaciones. Una forma especial de rosácea es la hipertrofia de la nariz.

Tratamiento médico

Si además de haberse extendido a los ojos las lesiones cutáneas son importantes, acuda cuanto antes a la consulta del dermatólogo. La terapia suele consistir en antibióticos, tanto por vía interna como externa.

Autoayuda

Evite la ingesta de alcohol, bebidas muy calientes, comidas picantes, el calor y el frío y la exposición intensa a la irradiación solar. Para evitar una estimulación adicional, puede aplicarse cremas suaves limpiadoras de la piel. En ningún caso utilice preparados de corticoides, ya que al suprimir la medicación puede aparecer una agravación masiva.

Dermatitis perioral

▶ Síntomas:

➜ enrojecimiento, nódulos, pústulas alrededor de la boca

➜ sensación de tensión, ocasionalmente picazón;

➜ borde de piel sana alrededor de la boca.

Este tipo de dermatitis se localiza en los alrededores de la boca. Las mujeres mayores suelen tener cierta predisposición a contraer la enfermedad.
Los síntomas aparecen primero en torno a la boca (*perioral*), y luego se extienden por la frente, mejillas, mentón y cuello. Sobre el origen de la dolencia aún se tienen muchas dudas.

Tratamiento médico

Si la inflamación es muy importante, consulte con el dermatólogo. Posiblemente le prescriba un tratamiento, interno y externo, con antibióticos.

Autoayuda

Utilice productos de higiene muy suaves y descarte los coméstICOS excesivamente grasientos.

Hiperhidrosis (sudoración excesiva)

▶ Síntomas:

➜ sudoración excesiva (axilas, manos, pies).

Este trastorno se caracteriza por la exagerada secreción de sudor. Recibe el nombre de "diaforesis". Afecta a las personas delgadas y altas, emocionalmente muy sensibles. Si el miedo o el temor se acentúa con la ingesta de estimulantes (café, té, alcohol, tabaco), se puede producir la "hiperhidrosis emocional", que hay que diferenciar de la hiperhidrosis como expresión de otras posibles enfermedades.

Tratamiento médico

Si existe una sudoración excesiva de manos y pies, la alternancia de baños relajantes ha demostrado su eficacia. La terapia interna incluye la administración de diversos productos.

Autoayuda

Vista prenda transpirables, que dejen pasar el aire y que absorban la humedad (algodón), así como zapatos que permitan "respirar" al pie.

Heridas

Herida es toda lesión causada por una energía exterior al cuerpo y que produce una solución de continuidad en piel, tejidos blandos o mucosas. Se clasifican según la causa, y se habla heridas mecánicas o originadas por un corte, pinchazo, mordedura; térmicas, producidas por calor o frío; y químicas, debidas a productos cáusticos y por radiaciones ionizantes y ultravioletas.

Las que habitualmente se conocen como heridas son las de tipo mecánico que, según su mecanismo de producción, pueden subdividirse a su vez en varios grupos:

- **Excoriaciones.** Muy discreta pérdida de sustancia, en la que sólo queda lesionada la capa superior de la piel.
- **Heridas incisas.** Presentan bordes lisos (un corte) y son de diferente profundidad, por lo que pueden lesionar vasos sanguíneos, nervios, tendones y músculos.
- **Heridas punzantes.** Aunque predomina la profundidad sobre la extensión, los bordes son lisos. Pueden llegar a ser tan profundas, que vayan acompañadas de complicaciones y un elevado peligro de infección.
- **Heridas contusas.** Con bordes irregulares y contundidos, lo que hace que el peligro de infección sea considerable debido a su posible necrosamiento y consiguiente foco de bacterias que penetran en el organismo desde el exterior.
- **Heridas lineales.** Son arañazos, rasguños y desgarros eventualmente ocasionados por objetos punzantes, estiletes, garras o uñas. Lo desigual de sus bordes hace que sea muy elevado el peligro que existe de infección.
- **Heridas causadas por mordedura.** Son potenciales transmisoras de toda una serie de infecciones: rabia, tétanos, infecciones por bacterias presentes en la flora bucal del animal, etcétera.
- **Heridas por arma de fuego.** Tienen diferente consideración, según sea su localización. La afectación de órganos internos hace que puedan complicarse con facilidad.

Tratamiento médico

Si no se está vacunado contra el tétanos, conviene que se lo haga saber a su médico (incluso si las heridas son pequeñas). Las heridas leves se tratan con un desinfectante y se cubren con un apósito. Las heridas grandes, el médico las desinfectará antes de suturarlas; luego, se controlará el proceso de cicatrización. Para las diferentes clases de heridas, existen múltiples tipos de compresas y vendajes que protegen de las infecciones e influyen en la curación. Aquellas heridas en las que hayan podido introducirse agentes patógenos en zonas profundas (inciso profundas, punzantes, mordeduras, por arma de fuego), así como cualquier otra en la que hayan transcurrido más de seis horas desde su producción, se consideran potencialmente infectadas y necesitarán de tratamiento antibiótico, además de valorar la procedencia o no de su sutura; así, las mordeduras se suelen dejar abiertas o, a lo sumo, aproximados sus bordes. En las heridas por desgarro y lacerocontusas, el médico eliminará los tejidos desgarrados y desvitalizados y, antes de suturar, alisará los bordes.

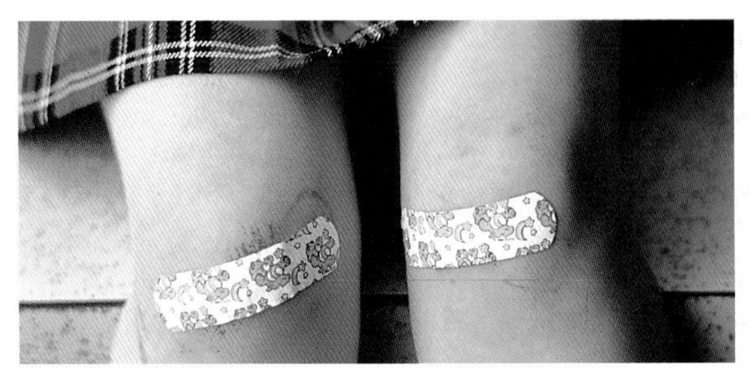

Las excoriaciones son muy frecuentes en las rodillas u otras partes del cuerpo de los niños. ¡Por este motivo, se recomienda la vacunación antitetánica!

Autoayuda

Cubra la herida con una compresa estéril y véndela. Aunque se empape de sangre, el vendaje no deberá cambiarse hasta que el médico pueda estudiar el alcance de la lesión.

Si no se dispone de material sanitario en casa, utilice ropa de cama o toallas lavadas, hervidas y alisadas con una plancha muy caliente. No toque la herida con los dedos. ¡Y en ningún caso la lave con agua! Si la hemorragia fuese muy intensa, aplique un vendaje compresivo o torniquete.

Ampollas subepidérmicas

► Síntomas:

→ aparición de ampollas en las plantas, talones o dedos de los pies.

La causa suele ser un calzado inadecuado, que produce roces durante las marchas, excursiones o al andar.

Tratamiento médico

Si aparecen ampollas subepidérmicas con frecuencia, conviene que acuda al dermatólogo. En alguıos casos, puede existir una propensión congénita. Tras abrir la ampolla y vaciar el líquido acumulado, el médico aplicará una compresa y un vendaje estéril.

Autoayuda

Procure elegir un calzado que se ajuste bien a su pie y que no le produzca rozaduras. Si va a realizar una excursión prolongada, no utilice jamás zapatos nuevos.

Úlceras de decúbito

► Síntomas:

- ➜ al principio, manchas cutáneas rojo azuladas muy bien delimitadas;
- ➜ más tarde, por necrosis de los tejidos, zonas grisáceas o amarillentas;
- ➜ finalmente, úlceras.

Las úlceras aparecen en personas obligadas a guardar cama durante mucho tiempo (enfermedad, accidente, operación o parálisis), localizándose en las zonas del cuerpo que se apoyan sobre un plano duro, pues la piel no recibe suficiente riego sanguíneo al quedar aprisionada entre esta superficie dura y el esqueleto. También son propias de quienes han de permanecer mucho tiempo sentadas en una silla de ruedas.

Asimismo, úlceras similares pueden aparecer –en un plazo de tiempo de unos pocos días– en aquellas personas que llevan un vendaje de yeso demasiado ajustado. Las úlceras surgen en las zonas donde la piel recubre directamente un hueso; los lugares más frecuentes son: zona glútea y región del hueso sacro.

Tratamiento médico

Cuando advierta los primeros síntomas, acuda al médico. El tratamiento, que requiere bastante tiempo y es difícil, incluye la aplicación de productos desinfectantes, antiinflamatorios y curativos. Para aliviar la presión de las heridas, son de gran importancia los dispositivos como cojines de agua o colchones especiales.

Autoayuda

El lema "prevenir es mejor que curar" está muy indicado en esta enfermedad, porque la curación de una zona lacerada requiere tiempo y cuidados intensivos; además, los resultados no son siempre satisfactorios. Si una persona cuida de otra que se encuentra en estas circunstancias, debe tener en cuenta que es preciso modificar frecuentemente la posición del enfermo, así como darle fricciones, ligeros masajes y, si fuere posible, ayudarle a realizar gimnasia correctora. Es importante que la ropa de cama y la vestimenta no formen arrugas y, a pesar de la sudoración y en casos de incontinencia, evitar que la piel se humedezca. Si tiene dolores debajo del vendaje de yeso, acuda al médico cuanto antes.

Queloide (cicatriz hipertrófica)

► Síntomas:

- ➜ proliferación excesiva de colágeno en el tejido conectivo;
- ➜ cicatrización formando una tumoración compacta, sobreelevada, de extensión y forma irregular, recubierta por una epidermis tensa y brillante;
- ➜ color pardo rojizo (si es reciente) o rosa pálido (si es más antigua);
- ➜ extensiones en forma de patas de cangrejo.

En ciertas personas se produce una cicatriz hipertrófica, que adquiere aspecto de un tumor cutáneo sobreelevado, duro, liso y de color rosado o pardo rojizo. Afecta a niños y adolescentes, mujeres y personas de piel morena u oscura. Estas cicatrices hipertróficas se producen sobre todo en la parte superior del tronco, por encima del esternón, en el rostro y en el cuello. Además de las heridas, también las quemaduras, el acné o las incisiones quirúrgicas pueden ocasionarlas. En su formación intervienen diversos factores individuales, que varían de unas personas a otras y que hacen imposible determinar quién va a desarrollar con el paso del tiempo un queloide y quién no.

Tratamiento médico

Si después de una lesión u operación observa que la cicatriz adquiere un aspecto hipertrófico, consulte con su médico. Además de un tratamiento corticoideo (pomadas o inyecciones), le prescribirá una crioterapia con nitrógeno líquido y vendajes compresivos. Las pomadas a base de productos vegetales pueden proporcionarle un buen resultado. Si la cicatriz hipertrófica tuviese que eliminarse mediante una intervención quirúrgica, el médico adoptará la decisión, pues en muchos casos la consecuencia inmediata suele ser una nueva cicatriz hipertrófica, incluso de mayor tamaño.

Autoayuda

No es posible.

Psoriasis

► Síntomas:

- ➜ focos delimitados, redondos y rojizos, con escamas blanco plateadas en los codos, rodillas, cuero cabelludo y tronco;
- ➜ coloración pardo verdosa de las uñas ("manchas de aceite"), con un fino piqueteado por el cuerpo de la uña.

La psoriasis es una enfermedad crónica de la piel, de causa desconocida, que se caracteriza por la aparición de lesiones en relieve de coloración rojiza (*eritematosa*), de pequeño tamaño (*pápulas*) o de mayor extensión, cubiertas por escamas blanquecinas. Esta enfermedad no es contagiosa, pero sí hereditaria. Alrededor de un 2% de la población padece psoriasis.

Las alteraciones cutáneas descritas son consecuencia de un excesivo endurecimiento de la piel, debido a las gruesas escamas plateadas y poco adherentes que la recubren. Los desencadenantes que actúan sobre la persona psoriática pueden ser: pequeñas lesiones casi imperceptibles (al cepillarse), medicamentos, alcohol, infecciones, estrés y sobrepeso.

La psoriasis puede ser aguda o crónica. En la aguda o "eruptiva" las lesiones típicas de la enfermedad aparecen, después de una infección, repentinamente y en gran cantidad. La forma crónica se caracteriza por lesiones casi permanentes, que apenas se modifican con el tiempo. En el 5% de las personas enfermas afecta a las articulaciones (*artritis psoriática*), y cursa con un carácter muy agresivo. Las pústulas purulentas (*psoriasis pustulosa*) aparecen pocas veces en la psoriasis. Esta enfermedad es insidiosa y de duración imprevisible. Mientras algunos afectados padecen un solo brote en su vida, que llega a durar semanas o meses, otros sufren brotes más o menos intensos durante muchos años.

Tratamiento médico

La terapia más adecuada depende del diagnóstico del dermatólogo. Al iniciar la terapia es necesario eliminar las escamas, para así evitar que impidan la acción de los agentes terapéuticos. Para dificultar la formación de escamas plateadas gruesas, se pueden aplicar diversas pomadas.

De acuerdo con las observaciones efectuadas respecto a la positiva influencia que la exposición al sol ejerce sobre esta enfermedad, se han desarrollado diferentes formas de fototerapia. Para incrementar la sensibilidad a la luz, la denominada PUVA (un tipo de terapia) incluye la administración de una sustancia sensibilizante (de forma local o sistémica) y, a continuación, la aplicación de las radiaciones UVA prescritas.

Autoayuda

Contra la predisposición hereditaria a contraer la psoriasis, nada puede hacerse. Pero sí puede intentarse eliminar los brotes, evitando los desencadenantes conocidos (alcohol, tabaco, sobrepeso, medicamentos). También es importante que la piel no se reseque, por lo que conviene ducharse, aunque no con excesiva frecuencia, con agua bien caliente y, a continuación, aplicarse una crema hidratante sobre la piel aún húmeda. Los baños de sol y el aire libre, a orillas del mar o en la alta montaña –pero todavía mejor en el Mar Muerto– pueden contribuir a la mejoría de la enfermedad.

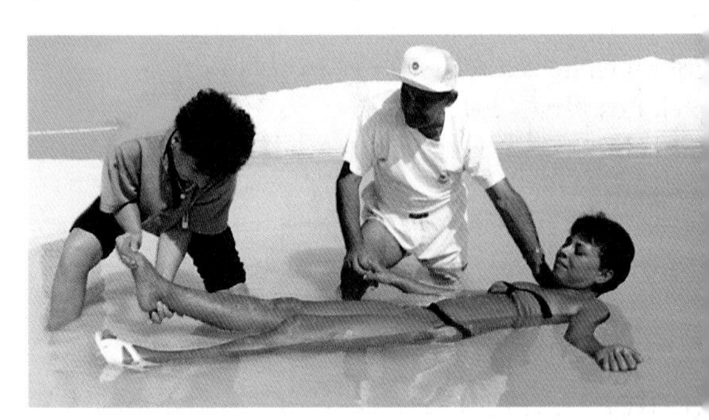

El sol y la elevada salinidad de las aguas de algunos mares alivian las molestias que causa la psoriasis.

Ictiosis

► Síntomas:

- ➜ piel seca con creciente formación de escamas, dando un aspecto engrosado y envejecido.

Esta afección cutánea, en la que se forman escamas parecidas a las del pescado, reseca la piel y provoca su agrietamiento y deterioro, sufriendo una descamación fina y diseminada. Puede ser de origen hereditario, y se presenta de diferentes formas: la más frecuente es la ictiosis autosómica dominante común, que no afecta a las articulaciones.

Los primeros síntomas aparecen ya cuando el niño tiene entre uno y dos años de edad. En segundo lugar está la ictiosis ligada al cromosoma X, que aparece casi inmediatamente después de nacer. Esta ictiosis produce escamas más grandes y afecta a las articulaciones. Pero aunque menos frecuentes, aún existen diversas formas más de ictiosis. Debido a la menor capacidad de resistencia de la piel, las personas que padecen ictiosis son propensas a los eccemas.

Tratamiento médico

La base de la terapia consiste en mantener el equilibrio de grasa en la piel. Muy indicados son los medicamentos que contienen urea, como también son beneficiosos los baños con agua salada (1 a 3 kg de sal común por baño completo) o aceite para baño.
Si el proceso patológico es grave pueden administrarse derivados del ácido retinoico (vitamina A), pero la mejoría queda limitada al período que dura la toma del medicamento.

Autoayuda

En el momento de elegir una profesión, sería conveniente sopesar hasta qué punto puede afectar a la piel. Los productos desengrasantes empeoran la enfermedad. En el caso de ictiosis ligada al cromosoma X, los padres que desean tener hijos deberían de informarse previamente en un centro de planificación familiar o de asesoramiento genético.

Neurofibromatosis (enfermedad de von Recklinghausen)

▶ Síntomas:

- ➜ pequeños tumores blandos, del color de la piel o azulados (*neurofibromas*);
- ➜ piel con manchas y pigmentos pardo amarillentos (manchas "café con leche");
- ➜ pigmentación en forma de manchitas pequeñas en las axilas e ingles;
- ➜ son posibles los ataques epilépticos, merma de la capacidad auditiva y trastornos y desajustes del equilibrio (→ Neurinoma acústico).

Esta enfermedad es un trastorno hereditario autosómico dominante, que se caracteriza por el desarrollo de múltiples tumores (*neurofibromas*) benignos de los nervios medulares y craneales , así como por la presencia de manchas pigmentadas y tumores en la piel. El criterio para considerar el diagnóstico del cuadro neurofibromatoso, que recibe el nombre de enfermedad de von Recklinghausen en honor de quien la descubrió, es el que han de existir al menos cinco manchas "café con leche" (→ Síntomas) con un diámetro de alrededor de 1,5 centímetros. Sólo en raras ocasiones se detecta la presencia de tumores malignos. La herencia tiene el carácter de autosómica dominante, es decir, estadísticamente la enfermedad se transmite a la mitad de los descendientes.

Tratamiento médico

El control periódico de la enfermedad, que avanza hacia su cronicidad, se hace imprescindible. Lamentablemente, las causas no pueden recibir un tratamiento terapéutico. Por su parte, los molestos neurofibromas, así como los tumores malignos, han de ser extirpados quirúrgicamente.

Autoayuda

No es posible.

Liquen ruber

▶ Síntomas:

- ➜ elevaciones de la piel de poco tamaño, pápulas de color rojo azulado, superficie pulida y brillante, prurito;
- ➜ piel serosa con un dibujo blanquecino, reticular.

Su etiología es desconocida, pero parece ser que los factores psíquicos desempeñan cierto papel en su desarrollo. Algunas enfermedades hepáticas se relacionan con la aparición de este liquen. La lesión cutánea afecta principalmente a la cara de flexión de las muñecas y antebrazo, así como a la región glútea y tobillos. También puede afectar a las mucosas. Es una afección que tiende a la recidiva, es decir, reaparece una vez superado el primer brote.

Tratamiento médico

El dermatólogo se encargará de diagnosticar y diferenciar correctamente esta enfermedad dermatológica de otras enfermedades cutáneas. La terapia es difícil, y normalmente requiere mucho tiempo.
Los corticoides se aplican localmente, pero en casos muy graves se hace por vía oral. La radiación con UV (→ Psoriasis) ha demostrado su eficacia. Si el prurito martiriza al paciente, la administración de antihistamínicos o tranquilizantes puede ayudar.

Autoayuda

No es posible. Por mucho que le pique, no debe rascarse para no extender los focos por toda la piel.

Pitiriasis rosada

▶ Síntomas:

➜ primero un foco rojo claro, redondo y con borde escamoso, en la parte lateral del tronco;
➜ unos días o semanas más tarde, erupción en el tronco de los pequeños focos redondos y escamosos, que se extienden por la parte superior de brazos y piernas;
➜ en algunos casos, discreto prurito.

La pitiriasis rosada es una erupción exantemática maculopapulosa descamativa, que afecta básicamente al tronco y está producida por un agente viral. Es una enfermedad benigna, no contagiosa, que ataca a los jóvenes. Muchas veces aparece como consecuencia de una infección, pero su auténtica etiología sigue siendo desconocida. El primer síntoma es la aparición en el tronco de "placas primarias". Algunos días o semanas después, aparece una erupción simétrica en el cuerpo. Las lesiones cutáneas siguen las líneas de tensión de la piel, adoptando la forma de un medallón con bordes algo elevados que presentan una fina descamación. A veces cursa con un intenso prurito. Transcurridos uno o dos meses, las lesiones producidas en la piel desaparecen poco a poco.

Tratamiento médico

Visite a su dermatólogo, para que verifique el diagnóstico de esta enfermedad y excluya cualquier otra que pueda cursar con un cuadro clínico parecido. Como la erupción desaparece por si sola, por regla general no se necesita adoptar terapia alguna. Si el prurito fuera intenso, se puede aplicar una tintura a base de cinc o una crema con bajo porcentaje de cortisona.

Autoayuda

Si se baña o se ducha con frecuencia, puede excitar la piel y propiciar la erupción; es preferible, pues, darse baños de aceite. Evite los baños de vapor, la sauna, los masajes y la sudoración excesiva.

Albinismo

▶ Síntomas:

➜ piel muy clara (blanco lechosa), cabellos blancos o amarillentos;
➜ ojos rojos.

Su causa es la falta congénita de melanina, por lo que el número de células pigmentarias de la piel es inferior a lo normal. Consiste en la no conversión de la tirosina en melanina. Las personas que lo padecen son muy pálidas y se les conoce como albinos (*albus,* en latín), se muestran sensibles a la luz y padecen diferentes trastornos oculares más o menos acusados.

Tratamiento médico

Debido a la posible aparición de enfermedades en los años de juventud, o eventualmente un cáncer de piel, los controles dermatológicos periódicos se hacen recomendables. Lo particular de la enfermedad no permite una terapia médica efectiva.

Autoayuda

La mejor prevención es protegerse siempre de la irradiación solar.

Vitíligo

▶ Síntomas:

➜ máculas claras o blancas o zonas enteras.

Esta enfermedad es una hipomelanosis (defecto de pigmento) circunscrita, consecuencia de un hipofuncionalismo de los melanocitos. Las causas que la provocan se desconocen, pero lo cierto es que puede aparecer en cualquier momento, generalmente en edades comprendidas entre los 10 y los 30 años. La tendencia a contraerlo parece ser hereditaria, ya que casi la mitad de los pacientes tiene antecedentes familiares.

Tratamiento médico

Como las personas que padecen vitíligo sufren frecuentemente trastornos funcionales del tiroides u otras enfermedades de tipo hormonal, es indispensable que pasen reconocimientos médicos periódicos. Lamentablemente aún no se dispone aún de una terapia satisfactoria. El tratamiento empleado es similar al de la psoriasis con rayos UV. Localmente puede intentarse la aplicación de preparados que contengan cortisona, pero ambas terapias no deben utilizarse con los niños.

Autoayuda

Las máculas del vitíligo puede cubrirlas con maquillaje resistente al agua. Como las zonas cutáneas afectadas son extremadamente fotosensibles, también debe aplicarse la necesaria protección solar.

Estrías cutáneas

► Síntomas:
- → líneas debidas a una distensión de la piel;
- → al principio, rojo vinosas; más tarde, blanquecinas.

Aunque pudiera parecer que sólo aparecen en las embarazadas, estas lesiones cutáneas las padecen dos de cada tres chicas jóvenes y una de cada tres niñas durante la pubertad. Son estrías que aparecen en la piel de las zonas sometidas a distensión, como abdomen, nalgas y mamas, y que se deben a roturas de la continuidad epidérmica. Otra posible causa puede ser el tratamiento externo e interno con preparados de cortisona. Las "estrías de la pubertad" suelen ser frecuentes en la zona inferior de la espalda y en los muslos, mientras que las propias del embarazo aparecen en las zonas laterales de la pared abdominal, caderas, muslos y mamas.

Tratamiento médico

Nada más que advierta la aparición de estrías cutáneas fuera del embarazo o de la pubertad, consulte con su médico. Las causas que las originan pueden ser el exceso de hormonas que las glándulas suprarrenales han pasado a la sangre, sobre todo cortisol. Contra las estrías cutáneas en las mujeres embarazas, no existe un tratamiento plenamente efectivo.

Autoayuda

No es posible. Evite el uso innecesario de cortisona o preparados que la contengan.

Celulitis

► Síntomas:
- → acumulaciones adiposas pequeñas y onduladas en las caderas, muslos, nalgas y abdomen;
- → ocasionalmente, sensación de tensión.

Aunque para muchas mujeres la celulitis representa un considerable problema de orden psíquico, lejos de ser una enfermedad no es sino una alteración cutánea específica del sexo femenino. Por una parte, el tejido conjuntivo existente entre la epidermis y la dermis de la mujer es más delgada que en los hombres y, por otra, el tejido conectivo de las mujeres es rico en células adiposas bastante grandes, espaciadas y unidas entre sí de forma reticular. La denominada "piel de naranja" aparece cuando las células adiposas aumentan de tamaño, o dejan de recibir el apoyo suficiente del tejido conectivo (al principio sólo visible si se pellizca un poco la piel). El exceso de peso y la falta de ejercicio físico propician la aparición de este fenómeno.
El concepto de "celulitis" aplicado a esta alteración de los tejidos cutáneos –principalmente de la mujer– es engañoso, pues la terminación "itis" en lenguaje médico siempre se aplica para designar a una inflamación y en la celulitis no existe el menor proceso inflamatorio.

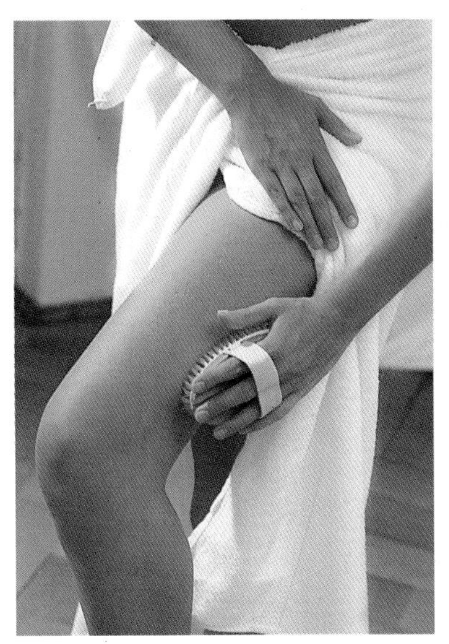

Los masajes con un cepillo seco mejoran la circulación sanguínea de la piel y contribuyen a la eliminación de sustancias de desecho.

Tratamiento médico

El drenaje linfático y una terapia que incluya ejercicios físicos (especialmente para fortalecer la musculatura de las piernas y los tejidos conjuntivos, gimnasia en el agua) sirven de gran ayuda.

Autoayuda

La oferta publicitaria de multitud de cremas y aceites para la celulitis, lejos de eliminarla sólo hará que la persona afectada gaste su dinero. El único tratamiento realmente efectivo se basa en reducir peso mediante una dieta alimentaria equilibrada, rica en fibras, y en una constante y regular actividad deportiva. Algunos deportes muy apropiados son: ciclismo, atletismo, natación, excursionismo y ejercicios con diversas rutinas que sigan programas de gimnasia especiales, que sirven para robustecer las musculaturas del abdomen, glúteos y piernas. A esta práctica física, pueden sumarse los masajes en la zona afectada con un cepillo seco.

Nevo pigmentado

► Síntomas:

➜ máculas de color pardo claro a oscuro, del tamaño desde una cabeza de alfiler hasta el aproximado a la palma de la mano.

El nombre de nevo, o *nevus*, se utiliza para designar a una clase de tumores benignos de los melanocitos, que aparecen como una proliferación de éstos. Desde un punto de vista médico, se presentan como máculas, pápulas o nódulos pigmentados, pudiendo ser simples o celulares. Excepción son los gigantescos nevos pigmentarios. Por regla general, son intensamente pilosos y ocupan una gran superficie. Apenas una tercera parte de los graves melanomas, se desarrollan a partir de un nevo nevocelular existente ya desde hace muchos años.

Tratamiento médico

Si observa alguna alteración en un nevo pigmentado, acuda al médico para su control. Dado que es posible el desarrollo de un melanoma, conviene la extirpación quirúrgica del nevo y su análisis microscópico. Con el fin de prevenir su posterior malignización, convirtiéndose en un cáncer de piel, los nevos pigmentados gigantes deberían eliminarse ya en la infancia.

Autoayuda

→ Nevos: ¿benignos o malignos?

Nevos: ¿benignos o malignos?

Los nevos son una serie de malformaciones cutáneas congénitas, o que se desarrollan durante los primeros años de vida o en la pubertad. Según su origen (por ejemplo, el tejido conjuntivo o los vasos sanguíneos), se clasifican en diferentes grupos.

Por regla general, los nevos, o *nevus*, son tumores benignos que no entrañan ningún peligro. Sin embargo, conviene observarlos periódicamente para detectar cualquier posible variación, porque pueden convertirse en peligrosos melanomas. Si un nevo aumenta de tamaño, altera su color, muestra escamas o una superficie coriácea, produce picazón, sangra, se inflama o incluso comienza a extenderse formando nuevos nevos, debe consultarse obligatoriamente con el dermatólogo.

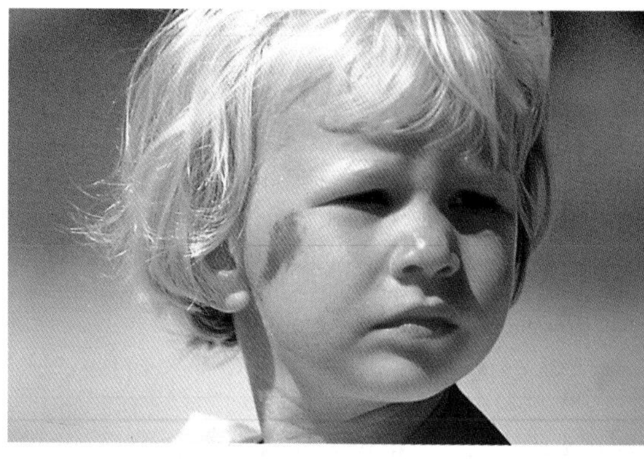

Aunque en principio no deben preocupar lo más mínimo, toda persona de piel clara posee nevos pequeños o grandes.

Angiomas

► Síntomas:

➜ puntos rojos rodeados de dilataciones arteriolares, que se extienden sobre la superficie cutánea en forma de estrella.

Por regla general, estos nevos no representan más que un problema estético. Pero si aparecen en elevado número, la causa hay que buscarla en una cirrosis hepática o en una colagenosis.

Tratamiento médico

Si los nevos se convierten en un problema estético, o aparecen en elevado número, acuda a la consulta del dermatólogo. Estas alteraciones cutáneas se eliminan fácilmente mediante una electroaguja o empleando rayos láser.

Autoayuda

No es posible.

Verrugas seborreicas

► Síntomas:

➜ alteraciones cutáneas, de moreno claro a negras, planas o elevadas y con la superficie agrietada.

Llamadas también "verrugas seniles", suelen ser prominencias queratósicas que se forman durante el transcurso de los años. Normalmente, aparecen sobre el tronco y el rostro de las personas a partir de los 40 años de edad. Aunque son tumores benignos, pueden inflamarse, infectarse y sangrar con facilidad.

Tratamiento médico

Las verrugas seniles o seborreicas pueden mostrar cierto parecido con los melanomas. Si existe algún tipo de duda al respecto, consulte de inmediato con el dermatólogo. En caso de que realmente se trate de una verruga senil, podrá eliminarse quirúrgicamente. Una vez extirpada, la verruga se analizará al microscopio.

Autoayuda

No es posible.

Lipomas (tumoraciones benignas en zonas liposas)

► **Síntomas:**
- ➜ tumoración flexible y blanda de la piel, individuales o en grupos; ocasionalmente, también dolorosas.

Los lipomas son tumoraciones benignas, pero frecuentes; pueden localizarse en casi cualquier parte del organismo, aunque son más frecuentes en zonas con abundancia de tejido adiposo.

En casos extraordinarios, estas tumoraciones pueden alcanzar e incluso superar el tamaño de la cabeza de un niño. Cuando su presencia es muy numerosa, se habla de “lipomatosis”. Los familiares de personas afectadas, también pueden tener estos depósitos anómalos de grasa en su organismo.

Tratamiento médico

Cualquiera que sea la forma que adopte el lipoma, acuda al dermatólogo, aunque sólo sea para descartar la presencia de un tumor maligno. Los lipomas estéticamente molestos o los dolorosos, pueden extirparse mediante una intervención quirúrgica.

Autoayuda

No es posible.

Hemangiomas (angiomas sanguíneos)

► **Síntomas:**
- ➜ formaciones cutáneas blandas, esponjosas y de color rojo intenso o azul violeta.

Los hemangiomas son formaciones desarrolladas a cuenta de los vasos sanguíneos. De naturaleza benigna, el niño ya nace con ellos; suelen aparecer en la cabeza. Pueden alcanzar el tamaño de un guisante, pero también llegar a cubrir la mitad del rostro. La alteración cutánea cabe la posibilidad de que ofrezca un tacto esponjoso como, al contrario, lo sea duro y compacto.

Tratamiento médico

Aunque estas alteraciones cutáneas desaparecen en tres de cada cuatro niños cuando se encuentra en edad escolar, deben tratarse lo antes posible.

Sobre todo durante los primeros años, los hemangiomas se van haciendo cada vez mayores; por este motivo, cuanto más pequeño sea tanto más fácil será su tratamiento con frío, o bien su cauterización, y el resultado estético mejor.

Autoayuda

No es posible.

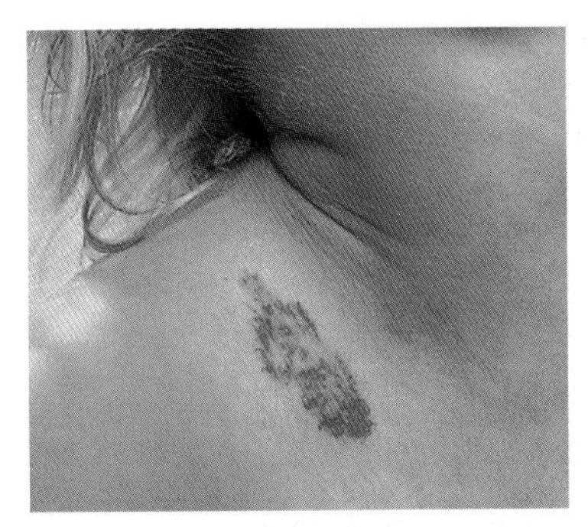

De eliminación relativamente sencilla, los hemangiomas se forman en cualquier parte del cuerpo.

Hemangiomas seniles

► **Síntomas:**
- ➜ tumoraciones planas, palpables, del tamaño de una cabeza de alfiler y color rojo brillante.

Se trata de angiomas no peligrosos, que aparecen en muchas personas a edades avanzadas. En ciertas ocasiones, estas alteraciones cutáneas pueden ser bastante numerosas y extenderse especialmente por el tronco.

Tratamiento médico

Acuda al dermatólogo para que descarte cualquier otra enfermedad. Si el paciente desea eliminar el hemangioma por motivos estéticos, podrá hacerlo quirúrgicamente o mediante la adopción de un tratamiento con rayos láser.

Autoayuda

No es posible.

Cáncer de piel, cáncer cutáneo

Los tumores malignos de la piel pertenecen a los tipos de cáncer más frecuentes. Uno de los motivos del aumento registrado por estas enfermedades radica en el "culto" al bronceado de la piel, ya que –como ha quedado demostrado– la luz solar desempeña un papel importantísimo en la aparición del cáncer de piel. Estadísticamente se ha comprobado que de cada 20 patologías registradas (en países con intensa radiación solar) por cada 100 000 habitantes, el cáncer de las células basales o basalioma ocupa el primer lugar, seguido por tumores cutáneos del melanoma maligno y por el carcinoma espinocelular, con entre 8 y 14 enfermos, respectivamente, por el mismo número de habitantes.
Se llaman enfermedades "premalignas" (formas precoces del cáncer), aquellas dolencias en las que, como en el caso de las queratosis actínicas, las células malignas todavía se localizan en la zona de la epidermis. En la página 576 se reseñan informaciones oportunas, que incluyen su prevención, las señales de advertencia y los posibles tratamiento de las enfermedades cancerosas.

Queratosis actínica

▶ Síntomas:

➜ ligero engrosamiento cutáneo, circunscrito a la capa córnea de la epidermis y de tacto áspero; de color amarillo grisáceo hasta castaño.

Las queratosis actínicas (endurecimientos cutáneos producidos por las radiaciones solares) suelen aparecer frecuentemente a edades avanzadas. Afectan a personas de piel clara y sensibles a los rayos solares, que permanecen mucho tiempo expuestas a la irradiación solar. Si no se recibe el tratamiento oportuno, las queratosis actínicas pueden evolucionar y convertirse en carcinomas espinocelulares.

Tratamiento médico

Para que le imponga la terapia apropiada que evite la formación del cáncer, consulte con su dermatólogo. El tratamiento puede consistir en la extirpación quirúrgica o en la crioterapia; en las formas precoces, se puede usar fenol o pomadas de 5-fluorouracil.

Autoayuda

Para evitar las queratosis actínicas, lo mejor es no exponerse a la radiación solar.

Carcinoma espinocelular o escamoso

▶ Síntomas:

➜ costras verrugosas, color pardo;
➜ pequeños tumores queratinosos duros, generalmente indoloros;
➜ tardía descomposición del tejido principal de la tumoración (*ulceración*).

Este carcinoma, llamado también "escamoso", aparece en zonas epidérmicas expuestas al sol, como el rostro y dorso de las manos, así como en las zonas mucosas (lengua, pene, vulva, ano). Suele atacar preferentemente a las personas mayores de 60 años de edad. Su aparición se ve favorecida por la intensa exposición al sol, pero también por el alquitrán, el humo de los cigarrillos (*carcinoma labial*), arsénico, cicatrices, infecciones víricas y, en el caso del pene, por la falta de higiene. Las fases previas del carcinoma espinocelular pueden ser las → Queratosis actínicas. Si el carcinoma no se detiene a tiempo, el tumor "se come" el tejido circundante, sin que lo detengan los cartílagos ni los huesos.
Finalmente, se produce la dispersión por metástasis.

Tratamiento médico

En un primer momento, la terapia incluye la intervención quirúrgica. Posteriormente, terapias de frío (*criogénicas*), radioterapia y quimioterapia.

Autoayuda

Protéjase de la radiación solar (→ Así actúa el sol sobre la piel). Además de hacer posible la aparición de un carcinoma espinocelular, el tabaquismo también aumenta el riesgo de contraer carcinoma de pulmón. La higiene reduce el riesgo de contraer carcinoma de pene (→ Inflamaciones/Tumores en el pene).

Basalioma (carcinoma de células basales)

▶ Síntomas:

➜ tumoración nodular, de aspecto céreo y finísimas venitas, rodeada de nódulos nacarados alineados;
➜ raras veces en forma de cicatriz y plano.

Este carcinoma de células basales, suele ser la forma más frecuente de cáncer de piel. Aunque no suelen aparecer focos morbosos secundarios (no da metástasis), en realidad tampoco es un cáncer benigno porque presenta una importante invasión de los tejidos sobre los que se asienta (invasión local). El carcinoma aparece sobre todo en el rostro y, a su vez, en las líneas que comunican el ángulo bucal con la oreja. Al igual que en el caso del carcinoma espinocelular, la intensa exposición a los rayos solares desempeña un papel fundamental en su formación. Para las personas de piel clara, o con piel muy sensible (→ Tipos I y II, página 464), representa un riesgo primordial.

Tratamiento médico

Acuda lo antes posible al dermatólogo, ya que cuanto antes le diagnostiquen el carcinoma de células basales menores serán las posibilidades de recurrir a la intervención quirúrgica. Otros procedimientos terapéuticos de esta enfermedad son: la crioterapia y la radioterapia.

Autoayuda

Protéjase debidamente y evite la exposición directa a los rayos solares.

Melanoma maligno

▶ Síntomas:

➜ mancha pardo-negruzca o nódulos.

El melanoma es una neoplasia que afecta a la piel y las mucosas. Este tipo de tumor negro o melanoma maligno es la peor de las neoplasias cutáneas y de las mucosas. Su gran peligro radica en la rapidísima formación de metástasis. La distribución de las células tumorales por el cuerpo (*metastatización*) puede efectuarse a través de las vías linfáticas o sanguíneas. Durante los últimos años ha aumentado considerablemente el número de melanomas malignos en todo el mundo. Los científicos admiten que una de las causas podría ser la frecuente e intensa exposición al sol, consecuencia de los nuevos hábitos y de un mayor tiempo de ocio; además, hay que tener en cuenta el aumento de tamaño de los agujeros de ozono. Pero los factores más importantes en la formación del melanoma maligno son, sobre todo, la piel clara (→ Así actúa el sol sobre la piel) y las insolaciones durante la infancia.

Las mujeres de nuestras latitudes están doblemente expuestas a este tipo de carcinoma que los hombres. En las mujeres parece desarrollarse preferentemente en las piernas; en los hombres, en el tronco. Pero fundamentalmente puede verse afectada cualquier superficie cutánea; también, las mucosas (región genital, bucal). En tan sólo uno de cada tres casos registrados, el melanoma maligno se desarrolla a partir de un nevo existente en la persona desde hace años.

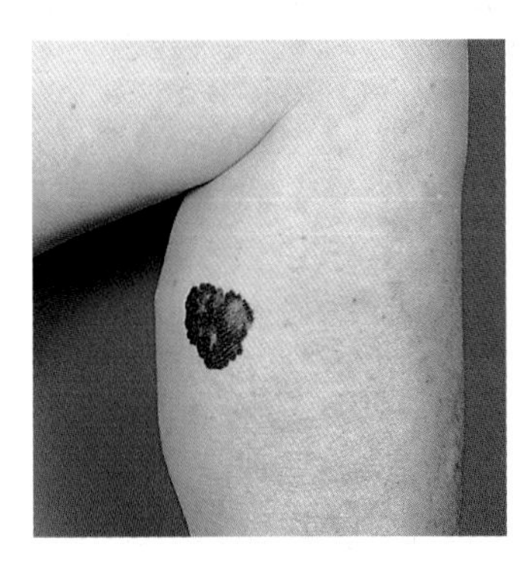

Frecuentemente el melanoma maligno aparece en la pierna, y es de similar aspecto al de los nevos oscuros.

Tratamiento médico

Ante la menor sospecha, consulte inmediatamente con el dermatólogo. Si el tumor se diagnostica precozmente y se aplica la terapia adecuada, existen posibilidades de curación. El tratamiento debería realizarse en una clínica especializada en este tipo de tumores. La alternativa terapéutica consiste en la extirpación del tumor mediante intervención quirúrgica, respetando entonces la adecuada distancia de seguridad (distancia desde el tumor hasta el borde de la incisión), aunque este extremo siempre estará en consonancia con lo arraigado que se halle el tumor, que puede alcanzar una profundidad de hasta tres centímetros. Del grosor del tumor dependerá también el vaciado de las vías y ganglios linfáticos, imprescindible durante la operación. Pero si el melanoma maligno ya ha producido metástasis, el pronóstico se ensombrecerá muchísimo. No obstante, en la actualidad estos casos tardíos de melanoma admiten la aplicación de diferentes quimioterapias e inmunoterapias.

Autoayuda

De vez en cuando, conviene observar personalmente la piel de todo el cuerpo, cuidadosamente y con tranquilidad. Cualquier alteración sospechosa que vea o cualquier nevo que se detecte, debería reconocerla el dermatólogo (→ Nevos, ¿benignos o malignos?).

Recuerde que siempre ¡es preferible acudir una vez más al médico que una de menos! Prevenga el cáncer protegiéndose de los rayos solares.

Colagenosis (enfermedades del colágeno)

Este concepto abarca un amplio conjunto de enfermedades de naturaleza inmunológica. Las enfermedades suelen ser debidas a una formación anómala de colágeno, con la consecuente aparición de fibrosis en diferentes tejidos. Las colagenosis más importantes que afectan a la piel de las personas son: la denominada esclerodermia y el lupus eritematoso.

Esclerodermia

▶ Síntomas:

➜ **esclerodermia circunscrita (morfea):** al principio, enrojecimiento en forma de manchas, y endurecimientos blanco-amarillentos de borde amoratado;

➜ **esclerodermia sistémica:** los dedos de la mano se "entumecen" (→ Fenómeno Raynaud), endurecimiento y piel tensa, trastornos de la deglución, dificultad respiratoria, tos, afonía, sensación de debilidad, dolor articular y muscular.

La diferencia que existe entre la *morfea* y la *esclerodermia* es que mientras en la primera se trata de una esclerodermia limitada a la piel, en la segunda participan los órganos internos y del aparato locomotor (*esclerodermia sistémica*). El curso evolutivo de esta enfermedad es lento y progresivo, y de duración variable. En las últimas fases, la piel se seca hasta que se esclerosa.
La *morfea* suele afectar a los niños y adolescentes. El proceso de la enfermedad es impredecible, pero por regla general suele desaparecer por sí misma.
La *esclerodermia sistémica* suele presentarse en la edad adulta, o en edades avanzadas. Se detecta por la presencia de ciertos anticuerpos que actúan en contra de parte de los componentes celulares del propio cuerpo, pero en realidad la verdadera causa de esta grave enfermedad todavía es desconocida.

Tratamiento médico

En caso de que padezca *morfea*, consulte lo antes posible con el médico para que establezca claramente el diagnóstico y descarte la existencia de la peligrosa esclerodermia sistémica. Hoy día se utiliza, con grandes posibilidades de alcanzar la curación, una terapia con rayos UV.

El diagnóstico de *esclerodermia sistémica*, sólo se confirmará después de un exhaustivo reconocimiento que permita determinar qué tratamiento es el más adecuado para cada paciente concreto. Asimismo, gran importancia desempeña la terapia que incluye la actividad física (ejercicios físicos de determinados movimientos, baños, masajes, gimnasia respiratoria). La esclerodermia sistémica es una grave enfermedad crónica que exige una atención constante, de estrecho seguimiento y basada en la confianza con el médico.

Autoayuda

Se recomienda buscar contactos con grupos de apoyo o asociaciones de afectados por la esclerodermia.

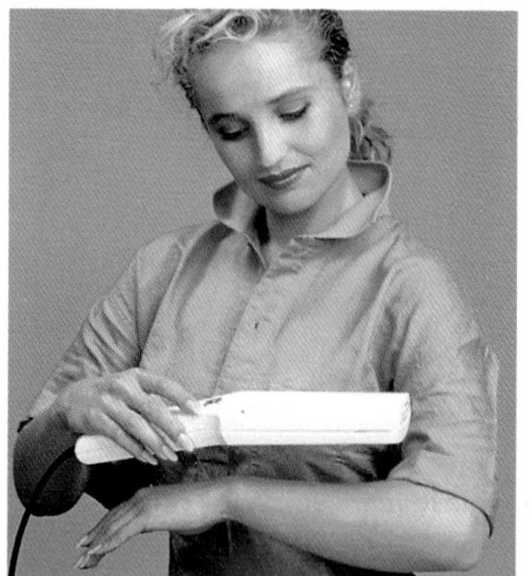

Si la esclerodermia sólo afecta determinadas zonas cutáneas, la terapia con rayos ultravioleta puede ser muy beneficiosa.

Lupus eritematoso

▶ Síntomas:

➜ **lupus discoide:** placas eritematosas (*discoidales*), enrojecidas, muy sensibles al tacto, escamas adheridas al foco; posibles alteraciones de la mucosa bucal;

➜ **lupus eritematoso sistémico:** eritema de las mejillas en forma de mariposa, molestias articulares, cefaleas, caída del pelo, hinchazón de ganglios linfáticos, anemia hemolítica, alteraciones de la mucosa bucal y muchos otros síntomas.

El concepto lupus eritematoso corresponde a varios cuadros clínicos (en latín, *lupus* significa "lobo"; en Medicina, determina un eritema maligno). El espectro abarca desde el lupus de forma discoide, circunscrito a la piel, hasta el muy grave lupus eritematoso sistémico, que pone la vida en peligro. El lupus eritematoso dis-

coide lo contraen más las mujeres que los hombres; y, entre otras cosas, afecta a las superficies cutáneas de las personas después de grandes exposiciones a los rayos del sol (es decir, cursa con fotosensibilidad).
El lupus eritematoso sistémico curiosamente es una enfermedad que contraen las mujeres jóvenes. La enfermedad puede afectar a todos los órganos del cuerpo; a ello se debe que los síntomas sean tan variados. Muchas veces, como primer síntoma se manifiesta el enrojecimiento de las mejillas, que adopta la forma de una mariposa. La enfermedad adopta la forma de crónica, transcurriendo con brotes sucesivos.

Tratamiento médico

Si tiene síntomas de *lupus discoide*, consulte inmediatamente con su médico para que descarte cualquier otra forma sistémica. Algunos focos pueden tratarse con corticoides y con crioterapia. Además, se administrará cloroquina, un fármaco antimalárico.
En caso de *lupus eritematoso* sistémico, consulte lo antes posible con su médico. Según la gravedad de la enfermedad, pueden administrarse cloroquina u otros medicamentos inmunodepresores.

Autoayuda

La luz solar puede empeorar la virulencia de la enfermedad, por lo que lo más adecuado es que adopte medidas para protegerse de ella. Durante las recaídas periódicas del lupus eritematoso sistémico, evite los problemas tanto psíquicos como físicos.

Dermatosis vesiculares

El concepto de "dermatosis vesicular" agrupa varias dermatosis cuyo denominador común es su proceso crónico y la formación de ampollas. Las dos enfermedades más importantes son: el → Pénfigo vulgar y el → Penfigoide.

Pénfigo vulgar (*Pemphigus vulgaris*)

► Síntomas:

- ➜ dolorosas alteraciones de las mucosas bucales;
- ➜ ampollas llenas de líquido claro, que revientan con rapidez;
- ➜ focos que supuran, costras.

El pénfigo vulgar suele sobrevenir en las edades media y avanzada de la vida de las personas, caracterizándose por la erupción de ampollas llenas de líquido, que predominan en los pliegues cutáneos y que llegan a afectar a las mucosas, sobre todo a las bucales, que sangran fácilmente. Las primeras señales pueden ser dolorosas alteraciones tisulares, que sangran ligeramente. Más tarde aparecen ampollas en lugares dispersos de la cabeza u ombligo. Si la enfermedad no recibe la terapia correcta, la vida puede correr peligro.

Tratamiento médico

Nada más que advierta los primeros síntomas, acuda a la consulta del dermatólogo. Además de corticoides, prescribirá otros medicamentos inmunodepresores. Sobre las zonas cutáneas afectadas se aplicarán medicamentos desinfectantes. El tratamiento médico, a veces muy prolongado en el tiempo, puede producir efectos secundarios. El médico se encargará entonces de prescribir nuevas combinaciones medicamentosas.

Autoayuda

No es posible.

Penfigoide

► Síntomas:

- ➜ ampollas repletas de líquido;
- ➜ focos que supuran, costras sanguinolentas;
- ➜ eventualmente alteraciones de la mucosa bucal.

Esta enfermedad, que suele aparecer a partir de los 70 años de edad, registra, en comparación con el → Pénfigo vulgar, un desarrollo menos grave. Al principio, como mínimo, el estado general parece poco afectado. Pero semanas o meses antes de la erupción vesicular, es posible que aparezca una intensa picazón. La enfermedad discurre de forma crónica durante meses o años, con brotes agudos de vez en cuando.

Tratamiento médico

Acuda inmediatamente al dermatólogo. Para tratar la enfermedad le prescribirá corticoides; y, a veces, será preciso administrar diferentes combinados de otros fármacos inmunodepresores. Si las erupciones cutáneas no son excesivas, la terapia de la enfermedad sólo incluye la aplicación de ungüentos de cortisona.

Autoayuda

No es posible.

Alteraciones cutáneas en las enfermedades internas

Diversas son las enfermedades internas que pueden acompañar a otras de tipo cutáneo que requieren de su propia terapia. Por un lado, estas dolencias son complicaciones evitables, como el → pie diabético; por otro, son un síntoma que delata una enfermedad de base, como puede ser el eritema nudoso de la enfermedad de Boeck.

Diabetes mellitus

En la diabetes mellitus son bastante frecuentes las infecciones cutáneas, o diabétides, causadas por bacterias (→ Foliculitis, forúnculo, carbunco; → Erisipela, Micosis). Una complicación muy grave de esta enfermedad es el denominado → pie diabético. Encontrará información más detallada sobre la diabetes mellitus o sacarina en el capítulo → hormonas y metabolismo.

Pie diabético

▶ Síntomas:

- momificación de tipo local, pie negruzco y piel endurecida, arrugada y reducida (la llamada *gangrena seca*);
- piel edematosa e hinchada, piel levantada por la existencia de ampollas (*gangrena húmeda*);
- diabétide de la pierna (*gangrena gaseosa*).

En el padecimiento de la diabetes mellitus suelen aparecer trastornos circulatorios. Estas diabétides suelen afectar a los vasos sanguíneos del pie y de la pierna. La consecuencia más probable puede ser la necrosis del tejido en forma de "gangrena seca", o de una "gangrena húmeda" que favorezca el crecimiento de microorganismos; la zona afectada despide mal olor debido al amoníaco, ácidos grasos y otras sustancias formadas por la descomposición de las grasas y proteínas presentes en los tejidos.
Por otra parte, la falta de cuidados puede hacer que una lesión sin importancia evolucione hasta convertirse en una "gangrena gaseosa", después de haber formado profundas ulceraciones en los tejidos.

Tratamiento médico

Aunque se trate de pequeñas lesiones, debe consultar con el médico para que desinfecte la herida en previsión de infecciones; eventualmente, prescribirá un antibiótico. Una vez se ha gangrenado el pie o la pierna, se hace precisa la intervención quirúrgica para eliminar la zona necrotizada. En los casos más graves, será necesaria la amputación del miembro afectado.

Autoayuda

Compruebe los valores de glucosa en sangre y orina. Para prevenir las diabétides debe controlar los pies y sus heridas, la higiene y evitar el calzado ajustado; y, para prevenir trastornos circulatorios, realizar actividad física y gimnasia para las piernas.

Alteraciones del metabolismo lipídico

En el capítulo dedicado a → hormonas y metabolismo, se informa sobre las alteraciones del metabolismo lipídico. Las alteraciones más frecuentes de este metabolismo lipídico se manifiestan en forma de nódulos o de diminutas formaciones quísticas en la piel.
- *Xantelasmas.* Bultos planos blanco-amarillento, situados debajo de la piel y formados por material graso. Casi siempre se localizan en el ángulo interior del ojo o párpado.
- *Xantomas.* Lesiones cutáneas de color amarillo cobrizo, que contienen células histiocitarias ricas en inclusiones lipídicas en la dermis. Afectan principalmente al dorso y los glúteos, así como a las zonas flexoras de brazos y piernas.
- *Xantomas tuberosos.* Tienen forma de pápulas amarillentas, de mayor o menor tamaño, localizadas generalmente en las zonas de extensión de codos y rodillas.

Los xantelasmas suelen tener un curso benigno, mientras que los xantomas eruptivos y tuberosos suelen ser síntoma de un grave trastorno metabólico. Los nódulos o pápulas molestos pueden extirparse fácilmente.

Gota

La gota es una enfermedad que tiene su origen en una alteración del metabolismo del ácido úrico. Se manifiesta en forma de brotes agudos de inflamación articular, dejada a su evolución natural y que puede desencadenar en una artropatía deformante, afectación renal y alteraciones cardiovasculares.
En el capítulo → hormonas y metabolismo se informa sobre esta patología. Los nódulos amarillentos de la gota, de un tamaño de hasta medio centímetro, son

acumulaciones de urato monosódico (llamados "tofos gotosos") que se localizan en diversas partes del cuerpo, principalmente cerca del pabellón de la oreja y de las articulaciones enfermas, y que pueden eliminarse mediante una intervención quirúrgica.

Porfirias

Se conoce como porfirias a un grupo de trastornos provocados por enfermedades originadas por una alteración cualitativa o cuantitativa del metabolismo de las porfirinas. Éstas son unas sustancias de estructura cíclica, que el organismo sintetiza y que intervienen en la síntesis del grupo *hem* (componente clave de las hemoproteínas, o proteína que se halla presente en todos los tejidos), implicado en el transporte de oxígeno y que da el color rojo a la sangre (*hemoglobina*).
Si la producción de hem es anormal, o si se produce una superproducción, acumulación o mayor evacuación de porfirinas en el organismo, éstas se acumulan en la piel y dan lugar a una porfiria que cursa con lesiones cutáneas, o, incluso, internas. La exposición al sol propicia la formación de ampollas, de trastornos pigmentarios, y de úlceras. Es una enfermedad frecuente entre los alcohólicos. La mejor prevención es no exponerse mucho y protegerse de la irradiación solar, y evitar la ingesta de alcohol.

Sarcoidosis (sarcoide de Boeck)

La sarcoidosis es un proceso inflamatorio crónico, cuyo desarrollo hace que se formen sarcoides y lesiones ganglionares y pulmonares. Se considerada una reticulosis (hiperplasia del tejido retículo-endotelial), caracterizada por lesiones cutáneas, que puede afectar a los ganglios linfáticos, ojos, huesos, bazo, hígado, corazón, piel y el sistema nervioso. Las mujeres contraen esta afección más que los hombres. Esta enfermedad puede ser aguda o discurrir de forma crónica.
Los sarcoides tienden a formar nódulos más o menos grandes en la piel, de color rojo-azulado. Estos granulomas tienden a curar por sí solos, pero los brotes pueden reproducirse durante más de 10 años.
Además, la mayor parte de los pacientes enferma de "eritema nodoso", unos nódulos planos y dolorosos, de color rojo claro que aparecen en la parte lateral o zona externa de la pierna.
Como la sarcoidosis suele curarse por sí sola, se puede sopesar la posibilidad de prescribir o no una terapia determinada. Si fuese necesario, los focos cutáneos se eliminarán con una intervención quirúrgica, o bien inyectando corticoides. Si la enfermedad se agravase, la administración oral de corticoides puede ser necesaria. En caso de eritema nodoso, supone un gran alivio guardar cama y la aplicación de compresas húmedas.

La pedicura correcta

Como todo el peso del cuerpo descansa sobre los pies, es necesario prestarles la debida atención y dedicarles los cuidados que se merecen para que realicen sin problemas su misión. Las personas que padecen algún tipo de trastorno circulatorio en las piernas y pies, por ejemplo si son diabéticas, es de vital importancia que observen un meticuloso cuidado con las uñas y los pies.

- Comience dando un baño a los pies en agua tibia. No es necesario que le añada ningún producto. Un puñado de sal común es suficiente.
- Seque cuidadosamente y muy bien los espacios interdigitales (→ Pie de atleta).
- Elimine las durezas frotando con piedra pómez. Es recomendable no eliminar personalmente las verrugas (→ Verrugas vulgares) u otras alteraciones.
- Si padece trastornos circulatorios, lo más adecuado entonces es que elimine las durezas utilizando vaselina salicílica. Además, es recomendable que explore cuidadosamente sus pies por si presentasen posibles lesiones, inflamaciones, fisuras cutáneas u otras alteraciones de la piel.
- Después del baño de pies, dése un buen masaje aplicando una buena crema. Aproveche la ocasión para masajear a fondo las zonas reflexógenas del pie.

Cepillo, tijeras, piedra pómez... son algunos de los utensilios necesarios para el cuidado de los pies.

Cuidado especial de las uñas

Como en muchas otras cosas, "en el término medio se halla la virtud". Las uñas no deben cortarse demasiado, pues la sensible piel del extremo de la yema del dedo quedaría al descubierto; pero no han de llevarse muy largas, pues las de las manos se romperían entonces con facilidad y las de los pies rozarían con el calzado.
Especialmente importante es no recortar excesivamente los ángulos que forman los surcos ungueales de las uñas tanto de manos como de pies, pues podría lesionarse la piel y dar lugar a una paroniquia. Igualmente, en ambos casos, podrían surgir inflamaciones.

La manicura y pedicura cuidan sus pies.

La persona que padezca diabetes mellitus u otros trastornos circulatorios en pies y piernas, debería de acudir al podólogo, pues no está cualificado para curar las pequeñas heridas personalmente y, en el peor de los casos, podría propiciar la aparición de las complicaciones propias de un pie diabético.

Onixis y perionixis

▶ Síntomas:

- ➜ enrojecimiento e hinchazón en el entorno de la uña, con posible aparición de ampollas;
- ➜ eventuales dolores punzantes.

A través de pequeñas lesiones en la zona de la base de la uña, pueden penetrar en la piel bacterias piógenas. En la forma purulenta aguda, hasta es posible la formación de una ampolla que incluso llegue a ocultar la uña por completo. Si está afectado el lecho ungueal, la uña incluso puede levantarse.
Los síntomas típicos que revelan la cronicidad de la enfermedad son: un pequeño enrojecimiento muy doloroso en la zona afectada y la hinchazón del surco ungueal. Pero si los dolores son intensos y punzantes, entonces puede brotar pus de la acanaladura subungueal y la inflamación afectar a lo más profundo del dedo.

Tratamiento médico

Si los dolores son intensos, acuda al médico. Por regla general, los antibióticos solucionan el problema y evitan la operación. Para obtener un gran alivio, bañe el dedo inflamado con infusiones antiinflamatorias (manzanilla, cola de caballo y otros productos); también, aplíquele compresas o úntelo con pomadas.

Autoayuda

Evite en lo posible tener heridas en las uñas de los dedos de la mano o pie, poniendo un → cuidado especial en las uñas.

Onicomicosis

▶ Síntomas:

- ➜ las uñas van poniéndose de color amarillo, castaño o verde y se tornan quebradizas.

Se denomina así a la infección de uña producida fundamentalmente por hongos del género *Trichophytom*, aunque también puede deberse a los ascomicetos o a los *Candida albicans*.
Por regla general, afecta más a las uñas de los pies que a las de las manos. En su curso se produce el engrosamiento de la uña (*paquioniquia*), se deforma y se vuelve quebradiza. Los factores que propician la enfermedad son: los trastornos circulatorios, la debilidad inmunológica y la diabetes mellitus.

Tratamiento médico

Consulte con su médico, para que le prescriba antimicóticos en forma de solución, lacas para las uñas o pastillas. Para eliminar las zonas ungueales afectadas, son eficaces las pomadas a base de urea y los antimicóticos. Si la onicomicosis no se trata correctamente, será necesaria la extirpación total de la uña.

Autoayuda

La fuerte resistencia que ofrecen, hace que estas micosis resulten muy difíciles de eliminar. Para su tratamiento, lo más aconsejable es seguir las instrucciones y la terapia que imponga el médico. Encontrará amplia información sobre su prevención en la autoayuda de → micosis de los pies.

Lesiones ungueales

▶ Síntomas:

➜ **hematomas**: acumulación bajo la uña de sangre de color azulado-negruzca; dolor;

➜ **cuerpos extraños**: enrojecimiento e hinchazón de las yemas de dedos de pies o manos, dolor.

Los hematomas de debajo de la uña surgen como consecuencia de una magulladura de los dedos de manos o pies. Por regla general, son muy dolorosos debido a que la hemorragia no puede extenderse por encontrarse en un espacio cerrado, sin posibilidades de ampliación, que propicia el aumento de la presión sanguínea. Los cuerpos extraños que se incrustan bajo la uña también provocan intensos dolores, pues ocasionan la rápida inflamación y enrojecimiento, incluso hinchazón, de la yema de los dedos de manos o pies.

Tratamiento médico

Acuda inmediatamente al médico. En caso de que se haya producido un hematoma, el médico practicará un pequeño orificio en la uña. Tras poner una ligera anestesia local, extraerá también los cuerpos extraños que hayan podido clavarse en la piel.
Si la inflamación es intensa, incluso habrá que extraer toda la uña. A continuación, inmovilizará la mano o el pie y prescribirá una terapia con productos desinfectantes que alivie la infección.

Autoayuda

Si la coloración azulado-negruzca que aparece bajo la uña no es consecuencia de una magulladura, podría tratarse de un melanoma maligno. En este caso, consulte cuanto antes con su dermatólogo.

Uña encarnada

▶ Síntomas:

➜ enrojecimiento, hinchazón, dolor, supuración en la zona del surco ungueal.

Relativamente frecuente, esta afección –que casi siempre suele interesar al dedo pulgar del pie– también recibe el nombre de onixis lateral. La esquina ungueal se infiltra bajo la piel circundante y provoca una constante acción traumatizante del margen ungueal, que se convierte en una úlcera muy dolorosa, recubierta a veces en parte por tejido dérmico que sigue creciendo.

Tratamiento médico

Si se trata de alguna secuela de la diabetes mellitus u otras enfermedades que ocasionan trastornos circulatorios en las piernas o en los pies, acuda lo antes posible a la consulta del médico (→ Gangrena).
En un principio, las inflamaciones agudas de las uñas de manos y pies pueden aliviarse realizando baños de las partes afectadas y aplicando pomadas específicas recetadas por el médico.
Pero, a largo plazo, sólo la escisión de la uña reportará el alivio y la curación deseada. En el transcurso de esta intervención quirúrgica se elimina entre la tercera y la cuarta parte de la uña, respetando la denominada matriz de la uña.

Autoayuda

→ Cuidar adecuadamente las uñas de los pies y de las manos y usar un calzado ancho y cómodo son las medidas más acertadas.

Alteraciones de las uñas

• Tanto si padece un eccema, una psoriasis o la caída del pelo, las uñas de los dedos de las manos y pies pueden sufrir frecuentes alteraciones; así, un ligero hundimiento de la lámina ungueal en la yema del dedo (uñas punteadas).

• Las fisuras longitudinales paralelas, o las delgadas líneas blanquecinas que aparecen a veces en las uñas, son alteraciones típicas en personas de edad avanzada que, normalmente, no requieren tratamiento médico.

• Las franjas transversales (*franjas de Mees*) y las fisuras transversales (*fisuras de Beau-Reil*) que surgen son consecuencia de infecciones, intoxicaciones (antimonio, arsénico, mercurio, talio) o brotes agudos de algún tipo de enfermedad cutánea; todas estas causas pueden producir trastornos pasajeros en el crecimiento de las uñas. Con el tiempo, estas alteraciones se desarrollan y crecen hasta afectar también al extremo libre de la uña.

• Las manchas o franjas blancas (*leuconiquia*) que aparecen ocasionalmente, son alteraciones ungueales; por regla general, es relativamente frecuente que correspondan a síntomas de otras enfermedades. Las lesionas más diminutas (por ejemplo, durante la manicura) pueden ser su causa.

La caída del pelo tiene muchos motivos

La pérdida diaria de cabello que todos sufrimos, es algo completamente normal. Sólo cuando la caída del pelo es exagerada, se habla de "alopecia".
Ciertamente, las causas que contribuyen a la caída del cabello son muchas: enfermedades crónicas, inflamaciones, infecciones, fases de cambios hormonales, fármacos para el tratamiento del cáncer, estrés, falta de hierro, el teñido de los cabellos, las permanentes o la propensión hereditaria.

Alopecia areata (alopecia en áreas, manchas)

▶ Síntomas:

- ➜ una o varias zonas con placas discoides en el cuero cabelludo, con caída total del pelo;
- ➜ en casos menos frecuentes, pérdida total de los cabellos o del vello corporal.

Bastante frecuente, esta forma de alopecia afecta sobre todo a niños y jóvenes adultos. En realidad, las causas que la provocan se desconocen, pero todo apunta a que se trate de un problema de autoinmunidad. Si la enfermedad aparece después de la pubertad, el pelo vuelve a crecer en el 80% de los casos; pero si aparece antes de la pubertad, el pronóstico es claramente negativo.

Tratamiento médico

Para que analice el caso y pueda descartar otras posibles enfermedades, lo más aconsejable es consultar con el médico. No existe un tratamiento etiológico, pero puede probarse con una terapia que incluya corticoides o una terapia con UV (→ Psoriasis).

Autoayuda

La alternativa de llevar o no peluca es algo que debe decidir cada persona.

Alopecia en los hombres (alopecia en áreas generalizadas)

▶ Síntomas:

- ➜ entradas acusadas, el cabello se despuebla cada vez más, falta de pelo acentuada en la zona donde se peina la raya.

Esta alopecia suele ser hereditaria, por lo que en el sentido estricto de la palabra no es una enfermedad, aunque en muchas ocasiones origina en las personas graves problemas psíquicos. Además de la causa hereditaria, también la edad desempeña un papel importante, así como la mayor sensibilidad de los folículos pilosos frente a las hormonas sexuales masculinas (*alopecia andrógena*). En muchas familias, la alopecia masculina afecta a casi todos los hombres a partir de los 20 años de edad, terminando casi siempre con la aparición de una reluciente calva.

Tratamiento médico

Lamentablemente, contra la alopecia no se dispone de ninguna terapia medicamentosa efectiva. De las lociones capilares, sólo las que contienen minoxidil han logrado obtener resultados parciales. Resultados positivos y visibles sólo se consiguen con la implantación capilar, de coste relativamente elevado, que ha de realizar un médico especialista.

Autoayuda

Lo mismo que en → alopecia areata.

Alopecia en las mujeres

▶ Síntomas:

- ➜ Los cabellos van clareando en la zona de la raya del peinado; entradas formando una faja en la frente, raras veces calva completa.

Al igual que ocurre en los hombres, la carga hereditaria, la edad y las hormonas masculinas desempeñan un importante papel entre aquellas mujeres que padecen alopecia femenina. La caída del cabello se intensifica de forma pasajera después de un embarazo, siendo también posible durante la menopausia.

Tratamiento médico

Para que se puedan descartar otras causas, deberían visitar al médico. La colaboración entre el dermatólogo y el ginecólogo facilitará la prescripción de un medicamento que reduzca la acción de las hormonas masculinas. En más de la mitad de los casos, la mejoría es notoria. Se puede adoptar un tratamiento con lociones para el cabello que incluyan cortisona y estrógenos.

Autoayuda

Igual que en → alopecia areata.

Hipertricosis

► Síntomas:

➜ abundante y mayor crecimiento piloso, limitado localmente o en todo el cuerpo.

En general, la cantidad de pelo que cubre el cuerpo de cada persona depende de factores hereditarios, sexo, edad, etcétera. Por consiguiente, existe una limitación entre un pelo normal y otro muy abundante.
Un desarrollo excesivo del sistema piloso puede ser congénito o adquirido; en este último caso, por ejemplo, debido a la acción de una terapia medicamentosa. El pelo también puede crecer en exceso como consecuencia de enfermedades de larga duración, por prolongadas presiones, tracción o un sobrecalentamiento.

Tratamiento médico

Para descartar la posibilidad de un → hirsutismo, consulte con su médico. Las formas adquiridas de un mayor crecimiento piloso, suelen desaparecer una vez ha sido descubierta y tratada convenientemente la causa. Lo que no admite influencia terapéutica es la abundancia de pelo debido a motivos familiares o raciales.

Autoayuda

No es posible.

Hirsutismo

► Síntomas:

➜ mayor crecimiento piloso, pero en este caso (a diferencia de la hipertriosis) el pelo adquiere distribución masculina en las mujeres en el labio superior, mentón, mejillas, tronco y muslos.

La alteración cuantitativa de pelo que afecta a las mujeres, puede ser de origen hormonal o no hormonal. A esta última forma pertenece la causada por medicamentos y el hirsutismo idiopático.
El hirsutismo de tipo hormonal se desencadena debido a la mayor producción de hormonas masculinas, debido por ejemplo, a enfermedades de las glándulas suprarrenales, de los ovarios o de la hipófisis.

Tratamiento médico

Haga que su médico la reconozca para descubrir las causas del padecimiento de esta enfermedad. El tratamiento exige la colaboración de un dermatólogo, un médico internista y un ginecólogo.

Autoayuda

Los pelos puede eliminarlos simplemente afeitándolos, con unas pinzas de depilar o mediante cremas o ceras depiladoras. Pero lo realmente importante es determinar la causa de la enfermedad.

Cómo cuidar correctamente los cabellos

- Examine bien los peines y cepillos, procurando que no ofrezcan cantos o ángulos afilados que dañen el cabello y el cuero cabelludo.
- Evite peinar los cabellos con demasiada frecuencia o con mucha fuerza, pues sus puntas podrían abrirse.
- No utilice rulos metálicos de bordes afilados, ya que podrían dañar las escamas de las vainas radiculares del cabello. Estas escamas, que normalmente adoptan una forma imbricada, se abren y el cabello pierde su brillo natural.
- Procure no dañar su cabello con los tratamientos químicos (tintes o permanentes). También es nociva la exposición prolongada a la irradiación solar, por lo que debe protegerse para evitar que se seque y se vuelva quebradizo.
- Si emplea champús suaves, puede lavar los cabellos a diario; de todos modos, siempre que tenga cabello seco, lo mejor es limitar el lavado a dos o tres veces por semana.
- Las curas capilares sólo reparan parcialmente los daños de su cabello. Pero, mientras el cuero cabelludo no esté inflamado, las raíces están sanas y, por lo tanto, el cabello puede crecer de nuevo sano.

Para que no se resequen, proteja también sus cabellos del exceso de sol.

Hormonas y metabolismo

La función primordial de las hormonas consiste en actuar de "mensajeros" para que exista la debida organización entre las diferentes actividades del organismo. Ellas son las responsables principales de que entre los diferentes órganos del cuerpo exista una coordinación perfecta, y así lograr que funcionen sin el menor contratiempo para que el organismo sea capaz de asimilar y de transformar sin problemas todos los nutrientes que recibe del exterior. Estas hormonas casi siempre son secretadas por las glándulas hormonales del sistema endocrino, y transportadas posteriormente hasta sus lugares de destino por la sangre a través de las vías que componen el sistema sanguíneo. Si una hormona fuese producida en exceso o, por el contrario, existiese escasez en su producción, el sistema de información del cuerpo, hasta entonces sincronizado, se desequilibraría por completo.

Sumario

La hormona adrenalina.

Las hormonas: características y funciones

Al igual que ocurre en todo sistema compuesto por varios elementos, también el cuerpo humano ha de funcionar sin el menor obstáculo ni contratiempo; para ello, la sincronización entre los diferentes órganos que lo componen ha de ser perfecta. Con este fin, la naturaleza le ha proporcionado tres formas de transmitir la información: a través de las hormonas, de los estímulos nerviosos o del sistema inmunológico.

En todos los casos, los mensajes se emiten desde un lugar del organismo para que sean recibidos en otro distinto y éste pueda responder con una reacción determinada. Para emitir las informaciones, el sistema nervioso utiliza impulsos eléctricos que en cuestión de milisegundos las hacen llegar hasta las células de destino; por el contrario, las hormonas llegan a todos los lugares del cuerpo debido a su presencia en la sangre, pero con el añadido de que sólo son "comprendidas" por algunas células específicas. Este sistema de transmisión de señales puede requerir desde unos pocos segundos hasta varias horas.

La información transmitida por una hormona, sólo puede ser "descodificada" por la célula que posea el denominado "receptor"; y, en esta célula, la hormona encaja como una llave en una cerradura. Varias son las células que poseen "receptores" para una misma hormona, lo que explica que una hormona produzca simultáneamente diferentes efectos a la vez. Por otra parte, cada célula también posee diversos receptores para hormonas de muy diferentes características; esto explica que, al ser inducida, de algún modo pueda responder con reacciones incluso contradictoras.

La producción de hormonas

El cuerpo humano produce unas 200 hormonas diferentes. Estas sustancias químicas actúan como "mensajeras" que regulan, entre otras cosas, el metabolismo, colaboran en el desarrollo y crecimiento, controlan el funcionamiento de las gónadas en el hombre y la mujer, ayudan al cuerpo a soportar situaciones de sobrecarga e influyen en el comportamiento y estado general psíquico de la persona. Parte de estas hormonas son producidas por glándulas hormonales especiales y están , comunicadas con los sistemas sanguíneo y linfático, que las transportan y distribuyen por todo el cuerpo. Estas glándulas hormonales pueden ser unos órganos perfectamente delimitados, como la glándula tiroides, o bien estar integradas formando agrupaciones celulares en otros órganos, como sucede con las

Cada vez que el cuerpo realiza un esfuerzo considerable, se produce una gran cantidad de adrenalina para conseguirlo.

Además de en el hipotálamo y la hipófisis, en el cerebro se localizan otras importantes glándulas hormonales, como la pineal.

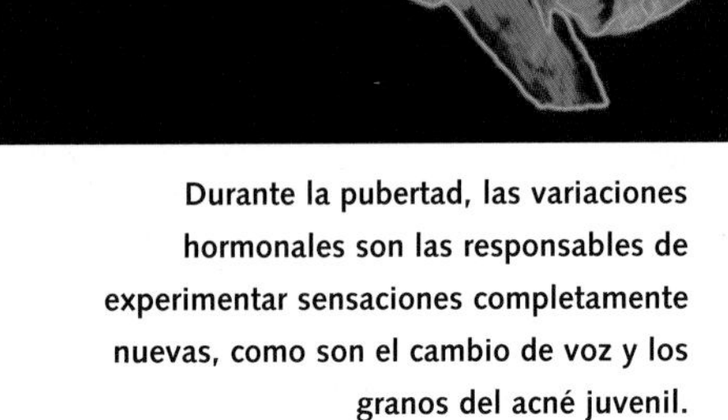

Durante la pubertad, las variaciones hormonales son las responsables de experimentar sensaciones completamente nuevas, como son el cambio de voz y los granos del acné juvenil.

células de los islotes de Langerhans, en el páncreas, que producen insulina y glucógeno. Por otra parte, algunas hormonas son producidas por tejidos en los que desarrollan todos sus efectos; se habla entonces de hormonas tisulares. Gracias a ellas, por ejemplo, el proceso digestivo está influenciado por múltiples hormonas tisulares que produce el propio tracto gastrointestinal.

Un sistema dirigido con gran acierto

El "centro de mando" de la mayoría de las glándulas hormonales se localiza en el hipotálamo del diencéfalo, que a su vez recibe la influencia del sistema nervioso central. Al hipotálamo corresponde la regulación de la vida vegetativa del organismo, en parte mediante las hormonas emisoras, que actúan fundamentalmente sobre la glándula de la hipófisis al acceder a ella a través del pedúnculo hipofisario.

La hipófisis o glándula pituitaria obedece las órdenes de las hormonas emisoras y segrega las denominadas hormonas hipofisarias reguladoras, que se encargan de coordinar la mayor parte de las funciones endocrinas que se desarrollan en el organismo. Estas hormonas llegan luego a la periferia, es decir, a las glándulas periféricas distribuidas por el cuerpo, como la glándula tiroides, las cápsulas suprarrenales o las glándulas germinativas. Éstas, a su vez, segregan hormonas que sólo pueden ser transportadas hasta las células finales después de pasar a la circulación sanguínea.

¿Quién coordina a quién?

La secreción de hormonas ha de estar perfectamente coordinada, pues la más mínima alteración de concentración en la sangre puede producir efectos de gran intensidad en el organismo. Los "instrumentos de regulación" del cuerpo son los denominados circuitos reguladores, donde los receptores se encargan de registrar el nivel hormonal y de comparar su "valor real" con el "valor teórico"; entonces, dichos circuitos determinan si es o no necesario seguir segregando hormona para el normal funcionamiento del organismo.

La hipófisis y el hipotálamo se encargan de dirigir la mayor parte de las glándulas hormonales; por este motivo, todas ellas están integradas en un mismo circuito regulador. El hipotálamo segrega una neurohormona, y la hipófisis libera una hormona hipofisaria que se encarga de activar una glándula hormonal periférica que, a su vez, segrega otra hormona que llega por vía sanguínea al hipotálamo.

Los receptores aquí existentes constatan entonces el aumento del nivel hormonal, por lo que el hipotálamo no segrega más hormonas emisoras y, por consiguiente, la hipófisis deja también de liberar más hormonas reguladoras, desactivando la glándula hormonal. El nivel de hormonas en la sangre vuelve a descender y equilibrarse, un hecho real que los receptores del hipotálamo miden y constatan nuevamente; de esta forma, comienza de nuevo una vez más todo el proceso.

La hormona insulina reduce el nivel de glucosa en la sangre, produciendo su carencia la diabetes.

La testosterona es la hormona masculina más importante, aunque también las mujeres la poseen en pequeñas cantidades.

A pesar de que no afecta lo más mínimo a la "magia" del romanticismo, el enamoramiento es consecuencia de la secreción hormonal.

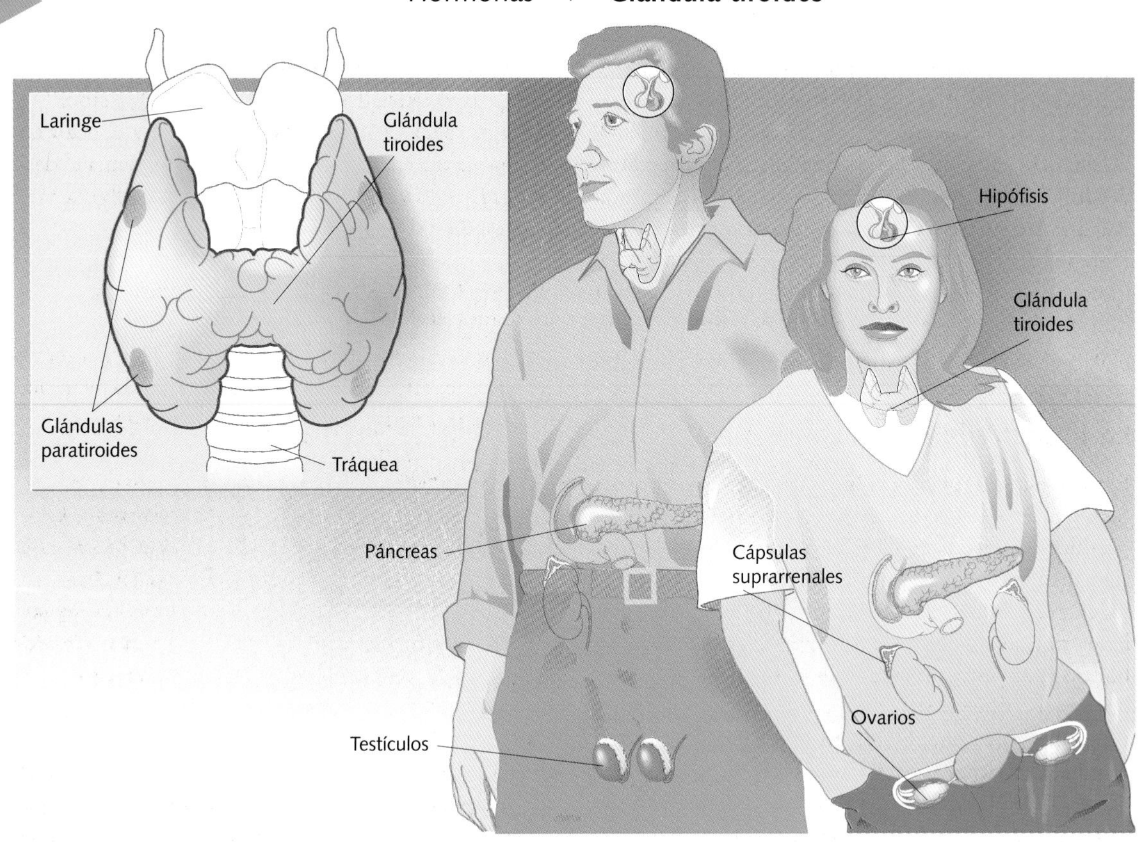

La glándula tiroides

- **Anatomía y función**
- **Producción de las hormonas tiroideas**
- **Distribución de las hormonas**

La glándula tiroides es una glándula impar de secreción interna que, situada en la parte baja y anterior del cuello, está compuesta por dos lóbulos simétricos, uno a cada lado de la tráquea, unidos mediante un istmo. Su aspecto es el de una mariposa. En un adulto, el tiroides es de color rojo azulado y tacto blando y esponjoso. La vascularización de esta glándula es muy abundante, y el drenaje venoso es exactamente igual al de la circulación arterial. La totalidad de la sangre que circula por el cuerpo humano, pasa también en una hora y media por esta glándula. Al nacer, la glándula pesa unos 18 gramos; y, en la persona adulta, alcanza los 25 gramos.
Las cuatro glándulas paratiroides, del tamaño de una lenteja, se encuentran en la parte posterior del tiroides, en las partes superior e inferior, a izquierda y derecha.

Las hormonas del tiroides

El tejido del tiroides está formado por multitud de lobulillos. Cada uno de ellos está compuesto por folículos esferoidales, que acumulan en su interior el coloide o producto de su secreción. La mayor parte de la proteína del coloide es la tiroglobulina, una glucoproteína que se combina con el yodo. Entre los folículos se encuentran las "células C", que producen la hormona "calcitonina" y que, junto con la parathormona (u hormona paratiroidea) y la vitamina D (→ Las glándulas paratiroides), actúa sobre el metabolismo del calcio.
En las paredes celulares de los folículos se producen las hormonas tiroxina (T4) y triyodotironina (T3). La tiroxina contiene cuatro átomos de yodo, y tres la triyodotironina. Para producirse, ambas hormonas necesitan del yodo. Y es que la glándula tiroides sirve de sustrato para la síntesis de ambas hormonas. Dado que el cuerpo no puede producir ni almacenar este elemento, ha de ingerirse con los alimentos. Ante su falta o ausen-

cia, la glándula tiroides reacciona con un aumento de tamaño. Las dos hormonas tiroideas T4 y T3 incrementan el desarrollo energético del cuerpo al aumentar la actividad cardíaca y la temperatura, o al aumentar el desdoblamiento del glucógeno y de los lípidos. Además, favorecen la activación del sistema nervioso. Durante la niñez y la juventud, ambas hormonas fomentan el crecimiento y la maduración del cerebro. Por consiguiente, la hipofunción tiroidea heredada tiene consecuencias muy graves para el desarrollo físico y mental de la persona.

Lo importante es la cantidad justa

El tiroides, la hipófisis y el hipotálamo trabajan unidos formando el sistema de regulación corporal. El tiroides produce las hormonas T3 y T4, pero no "por sí solo", sino debido a los efectos estimulantes de la hormona reguladora de la glándula hipófisis (hormona estimulante tiroidea, TSH, o tirotropina). A su vez, esta hormona se produce cuando el hipotálamo segrega la hormona liberadora de tirotropina (Thyroid-Releasing-Hormone, TRH), una hormona de naturaleza glucoproteica y estimulante.

Si la glándula tiroides produce poca hormona, los receptores del hipotálamo lo registran inmediatamente. De este modo, aumenta la secreción de la hormona reguladora, así como de la hormona estimuladora, y la glándula tiroides se activa. Esto incrementa la concentración de la hormona tiroidea en la sangre, lo que es "comunicado" al hipotálamo. Como consecuencia, la glándula tiroides se desactiva y no segrega más hormonas reguladoras y estimulantes, descendiendo la concentración de hormonas en la sangre.

El que la glándula tiroides segregue la cantidad correcta de hormonas, es decisivo para la salud. Tanto la hiperfunción como la hipofunción, alteran el equilibrio de muchos procesos orgánicos del cuerpo.

Las glándulas paratiroides

Estas cuatro glándulas de secreción interna, sitas en la parte posterior de los lóbulos del tiroides y que segregan la hormona paratiroidea, no tienen nada en común con el tiroides. Fueron descubiertas cuando se comenzó a extirpar la glándula tiroides para curar el bocio. Si se extirpaba su parte anterior y posterior, el paciente padecía calambres causados por la reducción del nivel de calcio en la sangre. De manera inconsciente, se habían extirpado las glándulas paratiroides, cuya hormona desempeña una importante función en la regulación del metabolismo del calcio. Hoy día se sabe que las glándulas paratiroides producen la "parathormona" (u hormona paratiroidea, PTH), que eleva la concentración de calcio en la sangre, para lo cual fomenta el desdoblamiento del calcio en los huesos e inhibe la evacuación del calcio a través de los riñones.

Influencia de la vitamina D y del calcio en el metabolismo del calcio

Además de la parathormona y la vitamina D, el metabolismo del calcio también es regulado por la hormona calcitonina, segregada por la glándula tiroides.

Junto con las hormonas de la glándula tiroides, la vitamina D se encarga de regular la cantidad de calcio en el cuerpo.

El calcio desempeña un papel clave en muchas zonas del cuerpo, estando presente en todos los tejidos orgánicos y, de modo especial, en el esqueleto. Es fundamental para el crecimiento y desarrollo de los huesos y dientes, además de ser un nutriente especial en la regulación de la contracción muscular, la transmisión de los impulsos nerviosos y en la estabilización del ritmo cardíaco. Si la concentración de calcio en la sangre es reducida, puede desencadenar espasmofilias; por el contrario, el exceso provoca calcificación en ciertos órganos.

En las fases previas la vitamina D está contenida en los alimentos de la dieta, siendo transformada en vitamina D en el organismo. Esta vitamina propicia la asimilación del calcio en el intestino y eleva, al igual que la parathormona, la concentración de calcio en la sangre.

La calcitonina es una hormona reductora de la tasa de calcio en la sangre que, secretada por las células parafoliculares de la glándula tiroides, actúa disminuyendo el nivel de calcio en la sangre. Parece ser que posee un efecto sobre las células productoras de tejido óseo (*osteógenas*). La calcitonina se libera durante la ingesta de los alimentos, y consigue que el calcio que contienen llegue hasta los huesos. Al mismo tiempo, se encarga de que la digestión sea más lenta, lo que garantiza que la incorporación del calcio a la sangre se realice al ritmo preciso, contribuyendo con ello a que la concentración de este elemento permanezca constante.

Casos de urgencia

Normas generales

Quien padezca una hipofunción o hiperfunción del tiroides o de las glándulas paratiroides, es imprescindible que reciba el tratamiento adecuado para evitar las situaciones de urgencia descritas a continuación.

Crisis tóxica

▶ Síntomas:
- ➜ molestias similares a las ocasionadas por hiperfunciones graves de la glándula tiroides;
- ➜ adicionalmente agitación motora intensa, delirios, deseos de dormir, pulso rápido, fiebre; situación muy grave.

Se llama así a la acentuación súbita de los síntomas de una tirotoxicosis. Puede ser consecuencia de una hiperfunción tiroidea mal tratada. Los desencadenantes que la provocan pueden ser: estrés, infecciones, accidentes, operaciones o la ingestión de grandes cantidades de yodo (contraste radiográfico).

Tratamiento médico

Llame al servicio de urgencias. Esta crisis pone en peligro la vida, por lo que exige un tratamiento inmediato y cuidados médicos para reducir la secreción hormonal de la glándula tiroides.

Autoayuda

No es posible.

Tetania (ataque tetánico)

▶ Síntomas:
- ➜ picazón en manos, pies y boca;
- ➜ dolores y espasmos musculares, dificultades respiratorias;
- ➜ manos encogidas en forma de garras;
- ➜ desvanecimientos, irritabilidad.

La tetania es una alteración de la excitabilidad de la membrana de las células musculares; da lugar a un nerviosismo muscular exagerado, manifiesto y que permanece en estado latente. Se produce como consecuencia de la hiperexcitabilidad de los nervios y de los músculos. El ataque tetánico, originado por carencia de calcio, puede presentarse como consecuencia de una respiración rápida (tetania por hiperventilación). Para que se produzca el ataque tetánico ha de existir algún trastorno en el metabolismo del calcio, que suele estar ocasionado por la extirpación o lesión de las glándulas paratiroides durante una tiroidectomía. Si se produce la alteración o supresión total del funcionamiento de las glándulas paratiroides, la parathormona deja de producirse, se reduce la concentración de calcio en sangre y aparecen los espasmos musculares.

La tetania provocada por una hiperventilación posee en principio las mismas causas, ya que disminuye el nivel de calcio libre en la sangre; pero, también, puede deberse a otros factores. Al respirar con rapidez por haberse irritado, se elimina una mayor cantidad del dióxido de carbono presente en la circulación sanguínea; como consecuencia, la concentración de calcio libre en la sangre disminuye y la posibilidad de sufrir un ataque tetánico aumenta. La tetania por hiperventilación es frecuente entre las personas nerviosas: la excitación acelera la respiración, surge el ataque tetánico y la respiración se acelera aún más debido al nerviosismo.

Tratamiento médico

Si como consecuencia de la primera causa el ataque es agudo, el médico le inyectará de inmediato calcio en la sangre. Los trastornos mejoran así rápidamente. Después, reconocerá las condiciones del metabolismo del calcio y comprobará la actividad de las glándulas paratiroides, por si existiese una hipofunción que requiera una terapia permanente.

Autoayuda

Si el ataque tetánico es consecuencia de la falta de calcio, la autoayuda será imposible.

En caso de ataque agudo de tetania por hiperventilación, éste pierde rápidamente, por regla general, su virulencia inicial si se consigue tranquilizar un poco la respiración. Reducirá la pérdida de dióxido de carbono si se mantienen los labios cerrados, o se respira con una bolsa de plástico delante de la boca. De producirse un breve paro respiratorio, es obligado entonces conservar la serenidad y tranquilidad.

Pruebas clínicas especiales

El diálogo

Además de los muchos métodos técnicos que el médico tiene a su disposición, el diálogo con el paciente representa siempre la parte más importante del reconocimiento. Salvo en muy contadas ocasiones, las enfermedades de la glándula tiroides y de las paratiroides no se detectan precisamente por los dolores que directamente producen o por otro tipo de síntomas. Para las personas no versadas en Medicina, se trata de enfermedades difícilmente diagnosticables. La falta de apetito, el cansancio, la sed o ciertos trastornos digestivos no suelen atribuirse a dichas enfermedades. Por este motivo es tan importante describirle detalladamente al médico todos los trastornos. Las exploraciones prescritas a cada persona, dependerán de las circunstancias individuales. En todo caso, después del diálogo procede siempre la realización de un reconocimiento exhaustivo del organismo.

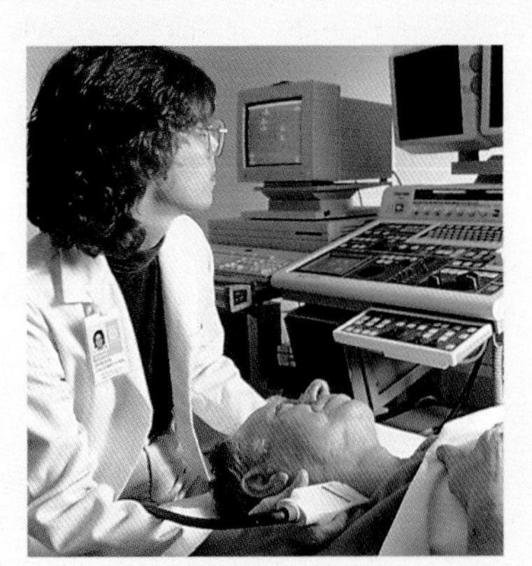

La ecografía permite visualizar el tamaño y la forma de la glándula tiroides.

Análisis de sangre y orina

En Medicina, los análisis de sangre y orina desempeñan hoy en día un papel muy importante. Gracias a ellos, el médico puede constatar si la secreción de hormonas por la glándula tiroides y las glándulas paratiroides es normal o, por el contrario, existe alguna hipofunción o hiperfunción.
Mediante pruebas especiales concretas, también es posible comprobar la actividad del hipotálamo y de la hipófisis, que regulan la secreción de hormonas de la glándula tiroides.

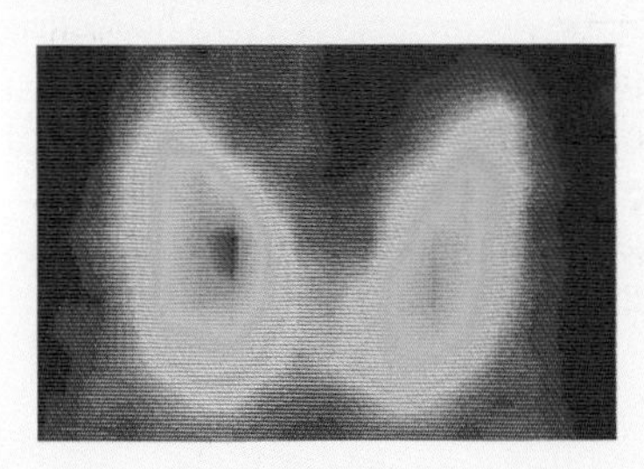

Con el escintigrama, la visión de una glándula sana ofrece el aspecto de una mariposa.

Exploraciones clínicas con imagen visual

Con la ayuda de una ecografía o de una escintigrafía se podrá comprobar visualmente el tamaño, posición y estructura de la glándula tiroides. Las radiografías pueden complementar este reconocimiento. Para la realización de la escintigrafía o de la gammagrafía, se inyecta directamente en la vena –con una diferencia de tiempo de unas pocas horas– una reducida cantidad de una sustancia radiactiva (yodo u otra similar). La radiactividad es muy reducida; de todos modos, se recomienda no utilizar esta técnica diagnóstica en mujeres embarazadas.
La glándula tiroides absorbe en muy poco tiempo la sustancia inyectada, permitiendo las emisiones radiactivas que propaga la medida y visualización del órgano. De esta forma, el médico puede comprobar si la sustancia ha sido absorbida uniformemente, o si, por el contrario, se ha concentrado intensamente o en muy baja cantidad en ciertas zonas de la glándula tiroides. Los "nódulos calientes" de la imagen obedecen a zonas con un mayor metabolismo del yodo, mientras que los "nódulos fríos" indican la existencia de zonas con un metabolismo del yodo disminuido. Los "nódulos calientes" son zonas del tiroides que funcionan de forma autónoma. Esto quiere decir que este tejido ya no se halla sometido al control del hipotálamo y la hipófisis, los centros reguladores superiores. El "nódulo frío" sólo significa, en principio, que existe una zona tisular de la glándula tiroides que no funciona con normalidad. En casos poco frecuentes, también puede existir la sospecha de una alteración maligna (→ Carcinomas tiroideos).
El diagnóstico final puede completarse mediante la biopsia del tejido tiroideo, extraído con una aguja finísima, coloreado y analizado minuciosamente al microscopio. La mayoría de pacientes no consideran demasiado agradable la punción en el cuello, pero debe decirse que no es nada dolorosa.

Carencia de yodo como causa del bocio

"Tan necesario como un bocio", suele decirse para testimoniar algo indeseado. Pero casi una de cada cinco personas padecen esta enfermedad, a causa casi siempre de la falta de yodo.

Para producir las dos hormonas que se encargan de regular el esfuerzo energético, la glándula tiroides necesita el yodo. Pero como el cuerpo apenas si tiene reservas de este elemento, se debe incorporar al organismo a través de la dieta. Si la glándula tiroides no recibe la cantidad de yodo que necesita, aumenta entonces de tamaño con el fin de poder incorporar un poco de yodo. Pero el resultado es el bocio. Algunos países interiores donde no hay mar o los subdesarrollados, son muy pobres en yodo y esto provoca que gran parte de su población posea una glándula tiroides de mayor tamaño. El bocio afecta más a las mujeres que a los hombres (→ Carencia de yodo durante el embarazo y lactancia). La frecuencia del bocio aumenta según los recursos del país y las diferentes zonas del planeta.

Para que la glándula tiroides de una persona funcione con normalidad, necesita diariamente entre 150 y 250 microgramos de yodo. Cantidad que mayormente se obtiene de la alimentación y el agua potable, y que se cifra entre 30 y 70 microgramos diarios.

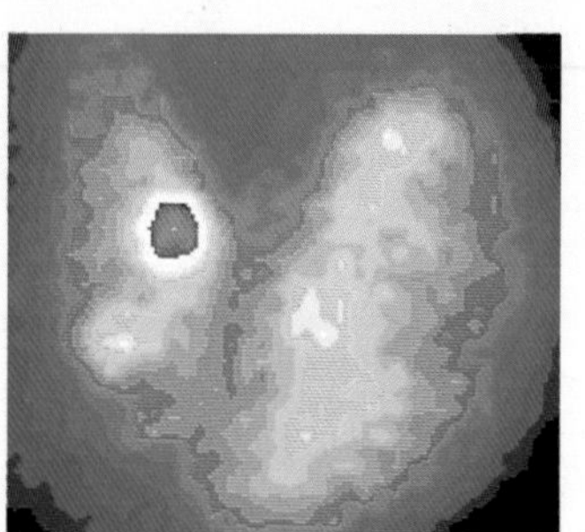

Glándula tiroides ampliada con el escintigrama; a la izquierda, "un nódulo caliente".

Como han demostrado numerosas investigaciones llevadas a cabo en diferentes países, la carencia de yodo puede compensarse perfectamente con la alimentación. Tanto es así, que hoy día existen alimentos preparados, como por ejemplo productos de panadería y repostería, que incorporan yodo y que han conseguido rebajar a un porcentaje mínimo el número de personas afectadas.

Programas preventivos que incluyen yodo en la alimentación, comienzan a desarrollarse en algunos países. Pero en los que aún no existen, muchos médicos recomiendan utilizar siempre sal común en las comidas; o, también, la denominada sal yodada. Partiendo de la base de que diariamente se necesitan 100 microgramos de yodo, lo que equivale a tener que ingerir 5 gramos de sal común (una cucharita de té llena), al día se concluye que este aporte difícilmente se consigue con la sola aportación de la comida. Por este motivo se recomienda prestar mucha atención a la alimentación, e incluir en la dieta productos ricos en yodo. Entre ellos hay que incluir los pescados de mar, como bacalao, salmón, platija y merluza. También la leche y los productos lácteos contienen un poco más de yodo que otros alimentos.

Bocio (estruma)

▶ Síntomas:

- ➜ engrosamiento del cuello;
- ➜ sensación de opresión;
- ➜ eventualmente, deglución dificultosa; ahogo.

Todo aumento del tamaño del tiroides, palpable o visible, recibe el nombre de bocio. Suele producirse al no recibir el organismo la cantidad de yodo que precisa (→ Carencia de yodo, causa del bocio).

Por regla general, el bocio influye en las funciones propias del tiroides y puede estar originado tanto por una → hipofunción como por una → hiperfunción de esta glándula del cuerpo.

Tratamiento médico

Acuda inmediatamente al médico si la deglución es dificultosa, si tiene sensación de opresión o si el cuello se muestra engrosado. Si el bocio es reducido, el médico prescribirá pastillas de yodo. Y, si transcurrido medio año la situación no mejora, recetará hormonas tiroideas. Los bocios grandes requieren su intervención quirúrgica. Posteriormente, es preciso suministrar al organismo el yodo que necesita o, en su caso, las hormonas tiroideas precisas; en caso contrario, el bocio volvería a desarrollarse.

Autoayuda

Véase el recuadro → carencia de yodo.

Hipertiroidismo
(hiperfunción del tiroides)

▶ Síntomas:

➜ pérdida de peso, digestión "rápida";
➜ pulso rápido, taquicardia;
➜ temblor de manos, desasosiego general, excitabilidad, intranquilidad, falta de concentración.

Es un trastorno motivado por la exageración de las secreciones tiroideas. Cursa con el funcionamiento a "toda marcha" de todos los procesos metabólicos del cuerpo. Entre las causas de esta hiperfunción cabe citarse algunos tumores benignos (*adenomas*), que escapan del control habitual de la hipófisis, inflamaciones de la glándula tiroides y, también, la enfermedad de Basedow, una patología autoinmunológica que frecuentemente presenta molestias oculares: picazón en los ojos, lagrimeo abundante, conjuntiva enrojecida, hinchazón de los párpados, fotofobia y, algunas veces, doble visión de imágenes. Si esta "exoftalmia" es muy intensa, resulta imposible cerrar totalmente los ojos debido a las úlceras corneales que se producen.
Los síntomas de la hiperfunción pueden agravarse paulatinamente hasta llegar a una crisis tirotóxica, una gravísima enfermedad que puede causar la muerte.

Tratamiento médico

Para la tiroidoterapia medicamentosa se dispone de fármacos especiales, bloqueadores de la secreción hormonal del tiroides. Si este tratamiento no produce el éxito esperado, se puede aplicar radioterapia. El yodo radiactivo se administra en forma de cápsulas, que se enriquece (exclusivamente) en la glándula tiroides; la radiación destruye las células productoras de hormona para, de esta forma, reducir la función del tiroides. El tamaño de la glándula tiroides también puede reducirse, o ser extirpada mediante una intervención quirúrgica.

Autoayuda

Debería alternar metódicamente las fases activas con los períodos de reposo de su ciclo vital. Impóngase una dieta alimentaria rica en vitaminas y pobre en yodo. Beba mucho, pero evite tomar alcohol y cafeína. Absténgase de exponerse al sol y de darse sesiones de sauna. En todo caso, consulte con su médico para que controle periódicamente el estado de su salud.

Hipotiroidismo
(hipofunción del tiroides)

▶ Síntomas:

➜ falta de apetito, estreñimiento, aumento de peso;
➜ hipertensión arterial, pulso lento;
➜ motilidad más lenta, cansancio, amnesia y falta de concentración.

La hipofunción de la glándula tiroides consiste en la no producción, o muy poca, de la hormona tiroidea. Por esta causa, las funciones de todos los procesos metabólicos se ralentizan. Las causas pueden estar en una inflamación o en los trastornos funcionales debidos a la reducción del tamaño de la glándula, a su extirpación o a la radioterapia. La hipofunción del tiroides también puede ser heredada o desarrollarse a lo largo de la vida.

Tratamiento médico

Las hormonas que produce la glándula tiroides del cuerpo, se sustituyen por hormonas sintéticas.

Autoayuda

No es posible.

Tiroiditis
(inflamación de la glándula tiroides)

▶ Síntomas:

➜ al principio una acusada sensación de enfermedad, debilidad, falta de rendimiento, dolores articulares, fiebre;
➜ luego dolores, que pueden irradiarse hasta el mentón o la oreja; glándula hipersensible a la palpación y endurecimientos en el cuello.

La tiroiditis suele preceder casi siempre, a una distancia de tres semanas a tres meses, a una infección vírica (vías respiratorias superiores, tracto gastrointestinal).

Tratamiento médico

La tiroiditis casi siempre suele preceder a una infección vírica (vías respiratorias superiores, tracto gastrointestinal), que se produce de tres semanas a tres meses después.

Autoayuda

No es posible.

Tiroiditis crónica
(tiroiditis autoinmune)

▶ Síntomas:

- ➜ dolores, hinchazones, aumento del tamaño del tiroides;
- ➜ en una fase posterior, molestias como en la hipofunción del tiroides.

La forma crónica de la tiroiditis, que también recibe el nombre de tiroiditis de Hashimoto, permanece en estado latente bastante tiempo hasta que se delata. Su etiología se desconoce. Esta enfermedad tiene el carácter de autoinmune, donde las células defensivas del propio cuerpo atacan a la glándula tiroides.

Tratamiento médico

La hipofunción de la glándula tiroides requiere una terapia hormonal. No puede ejercerse influencia alguna sobre el proceso autoinmune.

Autoayuda

No es posible.

Carcinoma tiroideo

▶ Síntomas:

- ➜ tumor de crecimiento lento e indoloro, no desplazable; aumento del diámetro de la circunferencia del cuello; las ganglios linfáticos del cuello aumentan de tamaño, afonía.

Las alteraciones malignas del tiroides sólo representan, aproximadamente, el 1% de todas las enfermedades de tipo canceroso. Los carcinomas tiroideos son de cuatro clases, que requieren procesos clínicos y curaciones muy diferentes. Este tipo de carcinoma sólo manifiesta su presencia cuando ya ha alcanzado un tamaño respetable y ha producido ya metástasis.

Tratamiento médico

De ser factible, hay que extirpar la glándula e incluso los ganglios linfáticos. Después, se aplicará radioterapia con yodo radiactivo. Las hormonas tiroideas que producía la glándula, han de sustituirse de por vida por hormonas sintéticas tomadas en pastillas.

Autoayuda

No es posible.

Hiperfunción de la glándula paratiroides

▶ Síntomas:

- ➜ intensa sed, frecuentes micciones;
- ➜ náuseas, vómitos, estreñimiento, flatulencias;
- ➜ dolores óseos;
- ➜ estado anímico depresivo.

Este síndrome está provocado por el funcionamiento excesivo de las glándulas paratiroides. Se manifiesta por tumoraciones benignas del tejido (*adenoma*), que producen un exceso de parathormona.

Esta hormona elimina el calcio de los huesos (*descalcificación*), pero al mismo tiempo también impide la expulsión de la sustancia mineral a través de los riñones. Por consiguiente, el nivel de calcio en la sangre se eleva y el mineral, a largo plazo, se va depositando en los riñones, en la piel y en otros órganos.

Tratamiento médico

El adenoma se extirpa quirúrgicamente; eventualmente, es necesario tratar a continuación la hipofunción de las glándulas paratiroides que sobreviene.

Autoayuda

No es posible.

Hipofunción de la glándula paratiroides

▶ Síntomas:

- ➜ señales de tetania debido a la carencia de calcio.

La causa más frecuente del hipofuncionalismo de las glándulas paratiroides se debe a la extirpación de dichas glándulas, o a una lesión de ellas. La falta de parathormona provoca la reducción del nivel de calcio en sangre (*hipocalcemia*) y origina los espasmos musculares.

Tratamiento médico

A corto plazo, son efectivas las pastillas de calcio. De momento la parathormona no puede sustituirse, por lo que para normalizar la concentración de calcio en sangre hay que administrar calcio y vitamina D.

Autoayuda

No es posible.

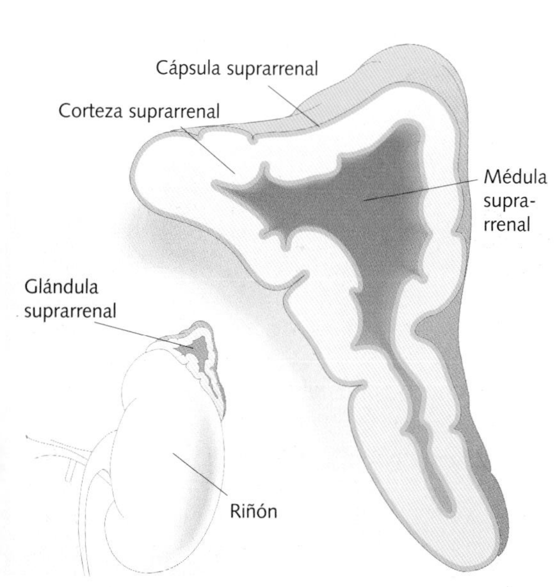

Glándulas suprarrenales

- **Anatomía y función**
- **Las hormonas de las glándulas suprarrenales**
- **Secreción de hormonas en caso de estrés**

Las glándulas suprarrenales, situadas en los extremos superiores de los riñones, son de secreción interna y completamente independientes de éstos. Cada una se compone de dos partes: la corteza o córtex, que representa el 80 ó el 90% de todo el órgano, y la médula. Ambas partes se diferencian entre sí tanto por su estructura como por su función, siendo en el fondo dos glándulas hormonales completamente independientes.

Las hormonas de la médula suprarrenal

En la médula de las glándulas suprarrenales se producen adrenalina y noradrenalina. Esta secreción no está regulada por ninguna hormona de la hipófisis, sino por el simpático, una parte del sistema nervioso vegetativo. Por este motivo, las hormonas de la médula de las glándulas suprarrenales actúan con gran rapidez.
La adrenalina y la noradrenalina incrementan la irrigación sanguínea de los músculos, obligan al corazón a latir con más celeridad, aumentan la tensión arterial y el nivel de glucosa, dilatan los bronquios y bloquean los procesos mentales en favor de las acciones reflejo: preparan al cuerpo para los esfuerzos físicos.

Las hormonas de la corteza suprarrenal

La corteza (*córtex*) de las glándulas suprarrenales produce una elevada cantidad de hormonas, químicamente emparentadas.
Según las funciones que desempeñan en el cuerpo, se dividen en tres grupos:
- **Mineralocorticoides**. Esteroides del tipo desoxicorticosterona, como la aldosterona, que rigen el equilibrio hídrico y potásico del cuerpo.
- **Glucocorticoides**. Producidos en situaciones de intensa sobrecarga, destacan como más activos el cortisol (hidrocortisona) y la cortisona. Influyen sobre todo en el metabolismo y actúan como inhibidores de las inflamaciones.
- **Hormonas sexuales**. Rigen la formación de los rasgos sexuales, así como el desarrollo y funciones de los órganos sexuales. El córtex suprarrenal sólo produce una cantidad muy reducida de hormonas sexuales. En las mujeres, la mayor parte se producen en los ovarios; en los hombres, en los testículos.

¿Qué sucede en una situación de estrés?

La rápida adaptación a una situación de estrés, se produce a través del sistema nervioso vegetativo. Éste estimula la médula suprarrenal y, en poco menos de un segundo, produce adrenalina y noradrenalina.
Pero en situaciones de estrés prolongadas, los efectos de ambas hormonas son insuficientes para adaptar el cuerpo a la sobrecarga que sufre. La hormona adrenalina estimula al hipotálamo, que segrega en ese momento una hormona liberadora. De esta manera se consigue que la hipófisis segregue de nuevo otra hormona reguladora, encargándose la corteza suprarrenal de comenzar la producción de los glucocorticoides.
Estas hormonas pueden mantener la resistencia física del cuerpo durante semanas y hasta meses, pero después acentúan sus efectos negativos: así, por ejemplo, el sistema inmunológico se debilita, las infecciones son más frecuentes y el comportamiento durante el sueño recibe una influencia negativa; asimismo, se reducen la capacidad mental y de concentración. Por este motivo, jamás deben sobreestimarse las fuerzas propias, aunque durante mucho tiempo "todo pueda superarse".

Hiperaldosteronismo (hiperproducción de aldosterona)

▶ Síntomas:

➜ cansancio, sed, micciones frecuentes;
➜ cefaleas, trastornos de la vista;
➜ debilidad muscular, amagos de parálisis;
➜ hidropesía (acumulación de agua en los tejidos).

El hiperaldosteronismo es la producción excesiva de aldosterona por la corteza suprarrenal. Esta hormona regula el equilibrio entre potasio y sodio y, si el nivel de aldosterona es elevado, se produce una eliminación superior a la normal del primero y menor del segundo. La carencia de potasio produce debilidad muscular acompañada de síntomas de parálisis, que también afectan al músculo cardíaco. Respecto a la hidropesía, la acumulación de agua en los tejidos, se debe a que el sodio está prsente de nuevo en el cuerpo. Se trata entonces del denominado "hiperaldosteronismo primario". Las causas de esta alteración pueden ser: un tumor suprarrenal, la debilidad cardíaca o una cirrosis hepática. El empleo muy prolongado de laxantes, así como una ingesta excesiva de regaliz, pueden desencadenar un pseudohiperaldosteronismo.

Tratamiento médico

Si los síntomas mencionados son manifiestos, acuda inmediatamente al médico. El tratamiento se ajustará a la causa concreta que provocó la enfermedad.

Autoayuda

No es posible.

Síndrome adrenogenital

▶ Síntomas:

➜ **en las muchachas:** voz profunda, cabello muy abundante, virilización, mayor formación muscular, falta de menstruación;
➜ **en los muchachos:** existe una pseudopubertad.

La causa del síndrome adrenogenital suele ser un defecto enzimático de origen hereditario, culpable de la alteración de producción de cortisol en la corteza suprarrenal. La hipófisis libera cada vez más hormona reguladora, de acuerdo con el principio del circuito regulador (→ ¿Quién coordina a quién?) y con objeto de provocar en la corteza suprarrenal el estímulo necesario para que produzca la hormona necesaria. La consecuencia es que la corteza suprarrenal no produce más cortisol pero sí andrógenos, hormonas sexuales masculinas que por lo general solamente segrega en cantidades muy reducidas.

Tratamiento médico

El síndrome adrenogenital requiere la instauración de una terapia con cortisol durante toda la vida.

Autoayuda

No es posible.

Síndrome de Cushing

▶ Síntomas:

➜ aumento del apetito, incremento evidente del peso corporal;
➜ adiposidad, sobre todo en el rostro ("cara de luna llena") y en el tronco;
➜ debilidad muscular, hasta atrofia muscular;
➜ "estrías cutáneas" en los abdominales y glúteos, como en un embarazo;
➜ tensión arterial elevada, diabetes mellitus.

El síntoma principal que caracteriza a esta enfermedad es que en la sangre aparece un mayor nivel de hormonas, especialmente de glucocorticoides.
La causa de tal anomalía puede estar en la existencia de un tumor en la corteza suprarrenal o en la glándula hipófisis; también, la que se manifiesta como consecuencia de una terapia medicamentosa que incluya la toma de elevadas dosis de corticoides, como sucede en el reumatismo o después de haberse efectuado un trasplante de riñón.

Tratamiento médico

Los síntomas del síndrome de Cushing son tan típicos, que casi siempre hacen posible dictaminar la enfermedad de inmediato y a tiempo para establecer un tratamiento médico. Si la causa tiene como origen la administración de cortisona, el médico sustituirá este medicamento por otro alternativo. En el caso de que se trate de un tumor, deberá ser extirpado quirúrgicamente. La posterior administración de hormonas hacen posible llevar una vida normal, sin casi molestias.

Autoayuda

No es posible.

En situaciones de estrés el cuerpo segrega la hormona cortisol, que además posee propiedades antiinflamatorias.

Hipofunción de la corteza suprarrenal (enfermedad de Addison)

▶ Síntomas:

➜ constante abatimiento, creciente cansancio a pesar de dormir lo suficiente;
➜ falta de apetito, pérdida de peso y frecuentes náuseas;
➜ coloración oscura de la piel (*melanodermis*);
➜ frecuentes mareos (*hipotensión sanguínea*).

La enfermedad de Addison se produce cuando existe una insuficiencia suprarrenal de carácter crónico. Dicha insuficiencia se hace patente con las hormonas del grupo mineralocorticoides, lo que desencadena un grave desequilibrio hídrico-salino debido al descenso de la tensión arterial. La enfermedad suele estar propiciada por un proceso autoinmune, que se manifiesta al enfrentarse el sistema defensivo a las células de la corteza suprarrenal para destruirlas. La hipofunción de la corteza suprarrenal también puede estar originada por un tratamiento prolongado. Normalmente esta afección suele comenzar de forma solapada, sin el menor síntoma, y sólo con el paso del tiempo se va desarrollando una carencia hormonal más o menos acusada. Como consecuencia de sobrecargas físicas, tales como procesos infecciosos o grandes esfuerzos físicos, el estado general de la persona puede ir empeorando (→ Crisis de Addison).

Tratamiento médico

Las hormonas de la corteza suprarrenal necesitan ser sustituidas constantemente. Para ello, la dosis diaria suele dividirse en dos: una mayor por las mañanas, y otra menor a primeras horas de la tarde. Si la administración de hormonas es suficiente, el paciente podrá llevar una vida normal.

Autoayuda

Toda persona que padezca la enfermedad de Addison, debería llevar consigo un certificado médico para casos de urgencia. En él se reseñarán los medicamentos más importantes que toma habitualmente, así como las prescripciones que incluye el tratamiento.

Crisis de Addison

▶ Síntomas:

➜ hipotensión arterial;
➜ diarreas y vómitos;
➜ hipoglucemia;
➜ perturbación del conocimiento;
➜ es posible el *shock* letal.

La crisis de Addison es una hipofunción aguda de las cortezas suprarrenales. Se puede producir tras la extirpación quirúrgica de un tumor presente en las glándulas suprarrenales, cuando la pérdida de hormonas que ocasiona no ha sido correctamente complementada. La inadecuada terapia de la → Enfermedad de Addison, también puede desembocar en la crisis de Addison. Asimismo, la extirpación de un tumor en la hipófisis posibilita la crisis, así como las hemorragias importantes en las mujeres durante el parto, trombosis en la región de las cápsulas suprarrenales o bien infecciones e intoxicaciones.

Tratamiento médico

Nada más que se manifiesten los primeros síntomas de la enfermedad, llame inmediatamente al servicio de urgencias. Si no se impone un tratamiento, la enfermedad produce la muerte. Además de procurar que el paciente ingiera la cantidad de líquido necesaria, el médico le inyectará hormonas en la sangre.

Autoayuda

Siempre que realice grandes esfuerzos físicos y psíquicos, en caso de que se le haya extirpado un tumor en las glándulas suprarrenales o padezca la enfermedad de Addison, precisará una dosis más elevada de hormonas administradas de forma medicamentosa; en caso contrario, existe la amenaza de una crisis de Addison.

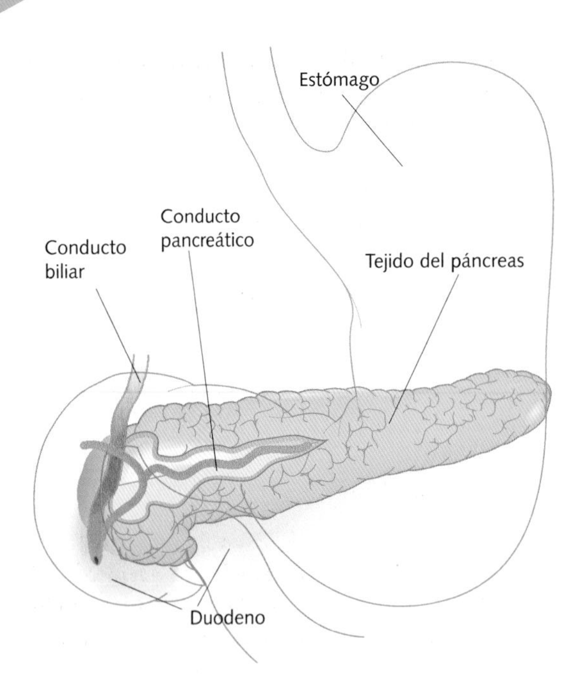

El páncreas

- **Morfología y función**
- **Regulación del metabolismo**
- **Los efectos de la insulina y del glucagón**

Situado en la cavidad abdominal, el páncreas es una glándula doble, endocrina y exocrina, de gran tamaño. En el proceso de la digestión, es la glándula más importante que interviene en su desarrollo. Cada día produce de uno a dos litros de jugo pancreático, que vierte en el duodeno. Además del tejido que produce el jugo digestivo, el páncreas posee un segundo sistema de células que se agrupan y distribuyen por todo el órgano en los denominados "islotes de Langerhans"; de pequeño tamaño, su número se cifra en uno o dos millones y su peso total en unos dos gramos.

Constituyen la glándula hormonal del páncreas y se encargan de la producción de las hormonas insulina y glucagón, reguladoras, sobre todo, del metabolismo de los hidratos de carbono. Es posible concretar dos tipos de células: las células-alfa, responsables de la producción del glucagón, y las células-beta, productoras de la insulina, siendo el número de las segundas doble que el de las primeras.

El azúcar suministra energía

Los hidratos de carbono ingeridos durante la comida se transforman en glucosa durante la digestión, para pasar luego a la circulación sanguínea. El nivel de glucosa en la sangre de una persona sana es de 70 a 120 miligramos por cada 100 mililitros.

La glucosa es utilizada por las células del cuerpo para obtener energía. Pero si con los alimentos se ingieren más hidratos de carbono de los que el cuerpo necesita en ese momento, el hígado produce glucógeno con la glucosa sobrante; y, cuando aumentan las necesidades de glucosa, el glucógeno almacenado se transforman de nuevo en glucosa. Si la ingesta de hidratos de carbono es superior a la cantidad de glucógeno que puede almacenarse en el hígado, entonces este elemento se transforma en lípidos que se depositan en el tejido hepático.

¿Cómo actúan la insulina y el glucagón?

Las hormonas insulina y glucagón son las responsables de que el nivel de glucosa se mantenga siempre entre los 70 y los 120 miligramos por 100 mililitros de sangre. La insulina se encarga de rebajar el nivel de glucosa en la sangre; por el contrario, el glucógeno tiene como objetivo, junto con otras hormonas como son la adrenalina y el cortisol, el incremento de ese mismo nivel. Mediante diversos mecanismos, la insulina puede reducir el nivel de glucosa en la sangre y, además de incentivar el aprovechamiento de la glucosa en las células y su transformación en glucógeno, se encarga de incrementar la permeabilidad de las membranas celulares para la glucosa. Gracias a este sistema se reduce el nivel de glucosa en la sangre, que se había incrementado durante la alimentación. Todo lo contrario sucede con el glucagón, responsable del aumento de la glucemia, que consigue debido al estímulo de la desintegración del glucógeno y el aumento de la síntesis de glucosa a partir de los aminoácidos y lípidos. Si no se produce insulina en cantidad suficiente, o no actúa en el organismo, aparece inmediatamente una merma de energía (→ Carencia de azúcar) en las células, que se simultanea con una hiperglucemia en la sangre denominada diabetes. Cuando no se produce absolutamente nada de insulina, o muy poca, aparece la → diabetes mellitus tipo I; si la cantidad de insulina producida es insuficiente, y no puede ser ya asimilada por las células, la enfermedad originada se conoce entonces como → diabetes mellitus tipo II.

Diabetes mellitus tipo I

▶ Síntomas:

- ➔ intensos deseos de beber (más de 4 litros al día: *polidipsia*);
- ➔ evacuación de grandes cantidades de orina (*poliuria*);
- ➔ cansancio, desánimo, pérdida de peso;
- ➔ difícil curación de heridas infectadas, prurito;
- ➔ enfermedades concomitantes → página 502.

La causa de la diabetes mellitus (que literalmente significa: "circulación dulce como la miel") es una hiperglucemia. Si ésta supera el valor de 180 miligramos/100 mililitros, los riñones comienzan a eliminar una parte de la glucosa a través de la orina. Pero la glucosa sobrante sólo podrá expulsarse del cuerpo si está disuelta en agua, ya que ésta última ha sido evacuada en grandes cantidades del organismo con la orina y esto hace que se padezca una tremenda sed para compensar su pérdida. En la diabetes tipo I (*diabetes insulinodependiente*), no se produce, o sólo en muy reducidas cantidades, la insulina que se precisa para reducir el nivel de glucosa en la sangre, lo que significa que ha de ser sustituida externamente. La diabetes tipo I suele comenzar en la infancia o adolescencia. Este tipo de diabetes afecta más a las mujeres. Y aunque puede existir una predisposición hereditaria para su padecimiento, no es indispensable. En caso de la carencia total o de una creciente demanda de insulina, existe el grave peligro de producirse el "coma diabético". Las molestias iniciales son: náuseas, vómitos, dolores abdominales y olor a acetona al respirar (*cetosis*). En este punto, la atención médica intensiva es imprescindible.

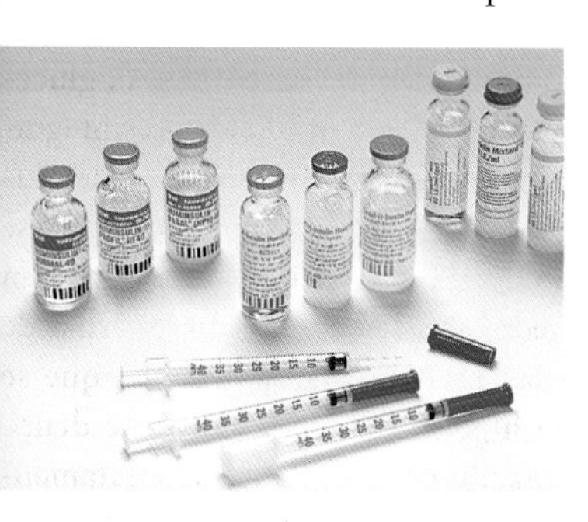

Los diabéticos de tipo I han de inyectarse insulina a diario, por lo que se dice que son "insulinodependientes".

Tratamiento médico

El objetivo de la terapia es el alivio de las molestias reseñadas, así como evitar los efectos secundarios (→ página 502). El nivel de glucosa en la sangre se irá normalizando mediante la administración de insulina y la adopción de un adecuado régimen alimentario cualitativo y cuantitativo.

Autoayuda

→ vivir con diabetes mellitus, página 502.

Diabetes mellitus Tipo II

▶ Síntomas:

- ➔ síntomas menos frecuentes que en la diabetes mellitus tipo I;
- ➔ sobrepeso;
- ➔ efectos secundarios → página 502.

La diabetes mellitus tipo II es una enfermedad que reduce la producción de insulina y limita la sensibilidad de las células con respecto a esta hormona. La posibilidad de contraer la diabetes mellitus tipo II aumenta con la edad, y su base es de origen hereditario. Los abusos alimentarios son un factor de riesgo, pues provocan la constante sobrecarga del páncreas y, como consecuencia, el agotamiento de las células beta, productoras de la insulina, así como una merma de la capacidad de respuesta de las células sobre las que actúa la insulina. Si simultáneamente se da exceso de peso, hipertensión sanguínea, lipemia elevada o diabetes tipo II, entonces se habla de un "síndrome metabólico". Mucho antes de establecer el diagnóstico de una diabetes mellitus tipo II, ésta puede haber provocado con anterioridad una vasculopatía e incrementado considerablemente el riesgo de sufrir un infarto cardíaco o una apoplejía y de padecer otras enfermedades.

Tratamiento médico

Entre las medidas terapéuticas más importantes que exige adoptar la diabetes tipo II figuran: la pérdida de peso, un régimen a largo plazo y la actividad física. Y, al igual que ocurre en la diabetes tipo I, se hace preciso evitar los efectos secundarios que pudiesen presentarse, o bien influir positivamente sobre ellos.

Autoayuda

Adopte personalmente la decisión de modificar su sistema de vida. Procure dedicarse un tiempo a sí mismo, y márquese como objetivos prioritarios la adopción de una dieta alimentaria sana y la práctica regular de ejercicio físico. Para más información, → página 502 de este libro.

Vivir con la diabetes mellitus

La premisa fundamental que requiere todo tratamiento de la diabetes para lograr una forma de vida lo más independiente posible, es que el paciente comprenda el sentido y la coherencia de las medidas terapéuticas prescritas.

Aleccionamiento

Las enseñanzas e instrucciones que ayuden a ser conscientes de cómo proceder con la diabetes y cuál ha de ser la concentración óptima de glucosa en la sangre, son muy importantes para compaginar la enfermedad con el trabajo profesional y el tiempo de ocio. Para obtener más información y solicitar ayuda sobre cómo superar los posibles problemas psíquicos de la enfermedad, se puede recurrir a las asociaciones de afectados o a los organismos competentes.

La alimentación correcta

Al igual que ocurre con las demás personas, también el diabético necesita una aportación equilibrada de hidratos de carbono, lípidos, proteínas, vitaminas, elementos minerales y oligoelementos. La persona diabética debe saber con precisión cuántos hidratos de carbono posee cada alimento. Para su salud es muy importante disponer de una información dietética correcta, generalmente proporcionada por el médico o por el nutrólogo; éste último le impondrá el régimen más adecuado, le indicará la cantidad de hidratos de carbono que posee cada alimento y la que tiene "autorizada" en su caso para el consumo. Como unidad de valor alimentario se utiliza la Unidad del Pan (UP), que es la cantidad de un alimento que corresponde a 12 gramos de hidratos de carbono. En esta labor sirven de ayuda las tablas comparativas, que muestran la cantidad de hidratos de carbono que corresponden a cada alimento. La ingesta de hidratos de carbono debería fraccionarse en muchas comidas (de seis a ocho).

Es conveniente optar por alimentos cuyos hidratos de carbono sean de lenta asimilación, para su posterior transformación en glucosa por el cuerpo: son aconsejables los ricos en féculas y fibras, como el pan integral, las patatas o las leguminosas. No es del todo necesario eliminar lo dulce del régimen alimenticio, pues se puede emplear sacarina u otros sucedáneos. Pero el paciente no ha de concentrar tan sólo su atención en los hidratos de carbono que contienen los alimentos, ya que en los casos de sobrepeso u obesidad también es obligado prestar suma atención a los lípidos de los alimentos.

Por el contrario, para el cálculo de las proteínas no existen medidas muy severas (excepto en las enfermedades renales).

Tampoco debe olvidar el paciente que ciertas bebidas contienen hidratos de carbono, que deberán añadirse al cómputo global de los mismos. La ingesta alcohólica permitida es muy reducida.

Posibles enfermedades contaminantes

Con el tiempo, oscilaciones acusadas y una elevada concentración glucémica en la sangre pueden dañar los vasos sanguíneos y servir de puerta de entrada a numerosas enfermedades.

Por esto es muy importante que el nivel de glucosa en la sangre permanezca estabilizado, siempre ajustado al valor promedio normal. De esta forma se consigue evitar enfermedades, o ejercer una influencia favorable sobre ellas; por una parte, se evitará el peligroso coma diabético (→ Diabetes tipo I); y, por otra, acusadas situaciones de hipoglucemia.

Con la diabetes mellitus son frecuentes:

- La hiperlipemia (→ Metabolismo de lípidos), hipertensión sanguínea y arteriosclerosis, que pueden provocar otras dolencias como angina pectoris (→ Angina de pecho), infarto de miocardio, insuficiencia cardíaca y apoplejía.
- Trastornos circulatorios en pies y piernas, pie diabético (→ Gangrena) o úlcera crural.
- Trastornos de la visión, empeoramiento de la vista hasta llegar a la ceguera.
- Enfermedades de los nervios (→ Polineuropatías).
- Enfermedades renales por lesiones de los glomérulos renales, que puede conducir a una insuficiencia renal de tipo agudo.
- Hígado graso.
- Infecciones cutáneas.
- Impotencia.

Control de glucosa en la sangre y orina

El autocontrol del nivel de glucosa en la sangre y orina es muy importante, control que se puede realizar con unos aparatos y tiritas especiales. Ahora bien, esto no descarta la consulta con el médico para que ordene realizar los preceptivos análisis clínicos.

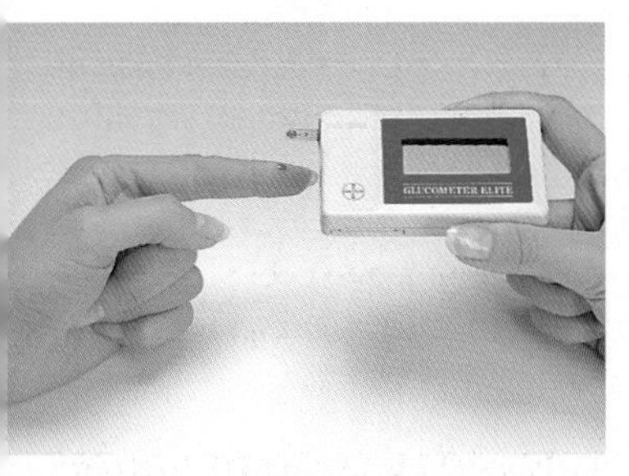

El nivel de glucosa se determina con una gotita de sangre de la yema del dedo.

El color de la tirita de prueba muestra si el nivel de glucosa en la sangre es muy elevado.

Ejercicios físicos y deporte

Se recomienda el ejercicio físico de manera constante, porque incrementa el consumo de energía y, gracias a esta actividad, la glucosa se traslada a todos los músculos y desciende su nivel en la sangre y orina. Para evitar situaciones de hipoglucemia, es necesario coordinar y compensar adecuadamente la toma de insulina con la práctica deportiva.

Diabetes y embarazo

Al igual que toda mujer con un metabolismo normal, la mujer diabética puede alumbrar un niño perfectamente sano. Pero, con todo, el riesgo de complicaciones y de abortos es algo más elevado.

Al modificar el embarazo todo el proceso metabólico normal, es necesario adoptar un plan dietético especial, optimizar el nivel de glucosa en la sangre y realizar obligatoriamente unos reconocimientos de control específicos.

Terapia con insulina

Si el cuerpo no produce insulina, o lo hace sin que llegue a cubrir las necesidades (→ Diabetes mellitus tipo I), es necesario aportarla externamente. En la actualidad, se emplean casi exclusivamente las denominadas "insulinas humanas".

De entre las insulinas, deben diferenciarse las de acción instantánea de las de acción retardada: las primeras, bloquean el elevado nivel de glucosa en la sangre después de cada comida; las segundas, proporcionan al organismo la hormona que precisa, pero en menor cantidad, para que actúe de forma uniforme durante un período de tiempo más prolongado.

Fundamentalmente, existen dos formas de terapia:

- *La terapia insulínica*, donde el médico es quien fija la cantidad de insulina que debe inyectarse diariamente, qué cantidades, con qué frecuencia y cuándo debe comer el paciente.
- La denominada *terapia de insulina intensiva*, en la que el propio paciente aprende a determinar qué cantidad de insulina debe inyectarse: dos veces al día se inyecta insulina de acción retardada, e insulina de acción inmediata después de la comida principal.

Situaciones de hipoglucemia

Los síntomas que puede provocar un bajo nivel de glucosa en la sangre son: hambre desmesurada, sudoración repentina, cefaleas, intranquilidad, palpitaciones, temblores, pánico y trastornos de la vista y de la concentración; si la caída es muy acusada, puede producirse pérdida de conocimiento. Estas situaciones pueden presentarse tanto en los diabéticos que se inyectan insulina, como en los que siguen una terapia con medicamentos reductores del nivel de glucosa en la sangre, sobre todo si han suprimido una comida, en casos de sobrecarga física, ingesta de alcohol, vómitos y diarreas. Pero las personas con un metabolismo normal pueden padecer situaciones de hipoglucemia, ocasionadas por los trastornos que provocan las "hormonas contrarias" de la insulina, las enfermedades intestinales, la carencia de minerales, las alergias a los alimentos o una "excesiva" producción de insulina como reacción al pan blanco, dulces, pasteles u otros alimentos ricos en hidratos de carbono. Al primer síntoma de hipoglucemia, es necesario ingerir inmediatamente glucosa.

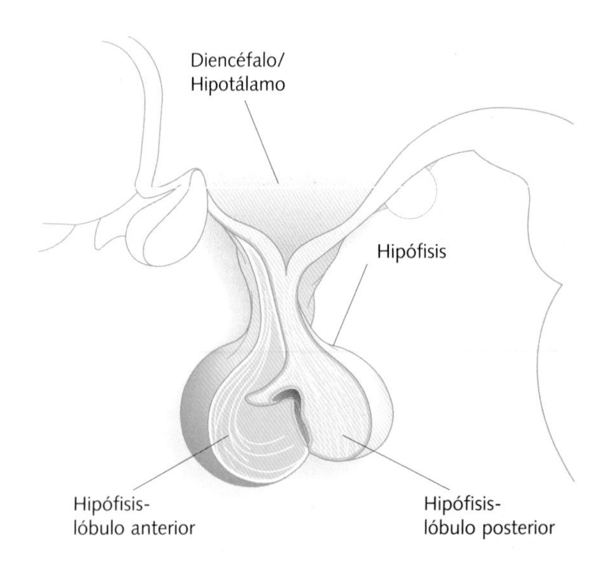

La hipófisis

- **Morfología y función**
- **Producción de hormonas**
- **Función rectora**

La hipófisis o pituitaria es una glándula de secreción interna, ovoide, de menos de un gramo de peso y tamaño aproximado al de una judía. Está unida a una parte del diencéfalo, conocida como hipotálamo, mediante un tallo pituitario. A pesar de lo inaccesible de su situación y lo enigmático de las funciones que desempeñaba durante mucho tiempo, su anatomía se conoce desde hace más de 2000 años.

Las hormonas de la hipófosis

En el lóbulo anterior de la hipófisis, o adenohipófisis, se producen gran cantidad de hormonas; y en el lóbulo posterior, o neurohipófisis, se almacenan dos hormonas del hipotálamo. El primero segrega las hormonas cuando el hipotálamo remite las "hormonas liberadoras". Este lóbulo está formado por tres tipos de células: cromófobas, acidófilas y basófilas. Las primeras no tienen actividad secretora, mientras las otras dos producen las diversas hormonas hipofisarias. De las hormonas, dos actúan las células-objetivo; las otras, regulan la actividad de otras glándulas hormonales.

- La hormona del crecimiento (GH), o somatotrópica, influye en el crecimiento del esqueleto humano y en otros procesos metabólicos.
- La hormona adrenocorticotropina (ACTH) estimula la secreción hormonal de las glándulas suprarrenales.
- La hormona foliculoestimulante (FSH) influye sobre la secreción de las gónadas femeninas y masculinas.
- La hormona luteinizante (LH) interviene en el proceso de las glándulas sexuales, especialmente en la ovulación y producción del cuerpo lúteo en la mujer y en la maduración de los espermatozoides masculinos.
- La melanotropina (MSH) es la hormona que estimula la formación de pigmento en los melanocitos.
- La tirotropina (TSH) se tiene por la hormona estimulante del tiroides.
- La hormona prolactina o prolactógena se encarga de la secreción de leche durante el embarazo.

El lóbulo posterior de la hipófisis, o neurohipófisis, almacena la hormona antidiurética (*vasopresina*), o reguladora del equilibrio hídrico, y la oxitocina, que actúa sobre la pared del útero para que se contraiga y facilite la expulsión del feto; también, propicia el comienzo de la lactancia.

El ciclo menstrual

El hipotálamo y la glándula hipofisaria regulan el ciclo menstrual de la mujer. El hipotálamo envía una hormona liberadora especial, que sirve de estímulo a la hipófisis en la secreción de las hormonas FSH (foliculoestimulante) y LH (luteinizante). Durante la primera mitad del ciclo, la FSH propicia la maduración del óvulo y la secreción de estrógenos. Con ello se consigue que, después de la menstruación, se regenere la capa basal del endometrio y la secreción de la hormona LH. Esta hormona actúa entonces, conjuntamente con la FSH, sobre la ovulación y la formación del cuerpo lúteo, que a su vez produce progesterona y una mínima cantidad de estrógenos durante la segunda mitad del ciclo. La progesterona prepara el cuerpo para el embarazo. Si el ovocito no ha sido fecundado, comienza la denominada fase hemorrágica, se produce la inhibición de la secreción hipofisaria y se reduce paulatinamente la producción de FSH y LH, hasta cesar por completo la de estrógenos y progesterona.

La reiterada influencia del hipotálamo hace que aumente otra vez la secreción de FSH y, nuevamente, se producen estrógenos. Tras ser expulsadas las escamas de la capa funcional del endometrio, se produce la fase hemorrágica y comienza un nuevo ciclo.

Diabetes insípida
(*diabetes insipidus*)

▶ Síntomas:
- evacuación de varios litros de orina (*poliuria*) al día;
- sed intensa (*polidipsia*);
- necesidad de interrumpir el descanso nocturno varias veces para beber y orinar.

El trastorno del metabolismo del agua obedece a la carencia de la hormona antidiurética, escasez que se manifiesta al verse alterada la relación entre el diencéfalo y la hipófisis. Los receptores de los riñones no reaccionan con la hormona. Esta enfermedad puede estar motivada por una infección, traumatismo, etcétera. Sin la vasopresina (efectiva) los riñones no consiguen retener agua en el cuerpo, lo que equivale a evacuarla rápidamente.
Este trastorno del equilibrio hídrico nada tiene que ver con la diabetes mellitus o glucemia.

Tratamiento médico

Nada más que advierta los síntomas antes descritos, acuda inmediatamente a la consulta del médico. La diabetes insípida es incurable, pero las molestias pueden suprimirse mediante la administración de vasopresina sintética. Esta hormona se administra en forma de *spray* nasal. Si la causa radica en los riñones, el médico prescribirá un sucedáneo adecuado del cortisol, una hormona de las glándulas suprarrenales necesaria para que la vasopresina pueda actuar en los riñones.

Autoayuda

No es posible.

Hiperfunción de prolactina

▶ Síntomas:
- **en las mujeres**: retirada de la menstruación, las glándulas mamarias producen una supuración láctea;
- **en el hombre**: crecimiento de los pechos, reducción del instinto sexual;
- trastornos de la visión, cefaleas, trastornos de la fecundidad.

La causa del exceso de producción de la hormona lactógena prolactina casi siempre hay que buscarla en los prolactinomas, un tipo de adenoma de la hipófisis.

Tratamiento médico

Si padece los síntomas descritos, consulte con su médico. Por lo general, los adenomas de más de un centímetro requieren la intervención quirúrgica. Para ello, el neurocirujano los extraerá a través de los orificios nasales. En caso de que tengan unos milímetros, la toma de medicamentos que obliguen a una secreción más lenta de prolactina bastará para su curación.

Autoayuda

No es posible.

Gigantismo/Acromegalia

▶ Síntomas:
- **gigantismo**: aumento desmesurado de la estatura en los niños y adolescentes;
- **acromegalia**: aumento progresivo del tamaño del cráneo, rostro, manos y pies, asociado al excesivo desarrollo de los órganos internos, propensión a la sudoración, trastornos de la vista, cefaleas.

Tanto en el gigantismo, denominado gigantismo hipofisario (propio de la infancia y de la juventud), como en la acromegalia (que afecta en la edad adulta), la causa de su padecimiento suele ser la excesiva producción de la hormona somatotropa (GH), o del crecimiento, casi siempre como consecuencia de la presencia en la hipófisis de un tumor benigno (*adenoma acidófilo*).

Tratamiento médico

Si se manifiesta alguno de los síntomas descritos, acuda lo antes posible a la consulta de su médico. Estos adenomas pueden extirparse mediante un procedimiento microquirúrgico, al menos parcialmente. Después de la operación se precisa la instauración de un tratamiento medicamentoso y radioterapia, que en varias sesiones tratará toda la región ocupada por la hipófisis para destruir las restantes células productoras de la hormona del crecimiento. Lamentablemente, esta radioterapia produce algunos efectos secundarios debido a que toda la hipófisis sufre daño; el tratamiento también afecta a la glándula tiroides, glándulas suprarrenales y glándulas sexuales, cuyas hormonas han de sustituirse posteriormente.

Autoayuda

No es posible.

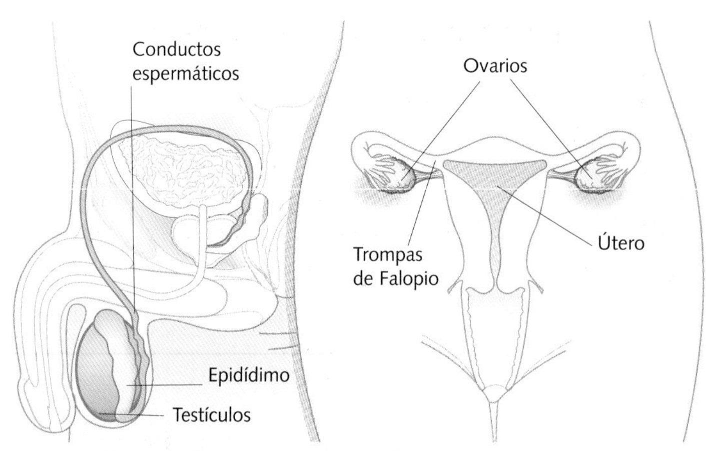

Las glándulas reproductoras

- **Morfología y función**
- **Las hormonas de las glándulas reproductoras**
- **Influencia hormonal en la pubertad**

Ovarios y testículos son las glándulas reproductoras humanas. Tienen una doble función: segregar hormonas sexuales y producir los óvulos o espermatozoides.

Los ovarios

Los dos ovarios que tiene la mujer se sitúan uno a cada lado del útero, a derecha e izquierda. En ellos maduran los óvulos o células germinativas (*gametos femeninos*), que al producirse la ovulación son transportados hasta el útero a través de las trompas de Falopio.

Las hormonas sexuales femeninas son producidas, durante la ovogénesis, por las células que rodean al óvulo. Los estrógenos acentúan la los rasgos sexuales que caracterizan a la mujer, favorecen el crecimiento del endometrio uterino y permiten la fecundación del óvulo durante el ciclo menstrual. Suelen producirse durante la primera mitad del ciclo.

Los gestágenos se liberan en la segunda mitad del ciclo, y su misión consiste en preparar el endometrio para que pueda anidar el óvulo fecundado y se desarrolle el embrión. El gestágeno más importante es la progesterona, que produce la glándula endocrina o cuerpo amarillo, formado por las células después de la rotura del folículo.

Las funciones que realizan los ovarios están dirigidas por dos hormonas de la hipófisis: la hormona foliculoestimulante (FSH) y la hormona luteinizante (LH), que a su vez las regula otra hormona liberadora segregada por el hipotálamo.

Los testículos

Los testículos forman parte del órgano genital interno masculino. Tienen forma ovoide y se localizan en las bolsas testiculares (*escroto*), que se comunican con la cavidad abdominal. La membrana serosa que tapiza el testículo es la membrana vaginal del testículo, unida a la raíz del miembro masculino. Están divididos en lóbulos, cada uno de los cuales tiene uno o dos tubos seminíferos que se desarrollan y forman un ovillo. Las vías espermáticas intratesticulares resultan de la unión entre los túbulos seminíferos y el comienzo del epidídimo. En la periferia hay células de sostén con funciones de protección, nutrición y sustento de las células germinativas. Las hormonas sexuales masculinas (*andrógenos*) poseen sendas funciones en la esfera sexual y en el metabolismo. La producción de la hormona sexual masculina, la testosterona, está influenciada por la hormona luteinizante de la hipófisis. Pero esta hormona no se produce cíclicamente, sino de forma constante. La testosterona es una hormona androgénica, producida por las células de Leydig del testículo, que se encarga de regular el instinto sexual y la producción de las células espermáticas.

El desarrollo de la madurez sexual

El desarrollo de la madurez sexual y formación de la capacidad reproductora tiene lugar en la pubertad; el hipotálamo segrega una hormona liberadora que estimula la producción de hormonas reguladoras en la hipófisis. En este instante, ovarios y testículos comienzan la producción de hormonas sexuales, femeninas o masculinas, que producen transformaciones físicas. La mujer crece, le salen pelos en el pubis y desarrolla las mamas perfilando sus formas; el hombre aumenta de estatura, los testículos aumentan de tamaño y la voz adquiere un matiz profundo. Aspectos característicos de la madurez sexual son: la menstruación en las muchachas; y, en los jóvenes, la primera eyaculación.

Transexualismo

▶ Síntomas:
- absoluta certeza de no pertenecer al sexo que se tiene;
- rechazo de los caracteres sexuales propios y específicos (vivir en el cuerpo "equivocado");
- deseo de cambiar de sexo.

Es un trastorno de la conciencia del propio sexo, que provoca en quien lo padece le haga desear cambiarse de sexo (*genitales externos*). Por regla general, las personas afectadas suelen sentirse heterosexuales; así, por ejemplo, un hombre transexual desea, para sentirse mujer, mantener relaciones sexuales con un hombre. Aunque en algunos países tiene la consideración de enfermedad, lo cierto es que los afectados no se sienten "enfermos". Pero la intensa presión psíquica y social les obliga a este cambio, mediante un tratamiento hormonal y la intervención quirúrgica.

Tratamiento médico

La dificultad del cambio de sexo hace que requiera mucho tiempo y, además, exija una preparación especial. En esta preparación se incluye, por ejemplo, un "test de la vida cotidiana" que se prologa durante varios meses. Durante este tiempo, la persona afectada representa de cara a los demás el papel del sexo que desea adquirir. De esta forma, quedará perfectamente claro si dicho cambio de sexo es perfectamente viable y compatible con la vida tanto íntima como profesional. El primer paso consistirá en la prescripción de un tratamiento hormonal del sexo al que se desea pertenecer para, transcurridos nueve meses de tratamiento, poder proceder a la intervención plástico-quirúrgica correspondiente.

En el cambio de sexo de "hombre a mujer" se procede a la extirpación del pene y de los testículos, que son sustituidos por una vagina y los órganos sexuales femeninos externos para, a continuación, proceder a modelar plásticamente las mamas. En el cambio de sexo de "mujer a hombre" se elimina quirúrgicamente los órganos sexuales internos y mamas, el clítoris se transforma en una especie de pene y para los testículos se adapta una prótesis.

Autoayuda

Confíe en los propios sentimientos, en la familia, en el compañero/a sentimental y en los amigos.

Hermafroditismo verdadero

▶ Síntomas:
- presencia en una misma persona de testículos y ovarios, aislados o agrupados;
- los órganos sexuales se desarrollan con mayor o menor intensidad de lo que requiere el sexo, lo que viene determinado por los cromosomas.

El hermafroditismo es normal en algunos invertebrados, pero en el ser humano es un hecho excepcional debido a que supone una aberración cromosómica. Los órganos genitales externos están más o menos malformados y el sexo nuclear, masculino o femenino, no se ajusta a las hormonas sexuales existentes.

Tratamiento médico

Supone la intervención quirúrgica fundamentalmente durante la niñez, pues permite adaptar con éxito los órganos sexuales aparentes al sexo genético.

Autoayuda

No es posible.

Pseudohermafroditismo

▶ Síntomas:
- la persona dispone tanto de hormonas sexuales masculinas como femeninas, con los correspondientes ovarios o testículos; sin embargo, los órganos y características sexuales se desarrollan contrariamente al sexo.

Esta enfermedad tiene su origen en las alteraciones de la producción o aplicación de las hormonas sexuales específicas del sexo al que pertenece la persona.

Tratamiento médico

El tratamiento puede realizarse con una terapia hormonal, así como mediante la corrección de los órganos sexuales durante una intervención quirúrgica.

Autoayuda

No es posible.

Encontrará información referente al *síndrome de Klinefelter* y al *síndrome de Turner* en la → página 409, y para el *síndrome adrenogenital*, en la → página 498.

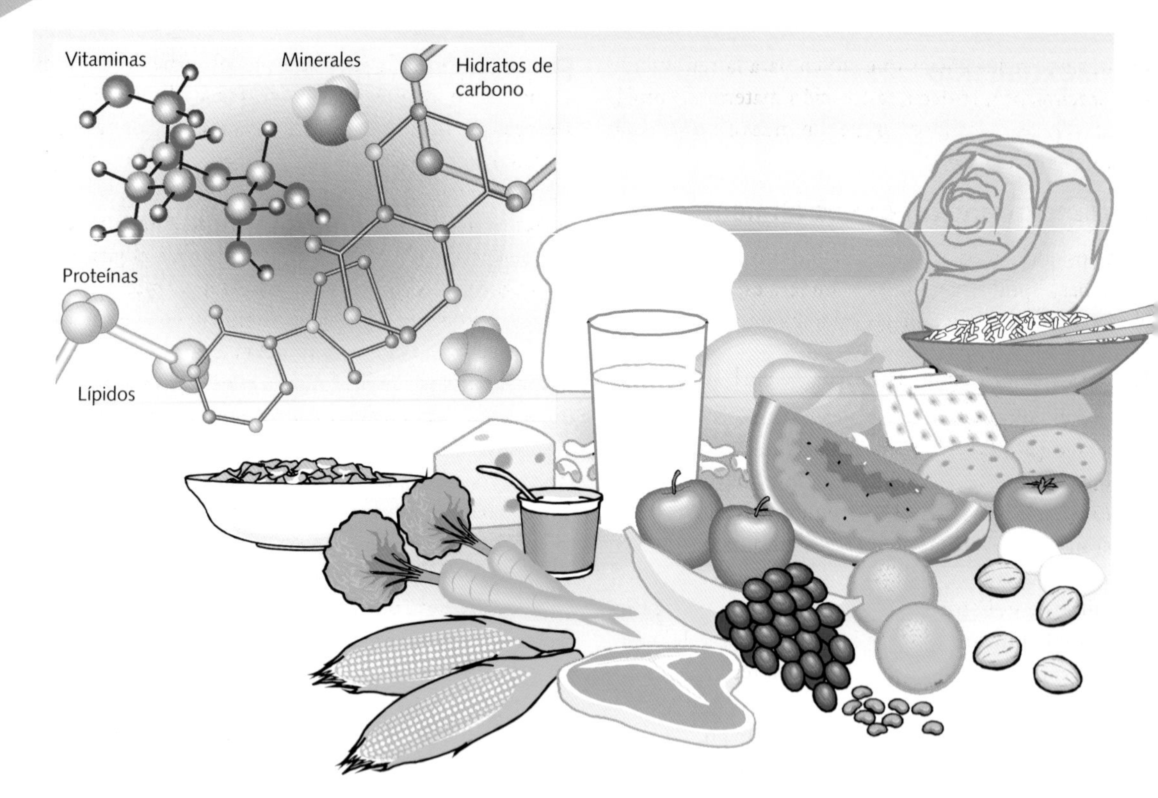

El metabolismo

- **El papel de las hormonas y enzimas**
- **Cómo discurren los procesos metabólicos**
- **Aprovechamiento de los nutrientes**

El metabolismo es el conjunto de cambios químicos que tienen lugar en los organismos vivos. Además de evacuar los desechos, sus funciones son: obtener la energía que precisan las células, formar tejidos y sintetizar una serie de sustancias (*hormonas*). Propio del metabolismo humano es la incorporación al organismo de hidratos de carbono, proteínas y lípidos, vitaminas y elementos minerales, así como de oligoelementos, agua y oxígeno. Posee dos etapas bien diferenciadas: el catabolismo y el anabolismo.

Crear y consumir energía

Las hormonas desempeñan un importante papel en el desarrollo del metabolismo global y en la regulación de aspectos concretos tales como el metabolismo de los hidratos de carbono (→ ¿Cómo actúan la insulina y el glucagón?). La hormona de la glándula tiroides se encarga de regular el aprovechamiento total, es decir, la velocidad con la que las células en reposo transforman los alimentos para crear y consumir luego su energía. Algunas proteínas, los enzimas, regulan la velocidad y los procesos metabólicos de las células. Cada enzima está especializado en una sustancia con la que realiza una reacción química, aunque él no se altere.

El metabolismo energético y el constructivo

El metabolismo energético tiene como objetivo poner a disposición del organismo la energía necesaria para realizar sus procesos vitales, la energía se obtiene "quemando" la glucosa ingerida con los alimentos. Esta forma de combustión (*oxidación*), casi nada tiene que ver con el significado de la palabra: desde un punto de vista químico, "quemar" equivale a fijar el oxígeno sobre un cuerpo o sustancia. La glucosa se "quema" para convertirse en dióxido de carbono y agua; pero, al mismo tiempo, también libera energía. El oxígeno que precisa este proceso se obtiene del aire que respiramos. A diferencia del metabolismo energético, el metabolismo constructivo consume energía para desarrollar su actividad. Entre sus cometidos incluye la transformación de nutrientes y elementos energéticos propios del organismo en sustancias que sirven para la renovación o el crecimiento, es decir, la creación material de moléculas, células y tejidos, o de un nuevo organismo durante el embarazo.

La transformación de los alimentos

Con los alimentos se ingieren hidratos de carbono, proteínas, lípidos, vitaminas y minerales, que durante el metabolismo siguen luego caminos muy diferentes.

El metabolismo de los hidratos de carbono

El ser humano ingiere diferentes hidratos de carbono: los *monosacáridos* (glucosa), los *disacáridos* (azúcar de caña, de remolacha, de leche), *polisacáridos* (almidón) y *celulosa*. El metabolismo descompone los sacáridos en sus componentes, para aprovecharlos como "glucosa" y producir energía.

La celulosa, polisacárido de sostén (o estructural), es indigestible por los enzimas intestinales; sin embargo, la fermentación bacteriana puede desintegrarla, lo que permite la eliminación de la celulosa presente en las plantas comestibles, que, aunque no contribuye a abastecer el cuerpo con nutrientes, ejerce una influencia beneficiosa sobre la actividad intestinal.

La glucosa que no se utiliza de inmediato queda "almacena" en el hígado en forma de glucógeno, para, tan pronto como el organismo lo necesite, transformarlo rápidamente de nuevo en la necesaria glucosa.

El metabolismo de las proteínas

Las proteínas representan uno de los elementos más importantes que necesita el cuerpo. Están presentes tanto en los alimentos de origen animal como vegetal. Para poder ser absorbidas en el intestino delgado, las proteínas se desdoblan en aminoácidos; de allí pasan al hígado a través de la vena porta, donde pueden utilizarse para la síntesis proteica, pasar a la circulación sanguínea o formar urea en el hígado. El organismo utiliza la mayor parte de los aminoácidos para producir sus propias proteínas durante los procesos de creación o transformación de las células.

El metabolismo de los lípidos

Las grasas contienen doble energía que los hidratos de carbono, pero necesitan bastante más tiempo para descomponerse. El metabolismo absorbe los lípidos como grasas neutras, ácidos grasos y glicerol, siendo almacenados como tejido adiposo por el mismo organismo; luego, se utilizan para obtener energía y para la síntesis de las membranas celulares.

El ser humano ingiere grasas de origen animal y vegetal, perteneciendo la mayor parte de ellas al grupo de los triglicéridos (*grasas neutras*). Al igual que la glucosa, los ácidos grasos pueden suministrar energía a las células. Y para el desarrollo del cuerpo, lo ácidos grasos insaturados son vitales para el organismo.

También son importantes el colesterol y los fosfolípidos. El primero es el esterol más abundante en los tejidos animales o de su procedencia, aunque el propio cuerpo humano lo produce igualmente; es un componente importante de las membranas celulares, si bien cabe la posibilidad de que produzca una peligrosa y elevada concentración en el suero sanguíneo y en los vasos sanguíneos (*colesterolemia*).

En todos aquellos casos que la dieta ingerida contenga más lípidos e hidratos de carbono de los realmente necesarios, el organismo los almacena. Los depósitos de grasa en el cuerpo constituyen reservas energéticas para "tiempos difíciles", aunque unas "reservas demasiado abundantes" se conviertan a largo plazo en un riesgo para la salud de la persona.

Vitaminas y sustancias minerales

Para la salud es imprescindible que la dieta alimentaria contenga vitaminas, elementos minerales y oligoelementos. Si es equilibrada, las carencias no se producirán. Aunque en ciertas fases de la vida, la necesidad que el cuerpo tiene de ellas es mucho mayor (lactantes, en el embarazo, la lactancia).

Entre las sustancias minerales, además de elementos como el calcio y el magnesio, que se incorporan en grandes cantidades, también figuran oligoelementos, indispensables para el desarrollo y normal funcionamiento del organismo, aunque sólo se requieran cantidades ínfimas (trazas). Entre ellos figuran: cinc, cobre, cobalto, cromo, yodo y hierro.

Antes de tomar pastillas para suplir cualquier tipo de carencia vitamínica, es mejor disfrutar del inigualable sabor de la fruta fresca.

Sobrepeso patológico (adiposis)

▶ Síntomas:

➜ la parte proporcional del tejido adiposo existente en el cuerpo humano supera ampliamente el promedio habitual, lo que produce sobrepeso y obesidad.

Desde un punto de vista médico, existe sobrepeso cuando el peso de la persona supera en un 10% el considerado normal; y se califica como sobrepeso patológico, cuando excede a éste en un 20%. La esperanza de vida de una persona con sobrepeso es más reducida que una con peso normal, tiene mucho más riesgo de padecer enfermedades cardiovasculares, hipertensión, ataques de apoplejía, trombosis o embolias, diabetes mellitus o artrosis articular.

Salvo unas pocas excepciones, la causa del sobrepeso patológico casi siempre radica en una dieta alimentaria demasiado abundante. Las personas de más edad muestran mayor tendencia al sobrepeso; ello se debe a que, a partir de los 50 años, el metabolismo es cada vez más lento y la persona reduce su actividad física. Por regla general, el sobrepeso poco acusado que aparece durante la pubertad suele carecer de importancia.

Tratamiento médico

El médico o nutrólogo se encargará de imponerle un régimen alimentario y de darle los consejos oportunos para modificar las costumbres de vida y dietéticas perjudiciales. Para determinar cuál es realmente el estado de salud, es aconsejable someterse a un reconocimiento médico exhaustivo.

La obesidad supone una carga para el cuerpo, que a largo plazo puede propiciar la aparición de diferentes enfermedades.

El peso normal

Existe una fórmula que permite calcular, hasta los gramos, el peso "normal" de una persona.

El punto de partida para hallar este peso es el denominado "índice Broca": según sus indicaciones, la talla de la persona (expresada en centímetros) menos 100, indica el peso corporal normal que deben tener los hombres; entre las mujeres, el peso ideal corresponde a la estatura en centímetros menos 100, menos el 10%.

Autoayuda

El mejor consejo es: "comer menos y hacer más ejercicio". Las "curas de abstinencia" no aportan mejorías. Lo importante es un cambio radical de la alimentación, incluyendo productos integrales y la práctica de ejercicio. En las páginas 698 a la 721, encontrará consejos y sugerencias. Las asociaciones de afectados pueden contribuir a cambiar los hábitos de vida.

Trastornos en el metabolismo de los lípidos

Este tipo de trastornos suelen producir una hiperlipemia, un incremento del nivel de los lípidos en la sangre. También suele hablarse de "hiperlipoproteinemia", que puede ser genética (*primaria*) o estar causada por una enfermedad del hígado, riñones, páncreas o tiroides, especialmente por la gota, diabetes o un sobrepeso patológico (*secundaria*).

De entre las varias clases de lípidos que existen, destacan los triglicéridos, o lípidos neutros, que representan la mayor parte de las grasas que ingerimos con la dieta, tanto de origen vegetal como animal. El "temido" colesterol, además de ingerirse con los alimentos de la dieta, también lo produce el propio cuerpo en el hígado. Es un elemento vital para la configuración de las membranas celulares, pero asimismo se considera responsable de la concentración de lípidos en los vasos sanguíneos que producen la arteriosclerosis y, por consiguiente, las peligrosas enfermedades cardiovasculares.

Las hiperlipoproteinemias primarias se dividen en cinco grupos, siendo frecuentes los trastornos que se refieren a los grupos II y IV.

Hiperliproteinemia tipo II

▶ Síntomas:

➜ xantomas/xantelasmas; localizados casi siempre en la región palpebral, en el rostro y la superficie cutánea de las extremidades; a veces en la proximidad de los tendones (de los dedos, rodillas, calcáneo); otras veces, las personas enfermas no acusan síntomas.

De origen hereditario, esta enfermedad se produce como consecuencia de una alteración en el metabolismo de los lípidos al estar ausente el enzima lipoproteinlipasa. El nivel de colesterol en la sangre es muy elevado, lo que implica un gran riesgo de infarto debido a que los lípidos de la sangre se van depositando en los vasos sanguíneos, pudiendo llegar a producir arteriosclerosis en los vasos coronarios.

Tratamiento médico

Incluye la prescripción de una dieta pobre en colesterol, que descarta el consumo de huevos, vísceras y grasas animales. El valor del régimen no deja de ser discutido, pues el colesterol producido por el propio cuerpo incrementa los niveles de lipemia. Además, para reducir los valores de lipemia en sangre, se prescribirán medicamentos que ayuden en su control.

Autoayuda

Practique deporte con regularidad, ya que el ejercicio físico favorece la presencia de lipoproteínas "buenas" (HDL: → ¿Es culpable el colesterol?) que contribuyen a evitar la arteroesclerosis.

Hiperlipoproteinemia tipo IV

▶ Síntomas:

➜ excepto xantomas, la persona afectada no suele padecer otras molestias.

En la hiperlipoproteinemia tipo IV, el análisis de sangre revela la existencia de un elevado nivel de triglicéridos en la circulación sanguínea. La causa no está en las grasas que se ingieren con la dieta, sino en los triglicéridos producidos por el propio cuerpo en el hígado. Para ello utiliza algunas sustancias elementales, como hidratos de carbono y ácidos grasos.
El riesgo de que esta alteración del metabolismo de los lípidos produzca una arteriosclerosis, también es muy elevado. El 60 u 80% de las personas afectadas por esta enfermedad del tipo IV, padecen diabetes mellitus y suelen tener exceso de peso.

Tratamiento médico

En la dieta alimentaria prescrita por el médico, se reducirán las cantidades de hidratos de carbono y de lípidos; asimismo, es posible adoptar una terapia medicamentosa adecuada.

Autoayuda

Además de evitar la ingesta de alcohol, impóngase un cambio consciente en su dieta alimentaria.

Enfermedad de Gaucher

▶ Síntomas:

➜ articulaciones dolorosas, hinchadas; dolor en los huesos; trastornos de la actividad muscular;
➜ coloración ocre de la piel.

Este trastorno se caracteriza por la acumulación anormal de lípidos en las células del organismo.
Probablemente tenga su origen en un defecto enzimático congénito, que desencadena la acumulación excesiva de glucocerebrósido en las células del sistema reticuloendotelial del bazo e hígado, en los ganglios linfáticos y, asimismo, en la médula espinal. Esta enfermedad también puede contribuir a que el bazo e hígado aumenten considerablemente de tamaño.

Tratamiento médico

En caso de que existan trastornos, quizá sea preciso sopesar la conveniencia de extirpar el bazo que padece esplenomegalia (*hipertrofia*).

Autoayuda

No es posible.

Gota

Encontrará amplia información en la página 432.

Carencia de vitaminas y sustancias minerales

Para informarse sobre las anemias ferropénicas → páginas 292 y 296; y sobre la avitaminosis por falta de vitamina B_{12} y ácido fólico, → página 293.

Hipotiroidismo congénito

▶ Síntomas:

- el niño bebe con lentitud, se mueve poco, duerme excesivamemte y defeca pocas veces;
- crece lentamente y aprende, aunque más tarde que los de su misma edad, a sujetar las cosas, a sentarse y ponerse en pie
- la piel del niño es viscosa, su lengua es exageradamente grande (*macroglosia*).

La hipofunción de la glándula tiroides en el lactante hace que contraiga enfermedades metabólicas. Para evitar este aspecto y comprobar si el tiroides trabaja con normalidad, al bebé se le extrae un poco de sangre (*reconocimiento preventivo*). Si una hipofunción no recibe tratamiento, además de no estimular la maduración del sistema nervioso central ni el crecimiento del cuerpo, pueden aparecer los síntomas antes descritos provocados por la insuficiente producción de hormona como para alcanzar el normal consumo de energía que precisa el organismo.

Durante las primeras semanas del embarazo, la glándula tiroides del niño aún no nacido se desplaza desde el fondo de la lengua hasta el cuello; pero, en algunos casos, este "traslado" no se realiza de forma completa y queda "inmovilizada" en una posición que no le permite trabajar con normalidad. Pero también puede estar incompleta, o que ni siquiera exista, causas éstas que, a partir del alumbramiento, hacen que la glándula no segregue hormonas o muy pocas.

En contadas ocasiones, la hipofunción de la glándula tiroides reside en su incapacidad para combinar las hormonas con el yodo y otros componentes químicos. Si la glándula tiroides de la madre recibe poco yodo durante el embarazo y hace imposible que segregue las hormonas necesarias, también puede ser la causa de que exista una hipofunción tiroidea en el niño.

Carencia de yodo durante el embarazo y período de lactancia

Durante el embarazo, el cuerpo de la madre incrementa considerablemente su demanda de vitaminas, sustancias minerales y oligoelementos. En el transcurso de este período de tiempo, la dieta alimentaria de la madre debe contener abundantes nutrientes. Además de calcio, hierro, ácido fólico, proteínas, magnesio, vitamina C y vitamina B_{12}, el oligoelemento yodo es especialmente importante para el normal desarrollo del niño aún no nacido.

Mientras una persona adulta necesita ingerir normalmente de 150 a 250 microgramos de yodo diarios con la ingesta alimentaria, la mujer embarazada necesita como mínimo la mitad más. En caso de que no se alcance esta cantidad, puede desarrollarse un bocio durante el embarazo (→ Bocio) que se manifieste externamente.

La glándula tiroides del niño aún no nacido comienza a necesitar yodo entre la décima y la duodécima semana del embarazo, porque a partir de este instante trabaja ya independientemente y ha de estar en condiciones de producir sus hormonas en la cantidad precisa. Para la producción de la hormona tiroidea, los niños recién nacidos necesitan de 50 a 80 microgramos de yodo diarios. La leche de la madre sólo podrá cubrir estas necesidades si ella misma recibe el yodo suficiente.

Si durante el embarazo existe un déficit de yodo, el pescado y los productos lácteos lo compensarán.

La eventual carencia de yodo puede prevenirse durante el embarazo y la lactancia con la adopción de una alimentación adecuada, sal yodada y la medicación periódica con pastillas de yodo. De esta forma, prácticamente queda descartada la hipofunción del tiroides en el niño.

El yodo se encuentra en cantidades abundantes en el pescado fresco, salmón, bacalao y merluza; pero también la leche y los derivados lácteos lo contienen.

Tratamiento médico

Exige una terapia que se prologa durante toda la vida. Las hormonas del tiroides que segrega el propio organismo son sustituidas por hormonas sintéticas, que se administran en forma de pastillas. Los niños tratados precozmente y de forma constante, se desarrollan tanto física como mentalmente con toda normalidad.

Autoayuda

No es posible.

Raquitismo

▶ Síntomas:

- ➜ el niño está intranquilo, es asustadizo, suda mucho (sobre todo en la cabeza);
- ➜ se mueve muy poco, y sólo empieza a gatear y andar muy tarde;
- ➜ desarrollo de los dientes lento y con retraso;
- ➜ la pared abdominal se muestra inconsistente ("vientre de rana");
- ➜ aparecen dolorosas alteraciones óseas, sobre todo en la cabeza, tórax y piernas; las piernas se tuercen (*genu varum* y *genu valgum*).

Este trastorno metabólico de los huesos, da lugar a numerosas deformaciones óseas. El raquitismo casi siempre aparece con un déficit de vitamina D (también, de calcio y fósforo), que, al no depositarse en el tejido óseo, provoca su reblandecimiento.

Es una afección propia de la infancia, la época del crecimiento de los huesos. La vitamina D es la responsable de que el intestino absorba y asimile la cantidad necesaria de calcio y fósforo. A su vez, para la formación de la vitamina D se precisa la ingestión suficiente de las fases previtamínicas D y la indispensable exposición a los rayos solares, ya que sólo su irradiación hace que la piel produzca la preciada vitamina D que el organismo tanto necesita.

El raquitismo suele detectarse entre los dos y los tres años de edad, aunque actualmente gracias a la administración de vitamina D durante el primer año de vida esta enfermedad ha sido erradicada casi por completo. Entre los adultos, este mismo trastorno metabólico produce la osteomalacia.

Tratamiento médico

En caso de que padezca los síntomas descritos, acuda cuanto antes con el niño a la consulta del médico. El tratamiento con vitamina D será en dosis diarias, o bien en forma de tratamiento de choque, administrando entonces dosis elevadas en intervalos de tiempo de unas pocas semanas.

Autoayuda

Asegúrese de que el niño recibe una alimentación equilibrada, y de que permanece todo el tiempo posible al aire libre y al sol.

Algunos alimentos son especialmente ricos en provitaminas D, como los pescados de mar y agua dulce, el "muy acreditado" aceite de hígado de bacalao o productos como la leche, las setas y los huevos.

Si su hijo tiene que tomar vitamina D como prevención o como tratamiento del raquitismo durante un prolongado espacio de tiempo, conviene que siga estrictamente las indicaciones del médico.

Fenilcetonuria

▶ Síntomas:

- ➜ retraso mental, disminución de la inteligencia;
- ➜ durante los primeros años de vida, tendencia a padecer espasmos.

Este trastorno metabólico hereditario recesivo, tiene su causa en el déficit enzimático que comporta la acumulación de fenilalanina hidroxilasa y otros metabolitos. Esto puede dar lugar a que el niño padezca cierto grado de retraso mental.

En las personas sanas, el aminoácido fenilalanina se desdobla en el aminoácido tirosina. Pero si existe un déficit de este enzima, se produce el tóxico ácido fenilpirúvico, que daña las células cerebrales.

Tratamiento médico

El diagnóstico de esta enfermedad conviene establecerlo lo más precozmente posible, pues si la fenilcetonuria no se ha desarrollado aún por completo (hasta los tres años de edad, aproximadamente) su efecto podrá contrarrestarse, o incluso detenerse, con una dieta pobre en fenilalaninas; para ello, basta con eliminar, por ejemplo, determinadas clases de carne. Por este motivo, cuando los recién nacidos tienen tan sólo cuatro o cinco días de vida se les efectúa el denominado "test de Guthrie", con el que se detecta un aumento de fenilalanina en la sangre.

Autoayuda

No es posible.

Enfermedad del jarabe de arce

▶ Síntomas:

➜ rechazo de la comida;
➜ indiferencia;
➜ espasmos y trastornos respiratorios;
➜ temblores musculares;
➜ olor de la orina a azúcar quemado.

La enfermedad del jarabe de arce aparece durante los primeros días de vida del lactante. Se trata de una enfermedad metabólica de origen hereditario, que se caracteriza por la insuficiente presencia del enzima decarboxilasa. Esto provoca un trastorno en el desdoblamiento de tres aminoácidos: leucina, isoleucina y valina. Su acusada presencia es fácilmente detectable en la sangre y la orina. Como consecuencia de esta enfermedad, se producen diferentes productos tóxicos.

Tratamiento médico

Si advierte los síntomas descritos, acuda inmediatamente al médico. Debido a que los aminoácidos leucina, isoleucina y valina sólo pueden asimilarse de acuerdo a las necesidades existentes, se hace imprescindible seguir una dieta alimentaria durante toda la vida. En algunas formas de la enfermedad se prescribe una terapia que incluye una dieta pobre en proteínas, o elevadas dosis de tiamina (vitamina B_1).

Autoayuda

No es posible.

Galactosemia (intolerancia a la galactosa)

▶ Síntomas:

➜ a los pocos días de haber nacido, se producen vómitos y diarreas, ataques espasmódicos y situaciones de hipoglucemia.

Esta enfermedad se debe a la presencia de galactosa en la sangre, componente integrante de la lactosa. La causa que la provoca es una insuficiencia de tipo genético, que impide la conversión total de la D-galactosa en D-glucosa debido a la ausencia de un enzima específico. El resultado es que la galactosa y el fosfato de galactosa no pueden ser metabolizados y, como consecuencia, se produce su acumulación en la sangre y en los tejidos, pudiendo dañar órganos tan vitales como el hígado, el bazo o los riñones.

Tratamiento médico

La enfermedad puede aparecer de forma repentina, y poner en peligro la vida. Si padece los síntomas antes descritos, acuda lo antes posible a la consulta de su médico. Él le impondrá cuanto antes un régimen alimentario que excluya por completo la leche y los productos lácteos, que sustituirá por otros alimentos (por ejemplo, productos de soja). Este tratamiento conlleva la supresión total de la galactosa de la dieta alimentaria, lo que lleva consigo la eliminación de la lactosa y, por lo tanto, de la leche.

Autoayuda

En caso de que en la familia ya haya antecedentes familiares de esta enfermedad, conviene que tan pronto como nazca el niño sea reconocido para descubrir eventuales defectos enzimáticos.

La dieta de los niños que padecen galactosemia, debe excluir la leche y todos aquellos alimentos que contengan derivados lácteos.

Glucogenosis (enfermedades por acumulación anormal de glucógenos)

▶ Síntomas:

➜ según la forma que adopte la glucogenosis, se advierten diferentes síntomas;
➜ en muchos casos, aumento de tamaño del hígado o de otros órganos; debilidad muscular; posible enanismo.

Durante la digestión, se produce la transformación de los hidratos de carbono ingeridos en glucosa. Si el cuerpo no necesita la energía que este elemento es capaz de proporcionarle, se acumula entonces en el hígado y la musculatura esquelética en forma de glucógeno.
Las glucogenosis son enfermedades del metabolismo de los hidratos de carbono, que precisamente se caracterizan por una acumulación anormal de glucógeno en diversas partes del organismo. De esta enfermedad; existen variantes bien distintas. Siempre estas causadas

por la carencia o disfunción de alguno de los enzimas que intervienen en el metabolismo del glucógeno. Y a ello se debe que grandes cantidades de glucógeno sean acumuladas, de forma anormal, en muchos órganos del cuerpo, especialmente hígado, riñones, corazón, musculatura y sistema nervioso central.
Algunas formas de glucogenosis sólo producen mínimas molestias, pero en otros casos la enfermedad es realmente grave.

Tratamiento médico

Si el médico sospecha que padece una glucogenosis, para determinar de qué defecto enzimático se trata primero extraerá una muestra de tejido. El tratamiento que se le imponga tendrá como fin evitar las situaciones de hipoglucemia, pues representan una seria amenaza debido a que el glucógeno no puede transformarse normalmente en glucosa. Por este motivo, el médico ordenará realizar varias comidas al día compuestas por cantidades muy reducidas de alimentos; la dieta alimentaria ha de ser rica en calorías y, si fuere necesario, por la noche se administrará alimento mediante una sonda.

Autoayuda

No es posible.

Fructosemia (intolerancia a la fructosa)

▶ Síntomas:

➜ después de retirarle la lactancia, el niño se desarrolla mal;
➜ si el niño ingiere fructosa al tomar zumos de frutas o productos lácteos, es posible que se produzcan vómitos, diarreas, fiebre y que se manifiesten situaciones de hipoglucemia;
➜ con el tiempo, el niño desarrolla una intensa aversión hacia todo lo dulce y hacia la fruta.

La causa de esta intolerancia a la fructosa se debe a la ausencia de un enzima hepático (*fosfofructoaldolasa*), necesario para la degradación de la fructosa en el organismo. Esta enfermedad puede deberse a una afección hereditaria (*fructosemia congénita*), y los trastornos suelen comenzar cuando el lactante ingiere por primera vez zumo de frutas.
Tanto el bazo como el hígado pueden aumentar de tamaño con esta enfermedad, lo que puede producir graves trastornos de tipo hepático.

Tratamiento médico

Nada más que se manifiesten los primeros síntomas, acuda rápidamente al médico. Si descubre un déficit enzimático en el hígado, o eventualmente en la mucosa del intestino delgado, le prescribirá la exclusión de su dieta alimentaria de todo producto que contenga fructosa o alguno de sus precursores (sacarosa, sorbitol). Entre otros productos, esto significa descartar la miel, así como la fruta y sus zumos; el único fruto "autorizado" es el limón. En las comidas se emplearán edulcorantes, pero se evitará el sorbitol.

Autoayuda

Respete escrupulosamente la dieta prescrita por el médico, e intente sustituir las vitaminas presentes normalmente en la fruta por verduras y hortalizas.

Si debido a un déficit enzimático su hijo no puede digerir la fructosa, lamentablemente tampoco podrá comer fruta ni beber zumos de fruta.

Enfermedad por acumulación de cobre en el organismo

→ enfermedad de Wilson, → página 205.

Diabetes mellitus

La diabetes que casi siempre padecen los niños o adolescentes diabéticos es la mellitus tipo I (→ página 501), y sólo en casos muy raros y excepcionales contraen una forma parecida a la diabetes tipo II. Lo importante es que tanto el niño como el adolescente aprendan, desde un principio, a saber cómo deben actuar y tratar su enfermedad en cualquier situación de la vida.
Si desea conocer más detalles sobre la diabetes mellitus, → páginas 501-503.

Temas especiales: alergias, infecciones, adicciones, cáncer

Con una velocidad vertiginosa, la Medicina ha ido descubriendo y haciendo suyos nuevos conocimientos hasta ahora desconocidos e inéditos. Muchas enfermedades, incurables hace tan sólo una generación, se han convertido casi en casos rutinarios. También, se abren nuevas esperanzas para otras como el sida, los diversos tipos de cáncer, el síndrome de Down o muchos casos de paraplejia. Pero a estos grandes logros se enfrentan aún enormes retos, que se intentan solucionar con el análisis del genoma humano y el desciframiento de los miles de millones de cromosomas que componen su mapa genético. Lucha contra enfermedades como las alergias, que afectan a muchas personas; o las infecciosas, que aunque parecían erradicadas parecen surgir de nuevo de sus propias cenizas para amenazar a toda la humanidad.

Sumario

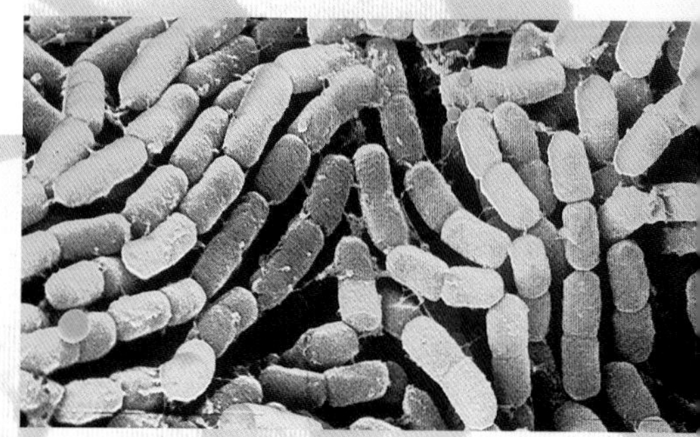

Bacterias.

Lo que debe saberse sobre la alergia

Cuando en primavera las primeras flores salpican los prados dando sus pinceladas de color, y los árboles y arbustos florecen y echan sus frutos, para muchas personas comienza una época muy desagradable.
Así, bien podría afirmarse que "lo que es alegría para unos, para otros es pena y desazón". Porque mientras unos se regocijan con la contemplación de los campos floridos o los exóticos frutos de ciertas plantas, la nariz de otras personas no deja de gotear, sienten picazón en la piel y los ojos o les martiriza un ataque de tos. Y este mismo precio han de pagar si "osan" acariciar a un precioso gatito o llevar un atractivo collar. La lista de "cosas o acciones prohibidas" es interminable, aunque, afortunadamente, las personas alérgicas no lo son a todo ni sus reacciones aparecen simultáneamente.
El modelo de alergia reviste el carácter de individual, lo que muchas veces dificulta en gran medida encontrar la "causa" o sustancia exacta que la provoca.

El apogeo de las alergias

Por citar un ejemplo, se estima que en la actualidad entre un 15 y un 20% de las personas de los países industrializados se ven afectados por las alergias, cifras que tienen una clara tendencia al alza. Pero el porqué sucede esto, es algo que los científicos aún no han podido determinar. La creciente polución y contaminación que sufre nuestro medio ambiente, podría ser una de las causas; pero también la importación de alimentos exóticos, o la utilización de productos químicos como aditivos en los alimentos. Por otra parte, cada vez son más las personas que comparten su vida con animales de compañía, y el consumo de medicamentos ha registrado asimismo un crecimiento importante. El sistema inmunológico humano entra así constantemente en contacto con un número cada vez mayor de productos y sustancias ante los que reacciona, muchas veces de manera equivocada y de forma desmedida. Las defensas humanas son incapaces entonces de distinguir entre lo que es "bueno" y "malo" para el organismo, por lo que en muchos casos reaccionan desmesuradamente para "combatir" sustancias que sin embargo son inofensivas, como puede ser el polen de las flores, los alimentos, los pelos de los animales y algunos metales.

Alma, estrés y alergia

Suele afirmarse que "una persona es alérgica a algo" cuando esto o aquello no le agrada, pero sin que exista un motivo que justifique esta reacción. Esto parece demostrar que las alergias son la expresión del alma a través del cuerpo. Pero los factores psíquicos nunca han sido causa de una reacción alérgica. Ciertamente, el estado psíquico de una persona alérgica puede provocar un agudo brote patológico, o acentuar sus síntomas, pero jamás es el único desencadenante de la alergia. Al igual que en otras muchas patologías, el estrés puede ejercer efectos muy acusados en las dificultades

Cuando los campos de trigo anuncian que el verano llega a su fin, las personas que padecen de fiebre del heno respiran aliviadas.

Las fresas son una fruta deliciosa, pero más de una persona alérgica debe evitar comerlas.

Mordisquear nueces puede traer consecuencias nefastas para los dientes, pero también son causa frecuente de numerosas alergias.

respiratorias o influir negativamente en los casos de asma bronquial; e incluso influir, de forma determinante, sobre los principales síntomas de quien padece una neurodermitis. Pero sin la concurrencia de esta hipersensibilidad congénita, es decir, la predisposición a reaccionar alérgicamente, la mayoría de las veces no se declararía la enfermedad alérgica, ni la persona sufriría ataques de ningún tipo. En el caso de las alergias no hereditarias, como son las medicamentosas y las picaduras de insectos, o los eccemas por contacto, la sensibilización aumenta con los años, debido a la frecuencia con que la persona afectada se halla expuesta a la sustancia desencadenante de la alergia.

Antiguamente se especulaba sobre la posibilidad de que existiesen personas con un "carácter alérgico"; y, en caso de que la respuesta fuese afirmativa, se daba por sentado la predisposición a una especial sensibilización alérgica. Pero en la actualidad impera la opinión generalizada de que ciertos aspectos característicos y comunes a ciertas personas -por ejemplo, en los asmáticos-, son más bien una consecuencia y no la causa de la enfermedad alérgica. Esto significa que las numerosas limitaciones físicas y dolencias propias de esta enfermedad, así como la sensación de vergüenza y de aislamiento que se padece debido a su larga duración, influyen poderosamente en la personalidad.

La hiposensibilización, ¿un remedio mágico?

Las alergias son enfermedades crónicas, aunque no incurables. Algunas –como la neurodermitis– suelen desaparecen por completo en la edad adulta; otras, sin embargo, parecen "dormirse" o "aletargarse" siempre que se eviten las causas que desencadenan la alergia. Pero en aquellos casos en que esta circunstancia no sea factible, la hiposensibilización puede ser un recurso que permita muy buenos resultados. Para conseguirla, se "vacunará" al paciente durante un largo período de tiempo con la sustancia desencadenante de la alergia, previamente diluida para evitar reacciones desmedidas. De esta forma, el sistema inmunológico del organismo se va habituando paulatinamente a la sustancia y se evitan las reacciones alérgicas violentas o de desmedida virulencia. En las alergias provocadas por las picaduras de insectos o debidas a la fiebre del heno, las cuotas de éxito son elevadas, pero más reducidas que en otros cuadros patológicos. La hiposensibilización requiere grandes dosis de paciencia, pues puede prolongarse en el tiempo durante varios años. Y, aunque en muy raras ocasiones aparecen efectos secundarios, siempre deben ser tenidos en cuenta en estos casos.

En el peor de los casos, la amenaza más grave es el temido *shock* anafiláctico.

Con los mimosos gatos ha de observarse cierta precaución, pues las alergias provocadas por los animales producen muchas veces un intenso lagrimeo y estornudos.

El responsable de las alergias domésticas no es -como en un principio pudiera pensarse- el polvo, sino los excrementos de los ácaros.

Los niños pueden caminar y correr sin peligro por los campos floridos, pero siempre teniendo en cuenta el riesgo de contraer alergias.

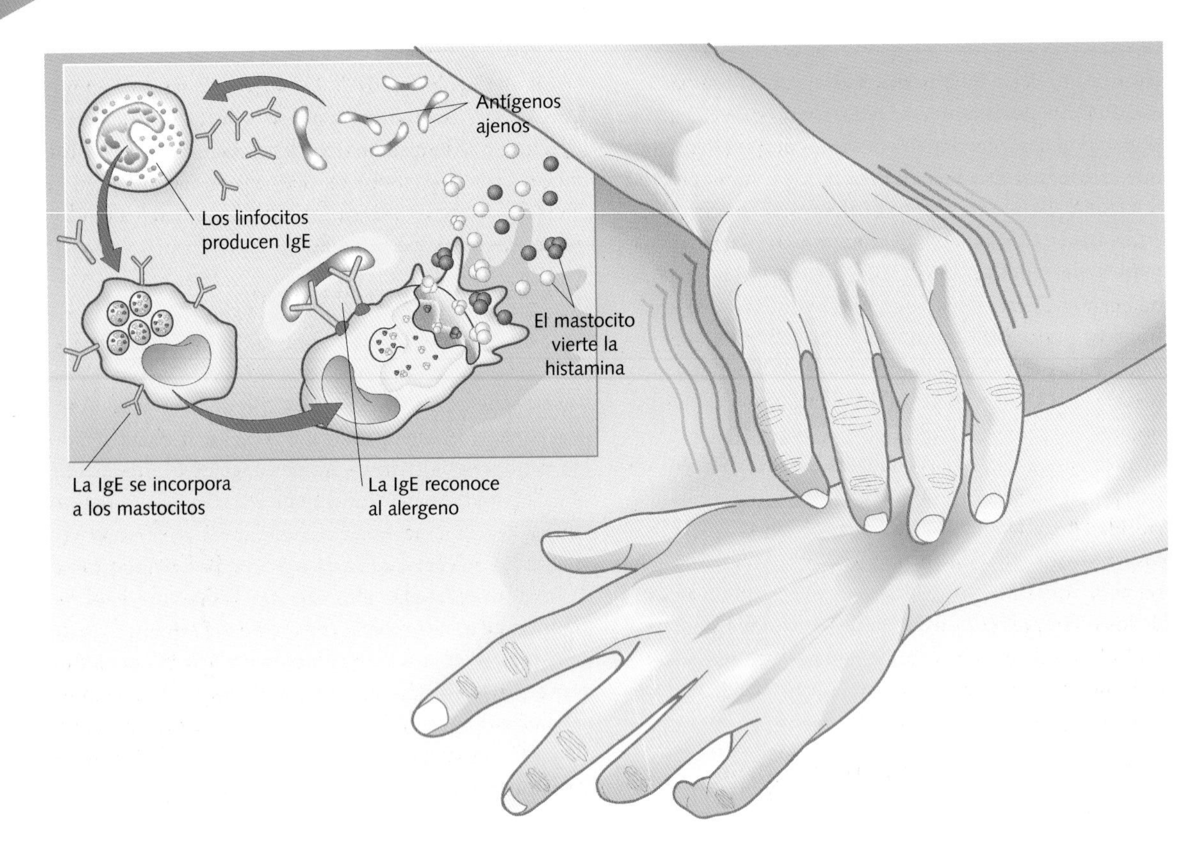

Alergias

- **El sistema inmunológico**
- **La reacción alérgica**
- **Los síntomas**

Las alergias son reacciones anormales del sistema inmunológico que se desencadenan frente a la presencia de determinadas sustancias ajenas al organismo, pero que en la mayoría de las personas no producen la más mínima reacción. La causa podría radicar en la sensibilización adquirida durante la vida, aunque muchas veces existe una predisposición de tipo hereditario.

Frente a las enfermedades en las que un órgano o sistema del cuerpo no funciona, o lo hace de forma deficiente, en las alergias sucede lo contrario: el sistema inmunológico funciona "demasiado bien" y su reacción es excesivamente enérgica. Durante la reacción alérgica, en vez de combatir el cuerpo las sustancias extrañas como si se tratase de peligrosas bacterias, produce más anticuerpos de los que serían necesarios en una situación defensiva normal. Esto provoca, en vez de la inmunidad como sucede después de una enfermedad infecciosa, la sensibilización frente a dichas sustancias. Estas sustancias desencadenantes reciben el nombre de alergenos. Muchas veces son sustancias de nuestro entorno cotidiano, como las flores de las plantas, el polvo, los pelos de los animales o algunos alimentos; pero, también, ciertos productos químicos o los medicamentos.

El sistema inmunológico tiene memoria

Normalmente, el sistema inmunológico humano sirve de eficaz protección al organismo. Las sustancias extrañas y dañinas del medio ambiente son neutralizadas por unas células especializadas y, luego, expulsadas del cuerpo a través de la circulación sanguínea. En una persona sana, el enfrentamiento diario entre los diferentes alergenos y el sistema inmunológico se desarrolla de forma silenciosa, sin que aparezcan trastornos de tipo patológico. Pero en la persona alérgica esto no sucede así. Al primer contacto con la sustancia supuestamente nociva, el cuerpo produce unos anticuerpos especiales, que en Medicina reciben el nombre de inmunoglobulinas (IgE). Estos anticuerpos se depositan en los mastocitos, unas células que se encuentran en la sangre y los tejidos del cuerpo, y que participan en las labores defensivas durante los procesos inflamatorios. En el transcurso de esta fase de sensibilización, la persona afectada no acusa aún ningún síntoma de enfermedad; pero si se produce un segundo contacto con el alergeno, el sistema inmunológico "recuerda" inmediatamente al invasor y, con gran rapidez, envía a la parte del cuerpo afectada los anticuerpos producidos con anterioridad para defenderlo. Durante esta fase de reacción, los mastocitos liberan histamina. Esta sustancia, presente en los tejidos animales y vegetales, es la causante de los diferentes síntomas, desde el estímulo del estornudo hasta el prurito, el ahogo y las disneas. También estimula las glándulas de las mucosas, y la nariz produce entonces una secreción constante.

Las defensas equivocan su camino

Las diferentes reacciones del sistema inmunológico suelen clasificarse en cuatro tipos que, prácticamente, integran todas las enfermedades alérgicas:

- **Tipo I.** Reacción alérgica inmediata, que abarca la mayoría de los casos. Después del contacto con el alergeno, la persona advierte los síntomas con gran rapidez. La causa es la producción, superior a la normal, de numerosos anticuerpos (IgE).
- **Tipo II.** No tan frecuente como la anterior, la propia célula se convierte en alergeno al ser dañadas las células por la virulencia de la reacción y unirse en el cuerpo las partículas extrañas con la superficie de las células sanguíneas. Como medida defensiva, el organismo efectúa un despliegue de enzimas; pero éstas también atacan al tejido circundante y, entonces, desencadenan una reacción alérgica, si bien con unos minutos de retraso.
- **Tipo III.** Los alergenos y anticuerpos pueden crear, bajo ciertas condiciones, múltiples complejos moleculares. Pero los enzimas capaces de disolver los denominados complejos inmunológicos, también dañan simultáneamente los tejidos. A las pocas horas, suelen aparecer los primeros síntomas alérgicos.
- **Tipo IV.** Alcanza su momento álgido entre las 24 y las 48 horas. En esta ocasión quienes reaccionan frente a los alergenos invasores no son los anticuerpos, sino una clase especial de glóbulos sanguíneos blancos, los denominados linfocitos T (→ Especialistas en acción), que habían sido previamente sensibilizados. Para rechazar a los alergenos, los linfocitos T emplean una sustancia que produce reacciones inflamatorias en la zona de contacto cutánea. Aunque estos son los tejidos principales, hay alguno más.

No sólo la fiebre del heno

En principio, y con independencia del alergeno desencadenante, todo órgano puede verse afectado por una reacción alérgica. Las típicas reacciones alérgicas inmediatas (tipo I) son: los síntomas propios del resfriado (estornudos, picazón en los ojos, secreción nasal muy acuosa) y el ahogo. Si resultan afectados los órganos digestivos, la histamina liberada hará que el estómago produzca más jugo gástrico y, por su parte, el intestino reaccione con espasmos y diarreas. Asimismo, la histamina produce enrojecimientos y habones en la piel, mientras los eccemas por contacto se deben a los linfocitos T (tipo IV) de acción inflamatoria. Las reacciones lesivas para las células (tipos II y III) pueden desencadenar la destrucción de los glóbulos rojos de la sangre, o producir una inflamación de los alvéolos pulmonares.

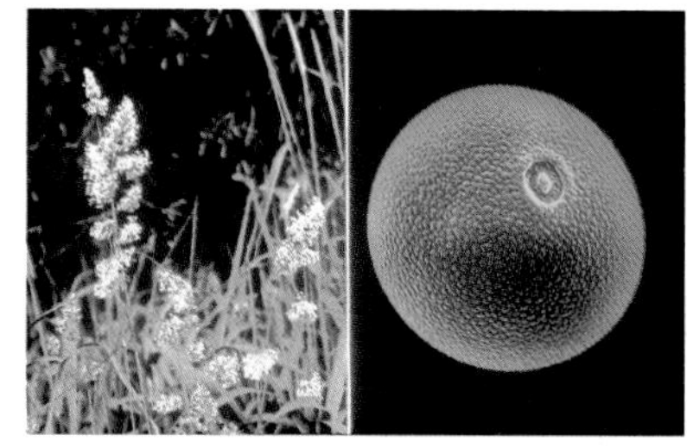

El polen de las gramíneas en flor es, la mayoría de las veces, el desencadenante de la "fiebre del heno".

La pseudo-alergia

Muchos aspectos que hacen pensar que los síntomas que se padecen son propios de una alergia, tan sólo corresponden al cuadro patológico de la denominada pseudoalergia. En algunos casos son difíciles de diferenciar de las "auténticas alergias", pero los procesos bioquímicos que tienen lugar en el cuerpo son distintos. El desencadenante más frecuente son los medicamentos (los anestésicos o los medios de contraste para las radiografías); pero, también, los productos alimenticios con un elevado contenido histamínico (pescado, queso). A diferencia de las verdaderas alergias, estas reacciones pseudoalérgicas aparecen ya al primer contacto con el antígeno, pues en este caso no existe fase de sensibilización.

Casos de urgencia

Normas generales

Las reacciones alérgicas agudas son ciertamente muy desagradables, pero en general no ponen la vida en peligro. Si no desaparecen en un plazo de tiempo prudencialmente breve, lo más recomendable y oportuno es consultar con el médico o bien acudir al servicio de urgencias.

Ataque asmático grave

► Síntomas:
- ➜ repentina y grave disnea respiratoria;
- ➜ gran dificultad para hablar;
- ➜ miedo, intensa sudoración, pulso rápido.

Lo más característico de un grave ataque de asma es la prolongada sensación y duración del ahogo, así como la ineficacia de los medicamentos prescritos para combatirlo o aliviarlo.

Tratamiento médico

El médico le recetará medicamentos antiespasmódicos y broncodilatadores, así como corticoides. Eventualmente, será necesario la terapia con oxígeno o, incluso, la respiración asistida.

Autoayuda

Lleve siempre los medicamentos del asma. Aunque sus efectos sean limitados, le podrán servir de gran ayuda en determinadas ocasiones e incluso le serán imprescindibles en caso de un grave ataque de asma.

Angiitis agudas (vasculitis)

► Síntomas:
- ➜ hinchazón de los labios, lengua, faringe y párpados;
- ➜ enrojecimiento cutáneo, habones con intenso prurito;
- ➜ disnea respiratoria.

Las hinchazones del tejido dérmico, que aparecen frecuentemente con las urticarias, también reciben el nombre de edemas de Quincke o angioneuróticos. Si afectan a la boca, faringe y laringe pueden poner la vida en peligro al existir entonces el riesgo de ahogo. El angioedema muchas veces está causado por un alimento o medicamento, o bien los conservantes y colorantes que contienen. En muy raras ocasiones, la causa radica en un déficit enzimático congénito.

Tratamiento médico

Si padece disnea y trastornos de deglución, avise inmediatamente al médico. De gran ayuda son: los corticoides y las inyecciones de adrenalina.

Autoayuda

En caso de que padezca los síntomas descritos del edema angioneurótico, informe a su médico para recibir tratamiento. ¡Un certificado médico para los casos de urgencia, puede salvarle la vida!

"Shock" anafiláctico

► Síntomas:
- ➜ taquicardia, miedo;
- ➜ disnea, ataque de asma;
- ➜ náuseas, vómitos;
- ➜ espasmos abdominales, evacuación involuntaria de las heces y de la orina;
- ➜ colapso circulatorio, pérdida de conocimiento.

El *shock* anafiláctico es una grave reacción alérgica (muy poco frecuente), que en los casos más agudos puede producir la muerte en muy pocos minutos. Las síntomas de alarma que indican su padecimiento son: quemazón en la lengua, prurito en manos y pies, nariz y ojos, enrojecimiento de la piel, grandes habones, hinchazón de la laringe y disnea. Frecuentemente está provocado por ciertos medicamentos inyectables y, ocasionalmente, por las picaduras de insectos así como por algunos alimentos.

Tratamiento médico

El médico le inyectará primero adrenalina y corticoides y, luego, cabe la posibilidad de que le prescriba algún producto antihistamínico.

Autoayuda

Si padece graves alergias, debería llevar siempre consigo su cartilla de alérgico y, a ser posible, los medicamentos más urgentes.

Pruebas clínicas especiales

Pruebas cutáneas

Los procedimientos más utilizados para el diagnóstico de las alergias son las pruebas cutáneas. Consisten éstas en poner en contacto con la piel, mediante unas tiras, diferentes extractos de varios alergenos.

Si el paciente es alérgico a la sustancia aplicada, al cabo de 15 ó 25 minutos se forman varios eritemas y enrojecimientos en el lugar del contacto, que desaparecen transcurridas de una a dos horas.

En el "test intracutáneo", el extracto del alergeno diluido se inocula en la capa superior de la epidermis dorsal, o bien en la cara interior del antebrazo. Una variación de este método es el denominado *pricktest*, que se basa en la aplicación de unas gotas de la sustancia diluida sobre la piel del antebrazo; luego, el médico efectúa una serie de punciones con una aguja a través de la gota y penetra en la piel sin producir sangre. En el llamado *scratchtest* se practican unas ligeras incisiones en la piel del antebrazo del paciente y, sobre las mismas, se ponen unas gotas del alergeno muy diluido.

En el test epicutáneo se adhieren a la piel tiritas impregnadas con varias soluciones y comprobar luego si ha habido algún tipo de reacción.

Un procedimiento utilizado con pacientes altamente sensibilizados es el denominado "test por frotación", en el que como su propio nombre indica se frota la sustancia alergena sobre la piel del antebrazo. Para su realización los alergenos que se emplean son, por ejemplo, pelos de animales, nueces o frutas y zumos de verduras prensados. En el denominado "test epicutáneo", los extractos del alergeno en vez de depositarse sobre la piel cubiertos por tiritas especiales, se impregnan éstas. El médico observará los resultados a las 24, 48 y 72 horas respectivamente.

Pruebas de provocación

El objetivo de estas pruebas es "provocar" directamente la reacción o reacciones en el órgano sensibilizado. Son especialmente valiosas para corroborar la presencia de alergenos, posiblemente inspirados a través de las vías respiratorias.

En la prueba de "provocación nasal" se vaporiza directamente un extracto alergénico sobre las mucosas nasales. En los pacientes debidamente sensibilizados, aparecen casi de inmediato las características reacciones, tales como intensa secreción nasal, quemazón en los ojos o hinchazón de la mucosa.

La prueba de "provocación bronquial" se aplica cuando las molestias se concentran en las vías respiratorias, como sucede en los ataques de asma. En esta prueba, la persona alérgica inhala el supuesto alergeno y la reacción casi siempre se produce durante la primera media hora; pero también se dan reacciones tardías, que se manifiestan a las 24 ó 48 horas. Por este motivo, se sigue la siguiente norma: ¡Probar un único alergeno al día!

En la "provocación oral", la persona alérgica bebe una solución del alergeno diluida con el fin de comprobar los efectos patológicos sobre el estómago y los intestinos. Siempre que se sospeche que el desencadenante de la alergia es un alimento o un fármaco, esta prueba también se utiliza para otras sintomatologías, como resfriados, asma y eccemas cutáneos. La aplicación de este método de reconocimiento se recomienda realizarla en el hospital, con el fin de poder intervenir rápidamente en caso de que surjan graves complicaciones.

El test RAST

La *Radio-Allergic-Sorbent-Test*, que así es su nombre completo, consiste en un análisis sanguíneo especial que permite comprobar la presencia en la sangre de anticuerpos específicos (IgE) contra los alergenos. De esta forma, es posible determinar puntualmente aquellos alergenos sospechosos de la reacción. La prueba RAST se usa cuando los otros procedimientos no han aportado el resultado positivo esperado, pero también en personas altamente sensibilizadas y que no admiten otros métodos.

Fiebre del heno
(catarro agudo)

▶ Síntomas:
- ➜ ojos llorosos; picazón en los ojos;
- ➜ prurito en nariz y boca;
- ➜ ataques de estornudos, secreción nasal permanente;
- ➜ a veces tos, disnea.

Centenares de miles de personas padecen, año tras año y casi siempre en la misma época, la fiebre del heno. Esta enfermedad alérgica, la más frecuente de todas, es una variante del "catarro alérgico". Su nombre realmente no tiene justificación alguna, pues lejos de producirse durante la cosecha del heno afecta en el transcurso de toda la primavera y los meses estivales. La desencadena el polen de las flores de los árboles, arbustos, gramíneas y cereales. Cada persona inhala diariamente alrededor de 4 000 a 8 000 finísimos granitos de polen, pero para un alérgico 500 ya son muchos.

Además de estar muchas veces sensibilizado contra una o varias especies de polen, la "supersensibilización" del alérgico le hace reaccionar también ante determinados alimentos, quizá emparentados con los portadores de polen (*alergias cruzadas*). La persona alérgica al polen de los árboles, puede reaccionar del mismo modo frente a las nueces y los frutos de pepita o hueso.

La premisa fundamental para padecer un catarro alérgico es la denominada atopia. Este concepto expresa la hipersensibilidad de las mucosas y de la piel; esto puede hacer que se contraiga la fiebre del heno, pero también otras enfermedades de tipo alérgico, como el asma y la neurodermitis. A veces, algunas personas atópicas padecen simultáneamente estas tres enfermedades en el transcurso de su vida.

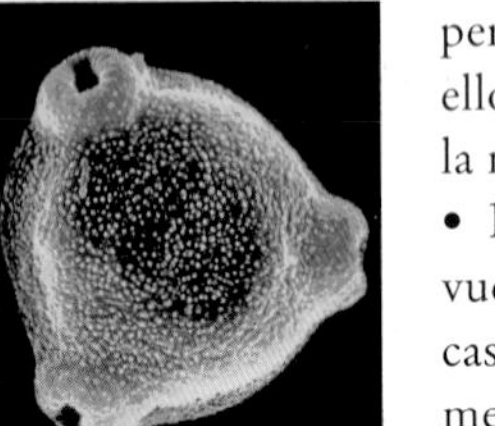

Para muchas personas alérgicas, la temporada de la "fiebre del heno" comienza con la brotación de las flores del abedul.

Para muchos enfermos, la época en que finaliza el vuelo del polen no trae consigo la desaparición automática de su alergia. Son personas que padecen un catarro alérgico que puede aparecer durante todo el año, y que incluso es posible su agudización durante todo este tiempo. La causa de esta enfermedad no es exclusivamente del polen, pues influyen otros factores como el polvo doméstico, los excrementos de los ácaros, los hongos, pelos y escamas de animales, e incluso determinados alimentos.

Tratamiento médico

Siempre que sea posible, todo catarro alérgico debe ser tratado precoz y rápidamente mediante una hiposensibilización, ya que al cabo de cinco o diez años esta enfermedad se va desplazando, en casi uno de cada tres pacientes, hacia los bronquios, siendo entonces la causante del asma alérgico.

Después de aplicar los test cutáneos, el médico intentará determinar qué polen concreto o alergeno es el que causa la enfermedad al paciente.

Para aliviar las dolencias el médico le prescribirá antihistamínicos y corticoides, pero la medida terapéutica más importante es la hiposensibilización contra el alergeno que desencadena la alergia. También procura mucho alivio la climatoterapia, debido a que la densidad de polen es mucho menor a orillas del mar y en la alta montaña.

Autoayuda

Eliminar por completo los alergenos que entran en el cuerpo a través de los órganos respiratorios, es tarea muy difícil. Pero en la vida diaria puede adoptar algunas medidas de prevención, que le procurarán un alivio considerable en su alergia al polen.

- Lleve gafas de sol siempre que permanezca al aire libre. Con ello evitará que el polen entre en la mucosa ocular.
- Durante los días de intenso vuelo polínico, permanezca en casa todo el tiempo posible. Los medios de comunicación, así como el servicio de conatinación ambiental, le mantendrán informado sobre dicho vuelo y la densidad del mismo en el aire.
- Dúchese antes de acostarse para quitarse el polen que permanece adherido a los cabellos, así no lo respirará durante la noche.
- Duerma con las ventanas de su habitación cerradas.
- Aunque si padece alergia no debe realizar estas labores personalmente, de gran ayuda puede ser que le pasen frecuentemente el aspirador y que le limpien el polvo de toda la casa. Pero, tenga en cuenta que siempre se levanta algo de polvo.
- Deje de fumar lo antes posible, pues la nicotina de los cigarrillos ataca las mucosas.
- Evite los artículos de limpieza demasiado fuertes, así como todas las sustancias de intenso olor.

Asma bronquial alérgico

▶ Síntomas:

- ➜ disnea, ahogo agudo, temor a ahogarse;
- ➜ tos, intensa secreción viscosa;
- ➜ respiración dificultosa, inspiración sibilante;
- ➜ sensación de estrechez torácica.

El asma bronquial se manifiesta como una intensa disnea, que adopta la forma de un ataque de asma. La persona enferma tiene la sensación de tener "necesidad" de aire, debido a la sensación de constricción y espasmo de los bronquios. La causa es la constricción inflamatoria de las vías respiratorias, producida la mayor parte de las veces por alergenos, como pueden ser los pelos de animales, ácaros, polvo doméstico, productos alimenticios, polen o esporas de hongos.

Además, existe un asma no alérgico producido por infecciones o debido a un estímulo físico-químico de las vías respiratorias. Factores anímicos, como el estrés o la excitación, pueden propiciar la aparición de esta enfermedad, o incluso determinar la duración y gravedad de los diferentes ataques asmáticos. Al igual que en las enfermedades atópicas, el asma alérgico es frecuente en varios miembros de la misma familia.

Tratamiento médico

Si tiene la más mínima sospecha de haber enfermado de asma, debe ponerse en contacto cuanto antes con su médico, pues esta enfermedad requiere de una terapia adecuada para que no empeore y sus síntomas y desarrollo vayan a más. Además, un ataque grave de asma siempre puede poner en peligro su vida.

Para los ataques de asma, así como para su profilaxis, el médico prescribirá medicamentos dilatadores de los bronquios: los denominados beta-2-simpaticomiméticos. El tratamiento restante requiere actualmente la conocida terapia escalonada, que combate la inflamación con la administración alternativa de beta-2-simpaticomiméticos con corticoides.

Otro grupo de medicamentos importante corresponde a las teofilinas; pero, aunque también actúan como dilatadoras de los bronquios y estimulan la respiración, han de dosificarse muy bien para que los efectos secundarios que producen se reduzcan al mínimo posible. La hiposensibilización sólo tendrá éxito si, mediante las pruebas de provocación, ha sido posible determinar el alergeno concreto que provoca el asma. La terapia se prolonga durante unos tres años.

Calendario del vuelo del polen

	Febr.	Mar.	Abr.	May.	Jun.	Jul.	Ag.	Sep.
Avellanos	▓	▓	▓					
Sauce, salgada	░	▓	▓	░	░	░	░	
Olmo	░	▓	▓	░				
Álamo		░	▓	░	░			
Abedul			▓	▓				
Alesta			░	▓	▓	▓	░	░
Acacia falsa (*robinia*)			░	▓	▓	░		
Carrizo, carex			░	▓	▓	░	░	
Alopecuro de los prados			░	▓	▓	░	░	░
Poa de los prados				▓	▓	░	░	
Centeno				▓	▓	░	░	░
Avena				▓	▓	▓	▓	░
Festuca				▓	▓		░	
Grama				▓	▓	▓	▓	░
Llatén mayor				░	▓	▓	░	░
Cola de perro				░	▓	▓	░	░
Fleo de los prados				░	▓	▓	░	
Arundinaria				░	▓	▓	░	
Cizaña				░	▓	▓	▓	░
Holco (heno blanco)				░	▓	▓	▓	░
Tilo					▓	▓	░	
Trigo					▓	░		
Agrostis					▓	▓	▓	░
Saúco, sabugo					▓	▓		

░ Antes y después ▓ Época álgida

Autoayuda

Como medida preventiva, lleve siempre consigo los medicamentos por si se produce el ataque de asma. Además de los alergenos conocidos, causantes de su enfermedad, debe evitar todos aquellos otros que afectan directamente a las vías respiratorias, como el humo de los cigarrillos, el polvo o el aire frío. Si inhala corticoides, conviene que nada más terminar se enjuague la boca ya que, de no hacerlo así, favorecerá el desarrollo de los hongos *Candida*. Los ejercicios físicos que se describen en la terapia correspondiente, y la educación respiratoria especial, le harán posible sobrellevar, de la mejor manera posible, la enfermedad.

Neurodermitis o neurodermatitis (eccema atópico)

► Síntomas:
- ➜ piel seca, enrojecida;
- ➜ formación de escamas y pápulas redondas;
- ➜ endurecimientos cutáneos en la nuca, codos y hueco poplíteo;
- ➜ habones, prurito.

Esta enfermedad alérgica afecta principalmente a los niños y jóvenes, que padecen dolorosos y, a veces, martirizantes rebrotes periódicos de intensas inflamaciones cutáneas. Como todas las enfermedades alérgicas, es de carácter no contagioso. El prurito causa en los pacientes dolor, de difícil alivio, que les obliga a rascarse hasta lesionar, en muchas ocasiones, la piel.

Esto implica la presencia de graves laceraciones cutáneas, además del peligro de contraer graves infecciones.

Las causas exactas de la neurodermatitis se desconocen pero, al igual que en la fiebre del heno, la premisa fundamental es la hipersensibilidad heredada de las mucosas y de la piel, la atopia (*eccema atópico*). El desencadenante de la enfermedad, o de sus graves ataques, pueden ser diferentes alergenos: algunos alimentos, detergentes y productos de limpieza, polen, ácaros y hasta escamas y pelos de animales.

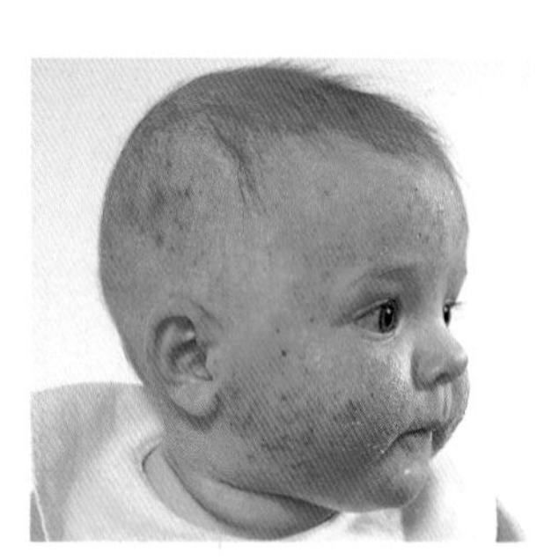

El lactumen es una forma frecuente de neurodermitis, que afecta a los niños pequeños.

Pero también los factores psíquicos tienen un importante papel, pues debe tenerse presente que el estrés o el miedo implican una mayor liberación de histaminas, lo que fomenta el prurito y las inflamaciones cutáneas.

La neurodermitis suele comenzar muy pronto en los lactantes, en forma de "lactumen", una erupción cutánea que afecta a los niños de pecho. Este eccema de los lactantes se presenta en forma de manchas escamosas, supurantes en parte de la cabeza y el rostro, pero que suelen desaparecer al cumplir los dos años de edad. Más tarde la enfermedad afecta a los movimientos articulares, el cuello y la nuca; pero, muchas veces, también a las manos. A partir de los 30 años de edad, la neurodermatitis desaparece por completo.

Tratamiento médico

Tan pronto como advierta una intensa picazón en la piel, es preciso que consulte con el médico. La sintomatología puede aliviarse con medicamentos antiinflamatorios, corticoides y antihistamínicos.

Como terapia base, para que la piel se reponga y se normalice en buen grado, el médico prescribirá pomadas grasas y baños de aceite. La radiación con luz UV (→ Fototerapia) o la climatoterapia, de unas cuatro semanas de duración, sobre todo en la alta montaña o a orillas del mar (→ Terapia del clima), pueden contribuir a una mejora de la enfermedad.

Autoayuda

En primer lugar, evite todo contacto con los alergenos desencadenantes de la reacción. Como quiera que éstos son diferentes para cada persona, no existe ninguna dieta alimentaria común para todos. Después de hablar con el médico, para descubrir los alergenos desencadenantes se podrá implantar una "dieta por eliminación". Para realizarla, del menú se excluirán algunos alimentos concretos durante algún tiempo, observando los efectos que producen.

Todos los enfermos de neurodermitis deben observar una escrupulosa higiene corporal. Evitarán llevar prendas de lana directamente sobre la piel y, de presentarse ataques agudos, podrán obtener alivio aplicando hidroterapia (→ Duchas frías y lavados); son recomendables los baños completos añadiendo al agua suero lácteo, té, aceite de soja, manzanilla y romero, o bien compresas de tierras medicinales. Las técnicas antiespasmódicas alivian las dolencias de la neurodermitis.

Eccemas de contacto alérgico

► Síntomas:
- ➜ trastornos e hinchazones cutáneas;
- ➜ formación de pápulas y vesículas;
- ➜ producción de escamas y costras;
- ➜ prurito.

Por regla general, el eccema de contacto alérgico suele aparecer tan pronto como el alergeno roza la zona cutánea y se produce la reacción inmunológica del tipo IV. Transportados a través de la sangre, los llamados "eccemas dispersos" pueden aparecer en cualquier parte del cuerpo. Como causantes actúan metales (níquel, cromo, cobalto) o ciertas plantas (sobre todo compuestas, como crisantemos, manzanilla, árnica y artemisa), pero también productos cosméticos, medicamentos, así como los productos químicos y detergentes presentes en los tejidos. Los eccemas de contacto son muy frecuentes, debido principalmente al contacto de la piel con objetos de joyería o bisutería. La forma crónica de este eccema casi siempre suele desarrollarse por un roce constante de la piel, que la persona suele tener, por ejemplo, en el lugar de trabajo (→ Lugar de trabajo, un riesgo para la salud).

Tratamiento médico

El diagnóstico del eccema de contacto alérgico no siempre resulta fácil, debido a que el cuadro clínico es similar al de otras enfermedades cutáneas o porque resulta muy difícil descubrir el alergeno que lo produce. Para aliviar el intenso prurito, el médico prescribirá algún antihistamínico.
Compresas húmedas y frías, así como una pomada o loción que contenga corticoides, contribuyen a la curación del eccema, si bien la curación definitiva sólo se consigue evitando por completo el alergeno culpable que desencadena el desarrollo de la enfermedad.

Autoayuda

La condición previa indispensable para la recuperación de la piel dañada, consiste en la higiene corporal constante. Se debe evitar todo contacto con sustancias que exciten la piel, y se debe tener una precaución especial con los cosméticos y los diversos productos de limpieza.

Urticaria

▶ Síntomas:
- → enrojecimiento cutáneo;
- → habones con intenso escozor y prurito.

La urticaria es una erupción cutánea que se caracteriza por producir lesiones cutáneas edematosas, que se acompañan de una intensa sensación de escozor y prurito. Esta enfermedad recibe el nombre de la ortiga (*Urtica botánica*), debido a que los síntomas son similares a los enrojecimientos e hinchazones cutáneos que produce esta planta al tocarla.
El síndrome se origina por muchos motivos distintos, aunque los principales son: alimentarios, medicamentosos, afecciones hepatobiliares, cambios climáticos (calor, frío, sol) e infectantes. Asimismo, puede contraerse por contacto con sustancias tóxicas tanto vegetales como animales. Una urticaria especial es la denominada urticaria gigante o edema angioneurótico o de Quincke, que forma graves lesiones edematosas en la cabeza de la persona que padece tan molesta dolencia.

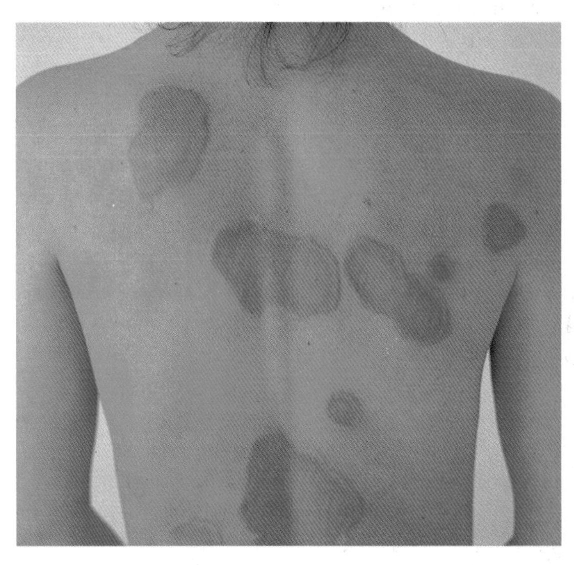

La urticaria produce un enrojecimiento similar al que se origina como consecuencia de haber tocado una ortiga.

Tratamiento médico

Para combatir las molestias de la urticaria, el médico prescribirá antihistamínicos; y, en los casos más graves, también corticoides. Se debe procurar evitar los antígenos presentes en la dieta alimentaria. Cuando los alergenos irrumpan en el cuerpo a través de la respiración, la hiposensibilización puede aportar el éxito que se espera ante la temida reacción.

Autoayuda

Los síntomas pueden empeorar con la excitación psíquica, un gran esfuerzo físico, ducharse con agua muy caliente y toda alteración de la vascularización cutánea; por este motivo, debe evitar estas situaciones. Un buen método para tranquilizarse en breve tiempo son los ejercicios de relajación, que producen un efecto beneficioso sobre las molestias.

Conjuntivitis alérgica

→ conjuntivitis, página 154.

Alergia a los alimentos

▶ Síntomas:

➜ náuseas, vómitos, diarreas, migrañas;
➜ disnea, ataque de asma;
➜ zonas edematosas en la región bucal y faríngea;
➜ colapso circulatorio.

Tanto si se trata de leche, pan o frutas, como de hortalizas, carne o pescado, cualquier producto alimenticio posibilita el desencadenamiento de una reacción alérgica. Esto se debe a que en todos ellos están presentes numerosos conservantes, aditivos y colorantes, a lo que hay que añadir el cambio de las costumbres gastronómicas y la importación de muchos productos exóticos. Así, el sistema inmunológico día a día ha de enfrentarse a potenciales alergenos que, a través de la digestión, llegan a la sangre y son capaces de desencadenar síntomas muy diversos; y, en rarísimas ocasiones, hasta el temido *shock* anafiláctico. Una forma grave de alergia a los alimentos es la denominada "enfermedad celíaca del lactante" y de los niños pequeños. Se cree que se debe a una intolerancia al gluten y, particularmente, a uno de sus componentes, la gliadina. El intestino queda tan dañado, que dificulta la ingesta de alimentos y, como consecuencia, aparecen trastornos en el crecimiento, anemia y raquitismo.

Tratamiento médico

Para descubrir los productos alimenticios causantes de la alergia, se impondrá una dieta por eliminación que incluya todos aquellos alimentos "sospechosos". Uno tras otro, se irán eliminando los que inspiren desconfianza y se crea que puedan ser alergenos, para de esta forma comprobar si desaparecen los síntomas característicos de la alergia. Para aliviar los trastornos, el médico le prescribirá antihistamínicos.

Los frutos exóticos también pueden desencadenar alergias.

Autoayuda

Para establecer el diagnóstico es de gran ayuda que controle, personalmente y con exactitud –durante dos o tres semanas–, todos y cada uno de los alimentos ingeridos. En sus anotaciones también deberá incluir la relación de medicamentos, bebidas, tabaco, etcétera, así como las eventuales reacciones surgidas entre una y seis horas después de cada comida. Si conoce los aditivos que le provocan la alergia, conviene que, cuando acuda al mercado, supermercado o gran superficie para realizar la compra, lleve siempre un listado para verificar los nombres o números de los que figuran en las etiquetas de los envases. Productos que no lleven gluten, puede encontrarlos en comercios especializados.

Alergia medicamentosa

▶ Síntomas:

➜ edemas, enrojecimiento de la piel;
➜ eccemas, urticaria
➜ puntitos sanguinolentos de pequeños vasos sanguíneos de la piel;
➜ intensa secreción nasal, ataques de asma.

Las reacciones alérgicas más frecuentes son las inflamaciones y los eccemas cutáneos. Los medicamentos inyectables pueden llegar a producir, en casos muy contados, una reacción en forma de *shock* anafiláctico que ponga en peligro la vida de la persona. Entre los alergenos farmacológicos más frecuentes se encuentran los medios de contraste para los rayos X, la penicilina y diversos analgésicos. Asimismo, algunos aditivos pueden desencadenar la reacción alérgica.

Tratamiento médico

Por regla general, los síntomas desaparecen rápidamente tan pronto se suprimen los medicamentos causantes de la reacción alérgica. Para evitar complicaciones, conviene que consulte con su médico.
Normalmente, con el fin de paliarle o evitarle las molestias, casi siempre le prescribirá antihistamínicos; y, si el caso es grave, corticoides. Aunque esta alergia sea una mera sospecha, conviene anotarla en la cartilla médica que siempre debe llevar consigo.

Autoayuda

Sin necesidad de que se lo pregunten, informe a su médico o farmacéutico sobre aquellos medicamentos que le han producido hipersensibilidad. Antes de realizar una radiografía con medios de contraste, como medida preventiva quizá sea conveniente que le administren corticoides o antihistamínicos. Si le van a inyectar algún medicamento, pregunte primero a su médico si el susodicho fármaco tomado en forma de pastilla no consigue idénticos resultados.

Alergia al sol (reacción fotoalérgica)

▶ Síntomas:
- manchas rojas, nódulos;
- prurito, formación de escamas, estornudos.

La alergia al sol es una reacción típica de los primeros días cálidos, cuando el sol comienza a calentar y la piel, todavía pálida, se expone a la intensa irradiación de los rayos solares. En la actualidad se sabe que, además de los rayos UV del sol, también causan esta enfermedad cutánea algunos de los productos que entran en la composición de la fórmula de las cremas solares (*emulgentes*), cosméticos o perfumes. Debido a la acción de la luz, estos componentes se convierten en alergenos y, debido a esta circunstancia, desencadenan erupciones en las zonas cutáneas expuestas a los rayos solares. Efectos similares pueden originar determinados medicamentos.

Tratamiento médico

Si el prurito es frecuente, acuda inmediatamente al médico. El prurito se cura con la prescripción de antihistamínicos o aplicando una tintura de cinc. Por lo demás, tan pronto como la persona deja de exponerse al sol, estas alergias se curan sin dejar cicatrices.

Autoayuda

Además de utilizar cremas protectoras muy grasas con filtros A-UV y carentes de emulgentes, si tiene propensión a contraer una alergia solar debe ir habituándose muy lentamente al sol.

El lugar de trabajo, un riesgo para la salud

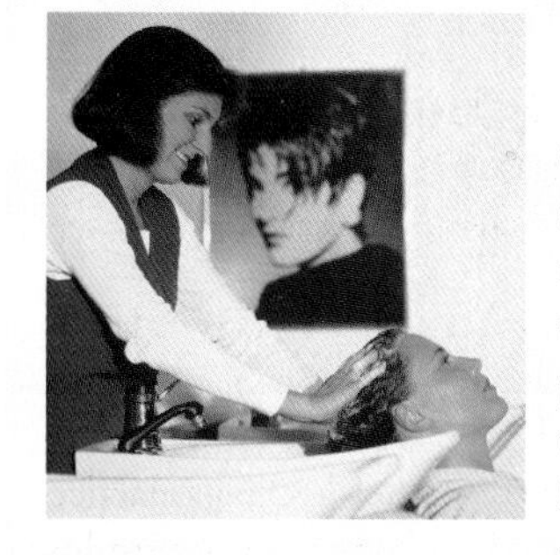

Cuando una persona estornuda constantemente, o tose durante un período de tiempo prolongado, y los síntomas desaparecen al llegar el fin de semana o las vacaciones, surge la sospecha de que su lugar de trabajo le produzca algún tipo de alergia. Aparte de poner en peligro su propia existencia, muchas personas ven afectada su vida profesional y la estima personal debido a la alergia que les produce su puesto de trabajo.

Estas "alergias profesionales" son propias de algunas actividades: pintores, panaderos, floristas, peluqueros, jardineros, silvicultores, personal sanitario, cocineros, albañiles, cuidadores de animales y algunas más. Todas las personas que desarrollan alguna de estas profesiones, tienen contacto diario con sustancias alergénicas, metales; y alergenos naturales, como pueden ser pelos de animales, polvillo que levanta la madera o la harina y que permanece en suspensión en el aire, etcétera. Las alergias de este tipo más frecuentes son las que ocasionan las llamadas enfermedades cutáneas y de las vías respiratorias.

Si los indicios que parecen apuntar a una enfermedad de tipo profesional se verifican, sería conveniente que el médico sugiriese la forma de evitar el contacto con determinadas sustancias, metales o herramientas y máquinas. En algunos casos, puede servir de gran ayuda el protegerse con unos simples guantes, una mascarilla o, incluso, con un traje protector especial. La sensibilidad de la piel se podrá reducir con un cuidado intensivo.

Siempre que la persona afectada tenga que seguir en contacto con la sustancia o instrumento causante de la alergia, los medicamentos nunca representan una solución a largo plazo. Como último recurso queda la formación profesional de un nuevo trabajo, el cambio de lugar del que se realiza o, incluso, el reciclaje dentro del marco de la misma empresa. De las condiciones de todo ello, o si la alergia se reconoce como enfermedad laboral, pueden informarle las asociaciones profesionales y los sindicatos.

Alergia a los hongos micromicetos

► Síntomas:

- ➜ rinitis con constante secreción nasal;
- ➜ picazón en los ojos, lagrimeo;
- ➜ prurito cutáneo;
- ➜ ataques de disnea y asma;
- ➜ cefaleas, fiebre, escalofríos, diarrea.

Los hongos micromicetos, o del moho, pueden causar algunas de las enfermedades más frecuentes de las vías respiratorias. Están presentes en todas partes, tanto en la naturaleza como en el entorno doméstico. Se desarrollan en los lugares húmedos: bajo el papel de las paredes, azulejos, armarios, el aire acondicionado, muros umbrosos, las macetas de las plantas de interior o sobre los estercoleros. Si el tiempo es húmedo, las semillas microscópicas (*esporas*) llegan a nuestros pulmones a través de las vías respiratorias. Las estancias poco ventiladas, puede ser focos de peligro. Pero estos alergenos micóticos también pueden encontrarse en los alimentos, además de en los productos realizados por su acción, como es el queso gorgonzola; también en aquellos otros donde la invasión no se percibe a simple vista, como el vinagre, vino, zumo de naranja, fruta, hortalizas y los mazapanes con nueces o almendras.

Las alergias que nos trae la moda

Actualmente, los eccemas de contacto, originados por llevar objetos y joyas de níquel, se han convertido en una "enfermedad de moda". El mejor remedio es la prevención, es decir, evitar ponerse cualquier tipo de objeto que contenga este metal (como el acero inoxidable). Cuando una persona reacciona alérgicamente al ponerse estos objetos y joyas, en el momento de su adquisición debe cerciorarse de cuánto níquel contienen; además, debe evitar que los botones metálicos de los pantalones tejanos rocen con la piel. Por otra parte, las alergias al níquel pueden acentuarse o desencadenarse al ingerirlo con los alimentos. Las personas que le tengan alergia no deberían utilizar utensilios de acero inoxidable para cocinar, sino los esmaltados o de madera. Alimentos como almendras, nueces, cacao, copos de avena, legumbres y judías de soja, poseen un elevado contenido de níquel.

Tratamiento médico

La prescripción de antihistamínicos, medicamentos dilatadores de los bronquios y, en los casos más graves, corticoides le aliviará especialmente las molestias asmáticas. Con tan sólo analizar unas muestras de polvo, es posible comprobar la existencia de esporas en el interior de la casa. Pero como la destrucción de estos alergenos resulta muy difícil, lo más apropiado es la hiposensibilización del paciente.

Autoayuda

Además de limpiar bien los lugares donde pudiesen reproducirse los hongos, la ventilación de habitaciones y estancias es muy importante. En el comercio encontrará productos apropiados para emplear en lugares húmedos (baño, lavabos). Para evitar el peligro, este tipo de estancias podría empapelarse. Los alimentos atacados por el moho deben desecharse inmediatamente, sobre todo si se trata de pan, mantequilla o mermeladas.
Recortar la zona afectada o eliminar con una cuchara la superficie enmohecida no debe hacerse jamás, pues el hongo se extiende a más profundidad y no sólo por la parte que parece afectada.

Alergias al polvo doméstico

► Síntomas:

- ➜ rinitis con abundante secreción nasal;
- ➜ quemazón en los ojos, lagrimeo;
- ➜ ataques de asma, urticaria.

El polvo doméstico pertenece a los alergenos que entran en el organismo a través de las vías respiratorias. Pero el verdadero desencadenante de la alergia es el excremento casi pulverizado de los ácaros, unos animalitos de tamaño microscópico. Éstos suelen anidar en las camas, colchones, muebles tapizados y alfombras; aunque también en quesos viejos, frutos secos, cereales o la harina, prendas de vestir y, muy especialmente, en el heno recién almacenado.

Tratamiento médico

Nada más que reconozca los síntomas, el médico prescribirá medicamentos antihistamínicos. Pero, con todo, la medida terapéutica más importante es la eliminación de la causa, es decir, el saneamiento de la vivienda. En muchos casos, lo más aconsejable es la hiposensibilización.

Autoayuda

Si utiliza en su cama fundas de colchón impermeables para los ácaros, los trastornos alérgicos mejorarán. Toda la ropa de cama, almohadas y almohadones, mantas, etcétera, debería lavarse a 95 °C. Las alfombras y muebles tapizados necesitan ser limpiados periódicamente, empleando acaricidas especiales en su saneamiento. Siempre que resulte factible, se suprimirán todos aquellos objetos y elementos que favorezcan la acumulación de polvo (cortinas, tapices, librerías abiertas), sobre todo en el dormitorio.

Alergia a los pelos de los animales

► Síntomas:

- ➜ erupción cutánea, urticaria;
- ➜ abundante secreción nasal, estornudos, asma;
- ➜ lagrimeo.

Las molestias alérgicas que suelen producir los animales, no se deben tanto a sus pelos como a las escamas cutáneas o partículas de su saliva y excrementos. Éstos son los verdaderos causantes de la alergia.
Y, aunque entran en el organismo a través de las vías respiratorias, el mero hecho de acariciarlos ya puede producir en la piel de la persona enrojecimientos y eccemas cutáneos. Los abrigos de pieles, las mantas de pelo de camello, las alfombras de lana y otros productos de origen animal también pueden producir, en un principio, los mismos síntomas que los ocasionados por los animales domésticos.

Tratamiento médico

La principal medida terapéutica es la de evitar todo tipo de alergeno, lo que muy posiblemente pueda significar –entre otras cosas– la separación de nuestra "mascota" si la reacción alérgica es de cierta gravedad. La hiposensibilidad a los perros y gatos es relativamente frecuente, y se suele superar con éxito.

Autoayuda

Evite las prendas de piel o de cuero, tanto como la presencia o caricia de los propios animales de compañía. Si las reacciones alérgicas no revisten especial gravedad, quizá no sea necesario tener que alojar a nuestro gato o perrito fuera de la casa o tener que regalarlo. En todo caso, lo que sí es importante es lavarlo frecuentemente frotándole bien la piel con una toalla previamente humedecida.

Alergia a las picaduras de insectos

► Síntomas:

- ➜ pápulas, enrojecimientos, edemas;
- ➜ urticaria, abundante secreción nasal;
- ➜ vómitos, espasmos;
- ➜ ataque de asma, disnea respiratoria;
- ➜ colapso circulatorio.

En personas sensibilizadas, las picaduras de insectos desencadenan reacciones alérgicas que pueden abarcar una amplia gama que van desde edemas en la zona de la picadura hasta el peligrosísimo *shock* anafiláctico, que puede poner en peligro la vida de la persona. Como consecuencia de repetidas picaduras puede desarrollarse una sensibilización, y por este motivo toda precaución es poca, sobre todo si la persona observa que su reacción, con cada picadura, es una reacción alérgica cada vez más intensa.

Las picaduras de avispa pueden producir peligrosas reacciones en las personas alérgicas.

Tratamiento médico

Si el paciente sabe qué insecto le ha picado, el diagnóstico es más sencillo. La hiposensibilización aporta buenos resultados en este tipo de alergia.

Autoayuda

Al contrario que ocurre con las abejas, las avispas y avispones son más agresivos e incluso pican sin que medie provocación alguna. En caso de que sufra una picadura, conviene que lleve consigo un pequeño botiquín de urgencia con los medicamentos más habituales. Pero, por regla general, si adopta ciertas precauciones casi siempre podrá evitar tales picaduras:

- Procure no caminar descalzo por el campo; si trabaja en un jardín o huerto, conviene que proteja siempre sus brazos y piernas.
- Durante las comidas al aire libre tenga cuidado con los restos de comida, pues atrae a las avispas y abejas.
- Cuando esté al aire libre no utilice perfumes, colonias o productos cosméticos muy olorosos. Recuerde que los olores atraen a los insectos.
- Antes de salir al aire libre, conviene frotarse con productos protectores contra insectos. Hoy día existen productos naturales muy eficaces.

Lo que debe saberse sobre las infecciones

Las enfermedades infecciosas siguen siendo hoy día la causa más frecuente de muerte de la mayoría de las personas, aunque en los países con más alto nivel de vida este más que dudoso privilegio de ocupar el "puesto de honor" en la clasificación corresponde estadísticamente a las temibles enfermedades cardiovasculares.

Al recuerdo pertenecen ya, especialmente para los habitantes de las zonas templadas del planeta, aquellas épocas en que enfermedades como el cólera, el tifus, la peste y la viruela despoblaban y asolaban regiones enteras. Así, algunas de estas enfermedades, como por ejemplo la viruela, se consideran erradicadas (→ ¿Qué ha sido de las epidemias?).

¿Vuelven las epidemias?

La aparición del denominado "síndrome de inmunodeficiencia adquirida, o sida, el incremento de las enfermedades diabéticas y tuberculosas o la "misteriosa" enfermedad de las "vacas locas", demuestra que las enfermedades infecciosas aún son capaces de provocar la alarma social y el pánico en los países más avanzados, higiénicamente perfectos.

Los motivos que justifican la amenaza de antiguas y nuevas epidemias son múltiples. Entre las causas primeras de estos "brotes" figuran el importante comercio internacional, el creciente auge experimentado por el turismo y los viajes, la emigración a las ciudades, la despoblación rural, la presión demográfica y los movimientos migratorios, además de otras muchas más. Todo ello contribuye a que reducidas epidemias locales se transformen rápidamente en una amenaza global; además, debe tenerse bien presente que los agentes patógenos sufren mutaciones, siendo entonces capaces de burlar y ganar la batalla tanto a nuestro propio sistema inmunológico como a los médicos y a los avances científicos.

El mejor ejemplo ilustrativo es el que proporciona la resistencia de ciertos agentes patógenos a medicamentos eficaces hasta hace poco. Por este motivo, algunas bacterias son actualmente inmunes frente a determinados antibióticos; y la causa hay que buscarla en el indiscriminado uso de éstos, pues esta arma milagrosa ha sido empleada abusivamente contra toda clase de infecciones bacterianas.

¿Qué es una infección?

Los médicos de la antigüedad ya conocían la interrelación existente entre contagio y enfermedad. Pero, sólo gracias al avance del microscopio se lograron hacer visibles agentes patógenos como las bacterias, los parásitos unicelulares y los hongos.

Para los virus, hubo que esperar la llegada del microscopio electrónico; lo mismo que para los priones y las moléculas proteicas, capaces de desencadenar la BSE (*Bovine Spongiform Encephalopathy*: encefalopatía espongiforme bovina, vacas locas) y otras enfermeda-

Todos los años ocurre lo mismo: es muy fácil constiparse, pero más difícil curarse.

Los virus producen un gran número de enfermedades, desde la inofensiva rinitis hasta la muy grave meningitis.

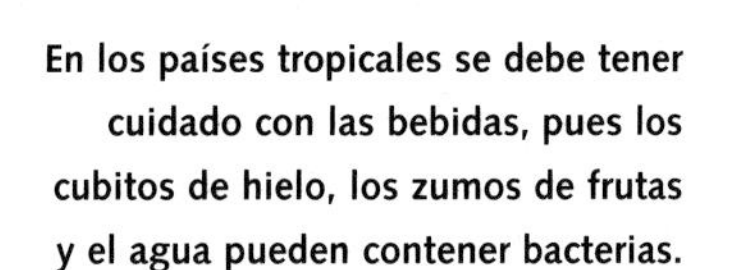

En los países tropicales se debe tener cuidado con las bebidas, pues los cubitos de hielo, los zumos de frutas y el agua pueden contener bacterias.

des nerviosas. En las infecciones, los agentes patógenos entran en el cuerpo a través de la piel y de las mucosas de los aparatos respiratorio y digestivo-urinario, para luego reproducirse. De una enfermedad sólo se habla cuando aparecen los primeros síntomas, dolencias y molestias. La infección puede ser local, como en la cistitis, o una "auténtica" (*sistémica*) enfermedad infecciosa, donde los agentes patógenos transportados por la sangre y la linfa se extienden por todo el cuerpo.

El peligro de contagio existe siempre y en cualquier parte, debido al contacto directo con personas y animales infectados, por objetos sucios o por alimentos en mal estado y agua contaminada; o, también, a través de la sangre, por ejemplo, en los casos de picaduras de mosquitos, intervenciones quirúrgicas o transfusiones de sangre que utilicen sangre ya contaminada y sin haber pasado los correspondientes controles médicos obligatorios. El contagio de madre a hijo puede producirse mediante el cordón umbilical, tanto durante el parto como posteriormente con la leche materna.

Los síntomas de una infección son el resultado de la acción de los agentes patógenos, o sustancias tóxicas, que atacan y destruyen numerosas células y tejidos del organismo; aunque también son consecuencia de las reacciones defensivas del propio cuerpo (→ El sistema inmunológico). En primer lugar, aparecen los "clásicos" síntomas inflamatorios: enrojecimiento, recalentamiento cutáneo, edemas y dolor en la zona afectada. También, muchas veces, se acompañan de fiebre (entre 37,8 y 38,3 °C, según se controle respectivamente en las axilas o de forma rectal). Las temperaturas demasiado elevadas pueden ser peligrosas para el organismo. Por este motivo, tan pronto se superen los 38,5 °C se recomienda reducir la fiebre mediante la prescripción de medicamentos (*antipiréticos*) o con la aplicación compresas frías en las pantorrillas.

Prevención de enfermedades infecciosas

Hasta el día de hoy ha sido imposible aclarar por qué, en igualdad de condiciones, una persona contrae una infección y otra no. Obviamente, un papel decisivo lo desempeña el sistema inmunológico. Pero hay muchos factores que reducen su capacidad y favorecen las infecciones, como el estrés, enfermedades infecciosas, determinados medicamentos y muchos factores más. Una alimentación sana, la práctica de algún deporte y una forma de vida sin sobresaltos ni tensiones contribuyen y ayudan a las defensas del cuerpo a combatir con éxito los agentes patógenos. A veces funcionan tan bien, que la persona enferma ni tan siquiera es consciente de padecer una infección.

Entre los principios de la prevención de infecciones, la higiene desempeña actualmente un papel primordial, de forma muy especial durante los viajes y las vacaciones, cuando se presta poca atención a la alimentación, lo que en más de una ocasión obligado a interrumpir inesperadamente los alegres días de ocio. A veces, el arma más eficaz y única contra estas enfermedades siguen siendo las vacunaciones.

En los análisis de laboratorio, las bacterias se reproducen en caldos de cultivo y, luego, se estudian minuciosamente.

Siempre que no haya sido debidamente cocinado, en países exóticos y lejanos es preferible abstenerse de comer cualquier producto crudo.

La aventura y el placer de viajar han contribuido a la expansión e incremento de enfermedades infecciosas inusuales.

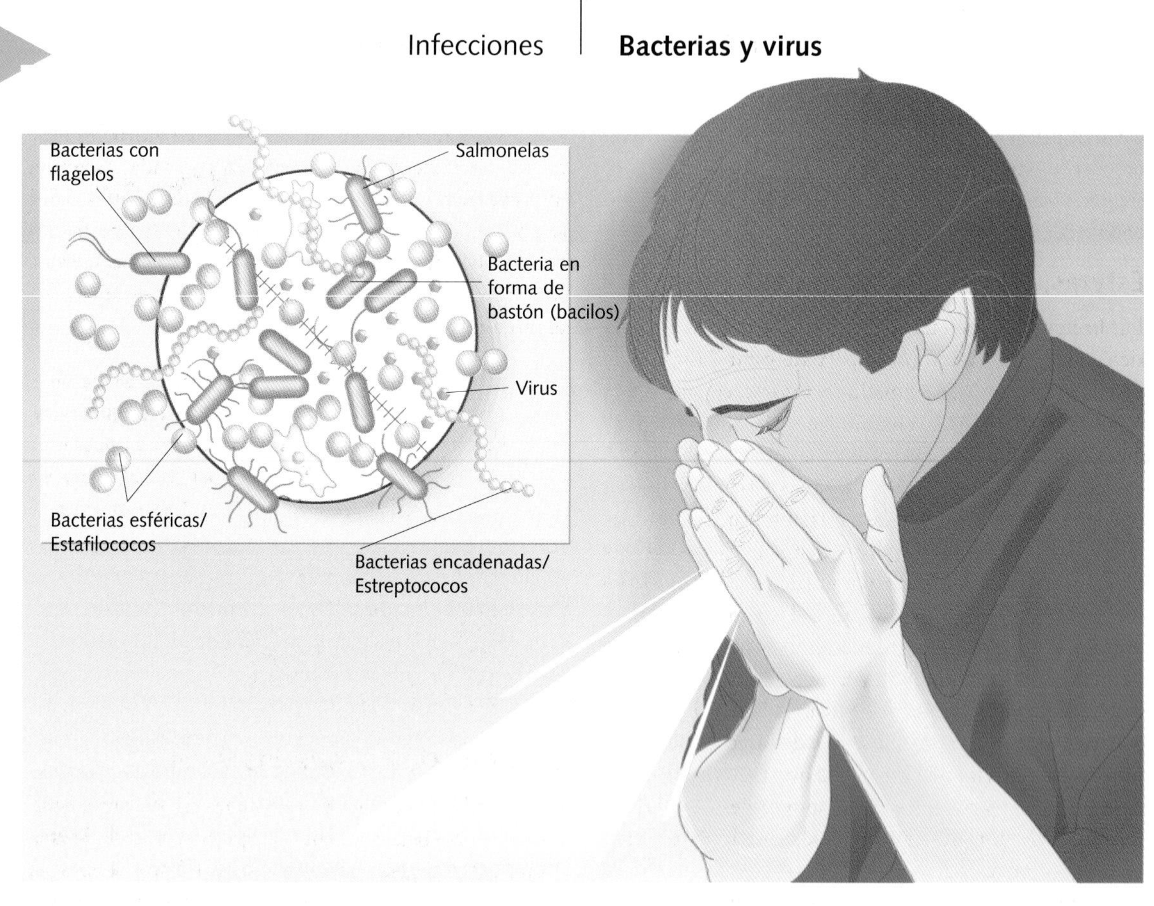

Bacterias y virus

- **Morfología y especies**
- **Forma de vida**
- **Infecciones**

Las bacterias son organismos unicelulares microscópicos. Están formados por una sola célula procariota, es decir, que no posee membrana nuclear.
Los virus son organismos de tamaño ultramicroscópico que, a diferencia de las anteriores, no poseen un metabolismo propio; por este motivo, para su reproducción necesitan ocupar algunas células ajenas.

Bacterias: minúsculas pero fuertes

Las bacterias constituyen un grupo gigantesco, nada uniforme, de microorganismos. Estos minúsculos seres (de 0,2 hasta 6 milésimas de milímetro) están presentes en todas partes (tierra, aire o agua), y poseen una sorprendente capacidad para adaptarse a situaciones medioambientales adversas. Unas bacterias pueden vivir en entornos sin oxígeno o en situaciones extremas; otras, son capaces de crear formas permanentes y resistentes, que pueden mantenerse durante años e incluso milenios antes de poder reproducirse nuevamente en condiciones favorables.
Mientras que la mayor parte de las bacterias son inocuas para el ser humano, o incluso le producen beneficios, existe un grupo relativamente pequeño –pero muy importante– que es capaz de producir muchas enfermedades en las personas, los animales y las plantas. Entre las bacterias beneficiosas figuran las que produce la flora intestinal normal de la persona sana, o aquéllas otras que se emplean en la fabricación de ciertos productos alimentarios, como yogur, quesos o col ácida.
Asimismo, algunas bacterias ejercen una actividad protectora frente a determinados agentes patógenos. En las personas sanas, las bacterias que anidan en el tracto gastrointestinal son muy numerosas, pero también en áreas cutáneas cubiertas de pelo y en las mucosas de la

cavidad bucal y las fosas nasales. Pero si la capacidad defensiva del organismo se debilita, aunque siguen siendo inofensivas, también pueden llegar a producir enfermedades.

Esferas, bastones y espirales

Las bacterias poseen tres formas celulares básicas: esférica (*cocos*), de bastón (*bacilos*) y de espiral (*espirilos*); un cuarto grupo, denominado *leptothrix*, está formado por bacterias de gran tamaño que presentan un filamento tabicado. Pero todas estas apariencias no son de carácter permanente. Las bacterias esféricas (*cocos*) pueden sufrir, según sean las constantes medioambientales (*pleomorfismo*), grandes transformaciones y crear diversos grupos o cadenas, como sucede con los estafilococos o los estreptococos, que desempeñan importantes papeles (→ Infecciones estreptocócicas; → Infecciones estafilocócicas).

Entre las bacterias que simulan un bastón, o bacilos, existen muchos agentes causantes de infecciones intestinales y de las vías urinarias. Las que tienen apariencia de espiral, o espirilos, son las responsables de la transmisión de la borreliosis, producida por la mordedura de las garrapatas o de la sífilis.

Las clamidiáceas (→ Infección por clamidiáceas) son de la familia de los microorganismos intracelulares obligados, intermedios entre los virus y las rickettsias y las bacterias gramnegativas, que incluye el género *Chlarydia*. Se reproducen en células que hayan invadido previamente. Las bacterias producen sus efectos patógenos a través de las toxinas que segregan, o que se producen al morir éstas. Estas toxinas también pueden causar graves lesiones del músculo cardíaco, de los nervios y en el hígado, así como parálisis y otras complicaciones posteriores.

Los virus conquistan las células

Los virus son agentes patógenos de tamaño ultramicroscópico, integrados por una sola molécula de ácido nucleico que protege una cubierta proteica que, conjuntamente, constituyen la partícula infectiva o "virión". Estos organismos no poseen actividad metabólica propia, de forma que sólo ejercen su acción patógena cuando invaden una célula viva, procediendo entonces a estimular al conjunto de cromosomas de la célula (*genoma*) para que produzcan los componentes del virus; es decir, no se divide por partición como cualquier célula, sino que indirectamente hace que el genoma celular sintetice sus propios componentes.

Las células atacadas por un virus pueden morir, aunque no necesariamente. Si permanecen con vida, aseguran durante cierto tiempo la supervivencia del propio virus; así, por ejemplo, los virus del herpes pueden permanecer durante muchos años habitando las células nerviosas, pero al mismo tiempo produciendo constantemente molestias (→ Herpes zóster).

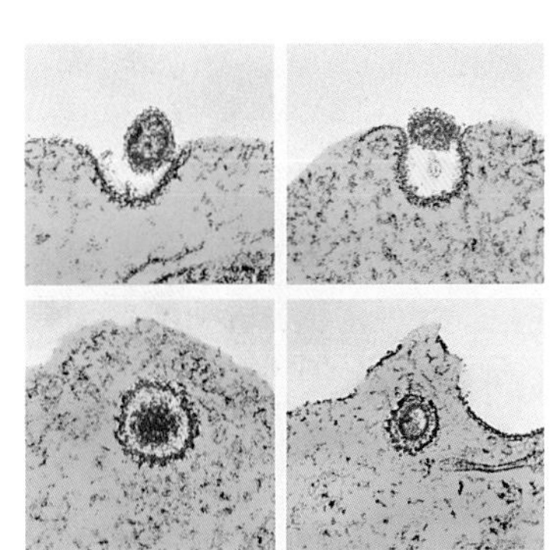

Después de que un virus consigue invadir una célula, puede multiplicar su número varias veces en su interior.

La protección contra los virus

La entrada de un virus patógeno en el organismo humano provoca, entre otros aspectos, que el sistema inmunológico genere anticuerpos (→ Especialistas en acción). Este hecho propicia la creación de cierta inmunidad contra la enfermedad específica; sin embargo, algunos virus modifican su forma y sus propiedades, de manera que los anticuerpos existentes dejan de proteger al cuerpo contra futuras infecciones.

Los virus pueden producir numerosas enfermedades, desde resfriados y rinitis inofensivas, pasando por las "clásicas" enfermedades infantiles, hasta importantes infecciones que ponen la vida en peligro, como sucede con el sida. Determinados virus estimulan el desarrollo de tumores malignos, e incluso los producen. Debido a esta peculiaridad, el cáncer de hígado (→ Tumores hepáticos) puede estar causado por el virus de la hepatitis B. Los virus participan igualmente en la formación del carcinoma uterino.

De forma diferente a las infecciones bacterianas, que se combaten con antibióticos, contra las infecciones víricas no existía remedio alguno hasta hace bien poco. Mientras tanto, se han desarrollado los conocidos virostáticos que, como mínimo, se aplican con resultados positivos contra la propia enfermedad. Aunque es cierto que no consiguen matar al virus, sí inhiben su crecimiento sin dañar el cuerpo. Por este motivo, en los casos de enfermedades víricas la mejor terapia es la prevención de infecciones mediante la vacunación.

Casos de urgencia

Normas generales

En caso de que las defensas naturales se hayan debilitado, si se produce una infección provocada por peligrosas bacterias y virus la vida de la persona puede correr peligro. Pero hasta quienes tengan un sistema inmunológico perfecto, también corren riesgos si contraen una grave enfermedad infecciosa.
Los síntomas de una infección peligrosa son:
• Fiebre permanente o recurrente, escalofríos (además de tener sensación de frío o de haberse enfriado), debilidad circulatoria.
• Tos torturante acompañada de disnea, ataques de ahogo, rostro cianótico, expectoraciones sanguinolentas o de color rojizo.
• Síndrome diarreico con sangre, pared abdominal endurecida y dolorosa.
• Diarrea constante y vómitos en lactantes y niños de corta edad.
• Intensas cefaleas y rigidez de nuca, obnubilación, espasmos musculares y síntomas de parálisis.

Intoxicación alimentaria

▶ Síntomas:
➜ náuseas, vómitos y diarrea;
➜ pulso rápido;
➜ arrugas cutáneas llamativas;
➜ a veces, parálisis muscular.

Desde la incorporación de medidas higiénicas en la fabricación, manipulación y conservación de los alimentos, como por ejemplo la pasteurización de la leche (breve calentamiento a más de 70 °C), la inspección veterinaria de la carne y la congelación o la conservación estéril, se ha reducido muchísimo el número de intoxicaciones alimentarias. Pero los casos aislados siguen siendo preocupantes y graves, ya que casi siempre se trata de intoxicaciones temibles, que para los niños pequeños y las personas de edad representan un grave riesgo. Estas intoxicaciones suelen aparecer si el producto se conserva mucho tiempo después de haber sido elaborado, como sucede con las conservas caseras (→ Botulismo), pero también con los productos lácteos, la mayonesa, los helados, los dulces con leche y huevos frescos (→ Infección por salmonelas, salmonelosis), sin olvidar los embutidos y los crustáceos. A veces, se presentan tras ingerir productos tóxicos como sucede, por ejemplo, con las setas y ciertos frutos.

Tratamiento médico

Acuda al médico si, una hora y media o dos después de haber comido y bebido (en la infección por salmonelas, incluso hasta tres días), acusa los síntomas antes descritos. Tras proceder –en caso necesario– a un lavado previo del estómago, le prescribirá medicamentos para combatir la infección. Según la causa, la terapia se aplicará o no en el hospital.

Autoayuda

¡Provoque el vómito! Luego, conserve los alimentos sospechosos para llevárselos al médico.

Sepsis (infección generalizada del organismo)

▶ Síntomas:
➜ eventualmente, franjas rojizo-azuladas en brazos y piernas;
➜ fiebre elevada, escalofríos; en niños pequeños, también espasmos febriles;
➜ desconcierto, confusión, embotamiento;
➜ vómitos y diarreas.

La infección generalizada del organismo se debe al paso de gérmenes a la circulación sanguínea corporal. Minúsculas heridas pueden ser el foco de infección inicial, ya que facilitan la entrada de las bacterias a través de la piel. Éstas son transportadas por las vías linfáticas hasta los ganglios, que en caso de la linfangitis aguda da lugar a unas franjas rojo azuladas en los brazos y las piernas. Aunque no aparecen necesariamente, suelen ser el primer síntoma externo de esta enfermedad. El veneno (*toxina*) de una clase especial de estafilococos puede producir, en contadas ocasiones, una peligrosa septicemia en las mujeres que usan tampones.

Tratamiento médico

Si padece las molestias descritas, consulte lo antes posible con su médico. El análisis de la sangre

Casos de urgencia

permitirá determinar el germen causante. En caso de una sepsis, le prescribirán antibióticos.

Autoayuda

Limpie bien cualquier herida (por pequeña que sea), desinfectándola con alcohol o yodo. Si la fiebre es elevada, aplíquese compresas frías en las pantorrillas para reducirla. Si es mujer, cámbiese los tampones con mucha frecuencia.

Tétanos

Los agentes patógenos que causan el tétanos están presentes en todas partes. Se trata de la toxina del bacilo *Clostridium tetani*, que entra en el organismo a través de heridas y rasguños que se producen en la piel y, luego, llega hasta los tejidos subcutáneos, donde produce y desarrolla esta peligrosa infección.

Infección grave de las vías respiratorias

▶ Síntomas:

➜ fiebre muy alta (hasta 40 °C), escalofríos;
➜ dolores punzantes en el pecho;
➜ expectoración purulenta o rosada;
➜ tos martirizante, disnea, ataques de ahogo, rostro cianótico;
➜ pulso agitado, obnubilación.

Mientras la mayoría de las infecciones víricas de las vías respiratorias son inofensivas, las epidemias de influenza (→ Gripe) pueden generar enfermedades que pongan en peligro la vida de las personas de más edad. También, cuando entre los niños se manifiesta con tos intensa y desagradable, es obligado llamar al médico para que diferencie perfectamente los virus paragripales, como sucede en la *pseudotosferina*, de los de otras enfermedades más peligrosas, como la pertusis y la epiglotitis. La complicación más común de la gripe es la neumonía, que está provocada por otros virus y bacterias.

Tratamiento médico

Si advierte los síntomas antes descritos, ¡consulte de inmediato con su médico! Los medicamentos antipiréticos y antiinflamatorios le aliviarán los síntomas; pero, si la causa son bacterias, le prescribirán antibióticos. En caso de disnea respiratoria y ahogo, se impone la respiración asistida o, incluso, una traqueotomía.

Autoayuda

Repose y aplíquese compresas en las pantorrillas para reducir la fiebre. Beber mucha agua, contribuye a la curación. Como prevención, se aconseja la vacunación antigripal.

Infección gastrointestinal aguda

▶ Síntomas:

➜ náuseas, diarrea y vómitos;
➜ eventualmente, heces mucoso-sanguinolentas;
➜ taquicardia, obnubilación;
➜ a veces, somnolencia, lipotimias.

Las diarreas y los vómitos han de tomarse siempre muy en serio, sobre todo en los niños pequeños y lactantes, debido a que en un breve espacio de tiempo cabe la posibilidad de que se deshidraten completamente. Casi siempre, la causa se atribuye a los virus o a los colibacilos. Como consecuencia de la deficiente circulación sanguínea del cerebro, la deshidratación puede producir lipotimias.

Tratamiento médico

En el momento que advierta cómo los latidos de su corazón se aceleran y padezca una creciente obnubilación, ¡llame cuanto antes a su médico! Según sea la causa, le prescribirá medicamentos; eventualmente, también tomará infusiones.

Autoayuda

Para evitar que el cuerpo se deshidrate, beba cada poco mucha agua y zumos de frutas.

Infecciones del cerebro y nervios

Estas infecciones, peligrosas y muchas veces mortales, normalmente están causadas por las mordeduras de animales o son transmitidas por las garrapatas. A comienzos del verano, en ciertas ocasiones producen la rabia (→ Hidrofobia) o la meningoencefalitis.

Pruebas clínicas especiales

Para determinar si una persona (o su hijo) padece una enfermedad infecciosa, el médico se interesará primero por sus molestias y por su evolución. Esto le proporcionará, junto con los resultados del reconocimiento físico efectuado, un conocimiento general muy importante respecto a las probables fuentes, vías y momento del contagio, así como de la gravedad de la enfermedad y hasta de las eventuales complicaciones que pudieran surgir.

Durante el reconocimiento prestará especial atención a las condiciones que presenta la piel y las mucosas (boca, faringe), función cardíaca y pulmonar, ganglios linfáticos, hígado y bazo. También tomará la fiebre y mandará realizar un análisis de sangre, para averiguar el número de leucocitos y la velocidad de sedimentación de los glóbulos rojos. A la vista de estos valores se sabrá si el organismo sufre una inflamación, pudiendo a través de ella detectar la presencia de una infección.

Siguiendo el rastro de bacterias y virus

Para descartar otras enfermedades y determinar la terapia correcta, es importante conocer primero cuál ha sido el agente patógeno causante. Para establecer el diagnóstico, el médico necesita conocer los resultados de algunas pruebas de laboratorio (frotis de la piel y de las mucosas, sangre, orina, heces) que determinen la presencia o no de diversos microorganismos, como bacterias, virus, hongos y parásitos. Con este fin, se intentará reproducir artificialmente los agentes patógenos.

Mientras que la mayoría de bacterias crece bien si se dan unas condiciones específicas (suficiente oxígeno, calor y humedad) y el caldo de cultivo es el adecuado, esto no se consigue con los virus. Para reproducirse éstos necesitan células vivas y, por este motivo, se recurre a los denominados cultivos celulares o bien se efectúa en huevos de gallina incubados. Generalmente, todo este procedimiento necesita uno o dos días; en casos aislados, hasta seis semanas.

Cultivo de bacterias

Si las bacterias están presentes en el material que se investiga, se procederá a colorearlas con un tinte especial. De esta forma, su detección al microscopio será muy fácil. Pero si se desea determinarlas con absoluta exactitud, normalmente es necesario recurrir a un cultivo de bacterias. La muestra se dispersa sobre el medio de cultivo, y se conserva durante uno o dos días en la estufa de cultivos a temperatura corporal (37 °C). Al tratarse de numerosos agentes patógenos conocidos, para identificar luego las bacterias "incubadas" con exactitud muchas veces es necesario aplicar métodos químicos selectivos, procedimiento muy empleado en los análisis biológicos.

Tan pronto se descubre la bacteria que actúa como agente patógeno, se experimentará también sobre qué antibiótico está indicado para luchar contra la enfermedad. Esto significa –en realidad, algo único en Medicina– que el médico podrá predecir, con garantías de éxito, que el medicamento empleado proporcionará el resultado esperado antes incluso de que el paciente comience a tomarlo. Para obtener el resultado deseado, las bacterias se tratan con diferentes antibióticos y a diversas concentraciones. La utilización de este sistema permite conocer qué antibiótico evitará con más rapidez el crecimiento de la bacteria, o en cuanto tiempo la destruirá.

En esta imagen puede observarse cómo en el centro y alrededor del antibiótico no ha crecido ninguna bacteria.

Desde el punto de vista médico, casi todas las bacterias importantes pueden ser cultivadas en caldos de cultivo apropiados. Éstos se combinan, parte de forma artificial y parte sobre la base de sustancias naturales, pudiendo contener aditivos que sólo permiten el crecimiento de unas bacterias determinadas. Al iniciarse la reproducción, las colonias individuales que aparecen al principio se funden más tarde unas con otras dando lugar a un único "césped" de apariencia uniforme. La forma, aspecto y color de este césped permite muchas veces establecer un primer diagnóstico de la enfermedad que afecta al paciente.

Pruebas clínicas especiales

Cultivo de virus

Al contrario que las bacterias, los virus nunca se multiplican en caldos de cultivo y sólo crecen en células vivas. Por esta razón, su reproducción ha de efectuarse en cultivos celulares. Para conseguirlo, se dispone de muchos tipos de células, tanto de origen humano o de procedencia animal. Incluso, muchas veces, se usan huevos de gallina fecundados. Dado que los virus no se aprecian con el microscopio normal, es necesario visualizarlos con el microscopio electrónico o utilizando métodos de coloración especiales. Por este motivo, la demostración de la presencia de virus es siempre muy costosa y exige mucho tiempo; sin embargo, la práctica médica sigue otro camino y busca los anticuerpos que el sistema inmunológico ha creado contra el virus.

Los cultivos de bacterias se analizan al microscopio con gran precisión.

La existencia de anticuerpos

Según la clase y cantidad de anticuerpos que las defensas del organismo han generado para luchar contra un agente patógeno intruso, es posible determinar, hasta cierto punto, qué clase de infección afecta a la persona enferma. Para confirmarlo se realiza la *serología*, un análisis del suero sanguíneo, o porción de líquido de color claro que se separa de la sangre cuando se produce su coagulación.

Entre los diferentes tipos de anticuerpos se encuentran las inmunoglobulinas de las clases M y G, abreviados IgM e IgG. La diferencia fundamental que existe entre ambos, es que los primeros casi siempre son señal de una infección reciente. Por su parte, los segundos se generan algo más tarde, en mayor cantidad, durante el proceso clínico de la propia enfermedad. Después de una enfermedad infecciosa, éstos pueden permanecer en el organismo desde unos años hasta toda la vida, creando una inmunidad natural contra un agente patógeno especial. De todos modos, la capacidad de este método de investigación tiene sus límites, debido, por ejemplo, a que en el cuerpo pueden encontrarse aún anticuerpos de una anterior pero remota enfermedad infecciosa. Del mismo modo, aun tratándose de una infección reciente, es factible que en algunos casos transcurran días o semanas hasta que las defensas produzcan los anticuerpos precisos. También sucede a veces que, a pesar de que la persona padece la infección, es imposible demostrar la existencia de anticuerpos.

Hongos y parásitos

Si se sospecha el padecimiento de una enfermedad provocada por hongos o parásitos, el médico efectuará un frotis de la piel y mucosas, o recogerá otras pruebas (cabellos, heces, orina) para analizarlas en el laboratorio. Éste preparará un caldo de cultivo especial para hongos que, debido a las diferentes formas de crecimiento y a la técnica de colorearlos, casi siempre determinará sin equivocación de qué especie de hongo se trata. Esto facilitará el inicio de la terapia más adecuada. En caso que no sea factible determinar con exactitud la clase de hongo causante de la enfermedad, se hace preciso realizar una prueba sanguínea sobre el anticuerpo "sospechoso". Sin embargo, la demostración de la existencia de anticuerpos no facilita la investigación sobre si se trata de los generados por una aguda infección micótica o lo son por una micosis padecida hace tiempo y ya curada. Algunos hongos pueden establecerse en los pulmones, hígado, riñones u otros órganos del cuerpo; las radiografías o una ecografía, pueden ayudar a establecer un diagnóstico certero.

Comparativamente, es mucho más fácil demostrar la presencia de parásitos. Por regla general, éstos no necesitan de cultivos para su identificación, pues debido a su tamaño los unicelulares es posible incluso verlos al microscopio. Grandes parásitos, como gusanos, y la mayoría de los artrópodos (piojos, pulgas, garrapatas) se reconocen a simple vista.

En lugar destacado: los cocos

Un rasgo característico de algunas bacterias, para la Medicina muy importantes, es que según cuál sea el órgano o región del cuerpo afectados pueden ser el origen de una o de varias enfermedades.
Si se estableciese una estadística sobre qué bacterias son más frecuentes, encontraríamos en un lugar destacado a los → estreptococos, aunque seguidos muy de cerca por sus familiares los → estafilococos. Mientras los estreptococos son los causantes principales de las enfermedades en los órganos internos, los estafilococos también son capaces de provocar adicionalmente enfermedades cutáneas. Asimismo, a este grupo de "agentes patógenos de amplio espectro" pertenecen las llamadas → clamidias, que son responsables de producir un gran número de infecciones.

Infecciones estreptocócicas

Los estreptococos son bacterias esféricas que, aunque en el cuerpo humano se muestren apareadas, se agrupan en cadenas alargadas. Pertenecen a la familia de las lactobacteriáceas. Como agentes patógenos que son tienen capacidad para producir enfermedades en diferentes órganos, motivo por el cual se clasifican en varios grupos. Algunas formas inofensivas pertenecen a la flora natural de la faringe e intestinos. Pero si las defensas se han debilitado debido al estrés o a otras enfermedades, también suelen originar enfermedades.
Frecuentemente, los estreptococos son los agentes patógenos causantes de infecciones en la cavidad bucofaríngea. Participan en la formación de las caries y producen la escarlatina y las anginas purulentas. Los surgidos de la cavidad faríngea suelen ser los culpables de las otitis y de la sinusitis.
En la mitad de casi todos los casos, los estreptococos también son los responsables de las endocarditis, como complicación, por ejemplo, de la septicemia o de la escarlatina; o, si el corazón ha sufrido una lesión anterior, de una fiebre reumática (→ Reumatismo articular como consecuencia de enfermedades infecciosas). Gracias a los modernos antibióticos, la fiebre reumática, que en ocasiones aparece durante la tercera semana de una enfermedad infecciosa, se ha convertido en una dolencia que sólo aparece en determinados países en muy contadas ocasiones.

La terapia de las infecciones estreptocócicas se basa fundamentalmente en la administración de penicilina, que suele asimilar el organismo y que destruye los agentes patógenos en un plazo de tiempo de 24 a 48 horas. Como medidas complementarias muy positivas se tiene: guardar cama y hacer gárgaras con manzanilla, así como la radiación infrarroja de los ganglios linfáticos y, eventualmente, la aplicación de compresas de hielo sobre el cuello. Pero los casos de otitis y de sinusitis debe ser forzosamente reconocidos, y tratados necesariamente por el otorrinolaringólogo.
Otros cuadros clínicos producidos por estreptococos son: la erisipela, los flemones, la conjuntivitis, el impétigo, la fiebre puerperal y las neumonías.

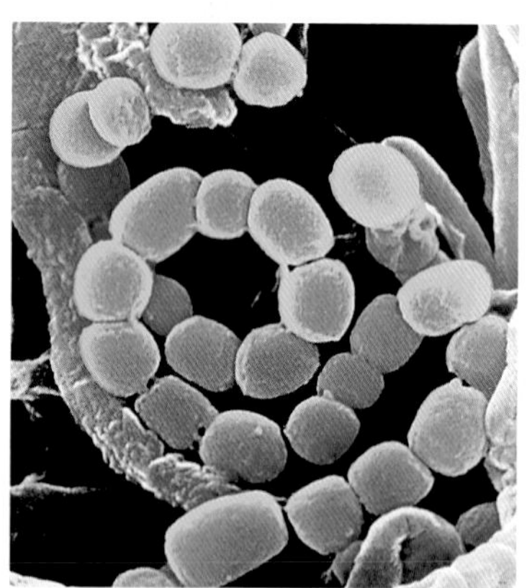

Los estreptococos son los agentes patógenos más frecuentes entre las bacterias, reconocibles por agruparse formando cadenas de cocos.

Infecciones estafilocócicas

Estafilococos es el nombre genérico que designa a las bacterias grampositivas esféricas, que forman pequeñas agrupaciones que recuerdan a un racimo de uvas. La mayoría de los estafilococos son habitantes naturales de la piel y de las mucosas humanas; pero sólo adquieren importancia al debilitarse las defensas del organismo, cuando se adentran hasta el tejido cutáneo, por ejemplo, en intervenciones quirúrgicas.
Sin embargo, los estafilococos son, junto con los estreptococos, los agentes patógenos que más pus producen, siendo responsables de infecciones limitadas, como en el caso de los abscesos cutáneos, en glándulas sebáceas y órganos internos, furúnculos y carbuncos, otitis, diarreas e infecciones de las vías urinarias. Complicaciones peligrosas de estas infecciones son: las meningoencefalitis purulentas, las peritonitis, las septicemias, las fiebres puerperales y las endocarditis. También revisten importancia las intoxicaciones por

alimentos infectados, que producen náuseas, vómitos, diarreas, dolores abdominales y fiebre.
La terapia de las infecciones por estafilococos incluye diferentes clases de antibióticos. Los furúnculos y abscesos en el rostro no deben exprimirse bajo ningún concepto, pues existe el peligro de que en su movimiento se deplacen hasta las meninges, provocando la siempre grave meningitis cerebral, que ponga la vida en peligro, o la no menos peligrosa trombosis cerebral. Muchas veces, los focos de pus cerrados han de ser abiertos y vaciados por el cirujano.

Algunos estafilococos (de color verde) han anidado entre los finos bronquiolos de los bronquios.

Infecciones por clamidiáceas

Las clamidiáceas forman parte de una familia de microorganismos que se clasifican dentro del género de las *Chlamydia*. Son bacterias esféricas, gramnegativas, intracelulares obligadas, cuyo ciclo de replicación es característico y exclusivo, lo que las diferencia de las demás de su especie.
Su acción causa enfermedades tan típicas como las infecciones de las vías urinarias, las conjuntivitis y queratitis de los ojos, las enfermedades de los genitales (→ Infecciones genitales no específicas) y las infecciones de las vías respiratorias.
El denominador común de todas las enfermedades provocadas por clamidiáceas es que, mientras se hace muy difícil determinar su presencia, suelen responder muy positivamente al tratamiento con antibióticos.
La *Chlamydia trachomatis* puede producir diversas enfermedades de las vías urinarias y del linfogranuloma venéreo. En el hombre es el agente patógeno de muchas infecciones en la uretra, epidídimo y de la próstata; en las mujeres, del útero y de las trompas de Falopio. Aunque su difusión es internacional, el tracoma es la causa más frecuente de ceguera en los países del Tercer Mundo. Debido a que es una enfermedad sumamente contagiosa, resulta muy difícil evitar su propagación. Desde el punto de vista clínico, el tracoma es una infección granulomatosa de la conjuntiva y de la córnea que evoluciona a foliculitis. Más tarde aparecen unas papilas que llegan hasta el tejido cicatricial y producen la lesión permanente de la conjuntiva: el párpado superior se retrae y la córnea queda expuesta.
La consecuencia principal es que la córnea se reseca, produciéndose entonces lesiones permanentes que afectan a la visión. El enfoque profiláctico tiene por objetivo prevenir el contagio. A diferencia del paratracoma, un tipo de conjuntivitis (*de inclusión*) que puede presentarse en los recién nacidos como consecuencia de una infección durante el parto, gracias al elevado nivel sanitario imperante en determnados países está enfermedad sólo aparece en muy raras ocasiones. Del mismo modo, los niños y adultos pueden contagiarse en las piscinas.
El síndrome del jinete, llamado asimismo "de silla de montar" (→ Inflamación articular en las enfermedades infecciosas), afecta sobre todo a los hombres. Además de existir una inflamación de la uretra y conjuntivitis, esta enfermedad también produce inflamaciones articulares muy dolorosas.
Las clamidias (*Chlamydias*) son las causantes de la psitacosis, enfermedad infecciosa que contagian a las personas ciertas aves domésticas (periquitos, loros, guacamayos, palomas, etcétera). El agente transmisor suele ser la mezcla de polvo y excrementos de dichas aves. Los trastornos comienzan a partir de los 7 ó 10 de haber tenido el contacto con los pájaros enfermos; son parecidos a los de una gripe, con dolores de cabeza y articulares, fiebre que aumenta progresivamente y síntomas similares a los de una neumonía, con ataques de tos e intensa expectoración.
La *Chlamydia pneumoniae*, contra la que gran parte de la población posee anticuerpos debido al padecimiento de alguna infección no advertida, se conoce desde el año 1989. En las personas de edad y con enfermedades crónicas puede desencadenar una seria infección de las vías respiratorias y neumonías, que se complican con endocarditis y pericarditis o con inflamaciones articulares en caso de padecer alguna enfermedad de tipo infecciosa. Actualmente se realizan numerosas investigaciones para determinar sobre si las clamidias influyen en la arteriosclerosis y en el infarto de miocardio o no.

Gripe (influenza)

▶ Síntomas:

- fiebre alta repentina (39-40 °C);
- escalofríos, sudoración e intensa postración;
- cefalea y dolores articulares, mareos, obnubilación;
- tos seca, quemazón en la garganta, dolor bajo el esternón;
- conjuntivitis y hemorragia nasal (*epistaxis*).

Reciben el nombre de gripe, las enfermedades infecciosas que presentan los mismos síntomas que las rinitis. Sin embargo, los médicos diferencian lo que es una "gripe verdadera", causada por un virus, de una enfermedad infecciosa de tipo gripal. Dejando aparte que ambas han sido provocadas por virus diferentes, su principal diferencia estriba en la gravedad del proceso patológico. Mientras la infección gripal se cura casi siempre tras guardar cama durante unos pocos días, la gripe aún sigue siendo hoy día una peligrosa enfermedad infectocontagiosa.

En tiempos pasados se registraron, con intervalos de varias décadas (los años 1918, 1957, 1968), importantes y graves epidemias de gripe, verdaderas pandemias que se extendieron por todo el planeta y dejaron a su paso millones de muertes. De los tres tipos de virus de gripe conocidos (tipo A, B y C), es sobre todo el de tipo A el más proclive a sufrir modificaciones constantes en su forma y propiedades, de manera que una vez superada una gripe viral no se queda inmunizado ni protegido contra un nuevo brote agudo de esta enfermedad.

Los síntomas de la gripe van desde un simple resfriado hasta una grave neumonía, sin contar con las complicaciones adicionales que causan las infecciones bacterianas. En determinados casos, puede producirse una miocarditis; pero también, a veces, inflamaciones en el cerebro y las meninges.

Para, después de haber padecido una gripe, obtener la completa curación, pueden transcurrir muchas semanas; durante este período de tiempo, frecuentemente aparecen trastornos circulatorios y vértigos. La gripe puede ser muy peligrosa para las personas de edad avanzada, los niños y los enfermos crónicos.

Tratamiento médico

Al igual que ocurre con casi todas las enfermedades víricas, contra la gripe no se dispone de un medicamento específico. Por este motivo, lo más efectivo es guardar cama hasta, por lo menos, tres días después de desaparecer la fiebre. A la curación contribuyen los fármacos antipiréticos y antiinflamatorios. Los antibióticos son inocuos frente a la gripe, aunque en el caso de personas mayores ayudan mucho para evitar complicaciones (como una sobreinfección bacteriana).

Autoayuda

Antes de que llegue el invierno y comience la época de la gripe, lo recomendable es reforzar el sistema inmunológico con la práctica de ejercicio al aire libre y una dieta alimentaria rica en vitaminas. Si, a pesar de todo, se contagia y enferma de gripe, beba mucho líquido durante los primeros días (tisanas muy calientes, zumos de frutas). Aunque sus efectos no hayan podido ser probados científicamente, un antiguo remedio casero muy eficaz consiste es tomar mucha vitamina C. Para que descienda la fiebre, se recomienda la aplicación de paños fríos alrededor de las pantorrillas; también, la ingestión de infusiones o zumos de saúco reportan un gran alivio.

La vacunación contra la gripe es recomendable para:

- Las personas mayores de 60 años de edad.
- El personal médico y técnico en contacto con pacientes de riesgo.
- Los casos de enfermedades de las vías respiratorias y pulmonares.
- Quien padece enfermedades cardiovasculares.
- Personas con enfermades renales crónicas.
- Prevenir trastornos metabólicos, como diabetes.
- Los casos de defectos inmunológicos.

Una medida preventiva muy eficaz, especialmente para personas de edad avanzada y enfermos crónicos, es la vacuna antigripal que, de efectos secundarios casi insignificantes, registra una tasa de protección frente a la enfermedad del 70 al 90%.

El suero de la vacuna se compone de virus desactivados, es decir, incapaces de reproducirse. Y, aunque protege contra gran parte de los tipos de gripe hasta ahora conocidos, no incluye a todos ellos. Lamentablemente, la vacunación no ofrece una protección permanente, sino que es necesario repetirla cada año contra las diferentes cepas, debido a que los virus de la gripe son extraordinariamente "volubles" y modifican constantemente su forma y estructura.

Los besos hacen que algunos adolescentes contraigan la enfermedad de las glándulas de Pfeiffer.

Fiebre de las glándulas de Pfeiffer
(ononulceosis infecciosa)

▶ Síntomas:

- al principio, abatimiento, cansancio; luego, fiebre entre 38 y 40 °C;
- ganglios linfáticos edematosos detrás de la oreja y en la nuca; a veces, también en las axilas e ingles;
- más tarde, placas blanco-amarillentas con puntitos de pus sobre las amígdalas faríngeas;
- paladar inflamado y enrojecido.

Esta fiebre de tipo infeccioso se debe al virus de Epstein-Barr (EBV), y afecta tanto a niños como a jóvenes. Se contagia por las gotitas de saliva o al besarse, por lo que también se denomina "enfermedad del beso". Su duración suele ser de dos a ocho semanas, aunque a veces transcurren varios meses hasta la completa curación. Raramente cursa con complicaciones graves, como podría ser una meningitis o la dificultad respiratoria que ocasiona la peligrosa hinchazón de la mucosa traqueal. Pero lo que sí se da con cierta frecuencia es una segunda infección bacteriana de las amígdalas o de las vías respiratorias, que provoca una rinitis o sinusitis, faringitis, bronquitis o neumonía.

Tratamiento médico

En caso de que aparezcan los síntomas antes descritos, consulte con su médico para que, tras realizarle un frotis de la cavidad faríngea y un análisis de sangre, establezca el diagnóstico o descarte el padecimiento de otra clase de infección de garganta. Contra esta enfermedad infecciosa no se dispone de ningún medicamento. Lo más importante es guardar reposo en cama, para que el sistema inmunológico pueda destruir el virus. Para aliviar los síntomas y reducir la fiebre, a veces se administran analgésicos y antipiréticos. Sólo se prescribirán antibióticos en caso de infecciones bacterianas de las vías respiratorias.

En el 20% de los pacientes con mononucleosis infecciosa, los antibióticos producen una sobreinfección faríngea por estreptococos betahemolíticos del grupo A; el tratamiento debe realizarse con penicilina-procaína y nunca con ampicilinas o amoxicilinas, pues pueden desencadenar un rash cutáneo.

Autoayuda

Cuídese hasta el tercer día después de haber desaparecido la fiebre; para la fiebre, es bueno que beba muchos líquidos.

Infecciones durante el embarazo

Mientras se desarrolla en el vientre materno, el embrión sufre los ataques de los microorganismos presentes en su circulación sanguínea después de pasar de la madre a través de la placenta y del cordón umbilical. Por regla general, los sistemas inmunológicos de la madre y del niño combaten y expulsan los agentes patógenos debido a su acción conjunta. Pero en ocasiones se produce una infección prenatal, que en el peor de los casos provoca un aborto o, incluso, que el niño nazca muerto.

El embrión corre un gran riesgo durante los tres primeros meses del embarazo, pues en esta etapa se forman sus órganos. Si la madre enferma en este período de tiempo, las consecuencias pueden ser que el niño nazca con deficiencias físicas y mentales. Especialmente peligrosas son, por ejemplo, enfermedades como la rubéola (infección congénita por citomegalovirus), el sarampión, la varicela, los virus de la hepatitis B, HIV y el parvovirus B19. Algunas de las infecciones víricas pueden evitarse parcialmente mediante la vacunación, pero en los casos graves sólo ayuda la transfusión completa de sangre. Si existe una infección HIV, el riesgo del niño se reduce con la prescripción a la madre de medicamentos virostáticos.

Salmonelosis

► Síntomas:

- ➜ náuseas, cefaleas, fiebre;
- ➜ vómitos, diarreas acuosas (como en la enteritis);
- ➜ diarreas como puré de guisantes;
- ➜ obnubilación, hasta la pérdida de conocimiento (*tifus* y *paratifus*).

Con el nombre de salmonelosis se conoce a las enfermedades producidas por bacterias del género *Salmonella*, clasificadas casi todas en el grupo de las septicemias con alteración intestinal. Relativamente frecuente es la enteritis, o inflamación intestinal, causada por las salmonellas presentes en alimentos en mal estado, mientras que las enfermedades más graves, como el tifus y el paratifus, casi se han erradicado por completo de muchos países.

La enteritis suele declararse entre 3 y 72 horas después de haber ingerido los alimentos, mientras el tifus y el paratifus sólo se declaran pasadas unas dos semanas. Alimentos como huevos, leche fresca y carne de pollo son "peligrosos" si permanecen mucho tiempo a la temperatura ambiente, o si se cocinan poco.

Para que la infección por salmonelosis no se produzca, hay que tratar de evitar que todos aquellos alimentos preparados con huevos frescos (mayonesa casera) o con leche no hervida (arroz con leche) permanezcan demasiado tiempo expuestos a la temperatura ambiental; por lo tanto, deben manipularse muy frescos y, cuando se trate de pollo o de otras carnes, asarlas bien y no superficialmente.

Los alimentos preparados con huevos sólo deberían comerse si éstos son muy frescos.

Tratamiento médico

Si los vómitos y diarreas se repiten durante varios días, acuda inmediatamente al médico. Es importante compensar la cantidad de líquido perdido (a veces, mediante infusiones), y guardar cama. El tratamiento del tifus y del paratifus exige antibióticos, mientras que la enteritis sólo en casos muy graves. Para evitar el tifus existe vacunación preventiva, muy recomendable si viaja a países donde las condiciones higiénicas no sean las más adecuadas.

Autoayuda

Beba mucho líquido (tisanas, infusiones, zumos de frutas, agua mineral sin gas). ¡Como mínimo, tres o cuatro veces más de la cantidad habitual!

Botulismo

► Síntomas:

- ➜ al principio, náuseas y vómitos;
- ➜ eventualmente, diarreas, estreñimiento;
- ➜ dificultades al hablar, boca seca, problemas al deglutir;
- ➜ escotoma centelleante, fotofobia;
- ➜ parálisis de los músculos de los ojos (*estrabismo*).

El botulismo es una grave intoxicación debida a la ingestión de la toxina del bacilo anaerobio grampositivo *Clostridium botulinum*, frecuentemente presente en la charcutería en mal estado o en conservas mal preparadas. Al paralizar las conexiones nerviosas (*sinapsis*), puede producir en pocos días violentos espasmos, parálisis muscular y paralización de la musculatura de las vías respiratorias, *shock* y parada cardíaca. Síntomas que, de o ser debidamente atendidos, pueden llegar a provocar la muerte.

Tratamiento médico

Tan pronto como se manifiesten los síntomas, ¡acuda inmediatamente al médico! La terapia incluye la administración de antitoxina botulímica (contraveneno). Por regla general, es necesario proceder a un lavado de estómago así como al vaciado del intestino. En caso de que la infección esté en estado muy avanzado, el paciente necesitará respiración asistida. Para compensar la deshidratación habida, es necesario beber grandes cantidades de líquido.

Autoayuda

¡Ante todo, evite la infección! Por este motivo, debe desechar todo tipo de conservas "sospechosas" de estar en mal estado, sobre todo las de carne, pescado y embutidos. Compruebe la caducidad en el envase, y que no se muestre abombado. ¡Por lo demás, tenga presente que la toxina botulímica es insípida e inodora! La toxina se destruye al hervir el producto.

Diarrea durante el viaje

Es una dolencia frecuente y que tiene efectos desagradables cuando se está de viaje, sobre todo por zonas tropicales, y recibe nombres como "la venganza de Moctezuma" o "la maldición de los faraones" para significar su padecimiento. La diarrea no siempre tiene su origen en las bacterias, pues la causa también puede estar en un calor agobiante y desacostumbrado, así como en comidas extrañas e inhabituales, condimentadas con especias a las que el viajero y su flora intestinal no se halla familiarizado. Pero, por regla general, una vez se consigue la aclimatación los trastornos desaparecen; sin embargo, después de una permanencia en los trópicos, el regreso al país natural puede provocar nuevamente problemas similares a los ya padecidos anteriormente.

Remedios caseros antiguos y acreditados contra la diarrea: la manzana rayada, el zumo de zanahorias y el té negro.

Normalmente, la diarrea suele revestir poca gravedad, salvo si es pastoso-sanguinolenta y se acompaña siempre de fiebre, vómitos, dolores o problemas circulatorios. En este caso, aunque sólo en raras ocasiones son peligrosas (→ Salmonelosis; → Cólera; → Disentería amebiana), los responsables pueden ser: bacterias, virus, hongos, parásitos o gusanos.

¿Qué hacer en caso de diarrea?

En caso de diarrea, existe una única receta. Por regla general, lo más importante y suficiente consiste en la compensación de la pérdida de líquido y minerales. Es necesario beber mucho té (sin azúcar), agua, zumos de frutas y, de ser posible, una bebida de electrolitos, rica en minerales y oligoelementos, que puede adquirirse en la farmacia. Tan pronto como sea posible volver a comer, se recomienda comenzar con un caldo muy suave. Al día siguiente, la comida suele completarse con galletas, barritas saladas o un yogur. Al tercer día, la dieta puede incluir algo de arroz o patatas. Finalmente, el cuarto día la comida será normal.

Para prevenir las diarreas durante un viaje, la medida más importante consiste en prestar la máxima atención a las nuevas comidas y bebidas. Si no existe prohibición en contra por parte del médico, o lo impide el propio estado de salud, un aperitivo antes de la comida o una copita de aguardiente después de ella puede favorecer la buena digestión. También ayudará al jugo gástrico a eliminar las bacterias, aunque conviene beber con moderación durante las comidas para no diluirlo demasiado y mermar su acción.
Asimismo debe prestarse mucha atención a los medicamentos prescritos para detener la diarrea, ya que podrían paralizar el intestino. Sólo son aconsejables tomarlos si los viajes son prolongados, o es obligado participar en conferencias, reuniones, etcétera. Pero dado que los agentes patógenos y las toxinas no son expulsados del organismo, sólo deberían administrarse si aparecen síntomas inofensivos (¡nunca en los niños!); en tal caso, tales fármacos sólo se tomarán uno o dos días.

Hervir o mondar

En los países cálidos es posible comer y beber casi todo lo que a uno le apetezca y atraiga. Lo importante es que la comida haya cocido el tiempo suficiente a 100 °C. En ningún caso es recomendable comer fruta cruda, sin mondar; y las hortalizas y la carne (ensaladas, filetes) han de estar perfectamente asadas o fritas. También se evitarán, en lo posible, las aves de corral y los mariscos y crustáceos.
Sólo debe beberse agua mineral embotellada. ¡Asegúrese de que los cubitos de hielo que se añaden al agua, los zumos y hasta el vino se han elaborado con ella! El agua del grifo puede contener bacterias. En los viajes de aventura, como medida de prevención, puede llevarse consigo los productos más usuales y un filtro para desinfectar el agua.

Enfermedades de transmisión sexual

Las enfermedades venéreas, o de transmisión sexual, se contagian por contacto íntimo o en el trascurso del acto sexual. Entre los agentes patógenos que las causan se encuentran diferentes bacterias (sífilis, gonorrea), virus (sida), hongos (candidiasis), parásitos (piojos y ladillas) y seres unicelulares, como la llamada tricomoniasis (infecciones genitales no específicas).
La división de estas enfermedades se divide entre venéreas "clásicas", como la gonorrea y la sífilis –para las que existe la obligatoriedad de declaración a las autoridades sanitarias–, y las infecciones no específicas del aparato urogenital.
La obligatoriedad de notificar las enfermedades infecciosas además de al médico, que debe notificarlas a las autoridades sanitarias, corresponde al enfermo; y a éste último, además, evitar su difusión adoptando medidas adecuadas y sometiéndose al tratamiento necesario para su total curación.

Gonorrea (blenorragia)

▶ Síntomas:
- ➜ flujo uteral purulento;
- ➜ dolor y quemazón durante la micción;
- ➜ conjuntivitis (en los recién nacidos).

La blenorragia, o gonorrea, es una de las enfermedades de transmisión sexual más difundidas por todo el mundo. La causa es el gonococo *Neisseria gonorrhoeae*, que se transmite al mantener relaciones sexuales. Debido a la resistencia de las bacterias, inmunes ya a los antibióticos, y a la promiscuidad sexual entre los jóvenes adolescentes, esta enfermedad ha registrado un importante aumento en los últimos tiempos.
Los síntomas aparecen a los dos o tres días de haberse producido el contagio. En la mujer, suele afectar a la matriz y a la zona rectal. De todos modos, los síntomas suelen ser más acusados en los hombres que en las mujeres. Una consecuencia tardía puede ser la esterilidad. Por otra parte, el riesgo de que una mujer enferma contagie a su hijo en el parto es grande. El recién nacido contrae conjuntivitis, que puede producirle ceguera para toda la vida. Por este motivo, como medida preventiva, está prescrito que a todo niño se le apliquen unas gotas de solución de nitrato de plata en los ojos.

Tratamiento médico

Si padece síntomas de gonorrea, acuda obligatoriamente a la consulta de su médico. El tratamiento será con penicilina. Hasta la fecha, no existe vacunación.

Autoayuda

Si una persona no conoce demasiado bien a su compañero/a sexual, para evitar las infecciones los más oprtuno es la utilización del preservativo. Una persona enferma de gonorrea, está obligada a informar inmediatamente a su compañero/a sexual, debido a que la infección puede existir sin síntomas aparentes.

Sífilis (lúes)

▶ Síntomas:
- ➜ **sífilis primaria:** manchas o ulceraciones en la región genital o en la cavidad bucal, ganglios linfáticos edematosos, cicatrización del chancro a las 7-10 semanas;
- ➜ **sífilis secundaria**: erupción de lesiones maculares cutáneas no pruriginosas, eccema cutáneo como el acné, aparición de placas mucosas, fiebre, alopecia areata;
- ➜ **sífilis terciaria:** cicatrices y tumores, lesiones nerviosas y cerebrales, parálisis muscular, inseguridad al caminar, pérdida de capacidad mental, afectación del sistema nervioso, parálisis progresiva o tabes dorsal.

La sífilis se extendió por Europa en los últimos años del siglo XV. Aunque desde el descubrimiento de la penicilina existe una terapia eficaz, durante los últimos años se ha registrado un aumento del número de enfermos tanto en el continente europeo como en el americano, especialmente entre jóvenes y homosexuales.
La espiroqueta *Treponema pallidum* causa esta enfermedad de transmisión sexual, que evoluciona desde una simple lesión en el punto de entrada del germen (*chancro lutéico*) hasta su propagación por el organismo y producción de lesiones en diversos tejidos. El contagio se realiza a través del contacto íntimo, siendo más infrecuente el producido por la utilización de objetos comunes poco limpios como, por ejemplo, beber de un mismo vaso. También existe la "fetopatía", originada por la transmisión maternofetal del treponema. Entonces, el niño puede nacer con diferentes patologías o, incluso, muerto. Si no se recibe el tratamiento adecuado desde el primer momento, el proceso puede

La práctica responsable del sexo exige que quien padezca una enfermedad, debe decírselo al otro miembro de la pareja.

hacerse crónico y conducir, después de diferentes fases que se prolongan durante varios años, hasta la demencia total y la muerte.

Tratamiento médico

La sífilis presenta aspectos muy variados y, por esto, la persona afectada no suele darse cuenta de haberla contraído. Si advierte los primeros síntomas de esta enfermedad, acuda al médico sin pérdida de tiempo. Todas las fases de la sífilis se tratan con una terapia medicamentosa a base de penicilina.

Autoayuda

Ante todo, la mayor autoayuda consiste en evitar el contagio. Pero, aunque los preservativos ofrecen cierta protección, la seguridad absoluta no existe.

Herpes genital

► Síntomas:

- ➜ formación de vesículas con prurito;
- ➜ dolor y sensación tensa en la piel; en el hombre se asienta en el surco balanoprepucial, en el propio prepucio o en el glande; en la mujer, en el perímetro de la vulva;
- ➜ ocasionalmente, fiebre e hinchazón de los ganglios linfáticos en la zona afectada.

La causa del herpes genital es el virus herpético herpes simplex tipo II, que se contagia rápidamente y produce trastornos semejantes al herpes simplex de la boca con sus dolorosas vesículas.

Tratamiento médico

Todas las inflamaciones del aparato urogenital que no se curen espontáneamente, exigen la obligatoriedad de consultar con el médico para que determine su causa. El tratamiento generalmente incluye la prescripción de aciclovir.

Autoayuda

Puede procurarse alivio aplicándose tinturas de mirra o tomillo y con baños de asiento desinfectantes.

Infecciones no específicas de los genitales

► Síntomas:

- ➜ flujo purulento y pegajoso de la uretra y vagina, enrojecimiento del glande;
- ➜ micciones fuertes, dolores y quemazón al orinar;
- ➜ prurito en la zona urogenital.

Algunas bacterias, hongos, parásitos y agentes patógenos unicelulares pueden provocar, tanto en las vías urinarias como en el propio aparato urogenital, alteraciones inflamatorias muy similares. Estas infecciones se califican de "no específicas". Frecuentemente, el origen se encuentra en las clamidias y en los tricomonas, así como en ciertos parásitos unicelulares.
Debido a su proximidad, algunas infecciones de las vías urinarias suelen afectar y contagiar al aparato genital. Las causas de estas infecciones son muy diversas.

Tratamiento médico

Dado que las infecciones no curadas del epidídimo, conductos seminíferos, trompas de Falopio y varias más pueden producir esterilidad, es necesario que nada más que advierta los primeros síntomas consulte de inmediato con su médico.
En cada caso, la terapia se ajustará a las causas específicas que hayan provocado la infección en particular; eventualmente, se administrarán antibióticos y, al mismo tiempo y con fin de evitar un efecto de rebote de contagio recíproco, conviene seguir esta terapia con su compañero/a sexual.

Autoayuda

Hasta la completa curación, evite la ingesta de alcohol y las relaciones sexuales. Como prevención, se recomienda el uso de preservativos.

¿Qué ha sido de las epidemias?

Las epidemias son enfermedades infectocontagiosas que, en caso de no recibir la terapia adecuada, se difunden rápidamente por un territorio geográfico determinado afectando a los grupos o etnias que allí habitan. Mucho se ha escrito de las epidemias que padeció la humanidad, y aún sigue vivo el recuerdo de la peste que asoló Europa desde mediados del siglo XIV hasta el XVII, no sólo en el arte sino también en procesiones y festividades de Semana Santa que se instauraron en acción de gracias por la salvación de esta enfermedad. Gracias a los avances médicos de los siglos XIX y XX, las mejoras higiénicas, la penicilina y las vacunas, muchas de estas enfermedades fueron combatidas y erradicadas.

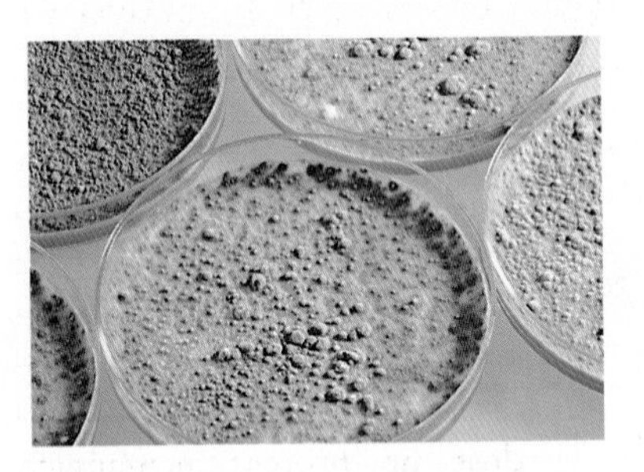

El antibiótico penicilina se obtiene del hongo Penicillium notatum y otras especies afines.

Sin embargo, las epidemias siguen siendo un grave problema para los países del Tercer Mundo, pues tienen graves carencias tanto de medios como de los avances médicos precisos.

Los países de climas cálidos, de clara preferencia turística, significan –en algunos casos– una puerta abierta para el establecimiento de muchas enfermedades infecciosas en una gran parte de países. Enfermedades tropicales, como la malaria, la hepatitis A y el cólera siguen siendo una grave amenaza en ciertos países de destino turístico; es un tema muy preocupante, sin contar con las nuevas epidemias que van apareciendo, como el sida.

Antes de emprender un viaje a un país exótico, conviene pedir información sobre los requisitos médicos para viajar el destino elegido, como vacunación y situación sanitarias, enfermedades más frecuentes, etcétera. También se debe tener muy presente que los agentes patógenos de algunas enfermedades infecciosas, como parálisis infantil o difteria, siguen siendo muy activos en algunos de estos países.

Tuberculosis

Al iniciarse el siglo XX, la tuberculosis seguía siendo causa de miles de muertes. Pero, gracias a las posibilidades terapéuticas disponibles, en el inicio del tercer milenio se ha convertido en una enfermedad que ha dejado de suponer un peligro para la vida de las personas afectadas. Aunque el número de fallecidos se ha reducido, la tuberculosis sigue siendo una de las enfermedades infecciosas bacterianas más frecuentes. Según informes de la Organización Mundial de la Salud (OMS), un tercio de la población mundial está infectada por este agente patógeno, 20 millones de personas padecen tuberculosis activa y 3 millones fallecen cada año en todo el paneta. Incluso en algunos países donde apenas existía, se registra un ligero incremento. La vacunación es posible, pero sólo recomendable con algunas reservas.

El agente patógeno es el denominado bacilo de Koch, o *Mycobacterium tuberculosis*. Se contagia por vías aérea (tos o estornudos) y digestiva, su afectación primordial es pulmonar y en su génesis intervienen factores inmunoalérgicos y sociales. Desde que se introdujo el tratamiento positivo de la tuberculosis bovina y la pasteurización de la leche por encima de los 70 °C, el contagio por leche infectada ha desaparecido casi por completo.

Si bien puede aparecer en otros órganos, la infección casi siempre afecta en primer lugar al pulmón. Ejemplos de formas tardías de tuberculosis son las tuberculosis óseas y articulares. En los órganos afectados aparecen inflamaciones, que durante el proceso patológico son capaces de destruir el tejido.

Cólera

Considerada una de las grandes epidemias, en el siglo XlX se registraron epidemias en Europa, aunque actualmente se mantiene de forma endémica en ciertas regiones del planeta. Es una grave infección intestinal, que aparece de forma brusca con vómitos y deposiciones acuosas. La causa es el bacilo *Vibrio cholerae*, gramnegativo, móvil y aerobio. Produce una grave deshidratación, y en caso de no recibir la terapia adecuada provoca la deshidratación total y la muerte. Las medidas terapéuticas más importantes son: la administración de líquidos (sueros intravenosos) y antibióticos. La infección se produce a través de alimentos o aguas contaminadas. Aunque posible, la vacunación no es recomendable.

Fiebre amarilla

Esta enfermedad infecciosa, causada por un arbovirus que transmite un mosquito, es frecuente en los lugares de climas cálidos. Procede de algunos países tropicales de América central y meridional, así como de África. La enfermedad vírica la transmite un mosquito tras haber picado a un mono. En los casos más graves se acompaña de fiebre muy alta, cefaleas y dolores articulares. Las lesiones en el hígado y los riñones producen la coloración amarillenta de la piel. Hoy día es poco frecuente, pero en las zonas donde aún está arraigada las autoridades exigen, a la llegada al país, un certificado de vacunación. La protección minuciosa contra los mosquitos (productos para untarse la piel, vestidos que cubran brazos y piernas, mosquiteras) también debería adoptarse contra la malaria.

Representación de la peste negra, que cabalga sobre un dragón exterminando todo a su paso.

Lepra

Causada por el *Mycobacterium leprae*, esta enfermedad crónica granulomatosa se conoce con el nombre de enfermedad de Hansen. De tipo infeccioso, afecta fundamentalmente a la piel, mucosas, nervios y órganos. En caso de que no recibir un tratamiento adecuado a tiempo, la enfermedad ocasiona graves mutilaciones y deformaciones.

Extendida antaño mundialmente, hoy día azota principalmente a algunos países de África, Asia y América central y meridional. Su contagio se realiza por mantener un contacto estrecho y prolongado con personas afectadas. Esta es la razón por la que, a los enfermos, antiguamente se les aislaba en unos internados llamados leproserías. El tratamiento con antibióticos requiere mucho tiempo; contra esta enfermedad no existe vacuna.

Peste

En el siglo XIV, durante una de las más trágicas epidemias de peste conocidas, tan sólo en Europa fallecieron más de 20 millones de personas. En la actualidad, esta grave enfermedad infecciosa, producida por la bacteria *Yersinia pestis*, casi es desconocida.

El aspecto característico de la peste bubónica, llamada también ganglionar, es su transmisión por la picadura de una pulga infectada. Sus síntomas son: fiebre alta, escalofríos, sudoración, vómitos, malestar general e hinchazón de los ganglios linfáticos (bubones), axilares e inguinales. Esta situación deriva en la invasión del proceso y la consiguiente muerte. Sin embargo, existe la remota posibilidad de que los bubones revienten, supuren y permitan la curación. La peste pulmonar se contrae por la inhalación del germen de persona a persona al toser o estornudar, produciéndose un proceso neumónico severo, dificultad respiratoria, cianosis y expectoración de sangre. Si el paciente no recibe la terapia adecuada, suele producir la muerte. Puede curarse con al administración de antibióticos. No existe una vacuna verdaderamente eficaz.

Viruela

También de origen infeccioso, esta enfermedad la producen los porvirus, unos virus de tamaño grande capaces de ocasionar la viruela en el hombre y en algunas especies animales. Suele transmitirse de forma directa, mediante las mucosas y la piel, a través de la vía respiratoria. La enfermedad cubre todo el cuerpo de vesículas purulentas, y la fiebre es muy elevada. Durante el siglo XIX, aún murieron cientos de miles de personas. Gracias a la vacunación llevada a cabo internacionalmente, la viruela ha sido prácticamente exterminada. Por este motivo, al considerarse oficialmente erradicada, actualmente su vacunación no se lleva a cabo.

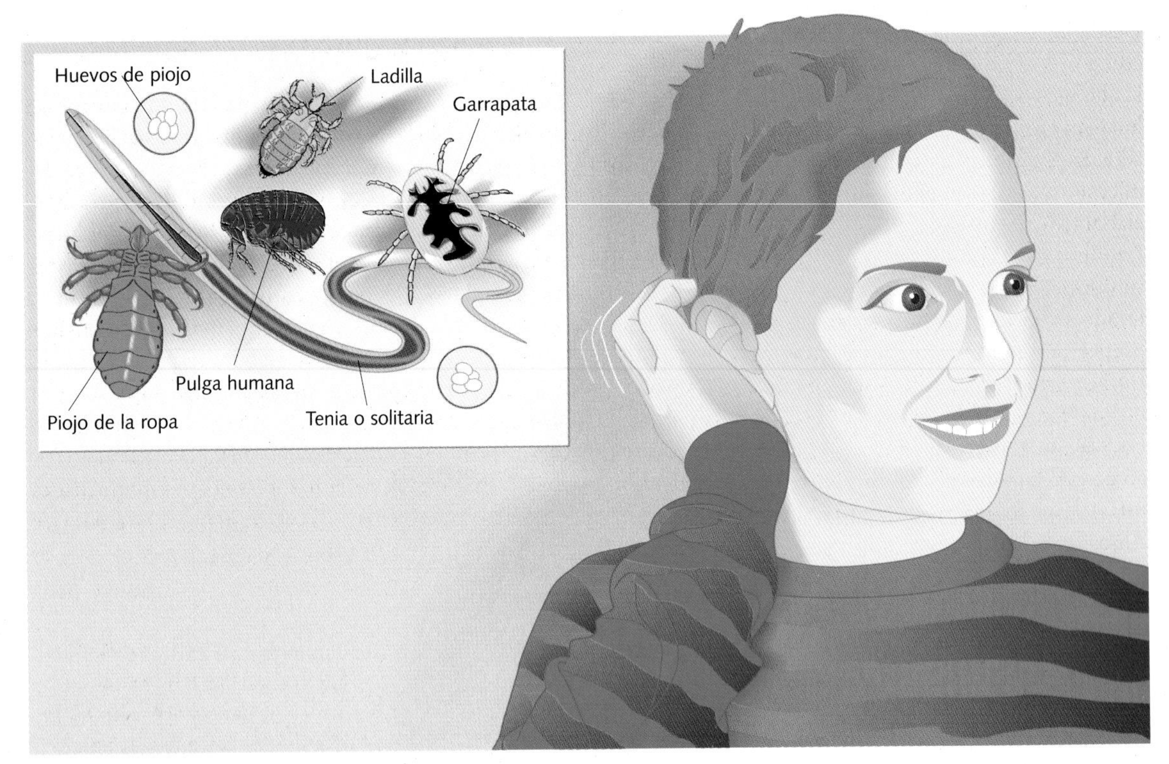

Hongos y parásitos

- **Morfología y especies**
- **Forma de vida**
- **Infecciones**

Además de bacterias y virus, hay otros dos grandes grupos de agentes patógenos, origen también de enfermedades infecciosas para el ser humano: los hongos y los parásitos. Del casi infinito número de especies de hongos, sólo unos pocos desempeñan el papel de agentes patógenos; pero, a pesar de los adelantos de la Medicina, los parásitos animales siguen siendo una plaga para la humanidad, sobre todo en las zonas tropicales y subtropicales de la Tierra.

Hongos: beneficiosos y perjudiciales al mismo tiempo

Los hongos forman su propio reino de seres vivos, que comprende unas 120 000 especies. A ellos pertenecen los "hongos imperfectos", casi todos patógenos para el ser humano: ficomicetos, ascomicetos, basidiomicetos y tóxicos. Se diferencian fundamentalmente de las bacterias por poseer un auténtico núcleo celular; y, de los vegetales, por no ser capaces de realizar la fotosíntesis para obtener los nutrientes con ayuda de la luz solar. A diferencia de los animales y de los seres humanos, poseen una membrana celular rígida. Crecen entre micelios, formando masas compactas, y se reproducen por esporas que dan lugar a los filamentos vegetativos (*hifa*) al germinar.

Los hongos viven y se desarrollan de forma "saprófita", o en el interior de organismos vivos, pudiendo ser comensales o simbiontes, por no causar daños ni perjuicios, o bien como parásitos, cuando producen una patología. Por este motivo, unos son beneficiosos y otros perjudiciales. Junto con las bacterias son especialistas en el "reciclado" que tiene lugar en el ciclo rotativo de la naturaleza, procediendo a la descomposición de material orgánico para que pueda servir de abono o alimento a las plantas; un ejemplo es la formación de moho en los alimentos, que se transforma en mantillo y abono natural para las plantas.

Desde hace siglos, además de las ventajas de las setas comestibles (*basidiomicetos*), también se conocen las de los hongos de la levadura (*ascomicetos*), hongos unicelulares de gran importancia en microbiología y empleados en la fermentación de la cerveza. Por su parte, los micromicetos desempeñan un destacado papel en la elaboración del queso.
Los "hongos imperfectos" o penicilos han demostrado su valía en la producción de antibióticos, elemento destacado en la lucha contra las infecciones y epidemias bacterianas. Pero los hongos producen asimismo efectos negativos sobre las personas, como agentes patógenos de determinadas enfermedades cutáneas y orgánicas, las denominadas micosis o dermatomicosis, o como productores de aflatoxina (→ Hongos micromicetes), una toxina que es capaz de producir graves daños hepáticos.

Parásitos "natos"

Los parásitos son organismos que viven a expensas de un individuo de otra especie, pudiendo alterar su salud con su acción. Se alimentan de la sangre o tejidos de sus "huéspedes", lo que les permite vivir y reproducirse. Algunos, como las pulgas, piojos o ácaros permanecen constantemente en o sobre el cuerpo de su huésped; otros, como los mosquitos, les basta con realizar una "breve visita". Esta forma de vida está muy extendida, y los biólogos conocen innumerables parásitos vegetales y animales. Considerado desde un punto de vista objetivo, también ellos pertenecen realmente a las bacterias, los hongos y los virus.
Los parásitos no siempre son negativos. Algunos microorganismos viven en armonía con su huésped, como las bacterias de la flora intestinal de las personas. Pero un número nada desdeñable de ellos causa graves enfermedades que, en el peor de los casos, producen la muerte del organismo "huésped". Si tales enfermedades han sido ocasionadas por parásitos animales, los médicos hablan entonces de parasitosis.
Los parásitos animales poseen un sistema muy complejo de desarrollo. Esto hace que, en algunos casos, tengan que cambiar obligatoriamente de "huésped" una y otra vez, pudiendo reproducirse sólo en uno de ellos. Un ejemplo típico es el ciclo vital de las tenias: algunos ejemplares adultos y sus larvas, incapaces de reproducirse, atacan a diferentes huéspedes. El ser humano puede ser tanto huésped intermedio como huésped final, al igual que sucede con algunos parásitos que sólo pueden vivir en animales.

Unicelulares, gusanos y artrópodos

Los parásitos más importantes para el ser humano se dividen en unicelulares (*protozoos*), gusanos (*helmintos*) y artrópodos. Los que colonizan la superficie del cuerpo humano, reciben el nombre de ectoparásitos; otros, los endoparásitos, viven en el interior del huésped, bien sea en cavidades que comunican con el exterior (tubo digestivo), bien en la sangre u otros tejidos. Respecto a los unicelulares (protozoos), son parásitos muy activos que se alojan en el interior del cuerpo humano; a ellos pertenecen las amebas (→ Disentería amebiana), las tricomonas (→ Infecciones genitales no específicas), los plasmodios (→ Malaria), así como los agentes patógenos de la toxoplasmosis, enfermedades causadas por gusanos que, casi siempre, suelen deberse a tenias y lombrices, siendo los oxiuros vermiculares frecuentes en los niños pequeños.

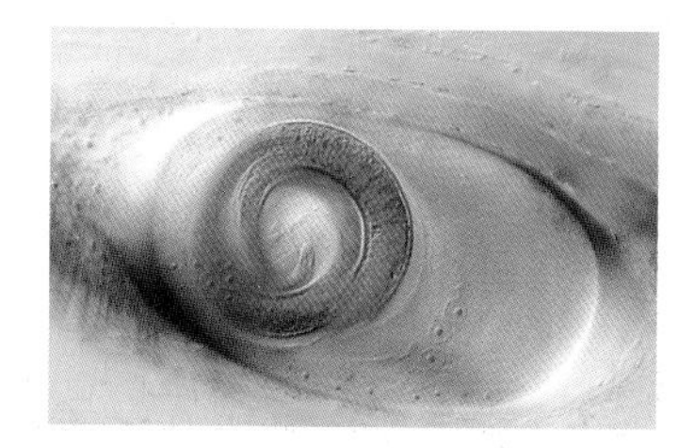

Las larvas de la triquina, que se transmiten a través de la carne infectada, se fijan con fuerza a los músculos.

Los artrópodos son ectoparásitos que buscan su alimento sobre o dentro de la piel de sus anfitriones. A este tipo pertenecen muchas especies de insectos, como las garrapatas, pulgas, chinches, piojos, ácaros y mosquitos; también, las sanguijuelas.
Además de ser los culpables de desagradables enfermedades cutáneas, también son peligrosos como transmisores de bacterias, virus, protozoos o gusanos. Para combatir muchas enfermedades de origen parasitario, se dispone de medicamentos muy eficaces; pero, desgraciadamente, los países más afectados por los susodichos parásitos carecen de ellos en cantidades suficientes como para ser eficaces.
Con cierta frecuencia, puede suceder que la aplicación de una terapia concreta se vea obstaculizada al no mostrar el paciente unos síntomas específicos o que estos aparezcan con cierto retraso. Si los parásitos llegan a reproducirse en las cavidades o los órganos cerrados del cuerpo, por ejemplo en el hígado, como sucede con la tenia de la raposa, entonces será necesario eliminarlos quirúrgicamente.
A pesar de ciertos éxitos parciales, aún no existe una vacuna realmente eficaz contra tales parásitos.

¿Por qué son patógenos los hongos?

La opinión pública es cada vez más consciente de que muchas enfermedades que contraen los seres humanos, y que afectan a intestinos y pulmones, están provocadas por hongos. De las innumerables especies que existen de hongos, tan sólo unos pocos son los causantes de enfermedades micóticas, las micosis; aunque éstas únicamente se producen en el caso de que las defensas del cuerpo se hayan debilitado. Entre los factores que propician la invasión por hongos, se encuentran: la intensa sudoración, la obesidad, la edad avanzada y los medicamentos que inhiben las defensas, destruyen las bacterias (→ Cortisona, antibióticos) o favorecen los trastornos hormonales (→ Diabetes mellitus). Pero, también, la higiene excesiva contribuye a destruir el manto ácido protector de la epidermis.
Según sea la región del cuerpo afectada, o sus propiedades biológicas, los hongos patógenos se subdividen en: hongos cutáneos (*dermatofitos*), ficomicetos y ascomicetos. Sus síntomas se advierten fácilmente en la piel y mucosas, pues producen inflamaciones enrojecidas e intensa picazón; y, en el caso de los ascomicetos, unas máculas blanquecinas en la boca y los genitales. La enfermedad que causan los ascomicetos en el esófago, se manifiesta por dificultades en la deglución y acidez de estómago; si es en el intestino, por una diarrea acuoso-pastosa y, si afecta a las vías urinarias, se manifiesta en forma de cistitis.

Hongos cutáneos

Las zonas del cuerpo húmedas y calientes, como las arrugas cutáneas (axilas, región inguinal, parte inferior de las mamas, glúteos), son un caldo de cultivo ideal para los hongos cutáneos, también llamados dermatofitos. Si la infección micótica afecta al espacio interdigital de los pies, se habla entonces de micosis de los pies o pie de atleta; algunas especies también interesan a otras zonas del cuerpo, como son el cuero cabelludo o el lecho ungular.

Hongos y levaduras

Son organismos unicelulares que, carentes de clorofila (*heterótrofos*), tienen tamaños y formas diversas. El representante más destacado de los hongos es el *Candida albicans*, un parásito inofensivo que se encuentra en la piel y las mucosas de las personas sanas. Pero si una serie de factores favorables hace que se reproduzca en demasía, provoca infecciones en la boca (→ Candidiasis), en los órganos genitales (→ Flujo vaginal) y en la piel (→ Infección de Candidiasis). En las personas que sufran graves enfermedades de base, tales infecciones micóticas posibilitan la agudización del proceso clínico. Además de la neumonía, también existe el riesgo de que los hongos accedan a la circulación sanguínea y puedan causar entonces una meningitis o una endocarditis. En estos casos, para evitar complicaciones de mayor gravedad, la atención médica ha de ser inmediata.

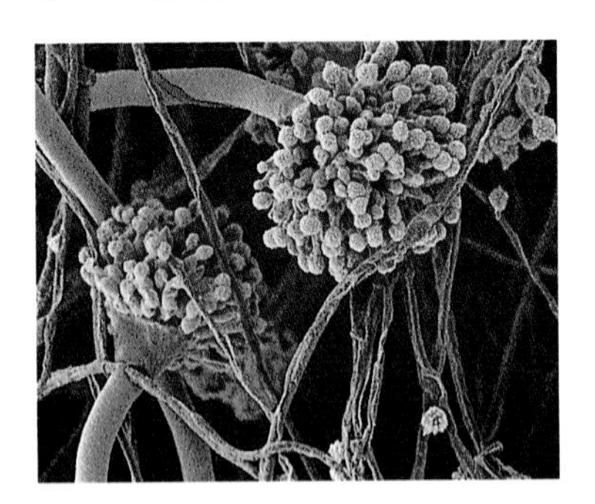

Los micromicetes pueden originar enfermedades en las personas con sus defensas inmunológicas debilitadas.

Hongos del moho

Estos hongos, que pertenecen a los grupos micromicetes y penicilos, se desarrollan sobre materias orgánicas en descomposición, tanto de origen animal como vegetal; por ejemplo, productos alimenticios que aparecen cubiertos por una fina capa de micelios entretejidos, de color blanquecino a ligeramente verdoso. En este grupo se incluyen, por ejemplo, los *Aspergillus fumigatus*, que producen la aflotoxina, una sustancia tóxica que pueden favorecer la formación de un cáncer de hígado (→ Tumores hepáticos). Estos hongos también se establecen en la piel y el intestino, sin producir graves molestias. En personas con alguna enfermedad crónica, como tuberculosis, sida o leucemia, los hongos aprovechan la merma de las defensas naturales y pueden originar bronquitis, neumonía u otitis; y, a veces, encefalitis. Algunas especies de micromicetes, también pueden provocar algunas reacciones alérgicas.
La mayoría de las enfermedades causadas por estos hongos afectan a órganos internos, lo que impide su rápido reconocimiento y diagnóstico, siendo casi siempre necesario que el enfermo ingrese en el hospital para recibir el tratamiento adecuado. Los síntomas abarcan desde una tos constante e irritativa, con o sin expectoración, hasta agudos ataques de asma. Pero estos hongos también pueden causar dolores abdominales, vómitos y trastornos circulatorios.

Las aflatoxinas están presentes en el arroz, diferentes clases de nueces y maíz, por lo que estos alimentos deben de conservarse siempre en lugares bien secos. Tan pronto como aparecen señales de moho (cambios de color, filamentos entretejidos), ¡desecharlos inmediatamente! También, se debería evitar siempre respirar sin protección en los lugares donde existan desperdicios biológicos enmohecidos (basuras, estiércol). Solamente si estos desperdicios se tratan correctamente y fermentan como es debido, dejarán de significar un peligro para la salud de las personas.

Simbiosis facultativas y obligatorias

Muchos practicantes y adeptos de la medicina natural parten hoy de la base de que muchos trastornos y alteraciones del estado general de salud, como pueden ser las flatulencias, los espasmos intestinales, el cansancio, el agotamiento, las cefaleas y las alergias, son consecuencia directa e inmediata de la alteración del equilibrio natural de la flora intestinal.

Los ascomicetos y los *Candida albicans* forman parte de nuestro entorno natural, y su presencia se detecta en el intestino de casi todas las personas. Para que dichos agentes tengan la posibilidad de reproducirse sin control, tendría que darse la concurrencia de varios factores. Un papel importante en este aspecto lo desempeñan el estrés físico, que influye negativamente sobre las defensas de nuestro organismo, pero también una dieta alimentaria inadecuada.

La terapia microbiológica tiene como objetivo restablecer el equilibrio natural de los microorganismos (su simbiosis) en el intestino. La denominada simbiosis obligatoria pretende que el simbionte se una al huésped para poder sobrevivir ambos. Según el provecho que implique esta relación simbiótica tanto para el huésped como para el simbionte, los diferentes tipos de relación simbiótica reciben diversos nombres.

La terapia intenta eliminar todas las bacterias y hongos patógenos existentes en el intestino, conservando sólo aquellos que mantienen el equilibrio natural necesario para la flora intestinal. De esta forma se activa la función hepática y, además, se normaliza la acidez del estómago.

Dieta para evitar los hongos

Lo que se puede comer:

- mucha verdura fresca y ensalada;
- productos integrales, pan integral;
- aceites vírgenes, mantequilla;
- carne (excepto de cerdo), pescado;
- suero lácteo, yogur, queso, requesón;
- jugos de verdura, agua mineral, leche;
- tisanas (no infusiones de frutas).

Lo que debe evitarse:

- carne de cerdo, jamón;
- frutas dulces como plátanos, uvas, mandarinas;
- productos de harina blanca, arroz blanco;
- azúcar, miel, pasteles, chocolate, dulces;
- productos precocinados y conservas;
- bebidas alcohólicas, zumos de frutas, limonadas.

Cuando se desarrolla una acción micótica patógena en el intestino, la simbiosis obligatoria sólo manifiesta sus efectos positivos después de que el medicamento adecuado haya exterminado al hongo. Como consecuencia de esto, a continuación se procede a restablecer la flora intestinal normal; para ello, se administran los oportunos cultivos bacterianos, que se complementan con un régimen alimentario completo y muy variado.

Es muy importante que durante todo este tiempo el paciente se abstenga de tomar azúcar y dulces, así como de ingerir alcohol, sin que se puedan endulzar las comidas con otros productos sustitutivos como miel, fructosa u otros destinados especialmente para los diabéticos, pues los hongos se reproducen especialmente bien en toda clase de edulcorantes. Enemigos declarados de los ascomicetos son: el chucrut (col ácida), ajos, cebollas, puerros, rábanos, rábanos picantes, mostaza, vinagre, suero lácteo y yogur natural. ¡De éste último, podrá consumirse todo lo que se quiera!

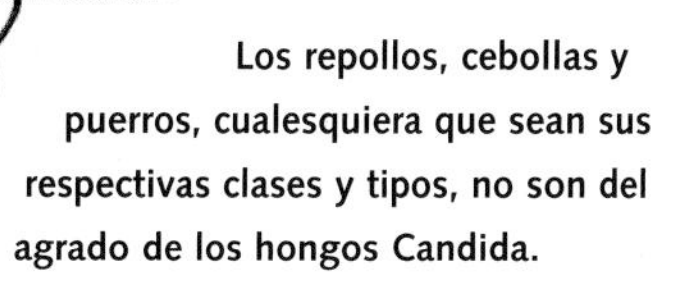

Los repollos, cebollas y puerros, cualesquiera que sean sus respectivas clases y tipos, no son del agrado de los hongos Candida.

Malaria (paludismo)

▶ Síntomas:

- molestias parecidas a las de la gripe, fiebre y cefalea;
- escalofríos;
- ocasionalmente, vómitos y diarrea;
- según el tipo de Malaria, fiebre elevada (incluso mayor de 40 °C) y seguidamente un período de normalidad. Este ciclo se repite periódicamente.

La malaria (en italiano, *mal aria*: "mal aire") es la enfermedad tropical que se padece con más frecuencia. El turismo a países lejanos y exóticos ha contribuido al aumento de los casos en nuestras latitudes. Esta enfermedad, muy frecuente en zonas pantanosas y húmedas, y que transmite la picadura de mosquitos hembra del género *Anopheles*, la producen cuatro tipos de protozoarios del género *Plasmodium*.

Durante los últimos años, el número de personas enfermas ha aumentado en muchos países debido a que los mosquitos han desarrollado su sistema inmunológico frente a la acción de los productos destinados a combatir la malaria; y, también, a que muchos turistas que viajan a países exóticos no han adoptado las medidas oportunas pertinentes. Sin embargo, esta enfermedad es un auténtico peligro para lactantes, niños pequeños y mujeres embarazadas.

Según sea el agente causal y el proceso de la enfermedad, existen diferentes formas de malaria. La más frecuente es la **malaria tertiana** (fiebre terciana), causada por el *Plasmodium vivax*, en la que cada tercer día resurge un brote de fiebre; en la menos frecuente, **malaria quartana** (fiebre cuartana), originada por el *Plasmodium malariae*, la fiebre se repite cada cuarto día. A pesar de que esta enfermedad es muy desagradable en su fase aguda, no suele poner la vida en peligro. Si no recibe la terapia adecuada, los ataques de fiebre pueden repetirse durante meses e incluso años.

La forma más grave es la **malaria trópica** que, después de manifestar unos síntomas de tipo gripal, puede terminar con la muerte del paciente en unos pocos días. La fiebre cursa en brotes, o bien se mantiene elevada. Los glóbulos rojos atacados por los parásitos obstruyen las vías sanguíneas, el bazo aumenta de tamaño y –en no pocas ocasiones– surgen complicaciones en el cerebro, corazón, circulación sanguínea (→ *Shock* circulatorio), hígado y riñones (→ Insuficiencia renal), pero, detectada y diagnosticada a tiempo, es curable.

Tratamiento médico

Si ha padecido alguna situación febril en los trópicos, o después de haber estado en ellos (hasta diez años después), conviene que consulte con el médico. Las pruebas sanguíneas facilitan el diagnóstico del tipo de malaria, o qué agente la ha provocado. La terapéutica incluye diferentes sustancias, que pueden administrarse combinadas para aprovechar mejor sus efectos curativos (→ Autoayuda).

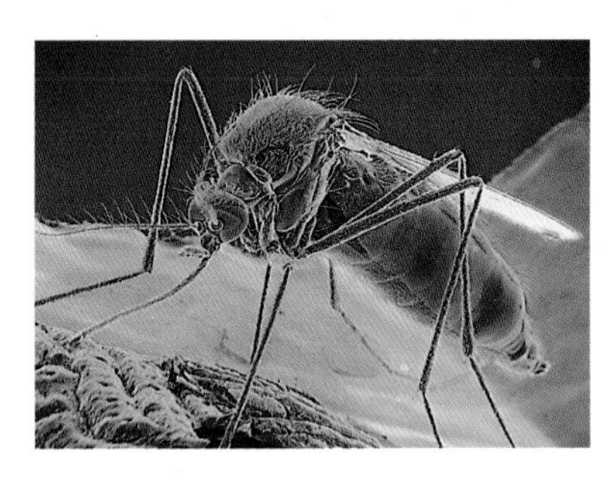

El mosquito anopheles transmite, de una persona a otra, los parásitos de la malaria.

Autoayuda

Las investigaciones realizadas han dado como fruto ya una vacuna, aunque está sufriendo ciertos problemas de distribución y comercialización. Por este motivo, si tiene previsto viajar a los trópicos, la mejor profilaxis es realizar una quimioprofilaxis, tratamiento que emplea los medicamentos aplicados para combatir la malaria antes de contraerla. Para ello, sustancias como cloroquinina, proguanil o mefloquina se administran una o dos semanas antes del viaje. La más adecuada depende del lugar a donde se viaje, debido a que los agentes patógenos de ciertas regiones tropicales son resistentes a algunas sustancias. Antes de emprender viaje, solicite información sobre la situación actual en su agencia de viajes o en el organismo oficial correspondiente. Para la eficaz protección, es necesario la administración regular y constante del medicamento; terapia protectora que continuará unas cuatro semanas más después de haber regresado del viaje.

Durante la estancia en los trópicos, haga todo lo posible para evitar las picaduras de mosquitos e insectos, sin bajar la guardia en ningún instante:

- Cuando tome el sol y por la noche, lleve siempre camisas de manga larga y pantalones largos.
- Todas las partes del cuerpo que queden al descubierto, frótelas con repelentes o protectores de mosquitos.
- Lleve una mosquitera siempre consigo, por si el hotel donde pernocta no dispone de ellas y las ventanas no permiten el paso a moscas y mosquitos.

Toxoplasmosis

► Síntomas:

→ dolorosa inflamación de los ganglios linfáticos, que casi alcanzan el tamaño de una nuez;
→ ocasionalmente, fiebre hasta los 39 °C;
→ algunas veces cefaleas, trastornos de la personalidad, parálisis, espasmos, trastornos de fonación (*disfasia*).

El responsable de esta infección es el protozoo *Toxoplasma gondii*, un organismo unicelular que se transmite a las personas por el contacto con gatos y la ingesta de carne cruda o semicruda de animales infectados. El parásito invade el cuerpo y forma quistes, que estimulan la formación de anticuerpos por el individuo. La infección se desarrolla sin molestias aparentes, pero supone un riesgo para las personas con un sistema inmunológico debilitado.
La infección durante el embarazo, puede ocasionar una lesión cerebral y ocular en el feto; y, en el peor de los casos, cabe la posibilidad de que el niño nazca muerto.

Si su hijo juega con un gato desconocido, procure que después se lave muy bien las manos.

Tratamiento médico

Si padece los síntomas descritos, consulte con su médico. En caso de padecer una toxoplasmosis grave durante el embarazo (a partir del cuarto mes), o en niños recién nacidos, deben administrarse antibióticos.

Autoayuda

Para evitar la infección en caso de embarazo, manténgase alejada de los gatos y en ningún caso coma carne cruda o a medio hacer. Para descubrir si es inmune a la toxoplasmosis, su ginecólogo le realizará la prueba correspondiente.

Disentería amebiana

► Síntomas:

→ flatulencias, dolores abdominales espasmódicos;
→ diarrea intensa y persistente, dolorosa y con sangre, y estreñimiento.

Grave enfermedad infecciosa, endemoepidémica, de carácter contagioso y producida por el parásito intestinal *Enta-moeba histolytica*. También se llama amebiasis. Procede de países con condiciones higiénicas insalubres; la transmisión se efectúa por medio de aguas contaminadas y alimentos en mal estado. Puede afectar al hígado (*abscesos*).

Tratamiento médico

En caso de que detecte la presencia de sangre en las heces, acuda inmediatamente al médico. El tratamiento incluye medicamentos de reconocida eficacia, que exterminan los parásitos del intestino y de todo el cuerpo.

Autoayuda

Si viaja a países muy cálidos, debe adoptar las medidas de prevención necesarias al comer y al beber (→ Diarrea durante el viaje).

La Leishmaniasis

La leishmaniasis es una enfermedad infecciosa que se extiende por todo el planeta, pero cuyos focos se localizan en zonas muy concretas. La produce un protozoo flagelado del género leishmania, que transmite a las personas las hembras del mosquito *Phlebotonus*. De las dos formas existentes, la **L. tropica**, cutánea o localizada, suele ser benigna y forma nódulos que aparecen en el lugar de la picadura (o "botón de Oriente"); por su parte, la **L. donovani** es el agente responsable de la leishmaniasis visceral, conocida también por *kala-azar* (enfermedad negra), una afección de algunos órganos (bazo, hígado, médula espinal) que, de no recibir la terapia adecuada, puede provocar la muerte. Como prevención, se debe adoptar la protección total contra los mosquitos (→ Malaria).

Escarlatina

► **Síntomas:**

- ➜ dolores de garganta, amígdalas inflamadas, mucosa bucal enrojecida;
- ➜ primero, un velo blanco sobre la lengua; luego, lengua de color frambuesa;
- ➜ fiebre superior a los 39 °C;
- ➜ frecuentes escalofríos, pulso rápido;
- ➜ erupción cutánea, finas manchas rojo brillante en el abdomen, axilas, tórax y cuello; posteriormente, en todo el cuerpo.

Esta enfermedad infeccioso-eruptiva, muy contagiosa, la produce el estreptococo hemolítico, que libera una toxina (*eritrotoxina*) responsable de la sintomatología. El contagio se produce al inhalar gotitas de saliva de otras personas, o por contacto corporal. Durante el invierno pueden presentarse pequeñas epidemias; por este motivo, tan pronto comienza la erupción cutánea se recomienda que los niños guarden cama, y que, durante una semana, se separen de otros niños.
Un aspecto característico es la "lengua color frambuesa", que aparece hacia el cuarto día de la enfermedad, después de eliminar el velo blanquecino que la cubre. También, destaca el enrojecimiento que en forma de mariposa ocupa el triángulo mentón-boca del rostro.

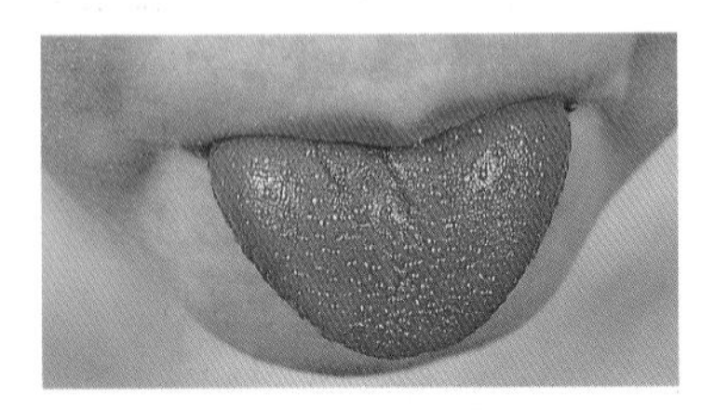

Típico de la escarlatina es la lengua blanquecina en un principio y, luego, de color frambuesa.

El peligro de contagio existe desde que comienza la enfermedad hasta dos días después del tratamiento con penicilina. Una vez superada la enfermedad, sólo se es parcialmente inmune contra ella; por lo general, la segunda enfermedad discurre de forma más benigna, normalmente como una inflamación de garganta.

Tratamiento médico

El niño que padezca escarlatina necesita asistencia médica, ya que de no recibirla podría complicarse (→ Inflamaciones articulares en las enfermedades infecciosas), pericarditis, nefritis, abscesos purulentos u otitis. Aunque la penicilina destruye los agentes patógenos, la terapia deberá prolongarse durante diez días.

Autoayuda

Al principio, conviene que el niño guarde cama; pero, con la administración de penicilina, bastará con que guarde reposo. Las dolencias se pueden aliviar aplicando compresas en el cuello, haciendo gárgaras con manzanilla, con rayos infrarrojos e incluso con compresas muy frías. ¡Pero siempre se precisa la penicilina!

Difteria

► **Síntomas:**

- ➜ amígdalas enrojecidas e hinchadas, cubiertas por un velo gris-blanquecino;
- ➜ olor de boca dulzón, deglución dificultosa;
- ➜ hinchazón de los ganglios linfáticos de la garganta, a la altura del ángulo de la mandíbula;
- ➜ afonía, ronquera, tos seca y ruidosa, disnea (en caso de laringe diftérica);
- ➜ más tarde vómitos, diarrea, *shock*.

La difteria es una enfermedad infecciosa, que se contagia fácilmente por inhalación de gotitas de saliva de personas infectadas o por simple contacto cutáneo. Se caracteriza por la producción en ciertas mucosas (faringe y laringe, sobre todo) de unas pseudomembranas fibrinosas en las que se oculta el microorganismo bacilar *Cory-nebacterium diphtetiae*, capaz de originar cuadros de repercusión general como consecuencia de las peligrosas toxinas que segrega.
Además de un colapso circulatorio, estas toxinas pueden provocar lesiones cardíacas y del sistema nervioso (miocarditis, nefritis y parálisis). El peligro de contagio existe desde el mismo instante que se declara la enfermedad, hasta el momento de la completa curación.

Tratamiento médico

Si su hijo padece amigdalitis purulenta, debe llevarlo al médico cuanto antes. A pesar de que los antibióticos destruyen las bacterias diftéricas, la toxina diftérica que permanece en el organismo ha de eliminarse, lo más pronto posible, mediante una antitoxina que se suele obtener del extracto del suero de caballos previamente inmunizados.

Autoayuda

Como medida preventina, la única protección posible contra la difteria es la vacunación (también para los adultos). Esta vacunación tiene un plazo de efectividad de 10 años, pasados los cuales ha de renovarse.

Tos ferina (pertussis)

► Síntomas:
- al principio tos seca, incluso por las noches, y temperatura muy poco elevada durante unas dos semanas;
- luego, auténticos accesos de tos característica ("gallos"), unidos a disnea y vómitos, respiración sibilante y dificultosa al inspirar.

Es una enfermedad infecciosa de las vías respiratorias altas, producida por la bacteria *Bordella pertussis*. Se caracteriza por la sucesión de crisis de tos seca irritativa; a la que sigue una inspiración forzada estridulosa, "el gallo de la tos ferina". El contagio se realiza por inhalación de gotitas al toser o estornudar. La mayoría de las personas que padece esta enfermedad en su niñez, quedan inmunizados. Sin embargo, la tos ferina puede adoptar formas más graves en los lactantes y niños pequeños, causando infecciones de las vías respiratorias, otitis o, incluso, lesiones cerebrales. El peligro de contagio existe desde el primer acceso de tos hasta unas cinco semanas después.

Tratamiento médico

Tan pronto como aparezcan los primeros síntomas de tos ferina, acuda inmediatamente al médico. Si los niños ya son mayores, la prescripción de antibióticos es innecesaria. De gran importancia es tomar mucho aire fresco; por regla general, los productos contra la tos y las expectoraciones no suelen ser demasiado eficaces.

Autoayuda

Déle mucho líquido de beber al niño (tisanas, zumos), sobre todo si vomita la comida.

Falso crup o laringoespasmo

► Síntomas:
- molestias de tipo gripal, acompañadas de fiebre;
- tos ronca y violenta, que despierta al niño de su sueño;
- dificultades respiratorias al inspirar, que pueden ser bruscas y progresivas.

El falso crup o laringoespasmo es una infección causada por el virus de parainfluenza tipo 2; afecta, sobre todo, a los niños muy pequeños hasta la edad de seis años. El tiempo húmedo y frío, el aire contaminado y el humo del tabaco favorecen la acción del virus. La infección de la laringe provoca una intensa hinchazón de la mucosa.

Tratamiento médico

Si su hijo padece accesos de tos y disnea, acuda inmediatamente al médico para que le prescriba medicamentos antiinflamatorios que le alivien las molestias. En los casos urgentes, el médico le prescribirá supositorios de cortisona para reducir la inflamación.

Autoayuda

Procure que el pequeño paciente repose, tenga mucho aire fresco y, sobre todo, que la atmósfera de la habitación sea relativamente húmeda. Si no dispone de un humidificador, puede mojar algunos paños y colocarlos sobre los radiadores de la calefacción (también, por las noches)

Epiglotitis

► Síntomas:
- disnea, accesos de asfixia inspiratoria.

Esta enfermedad, que produce peligrosas crisis de asfixia respiratoria, afecta preferentemente a los niños entre uno y cinco años de edad. La origina la bacteria *Haemophilus influenzae*, que provoca una intensa inflamación del espacio glósofaríngeo y de la epiglotis. La bacteria de la flora faríngea está muy extendida, y en caso de que afecte a niños muy pequeños hasta puede provocarles meningitis.

Tratamiento médico

En caso de no adoptar una terapia de inmediato, la enfermedad puede tener episodios que pongan en peligro la vida. Por este motivo, ¡consulte cuanto antes con su médico! Un tratamiento rápido y eficaz, basado principalmente en la administración de antibióticos y de antiinflamatorios, evita el peligro de muerte. Si los ataque de asfixia respiratoria representan una amenaza real, el médico practicará una traqueotomía.

Autoayuda

La mejor protección es la vacunación a los tres meses de edad. ¡Nunca intente visualizar la faringe con un depresor o cuchara!, pues esta maniobra resulta sumamente peligrosa.

Parálisis infantil (poliomielitis)

► Síntomas:

- síntomas de tipo gripal, con fiebre, agotamiento y dolores de garganta;
- vómitos y, ocasionalmente, también dolores abdominales, diarrea y estreñimiento;
- algunas veces, cefaleas y rigidez de nuca.

La parálisis infantil, denominada "polio", es una enfermedad infecciosa de origen vírico. La produce un enterovirus de nombre *poliovirus*, que afecta al cerebro y la médula espinal. Desde la implantación de la vacuna oral, esta enfermedad casi ha sido erradicada de los países industrializados; sin embargo, existe un mayor riesgo de infección en los viajes realizados a países exóticos y lejanos. Además de sobre los niños, la amenaza también se cierne sobre los adultos no vacunados.

El contagio se produce a través del agua o los alimentos infectados; así, por ejemplo, es peligroso bañarse en aguas estancadas. La enfermedad se suele curar después de superar los síntomas gripales. De esta forma, se queda inmunizado contra una segunda infección para el resto de la vida. Sólo una décima parte de los infectados padece la segunda fase que, tras un intervalo sin fiebre de uno a tres días, se puede complicar con meningitis. Al cabo de otros dos días, tan sólo uno de cada mil pacientes alcanza la tercera fase de la enfermedad, que cursa con la parálisis permanente de determinados grupos musculares y, en el peor de los casos, la parálisis de los centros respiratorio y circulatorio con el consiguiente peligro de muerte.

Tratamiento médico

Si los padres observan que su hijo (o ellos mismos) presenta síntomas de poliomielitis, lo más oportuno es acudir urgentemente al médico. En los casos más graves, será necesario el ingreso en un centro hospitalario, pues si la parálisis afecta a la musculatura respiratoria el niño necesitará respiración asistida.

Como no existe ningún fármaco específico contra la polio, el médico intentará aliviar las dolencias con la prescripción de analgésicos y antiinflamatorios. Durante la fase aguda, especialmente cuando los dolores y espasmos musculares son muy intensos, la aplicación de compresas húmedas ha demostrado una gran eficacia. Para evitar que se produzcan lesiones musculares permanentes, conviene que la rehabilitación del niño comience cuanto antes.

Autoayuda

Una dieta rica en proteínas y vitaminas, y muchos líquidos, contribuyen a la curación. Algunos pacientes han obtenido buenos resultados con el yoga y la meditación. Si a pesar de todo subsisten algunas parálisis residuales, esto no quiere decir que tenga que quedarse en silla de ruedas. El padecimiento de esta enfermedad exige tiempo y paciencia para asimilar los cambios que es preciso superar. Es preciso afrontarlo y pensar en positivo: ¡ninguna persona es más valiosa que otra por el hecho de desplazarse de diferente forma!

Varicela

► Síntomas:

- manchas del tamaño de una cabeza de alfiler y color rojo pálido, acompañadas de intenso picor;
- vesículas rojas, llenas de líquido que se van desecando y formando costras que se irán desprendiendo durante la fase de cicatrización;
- fiebre cercana a los 38 °C.

Aunque esta enfermedad infecciosa, muy contagiosa y generalmente benigna, también pueden contraerla los adultos, afecta sobre todo a los niños. El virus se contagia de unas personas a otras por inhalación de gotitas de saliva al toser o estornudar; o, simplemente, por el aire que se respira. El peligro de contagio existe desde dos días antes de que aparezcan los primeros síntomas de la enfermedad, hasta pasados unos ocho días después de la aparición de la típica erupción cutánea. Unas dos semanas después del contagio, aparece una ligera fiebre que perdura durante dos o tres días; al mismo tiempo, empiezan a aparecer los típicos signos de la varicela, primero en el tronco, luego en el rostro y el cuero cabelludo para, finalmente, pasar a los brazos y las piernas. La erupción cutánea comienza con unas manchas rojo pálidas, acompañadas de intenso prurito, que más tarde se transforman en vesículas llenas de líquido. Aunque estas ampollitas se secan transcurridos unos pocos días, constantemente rebrotan otras nuevas. Las costras se curan a las dos o tres semanas, sin dejar cicatrices, siempre y cuando el niño no se haya rascado. Las complicaciones son poco frecuentes. La enfermedad puede agravarse en los niños con las defensas muy debilitadas. Una vez superada, los niños quedan inmunizados contra la varicela. Sin embargo, el virus puede permanecer en el organismo y causar, ya a edad adulta, un herpes zóster.

Tratamiento médico

En la mayoría de los casos, los padres pueden encargarse del cuidado de los hijos. Pero si la erupción afecta a los ojos, la fiebre es muy alta o la tos persistente y el niño sufre vómitos importantes, la atención médica resulta imprescindible. Cuando las vesículas se inflaman, el médico prescribirá antibióticos; y, si el prurito martiriza al niño, un antihistamínico le proporcionará cierto alivio.

Autoayuda

El niño debe guardar cama hasta pasados tres días de haber desaparecido la fiebre. Es importante que beba mucho (zumos frescos de frutas y verduras, infusiones de manzanilla, tila y aquilea), pues con ello se contribuye a reducir la fiebre y evitar la deshidratación. Para aliviar el prurito, un remedio eficaz consiste en humedecer suavemente las vesículas con una infusión de saúco o una loción de manzanilla. Debe prestarse especial atención a que el niño no rasque las costras de las vesículas desecadas, ya que podrían formarse cicatrices. A los niños muy pequeños se les puede poner en las manos unas manoplas; a los de más edad, se les hará reflexionar sobre el peligro de rascarse.

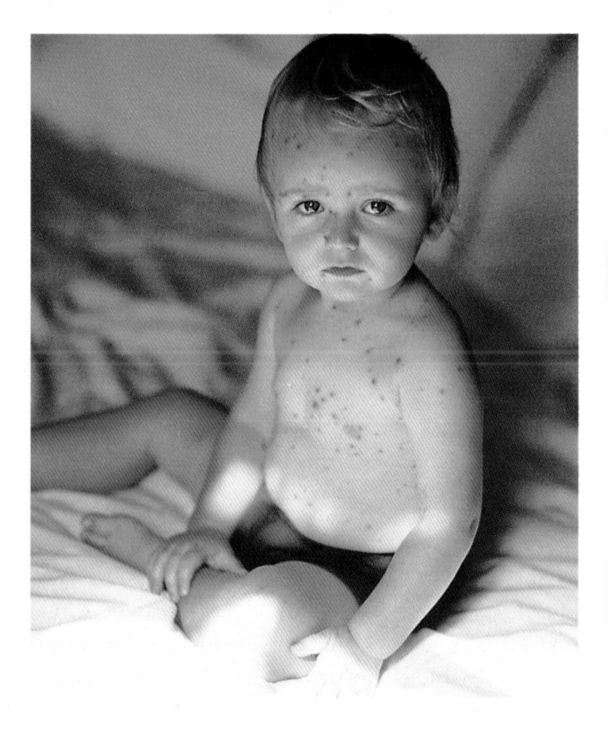

La desagradable picazón que producen las vesículas de la viruela en los niños, no pasa hasta después de pasadas dos semanas.

Parotiditis epidémica (paperas)

► Síntomas:

- ➜ inflamación dolorosa por delante de las orejas y por encima del ángulo de la mandíbula;
- ➜ dolor al masticar y de oídos;
- ➜ en ocasiones, fiebre entre ligera y alta (40 °C).

Esta enfermedad consiste en la inflamación de la glándula parótida, como consecuencia de un mixovirus que coloniza las glándulas salivales, sobre todo las parótidas, y, frecuentemente, el sistema nervioso central. Afecta de manera especial a los niños a partir de los tres años de edad, contagio que se produce por gotitas infectantes. El período de incubación es de 14 a 21 días. Entre dos y tres semanas después del contagio, suele producirse dolor e hinchazón en uno de los lados, que pasa al otro al cabo de unos pocos días. A los pequeños les resulta difícil masticar, pues a veces se inflaman las glándulas salivales situadas debajo de la lengua y las submaxilares.

Ocasionalmente también puede aparecer una pancreatitis, que cursa con dolores abdominales. Sólo en raras ocasiones se produce meningitis e incluso encefalitis. Como complicaciones, en los jóvenes o adultos puede presentarse una salpingoovaritis o una orquitis. Esta idea clásica sobre la enfermedad, en la actualidad no está totalmente admitida. El peligro de contagio existe desde seis días antes hasta dos semanas después del comienzo de la inflamación de las glándulas. Superada la enfermedad, el cuerpo queda inmunizado.

Tratamiento médico

Si las dolencias son importantes, o si durante la enfermedad padece dolores de oído y cabeza, así como rigidez de nuca, o si los testículos se hinchan dolorosamente (*orquitis*), consulte cuanto antes con su médico. A pesar de que no existe ninguna terapia específica para su tratamiento, por regla general es suficiente con guardar cama durante unos dos días y, en caso necesario, administrar un analgésico.

Autoayuda

Los niños pequeños deben alimentarse, sobre todo, con alimentos líquidos y purés. La hinchazón de las glándulas se reduce aplicando compresas frías y comiendo helados. Como prevención, todos los niños a partir de los tres años deben ponerse una vacuna combinada contra la parotiditis, el sarampión y la rubéola.

Rubéola

► Síntomas:
- molestias de tipo gripal, malestar general;
- erupción cutánea de un suave color rosado tirando a rojo claro;
- fiebre ligera (38 a 38,5 °C);
- inflamación de los ganglios linfáticos del cuello y de detrás de las orejas.

La rubéola es una enfermedad infecciosa, contagiosa, epidémica y vírica, causada por un virus extendido por todo el planeta. Afecta a niños y adolescentes. Unas dos semanas después del contagio por inhalación de gotitas infectantes de saliva, aparece una erupción cutánea con finas manchas que cubren todo el cuerpo, sobre todo espalda, brazos y piernas. El estado general del paciente no resulta muy afectado, por lo que la infección discurre muchas veces sin ser consciente de ella.
Pero, es importante que los niños sean vacunados, pues la rubéola puede ser una fuente infectante para las mujeres embarazadas. El virus se puede contagiarse desde una semana antes de que se declare la enfermedad, hasta diez días después. Si la embarazada contrae la rubéola durante los tres primeros meses de embarazo, se corre el riesgo de que el niño nazca con deformaciones. La enfermedad puede dañar ojos, oídos y corazón de los niños, además de ocasionar retraso mental. Aunque la vacunación se haya efectuado en fechas muy tempranas, nunca podrá descartarse un cierto riesgo. Sólo los análisis sanguíneos pueden informar sobre las defensas del organismo.

Tratamiento médico

Esta enfermedad es benigna, por lo que no necesita tratamiento médico. Sin embargo, conviene que el médico reconozca al niño para descartar el padecimiento de otras enfermedades infantiles.

Autoayuda

Si el niño tiene fiebre, asegúrese de que guarda cama; pero no es necesario que permanezca en casa. Vigile que no se acerque a mujeres embarazadas, pues podría ponerlas en peligro. La mejor protección es la vacunación al cumplir los dos años; y, las muchachas, repetir la vacunación antes de la pubertad. Las mujeres que deseen quedarse embarazadas, deberían hacerse un análisis sanguíneo para descartar la existencia de anticuerpos en su organismo contra esta enfermedad.

Roséola

► Síntomas:
- extenuación, carencia de apetito y cefaleas;
- erupción cutánea muy fina, manchas en forma de mariposa en las mejillas y picazón generalizada.

Poco frecuente, esta enfermedad la produce el parvovirus B19. Principalmente afecta a los niños. El contagio se produce por aire inspirado, lo que pasadas una o dos semanas después del contagio provoca la aparición de una erupción cutánea en forma de guirlandas y otras figuras que han dado nombre a la enfermedad.
Un rasgo característico es que la erupción primero palidece, para luego reproducirse. La mayoría de niños afectados no suelen tener fiebre, ni son conscientes de padecer la enfermedad.

Tratamiento médico

Si su hijo padece una erupción cutánea, siempre es recomendable que lo reconozca el médico. La enfermedad es benigna, y las molestias suelen desaparecer a los 8 ó 10 días sin que medien complicaciones. El peligro de contagio existe desde un día antes de que aparezca la erupción cutánea, hasta un día después de haber desaparecido. Durante el embarazo la infección es peligrosa, pues podría dañar la hematopoyesis del niño o, incluso, provocar que el niño nazca muerto. En los casos más graves es preciso realizar la transfusión total de sangre, única forma de salvar la vida del niño.

Autoayuda

No existe ninguna vacuna. Siga los consejos recomendados en la autoayuda de → rubéola.

Sarampión

► Síntomas:
- fiebre (38 a 40 °C);
- tos irritativa y seca, rinitis, ojos inflamados;
- carencia de apetito;
- erupción cutánea en todo el cuerpo, de color rojo oscuro a castaño;
- puntos blancos en la mucosa bucal.

Conocida en todo el mundo, esta enfermedad infecciosa, contagiosa y epidémica la produce el mixovirus. Mientras en nuestras latitudes se desarrolla de forma

¿Qué hacer si los niños contraen enfermedades infecciosas?

Aunque la mayoría de las enfermedades infantiles son benignas y sólo en raras ocasiones cursan con complicaciones, la adopción de medidas preventivas evita que se contraigan fácilmente. Los padres deben vigilar que su hijo permanezca en cama durante la fase aguda del sarampión, escarlatina, difteria y varicela, prohibiendo la visita de amigos y compañeros de juego o colegio, sobre todo si éstos no han contraído aún cualquiera de las enfermedades enumeradas.
Cuando comience la picazón de las erupciones cutáneas típicas en estas enfermedades infantiles, aplique a su hijo compresas frías. O, para aliviar el prurito y evitar que el niño se rasque y lesione su piel provocando cicatrices e incluso pus al sobreinfectar las lesiones cutáneas con la suciedad de las uñas, humedezca ligeramente su piel con una infusión de romero, saúco o manzanilla.

El aburrimiento que los niños pasan al tener que permanecer en la cama, se puede superar con libros de cuentos y el "querido" osito de trapo.

Si desea que el resto de la familia no contraiga la enfermedad, conviene que cambie con más frecuencia la ropa personal y de cama, lavándola seguidamente con agua hirviendo. Debe desecharse también la utilización conjunta por el enfermo de toallas, vasos, platos o cubiertos, pues todos los objetos son posibles focos de infección.
Si su hijo tiene fiebre, lo más oportuno y aconsejable es que beba mucho líquido, excluyendo las bebidas que contengan ácido carbónico; es preferible que beba aguas minerales sin gas y limonadas. También conviene adoptar una dieta alimentaria variada, que incluya mucha fruta y verdura fresca para fortalecer las defensas del organismo.
Sin embargo, la mejor medicina que puede proporcionar durante este tiempo es la atención y el cariño suplementarios → consejos para el cuidado de su hijo.

relativamente benigna, en países más exóticos todavía hoy día causa la muerte de muchos niños de pecho y de poca edad.
Se transmite por la de gotitas infectantes, así como por contacto. Su padecimiento confiere la inmunidad permanente. Las personas contagiadas incuban la enfermedad durante una o dos semanas, siendo las primeras molestias de tipo gripal.
Los aspectos que la caracterizan son: intolerancia a la luz, tos seca e irritativa y los puntitos blancos que aparecen en la mucosa que tapiza la boca, sobre todo en la parte inferior de las mejillas.
La enfermedad comienza a desaparecer a los 10 días de haber comenzado, especialmente en los niños; pero éstos se hallan expuestos al contagio a partir de los ocho días de la infección hasta que desaparezcan las infecciones cutáneas. En las personas adultas, puede agravarse si la enfermedda se complica con la aparición de una otitis o neumonía; pero, sólo en contadas ocasiones, lo hace junto con una meningitis.

Tratamiento médico

Para evitar posibles complicaciones y descartar cualquier otra enfermedad infantil, consulte con su médico. Como no existe un medicamento específico contra esta enfermedad, se recomienda la vacunación preventiva. Por regla general, para favorecer la curación basta con guardar reposo en cama y beber líquidos en abundancia; además, eventualmente se puede proceder a la administración de antibióticos por si fuese necesario prevenir alguna sobreinfección bacteriana.

Autoayuda

Para proteger y cuidar los ojos, conviene que mantenga el dormitorio a oscuras y evitar que el enfermo vea la televisión.

Lo que debe saberse sobre las toxicomanías

La "toxicomanía" es la inclinación patológica a intoxicarse, de manera continuada, con sustancias calificadas como "drogas". Éstas provocan sensaciones que suprimen el dolor, y crean una situación de dependencia psicológica y física.

Hoy día, la palabra se emplea para expresar el deseo irresistible de consumir una droga determinada. Y la dependencia es, precisamente, la propiedad que posee la droga de crear una necesidad o adicción en el individuo para seguir consumiéndola.

Según el Diccionario de la Real Academia Española, la palabra "droga" es el «nombre genérico de ciertas sustancias minerales, vegetales o animales, que se emplean en la medicina, en la industria o en las bellas artes». Utilizadas antiguamente con estos fines y como remedios caseros, posteriormente muchas pasaron a adquirirse en droguerías para su uso doméstico.

En la actualidad, la palabra hace referencia a aquellas sustancias que influyen en el comportamiento físico y psíquico de las personas y crean adicción. Con todo, tampoco debe olvidarse que el juego (*ludopatía*), la comida, la bebida, el tabaco, e incluso el propio trabajo, también pueden convertirse en "drogas".

Historia de los estupefacientes

El deseo de alcanzar la felicidad, el dejar a un lado los problemas, el conseguir y vivir nuestro gran sueño son cosas que se nos escapan de las manos. Por esto no debe sorprender que, desde antiguo, se intentase llegar a descubrir la verdadera felicidad, el éxtasis, con la ingesta de alcohol y el consumo de ciertas sustancias de naturaleza y elaboración bien distintas y, a veces, hasta de orígenes diversos.

El alcohol etílico aparece en la fermentación del mosto de algunos vegetales (uvas, manzanas, etcétera); y, así, el ser humano produce vino desde la antigüedad. Porque, era sabido que «al vino llamamos vino, porque del cielo nos vino». Algunos textos egipcios ya advertían de que el consumo abusivo de vino convertía a las personas en charlatanes, y del ridículo que se hacía frente a los demás debido a los efectos de la embriaguez. Pero esta opinión del alcohol fue cambiando con el paso de los tiempos, pues, aunque estaba prohibido embriagarse, servía de ofrenda a los dioses y hasta se ingería para expulsar a los malos espíritus del propio cuerpo como remedi más normal.

Las sustancias que contienen algunas plantas en sus hojas, semillas u otras partes, ejercen una influencia directa sobre la sensibilidad y la conciencia. Sustancias que, en muchas civilizaciones, era tradición ingerir en ritos religiosos o mágicos, motivo éste que las convirtió en objeto de tráfico mercantil entre los mercaderes y viajeros de los últimos siglos.

En una sociedad donde es costumbre departir con amigos tomando algo, a veces se bebe una copa más de la cuenta.

Aparte de crear adicción a la nicotina, el fumar también puede ser la causa de diferentes enfermedades.

El contrabando de opio que los mercaderes británicos efectuaban durante el siglo XIX desde la India hacia China, hizo que el consumo de esta droga se convirtiera en triste destino para miles y miles de chinos.

Las causas de la adicción

Entre los motivos que estimulan el empleo de sustancias para intentar alegrarnos la vida y hacernos olvidar las cosas desagradables, se encuentran: el miedo y la soledad, los problemas familiares, las dificultades en el colegio o en el lugar de trabajo, el aburrimiento, el deseo de aliviar dolores o de incrementar el rendimiento o, simplemente, hacer lo mismo que hacen los demás. En la actualidad las drogas más utilizadas no son precisamente la ilegales, sino las supuestamente inofensivas, aquéllas que la sociedad acepta e incluso preconiza, como son las bebidas alcohólicas, los medicamentos y el tabaco. La absoluta disponibilidad, la imitación de modelos, costumbres arraigadas en grupos y los estereotipos sociales propician esta adicción, especialmente en personas inestables y con un estado de ánimo muy voluble, a las que quita su propia dignidad y autoestima con al paso del tiempo.

De la habituación a la dependencia

Algunas personas consiguen relajarse con la droga, evadirse de este mundo y sentir bienestar hasta en las situaciones más difíciles. Pero el peligro de este proceder es que muy pronto se produce la habituación. Entonces, cuando la persona es incapaz de solucionar los problemas diarios, intenta eludirlos con el consumo de drogas. Pero como la droga es capaz de alterar el equilibrio psíquico y sensorial, la persona que pretende conseguir su bienestar con ella se convierte en dependiente, es decir, le crea una adicción que le provoca la irreprimible necesidad de seguir consumiéndola con el consiguiente deterioro para su salud. Esta es la razón por al que en Medicina se empleen hoy día los conceptos de "drogodependencia" y "toxicomanía".

Hay muchas sustancias que, de acuerdo con su particular potencial toxicológico, son capaces de crear esta dependencia antes o después; así, la heroína es capaz de crear adicción después de una sola toma, mientras que el alcohol frecuentemente necesita de unos años. La fase previa a la dependencia se califica de "abuso"; esto quiere decir que en aquellos grupos que, por ejemplo, se consumen bebidas alcohólicas o medicamentos, la persona amenazada es aquélla que con el tiempo consume grandes cantidades de estas sustancias, sin pensar en la utilidad adecuada que puedan tener.

Al principio esta persona suele negar este consumo "abusivo", o intenta disimularlo, llegando incluso a creérselo. Pero, pasado el tiempo, el poco autocontrol que tiene desaparece y se produce una situación en la que no está en condiciones de acudir a su trabajo habitual, puede que enferme frecuentemente y hasta se muestre incapaz de desempeñar el papel que le corresponde en el ámbito familiar. Los fracasos en los intentos por dejar la droga, hacen que la persona afectada se sienta culpable. Los más allegados intentarán ayudarle: unos, arropándole y dando una sensación de armonía, normalidad y cariño para que abandone la droga; otros, amenazándole con castigarle y con el alejamiento si no deja la droga.

La ingesta habitual y cotidiana de algunos medicamentos, como analgésicos o somníferos, puede propiciar la toxicomanía.

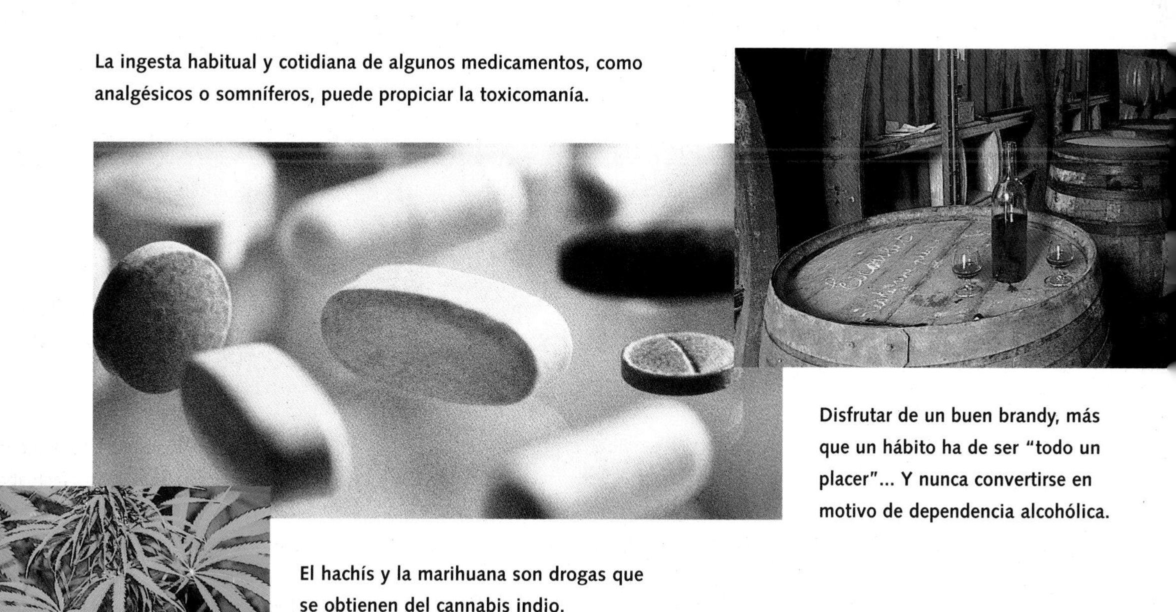

Disfrutar de un buen brandy, más que un hábito ha de ser "todo un placer"... Y nunca convertirse en motivo de dependencia alcohólica.

El hachís y la marihuana son drogas que se obtienen del cannabis indio.

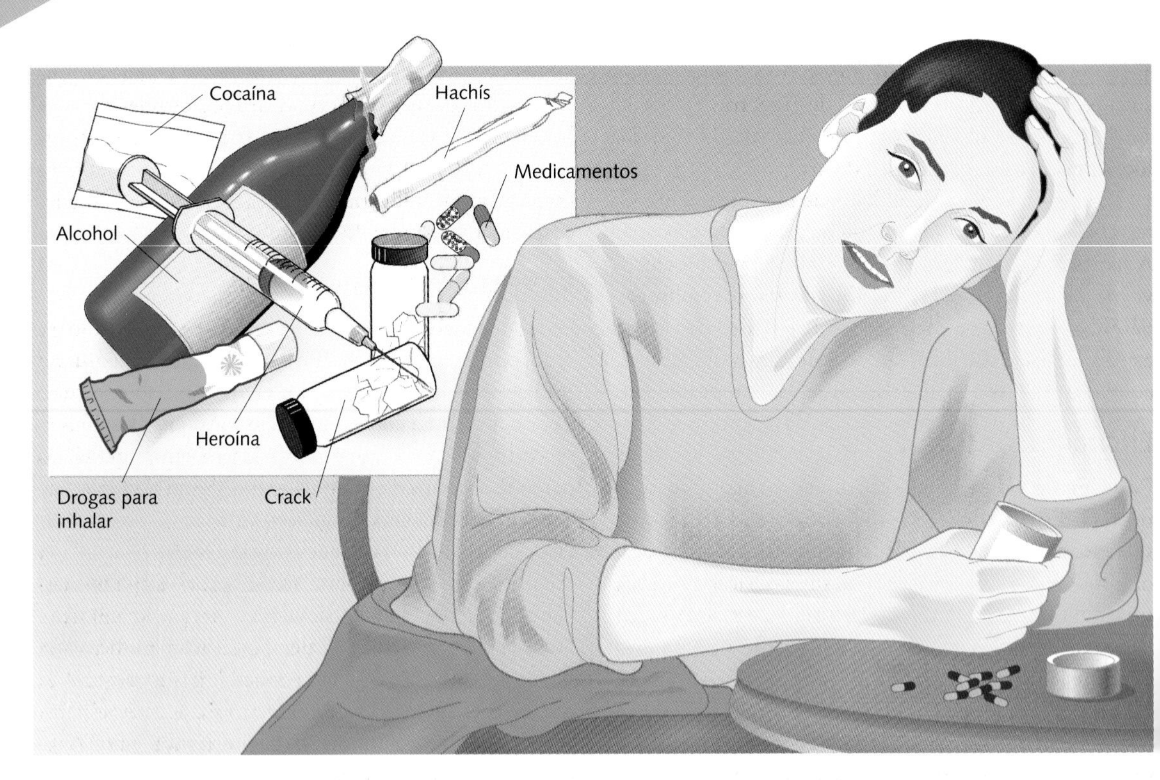

La toxicomanía: una enfermedad

- **Formas de dependencia**
- **Consecuencias de la toxicomanía**
- **El papel que desempeñan las personas de referencia**

La falta de carácter y la voluntad débil e influenciable que caracteriza a muchos toxicómanos, hace que tengan que soportar expresiones tan humillantes como borracho, heroinómano, drogadicto o camello. En Medicina, el abuso y la dependencia de un medicamento se califica como enfermedad. Por este motivo, se investigan las causas, el proceso patológico, las consecuencias y las posibilidades terapéuticas de la misma.

Síntomas de una toxicomanía

La persona afectada por la drogodependencia, además de evitar las conversaciones sobre este tema, comienza mintiendo o tomándoselo a broma. Las frustraciones se soportan cada vez peor, el rendimiento en el colegio o el trabajo disminuye y surgen desavenencias con los superiores o con los profesores y discusiones con los compañeros de trabajo o con los amigos; el círculo de amistades se reduce cada vez más, siendo ahora otros sus integrantes y comenzando la retirada de la vida social habitual hasta este momento.

La dependencia psíquica y física

Si la dependencia afecta con especial intensidad a la psique, surge el deseo irrefrenable de poseer toda la droga que se desee. Y se intenta todo con tal de conseguirla. Pero si la drogodependencia actúa sobre el cuerpo, por una parte éste mostrará una cierta tolerancia que se traduce en la necesidad de aumentar las dosis para obtener los mismos efectos, y, por otra, surgen los síndromes de abstinencia, es decir, un conjunto de trastornos que aparecen al verse el individuo privado de esta sustancia. Tan pronto como se reduce la dosis, o ésta es menos pura, aparecen depresiones, sudoración súbita, mal humor, temblor de manos y dolores musculares.

La toxicomanía afecta a todos

Toda toxicomanía lleva implícita, en un plazo de tiempo más o menos largo, la degradación psíquica y física. Los síntomas característicos pueden ser: tranquilidad e indiferencia en alternancia con una actividad frenética, apatía, merma de la capacidad de crítica, inclinaciones suicidas o sudoraciones, pérdida de peso, trastornos del sueño, temblor de manos o alteraciones del sistema locomotor. Según la cantidad de droga que se consuma y el tiempo que se ha venido haciendo, pueden manifestarse lesiones cerebrales o de hígado.

Además de los trastornos físicos, el carácter destructivo de las drogas arruina la vida de los toxicómanos: pérdida de categoría social, del trabajo y de la vivienda, expulsión de la escuela, carencia de dinero, conflictos con la ley, descuido personal hasta llegar al abandono.

El círculo diabólico

Poco importa la causa que crea la adicción, pues lo que realmente determina la vida del drogodependiente es la sustancia elegida y la conducta individual. La persona deja de ser libre y consciente de sus decisiones, pues la toxicomanía le exige día a día satisfacer esta necesidad. Si al principio lo consigue de forma disimulada, más adelante siempre necesitará más tiempo y dinero.

La drogodependencia se convierte pronto en un problema familiar. Cada miembro de la familia asume su propio papel intentando vivir interiormente en equilibrio y armonía, mostrando de cara al exterior total normalidad. Por su parte, la persona afectada procura trasladar su responsabilidad a su pareja, a sus padres o a sus hermanos, rogándoles que le ayuden a salir de tan penosa situación; vano intento, pues casi siempre fracasa. Pero si la dependencia sigue incrementándose cada vez más, el toxicómano se muestra desilusionado, siente rabia, se cree ofendido por todos y las consecuencias son imprevisibles.

La persona drogodependiente se va consumiendo en su desesperación y sentido de culpabilidad por haber fracasado en todos los intentos por abandonar la droga, de forma que se va hundiendo cada vez más en ella.

Las personas de referencia

Las personas que comparten la vida del adicto, sus hijos o los padres intentan todos juntos que abandone la droga y solucione el problema sin ayuda ajena. Pero, a pesar de haberlo prometido y de controlarle las dosis consumidas, no consiguen detenerle y discuten y riñen con él porque no ha sabido o querido atenerse a las reglas establecidas.

Estas personas mantienen las apariencias de cara al exterior, procuran no cometer errores e intentan pensar más en la persona enferma que en sí mismas. Así, le protegen y le disculpan, en el lugar de trabajo o en la escuela y hasta ante amigos y familiares. Están convencidas de que habría dejado la drogodependencia si se hubiesen ocupado un poco más de él. Y sufren al comprobar cómo todos sus esfuerzos fracasan. La toxicomanía domina su forma de pensar y de actuar, convirtiéndoles en codependientes.

Causas de la toxicomanía

Tanto los padres como la pareja del toxicómano se plantean siempre una y otra vez la siguiente pregunta: «¿Habremos sido nosotros los culpables de la enfermedad?». Tienen la plena convicción de que si hubiesen pensado un poco menos en ellos mismos, quizá no habría adquirido esta dependencia. Pero esta forma de pensar no representa ninguna ayuda.

El modelo "paternal", la falta de lazos afectivos con la familia o la pareja, desempeñan un papel preponderante para que se dé esta situación, aunque igualmente importante es también la personalidad del adicto. La droga y los efectos que produce se hacen necesarios para el consumidor de estupefacientes, porque sólo así podrá satisfacer determinadas necesidades emocionales, lo que no conseguiría de ninguna otra forma.

Drogas legales e ilegales

Las bebidas alcohólicas, el tabaco, el café y los medicamentos se consideran socialmente drogas legales. Toda persona adulta puede adquirirlas, manipularlas y consumirlas como más le agrade.

Por el contrario, el consumo de drogas ilegales fácilmente puede suscitar conflictos con la justicia. Existen más de cien sustancias y preparados que están prohibidos por la Ley relativa a los estupefacientes y cuyo cultivo, venta o posesión se considera delito perseguible penalmente.

Incluidas entre las ilegales se encuentran algunas *drogas blandas* como la marihuana y el hachís, capaces de crear dependencia psíquica. Las denominadas *drogas duras*, como la heroína, producen dependencia tanto psíquica como física.

Una situación especial corresponde a la cocaína y las denominadas *drogas sintéticas* o *drogas de diseño*, como las anfetaminas y las *drogas alucinógenas*, como el LSD. Además de crear una dependencia física y psíquica muy importantes, estas drogas dañan tanto el cuerpo que se incluyen entre las "drogas duras".

Casos de urgencia

Normas generales

Si advierte síntomas del síndrome de abstinencia o de una toxicomanía, ¡acuda urgentemente al médico!

Síndrome de abstinencia

▶ Síntomas:
- → náuseas, vómitos, diarreas;
- → sudor, intranquilidad, pulso acelerado, temblores, insomnio, ataques epilépticos;
- → *heroína*: pupilas dilatadas, dolores musculares y abdominales, bostezos, piel de gallina, abundante secreción nasal;
- → *alcohol*: posible *delirium tremens*.

El síndrome de abstinencia consiste en la aparición de una serie de trastornos que surgen al privar total o parcialmente de droga a una persona habituado a ella. Síntomas que normalmente desaparecen o remiten tan pronto se consume de nuevo droga.

Para la persona que sufre adicción representa una tortura casi insoportable, pero es menos peligroso que la toxicomanía. Los síntomas del síndrome de abstinencia al dejar el consumo de heroína y otros opiáceos, aparecen ya medio día después de la última dosis de droga y alcanzan su momento álgido dos días después, para irse amortiguando lentamente durante los 10 días siguientes.

Terapia médica

Según sea el estado del paciente, conviene llamar al médico o al servicio de urgencias para, en caso necesario, ingresarlo en un centro hospitalario y someterlo a un tratamiento de desintoxicación.

Autoayuda

Las personas drogodependientes deberían consultar con su médico para referirle sus síntomas, así como tratar sobre el procedimiento más apropiado para superar el síndrome de abstinencia y conseguir abandonar la droga. Los especialistas le indicarán centros y asociaciones de desintoxicación.

Delirium tremens por alcoholismo crónico

→ página 200.

Intoxicación por heroína (heroinomanía)

▶ Síntomas:
- → vómitos, diarrea, escalofríos, dolores musculares, retención de orina y heces;
- → pupilas muy estrechas, respiración irregular y poco profunda, obnubilación.

El peligro de intoxicación por sobredosis y debido a la pureza de la heroína es muy importante.

Tratamiento médico

¡La intoxicación por heroína es muy peligrosa! Si observa los síntomas descritos, llame al servicio de urgencias. En la unidad de cuidados intensivos intentarán restablecer las funciones del organismo y administrarán los medicamentos adecuados.

Autoayuda

No es posible.

Embriaguez (intoxicación alcohólica)

▶ Síntomas:
- → al principio, estado alegre y animosidad;
- → luego, dificultad al hablar (*disfasia*) y al andar, detalles de vanidad, autoestima exagerada;
- → con la ebriedad, trastornos en el sentido de la orientación, enturbamiento de la conciencia, pérdida del conocimiento.

La ingesta excesiva de alcohol produce una intoxicación etílica aguda. Aunque en realidad disminuye su fuerza física y mental, la persona afectada infravalora los efectos al sentirse especialmente fuerte.

Tratamiento médico

¡La intensa embriaguez puede poner en peligro la vida! Para desintoxicar a la persona afectada y conseguir que conserve sus constantes vitales, se hace necesaria la hospitalización.

Autoayuda

No deje sola nunca a una persona embriagada, hable con ella tranquila y lentamente.

Reconocimientos médicos especiales

Comprobación de estupefacientes

El consumo de drogas sólo puede demostrarse si se hallan indicios en el cuerpo. Por su parte, el nivel de alcohol en sangre se mide indirectamente mediante el aire espirado, o con un análisis de sangre. La presencia de drogas es posible demostrarla a través de análisis de orina o de cabellos.

Los controles de alcoholemia tienen como objetivo medir el contenido de alcohol en la sangre de los conductores.

Si una persona presenta un comportamiento irregular en la calle, bien sea por mostrar una conducta inhabitual o violenta, bien sea por sufrir trastornos mentales, es preciso aclarar si los motivos obedecen a una intoxicación por drogas o a un síndrome de abstinencia. En caso de que la persona esté sometida a un tratamiento de desintoxicación, los análisis clínicos revelaran si el paciente cumple las indicaciones del médico o si, por el contrario, ha recaído en la drogodependencia. Esto es especialmente importante conocerlo en el supuesto de que la terapia que sigue incluya la administración de sucedáneos de la droga, como la metadona.

Señales del consumo de drogas

Si existe la más mínima sospecha de que una persona padece adicción a algún tipo de sustancia, no siempre resulta demasiado fácil salir de la duda y tener el pleno convencimiento de la drogodependencia.
En ciertos casos, el médico podrá determinar sin problemas el consumo de drogas basándose en los síntomas físicos y psíquicos específicos; pero la persona profana en la materia, debería abstenerse de formular especulaciones y determinaciones prematuras.
Algunos indicios que alberguen sospechas, suelen ser: reservas (escondidas) de bebidas alcohólicas, cigarrillos, medicamentos, una pipa de agua, unos "porros" o "canutos" (hachís, marihuana), trocitos de papel absorbente (LSD), cucharitas o tubitos para aspirar (cocaína, *crack*), cápsulas escondidas (drogas de diseño) o jeringas para inyectarse (heroína).

La toxicomanía

Algunas de las preguntas que siguen, contribuirán a que cualquier persona observe desde un punto de vista objetivo su propio comportamiento. Si se responde varias veces afirmativamente, se aconseja leer con sumo detenimiento las páginas 568 y 569. Las respuestas darán una visión sobre cómo piensan de las drogas y estupefacientes, del alcohol y del tabaco, así como de los medicamentos:

- ¿Tiene la sensación de que consume bebidas alcohólicas y medicamentos con el fin de evadirse de los problemas cotidianos?
- Consumiéndolos, ¿se siente con ellos mucho más fuerte y seguro de sí mismo?
- ¿Si le ofrecen una bebida alcohólica o cigarrillos durante una reunión, no se atreve a decir "No"?
- Describa cuándo y cómo consume alguna de las drogas descritas más adelante.
- ¿Tiene la sensación de que su vida es más "llevadera" si consume algún tipo de droga?
- ¿Le asegura el consumo de droga la felicidad, el cariño de la familia y el respeto de todos?

Además de las drogas ilegales, también producen adicción los condimentos, ciertos alimentos y los medicamentos. Pero ninguno de estos productos o sustancias le ayudarán a resolver sus problemas, ni a ser más fuerte ni a sentirse más seguro de sí mismo. Las drogas no satisfacen, en absoluto, las necesidades emocionales. El motivo por el que es tan sugestiva la tentación de recurrir constantemente a las drogas se debe al agradable estado de euforia, la tranquilidad o la indiferencia que producen algunos productos. Pero recuerde que de aquí al abuso y la posterior dependencia, sólo restan unos pocos pasos.

Cómo apartarse de la droga

Abandonar la adicción supone un camino duro y doloroso. Para los afectados, lo principal es el reconocimiento de ser toxicómano, así como la decisión de querer abandonar la droga, que le suministra la falsa creencia de proporcionarle fuerza, seguridad en sí mismo y poder vivir sin miedos ni frustraciones.
La necesidad de modificar la situación sólo surge después de haber destruido la familia y haber perdido el puesto de trabajo, la vivienda y mucho dinero. Problemas que se acentúan con el consumo de droga.

Comienzo de la terapia

Los centros de asesoramiento para toxicómanos informan sobre la terapia de desintoxicación y quién ha de asumir su coste. Existen asociaciones, organismos y hospitales que cuentan con personal especializado, así como gente voluntaria que asesora y ayuda en la lucha por abandonar la droga.

Desintoxicación y deshabituación

Lo primero que se hace necesario es limpiar el organismo de todos los estupefacientes, que tiene como fin la desintoxicación y que se normalicen todos los procesos bioquímicos para, inmediatamente, suprimir todo consumo de droga. Durante esta fase, llamada *cura de privación*, aparecen unos síntomas típicos. Para que sean soportables y no signifiquen una carga constante para el organismo, este proceso se realizará bajo tratamiento y supervisión hospitalaria.
Una vez el cuerpo quede libre de todo tipo de toxinas, comienza un tratamiento encaminado a anular el hábito a los estupefacientes que, por lo general, requiere varias semanas e incluso meses. Un paso decisivo consiste en librar a la psique del ansia por consumir droga. Este proceso de deshabituación por lo común se desarrolla en una sección especializada de un hospital psiquiátrico, o bien en una clínica especializada para personas drogodependientes.
Psicoterapia, deporte, actividades creativas, formación profesional y el contacto con otras personas afectadas, son algunos de los objetivos marcados para contribuir a que el adicto aprenda a sobreponerse a las crisis, a replantearse su relación con otras personas y, también, a asumir sus responsabilidades.

Después del tratamiento

Una vez perdida la habituación, la persona afectada seguirá un tratamiento de mantenimiento para perder la adicción. Las asociaciones y organismos, aparte de ayuda y consejos para llevar una vida sin drogas, ofrecen la posibilidad de reunirse con personas que han conocido personalmente el mundo de las drogas yhan logrado salir de él.

¡Una señal: la recaída!

Después de una recaída suele decirse que el drogodependiente carece de fuerza de voluntad, que todo le es indiferente, que es un irresponsable. Pero la experiencia ha demostrado que las causas radican en conflictos personales, el miedo o las depresiones.
Renunciar a la droga no significa una solución ni un alivio, pues los problemas no resueltos reaparecen con fuerza. La persona afectada ya no es considerado enfermo, y se le exige que los resuelva personalmente. Pero quien pasa por tal trance, que no ha podido encarrilar su vida tal y como hubiera deseado, la recaída es la aparente solución a su problema.
Además de haber infravalorado los problemas y las crisis, la pregunta que se plantean ahora todos los implicados es si no le habrán exigido demasiado, si el objetivo propuesto es irrealizable en tan poco tiempo. Y castigar por la recaída no conlleva nada positivo. El afectado en lugar de sentirse comprendido y acogido, tendrá que defenderse y justificarse. Por muy buena voluntad que exista por parte de todos, la adicción de muchos años a las drogas no puede anularse en un breve espacio de tiempo.

Ayudar significa comprensión y empatía

Tanto en el trabajo como en la escuela, con las amistades o en la familia, todo el mundo tendrá que enfrentarse alguna vez con la droga. Pero la mayoría de las personas prefiere "hacer la vista gorda", mirar hacia otro lado y buscar disculpas que justifiquen su cobarde actitud. Pero "solidarizarse con los problemas ajenos" significa comprender al otro y hacer de la sospecha realidad, escuchar las inculpaciones con lealtad y tratar de "recuperar" a esa persona.

En los grupos y asociaciones de alcohólicos, las personas encuentran apoyo y comprensión.

Sin embargo, de poco sirve quien sigue el camino que parece más fácil y demuestra su falta de responsabilidad demorando la puesta en manos de los médicos de la persona enferma. Tanto para amigos, compañeros o superiores, como para familiares, «quien pretende solucionar el problema simulando que no pasa nada, se convierte en coadicto, en cómplice».

Pero de poco sirven las buenas intenciones de convencer a alguien para que se someta a una cura de desintoxicación, si la propia persona interesada no desea curarse y pone toda su voluntad. Ha de tener la plena convicción de que ha de cambiar de vida y abandonar la droga para siempre.

El valor del diálogo

- Hable amistosamente con la persona afectada, sin reproches y con absoluta sinceridad.
- Coméntele algunos casos ciertos y demostrables, nunca rumores ni suposiciones absurdas.
- Llegue a un acuerdo claro y concreto respecto a su conducta, y hágale saber las consecuencias que le acarrearían su incumplimiento.
- No apoye nunca la toxicomanía, ni con dinero ni con su comprensión.
- Si es preciso, ruegue al afectado que se someta a un tratamiento de desintoxicación.
- Consulte con un centro de asesoramiento que trate toxicomanías, para que le informen con todo detalle. Es importante para la familia.
- Deje libertad a la persona afectada para que ella misma asuma la responsabilidad sobre el destino de su vida, pero sin retirarle su cariño y su comprensión.
- Intente que se integre en la familia, demostrándole con el ejemplo de todos sus miembros que la vida se vive con alegría y superando las dificultades que se presentan a su paso.
- Recurra a las agrupaciones o asociaciones de padres y familiares afectados en busca de la ayuda precisa.

Aceptar la situación

Los familiares encuentran la ayuda que necesitan, tras haber pasado por un proceso educativo que les libere de la idea fija de que son ellos los responsables de la toxicomanía y de su control. La mayoría de los toxicómanos niegan en un principio su dependencia de la droga, afirmando que no es tan peligrosa como todo el mundo cree. Poco tiempo después es imposible conseguir algo de ellos, los familiares ignoran qué camino seguir y se sienten desbordados por la situación, al tiempo que decepcionados por su propio comportamiento. Luego se intenta negociar con la persona afectada y, aunque es incapaz de cumplirlo, se le invita a que prometa obedecer todo cuanto se le diga. Repentinamente, llega un momento en que hay que reconocer que todo ha sido en vano. La familia o los amigos han de aceptar la situación y olvidar la ilusa idea de que podían haber curado al toxicómano.

La protección de los hijos

Que las drogas desaparezcan de la sociedad, es algo muy difícil. Para proteger a los hijos, lo mejor es que la familia los eduque y aconseje. Si el niño tiene la convicción de que las drogas son nocivas, su confianza en sí mismo y autoestima se incrementarán y en el momento crítico sabrá decir "No", pues no las necesita ni para ser feliz ni para resolver sus problemas.

Los padres deberían ser conscientes y representar un ejemplo para sus hijos, pues el primer contacto se da muchas veces en el seno de la propia familia: enviar a los hijos a comprar cigarrillos o bebidas alcohólicas, escaso o nulo control... Administre sólo tranquilizantes o analgésicos a sus hijos bajo prescripción médica, y jamás les ofrezca estupefacientes.

Alcoholismo crónico

► Síntomas:

- ➜ dependencia psíquica y física del alcohol;
- ➜ embriaguez, se reduce la capacidad para soportar el alcohol;
- ➜ excitabilidad, pesadillas;
- ➜ trastonos digestivos, insomnio, trastornos de la potencia sexual;
- ➜ merma de la capacidad mental.

El alcoholismo crónico se trata de una intoxicación etílica, causada por la ingesta constante de bebidas alcohólicas. Sin embargo, el alcohol es posible consumirlo de muy diferentes formas: en forma de gotas medicinales, en los bombones rellenos o en productos de pastelería. La cantidad de alcohol etílico puro se mide en tanto por ciento. Las mujeres soportan un máximo de 20 gramos de alcohol puro al día (1/2 l de cerveza ó 1/4 l de vino); los hombres, un máximo de 60 gramos (1,5 l de cerveza ó 0,75 l de vino).

El alcohol llega pronto a la circulación sanguínea, ya que la mayor parte pasa al estómago e intestino delgado. Después, se desdobla en el hígado con la ayuda de unos enzimas, ejerciendo la parte no "quemada" una acción nociva sobre el organismo. Grandes cantidades de alcohol pueden llegar incluso a ser mortales.

Hay que pensar que una simple "borrachera", destruye muchas células nerviosas. La ingesta continuada de alcohol produce cambios psíquicos, que repercuten negativamente en el organismo de la persona y dañan su hígado (→ Hígado graso; → Cirrosis hepática; → El veneno está en la dosis), el páncreas (→ Pancreatitis) y el sistema nervioso.

Las bebidas alcohólicas, drogas en potencia

Las bebidas alcohólicas son la droga más frecuente y difundida, ya que el alcohol puede crear dependencia física y psíquica. En nuestra sociedad la ingesta de bebidas alcohólicas es usual y, a veces, incluso se estimula su consumo: celebrar una fiesta sin alcohol es impensable, y quien lo rechaza está considerado como un "blanducho" o un "mojigato" a quien se le sonríe despectivamente. Por el contrario, quien bebe es fuerte y adulto. La acción del alcohol se centra directamente sobre el metabolismo cerebral, por lo que si uno ha bebido se siente como si flotara, más hablador, de mejor humor e incluso alegre. Este es el motivo por el que muchas personas, para sortear las preocupaciones y problemas de la vida diaria, se refugian en el alcohol. Una solución funesta, pues los problemas sólo se aplazan y permanecen sin resolver, la persona se hunde aún más en el alcohol y la pretendida "solución" produce una espiral inacabable que conduce a la dependencia.

Diferentes tipos de bebedores

Para ayudar a la persona afectada, los médicos y terapeutas –en un intento por describir cada vez mejor lo que significa esta dependencia– han establecido un baremo de bebedores. La diferenciación entre bebedores-alfa y bebedores-épsilon, determinada por las cinco primeras letras del alfabeto griego, proporciona el punto de partida:

- Las personas que buscan seguridad y alivio con el consumo de alcohol, reciben el nombre de *bebedores-alfa*. Acusan una dependencia psíquica.
- Quienes aprovechan cualquier ocasión que se les brinda para refugiarse en las bebidas alcohólicas, se conocen como *bebedores-beta*. Por regla general no son adictos, pero con el tiempo causan daños a su organismo.

- Los *bebedores-gamma* son al principio psíquicamente dependientes, para pasar más tarde a serlo también físicamente. Aunque es cierto que pueden rechazar las bebidas alcohólicas, padecen problemas de abstinencia al deshabituarse. Cuando comienzan a beber, son incapaces de marcarse un límite.
- Las personas dependientes físicamente del alcohol y que padecen rápidamente el síndrome de abstinencia, mantienen en todo momento un cierto nivel en sangre. Son los denominados *bebedores-delta*.
- Aquellas personas que muestran un irresistible deseo de consumir bebidas alcohólicas en un determinado período de tiempo y que, sin el menor control, ingieren alcohol durante varios días consecutivos, pertenecen al grupo de *bebedores-épsilon*. Poseen una adicción psíquica al alcohol.

Verdaderos toxicómanos, es decir, adictos al alcohol, son los bebedores gamma, delta y épsilon.

Tratamiento médico

Cualquiera que padezca síntomas de embriaguez, síndrome de abstinencia o delirium tremens, deberá recibir tratamiento médico lo más rápidamente posible. Estas situaciones no son más que el punto álgido de una dependencia alcohólica. La curación de esta dependencia sólo es posible si se recibe la desintoxicación para, posteriormente, someterse a la abstinencia. El tratamiento tiene por objetivo la recuperación de los daños causados en el organismo por el alcohol.

Autoayuda

El primer paso, y el más importante, es ser consciente de que se padece una adicción. Esto requiere valor y decisión, así como el deseo de erradicar el alcohol y llevar a la práctica esos buenos deseos. Para este penoso camino, las asociaciones y organismos correspondientes le proporcionarán ayuda e información acerca del tema.

Dependencia de los medicamentos

► **Síntomas:**

- en caso de no tomarse el medicamento, sensación de escaso rendimiento y aparición de toda clase de temores y dolores;
- malestar físico y psíquico, si no se dispone de más medicamento;
- aumento diario de la dosis del medicamento;
- puesta en práctica de estrategias, para disponer en todo momento del medicamento.

Los medicamentos son sustancias que se destinan a eliminar rápidamente ciertos síntomas, como estreñimiento, insomnio, temor o dolor. Sin embargo, frecuentemente suele olvidarse que los síntomas no son más que manifestaciones de una alteración orgánica o funcional del organismo; manifestaciones entre las que también se cuentan los problemas psíquicos, que se reflejan en el cuerpo y necesitan tratamiento medicamentoso. La falta de tiempo y el ruego de los pacientes por conseguir un rápido alivio, hace que los médicos muchas veces prefieran prescribir un medicamento y no indagar sobre las verdaderas causas de un síntoma que, quizá, exigiría una terapia muy diferente. Por si esto fuera poco, las farmacias disponen de muchos productos que prometen "un rápido alivio". Encontrará información detallada sobre los grupos de medicamentos más importantes en este mismo libro.

Los medicamentos son drogas

La dependencia de uno o varios medicamentos, es algo que pasa inadvertido para los demás. Como los medicamentos pueden haber sido recetados por el médico, el consumo parece estar justificado al ser su destino la recuperación de la salud. Pero la habituación se ve favorecida por su diminuto tamaño, porque no exigen acudir a un local para su consumo y porque tanto su olor como su aspecto no llaman la atención.

De esta forma, si no se trata la causa de la dependencia el problema no se solucionará, el síntoma permanecerá y, cada vez, "exigirá" mayores dosis del producto o medicamento al que se haya habituado el organismo. Transcurrido cierto tiempo, ya no será posible llevar una vida sin medicamentos, pero las molestias reaparecerán constantemente.

Tratamiento médico

En caso de que se presente una intoxicación con disnea y pérdida de conocimiento debido a una sobredosis por ingestión de un medicamento, debe acudir inmediatamente al médico o servicio de urgencias. Si se constata la existencia de una dependencia, sólo el médico decidirá si el medicamento en cuestión se debe retirar radicalmente o poco a poco. La psique sólo podrá liberarse de su imperioso deseo de consumir el medicamento mediante una desintoxicación. Durante este proceso, se observarán los síntomas que manifiesta el organismo, como miedo y desasosiego, y se aprenderá a sobrellevarlos y reconocer sus causas.

El consumo prolongado de uno o varios medicamentos puede provocar daños al organismo, por ejemplo una insuficiencia renal, que requieran el tratamiento médico correspondiente.

Autoayuda

En las páginas 722 y a partir de la 742, se recogen diferentes remedios caseros, muy reconocidos e inocuos, que le ayudarán remediar o a aliviar las pequeñas molestias que padece de continuo.

Además de recetar medicamentos, un buen médico es aquél que habla con su paciente y sabe escuchar los tratamientos no medicamentosos que le procuran alivio. Si llega a enfermar a causa de su dependencia a un medicamento, busque ayuda e información en las asociaciones de afectados o en los organismos sanitarios correspondientes.

Tabaquismo (nicotinismo)

▶ Síntomas:

➜ dependencia psíquica y creciente tolerancia;

➜ cefaleas, mareos, sensación de calor, trastornos gástricos, intranquilidad al dejar de fumar como "síndrome de abstinencia".

La nicotina es un alcaloide que se encuentra en las raíces y hojas de la planta del tabaco, utilizadas para fumar, aspirar o masticar. Al aspirar el humo del tabaco quemado se produce un proceso durante el que se liberan nicotina y otros componentes nocivos como benzol, monóxido de carbono y nitrosaminas.

Los fabricantes de tabaco indican en las cajetillas la cantidad de nicotina que contiene un cigarrillo, que ronda valores de 0,1 a 2,1 miligramos. En los cigarrillos liados, el contenido de nicotina depende de la porosidad del papel: cuanto más aire se mezcle con el humo, menor será su contenido. Pero es el fumador quien establece la nicotina que absorbe: si fuma rápida e intensamente, obtiene la cantidad que necesita, incluso de los cigarrillos *light*.

La nicotina llega a la circulación sanguínea a través de los pulmones, mostrando rápidamente sus efectos: aumenta la capacidad de atención, la memoria se muestra más ágil y el estrés se soporta mejor. Pero, también, aumenta la tensión arterial y el ritmo del corazón y la respiración. El instinto de imitación social hace que fumar sea habitual, pese a los riesgos que conlleva para la salud del *fumador activo*. Peligros que son idénticos para el *fumador pasivo*, que sufre las nefastas consecuencias del tabaco. Lo nocivo de fumar hace que esté terminantemente prohibido en muchos lugares.

El tabaco: una droga

Las personas que fuman de vez en cuando por placer, no comprenden la necesidad de abandonarlo, porque en realidad fuman poco y en contadas ocasiones. Pero quien fuma para no estar nervioso, para solucionar sus problemas o porque desea concentrarse mejor, se le conoce como "fumador por estrés" o "conflictivo". Para éste, el peligro de la toxicomanía es mayor.

Los fumadores empedernidos necesitan gran cantidad de nicotina. Padecen bronquitis crónicas, enfermedades cardíacas y circulatorias, tumores o cáncer en las mucosas que están en contacto con la nicotina (cavidad bucal, esófago, laringe, pulmón, vejiga), aunque se desarrollen lentamente. Por este motivo, los fumadores se sienten esperanzados de que el fumar no suponga un peligro y que no les deje ni secuelas ni daños físicos.

Tratamiento médico

La persona que padezca alguna de las enfermedades antes mencionadas, debe consultar con el médico y exponerle su caso. Ahora bien, ¡el tratamiento de las consecuencias físicas no elimina nunca las verdaderas causas de la enfermedad! Por este motivo, aunque tan sólo lo consigan unos pocos, el fumador ha de ser capaz de abandonar el tabaco por propia voluntad. Para conseguir el objetivo, existen una serie de métodos de desintoxicación que pueden ayudarle.

Autoayuda

Sólo el hecho de ser plenamente consciente de ser un drogodependiente y la firme voluntad de abandonar el tabaco, son realmente decisivos para lograr, definitivamente, llevar una "vida sin tabaco".

Métodos de deshabituación

Las terapias de comportamiento tienen éxito en el abandono del hábito de fumar, ya que el paciente puede analizar su conducta y seguir unas directrices, por ejemplo, llevando un "diario de fumador". Paso a paso, aprende a controlarse personalmente y renuncia voluntariamente a fumar cuando encuentra otras alternativas a este hábito. Métodos de sugestión o la acupuntura, son procedimientos donde el fumador es sujeto pasivo y cuyo éxito está en función de los resultados obtenidos.

El entrenamiento autógeno genera unas cualidades de autocontrol que hacen posible dejar de fumar. Las terapias de rechazo resultan un tanto desagradables, pues basan sus resultados en la provocación de vómitos (por ejemplo, con medicamentos) para quitar el gusto por el tabaco.

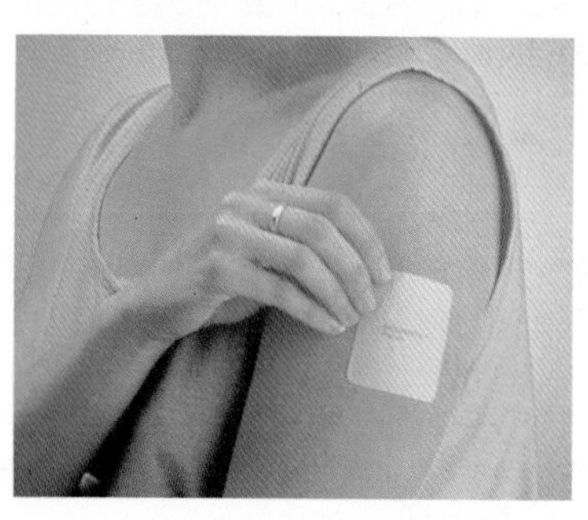

Para favorecer la fase de deshabituación del fumador, la aplicación de parches impregnados de nicotina reduce los síntomas.

Canabismo (dependencia de hachís y marihuana)

▶ Síntomas:

- ➜ dependencia psíquica (→ página 564);
- ➜ fase aguda de canabismo: trastornos en la forma de pensar y en las vivencias, alucinaciones con el peligro de cometer acciones erróneas (accidentes de tráfico), miedo y pánico hasta llegar a horrorizarse;
- ➜ es posible que -transcurridos unos días- se recaiga en la fase aguda con miedo, manías persecutorias, peligro de suicidio (*flashback*).

El cannabis indio segrega la resina tetrahidrocannabinol (THC). Las hojas y flores secas (marihuana), y la resina también seca (hachís), se fuman o esnifan puros o mezclados con tabaco (*joint*); incluso se preparan como infusión, o se ingieren con la comida. El agente activo THC influye en el pensamiento y vivencias, incluso después de la fase aguda, ya que sólo se elimina por completo después de transcurridos algunos días.

El hachís y la marihuana, las drogas ilegales más vendidas, se fuman mezcladas con tabaco (joint).

El hachís y la marihuana son drogas

En la iniciación al consumo de estas drogas, desempeña un importante papel la imitación de las costumbres sociales. Los efectos que producen son: sensación de embriaguez, con fases de euforia y excitación, y trastornos sensoriales y afectivos. A la satisfacción se une una profunda indiferencia. El consumo frecuente de ambas drogas causa dependencia psíquica. Hoy día aún se discute sobre si su consumo supone el adentrarse en el "mundo de las drogas".

Tratamiento médico

En caso de *horrortrip* o *flashback*, acuda cuanto antes al médico para que prescriba tranquilizantes al paciente. La dependencia puede superarse sometiéndose a una cura de desintoxicación.

Autoayuda

Acuda a los centros de asesoramiento para toxicómanos, y siga su información y consejos.

Dependencia de cocaína y "crack"

▶ Síntomas:

- ➜ dependencia psíquica (→ página 564);
- ➜ estado de euforia: sensación de felicidad y fuerza, desasosiego, posiblemente miedo y desgana, abatimiento y agotamiento;
- ➜ daños en las mucosas nasales y tabique nasal, insomnio y falta de apetito, depresiones, alucinaciones.

La cocaína es un alcaloide que se obtiene de las hojas de la coca, *Erythroxylon coca*, planta originaria de Suramérica. En forma de copos, este polvo blanco y amargo es similar a la heroína, con la que muchas veces se mezcla (*speedball*) para su venta. El *crack*, por su parte, resulta de hervir la pasta de cocaína en amonio. El consumo de la primera se hace esnifando; el *crack*, se fuma. Durante el estado de excitación eufórica, la persona tiene la sensación de estar en posesión de una gran capacidad física y mental, al tiempo que se activan los sentimientos y se reprimen los deseos de comer, de beber y no se siente el cansancio. Esta euforia se produce inmediatamente con el *crack*, siendo más intensa que con la cocaína. Pero esta situación se transforma luego en depresión, motivo muchas veces suficiente para recurrir de nuevo a la droga.

La cocaína y el *crack* son drogas

El consumo frecuente de cocaína y *crack* produce rápidamente una dependencia psíquica. Además, el organismo se habitúa muy pronto a estas drogas y exige aumentar constantemente la dosificación. Después de algunos años de consumo, el organismo sufre la más completa ruina física y la persona se ve relegada y condenada por la miseria social.

Tratamiento médico

La dependencia de cocaína y *crack* puede superarse si la persona adicta se somete a una progresiva cura de desintoxicación.

Autoayuda

Acuda a los centros de asesoramiento para toxicómanos, y siga su información y consejos.

Dependencia de éxtasis y otras drogas de diseño

▶ Síntomas:

- ➜ dependencia psíquica (→ página 564);
- ➜ estado de euforia: anfetaminas (*speed*) de efectos parecidos a la cocaína; metanfetaminas (*éxtasis*) reprimen el dolor, la sed, el agotamiento; la fenilciclidina (*polvo de ángel*) reduce la sensación de dolor y produce alucinaciones; el fentanilo (*China White*) actúa de forma similar a la heroína;
- ➜ efectos psíquicos muy desagradables, siendo muy posible que el organismo sufra daños.

Las drogas de diseño se elaboran en laboratorio. Se venden en forma de pastillas, polvo, cápsulas o gotas. Muchas veces, ni vendedor ni comprador conocen su contenido, por lo que sus efectos son imprevisibles.

Estas drogas son un grave peligro para el sistema nervioso, pues pueden producir profundos temores (*éxtasis*), parálisis agitante o inmunidad al dolor con el consiguiente peligro de automutilación (*polvo de ángel*).

El éxtasis es una droga muy solicitada en discotecas y fiestas, ya que "ayuda" a soportar las largas sesiones de baile. Diseñado en un principio como fármaco para reducir el apetito, fue prohibido al constatarse que producía lesiones en el sistema nervioso. Esta sustancia actúa sobre centros del cerebro que rigen las sensaciones y la temperatura del organismo e inhibe los síntomas de protección, tales como el dolor, la sed o el agotamiento, de forma que, después de haber estado bailando durante mucho tiempo, puede producirse una hipertermia y el colapso de la circulación sanguínea. Mezcladas con bebidas alcohólicas se reducen sus efectos, pero las consecuencias posteriores se acentúan. Cuando se consume la droga habitualmente, la adicción reclama dosis cada vez mayores.

Tratamiento médico

Si después de consumir una droga de diseño la reacción es muy intensa, obligatoriamente se debe acudir de inmediato al médico. La dependencia puede superarse mediante una cura de desintoxicación o deshabituación.

Autoayuda

Acuda a los centros de asesoramiento para toxicómanos, y siga su información y consejos.

Dependencia del LSD y de otras drogas alucinógenas

▶ Síntomas:

- ➜ dependencia psíquica (→ página 564);
- ➜ estado de euforia: alucinaciones, anomalías laberínticas, intensificación y alteración de las percepciones, pérdida del sentido de orientación;
- ➜ si el ánimo es de pesimismo al consumir la droga: terror y pánico, que puede prolongarse durante varias horas (*horrortrip*);
- ➜ transcurridos unos días o semanas, retorna el estado de euforia inicial, unido a miedo, manías persecutorias y peligro de suicidio (*flasback*).

El LSD (*dietilamida del ácido lisérgico*) es una sustancia de uno de los alcaloides del cornezuelo del centeno, que tiene propiedades alucinógenas. Está dotado de una acción simpaticomimética y de otra antagónica a la de la serotonina, una amina que actúa sobre ciertos procesos nerviosos y vasculares, así como sobre la contracción de los músculos lisos. Estas sustancias son eficaces en dosis muy reducidas, y suelen administrarse disueltas en un líquido, impregnando un terrón de azúcar, sobre un pedacito de fieltro o de papel secante.

El denominado *trip* ("viaje") comienza con una fase de malestar físico, acentuándose los sentimientos cuando se alcanza el estado de euforia. Por este motivo, su consumo durante las fases de depresión puede desencadenar una auténtica situación de horror (*horrortrip*).

La persona sobrevalora su capacidad, lo que le puede llevar a cometer graves errores. Al finalizar la fase de euforia, después de unos días o semanas, es liberado el agente activo que durante este tiempo permaneció depositado en el tejido adiposo y pueden aparecer depresiones. Si además se consumen drogas alucinógenas, aunque no se produce una dependencia física sí puede aparecer una de tipo psíquico con suma rapidez.

Tratamiento médico

En caso de que se produzcan reacciones violentas derivadas del consumo de drogas, es obligado acudir al médico. La dependencia puede curarse sometiendo al paciente a una cura de desintoxicación.

Autoayuda

Acuda a los centros de asesoramiento para drogodependientes y siga su información y consejos.

Heroinomanía

► Síntomas:

- provoca una rápida dependencia física y psíquica;
- estado de euforia: repentina, agradable y arrolladora sensación de bienestar (*flash*), luego, una agradable tranquilidad y pupilas estrechas;
- medio día después de haber abandonado la droga, síntomas de abstinencia, que pueden prolongarse durante varios días;
- pinchazos en los lugares donde se ha inyectado.

La heroína se obtiene de la morfina, un agente activo del opio que se consigue de la adormidera. Las cápsulas inmaduras de la planta se rasgan y, de ellas, fluye una resina blanco-lechosa que adquiere un tacto flexible. Con este líquido se forman los "panes". La morfina es un opiáceo que se utiliza desde el siglo XIX como analgésico y calmante de dolores, aunque provoca morfinomanía. La heroína actual es la diacetilmorfina, un derivado sintético de la morfina que posee propiedades farmacológicas. Al decidirse su fabricación se creyó poder anular los aspectos negativos de la morfina, pero en realidad la heroína es cinco veces más activa que la morfina, por lo que provoca adicción y dependencia con mayor rapidez. La heroína es inyectada, aspirada o inhalada. El efecto comienza con el *flash*, al que acompaña un estado general de euforia.

La heroína: una droga

La heroína es capaz de crear dependencia desde la primera dosis. A partir de este instante, para asegurarse el suministro, la vida del toxicómano se desarrolla en el ambiente social de este colectivo afectado por la adicción a la droga. La heroína sólo puede adquirirse en el mercado negro, es carísima y para conseguir el dinero necesario los afectados suelen recurrir tanto al robo como a la prostitución.

El consumo de heroína puede llegar a enloquecer a la persona adicta. Además de restarle capacidad mental y física, la persona pierde la confianza en sí misma, está sujeta a bruscos cambios de ánimo y padece trastornos físicos y sociales. Muchas de las personas que se inyectan la droga con jeringuillas no esterilizadas, padecen luego hepatitis o se infectan con el virus del sida.

Tratamiento médico

Si observa en la persona adicta una sobredosis, el síndrome de abstinencia o las consecuencias físicas de la heroinomanía, acuda con ella lo más rápidamente posible al médico.

El proceso que se debe seguir para abandonar la dependencia de la heroína es penoso y prolongado en el tiempo. Primero sólo se tratarán los síntomas, para evitar las consecuencias físicas y psíquicas de la toxicomanía.

Autoayuda

El temor a las consecuencias de la desintoxicación, frena a muchos adictos el deseo de iniciar la terapia. Por esto, reviste especial importancia recabar la más fideligna y completa información que permita averiguar cómo discurre el proceso de desintoxicación. Acuda a los centros de asesoramiento para toxicómanos, y siga su información y consejos. Con estos centros frecuentemente suelen colaborar personas "desintoxicadas", que han logrado dejar la droga, cuya experiencia puede ayudar a muchas otras personas.

La terapia de la heroinomanía

La liberación de la drogodependencia sólo se conseguirá mediante un tratamiento que anule la habituación. Para ello se aplica la *deshabituación exacta*, que evita administrar medicamentos que amortigüen los efectos secundarios; o bien la *deshabituación cálida*, con medicamentos. Este último método sustituye la droga por metadona para, luego, ir reduciendo sus dosis paulatinamente. El aspecto más crítico es el peligro de toxicomanía que supone el empleo de la metadona, al ser un derivado de la morfina.

Los médicos que tienen autorización para administrar estos sucedáneos, se hallan sometidos a severos controles; el toxicómano, por su parte, ha de firmar un contrato con el médico que le trata, donde se especifica cuánto, cuándo y qué sustancia sucedánea recibirá, así cómo y quién asume la responsabilidad de los cuidados. Es importante someter a vigilancia al afectado, para que reciba los cuidados por parte de personal especializado en los centros destinados a este fin. El tratamiento de deshabituación se prolonga durante algunos meses, período en el que son frecuentes las recaídas o, incluso, el abandono del tratamiento.

Lo que debe saberse sobre el cáncer

¿Qué es el cáncer? Esta es una pregunta que ya se realizaban los médicos de la Antigüedad, pues la existencia de tumores se conocía desde hacía mucho tiempo; sin embargo, la mayor causa de mortalidad se debía a los accidentes, las guerras o las enfermedades infecciosas, causas toda sellas que hacían imposible llegar a una edad avanzada; la vejez suponía haber superado los cincuenta años de edad, es decir, la época en que son más frecuentes los tumores cancerosos.

Estos médicos dieron el nombre de "cáncer" a un cuadro patológico que descubrieron cuando efectuaban la autopsia a los cadáveres de las personas que morían, constatando la presencia de singulares tumoraciones que poseían unas prolongaciones similares a las patas de un cangrejo. La denominación realmente se debe al *cangrejo paguro*, de naturaleza mitológica (un animal que forma parte del Zodíaco), pues su morfología recuerda a ciertas formaciones neoplásicas.

En la actualidad este nombre se utiliza para designar a todos aquellos tumores malignos que se extienden rápidamente por el cuerpo y tienden a generalizarse, especialmente los formados por células epiteliales. Está generalmente admitido que el cáncer se desarrolla al romperse el equilibrio reinante entre los diferentes mecanismos de defensa y las fuerzas que provocan el desorden celular, un fenómeno que puede acaecer en todo el cuerpo y que conlleva la existencia de tantas enfermedades cancerosas.

La elevada esperanza de vida que hoy día se ha conseguido gracias al progreso médico, es una de las causas por las que el cáncer es tan frecuente. En las estadísticas figura como la segunda causa de muerte más frecuente, después de las enfermedades de tipo cardiovascular. Ahora bien, esto no significa, ni mucho menos, que el diagnóstico de cáncer tenga que asociarse innecesariamente a una "sentencia de muerte".

Tanto es así que durante los últimos años se han conseguido grandes avances en la lucha contra el cáncer, de forma que hoy día es frecuente la curación tanto de un cáncer testicular en un hombre joven, por citar un ejemplo, como la leucemia en los niños pasando por otras muchas enfermedades cancerígenas. Tras recibir el tratamiento oportuno, la mayoría de los pacientes sanan y llegan a alcanzar una edad avanzada.

Aunque otras enfermedades cancerosas no sean aún curables, como las ahora descritas, son numerosas las personas afectadas que después de recibir la terapia adecuada logran vivir muchos años y llevar una vida normal. Esto quiere decir que además de permanecer con vida, el paciente puede "disfrutar" de esa vida.

El placer de fumar supone un alto riesgo de padecer carcinoma pulmonar, la segunda enfermedad cancerosa en importancia para las personas.

Lo más característico y típico de las células cancerosas es su áspera superficie y las largas prolongaciones filamentosas.

La carne asada "a la brasa" con carbón vegetal, es potencialmente portadora de sustancias cancerígenas.

No es una enfermedad, sino muchas

Actualmente se sabe que el cáncer, como enfermedad unitaria no existe. Lo que sucede es que hay más clases de cáncer que órganos tiene el cuerpo, y que cada una de ellas puede aparecer y manifestarse de diferentes formas, lo que equivale a decir que existen cientos de enfermedades cancerosas que deben recibir tratamientos específicos. Cada órgano tiene diferentes clases de células, pudiendo todas ellas transformarse en células cancerosas. Para calificar correctamente una enfermedad cancerosa, se debe considerar el órgano afectado (teniendo presente que los sistemas sanguíneo y linfático se tienen por órganos), el tipo de la respectiva célula original y otras características como, por ejemplo, el tamaño y extensión del tumor.

Debido a los múltiples cuadros clínicos que presentan las enfermedades cancerosas, se comprende fácilmente que sea imposible la implantación de un esquema terapéutico uniforme para luchar contra todas ellas; al contrario, las terapias son cada vez más individualizadas y complejas. Es más, puede afirmarse que, para muchas enfermedades cancerosas, hoy día se establece una terapia especial adaptada específicamente a cada paciente.

Esperanza en la lucha contra el cáncer

Las clínicas, hospitales y asociaciones que se dedican a la investigación contra el cáncer son cada vez más. Normalmente, más que buscar el éxito o el fracaso inmediato, o hallar nuevos tratamientos terapéuticos, lo que se intenta es realizar una investigación a fondo. Centenares de científicos trabajan en los centros de investigación repartidos por todo el planeta, preocupándose y tratando de dar solución a las siguientes preguntas que se plantean: ¿Cómo se produce el cáncer? ¿Qué factores lo desencadenan? ¿Cómo puede un cáncer reproducirse por metástasis? ¿Qué medidas de reconocimiento preventivo existen? Y otras muchas que surgen de la lucha en el día a día. Las respuestas que se van obteniendo constituyen la base y premisa indispensables para el desarrollo de nuevas y más eficaces terapias, o de nuevos métodos de reconocimiento.

Sin embargo, a pesar de todos los progresos, hasta el momento no se vislumbra la posibilidad de que a corto plazo se halle una solución realmente eficaz en la lucha contra el cáncer. Hasta ahora no existe ninguna vacuna que descarte el riesgo de padecimiento del cáncer, lo único que puede reducirlo algo es llevar una vida sana (→ Diez normas contra el cáncer). Por este motivo son tan importantes los reconocimientos preventivos para detectar la enfermedad, pues su descubrimiento a tiempo significa la posibilidad de tratar con éxito muchos tipos de cáncer. Someterse a estos reconocimientos es recomendable. Tan pronto como aparezca la más mínima alteración, que no desaparezca en un plazo de tiempo breve, o bien exista el temor –quizá sin motivo alguno– de haber contraído una enfermedad cancerosa-, se debe consultar necesariamente con el médico.

Obesidad, alcohol y nicotina forman una peligrosa combinación que, entre otras muchas enfermedades, también puede provocar cáncer.

La investigación contra el cáncer se basa en el análisis de las posibles modificaciones que experimenta el material genético.

En caso de que se contraiga una enfermedad cancerosa, la mejor base para superar los tiempos difíciles es una relación estable.

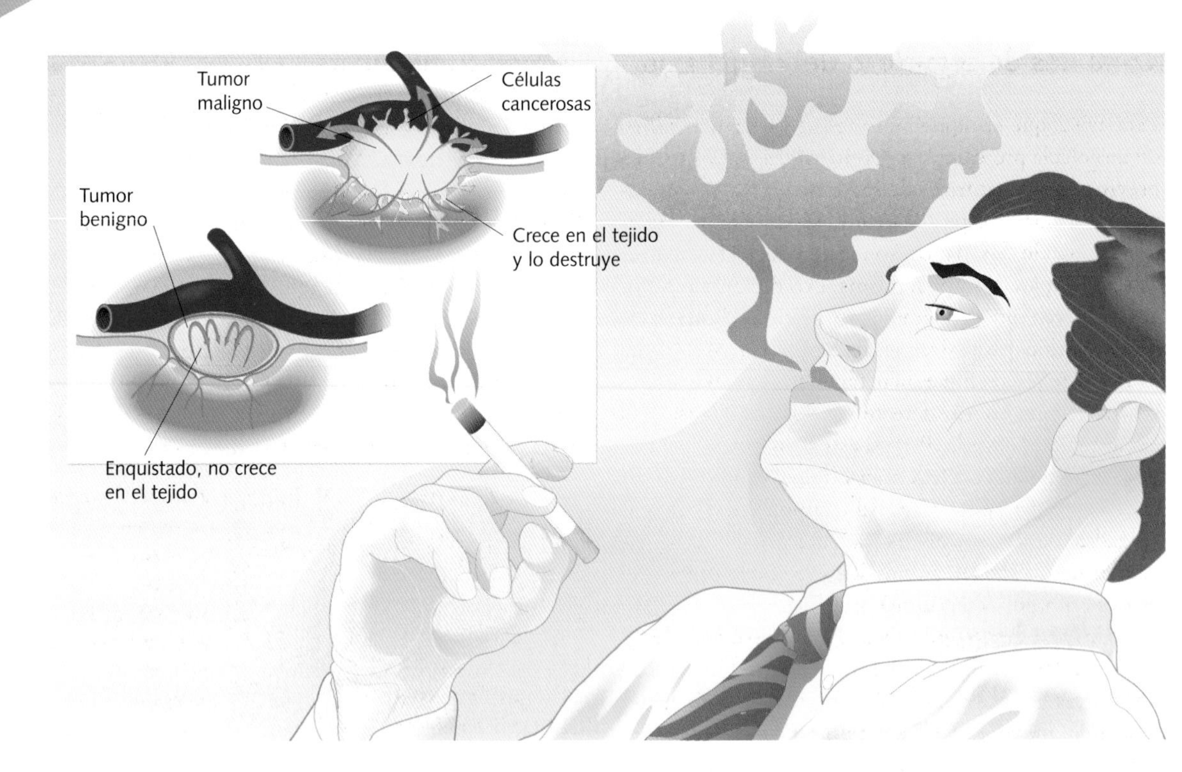

Una enfermedad llamada "cáncer"

- **Cómo se produce el cáncer**
- **Tumores benignos y malignos**
- **Metástasis**

En los últimos años, los biocientíficos han logrado desentrañar muchas piezas del complejo rompecabezas de "cómo se produce el cáncer"; piezas que, luego, se han ido encajando hasta conseguir un modelo bastante acertado. Por ahora no se comprende bien en todos sus detalles, pero describe la transformación de una célula sana en la primera célula cancerosa, hecho calificado de "accidente biológico" en el núcleo de la célula.

Un accidente biológico

Al principio, se produce una lesión en uno de los muchos miles de genes existentes en los cromosomas que alberga el núcleo de cada célula del cuerpo humano (→ La herencia). Este daño o lesión puede estar causado por factores externos, o exógenos (→ Los factores de riesgo), pero también ser el resultado de un error interno, o endógeno, debido a una alteración en el material hereditario (→ Genes cancerosos). Pero lo verdaderamente cierto es que de la génesis del cáncer no puede responsabilizarse a un único factor, pues son varios y múltiples los que intervienen y generan la susodicha enfermedad.

Los genes contienen la información hereditaria completa. Si uno de ellos recibe un daño, las moléculas de proteínas se encargan de trasladar dicha información errónea al metabolismo de las células, que reciben un encargo equivocado. Como consecuencia de todo esto, la célula no reconoce las señales de "stop" y deja de tener influencia sobre su crecimiento. Hecho que origina el que la célula se divida sin control alguno. Durante la fase inicial, tanto los elementos de seguridad que componen la propia célula como el propio sistema inmunológico del organismo, que ejerce las labores defensivas rutinarias, pueden salvar aún la situación en último extremo. Pero tan pronto como una célula "descarriada" consigue "eludir" este férreo control y se reproduce indiscriminadamente varias veces, el tumor comienza a crecer al no reconocer las defensas del organismo dicha partición anómala.

Controles de seguridad del organismo

Para evitar que cualquier error en el material genético de una célula produzca una catástrofe, la naturaleza ha previsto varios controles de seguridad. Los dos principales se llaman, respectivamente, reparación y "suicidio". Cuando los daños son pequeños, la célula es capaz de repararlos por sí misma. Los daños más grandes incluyen un "programa de suicidio", que hace morir la célula para salvar así al cuerpo. En caso de que ambos sistemas no funcionen, también es posible que el sistema inmunológico detecte la célula cancerosa y la elimine al reconocerla. Pero si estos controles de seguridad no actúan, la célula podrá reproducirse y trasladar su acción a otras partes del cuerpo. Si estas células "fugadas" superan determinadas barreras, existe la probabilidad de que vuelvan a dividirse en otras partes y el proceso tumoral (*metástasis*) prolifere.
El desarrollo de una enfermedad cancerosa tiene lugar en varias fases. En la inicial, la célula del cuerpo se transforma en cancerosa debido a la información genética; sin embargo, la formación y crecimiento del tumor requiere aún de cierto tiempo, llegando incluso a ser de varios años (*fase de latencia*). El proceso evolutivo del tumor puede verse acelerado por la acción continuada de sustancias cancerígenas y de fuertes estímulos, como inflamaciones crónicas. Durante este proceso crece a costa del tejido circundante, aumenta su tamaño y puede llegar a proliferar y formar metástasis.

¿Tumor o cáncer?

Hoy día es posible hablar abiertamente del cáncer, sin parecer que se quebrante ningún tipo de norma; sin embargo, la mayoría de las personas siguen evitando pronunciar la temida palabra. Para que el concepto empleado no suene tan drástico, tanto los médicos como los familiares –así como el propio afectado– utilizan otros nombres menos inquietantes. La realidad es que no todos los tumores son cáncer y, así, existen tumores de carácter benigno que, aunque crecen desmesuradamente y dañan los tejidos, permanecen en su lugar y no se desarrollan de forma tan destructiva con el tejido circundante como los malignos. Estos tumores tampoco proliferan y no producen metástasis.
Pero también existen unas pocas excepciones, que han hecho que algunas personas hayan fallecido como consecuencia de un tumor benigno. Un ejemplo de ello son ciertos tumores cerebrales. Cuando en el espacio limitado del cráneo se forma un tumor benigno, que no produce metástasis, su posterior desarrollo en lugar tan reducido afecta gravemente al sistema nervioso y llega a impedir que el organismo siga realizando sus tareas vitales con normalidad. Esto, inevitablemente, ocasiona el fallecimiento de la persona.
Entre los tipos de tumores malignos los hay más o menos agresivos o peligrosos, es decir, según lo rápido que sea su crecimiento; o aquéllos otros que, antes o después, producen metástasis. Así, algunos cánceres de próstata crecen tan lentamente que jamás provocan dolencias o trastornos; otros, aumentan de tamaño y generan metástasis tan rápidamente que sólo la inmediatez de un tratamiento puede salvar la vida.

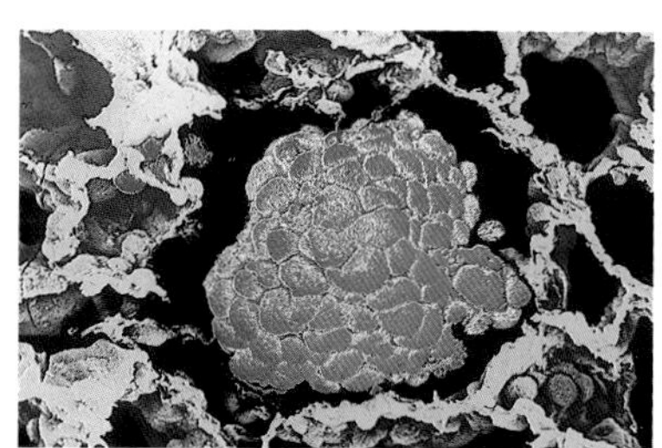

Pequeño tumor en un alvéolo pulmonar. El carcinoma pulmonar es uno de los tumores más frecuentes y malignos.

La formación de metástasis

Las metástasis son la proliferación del mismo proceso tumoral en uno o varios lugares distantes al foco primitivo. Se producen en la misma célula que el tumor y, por ello, poseen muchas características comunes. Entre los órganos del cuerpo humano más propicios para que se forme en ellos una metástasis se encuentran: los ganglios linfáticos, el hígado, el cerebro y los huesos.
Las metástasis invaden el cuerpo en un proceso que se desarrolla a través de varias etapas. En primer lugar es necesario que una célula cancerosa se independice del grupo celular y pase al sistema de vasos linfáticos o sanguíneos. Para conseguirlo va equipada con varios factores bioquímicos que, hoy en día, también se utilizan para poder diagnosticar precozmente el eventual riesgo de metástasis. Tan pronto como llega a tales vías, va diseminándose por todo el cuerpo al tiempo que presta especial atención a las "células asesinas" del sistema inmunológico (→ Células caníbales y asesinas). Superados estos escollos, la célula cancerosa busca un lugar donde poder asentarse y que le ofrezca las condiciones precisas para seguir reproduciéndose.
Precisamente uno de los principales objetivos de la investigación científica consiste en la posibilidad de intervenir en cualesquiera de los pasos que obran las diversas metástasis.

Casos de urgencia

La importancia de posibles alteraciones

Al principio de su padecimiento como enfermedad, el cáncer no es doloroso; y no lo es desde el momento que los dolores deberían ser la señal de alarma, es decir, cumplir con su función específica de señal de alarma. Pero en su estado inicial, esta dolencia no ocasiona "síntomas cancerosos", por lo que no produce molestias o dolencias típicas. Y precisamente en esto radica su forma de actuar. Existen señales de advertencia, detalles que podrían corresponder a determinadas enfermedades cancerosas. Éstas han de ser tomadas en serio, por lo que es preciso acudir al médico para su reconocimiento y posterior diagnóstico:

- Hemorragias debido a aberturas en el cuerpo, sin existir un motivo (intestino, vagina en las mujeres).
- Alteraciones cutáneas, manchas hepáticas, efélides, nevos o verrugas que crecen, se modifican o sangran; heridas que no cicatrizan (tampoco en la boca).
- Nódulos palpables, por ejemplo, en las mamas, cuello y axilas, testículos o ingles.
- Todos los trastornos que se prolongan durante más de seis semanas, por ejemplo, tos, afonía, cansancio, alteraciones en las heces o durante la micción.
- Pérdida de peso sin motivo alguno aparente.
- Inexplicable merma de la capacidad física.

¿Es cáncer?

Muchas personas que padecen estos síntomas u otras alteraciones, se resisten a consultar con el médico ante el temor a escuchar tan temible diagnóstico. Pero esta postura es del todo errónea, pues el temor al cáncer se convierte en una carga psíquica muy difícil de sobrellevar, incluso en el supuesto caso de que no exista el menor motivo para estar angustiado. Siempre que esté en juego nuestra salud, la actitud más acertada es consultar con el médico cuanto antes mejor.

Muchas clases de cáncer tienen un tratamiento con posibilidades de éxito, siempre y cuando la terapia se aplique en una fase lo más temprana posible.

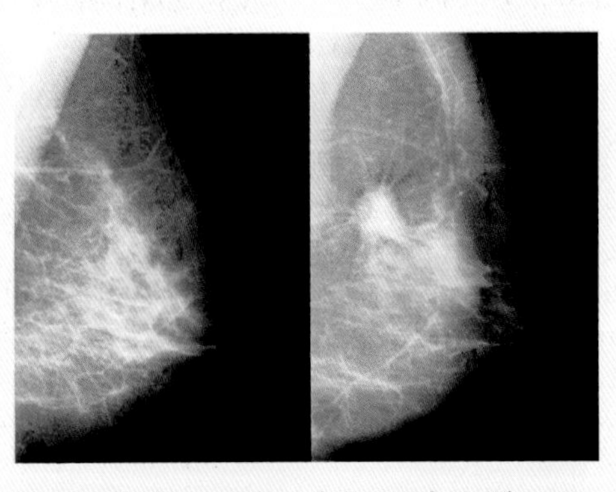

Radiografía de un pecho: a la izquierda, tejido sano; a la derecha, visualización de un tumor.

La lucha "anticancerosa"

Para muchos tipos de enfermedades cancerosas, aunque no para todas, existen reconocimientos médicos preventivos para diagnosticar esta enfermedad lo más precozmente posible.

A partir de una edad determinada, todas las mujeres y hombres deberían someterse a estos reconocimientos. Y si bien es verdad que su denominación puede inducir a error, pues ningún reconocimiento es capaz de evitar una enfermedad, están destinados a tratar de descubrir cualquier dolencia lo más tempranamente posible, para incrementar así las posibilidades de curación. De este modo, el examen preventivo y sistemático de las mujeres permite detectar numerosas enfermedades cancerosas:

- Mediante la realización de un frotis es posible descubrir el cáncer del cuello de la matriz.
- Examen de las mamas por palpación y mamografía.
- Palpación del intestino y análisis de las heces, que permite establecer eventuales alteraciones del aparato digestivo.

En el marco de estos reconocimientos preventivos, para diagnosticar o no la posible existencia de una enfermedad cancerosa en el hombre se establecen los siguientes exámenes específicos:

- Mediante palpación del intestino y análisis de las heces, se advertirán probables anomalías en el aparato digestivo.
- Palpación de los genitales externos (testículos, pene).

La persona encargada de realizar la mayor parte de estos reconocimientos es el médico de cabecera o el urólogo. En la lucha contra el cáncer tienen gran importancia, tanto para hombres como para mujeres, los reconocimientos preventivos de piel que realizará el médico de cabecera para el diagnóstico precoz de este tipo de cáncer.

Pruebas clínicas especiales

Métodos de diagnóstico

Los reconocimientos para la detección de tumores se realizan también para el diagnóstico de otras enfermedades: palpación, radiografías, ecografías, tomografía computarizada o, si se trata de los órganos del tracto gastrointestinal, la endoscopia. Son métodos que permiten visualizar el interior del cuerpo.

Biopsia

Para averiguar si un tejido posee células cancerosas, procede la realización de una biopsia, es decir, se extirpa un fragmento del tejido sospechoso y se somete a un examen al microscópico para estudiar su composición y estructura. Para ello es necesario extirpar el tumor del cuerpo, o bien obtener la prueba de tejido del mismo tumor. En ciertas ocasiones, para averiguar si es necesario extirpar más tejido del mismo tumor, el tejido se analiza mientras se procede a su extirpación.
La biopsia detecta, única y exclusivamente, la presencia "positiva". Si en ese preciso instante se descubren células cancerosas, significa que se tiene cáncer. Si no se encuentran células cancerosas, sigue existiendo la posibilidad, aunque teórica, de que en otro lugar del cuerpo existan células cancerosas.

La mamografía es un reconocimiento radiográfico indoloro de la mama.

Pruebas de laboratorio

En caso de que se haya diagnosticado la existencia de una enfermedad cancerosa, se realizarán diversas pruebas de laboratorio destinadas a definir con exactitud el tipo de tumor existente, pues la terapia además de destinarse al órgano en el que se desarrolla el cáncer ha de ajustarse a la evolución que ha registrado y a sus posibles ramificaciones. La importancia de estos análisis es mayor cuando se trata de un tumor maligno agresivo, para así estudiar la terapia que resulte más adecuada. Con objeto de determinar los factores del pronóstico, los médicos realizan cada vez más pruebas de este tipo. Se trata de valores de laboratorio con los que pueden estimar y calcular cómo será el proceso siguiente de la enfermedad.

Sistema TNM

Una primera clasificación de la importancia de la enfermedad cancerosa recibe el nombre de sistema TNM; T corresponde al tamaño del tumor, N a los ganglios linfáticos (del latín *nodus*: "nudo") y M a las posibles metástasis. Los números que siguen a dichas letras indican la extensión relativa de la enfermedad: de T_0 hasta T_4, de N_0 hasta N_4 y de M_0 hasta M_1.

Marcadores de tumores

Reciben el nombre de "marcadores de tumores" aquellas proteínas que producen ciertos tumores. Normalmente no se encuentran en la sangre, o sólo en cantidades muy reducidas. El reconocimiento para descubrir marcadores de tumores, desempeña un papel muy reducido en el diagnóstico definitivo del cáncer. Su empleo fundamental se destina a constatar cómo evoluciona la enfermedad, controlándola desde la aplicación de la primera terapia. De la evolución de los valores que arrojen los marcadores durante unos meses o años, los médicos han logrado establecer una referencia respecto de si la enfermedad ha detenido su evolución o si está creciendo un nuevo tumor en el cuerpo.
En este proceso lo decisivo no es el valor absoluto, sino la evolución que presentan los diferentes valores de cada uno de los pacientes. Por este motivo, el reconocimiento mediante marcadores de tumores tampoco es apropiado como simple prueba de sangre para detectar el cáncer, aunque a primera vista sí parezca que sea así.

Los factores de riesgo

Aunque biólogos y médicos están actualmente en condiciones de explicar cómo se produce el cáncer, a la pregunta ¿por qué enferma una persona de cáncer? no han conseguido aún, por regla general, dar la respuesta adecuada. Pero en lo que sí están de acuerdo es que el cáncer sólo es capaz de originarse con la participación y colaboración de varios componentes, y no de un único factor. Esto también podría explicar por qué grandes fumadores no han desarrollado ningún tipo de cáncer a lo largo de los años, a pesar de ser el tabaco uno de los factores de riesgo más importantes.

A diferencia de la arteriosclerosis, lo que no existe hasta la fecha es una "fórmula de riesgo" con la que cada persona, basándose en su estilo de vida, sus costumbres, sus condicionantes genéticos y otros factores, pueda estimar su propio riesgo a contraer un cáncer. Y aunque la persona lo pretendiera, el cáncer tampoco se deja influenciar por los condicionantes hereditarios, ni siquiera por la avanzada edad de ciertas personas. Pero existen algunos factores sobre los que el ser humano ejerce su influencia, como son el medio ambiente y el estilo de vida. Y, siempre que sea posible, la persona debería evitar los productos carcinógenos, es decir, aquellas sustancias que han demostrado estimular el desarrollo del cáncer y que acortan la fase de latencia.

Genes del cáncer

Salvo en muy contadas ocasiones, el cáncer no es una enfermedad de origen hereditario, aunque sí exista cierta predisposición para que vaya pasando de unas generaciones a otras. Pero con el desciframiento del *mapa del genoma humano* se han ido descubriendo cada vez más genes que desempeñan cierto papel en la formación de determinados tumores. Así, si se ha modificado el gen responsable del cáncer de mama, las mujeres que lo posean tienen mayor riesgo de contraer este tipo de cáncer. Estas alteraciones de los genes pueden reconocerse mediante una investigación especial muy costosa. Una empresa ha logrado descifrar todos los cromosomas que componen el genoma humano, ahora sólo queda *establecer el orden de los miles de millones que forman el mapa humano*. Pero lo cierto es que, hasta el momento, no se dispone de ninguna medida ni medio con el que poder evitar y eliminar por completo esta enfermedad. Por otra parte, una mujer que posea unos "genes del cáncer de mama" sanos, en absoluto podrá descartar que en algún momento de su vida pueda contraer esta enfermedad. Como regla general puede afirmarse que, quien tenga antecedentes familiares (abuelos, padres, hermanos) de personas que en su juventud enfermaron de cáncer, conviene que preste especial atención a los denominados factores de riesgo.

Medio ambiente y lugar de trabajo

El medio ambiente, el estilo de vida y la alimentación desempeñan un papel mucho más decisivo e importante en la formación de enfermedades cancerosas que la predisposición hereditaria. También revisten especial importancia los numerosos productos químicos que actualmente contaminan el aire, el agua o el propio lugar de trabajo; algunos de ellos, como por ejemplo el benceno –presente en todos los carburantes (gasolina)– o el benzopireno –que produce gases tóxicos en las combustiones incompletas–, son gases cuya presencia se ha demostrado en el humo de los cigarrillos.

El riesgo jamás podrá evitarse del todo, ni en las profesiones más controladas de la industria y artesanía, porque también en ellas puede producirse un contacto

Normas para prevenir el cáncer

El "código de la lucha contra el cáncer" (publicado por la Unión Europea) contempla las medidas más importantes que deben adoptarse para evitar el padecimiento del cáncer y reconocer precozmente esta temible enfermedad:

- ¡Evitar fumar y, especialmente, el tabaquismo!
- ¡Beber alcohol en cantidades moderadas!
- Comer a diario fruta, verduras y cereales ricos en fibra. ¡Preparar las comidas con poca grasa!
- Mantener el peso adecuado según la estatura, y practicar ejercicio físico con regularidad.
- ¡Evitar la exposición prolongada a la radiación solar y a las insolaciones! Normas especialmente aplicables para los niños.
- ¡Observar las normas de seguridad en el trabajo!
- ¡Acudir al médico si se observan alteraciones (→ Señales de alarma) en el organismo!
- ¡Consultar con el médico si se padecen molestias (incluso sin relevancia) que se prolongan demasiado tiempo!
- ¡Tomarse el tiempo necesario para someterse a los reconocimientos médicos preventivos!
- ¡Además, las mujeres han de vigilar y observar regularmente las mamas!

directo con sustancias cancerígenas, ya que normalmente se inhalan a través de las vías respiratorias. En muchos países se publican listas oficiales que dan a conocer los compuestos químicos o elementos que propician la formación del cáncer de manera habitual. Entre las sustancias más peligrosas se encuentran productos como el amianto, arsénico, alquitrán, níquel, así como el polvillo de la madera de haya y encina.

El peligro de las radiaciones depende de la dosis y de la constitución personal. Además de para la radiación UV natural, esto también es válido para la emisión radiactiva a la que el individuo se expone en los reconocimientos por rayos X, o por motivos profesionales. Lo que sí puede afirmarse con toda certeza es que las dosis elevadas siempre son dañinas.

Estilo de vida y alimentación

Entre los factores de riesgo más importantes dentro del estilo de vida que impone la sociedad actual figura el humo del tabaco que, como mínimo, contiene 40 sustancias consideradas carcinógenas. Los efectos del humo del tabaco aumentan con una ingesta de alcohol periódica. Ingesta que previamente lesiona unos tejidos que, posteriormente, el humo se encarga de atacar con mayor virulencia al no encontrar resistencia por parte del sistema inmunológico de la persona que fuma.

A todo ello se suma muchas veces el sobrepeso o exceso de peso, una dieta alimentaria equivocada (muy poca fruta y verduras, y exceso de carne y grasas) y, también, aquellos alimentos en cuya composición entran sustancias carcinógenas como las nitrosaminas. Estas sustancias se producen en los productos ahumados y muy salados, que contienen mucho nitrato, y en la fruta y las hortalizas (sobre todo espinacas, ensalada, rábanos, pepinos) procedentes de cultivos que se abonan de manera intensiva con nitratos. Una sustancia muy peligrosa en la formación del cáncer es la denominada aflatoxina, veneno de determinadas especies de setas venenosas que también se forma en varios alimentos.

En la prevención del riesgo de cáncer siempre se habla de los preparados vitamínicos y de un oligoelemento llamado selenio. Pero lo cierto es que una alimentación variada proporciona las suficientes vitaminas y oligoelementos que necesita el organismo. Incluso es posible que algunas clases de hortalizas, como por ejemplo el brécol u otras clases de repollo, contribuyan a impedir la formación del cáncer intestinal.

Los alimentos que contienen grandes cantidades de selenio son: el pescado, los huevos, las legumbres y la nuez de coco.

Cáncer y virus

Recientes investigaciones han puesto de manifiesto que los virus desempeñan, más de lo que se pensaba hasta no hace mucho tiempo, un importante papel en la formación y desarrollo del cáncer. Algunos virus, causantes por ejemplo de las verrugas y de los papilomas, colaboran en la formación del cáncer del cuello de matriz o del carcinoma cutáneo; así mismo, los virus de la hepatitis B pueden propiciar la formación de tumores hepáticos. También las bacterias mantienen una estrecha relación en la formación del cáncer; así, la denominada *Helicobacter pylori*, responsable de los tumores gástricos y gastrointestinales, también colabora y es responsable del carcinoma de estómago.

Cáncer y psique

Desde siempre se sigue discutiendo sobre si la persona posee unas cualidades y aspectos determinados que favorezcan la aparición de una enfermedad cancerosa, es decir, si existe o se da una "personalidad cancerosa". Muchos científicos rechazan esta aseveración aduciendo muy buenos argumentos. Pero lo que la investigación neuroinmunológica sí parece corroborar, cada vez con más visos de realidad, es que la alegría de vivir y un gran optimismo conforman una base que ejerce una influencia muy positiva sobre el proceso clínico de toda enfermedad, aunque se trate incluso de una enfermedad cancerosa.

Diagnóstico cáncer

Decirle a una persona que padece un cáncer, equivale a provocarle un desencanto que puede llevarle al *shock*. Luego, pueden sucederse diversas fases en las que se niega a reconocerse a sí mismo que padece un cáncer; y otras, en las que medita profundamente sobre las causas de la enfermedad. También aparecen fases en las que el enfermo parece resignarse y considerar que todo está perdido; pero también otras en las que el desea luchar y vencer a la enfermedad. Muchas personas confiesan que tres han sido las cosas que les han ayudado a sobrellevar la enfermedad: la información exacta sobre lo que le pasa, la absoluta franqueza en el entorno personal y la confianza en sí mismo y el tratamiento médico.

Infórmese

Entre tanto, existen muchas posibilidades de información para que tanto las personas enfermas de cáncer como sus familiares conozcan la situación. Hoy día las librerías disponen de una amplia gama de libros especializados, divulgativos y científicos, para contestar a sus dudas y preguntas, y que incluyen casos reales de personas que han superado la enfermedad. Además, existen publicaciones con colaboraciones científicas, aunque en este último caso no siempre resulta fácil distinguir entre informaciones serias y otras con intenciones puramente mercantiles. También desempeñan un papel fundamental las asociaciones de afectados y organismos oficiales que, ubicados en muchas ciudades, asesoran, por ejemplo, a las mujeres que padecen cáncer de mama o a los padres que tienen hijos con cáncer.

¡Hable de su enfermedad!

En su padecimiento la persona afectada no debe silenciar su enfermedad, sino que debe hablar abiertamente de ella, sobre todo con su compañero/a sentimental, con su familia y con sus amistades. Y muy especialmente debe dialogar con el médico, informándole de todo lo que le sucede. Y, aunque muchas veces le obligue a dejar su vergüenza a un lado, también debe preguntarle todo aquello que desea saber, pues el conocimiento le ayudará a enfrentarse activamente con la enfermedad. Si tiene la sospecha de que el médico le oculta algo, o si duda de que la terapia sea la correcta para su curación real, conviene que tenga la opinión de un segundo médico. Lo más conveniente es que todos los involucrados formen un equipo y discutan en común cómo proceder.

Intente tener confianza

Un paso muy importante consiste en tener absoluta confianza en las decisiones terapéuticas adoptadas, en uno mismo y en las fuerzas o poderes curativos del propio organismo; pero, también, en todas las personas que le rodean y acompañan en el difícil camino que supone la enfermedad. Una vez se ha tomado la decisión de aplicar una terapia determinada, conviene que el paciente haga lo posible por llevarla a cabo hasta su fin, procurando no interrumpirla para experimentar con otra terapia. Si surgen dudas, cosa que normalmente sucede casi siempre, es necesario hablar de ello. Pero también es preciso saber reflexionar y ser tolerante con uno mismo. El paciente que cada semana cambia de parecer, no adelantará gran cosa.

Las personas que ayudan a las personas enfermas de cáncer –bien sean amigos o familiares, bien ayudantes profesionales o consejeros– son muchas, y aceptar esta ayuda alivia siempre al enfermo. Nadie es tan fuerte como para resistir todo solo, sobre todo durante las fases en las que el cuerpo del enfermo se ha debilitado de especial manera debido a la propia enfermedad o a la terapia aplicada. Precisamente en estos instantes es cuando más importante y necesario se hace disponer de personas al lado en quien confiar, y que brinden al enfermo la ayuda precisa para superar la fase crítica con confianza. No se avergüence si necesita buscar ayuda en una asociación o grupo de personas afectadas. En este círculo encontrará, además de comprensión y consejos prácticos, ánimo y sugerencias que le ayudarán a reencontrarse consigo mismo.

¿Cúanto tiempo le queda aún de vida?

Tan pronto se escucha el diagnóstico, esta pregunta es la que inmediatamente se hacen todos los enfermos de cáncer. Pero nadie, ni el médico más experimentado, puede predecir con exactitud cuánto tiempo de vida le queda a una persona. Basándose en las experiencias y cálculos estadísticos, el médico sólo podrá pronosticar la evolución del proceso clínico de la enfermedad.

Para establecer un pronóstico se necesitan muchos datos e informaciones relacionadas con la clase de enfermedad y la fase en la que se encuentra. Puede suceder que una paciente con cáncer de mama fallezca pocos años después de que el médico le diagnostique la enfermedad, mientras en otros casos la paciente logre superar la enfermedad y llegue a alcanzar una edad muy avanzada. Lo que el futuro nos depara es algo que en gran parte depende de las posibilidades terapéuticas

del momento, pero también viene impuesto por los acondicionamientos personales, un aspecto que no recoge ningún tipo de estadística.
En el día a día surgen constantemente casos de personas a las que se les ha diagnosticado esta grave enfermedad y que, después de un tiempo, han conseguido sanar por completo como si de un milagro se tratase.
El lenguaje técnico médico designa a esta situación como "curación espontánea". Y, aunque esta situación no suele ser muy frecuente, nunca puede descartarse por completo que suceda. Lo que sí es mucho más frecuente es que los médicos, con su mejor entender y saber, establezcan pronósticos que luego no se cumplen pasado el tiempo. De esta manera, son numerosos los pacientes que han logrado sobrevivir muchos años al diagnóstico vaticinado por sus médicos.

El diagnóstico de un cáncer produce miedo e incertidumbre, momento en el que el cariño y la ayuda psíquica son más importantes que nunca.

En muchos tipos de cáncer sucede que, transcurridos cinco años, se alcanza y sobrepasa esa especie de "límite mágico" establecido. Quien tras escuchar el primer diagnóstico se somete a la primera terapia y logra sobrevivir cinco años sin padecer la menor recaída, ni sufre renovados síntomas, podrá afirmar –casi con total seguridad– que ha vencido definitivamente a la enfermedad. El espacio de tiempo que debe transcurrir entre cada uno de los reconocimientos posteriores, cada vez más espaciados, desempeña un papel decisivo en todo este proceso de curación de la enfermedad, hasta que, llegado un momento, se conviertan en innecesarios o se realicen por rutina.

Un trato familiar

Si no es usted quien padece la enfermedad, debe mantener con la persona afectada la misma relación que con las demás, es decir, un trato natural, abierto, sincero, dialogante, amistoso, cordial, cariñoso y respetuoso. A los enfermos de cáncer no es necesario tratarlos con un exceso de pleitesía pues, aunque padezcan esta enfermedad, siguen siendo las mismas personas de antes, cuando no tenían dolencias, dispuestas a luchar tanto física como psíquicamente. Es equivocado ocultarles la verdad ya que, al contrario de lo que se cree, saben muy bien lo que les sucede. Es más, incluso advierten cuándo alguien intenta engañarles; en realidad, lejos de ser un alivio, las buenas intenciones representan una contrariedad. Estos enfermos tienen la sensación de que se les aparta del círculo afectivo que necesitan, de haberse convertido en una molestia y una carga, y de que no reciben la misma consideración que los demás. Es preciso hablar con ellos de sus propias preocupaciones y problemas, pero debe evitarse caer en la tentación de hacerlos partícipes de nuestros problemas y preocupaciones.
Por muy importantes que sean la dedicación y los cuidados, es obligado pensar que un exceso de celo puede ser contraproducente. Recibir ayuda siempre es bien recibido, ya sea en la vida cotidiana, ya sea en la solución de asuntos oficiales o, incluso, para solventar el problema de traslado hasta la consulta del médico. Siempre y cuando el enfermo lo solicite, se le puede prestar una buena ayuda recabando la información que precise.
El enfermo suele conservar el placer de la sexualidad, o recupera ésta inmediatamente después de la interrupción necesaria debida a la terapia. Para la mayoría de las mujeres y hombres afectados, la sexualidad es la gran confirmación de que su compañero/a redescubre nuevamente su atractivo y deseo. Si el enfermo tuviese miedo (posiblemente de forma inconsciente) de mantener un contacto físico con su compañero/a, que impida un encuentro placentero y feliz, es necesario que ambas partes hablen con toda sinceridad del problema. Las parejas que no poseen la facilidad de palabra necesaria, deberían olvidar sus vergüenzas y solicitar la ayuda y el consejo que precisan de un profesional.

El tratamiento

El cáncer es una enfermedad cuyo tratamiento suele requerir una delicada intervención quirúrgica. Si son detectados precozmente, los tumores se eliminan mediante cirugía. Además, la terapia suele complementarse con la aplicación de radioterapia o quimioterapia con medicamentos citostáticos, que destruyen las células y frenan el crecimiento de los tumores.
Aunque existen muchas terapias que pueden colaborar en la eliminación de la enfermedad cancerosa, éstas son complementarias y en ningún caso excluyen a una de las tres terapias principales.

El cuidado de la persona

Durante los últimos años, la investigación científica ha conseguido que la terapia contra el cáncer pierda algo del temor que suscitaba. Hoy los médicos pueden combatir el tumor canceroso, salvar el tejido sano y tratar con cuidado a la persona. También se han desarrollado medicamentos que reducen los efectos secundarios de las radiaciones y la quimioterapia.

Terapias a medida

El segundo gran adelanto médico ha sido conseguir que la terapia se ajuste a las características de la enfermedad de cada paciente. La terapia esquemática de otros tiempos era sencilla y se aplicaba globalmente, pero en la actualidad cada enfermo recibe un tratamiento estudiado "a medida", diferente en su composición o en su aplicación al que reciba otro paciente con el mismo tipo de cáncer.

La intervención quirúrgica

La intervención quirúrgica sólo tiene sentido cuando se forman tumores, pero no en caso del cáncer de sangre o de linfomas. Los tumores que aún no han invadido órganos vecinos tienen operación. Para ello se realiza la *tumorectomía*, que consiste en extirpar el tumor con unos márgenes de seguridad que afectan al tejido sano circundante. Este sistema permite extirpar el tumor, una vez se ha comprobado que no existe metástasis. Este método es muy utilizado en casos de cáncer intestinal o de carcinoma renal, siempre y cuando la intervención quirúrgica se realice en una fase muy precoz.
Las operaciones son hoy día mucho menos invasivas, lo que significa que en vez de extirparse todo el órgano afectado se elimina únicamente la zona donde radica el tumor (*segmentectomía*). También el resultado "estético" ha mejorado de forma considerable, especialmente en las intervenciones quirúrgicas del cáncer de mama y de tumores en el rostro. Por otra parte, algunas clases de cáncer pueden operarse mediante endoscopia, por lo que sólo se precisa realizar una minúscula incisión.
Durante las operaciones suele extirparse la zona de evacuación linfática circundante debido, por una parte, a que en ella es donde más rápidamente se forman las metástasis –o se han formado– y, por otra, para poder analizar dicho tejido. Se considera que la cantidad de ganglios linfáticos afectados es un factor importante determinar para el pronóstico y establecer la terapia que requiere cada caso particular.

Configuración individualizada de una radiografía en el ordenador, que también incluye la dosificación exacta.

Las radioterapias

En muchos casos, la intervención quirúrgica completa el tratamiento con una terapia de radiaciones ionizantes (que producen iones), que podrán ser corpusculares (radiación Alfa o Beta, neutrones o electrones), o electromagnéticas (rayos X, radiación Gamma).
En ocasiones, la radiación se efectúa antes de la operación para reducir el tumor y extirpar el resto con facilidad. Otras veces, la radiación conviene efectuarla posteriormente para destruir las células cancerosas que no hayan sido eliminadas en la operación. Pero no siempre es posible aplicar una terapia radiológica, ya que los diversos tipos de cáncer tienen diferentes sensibilidad a las radiaciones. La técnica actual permite aplicar las radiaciones exactamente sobre el tumor, quedando protegido el tejido sano circundante.

Para destruir las células cancerosas, la dosificación ha de tener una determinada magnitud y se suele efectuar en varias sesiones, debido a que las células sólo pueden destruirse en una determinada fase de su vida. Pero como las células de un tumor no todas se hallan en la misma fase, procede la repetición de las radiaciones para conseguir destruir a casi todas.
Sin embargo, no es posible evitar la destrucción de células sanas, por lo que los efectos secundarios dependerán de la dosis radiactiva utilizada y, a su vez, de la clase de radiaciones y de la región del cuerpo expuesta. Después de la exposición global a las radiaciones, con frecuencia se producen inflamaciones cutáneas y conjuntivas, además de malestar generalizado. Pero por regla general, estos trastornos suelen desaparecer pasado algún tiempo.

La quimioterapia

Son muchas las personas que temen a la quimioterapia, ya que saben que normalmente se acompaña de intensos y desagradables trastornos, debido a los efectos secundarios que producen los fármacos administrados (*citostáticos*). En realidad, estos fármacos, cuya misión es destruir las células malignas (*quimioterapia antineoplásica*), presentan una serie de efectos secundarios como consecuencia de que, además de a las células cancerosas, también atacan a aquéllas otras que se dividen y crecen con rapidez, como sucede con las células de las mucosas del estómago e intestino. La consecuencia es que muchos pacientes padecen náuseas, por lo que se ven obligados a vomitar (existen fármacos especiales contra estas náuseas). También las células en las raíces capilares se dividen con cierta frecuencia y, como los cabellos crecen de forma constante, se puede producir la pérdida temporal de cabello.
Mediante una combinación de medicamentos ha sido posible reducir la dosificación de los agentes activos de cada uno de ellos. Gracias a esto, se ha conseguido que los efectos secundarios sean menos intensos que hace algún tiempo, sin olvidarse de aquellos medicamentos que evitan tales trastornos y que, incluso, permiten que la quimioterapia sea hoy más llevadera.

La inmunoterapia

El sistema inmunológico tiene capacidad para destruir los agentes patógenos que invaden el organismo, y del mismo modo puede defenderse y rechazar también el cáncer, siempre y cuando el número de células no crezca de forma desorbitada. Así es como procede a diario el sistema inmunológico del cuerpo que está sano. Por este motivo, los investigadores desarrollaron una terapia que permitiese mejorar las defensas del propio cuerpo, reforzando así la lucha contra el cáncer. Aunque la finalidad de la inmunoterapia es más bien servir de ayuda que curativa, este sistema ha cosechado ya sus primeros éxitos tras su aplicación en cirugía, radioterapia y quimioterapia.
Fundamentalmente ha quedado demostrado que la inmunoterapia sólo es eficaz si se emplea en una fase muy precoz de la enfermedad; si el número de células cancerosas es muy elevado, el sistema inmunitario se desborda y se muestra incapaz de combatirlas a todas. Por otra parte, la inmunoterapia correctamente aplicada puede resultar de gran utilidad al reducir los efectos secundarios de la quimioterapia.
Las personas que ofrecen métodos terapéuticos no convencionales (→ Terapias anticancerosas alternativas) alaban, sobre todo, los efectos inmunoestimulantes de sus productos. Pero, a diferencia de las sustancias que la medicina clásica aplica en la inmunoterapia, la eficacia de aquellos productos no está avalada con la garantía de las investigaciones científicas.

La terapia del dolor

Tan pronto como la enfermedad llega a una fase muy avanzada, los enfermos de cáncer pueden padecer dolores muy intensos, casi insoportables, especialmente cuando se trata de metástasis óseas. Gracias a la moderna terapia del dolor, los dolores que alcanzan unos límites intolerables es posible reducirlos con la aplicación de medicamentos, o incluso eliminarlos por completo. Si fuera necesario, el médico se encargará de prescribir opiáceos, como la morfina, y su dosificación. Estos medicamentos es importante que se administren siguiendo un plan previamente establecido, y no sólo cuando el dolor tortura al paciente. Teniendo presente que el uso de la morfina está sometido a un severo control legal en todos los países, el médico tiene la obligación de entregar unas recetas especiales. Sin embargo, no es frecuente su prescripción debido a la dependencia psíquica que puede llegar a crear; aunque poca importancia tiene esta circunstancia en un enfermo de cáncer, si bien es cierto que a estos enfermos no se les administran siempre los analgésicos suficientes que tanto precisan. En caso de que los terribles dolores no cesen con los analgésicos habituales, el paciente debe exigir que se le administre el medicamento o estupefaciente más eficaz según sea su estado.

Otros métodos terapéuticos

Junto con las terapias tradicionales contra el cáncer (cirugía, radiación y quimioterapia), existe una serie de métodos potencialmente eficaces y que pueden aplicarse en algunos casos concretos o, al menos, de manera complementaria. Los tumores de los órganos genitales, por ejemplo, cuyo crecimiento depende del nivel hormonal, podrán recibir una terapia adicional que regule este nivel. En la terapia de la leucemia, el trasplante de médula ósea desempeña un papel nada desdeñable.

Otros métodos se hallan todavía en fase de estudio y experimentación, por ejemplo la llamada terapia hipertérmica (*hipertermia*). Con este método, determinadas regiones o zonas del cuerpo, o incluso todo el organismo, elevan su temperatura hasta los 42 °C para, mediante esta fiebre creada artificialmente, intentar la destrucción del tumor que afecta al paciente

Terapias alternativas contra el cáncer

Muchos enfermos de cáncer depositan todas sus esperanzas en métodos terapéuticos nada convencionales, bien por la desconfianza de la medicina "escolástica" (relativo a las escuelas y especialmente a la de Aristóteles), bien por miedo a los efectos secundarios de la terapia anticancerosa habitual; o, incluso, ante la necesidad de desear la participación activa y personal en la terapia que propicie su curación y, así, evitarse la dependencia pasiva de los conocimientos científicos médicos y de la avanzadísima tecnología de la medicina. En este terreno, pasan del centenar el número de terapias que se le ofrecen al enfermo. Pero sólo aquéllas que ofrecen unas ideas más prometedoras y eficaces se comprueban científicamente y, entonces, se incorporadas al catálogo de terapias disponibles.

Junto a estos métodos existen otros que basan algunas de sus partes en la medicina experimental, renovados parcialmente pero cuya eficacia no ha podido ser demostrada científicamente. Algunos de estos métodos pueden adquirirse libremente en las farmacias; otros, los aplican los médicos en las clínicas.

La demanda de nuevas terapias por parte de las personas afectadas, ansiosas por su curación, es realmente grande. Más de la mitad de los enfermos ha probado alguna vez alguno de estos métodos alternativos, muchas veces incluso después de haber recibido una terapia completa, y siempre con la intención de evitar la temida recaída.

Los métodos terapéuticos no convencionales, que tienen su origen en la medicina natural, pueden aplicarse sin el más mínimo temor. Así, por ejemplo, algunas personas comentan a su médico que se encuentran mejor después de una terapia con muérdago, a pesar de que se desconozca si ha influido positivamente en el proceso de la enfermedad. Aunque sea discutible la eficacia de estos preparados con muérdago y de otros productos naturales, muchos médicos los aceptan como medicamentos complementarios. Si el paciente desea consumir estos productos, conviene que consulte antes con su médico, porque sólo él le advertirá de los posibles efectos secundarios. Junto a muchos remedios realmente inocuos, existen también otros métodos que implican ciertos riesgos.

En la medicina antroposófica, el muérdago fue utilizado como remedio contra el cáncer.

El tratamiento con ozono ha sido el origen común de varios casos de embolias. La terapia hipertérmica encierra ciertos peligros. Y especialmente sospechosos son siempre los métodos muy caros, ya que en algunos casos a quiénes realmente "sanan económicamente" son a su inventor o a su vendedor.

Las características comunes que permiten reconocer a aquéllos que se proclaman ellos mismos como "curanderos", generalmente suelen ser las siguientes:

- Según ellos, el método que aplican lo han inventado y desarrollado personalmente basándose, probablemente, en una teoría que han desarrollado sobre la génesis del cáncer.
- Condenan la medicina académica.
- El tan elogiado método es una especie de "curalotodo", que se aplica a todas las clases de cáncer y que no posee efectos secundarios.
- La terapia ha sido desarrollada por laboratorios especiales, pero no se utiliza en la práctica habitual.
- Como demostración de la eficacia del tratamiento se muestran informes y comentarios de pacientes muy importantes, así como cartas de agradecimiento.
- El método suele anunciarse publicitariamente en algunas revistas sensacionalistas.

Después de la terapia

Son muy pocos los enfermos de cáncer que recobran por completo la salud tras la aplicación de la primera terapia, aunque existan casos felices, especialmente después de intervenciones quirúrgicas en una fase inicial de la enfermedad. El paciente podrá recuperarse dentro del marco de un tratamiento posterior, o de una cura de rehabilitación, y participar en un programa de ejercicios para recobrar la movilidad y las fuerzas perdidas.

La vida después

Incluso después de finalizar todas las terapias necesarias, la desconfianza de haber recuperado plenamente la salud domina a muchos "ex enfermos" y les tranquilizaría hacer algo para evitar que el cáncer se produciese de nuevo en su persona.
En este período de tiempo es muy importante informarse con todo detalle sobre los factores de riesgo. Tras el padecimiento de un cáncer, las recomendaciones generales son las mismas que para toda persona sana: una alimentación equilibrada y sana, mucho movimiento y ejercicio físico y un ritmo de vida equilibrado. La adopción de medidas excepcionales, dependerá siempre de la enfermedad que se ha padecido.
Para los problemas que surjan relacionados con el cáncer, existen asociaciones y grupos locales de personas afectadas donde, además de ayuda, le informarán y asesorarán en todo momento, incluso por teléfono.

Revisiones médicas posteriores

Después del tratamiento contra el cáncer, la persona afectada debería someterse regularmente a las revisiones médicas periódicas establecidas, en las que aparte del estado general se verifican las eventuales recaídas o recidivas y se reconoce precozmente la aparición de posibles metástasis. Durante los primeros meses y años, el riesgo no deja de ser relativamente importante. Las enfermedades cancerosas con metástasis no suelen tener curación posible, pero existen muchas posibilidades para evitar o reducir las dolencias.
Dependiendo de la clase de cáncer que se haya padecido, existe un período de tiempo para fijar conjuntamente con el médico las fechas de los reconocimientos periódicos posteriores, en los que se efectuarán diferentes estudios y análisis como, por ejemplo, una tomografía computarizada y una escintigrafía o gammagrafía, para así visualizar los diferentes órganos y detectar eventuales metástasis en éstos o en los huesos.
La determinación de los "marcadores de tumores", permite asimismo averiguar cómo es el proceso posterior de la enfermedad.
El centro neurálgico de esta revisión médica posterior tiene entre sus objetivos un mayor diálogo con el médico, quién también puede brindar a la persona enferma ayuda psíquica concreta o recomendarle un psiquiatra de su confianza.

El posterior tratamiento psicosocial

El cáncer es una enfermedad que no sólo afecta físicamente a la persona, pues también supone una pesada carga psíquica para ella. Por este motivo, muchos enfermos precisan de tratamiento psíquico, así como ayuda y atención en el ambiente familiar. Este tratamiento psicosocial posterior lo asumen las asociaciones, grupos de afectados y organismos estatales, como es el caso, por ejemplo, de las destinadas a la lucha contra el cáncer, que bajo el lema: «Enfermos de cáncer ayudan a enfermos de cáncer», todos sus miembros se preocupan por aquellas personas que padecen enfermedades cancerosas.
La ayuda psíquica para superar la enfermedad es tanto más necesaria cuanto más se revele la imposibilidad de curación. Que la vida también se disfruta en toda su intensidad y parece más bella tras haber superado la enfermedad, y quizá precisamente a causa de ello y después de comprobar cuán limitada es, no deja de servir de experiencia enriquecedora; en este sentido, muchos son los enfermos de cáncer que han corroborado esta observación. Experiencia para la que, y no en última instancia, los familiares, amigos y otros afectados han abierto la puerta de la esperanza de par en par.

Para muchas personas, la experiencia de una enfermedad cancerosa sirve para iniciar una nueva vida cargada de esperanza y de proyectos.

Diagnosis y terapia

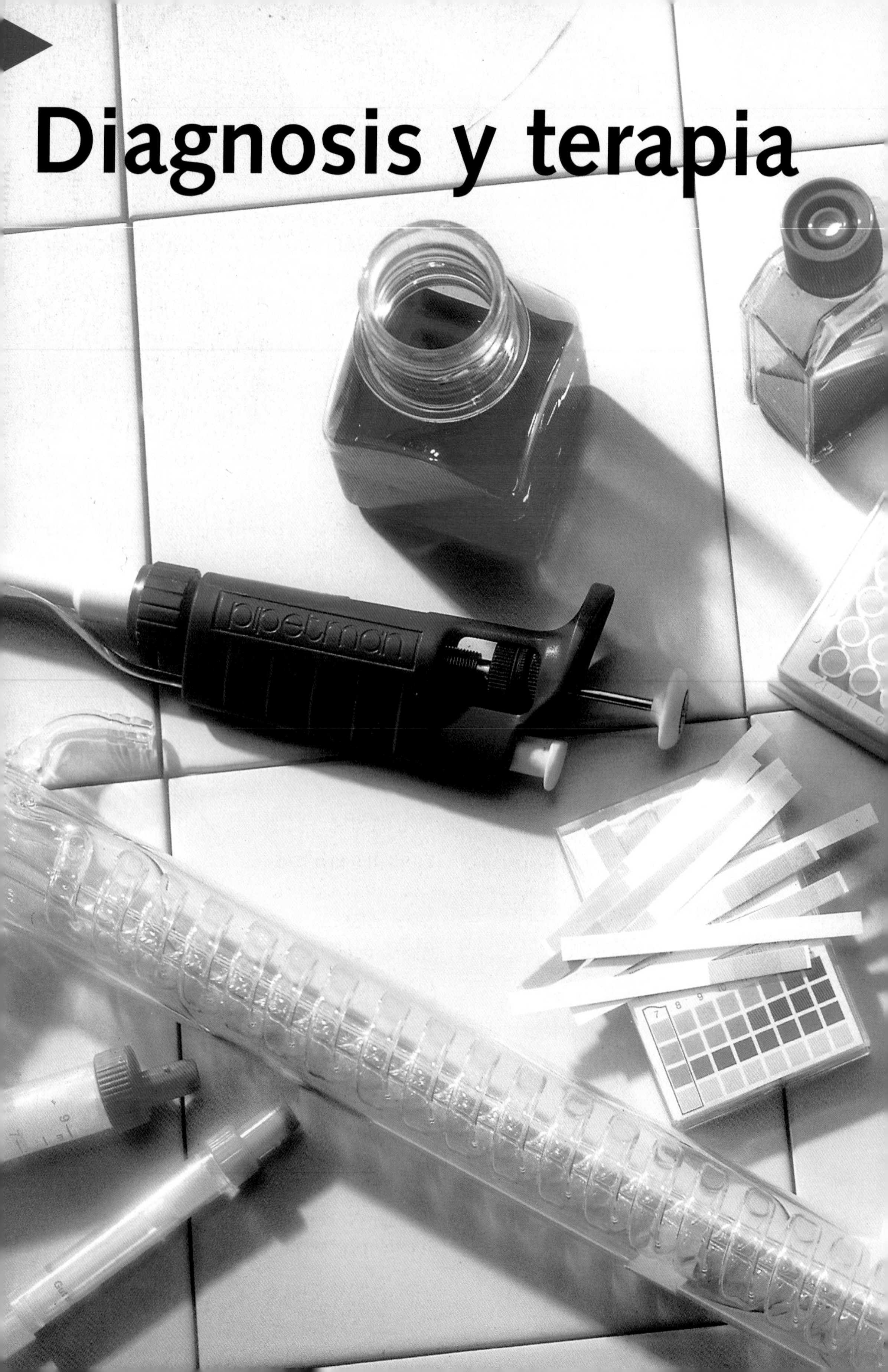

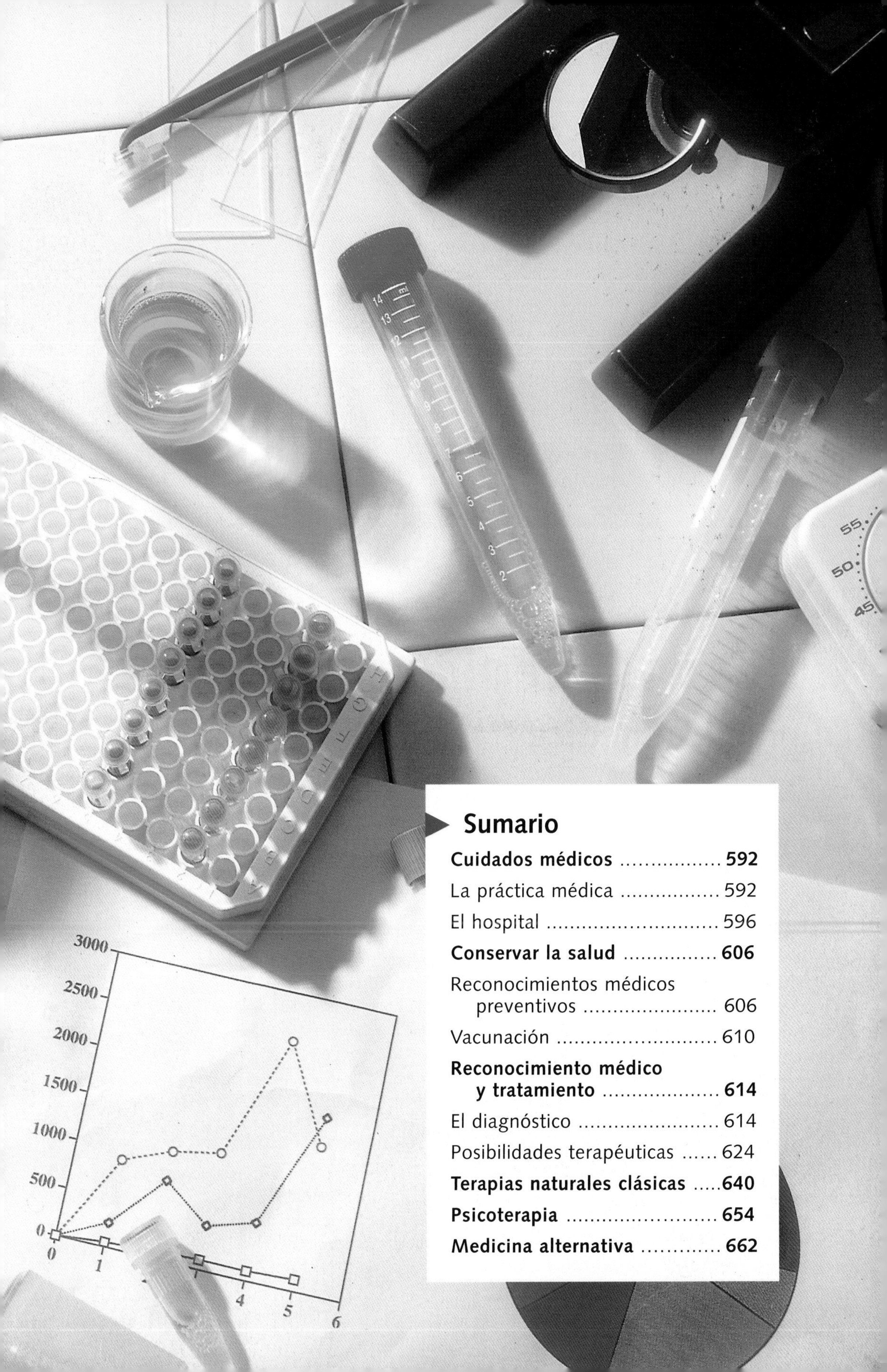

Sumario

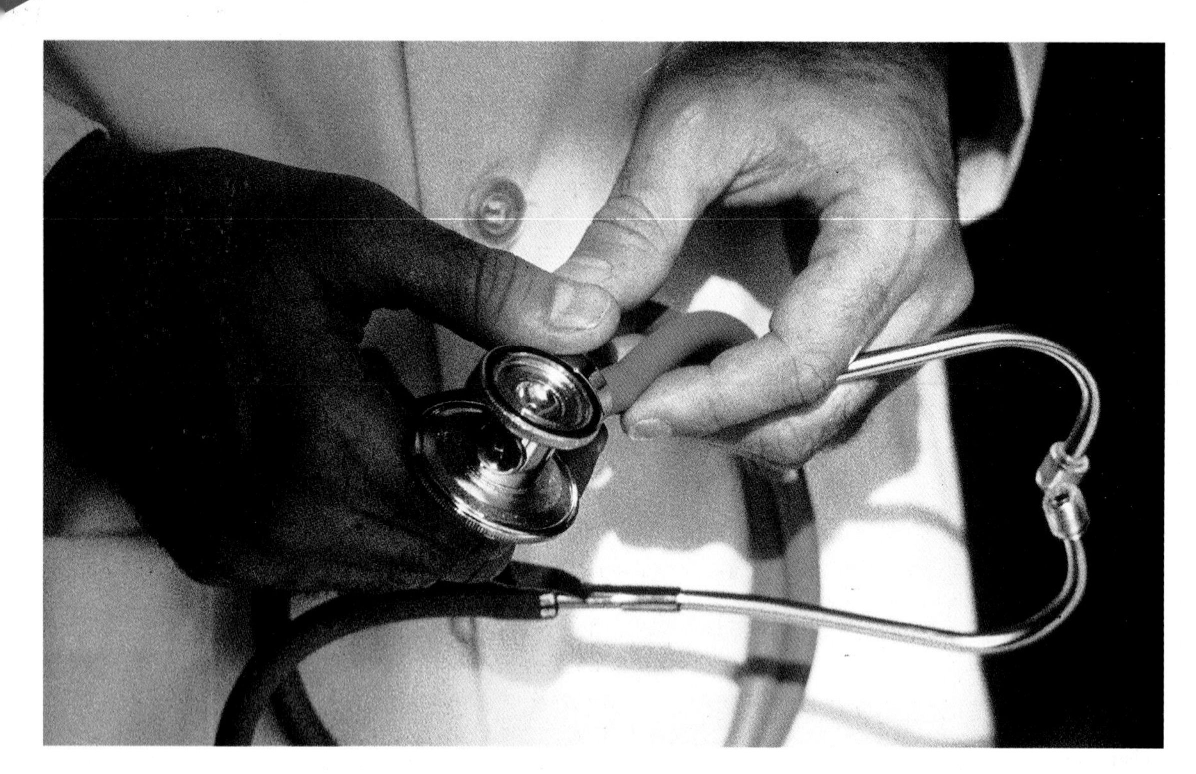

Cuidados médicos

La práctica médica

La primera persona con quien el enfermo debe hablar de sus padecimientos, es con su médico de cabecera, ya que ha realizado prácticas y recibido la formación que le faculta como tal. Es decir, tiene su experiencia en cuidados médicos. Lo ideal es que atienda al paciente durante muchos años y que sea de su plena confianza. Esto tiene su fundamento en que, por una parte, puede reconocer y tratar una serie de enfermedades; y, por otra, conoce los problemas de salud que padece el enfermo y le puede remitir al especialista indicado.
Especialmente en aquellas enfermedades que requieren la opinión de varios especialistas, el médico de cabecera se encarga de la coordinación: evita pruebas repetitivas, recopile los resultados de los reconocimientos y forma el "cuadro" de la evolución de la enfermedad.
Si el enfermo sabe de antemano que necesita ir a un especialista, puede hacerlo directamente sin citarse previamente con el médico de cabecera. Solamente para realizarse análisis clínicos, o para el radiólogo se necesita siempre el volante del médico de otra especialidad.

El médico más conveniente

Además de la competencia profesional, es importante tener confianza en el médico: se debe tener la seguridad de que se está en las mejores manos y de que se puede hablar con sinceridad de todos los padecimientos y problemas. Otro tipo de cualificación adicional, por ejemplo un método especial de tratamiento, será determinante en la elección.
También es esencial que dicho médico lleve a cabo visitas domiciliarias, la posibilidad de llegar a la consulta en los medios de transporte públicos, la cita previa sin tiempos de espera demasiado largos o si habla sinceramente con el enfermo de la dolencia que padece.

Tratamientos alternativos

Si tiene preferencia o se decanta por los tratamientos de la medicina alternativa, lo más conveniente y adecuado es que consulte con un médico que tenga la formación adicional correspondiente (por ejemplo, en medicina

naturista, homeopatía o acupuntura); o bien, que visite a "sanadores". En cualquier caso, lo más oportuno es informarse de los pasos que debe seguir y de si el coste de la consulta y tratamiento se hace cargo el seguro de enfermedad, la mutua, el seguro privado o, por el contrario, lo ha de pagar de su propio bolsillo.
Los "sanadores" no suelen tener una formación académica como la de los médicos, aunque la mayoría de ellos basan sus conocimientos en lo empírico y lo tradicional. En cualquier caso, deben demostrar su competencia en el diagnóstico de las enfermedades para remitir al médico a aquellos pacientes con dolencias graves o infecciosas que sólo éste puede tratar.
La persona enferma debe comprobar que el "sanador" elegido tenga una sólida formación y la profesionalidad suficiente como para informarle de sus límites, es decir, cuáles son las posibilidades reales de tratamiento. En cualquier caso, evite siempre escoger aquél que haga publicidad de sus "extraordinarias" habilidades.

La preparación correcta

La visita al médico se concierta mediante la petición de fecha y hora, para que el tiempo de espera del enfermo en la consulta sea lo más reducida posible, por lo que la enfermera debe planificar la duración y secuencia de la cita según la dolencia. Para ello, telefónicamente o personalmente se solicita la cita indicando al mismo tiempo el objeto de la misma. En caso de una urgencia, puede acudir a la consulta en cualquier momento.
En el instante de pedir consulta con el médico, se debe preguntar sobre la documentación necesaria.
Siempre que acuda al médico debe llevar la documentación o cartilla del seguro, el programa de vacunación y los informes de las alergias (si tuviera) y del tratamiento que lleva, así como la relación de los medicamentos que está tomando. La documentación y los informes que debe presentar en consultas, enfermedades, operaciones o vacunas, conviene tenerlos a mano.

La entrevista con el médico

Para que en su cita con el médico no olvide nada importante, debe anotar en casa algunos aspectos de interés: insista en describir con detalle los dolores que padece, cuándo comenzó a sufrirlos y si han experimentado alguna variación. Preste atención al cansancio físico o psíquico, por insignificante que sea, así como a los cambios experimentados en su modo de vida. Deje la vergüenza a un lado y hable con el médico de los achaques que conciernen al ámbito íntimo, como el sexo, el pecho o el intestino; cuanto antes se establezca el diagnóstico de la enfermedad, tanto mejor será su tratamiento y curación. De todos modos, es de suma importancia que refiera a su médico las enfermedades que ha padecido con anterioridad, y las intervenciones quirúrgicas, heridas y dolencias similares que se hayan producido y tengan su antecedente familiar.
Anote las preguntas que quiera realizar al médico en relación a los dolores que ocasiona la enfermedad.

La fecha de la cita

Una vez esté en la consulta, diríjase en primer lugar a la enfermera y siéntese después en la sala de espera hasta que le llamen. En la primera visita lo normal es que tenga que rellenar un cuestionario donde le soliciten información acerca de enfermedades anteriores, alergias, intolerancias y otros detalles relativos a su salud.
Cuando a continuación le corresponda su turno, podrá conocer al médico y entablar ambos una conversación por primera vez. En el transcurso de la misma, debe describirle brevemente su modo de vida y hablarle de sus achaques. Luego, el médico le realizará algunas preguntas y le hará un reconocimiento a fondo. También es posible que le pida los informes de los reconocimientos de otros médicos con los que esté o haya estado en tratamiento. La recopilación de la documentación de todos los antecedentes tiene como objetivo evitar la repetición de pruebas. Si anteriormente ya ha estado en la consulta, mientras habla con el médico la enfermera buscará su historial para presentárselo después y, a la vista de los resultados de las pruebas de consultas anteriores, pueda establecer el diagnóstico. También, a petición del doctor, incluso es posible que la enfermera le realice algunas pruebas como tomarle el pulso o medirle la tensión arterial. A veces el diagnóstico es fácilmente deducible de la conversación mantenida con el médico, por lo que éste le prescribirá el medicamento correspondiente o bien se decantará por la conveniencia de instaurar un tratamiento nuevo. Sin embargo el remedio a la enfermedad no es inmediato, pues el establecimiento de algunos diagnósticos requiere tiempo y reconocimientos costosos. El médico debe hablar abiertamente con el enfermo acerca de las posibilidades de curación, las terapias y sus riesgos. La mayoría de las veces el tratamiento necesita seguimiento, por lo que es preciso volver a la consulta para que el doctor constante si los dolores remiten.

¡Consulte con su médico!

Cuando en el establecimiento del diagnóstico de la enfermedad se emplean expresiones técnicas incomprensibles, cuando se deben realizar pruebas dolorosas o desagradables, cuando el enfermo no entiende el proceso o, incluso, cuando llega a saber el nombre de la enfermedad que padece pero no puede evaluar su alcance, la visita al médico puede resultar insegura o inquietante. No tema hablar de sus dudas e inseguridades, ni de pedirle al médico que responda a todas sus preguntas y que tenga presente sus temores. Durante la convalecencia es importante que siga la terapia exactamente tal como le indicó el doctor, pues solamente así se puede conseguir el éxito en los resultados. Por lo tanto, lo más sensato es que el médico le prescriba una terapia según sea su caso y se la dé por escrito, ya que para lograr la curación a menudo se deben realizar a un mismo tiempo varias cosas a la vez.

Si después del reconocimiento tiene algún tipo de duda, consúltela con su médico.

A veces la persona enferma no comprende –en un primer momento– por qué el médico le ha impuesto esta o aquella terapia, ya que puede parecer ilógica e incluso perjudicial para su salud. Si esto ocurre, hágale saber sus temores y, al mismo tiempo, indíquele la conveniencia de recurrir a otras alternativas; así cuando se compra el medicamento que el médico ha recetado y, al leer el prospecto, se puede comprobar que no se han tenido en cuenta los efectos secundarios que se especifican en el mismo. Sin embargo, aunque el fabricante nombra todas las reacciones adversas, también es posible que en ocasiones aisladas se pueden producir algunas indeseadas que no han sido referidas o que, incluso, son desconocidas para el laboratorio. Además, el médico sopesa y tiene el pleno convencimiento de que el beneficio que procuran los medicamentos prescritos es más elevado que el riesgo que suponen los posibles efectos secundarios. Pero si en realidad aparecen estos indeseados efectos, hable con el médico para que sopese la posibilidad de un cambio en la terapia y se encargue de sustituir el medicamento por otro.

Relación médico paciente

Generalmente los médicos atienden a diario en sus consultas, con la mayor atención y profesionalidad, a todo tipo de pacientes con las más diversas dolencias. Pero, desgraciadamente, a menudo no tienen tiempo que dedicar a pequeños detalles aislados y concretos. Este es el motivo por el que es tan importante la colaboración activa de la persona enferma. Concéntrese exclusivamente en el problema que le ha llevado a la consulta, y responda a las preguntas de su médico de modo claro y sincero. Cuando necesite plantear alguna pregunta de su interés, o solicitar algún tipo de información, olvídese del tiempo y pregunte con toda confianza.
Para conseguir los éxitos esperados del tratamiento, es de suma importancia que entre el médico y el paciente se establezca una relación de mutua confianza y respeto.

El historial

Cada vez que tenga una cita con el médico, éste anotará los datos relativos a su salud para completar su historial, que también recoge los resultados de todos los reconocimientos y tratamientos. Confeccionarlo es obligación del médico ya que, por un lado, ofrece la seguridad de la confidencialidad de los datos y, por otra, supone un documento de apreciable interés sobre el estado de la salud a través del tiempo.
A veces, este documento proporciona datos sobre la evolución de una enfermedad a largo plazo y, de este modo, los síntomas referidos permiten establecer el diagnóstico. Por lo demás, la persona enferma tiene derecho a conocer todos los resultados relativos a los reconocimientos y a recibir una copia de los mismos. Además, si el paciente lo desea, el médico está obligado a enviarle copia a otro colega o, también, a prescribirle un nuevo tratamiento.

Ir al médico con los niños

La visita al medico supone para los niños una situación anormal, a menudo ligada a impaciencias y temores que, para los adultos, resultan de difícil comprensión. Durante la visita, el comportamiento de los niños depende de la educación que reciben de sus padres.

Cuando acuda con su hijo al medico, lleve anotados los síntomas que ha padecido en el curso de la enfermedad. Por un lado, haga saber al médico de qué modo percibe el niño las dolencias y, por otro, las observaciones y conclusiones personales que ha sacado.

Para quitar el miedo que suscita esta experiencia, se le deben describir todos los aspectos de la misma y decirle que tiene como fin ayudarle en su enfermedad. Debe hacerle saber, por ejemplo con una muñeca o con un oso de peluche, algunas de las situaciones típicas que normalmente se presentan en la consulta con el médico.

En la sala de consulta

Si el niño tiene ya edad suficiente, deje que sea él quien describa al médico los síntomas para que le tome confianza y aprenda a expresar sus sentimientos. En este sentido, los padres pueden colaborar propiciando una situación tan agradable y distendida como sea posible. Si el niño ve que están callados y relajados, se mostrará desinhibido y sin miedo. Pero nunca se le debe dejar solo en el reconocimiento o en el tratamiento médico.

Si tiene varios hijos, acuda al médico solamente con el que está enfermo. De este modo, el niño enfermo puede concentrarse mejor en la conversación y en el reconocimiento. Y si quien necesita tratamiento es alguno de los padres del niño, por el motivo antes citado debe acudir al médico sin los niños.

La operación ambulatoria

Para muchos tipos de operaciones, incluso para aquéllas que se practican con anestesia total, ya no se necesita que la persona enferma permanezca en el hospital durante más de un día. Hoy día lo normal es realizarlas en los llamados hospitales de día con que cuentan las clínicas privadas (a menudo, una sociedad o mutua), o los hospitales y centros de salud, donde existen salas pertenecientes a las consultas médicas y dotadas con el material quirúrgico preciso para la intervención.

Las condiciones precisas que deben darse para que sea posible la operación ambulatoria son: que la intervención lo permita debido a su facilidad, que el paciente goce de un buen estado de salud, que se defienda por sí mismo y que pueda recibir asistencia en su domicilio. La operación se realiza con las mismas técnicas, cuidados y condiciones higiénicas que una operación en un centro hospitalario. El especialista elegido también le puede aconsejar sobre la conveniencia de una operación ambulatoria o si, por el contrario, es preciso el ingreso en un hospital o clínica.

El cirujano, el médico de cabecera y el anestesista reconocerán al paciente con objeto de prepararle para la intervención quirúrgica; de este modo, se excluyen riesgos y se planea la operación. Asimismo, se debe contar con la posibilidad de una emergencia médica durante la operación; así, el anestesista debe contar con la formación adecuada a su puesto y tener siempre a mano los aparatos que pueda necesitar. Por supuesto que, a la hora de decidirse por la intervención ambulatoria, el enfermo ha de ser consciente que una vez concluida la misma sólo tendrá cuidados médicos en determinados momentos. En casa sólo recibirá los cuidados que le dispensen sus familiares y amigos, en tanto que en el hospital tendrá atención médica en caso de que aparezcan dolores o surjan complicaciones.

Si su hijo tiene que someterse a un tratamiento, su peluche o juguete "favorito" puede ayudarle a olvidar sus temores.

Operación ambulatoria en casos infantiles

La operación ambulatoria tiene una gran ventaja, especialmente en el caso de los niños, ya que pueden volver en el mismo día a su ambiente habitual. Sin embargo, en estos casos se debe hacer hincapié en el reposo y en la conveniencia de seguir estrictamente las indicaciones que apunte el médico.

El hospital

Los pacientes en los hospitales deben, por una parte, asimilar su enfermedad y toda una serie de impresiones nuevas con las que no se está familiarizado: una organización cuyas tareas y secuencias de trabajo tienen como objetivo la curación. Por otro lado, cuando se pasa por aquí todos tenemos las esperanzas depositadas en este sistema. Así pues, es una situación que requiere mucha comprensión y grandes dosis de confianza.

¿Quién es quién?

En un hospital trabajan muchas personas de diferentes profesiones, distintas entre sí: médicos, enfermeras y cuidadores, fisioterapeutas, ergoterapeutas, logopedas, una larga lista de colaboradores técnicos y muchos otros más. Para que el futuro de la Medicina y la organización de una tarea tan compleja funcione sin dificultades, cada persona ha de asumir las tareas que le corresponden en cada momento.

Los médicos

Después de establecer el diagnóstico correspondiente con ayuda de diversas clases de pruebas, los médicos deciden el tratamiento de cada paciente y el tiempo que ha de permanecer hospitalizado, controlan los medicamentos propios de cada terapia específica y deciden sobre la necesidad de las operaciones.

Los jefes médicos, que a su vez están representados por un jefe médico, dirigen las distintas secciones médicas de un hospital (como por ejemplo cirugía, medicina interna, terapéutica femenina). Generalmente a una misma sección pertenecen varios servicios, cuyos máximos responsables son los médicos asistentes (médicos de servicio). En dichos servicios trabajan médicos jóvenes que acaban de finalizar su carrera, como "médicos en prácticas", así como estudiantes de medicina como "estudiante en su año de prácticas".

Los jefes médicos y los jefes médicos mayores hablan regularmente, con los médicos de servicio y con los médicos en prácticas, sobre los pacientes y su tratamiento. Para la visita diaria, el médico de servicio se encarga de elaborar un "cuadro" donde se refleja cómo se encuentra cada paciente y, a su vez, ajusta la terapia a las circunstancias del momento. El médico mayor o el jefe médico visita regularmente al enfermo, para discutir cada caso y con sus consejos y asesoramiento despejar las dudas del diagnóstico y establecer la terapia correspondiente.

Enfermeras y enfermeros

Entre sus funciones se cuentan las de cuidar de los pacientes, ayudar a llevar a cabo el tratamiento dispuesto por el médico y organizar el funcionamiento del servicio. Así, por ejemplo, administran los medicamentos prescritos, ponen inyecciones, cambian vendajes y colaboran en los cuidados corporales diarios. La persona ingresada en el hospital encuentra en ellos una ayuda inestimable. Junto a estos profesionales, la mayoría de hospitales cuenta para el cuidado de los enfermos con muchachos jóvenes que cumplen servicios sociales o algún tipo de prestación o voluntariado.

Fisioterapeutas

Tratan a los pacientes con procedimientos curativos que se aplican en combinación con la terapia médica. Emplean medios físicos naturales en el tratamiento de las enfermedades, como la presión y el movimiento, el agua, el calor y el frío, la luz y la electricidad. En el hospital la rehabilitación o recuperación mediante ejercicios activos y pasivos de gimnasia supone una terapia especial en la curación de los enfermos, tratamiento que permite acelerar este proceso o aminorar en parte las posibles secuelas de la enfermedad.

Logopedas y ergoterapeutas

Los logopedas tienen como objetivo la aplicación de una terapia encaminada al estudio y corrección de los problemas derivados de la voz, el habla, la lengua y el oído, y desarrollan su trabajo en secciones de curación neurológica o de otorrinolaringología.

Por su parte, los ergoterapeutas trabajan en conjunto con los pacientes para ayudarles a recuperar las capacidades físicas, mentales y corporales necesarias para mantener la independencia como persona en la vida cotidiana y laboral

La "cura" del alma

Para reconfortar el alma de las personas enfermas, sacerdotes y seglares voluntarios trabajan en los hospitales brindando apoyo religioso y moral a aquellas personas que lo solicitan. Su máxima preocupación es la tranquilidad del alma tanto de pacientes como de familiares, conversando con ellos sobre temas religiosos y espirituales y estando al lado del enfermo en caso de enfermedad grave o fallecimiento.

El reto diario

Para todas las personas que trabajan en un hospital, el reto y tarea más dura son las relaciones con los pacientes aquejados de graves dolencias y que precisan cuidados especiales. Cada enfermo tiene, aparte de los dolores específicos y su peculiar modo de expresar sus deseos y necesidades, una personalidad que es preciso respetar. A todo ello se suma la máxima de que toda persona que trabaja en un hospital convive día a día con la enfermedad y la muerte, momentos que hacen vivir los problemas ajenos y que se desean olvidar.

La creciente competitividad, que hace disminuir los puestos de trabajo e incrementa el número de pacientes, produce una situación laboral donde la presión provoca que cada vez sean más los cuidadores, doctores y terapeutas que dediquen menos tiempo a las conversaciones interpersonales que harían más humana la relación médico-paciente. A pesar de todo, el personal médico y sanitario busca siempre mostrar su cara más amable y comprensiva; si alguna vez no fuera así, nunca supone una antipatía personal o del capricho, sino los múltiples motivos que las circunstancias imponen.

El respeto es importante para todos

Para atender lo mejor posible a cada paciente, muchas de las secciones de un hospital deben trabajar en colaboración. El hecho de que todo funcione sin problemas precisa de una organización que, por desgracia, limita muchas veces las necesidades de los pacientes y, también, las del personal. Por este motivo, cada hospital tiene su ordenamiento doméstico en el que se establecen las reglas de comportamiento que han de observarse. La mayoría de las veces, estas normas figuran escritas en un documento que se encuentran en la habitación, en la parte interna de la puerta del ropero o en la sala de espera de la sección o planta correspondiente.

La mayor parte de las necesidades de los enfermos se toman en cuenta y se cumplen, quedando sin cumplir las superfluas o sin fundamento. El personal médico y sanitario se esfuerza por hacer de la estancia del enfermo lo más agradable posible, cosa que también requiere colaboración y comprensión. Y si surgen discrepancias, todo puede aclararse con amabilidad.

El sueño, un problema frecuente

Durante los primeros días en el hospital, muchas personas duermen mal. Para evitarlo, se deberían seguir los siguientes consejos: evite las siestas largas, absténgase de tomar bebidas con cafeína (café, té o cola) después del mediodía y evite fumar.

Si un compañero de habitación lee hasta tarde y le molesta con la luz, procure conseguir un antifaz para dormir. Contra los ruidos, puede utilizar tapones para los oídos. En caso de necesidad, puede pedir un tranquilizante a la enfermera.

¡Tenga un poco de paciencia!

Para la realización de los reconocimientos necesarios, a veces el paciente tiene que dejar la habitación y acudir a otras secciones del hospital; por ejemplo, para hacerse radiografías, ir a rayos, a ultrasonidos o pasar por el laboratorio. Por desgracia, muchas veces ocurre que es preciso atravesar el edificio de un lado a otro, para lo que se tarda un buen rato en el que el enfermo ve muchas caras nuevas. Sin embargo, existe la ventaja de que los métodos de reconocimiento declarativos de las secciones aisladas permiten establecer un diagnóstico rápidamente. Las desventajas son los trayectos largos y los tiempos de espera, ya que cada hospital sólo suele contar con una sección especial de cada especialidad.

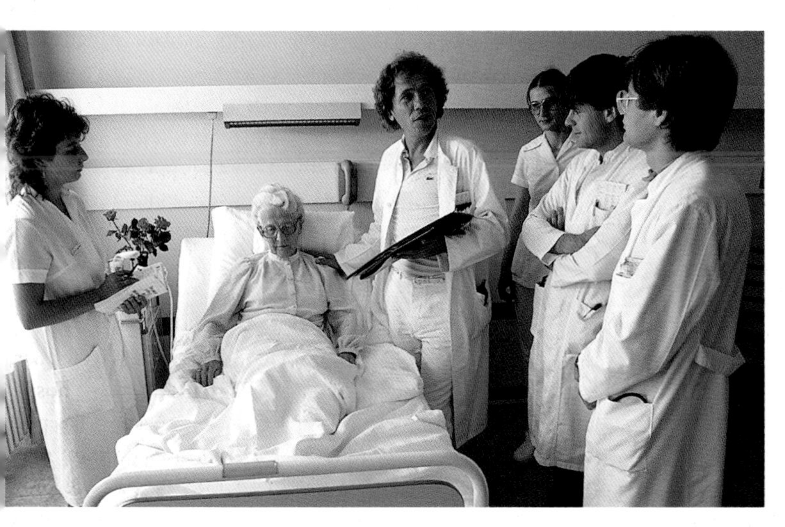

En la visita hospitalaria diaria, el equipo médico intercambia impresiones sobre el estado del paciente y la conveniencia o no de continuar con el tratamiento prescrito.

Permanecia en el hospital

La elección de la clínica

En la mayoría de los casos, pero en especial en una gran ciudad, se plantea la duda al tener que elegir entre varios hospitales. En esta elección su médico podrá indicarle –con criterios objetivos y de profesionalidad– cuál es el más indicado para su enfermedad, que quizá coincida con el considerado como “mejor de la zona” pero que no tiene necesariamente por qué serlo.
Entre otras razones, los hospitales se diferencian entre sí por sus objetivos en el tratamiento (hospital general, clínica especializada, clínica de rehabilitación), por el grado de los cuidados (desde los de tipo básico hasta los cuidados especializados), por la intensidad del tratamiento y de los cuidados y por su modo de financiación o carácter social (privado, mutua, asociación profesional, cooperativa, etcétera). Las clínicas universitarias representan un caso especial, ya que además de los reconocimientos y de las terapias también se encargan de la práctica de la enseñanza y la investigación en el ámbito médico.
Además de la calidad del tratamiento al que ha de someterse, para el paciente son importantes aspectos tales como: unas instalaciones prácticas y acogedoras, comida cuidada y sana y un ambiente agradable.
Por otra parte, hay que tener en cuenta y es de agradecer que muchas operaciones ya no requieren necesariamente una larga estancia en el hospital y se sustituyen por las llamadas operaciones ambulatorias.

Servicios sociales y privados

La persona enferma afiliada al seguro social de trabajo tiene derecho a una asistencia sanitaria socializada que, dependiendo del país, incluye diversos servicios entre los que se cuenta una cama en una habitación estándar. La denominada mutua privada ofrece una habitación individual o con dos camas y un tratamiento con un médico jefe; para la atención, debe constituirse un seguro adicional o privado de enfermedad.

El ingreso

La llamada orden de ingreso se da cuando el médico de cabecera, o el especialista que trata al enfermo, opine que las dolencias sólo pueden tratarse en el hospital. El ingreso voluntario únicamente es posible en caso de necesidad, o cuando la persona enferma no puede consultar con el médico de cabecera ni con un especialista.

Lo que debería llevar consigo

Si por una emergencia una persona tiene que ser hospitalizada, los documentos necesarios se pueden aportar posteriormente.
De todos modos, conviene llevar siempre la cartilla del seguro social. Si el ingreso lo ha decidido el médico con anterioridad, se debe llevar:

- La solicitud de ingreso hospitalario por parte del médico de cabecera o del especialista.
- Todos los documentos y los resultados de los reconocimientos de la enfermedad realizados por orden del médico que trata al enfermo.
- Resultado de los análisis de sangre y orina, así como el informe del programa preventivo de vacunación y de alergias.
- Papeles del seguro médico social o del adicional de la mutua o seguro privado.
- Documento nacional de identidad.
- Los objetos personales para el aseo corporal.
- Zapatillas de casa, pijama y bata.
- Reloj, gafas y tapones para los oídos.
- Bolígrafo o lápiz, papel de cartas, algún libro o revista para leer, radio con auriculares.
- Dinero suelto para el teléfono u otros usos.

El tiempo de hospitalización

Como paciente se debe permanecer en el hospital tanto tiempo como sea necesario, es decir, el estimado por los médicos que le atienden, ni más ni menos. A la vista de la evolución de la enfermedad, el doctor será siempre quien decide este aspecto. Si existe peligro de una complicación o un empeoramiento de la enfermedad, el médico decidirá prolongar la estancia para realizar el tratamiento adecuado lo más rápidamente posible.
Si la persona enferma quiere dejar el hospital antes de que el médico se lo aconseje, debe firmar un documento de solicitud de alta voluntaria que acredita tal abandono por su cuenta y riesgo y en contra del consejo médico. En caso de que sobrevengan complicaciones u otras enfermedades posteriores como consecuencia de haberse ido el enfermo del centro antes de tiempo, el hospital declina toda posible responsabilidad.
Antes de dar el alta al enfermo, se debe instaurar el tratamiento médico posterior. En un informe destinado al médico de cabecera, se detallarán todos los aspectos relevantes en relación a la estancia en la clínica.

Los niños en el hospital

Incluso cuando son tan sólo unos pocos días, para los niños una estancia en el hospital significa un gran cambio en su ritmo de vida.

La separación causada por el tratamiento de la enfermedad en ningún caso debe separar a los padres de sus hijos por un período de tiempo muy largo, ya que esto podría conllevar o ser causa de complicaciones mentales graves. De cualquier modo, siempre se debe poder visitarlos a diario; o, si son muy pequeños, se debe estar con ellos.

A los niños les gusta que se les tome en serio, por lo que escuchan con atención las explicaciones sobre su enfermedad.

Por ese motivo, la mayoría de los hospitales autorizan la entrada de los padres fuera del horario de visita; en algunos de ellos, hasta existe la posibilidad de que el niño quede ingresado acompañado por uno de sus padres de modo permanente (*rooming-in*). Los padres deben permanecer al lado de su hijo durante la realización de las pruebas y el tratamiento de la enfermedad; la presencia de los padres tranquiliza al niño, le da seguridad y confianza y le ayuda a sobrellevar el miedo ante algo que se sale de lo corriente en su vida.

En cualquier caso, el niño debería estar acompañado siempre por su muñeca u osito de peluche preferido, pero también de aquellos objetos importantes como son las fotos familiares o de los animales domésticos. Si ya es mayor, necesariamente debe disponer de libros o de casetes; también, de cosas de su afición, como material de dibujo, rompecabezas, etcétera. Hable con la enfermera sobre las cosas que puede llevar a su hijo.

Visita a los hospitalizados

Cuando se desea visitar a alguien que está ingresado, debe pensarse que poco tiempo después de una operación o de pasar por una fase aguda de una enfermedad la visita puede ser de ayuda para el enfermo o resultar molesta. En estos casos, lo más oportuno es acortar la visita para tan sólo transmitir un profundo optimismo. Por el contrario, para las personas que deben permanecer ingresadas largo tiempo en el hospital las visitas son un cambio en la rutina que agradecen. En muchas secciones, la entrada a menores de 14 años no está permitida debido al riesgo de contraer enfermedades infantiles. También corren peligro los adultos de salud débil.

Si el enfermo sigue una dieta determinada, los los bombones pueden representar un grave perjuicio para su salud. Las flores suelen alegrar mucho, sin embargo, su abundancia puede ser contraproducente; regale pues ramos de pequeño tamaño. Otras cosas muy adecuadas para reglar son: revistas, libros o juegos que, además, sirven para pasar el tiempo.

Desgraciadamente las visitas siempre molestan al resto de personas de la habitación, por lo que es de agradecer el tono bajo de voz y no hablar todos a la vez; o, mejor, reunirse en la sala de espera de la sección.

Los horarios de visita

Los horarios de visita obligatorios se imponen con un doble fin: por un lado, para dar fluidez a las visitas y para evitar que no se interrumpan los tratamientos ni otros cuidados; por otro, para que los pacientes tengan ciertos momentos de descanso al día. No obstante, hay excepciones cuando se trata de casos graves y de niños enfermos. En caso de que no se pueda efectuar la visita dentro del horario establecido, se debe hablar con el médico que lleva el caso o con la enfermera.

Reglamento de secciones especiales

Generalmente, las secciones infantiles reciben muchas visitas. Sin embargo, en determinadas secciones no es posible el contacto directo con el enfermo. Así, en las secciones de enfermedades contagiosas, existe el peligro de contagio; por el contrario, los pacientes debilitados se encuentran en secciones de aislamiento para que el visitante no le contagie. En las unidades de cuidados y de vigilancia intensivos, la mayoría de las veces únicamente se permiten visitas cortas y acordadas con el médico. Los departamentos psiquiátricos sólo admiten visitas en compañía de personal médico.

Tratamiento y cuidados en casa

Cuidados básicos del médico de cabecera

En general, el médico de cabecera se encarga de realizar visitas a domicilio en aquellos casos que el paciente precisa de cuidados básicos; la condición indispensable que motiva esta visita es que el enfermo no pueda levantarse de la cama. Para todas las demás terapias voluntarias, el enfermo debe acudir a la consulta.

En casos de urgencia, puede solicitar a su médico de cabecera o de familia la asistencia domiciliaria.

En la llamada telefónica debe describir al médico los padecimientos para que juzgue, por un lado, la necesidad de la visita domiciliaria y, por otro, si basta con esta acción para asegurar la salud del enfermo. Si el médico necesita realizar un reconocimiento más preciso, el enfermo debe acudir a la consulta por sus medios.
Si es el médico quien debe acudir hasta el domicilio del paciente, deberá tener en cuenta que normalmente el tiempo que dedican a este fin es en la pausa del mediodía o después de la consulta.

Servicio de urgencias, de ayuda y de servicios

El llamado servicio de urgencias cumple tareas muy similares a las del médico de cabecera. Normalmente se recurre a este servicio en el horario que no cubre la consulta del médico, es decir, por las noches y los fines de semana. Pero, como su propio nombre indica, este servicio sólo debe solicitarse en casos cuya naturaleza revista auténtica gravedad, cuando aparecen dolores intensos que no pueden esperar hasta la próxima consulta del médico de cabecera o del médico especialista correspondiente.
El número telefónico perteneciente al centro de urgencias médicas o puesto de salvamento, generalmente se encuentra en las primeras páginas de la guía telefónica. Al llamar, se solicita del demandante información de la dolencia exacta que padece el enfermo para enviar con el servicio de urgencias médicas un sanitario especializado o, en situaciones críticas, al médico de urgencias. Obviamente, este médico de urgencias es otro diferente al que el enfermo tiene asignado. Por este motivo, para hacerse una idea de la situación, primeramente formula al paciente unas preguntas generales. A continuación le prescribirá los medicamentos más apropiados al caso, recomendándole que visite con urgencia a su médico de cabecera; o, si es preciso, le remitirá para su ingreso en el hospital.
Para obtener más información sobre primeros auxilios y sobre cuidados médicos en situación de emergencia, consulte las páginas 776-795.

Cuidados médicos domiciliarios

Las enfermeras y enfermeros especializados en cuidar personas enfermas, también acuden domiciliariamente para prestar sus servicios. Se ocupan de aquellas personas que precisan ayuda y cuidados; asimismo, cuando después de una hospitalización o por motivos de edad no pueden valerse por sí mismas, estos profesionales asisten en casa y se ocupan de los cuidados especiales que precisan estas personas. Para realizar estos cuidados a domicilio, existen diversas instituciones, asociaciones y personal privado.
Normalmente desarrollan su labor desde una vez a la semana hasta varias veces al día, dependiendo de la gravedad de la enfermedad y de la necesidad de atenciones. Consulte con su médico de cabecera y con su mutua o seguro de enfermedad sobre los costes de los cuidados ambulatorios. Encontrará más información sobre cuidados a domicilio de miembros de la familia enfermos a partir de la página 752.

Cuidados médicos a personas mayores

Atención médica domiciliaria

Esa forma de vida es idónea para aquellas personas mayores que se pueden cuidar bien personalmente, pero que necesitan ayuda para ciertas tareas domésticas. La mayoría de las casas están atendidas por voluntarios o por asociaciones de asistentes sociales.

Residencias y hogares de ancianos

Las residencias y los hogares de ancianos ofrecen unidades domésticas cerradas en las que las personas mayores llevan su economía de un modo independiente, quedando garantizados los cuidados, las atenciones y toda la ayuda precisa en caso de enfermedad.
El personal con que cuentan está siempre disponible para ayudar a cualquier hora del día a los ancianos. A menudo, estas residencias disponen de numerosos servicios especiales asociados.
Los hogares de ancianos están pensados para personas mayores, incapaces de llevar su propia casa, aunque no necesitan atenciones. También en este caso se ofrecen ayudas y cuidados en caso de enfermedad. Los hogares de ancianos pertenecen mayoritariamente a organismos públicos, Iglesia, asociaciones benéficas y sociedades de carácter privado.

Clínicas de día

Estas clínicas tratan, durante el día, la rehabilitación médica de las personas mediante fármacos o ejercicio físico; o mediante la combinación de ambas cosas. Tienen como objetivo recuperar a estas personas para que vuelvan a llevar una vida independiente, tanto en el ambiente familiar como en una residencia u hogar de ancianos.
De esta forma se evita el ingreso permanente hospitalario del anciano, o permite llevar un tratamiento continuado domiciliario con sus cuidados especiales. Sin embargo, el transporte desde el domicilio hasta la clínica frecuentemente suele ser problemático debido a que en muchos casos se necesita personal especializado para esta, a veces, tan complicada tarea.

Atenciones durante un tiempo

Los cuidados permanentes durante cierto tiempo, es una modalidad de asistencia que puede realizarse en algunos hogares de ancianos. En ciertos países, la utilización de este servicio durante cuatro semanas al año no tiene coste adicional. Se atiende a la solicitud, cuando se considera que los miembros familiares que atienden a una persona mayor necesitan una época de descanso; o, bien, cuando el estado de salud de la persona que precisa cuidados empeora por un tiempo. También pueden reclamar cuidados temporales aquellas personas mayores que, aunque en un principio tienen capacidad para cuidarse, después de su paso por el hospital o clínica necesitan ayuda debido a sus dolencias. Ya que las plazas escasean, se debe concertar a tiempo con la asociación que disponga del equipo adecuado.

Hogares de asistencia a ancianos

En estos hogares se acoge a ancianos necesitados de cuidados médicos y atenciones durante un largo período de tiempo, como causa de una enfermedad, una intervención quirúrgica u otra clase de impedimento.
La dedicación y el consuelo que necesitan algunos casos desesperados, resulta una ardua tarea para las personas que aquí trabajan.

Además de cuidados médicos, las personas mayores necesitan el "calor humano" que les brinda la atención.

Derechos del paciente

Uno de los derechos básicos y esenciales del paciente es escoger libremente su médico. Quizá siga las recomendaciones de sus amistades y elija uno del que le han hablado maravillas, o tal vez sea un médico especialista en varias dolencias que utilice todos sus conocimientos para procurar el máximo bienestar. No obstante, además de la mutua confianza y comprensión, lo fundamental es que la relación médico-paciente base sus principios en los comportamientos éticos y sociales que impone la sociedad y regula la ley. Lo más importante al instaurar todo tratamiento es el acuerdo entre el médico y el enfermo. Para sellar este acuerdo tácito no se necesita ningún documento, sino que entre en vigor desde el momento que el médico "presta sus servicios" y el paciente asiente y está de acuerdo con ello. Por este acuerdo el médico se obliga a poner sus conocimientos al servicio del paciente y procurar su curación, en tanto que éste se compromete a pagar los honorarios convenidos y a seguir los tratamientos. No obstante, debe saber que el médico no contrae la obligación del éxito de la curación: no "promete" la curación.

El enfermo en cualquier momento puede consultar con otro médico para que le dé su opinión y, en cualquier caso, dar por finalizado el tratamiento. También el médico puede suspender un tratamiento cuando, desde su punto de vista, el paciente no cumple con las medidas que impone el tratamiento. Pero, en caso de necesidad, el médico tiene la obligación de atenderle.

La firma del impreso de admisión al ingresar en el hospital, supone la aceptación de sus normas en lo referente al alojamiento, cuidados y prestaciones médicas.

Confidencialidad de los datos

Todos las profesiones relacionadas con la Medicina, así como todo el personal sanitario que ayuda y contribuye a la curación de los enfermos, tienen la obligación de la confidencialidad de los datos en cuanto a terceras personas. Esta reserva afecta a los resultados derivados de los reconocimientos, diagnósticos e informaciones relacionadas con la vida privada del paciente; incluso el tratamiento que recibe una persona, nunca debe revelarse. El deber de guardar silencio debe mantenerse incluso después del fallecimiento del paciente. Este deber puede quedar en suspenso, frente a personas e instituciones, cuando el propio interesado es quien expresamente dispensa al doctor de este deber. El deber de confidencialidad puede romperlo el médico, obligado por la ley, en el caso de que dicha enfermedad deba de comunicarse a las instituciones sanitarias, o en el supuesto de que se encuentre relacionada con un acto de naturaleza criminal. Es obligación del médico proporcionar a los padres o tutores la información sanitaria referente a los menores de edad; si un paciente está inconsciente, puede informar a familiares cercanos.

Explicación del tratamiento de la enfermedad y consentimiento

El médico está obligado a aclararle al enfermo todos los aspectos relativos a los reconocimientos, a darle la información real sobre su enfermedad, así como a explicarle las consecuencias y los riesgos del tratamiento y las alternativas existentes. Naturalmente, la explicación tendrá como objetivo dar una visión global de la realidad sin entrar en detalles que le causen alarma. Sin embargo, el enfermo tendrá derecho a que se le aclaren las dudas que se le planteen para que pueda juzgar lo que le está sucediendo.

La legislación parte de la base de que el paciente tan sólo podrá decidir por sí mismo la aceptación o el rechazo de un tratamiento, después de que el médico le haya explicado los aspectos de su enfermedad. Si dicha conversación no tiene lugar, el daño que el comportamiento del médico ocasione constituye un acto ilegal. El impreso que el paciente firma antes del tratamiento u operación, en ningún caso supone la exoneración ni la aprobación de dicho proceder. La conversación se ha de suscitar nada más que el médico conozca el diagnóstico con seguridad, es decir, no debe esperar a informar al enfermo sobre el desarrollo, las consecuencias y los riesgos de una intervención quirúrgica planeada tan sólo unos días antes de su realización.

Explicaciones en casos especiales

En los casos de enfermedad de menores de edad o de personas privadas de la capacidad de entendimiento, los padres, el tutor o su cuidador deben tomar parte en la conversación explicativa y, en representación del paciente, dar el consentimiento al tratamiento previsto. En caso de que el paciente esté inconsciente (mayor de edad y, en principio, con capacidad de raciocinio), el médico ante un posible mal mayor y por decisión propia da por supuesta la aprobación y procede a aplicar el tratamiento; sin embargo, este supuesto sólo es válido cuando el tratamiento no se puede aplazar hasta que la persona inconsciente recupere el conocimiento.

Conocimiento del historial

El médico está obligado a explicar, con todo detalle, los cuidados que precisa el paciente. Debe dejar constancia escrita de los resultados de todos los reconocimientos, diagnósticos y medidas de tratamiento, así como recopilar documentos tales como fotos, radiografías y resultados de los análisis.
El historial confeccionado con todos estos documentos, debe conservarse al menos durante 10 años después de haber finalizado el tratamiento; las radiografías y los documentos de los tratamientos con rayos, deben conservarse asimismo 30 años.
Según las leyes vigentes hoy día, todos los documentos han de estar en manos del médico que realiza el tratamiento o de la clínica. Sin embargo, la persona enferma tiene derecho a una copia de dichos documentos, es decir, puede tener fotocopia de su historial. La valoración subjetiva del médico se excluye de este derecho.

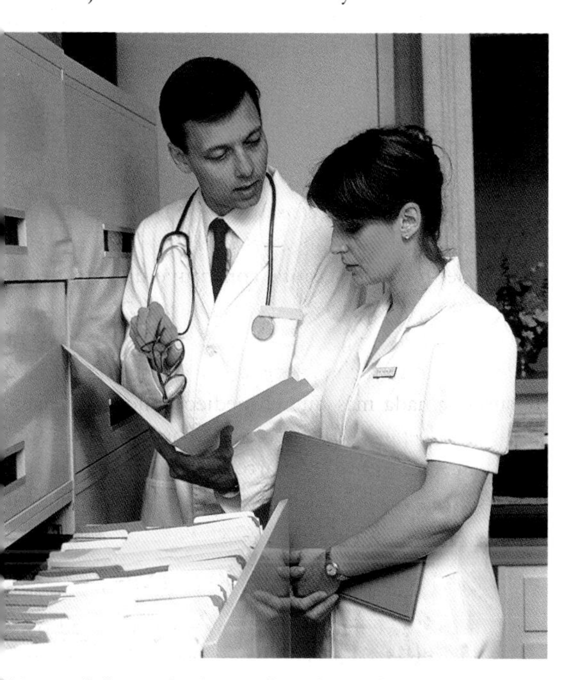

El historial clínico, donde se reflejan las incidencias y tratamientos que ha padecido debe conservarlo el médico de cabecera.

Indemnizaciones por daños y perjuicios

En caso de fallo o negligencia en el tratamiento médico, el enfermo tiene derecho a reclamar una indemnización por daños y perjuicios.
Si esto sucede, es preciso demostrar que el médico ha descuidado los conocimientos de la medicina o ha faltado al deber de diligencia médica. Además, el daño originado al enfermo ha de ser comprobable. El derecho de reclamación prescribe según los plazos de las leyes de los diferentes países.

Rehabilitación

La rehabilitación tiene como objeto la reintegración de la persona en la sociedad, manteniendo su capacidad de trabajo y haciendo que se reincorpore a la vida laboral. Si la persona capacitada para el trabajo contrae una enfermedad crónica, o sufre cualquier tipo de lesión o un accidente de trabajo, tiene derecho a la rehabilitación inmediata para solventar lo precario de la situación y dejar a un lado el impedimento.
Entre las diversas medidas de rehabilitación existentes están las de carácter ambulatorio (como, por ejemplo, las curas) y las estacionarias (entre las que se cuentan los tratamientos curativos de contacto, realizados al ingresar en el hospital).
En cualquier caso, para que el seguro o mutua se haga cargo del coste de la rehabilitación se ha solicitar el pago a la entidad correspondiente. Una vez concedidas las medidas de rehabilitación médica, la persona enferma recibirá la parte proporcional de los gastos desembolsados (o, incluso, todos) y otra pequeña parte correrá de su cuenta.

Ayudas a la maternidad

La baja por maternidad está regulada por la ley del mercado laboral de cada país, estableciendo una serie de normas que amparan a la madre trabajadora durante el embarazo y después del alumbramiento. La mujer asegurada laboralmente por su profesión, tiene derecho a la atención sanitaria que su estado requiere, estableciéndose reconocimientos regulares, ayuda médica antes y después del parto, así como cuidados y ayudas a domicilio en caso necesario.
Según las diferentes legislaciones, la mujer tiene derecho a un permiso de baja por maternidad retribuido que oscila entre 6 semanas antes del parte y 8 semanas después del alumbramiento.
Además, también están en vigor una serie de medidas de protección estrictas: la mujer que ha sido madre no puede ser despedida (salva raras excepciones) durante los cuatro meses posteriores al parto, no puede ejecutar trabajos físicos duros ni tampoco realizar horas extraordinarias ni trabajos a destajo, ni trabajar por las noches o los domingos. Durante el embarazo, tiene la obligación de informar de su estado a su patrono.

Seguro de enfermedad

La definición de "seguro de enfermedad" es concreta: «Contrato por el que una persona, natural o jurídica, llamada asegurador, se obliga a resarcir los gastos y las desventajas económicas acontecidas como consecuencia de enfermedad, alumbramiento o accidente del asegurado, previo pago por éste de las cuotas fijadas».
La realidad de este seguro se hizo posible cuando los políticos del siglo XlX decidieron que cada ciudadano estuviera cubierto con un seguro de este tipo. Como primer paso, en 1883 se legisló el primer reglamento del seguro de enfermedad para los trabajadores. De lo que en un principio sólo se beneficiaban los más pobres, su regulación por ley ha hecho que hoy día cubra las contingencias de los ciudadanos de muchos países.
Sin embargo, la idea financiar unos servicios sanitarios que protegiesen a todos se frenó de nuevo en las últimas décadas del siglo XX, cuando los gastos de los tratamientos médicos aumentaron de modo desmedido. Para controlar los gastos, se adoptaron medidas de ahorro que recortaron el presupuesto y reformas que incluían la regulación del seguro de enfermedad. Incluso hoy día aún se estudia el modo de lograr la mejor cobertura médica de las personas y el modo más equitativo para hacer frente a los costes.

Mutuas de enfermedad creadas por ley

Aparte del seguro social que regulan y dirigen los organismos e instituciones del Estado, existen otros seguros de enfermedad que también conforman esta entidad estatal unitaria. Son los correspondientes a las mutuas y asociaciones de trabajadores, autogestionadas y entre las que se cuentan: mutuas generales, de empresa, de asociaciones profesionales, de funcionarios, agricultores, marineros o mineros. Todas ellas se financian con las aportaciones de sus socios o afiliados, por lo que debe existir total correspondencia entre los gastos y los ingresos. Según la legislación de cada país, el trabajador puede elegir libremente la mutua y cambiar a otra.

El seguro de los trabajadores

En principio, todas las personas que estén ocupadas o ejerzan una actividad profesional en una empresa por cuenta ajena deben tener un seguro social obligatorio cuya funcionamiento se fija por ley. Naturalmente, la cuota estará en función de las bases imponibles vigentes según el salario cobrado. Además, deben estar asegurados por el seguro social o seguro de enfermedad: los empresarios agrícolas o forestales, los estudiantes, artistas, pensionistas, desempleados, cualquier trabajador autónomo, las personas contratadas para el servicio doméstico y las personas con minusvalías que ejerzan un trabajo profesional o dependiente.

A la hora de concertar la cita con el médico, se debe presentar la cartilla del seguro de enfermedad o documento acreditativo.

Dependiendo de la legislación específica de cada país, normalmente no tienen obligación de contratar con una mutua legalizada y están exentos de pagar el seguro obligatorio aquellas personas cuya actividad profesional les reporte unos ingresos mínimos, o aquéllas cuyo salario exceda los límites de la base imponible; además, también quedan excluidos los funcionarios, jueces, soldados, clérigos y personal autónomo, excepto los artistas, agricultores y personas que desarrollan su trabajo en una explotación forestal. Las personas que no tienen la obligación de contratar un seguro obligatorio, pero que anteriormente estuvieron afiliados a una mutua laboral o de enfermedad, pueden seguir siendo miembros de ella si así lo desean. El cónyuge y los hijos las personas afiliadas a una mutua, generalmente quedan incluidos en la póliza con tan sólo pagar un recargo adicional mínimo (*seguro familiar*).

La cuantía de la cuota

La cuota que debe pagar el asegurado viene establecida por el tipo de seguro (obligatorio o voluntario) y por la tarifa o baremo de la mutua. Normalmente la cantidad que cada trabajador debe pagar supone un porcentaje establecido en función del salario devengado. Del total de la cantidad que resulta, una parte la paga el propio trabajador y el resto se hace cargo la empresa o compañía en la que presta sus servicios.

Funciones de las mutuas aseguradoras

Además de posibilitar el tratamiento de la enfermedad y la rehabilitación o asistencia de las taras físicas y psíquicas del trabajador, las mutuas creadas por ley tienen la obligación de procurar la salud de las personas en el sentido más amplio de la palabra y, por lo tanto, deben encargarse de la prevención y detección de las enfermedades a tiempo. Por consiguiente, aparte de la financiación de los medios de tratamiento y cuidados deben encargarse de explicar y aconsejar en todo lo concerniente a la sanidad en el mundo laboral y social.

Prestaciones de las mutuas de enfermedad

Las prestaciones y funcionamiento de las mutuas creadas por ley no tienen grandes diferencias individuales entre sí, aunque es posible que la oferta de sus servicios varíe de unas a otras, es decir, se rigen por distintos reglamentos en ámbitos diferentes.

Por norma general, las mutuas de enfermedad creadas por ley aceptan total o parcialmente los costes de los siguientes ámbitos de los cuidados médicos:

- Reconocimientos médicos para prevenir o diagnosticar a tiempo una enfermedad.
- Medidas que incluyen tratamientos médicos, odontológicos y psicoterapéuticos.
- Tratamientos que necesitan ingreso hospitalario.
- Cuidados médicos durante el embarazo y en el momento del parto.
- Gratuidad de medicamentos, vendajes, productos farmacéuticos y otros remedios.
- Medios de rehabilitación.
- Cuidados y ayuda domiciliaria durante un tiempo corto, generalmente establecido.

Las mutuas de enfermedad también pagan el subsidio de enfermedad (un determinado porcentaje del salario), que aseguran los gastos del coste de vida en caso de un tratamiento transitorio o si se produce la incapacidad laboral permanente por accidente o enfermedad.

Seguros privados

Aparte de los seguros de enfermedad cuyo funcionamiento regula la ley, el trabajador u otra persona puede concertar seguros adicionales privados, como por ejemplo recibir una retribución adicional en caso de enfermedad o un seguro que incluya una paga diaria durante el tiempo de hospitalización. También es posible ampliar el seguro con opciones tales como disponer, durante la estancia en el hospital, de una habitación individual o que el tratamiento lo lleve personalmente un médico especialista; también existe un seguro extra que corre con los gastos del tratamiento de la boca y los dientes, o seguros médicos que se hacen cargo de cualquier eventualidad médica en los viajes al extranjero.

Seguro de asistencia médica

Todos lo que tienen un seguro de enfermedad creado por ley, son miembros del seguro social de asistencia legal, mediante el cual los cuidados de las personas que los precisen tienen una financiación permanente.

Entre otras cosas, el seguro de enfermedad ofrece ayuda doméstica con cuidados de asistencia domiciliaria, subsidios para aquellos miembros de la familia u otras personas que atienden a enfermos y medios de ayuda temporal limitada.

Mutuas privadas de enfermedad

Las personas que no estén obligados a asegurarse en una mutua creada por ley, pueden afiliarse a una de carácter privado. El importe de la prima se establece por la edad del interesado, el sexo y el estado de salud, nunca por el salario. Los miembros de la unidad familiar quedan excluidos del seguro de la póliza.

Las prestaciones de las mutuas privadas de enfermedad se diferencian de aquéllas creadas por ley en diversos aspectos. En algunas cuestiones pueden ser incluso más atractivas, pero también presentan ciertas desventajas que se deben asumir. Aunque corran con los gastos de los cuidados del médico jefe, todo tipo de medicinas, la atención de la boca y los dientes o los tratamientos con procedimientos de medicina alternativa, el contrato normal no cubre automáticamente la percepción de la retribución o subsidio por enfermedad, la paga de la baja por maternidad, las curas, la atención a domicilio y los cuidados recibidos en el hogar.

También se debe tener en cuenta que las primas o cuotas pueden aumentar su precio sin más, y que en muchos países es imposible cambiarse de nuevo a la mutua ya creada por ley. Las personas que tienen un seguro privado, también deben concertar un seguro de asistencia.

Conservar la salud

Reconocimientos médicos preventivos

En la vida diaria, el cuidado de la salud comienza con la atención personal: una dieta alimentaria completa y equilibrada, ejercicio físico, relajación y estímulo mental contribuyen a un modo de vida sano. Pero también son importantes los reconocimientos regulares para la prevención y diagnóstico precoz de las enfermedades. Entre los objetivos que éstos persiguen se encuentran: la detección de factores de riesgo de las enfermedades (*prevención*), el diagnóstico precoz de las propias enfermedades y, por último, su tratamiento.

Reconocimientos específicos para la detección de la enfermedad

En la lucha contra la enfermedad, las mutuas suelen correr con los gastos de los reconocimientos preventivos y de diagnóstico precoz:

• Durante el embarazo, las mujeres deben pasar diversos reconocimientos periódicos que preserven su propia salud y la del feto.

• En los nueve primeros meses de vida, los niños tienen derecho a reconocimientos preventivos; los jóvenes, a recibir también información.

• Todas las personas pueden visitar al dentista una vez cada medio año.

• A partir de los 35 años, los afiliados tienen derecho a un chequeo cada dos años.

• Las mujeres pueden visitar al ginecólogo a partir de los 20 años; pasados los 30 años, corresponde la revisión del pecho y de la piel; y, después de los 45 años, también el reconocimiento del intestino grueso para prevenir un posible cáncer.

• Los hombres pasados los 45 años pueden hacerse una revisión anual del intestino grueso, de la próstata, de los órganos sexuales externos y de la piel en la lucha y prevención contra el cáncer.

En todo caso, debe informarse en su mutua o seguro sobre las particularidades propias que rigen su funcionamiento particular.

Cuidados médicos durante el embarazo

El objetivo principal de los citados cuidados es detectar a tiempo los factores de riesgo que ponen en peligro la salud de la madre y del bebé. Desde el mismo momento en que se confirma el embarazo, una serie de reconocimientos preventivos velan por la salud de ambos: cada cuatro semanas hasta el séptimo mes, cada dos semanas durante los dos últimos meses antes del parto y todas las semanas que anteceden al parto.

El primer reconocimiento médico

En esta época, el ginecólogo o ginecóloga comprueban el estado general de salud de la mujer embarazada y le informan de los potenciales riesgos –o los ya existentes–, o bien sobre las posibles enfermedades; al mismo tiempo, determinan factores tales como el peso corporal de la mujer, la tensión arterial, grupo sanguíneo al que pertenece, el Rh positivo o negativo, si posee anticuerpos contra la rubéola así como la cantidad de azúcar en sangre.
Durante el reconocimiento, el médico comprueba que no existe ninguna formación anómala de la pelvis que pudiera dificultar posteriormente el parto. Además, da consejos a la embarazada sobre la necesidad de adoptar una dieta equilibrada y sana que contribuya a mantener su peso dentro de unos baremos previstos, y le informa de los riesgos generales que para el embarazo suponen ciertas actividades como el deporte o los viajes.
La mujer embarazada recibe en este momento la llamada "cartilla del embarazo", que debe llevar consigo siempre que sea posible. En ella se recogen los resultados de todas las pruebas efectuadas durante este primer reconocimiento, indicando asimismo la fecha prevista para el parto.

Reconocimientos periódicos

Durante los controles posteriores se controla el peso de la gestante y el estado del feto, comprobando los latidos del corazón y sus movimientos. En el embarazo normal se establece la realización de tres ecografías: la primera entre la 9.ª y 12.ª semanas, la segunda entre la 19.ª a la 22.ª y la tercera entre la 29.ª y la 32.ª semanas. Además, también se comprueba la retención de líquido en los tejidos y en las varices, si existe infección bacteriana o por hongos en la vagina y si se hallan bien cerrados el cuello del útero y el canal de la matriz.
Los embarazos que se desarrollen dentro de la normalidad, precisan un total de diez o doce controles. Aparte de los reconocimientos médicos de la madre y del niño, dichos controles deben servir para aclarar todas las dudas de la mujer embarazada: transcurso, riesgos y problemas típicos del embarazo y del parto.

Reconocimientos médicos preventivos en los niños

Estos reconocimientos médicos preventivos pretenden reconocer y tratar, tan pronto como sea posible, las enfermedades y anomalías que se detectan en el desarrollo de los lactantes y de los niños pequeños. Incluso cuando los niños parezcan estar completamente sanos y se muestren despiertos, es preciso que pasen los reconocimientos médicos previstos. Hasta los cinco años se establecen nueve controles (denominados normalmente del 1.° al 9.°), que, salvo el primero, los realiza el médico de cabecera o el pediatra en las fechas previstas.

Primer reconocimiento: examen del recién nacido

Nada más que se produce el nacimiento, el médico comprueba constantes vitales tan básicas como la respiración, el ritmo cardíaco del corazón, la tensión muscular, los reflejos y el color que presenta la piel del bebé. Además, se le pesa, se mide la altura y el perímetro cefálico y se le toman las huellas dactilares para su mejor identificación.

Segundo reconocimiento: examen básico del recién nacido

El segundo reconocimiento tiene lugar entre el tercero y el décimo día. Se realiza más a fondo y, entre otras cosas, se comprueba el funcionamiento del corazón y los pulmones, la normalidad de las funciones del aparato digestivo y si los movimientos reflejos ante los estímulos son los esperados; los testículos se observan desde abajo. También se controla la columna vertebral y las articulaciones (principalmente, la cadera).
La extracción de algo de sangre permite al médico determinar, entre otros factores, si se forman hormonas del tiroides en cantidad suficiente y si existe intolerancia a la leche. El médico informará a la madre acerca de las medidas de prevención necesarias contra el raquitismo y de la alimentación del bebé.

Tercer reconocimiento (de la 4.ª a la 6.ª semana)

Aparte de los controles generales de las funciones corporales, así como del peso y la altura, el médico tam-

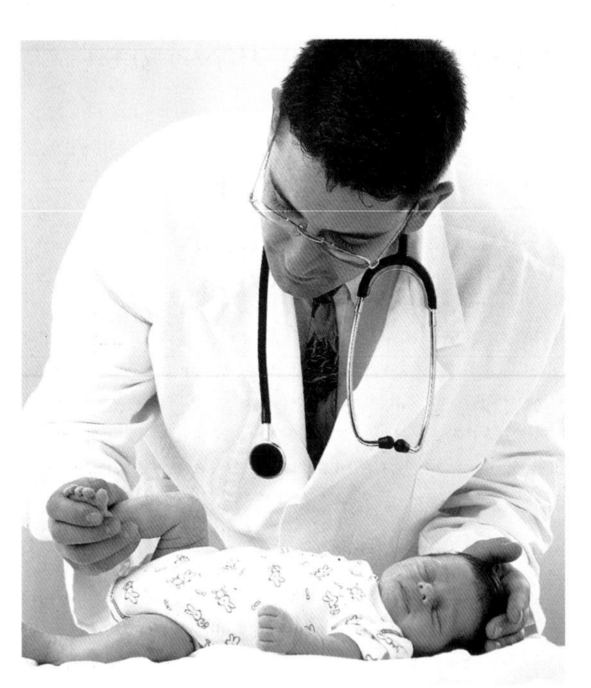

Para detectar las posibles anomalías de su hijo a tiempo, haga que pase siempre los reconocimientos preventivos establecidos.

bién se encarga de verificar si el bebé oye con normalidad. Del mismo modo, preguntará a la madre sobre el comportamiento que tiene el niño a la hora de comer y sobre si tiene problemas con las digestiones.

Cuarto reconocimiento (del 3.º al 4.º mes)

Además del reiterado reconocimiento de las funciones corporales y de los órganos de los sentidos, el médico se encarga en esta ocasión de comprobar especialmente el dominio corporal del bebé. Por otra parte, también comenzará a tener en cuenta el plan de vacunación.

Quinto reconocimiento (del 6.º al 7.º mes)

Después del reconocimiento general, el pediatra fijará su atención en el dominio corporal del bebé.
Comprobará si se apoya ya en los brazos, o si se gira y se pone boca arriba, boca abajo o de lado. También constatará el interés que manifiesta por todo aquello que le rodea.

Sexto reconocimiento (del 10.º al 12.º mes)

En esta época, muchos niños ya son capaces de emitir sus primeros sonidos. La mayoría de ellos pesan alrededor de tres veces lo que pesaban al nacer, y han crecido la mitad de lo que medían cuando vieron por primera vez la luz. Las diferencias en el desarrollo son cada vez mayores, pero dentro de la normalidad: muchos ya caminan; otros, gatean y hacen movimientos mientras están sentados. Según esto, el médico comprueba si los pasos que sigue el niño en su desarrollo son normales y no si sabe hacer "gracias".

Séptimo reconocimiento (a los dos años)

Este reconocimiento se realiza entre el 21.º y el 24.º mes. Es el momento más adecuado para, además del desarrollo corporal, comprobar también el desarrollo intelectual. A esta edad debería comprender ya algunas peticiones sencillas, como el pedir las cosas por favor, acercarse a quien le llama o ponerse de pie; y, en cuanto a las respuestas, deben ser ya con frases de al menos dos palabras. El médico también comprobará el estado general de los dientes.

Octavo reconocimiento (a los cuatro años)

Con tres años y medio o cuatro, el niño debe ser reconocido de nuevo. Una vez más, el médico examina las funciones del corazón, los pulmones y los órganos de los sentidos; asimismo, observa el desarrollo corporal e intelectual. El médico se interesa por el comportamiento del niño y hace preguntas a la madre sobre si el niño siente separarse de ella, si le gusta estar sólo o si juega en grupo con otros niños.

Noveno reconocimiento (preescolar)

De los cinco años a los cinco años y medio, tiene lugar otro reconocimiento completo. El médico comprueba con especial detenimiento la capacidad visual y de audición del niño, su expresión oral, su desarrollo corporal y su orientación en el medio que le rodea.

Reconocimiento a los 12 años

Además del reconocimiento corporal, esta cita sirve especialmente al niño de orientación en temas personales y sociales de vital interés. Como medida preventiva, el médico le informa sobre temas de sumo interés como: la alimentación, el deporte, la sexualidad, el tabaco, el alcohol y las drogas.

Cuidado dental

Al dentista no sólo se debe ir cuando se tienen dolores, también hay que hacerlo periódicamente –una vez cada seis meses– para comprobar el estado de los dientes y de las encías.

Chequeos preventivos

A partir de los 35 años, tanto hombres como mujeres tienen derecho a que se les haga un chequeo rutinario periódico. Este control médico pretende evitar los factores de riesgo que provocan el padecimiento de las enfermedades que impone la civilización. Ocupan el primer lugar las enfermedades cardíacas y circulatorias, seguidas por la diabetes mellitus, las enfermedades reumáticas y las enfermedades renales crónicas.
Los análisis y pruebas que componen dicho chequeo son: el reconocimiento físico y sendos análisis de sangre y orina. Por otra parte, se reciben consejos médicos para evitar factores de riesgo personal y sobre cómo llevar una vida sana.

Detección precoz del cáncer

Algunos tipos de cáncer son diagnosticables en su fase inicial. Este es el fin que persiguen, por ejemplo, las revisiones para detectar el cáncer de piel o el de colon tanto en hombres como en mujeres; o las destinadas al cáncer de próstata y de los órganos sexuales externos, en los primeros, o al cáncer de mama y el ginecológico, en las segundas.
Cuanto antes se descubra una enfermedad cancerígena, más posibilidades de curación existen. Los reconocimientos preventivos resultan desagradables al invadir la intimidad de mujeres y de hombres, sin embargo, no causan ningún tipo de dolor.

a prevención de enfermedades crónicas es posible mediante os acostumbrados chequeos rutinarios.

Detección precoz de enfermedades en la mujer

Algunas de las preguntas más corrientes que el ginecólogo formula a la mujer son: si ha advertido algún cambio durante la autoexploración del pecho, si la menstruación ha sido más dura o densa desde la última revisión, si ha tenido pérdidas entre un período y otro o si siente dolor al mantener relaciones sexuales.

Exploración del pecho

La exploración del pecho por el médico consiste en la palpación del mismo para comprobar si existen hinchazones o nódulos de algún tipo, y en la observación de la piel para constatar si se aprecian cambios visibles aparentes. Una ligera presión, permite verificar si sale líquido del pezón. También comprueba las posibles variaciones de las glándulas linfáticas debajo de las axilas y en el cuello. Si durante la palpación se aprecian cambios en uno o los dos pechos, una mamografía permitirá establecer las causas.

Revisión de los órganos sexuales

Después de que el médico ha observado si se ha producido algún cambio en los labios vaginales y en el orificio vaginal, inspecciona el cuello uterino a través de la vagina con un aparato especial. A continuación, protegidas sus manos con unos guantes asépticos, introduce uno o dos dedos en la vagina y presiona desde fuera con la otra mano. Así, para observar si existen cambios, puede palpar la matriz y los ovarios. Finalmente, toma una muestra del cuello uterino y la manda analizar para descartar la existencia de células cancerígenas. Para reconocer el intestino, el médico introduce un dedo en el ano y palpa buscando algún tipo de cambio. Las deposiciones también se analizan, para observar si existe algún vestigio de sangre en ellas.

Detección precoz de enfermedades en el hombre

Primeramente, el médico de cabecera o el urólogo pregunta al paciente si al autoexaminarse los testículos y el pene ha experimentado algún cambio respecto a exámenes anteriores. Después, palpa también los órganos sexuales y las glándulas linfáticas de la ingle. A continuación, introduce un dedo en el ano y palpa el recto para comprobar si la próstata ha aumentado de tamaño. Para observar si ocultan sangre, se analizan las deposiciones.

La vacunación

La vacunación contra las distintas enfermedades constituye una de las medidas preventivas más eficaces que la Medicina pone a disposición de la especie animal. En general, las modernas vacunas se toleran bien y solamente en raras ocasiones aparecen efectos secundarios no deseados. El fin principal de las vacunas es proteger a las personas contra las enfermedades infecciosas o contagiosas, objetivo muchas veces alcanzado como así lo demuestra la erradicación mundial de la viruela o la drástica reducción de enfermedades infecciosas muy temidas. Si bien, quizá porque actualmente la amenaza de infecciones parece dominada, se muestra entre la población cierta laxitud hacia las vacunas.

Pros y contras de la vacunación

Si una enfermedad infantil contagiosa se cura "por medios naturales", significa que las defensas del cuerpo tienen la capacidad para vencerla por sí mismas, lo que en la mayoría de los casos supone una inmunidad que protege durante toda la vida. Sin embargo, ya que las enfermedades infantiles "clásicas" pueden presentar serias complicaciones, no siempre resulta conveniente renunciar a una vacuna. Al contrario, los médicos aconsejan ponerse las vacunas recomendadas.

Incluso los adultos que nunca han sido vacunados contra enfermedades infantiles como la polio o la difteria, pueden contraerlas a pesar de su edad. La enfermedad en las personas adultas frecuentemente se presenta con una mayor virulencia que a edad infantil, por lo que se debe prestar mucha atención a las vacunas consideradas básicas (polio, difteria, tétanos); el resto de vacunas, sólo son necesarias según sean las circunstancias (viajes al extranjero, profesión, etcétera).

En caso de enfermedad aguda, durante el padecimiento de las llamadas enfermedades contagiosas, o tras haberlas pasado, las personas con un sistema inmunológico debilitado, las que toman medicamentos supresores de las defensas o aquéllas que tienen alergia a alguno de sus componentes, deben aplazar la vacunación o, incluso, renunciar a ella. Las infecciones leves no suponen impedimento. Durante el embarazo debe evitarse las vacunas contra el sarampión, las paperas, la varicela, la rubéola o la fiebre amarilla.

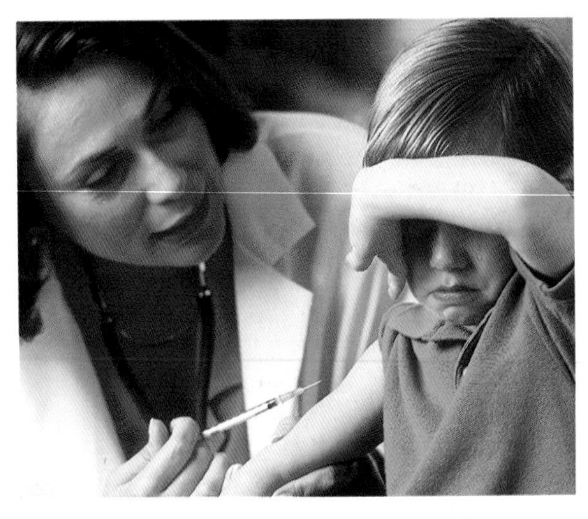

El simple pinchazo de la vacunación, supone una eficaz protección contra muchas enfermedades.

¿Qué es la vacunación?

Mediante la vacunación, el cuerpo está en condiciones de luchar mejor y más rápidamente contra el causante de la enfermedad de lo que lo haría sin dicho método de prevención. En principio, el sistema inmunológico es capaz de reconocer por sí mismo sustancias extrañas y formar anticuerpos adecuados para luchar contra ellas; sin embargo, para evitar la contracción de la enfermedad el primer contacto con el intruso causante de la enfermedad ha de ser generalmente muy limitado. Si el cuerpo vence a la enfermedad, el sistema inmunológico dispone ahora de una "vacuna de recuerdo" que le permite una defensa más eficaz frente a un segundo ataque: reacciona mucho más rápidamente ante la ofensiva de cualquier enemigo. Este es el principio en el que se basa la vacunación.

Inmunización activa y pasiva

De la vacunación se pueden distinguir dos tipos: la activa y la pasiva. La vacunación activa tiene como objetivo la estimulación del sistema inmunológico por una sustancia para que éste forme anticuerpos. Para ello se utilizan sustancias provenientes de los agentes causantes de diversas enfermedades, debilitados o extinguidos, o sustancias-antídoto de bacterias debilitadas. El efecto preventivo aparece tras unos días o semanas y, dependiendo de la vacuna, la inmunidad persiste desde unos meses hasta toda la vida. El efecto se alarga con las denominadas "vacunas de recuerdo".

La vacunación pasiva tiene el efecto contrario, pues su función preventiva aparece inmediatamente al administrarse con ella anticuerpos ya formados, procedentes de personas, animales y organismos, o antídotos (antitoxinas) fabricados artificialmente.
Se utiliza fundamentalmente cuando el tiempo apremia; por ejemplo, después de la mordedura de un perro. El inconveniente de esta vacuna es que la protección máxima dura sólo unos meses, ya que los anticuerpos se vuelven a formar y el cuerpo es incapaz de generar sus propias defensas.
La vacunación simultánea aúna las ventajas de ambos tipos de vacunación: la protección inmediata de la vacuna pasiva y el estímulo del sistema inmunológico para lograr una protección que se mantenga durante mucho más tiempo.
Esto es de suma importancia; por ejemplo, cuando, en el caso de la vacuna contra el tétanos debido a una herida, hace mucho tiempo que se administró la vacuna básica o no se ha administrado.

La reacción del cuerpo

En la mayoría de los casos, el efecto de la vacuna no se nota en absoluto; sin embargo, durante un período breve de tiempo puede provocar algunos tipos de reacción: fiebre baja, disminución de las facultades, rojeces, hinchazones o prurito en el lugar del pinchazo. En personas alérgicas, se debe aclarar que antes de la vacunación existe la posibilidad de una alergia a la vacuna, aunque no es muy frecuente.
Para conseguir la protección completa frente a determinadas enfermedades, la vacunación a menudo se debe realizar más de una vez. A pesar de que muchas sustancias se pueden administrar por vía oral, la mayoría de las vacunas se inyectan en los músculos para, desde allí, extender su acción lentamente por todo el cuerpo. Las inyecciones se suelen poner en la parte superior del brazo, ya que una vacuna mal puesta en las nalgas puede dañar los nervios.
Como no todas las vacunas tienen el mismo grado de efectividad, el médico siempre estudia si tiene sentido la administración de la vacuna a nivel individual. En todo caso, lo más aconsejable es llevar consigo la cartilla o informe de vacunación.
Los gastos de la mayoría de las vacunas recomendadas oficialmente, ya sean las estándar o aquéllas "de recuerdo", por lo general corren a cargo del seguro social, las diferentes mutuas de enfermedad profesional o los seguros privados.
Por el contrario, el mayor coste de las vacunas necesarias debidas a otras causas, como en el caso de la fiebre amarilla al viajar a otros países, en cada lugar se asume de distinta forma.
Los organismos sanitarios y las mutuas proporcionan información al respecto.

La obligación de vacunarse

Cuando en algunos países se erradica por completo alguna enfermedad, como es el caso de la viruela, se suele suprimir la obligación de la vacunación siempre y cuando no se considere necesaria su prevención. Sin embargo, ya que muchas vacunas tienen una importancia esencial en la salud individual y social, las máximas autoridades responsables de la salud establecen planes de vacunación estándar obligatorios.
Si a pesar de todo los ciudadanos se ven afectados por las enfermedades incluidas en dichos planes de vacunación, en algunos países existe la posibilidad de reclamar una indemnización por daños y perjuicios.

Plan de vacunación para niños y adolescentes

Edad	Vacuna
A partir de los 3 meses	Primera contra la difteria, tos ferina, tétanos, hemofilia tipo B, primera contra hepatitis B y polio.
A partir de los 4 meses	Segunda contra la difteria, tos ferina, tétanos y hemofilia tipo B.
A partir de los 5 meses	Tercera contra la difteria, tos ferina, tétanos, hemofilia tipo B, segunda contra hepatitis B y polio.
A partir de los 13 meses	Cuarta contra la difteria, tos ferina, tétanos, hemofilia tipo B.
A partir de los 15 meses	Primera contra el sarampión, paperas y rubéola.
A partir de los 6 años	Tétanos, difteria (1.ª de recuerdo), 2.ª del sarampión, paperas y rubéola.
A partir de los 10 años	Polio (1.ª de recuerdo).
De los 11 a los 15 años	Tétanos, difteria (2.ª de recuerdo), hepatitis B (1.ª de recuerdo), rubéola (en niñas vacunadas o no).
A partir de los 12 años	Hepatitis B para adolescentes que no se habían vacunado antes.

Vacunas más importantes

Difteria

Muchos personas adultas tienen hoy día una protección insuficiente contra la difteria, una enfermedad cuya incidencia ha aumentado mucho en algunos países y que hace posible la aparición de peligrosas epidemias. Para obtener la inmunidad total, se precisa la puesta de cuatro vacunas; las vacunas "de recuerdo" tienen lugar de los 6 a los 11 años, y se deben repetir respectivamente cada 10 años. La vacuna es segura, efectiva y normalmente se tolera bien.

Tos ferina (*pertussis*)

La tos ferina se ha extendido mucho en algunos países industrializados, y, sobre todo en los casos de lactantes y niños, puede conllevar serias complicaciones de salud. La duración de sus efectos perdura, aproximadamente, durante tres años; se pone después de la segunda vacuna, combinada generalmente con la de la difteria y la del tétanos. Debido al desarrollo de nuevas sustancias en su composición, se tolera bastante bien.

Tétanos

El tétanos es una enfermedad mortal. Las bacterias que causan esta temible enfermedad se encuentran en cualquier lugar de la Tierra, y pueden invadir fácilmente el organismo a través de cualquier herida abierta. La inmunidad total comprende tres vacunas, necesitándose una "de recuerdo" cada cinco años o en un período de 5 a 10 años.

Vacuna Hib (meningitis)

El causante de la hemofilia tipo B está extendido por todo el mundo, y, especialmente en los bebés, puede originar una meningitis grave o una angina. Ambas enfermedades son mortales. Actualmente ya existe una vacuna que –debido a su fácil tolerancia– se puede administrar a partir de los tres meses, individualmente o en combinación con la vacuna de la difteria, la tos ferina y el tétanos, pero que en ningún caso se debe hacer después de los seis años.

Parálisis infantil (poliomielitis)

Contra la polio, que puede provocar una parálisis permanente, no existe un tratamiento definitivo. A los lactantes y los niños pequeños se les administra tres dosis de vacuna, que ingieren en un plazo de al menos seis semanas; en los adolescentes, la vacuna se debe administrar en dosis "de recuerdo" en períodos de 6 a 10 años, especialmente si se viaja a países donde exista el riesgo. Ya que el virus de la vacuna aparece aproximadamente entre la sexta y la octava semanas, todas las personas de una misma casa deberían vacunarse al mismo tiempo debido al riesgo (escaso, 1,4 millones) que existe de contraer la enfermedad.

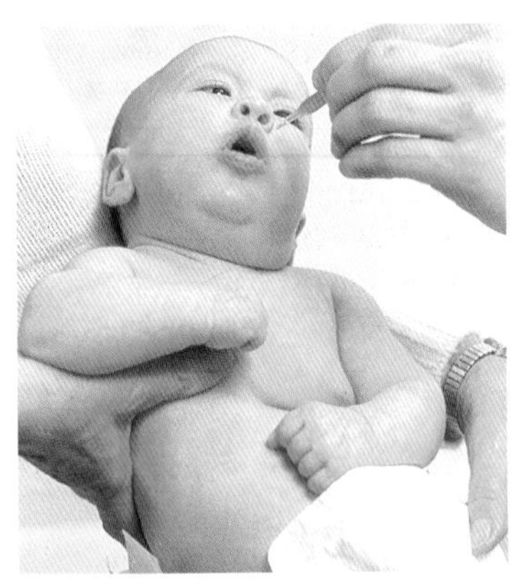

Como en caso de contraer parálisis infantil no existe ningún medicamento efectivo, aprovéchese de la sencilla vacunación por vía oral contra esta enfermedad y haga que se la den a su bebé.

Sarampión, paperas y rubéola

Por una parte, se aconseja la vacunación contra el sarampión, las paperas y la rubéola a causa de las posibles complicaciones en caso de contraer alguna de las dos primeras enfermedades; y, por otra, para prevenir en las mujeres embarazadas el contagio con el virus de la rubéola y el consiguiente riesgo de qu el hijo nazca con malformaciones.

Esta triple vacuna se debe poner, a los niños y a las niñas, a partir de los 15 meses (o como muy tarde a punto de cumplir los dos años de edad); y, a partir de los seis años, se recomienda una segunda vacuna. Las vacunas que se administran hoy día se toleran bien.

Hepatitis A y B

El virus de la hepatitis A, que causa la inflamación del hígado, constituye una amenaza especialmente en aquellos casos donde las normas de higiene son deficientes: servicios (aseos), alimentos contaminados y agua sin la debida limpieza.

Para garantizar la protección, actualmente existen vacunas cuya acción se prolonga hasta 10 años. La vacunación pasiva, cuyo efecto es de tan sólo unos escasos meses, está indicada para aquellos grupos y personas que viajan a zonas de riesgo y permanecen allí durante un corto período de tiempo.

Entre tanto, la obligatoriedad de la vacuna está en función del riesgo y de la inclusión o no en el plan de vacu-

nación estándar del país en cuestión. En algunos casos, se recomienda únicamente a las personas que pertenecen a grupos de riesgo (personal médico y sanitario, hemofílicos, drogodependientes) o a personas que viajan a lugares lejanos donde es posible contraer la enfermedad. La inmunidad total se consigue tras la administración de tres vacunas.
No obstante, se recomienda una vacuna "de recuerdo" pasados aproximadamente 10 años.

Tuberculosis

Se recomienda la vacuna contra la tuberculosis a los recién nacidos o lactantes, y a los niños pequeños que viven en regiones donde existe riesgo de contraer la enfermedad. También es aconsejable entre quienes están en contacto continuo con pacientes tuberculosos. Para descartar la posibilidad de una infección ya existente, en vacunados de más de seis semanas se debe realizar con anterioridad un test dérmico de la tuberculina. Si resulta negativo, la vacunación es factible. El efecto de la vacuna se mantiene hasta 15 años.

Gripe

→ Ver página 542

Meningoencefalitis del inicio de verano

La meningitis causada por el virus de la meningoencefalitis de principios del verano, que puede acarrear graves daños para toda la vida, se contrae por la mordedura de una garrapata. Ya que el virus solamente se encuentra en regiones geográficas determinadas, es importante pedir consejo al respecto. La duración del efecto perdura al menos tres años. La vacunación pasiva ofrece –aproximadamente en el 70% de los casos– una protección de cuatro semanas, y puede resultar eficaz incluso después de la mordedura de la garrapata, durante el período de tiempo que comprende los cuatro días siguientes al de la susodicha mordedura.

Rabia

Ya que la enfermedad de la rabia es mortal, las personas que por su profesión están en contacto con animales o animales salvajes deberían vacunarse. La vacunación pasiva se puede administrar incluso después de la mordedura de un animal salvaje (zorro, rata), de un perro callejero o de un gato. No obstante, debe hacerse lo antes posible. Las personas que posean animales domésticos, en algunos países tienen la obligación de tener al día la vacunación de dichos animales.

Tifus

Las personas que viajen a países con normas higiénicas escasas, procede su vacunación como medida preventiva. Tanto las vacunas por vía oral como intramuscular proporcionan una eficaz protección contra esta infección por salmonelosis, durante un tiempo aproximado de tres a cuatro años. Los niños se pueden vacunar a partir de los dos años.

Cólera

El cólera es una diarrea grave que, debido a la gran pérdida de líquidos, puede llegar incluso a ser mortal. Si bien la vacuna ya no se prescribe oficialmente, algunos países la exigen a sus ciudadanos cuando viajan a zonas de riesgo de la epidemia. La duración de los efectos sólo se mantiene durante seis meses. Reacciones a la vacuna, como enrojecimientos o hinchazones en el lugar del pinchazo, son frecuentes.

Fiebre amarilla

La fiebre amarilla sólo existe en algunos países de Suramérica y África, que exigen a los visitantes un informe oficial que certifique la vacunación contra la enfermedad. Por el momento no existe un tratamiento efectivo contra esta fiebre, que de vez en cuando suele mostrar síntomas graves; por ese motivo, la vacuna es un método preventivo de especial importancia.
Dicha vacuna, que se tolera bien, ofrece una protección segura durante unos 20 años. No obstante, cada 10 años debe ponerse una vacuna "de recuerdo".

La vacunación, una protección eficaz en viajes a países lejanos

¡Cuando planee realizar un viaje a un país lejano o exótico, entérese de los requisitos y medidas sanitarias que se exigen para efectuar dicha visita! Además de evitarse sorpresas desagradables, le servirá como medida preventiva para preservar su salud. En los organismos sanitarios oficiales o en su agencia de viajes le darán la oportuna información; luego, una vez puestas las vacunas, el correspondiente certificado hará constar si es contra el tifus, la cólera, la fiebre amarilla u otra enfermedad. Si viaja a países tropicales, no se olvide de vacunarse contra la malaria. Incluso en el último momento, ¡vacúnese!: «más vale una profilaxis tardía que no tenerla».

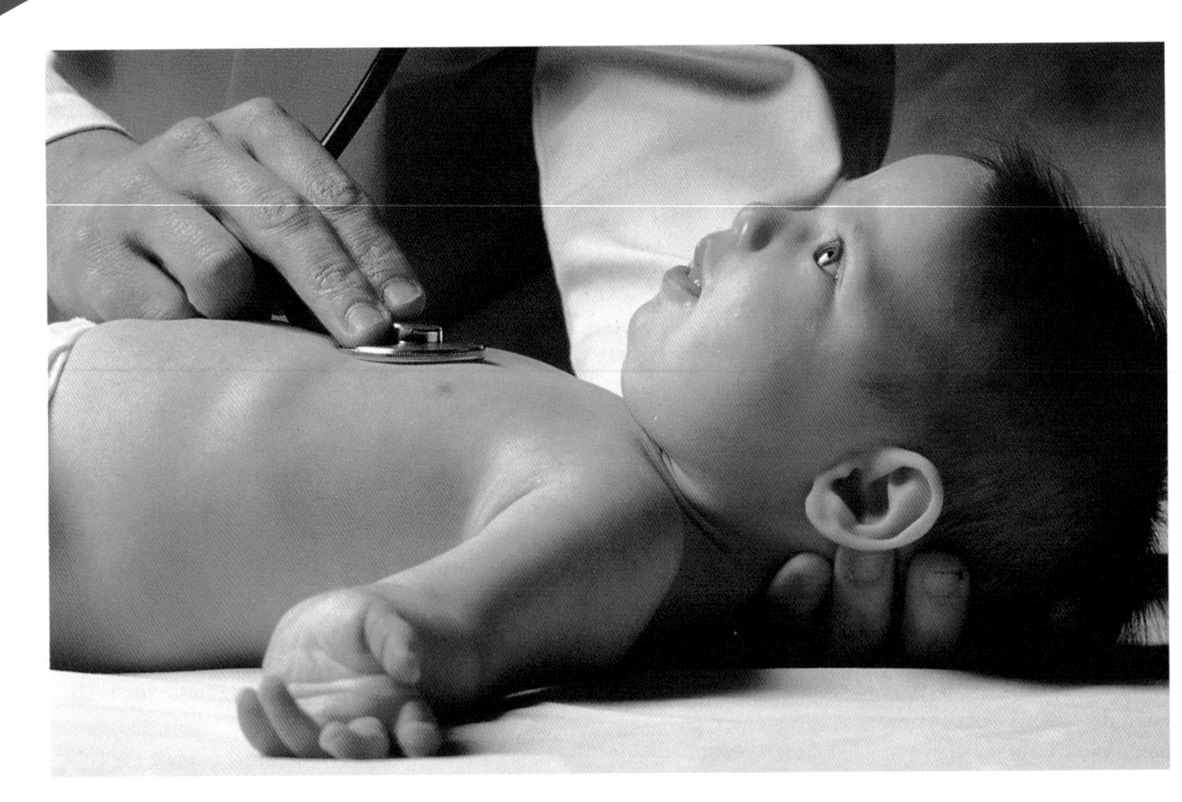

Reconocimiento médico y tratamiento

El establecimiento del diagnóstico

Antes de que el médico comience el tratamiento, debe establecer un diagnóstico exacto de la enfermedad que padece el paciente. Con este objeto tiene a su disposición una serie de procedimientos: primeramente le hará preguntas precisas y, a continuación, le reconocerá. El empleo de diversos métodos técnicos le servirán de ayuda para llevar a cabo el reconocimiento médico y, además, echar un vistazo al "interior" del organismo.

La anamnesia

Antes de efectuar el reconocimiento del paciente, el médico le preguntará por el tipo de dolores o síntomas que padece, cuándo comenzó la enfermedad y qué medidas ha adoptado hasta este momento. Esta conversación que ambos mantienen se conoce con el nombre de anamnesia (del griego *anamnesis*: "recuerdo"). La primera vez que la persona enferma acude al médico, éste le hará algunas preguntas que nada tienen que ver directamente con sus padecimientos. Con la información recopilada se realiza un informe sobre el estado general de salud, el modo de vida, las posibles enfermedades que el enfermo padece –aunque no se manifiesten–, la predisposición hereditaria o algunos cambios que la propia persona no tiene como propios de ninguna enfermedad. También son puntos importantes de partida para el médico la situación profesional y familiar. Cuanto más precisas sean las respuestas del enfermo, más posibilidades tendrá el doctor de delimitar la enfermedad.

Reconocimiento físico

La anamnesis suele proporcionar datos importantes y valiosos que sirven para determinar aquellos órganos que pueden estar afectados por alguna enfermedad, lo que marca una pauta precisa para el posterior reconocimiento físico del paciente. Pero si la consulta tiene como objeto un reconocimiento rutinario, el médico centrará su atención en las zonas más importantes del cuerpo como tórax, abdomen, brazos y piernas.

La realización del reconocimiento

Cada médico efectúa el reconocimiento físico de sus pacientes siguiendo un método determinado. Presta atención a las inflamaciones que pudieran sufrir, enrojecimientos, hinchazones o calentamientos. Al mismo tiempo, comprueba lesiones, lunares y cambios de coloración; también, controla la movilidad de brazos y piernas. Este reconocimiento recibe el nombre de inspección (del latín *inspectio*: "inspección", "revisión").

Después, el médico palpa zonas corporales concretas para determinar si los órganos han experimentado algún cambio –por ejemplo, si están hinchados– y comprueba si el paciente siente alguna molestia o dolor al presionar sobre ellos. Este método de reconocimiento se denomina palpación (del latín *palpare*: "palpar").

A continuación, golpea con sus dedos la zona en cuestión. Para ello, extiende los dedos de una mano sobre el cuerpo del paciente y golpea el dedo medio con los dedos índice y medio de la otra mano, esto hace que se produzca un ruido característico que permite distinguir un órgano sano de otro que no lo está. Esta técnica recibe el nombre de percusión (del latín *percutere*: "golpear"). Luego, realiza la auscultación del paciente con el estetoscopio, le toma la tensión arterial y, si se trata del primer reconocimiento, también anota su talla y peso en el informe.

El objeto del reconocimiento

Durante el reconocimiento físico, el médico se interesa por zonas del organismo que aparentemente no guardan relación directa con los síntomas que expresa padecer el paciente. Sin embargo, hay que tener en cuenta que gran parte de las enfermedades se manifiestan también de manera indirecta. Así, por ejemplo, la hinchazón de los párpados puede hacer pensar, entre otras cosas, en una patología de tipo renal. Si el médico lo considera necesario, enviará al paciente a un especialista para que le realice las pruebas o análisis especiales.

Cabeza y cuello

La cabeza y el cuello son dos de las zonas más importantes del cuerpo, pues albergan y por ellas discurren estructuras de vital importancia para el ser humano. Todo es importante para la diagnosis: forma de la cabeza, color de la cara, cabellos, ojos y su entorno, nariz, labios, mucosa bucal, lengua, dientes, amígdalas, faringe, laringe, ganglios linfáticos y oídos.

Los ojos

Al reconocer los ojos el médico se fija en posibles enrojecimientos o hinchazones en la zona de los párpados. El color pálido de la mucosa del párpado indica la existencia de anemia. La esclerótica enrojecida se debe a inflamaciones, y si presenta una coloración amarillenta es a causa de alguna patología hepática. El médico examina con una lámpara la pupila, que por lo general se contrae al incidir la luz en ella y se dilata de nuevo nada más se aparte el foco de luz. Si no fuera así, puede ser síntoma de diversas enfermedades del cerebro o del iris.

Los oídos

En primer lugar, el médico reconoce los oídos para comprobar si existe alguna alteración externa; por ejemplo nódulos, que indican la presencia de gota. Para examinar el conducto auditivo y el tímpano, el médico alinea el conducto auditivo tirando de la oreja, lo que le permite detectar la otitis media.

Boca, nariz y faringe

La nariz se examina con la ayuda de un instrumento que permite dilatar las ventanas de la nariz, lo que facilita la observación de los conductos nasales.

El médico verifica también el estado de la cavidad bucal, para comprobar posibles alteraciones de la lengua, la mucosa o los conductos excretores de las glándulas salivales. En caso de infección, la pared faríngea muestra un color rojo fuego intenso. El estado de las amígdalas se juzga observando su tamaño, color y recubrimientos.

Los gánglios linfáticos

Para detectar hinchazones de las glándulas salivales y de los ganglios linfáticos, el médico palpa la zona situada bajo la mandíbula inferior, el cuello y detrás de los oídos. Según se localice a uno o a ambos lados el engrosamiento de los ganglios linfáticos, indicará una patología en la cabeza o una enfermedad general.

El tiroides

Para el reconocimiento del tamaño y constitución del tiroides, el médico se coloca detrás del paciente y rodea su cuello con las dos manos. Un tiroides sano se desplaza al tragar. Durante el proceso de deglución, se desliza un poco hacia arriba.
Por los laterales del cuello discurren los grandes vasos sanguíneos. Con ayuda del estetoscopio, el médico puede percibir ruidos característicos que indiquen la existencia de un trastorno circulatorio.

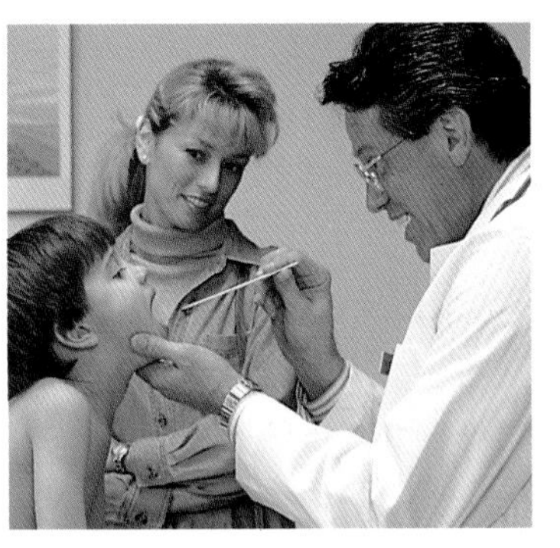

El médico puede examinar fácilmente la lengua, la faringe y las amígdalas con tan sólo abrir el paciente la boca y decir "a".

Los órganos internos

Los órganos torácicos

El reconocimiento del corazón y los pulmones sólo es posible con el dorso del paciente al descubierto. Durante la auscultación del corazón con el estetoscopio, el médico presta especial atención a la regularidad y número de latidos por minuto y a los ruidos cardíacos característicos. Los pulmones también producen ruidos durante la inspiración y la espiración, que son diferentes en caso de que exista una patología.
Además de auscultar, el médico percute el pecho y la espalda y, también, observa si el tórax sube y baja con regularidad al respirar.

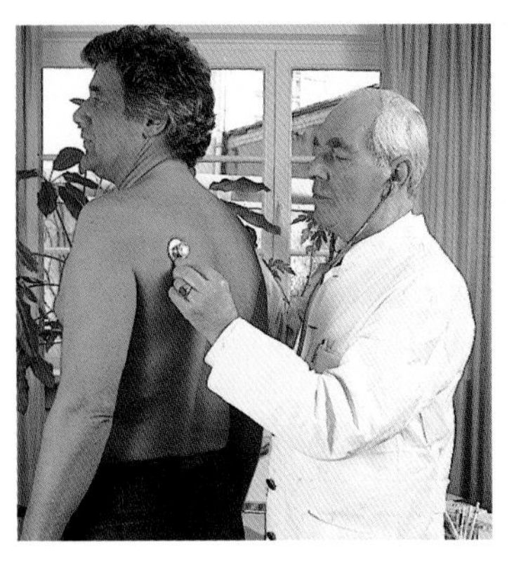

Al tiempo que se respira profundamente, el médico puede detectar ruidos estraños en los pulmones procediendo a la auscultación con un fonendoscopio.

Los órganos abdominales

El médico reconoce al paciente –tendido sobre una camilla y descubierto su abdomen– para comprobar el estado de su estómago, intestino, hígado, vesícula biliar, páncreas, bazo y riñones. Cuando están sanos, la mayor parte de los órganos no se notan. Pero si están inflamados o hinchados, el médico sí puede palparlos. La palpación comienza, con sumo cuidado, en la región abdominal. Luego, percute sobre esta zona para comprobar si las asas intestinales contienen muchos gases o si éstos se han acumulado en la cavidad abdominal. La auscultación permite percibir los ruidos que produce la digestión en el intestino –suenan de diferente modo en una gripe gastrointestinal que en un intestino sano–, y también los posibles trastornos de la arteria abdominal.
El reconocimiento de los riñones se realiza por la espalda, percutiendo suavemente sobre los flancos, en la parte situada un poco por debajo de las costillas. Si la percusión resulta dolorosa, revela la existencia de una nefritis. Con unos guantes asépticos, el médico sondea el recto con un dedo para detectar posibles hemorroides, rastros de sangre o alteraciones de la mucosa y, en el hombre, el tamaño de la próstata.
Para los reconocimientos de los órganos sexuales, el médico de cabecera remite al paciente al ginecólogo o al urólogo, si se trata respectivamente de mujeres o, por el contrario, de hombres.

El aparato locomotor

El reconocimiento del aparato locomotor trata siempre de comprobar los siguientes aspectos:

- La posibilidad de una limitación de movilidad.
- Si existen hinchazones, lesiones o algunos síntomas de inflamación.
- La correcta circulación sanguínea.

En primer lugar, el médico comprueba el estado y movilidad de los brazos y las piernas; el radio de acción o movimiento de las articulaciones, puede medirse mediante un goniómetro de ángulo variable. A diferencia de los brazos, que pueden examinarse mientras el paciente está de pie o sentado, el reconocimiento de las piernas exige que la persona esté tumbada, pues, en caso contrario, es imposible emitir un juicio seguro sobre la movilidad de la articulación de la cadera.
El médico también se encarga de reconocer la forma, movilidad y posibles encorvamientos perniciosos de la columna vertebral. Del mismo modo, mediante golpes dados con el puño, comprueba la desagradable sensación que produce en el paciente en caso de inflamación.

Reconocimiento neurológico

La capacidad de percepción de los sentidos del ser humano (vista, oído, tacto, gusto, olfato) se basa en la facultad de funcionamiento del sistema nervioso, del mismo modo que para la coordinación de movimientos –por ejemplo, para atarse un cordón del zapato– aparte de los músculos se necesita la integridad y el correcto funcionamiento de las vías nerviosas. Este es el motivo por el que los nervios, los reflejos, la motricidad y la sensibilidad constituyen el objetivo principal del reconocimiento neurológico. Normalmente, se comienza siempre examinando los nervios más importantes que afectan a cada patología. Un reconocimiento neurológico completo, que incluye también un examen del estado psíquico, la actividad cerebral y el sentido de la orientación, requiere mucho tiempo.

Los nervios craneales

Para que el médico pueda examinar las distintas ramas en que se divide el nervio que mueve la musculatura facial, debe pedir al paciente que frunza la frente, cierre los ojos con fuerza, hinche los carrillos y saque la lengua del todo. Luego, con los dedos pulgares presionará los bordes superior e inferior de las cuencas que contienen a los ojos y sobre el maxilar inferior de la mandíbula. En este punto se puede percibir cómo aflora el nervio trigémino, que en caso de inflamación produce en el paciente fuertes dolores al presionar.
El funcionamiento de los nervios responsables de la movilidad de los ojos y de la reacción de las pupilas se comprueba con objetos "móviles", por ejemplo, con el desplazamiento alternativo de un lápiz de un lado a otro o encendiendo y apagando una luz. Para verificar si el ojo reacciona ante cuerpos extraños, se utiliza un bastoncillo de algodón que se pone en contacto con la esclerótica.

Reflejos de brazos y piernas

El reflejo es una reacción involuntaria ante un estímulo externo, que se transforma en una acción como respuesta a la impresión recibida en el centro nervioso y que sólo puede producirse cuando los músculos están distendidos. Dependiendo de si hay o no determinados reflejos, y según la mayor o menor intensidad de los mismos, el médico saca las conclusiones pertinentes en relación a una enfermedad. Para esto se vale de un martillo especial, con el que golpea ligeramente zonas concretas del cuerpo, como brazos y piernas. De este modo, el brazo se extiende o se flexiona al golpear la flexura del codo. En la pierna, golpeando ligeramente por debajo de la rótula se produce el conocido reflejo rotuliano. Si el sistema nervioso está intacto y cumple sus funciones con normalidad, la pierna realiza un movimiento involuntario ascendente hacia adelante. El reflejo del tendón de Aquiles, por encima del talón, hace que el pie baile un poco. Si tal reflejo no se produce, puede significar que algún disco intervertebral está dañado, o bien que sea síntoma del precoz deterioro del sistema nervioso debido a la diabetes.
Un reflejo típico se observa también en los ataques de apoplejía: el dedo gordo del pie se eleva al excitar la planta del pie con un objeto punzante, mientras que los demás dedos se doblan hacia abajo.

La movilidad (motricidad)

Al contrario de lo que ocurre con los reflejos, el ser humano es capaz de realizar movimientos a voluntad, es decir, moverse en un momento determinado por propia iniciativa. Los impulsos para realizar el trabajo muscular preciso para tal fin, llegan hasta los músculos a través de los conductos nerviosos. Para sacar conclusiones sobre las enfermedades neurológicas, el médico comprueba la fuerza muscular del paciente. Así, controla si mueve sin dificultad las manos, brazos y piernas para verificar su movilidad activa y pasiva. También se fija en el porte del paciente y si tiembla al realizar determinados movimientos.

El equilibrio

Para corroborar si existe algún trastorno nervioso del órgano del equilibrio, el médico controla si el paciente puede mantenerse firme mientras mantiene los ojos cerrados, o si puede caminar en línea recta –como "en la cuerda floja"– con la vista puesta en el techo.

La sensibilidad

La comprobación de la sensibilidad al dolor, al contacto y a la temperatura aporta datos importantes sobre posibles patologías nerviosas. Para ello, el médico pellizca al paciente, le pincha con una aguja o presiona diferentes partes de su cuerpo.
El contacto con diversos objetos permite al médico confirmar si es capaz de distinguir entre "agudo" y "romo", y entre "caliente" y "frío".

El laboratorio es imprescindible

Para establecer el diagnóstico de la enfermedad, los laboratorios de análisis clínicos son de gran importancia. El médico envía allí muestras de piel, mucosas, sangre, orina y heces para su análisis. La valoración de los resultados se realiza comparando éstos con las magnitudes consideradas normales en una persona sana, que pueden variar dentro de ciertos límites.
Si los resultados del análisis clínico indican la existencia de una enfermedad, antes de establecer el tratamiento definitivo el médico realiza al paciente un reconocimiento de control. Aunque la actividad de los laboratorios está regida por una normativa legal muy estricta, siempre cabe la posibilidad de que los valores que ofrece la moderna tecnología no coincidan con la realidad y que sean incorrectos o inexactos, sobre todo si se tiene en cuenta que los cambios ambientales de luz y temperatura influyen notablemente en el funcionamiento de aparatos tan sensibles. Por otro lado, hay que tener en cuenta que los análisis son una especie de "instantánea" que refleja el estado de salud del paciente en un momento determinado, pero que puede variar pasado el tiempo.

Hematología

Hemograma	**Valores normales**
Glóbulos rojos	4,5-6,1 mill./mm^3
Hemoglobina	13-18 g/dl
Hematocrito	42-55%
Volumen corpuscular medio	42-55%
Hemoglobina corpuscular media	27-31 pg
Concentración media hemoglobina corpuscular	30-37 g/dl
Plaquetas	150 000–400 000/mm^3
Leucocitos totales (Glóbulos blancos)	4 500-9 000/mm^3
Velocidades	**Valores normales**
Velocidad sedimentaria 1h	0-10 mm
Bioquímica	**Valores normales**
Glucosa	60-110 mg/dl
Urea	10-50 mg/dl
Colesterol	120-240 mg/dl
Ácido úrico	1,5-7 mg/dl

Análisis de sangre

La sangre es una de las muestras más frecuentemente analizadas en el laboratorio. Los componentes de la sangre se analizan por distintos métodos.
Así, la cantidad de determinadas células sanguíneas puede indicar una inflamación; también, la velocidad de sedimentación de los glóbulos rojos en un tubito o en una placa de cristal.
La determinación de la coagulación sanguínea es importante para el tratamiento de las enfermedades cardíacas. A partir del suero, parte acuosa de la sangre sin células sanguíneas, es posible concretar las proteínas, valores hepáticos, lípidos, glucemia u hormonas y establecer los grupos sanguíneos o anticuerpos contra un agente patógeno concreto.

Análisis de orina

Además de permitir sacar conclusiones sobre la función renal y posibles infecciones de las vías urinarias, el análisis de orina también suministra datos muy valiosos para la diagnosis de patologías hepáticas y de la vesícula biliar, así como de otras de tipo metabólico como la diabetes o la gota.
El análisis ha de ser del llamado "chorro medio", pues el primer chorro de orina limpia de bacterias las vías urinarias. Las farmacias venden recipientes especiales para los análisis de orina. Si la muestra de orina en las mujeres se toma durante la menstruación, es preciso decírselo al médico, pues la presencia de sangre puede falsear los resultados.
Estos análisis casi siempre se hacen mediante tiras de ensayo, que cambian de color según la composición de la orina. Pero también pueden hacerse al microscopio, cuando se trata de detectar algún tipo de gérmenes o sedimentos cristalinos.

Análisis de heces

El análisis de heces permite detectar agentes patógenos como bacterias, virus y hongos dañinos; pero, también, sangre no visible (oculta). Si se trata de descubrir gérmenes, en un recipiente específico el paciente pondrá una muestra de heces que, luego, el laboratorio se encargará de analizar.
En el caso de que se trate de comprobar si hay sangre en las heces, el paciente debe tomar muestras de tres deposiciones distintas y ponerlas en sendos recipientes con una espátula especial; después, las muestras se introducen en una solución química, que se teñirá de azul si hay sangre en las heces.

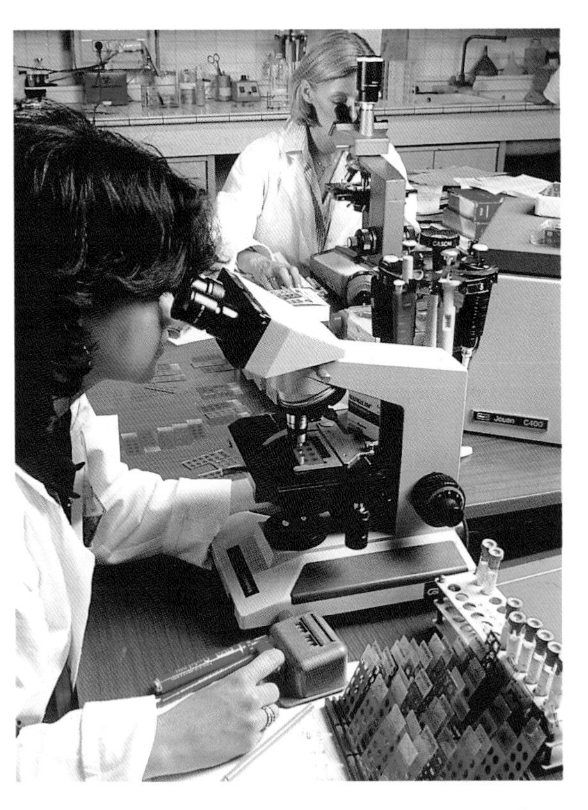

Los resultados de los análisis de laboratorio proporcionan datos importantes que indican la presencia de una patología.

Toma de muestras de tejidos

Para establecer la diagnosis de diversas enfermedades, puede ser necesario tomar pequeñas muestras del tejido de la zona en cuestión del paciente y llevarlas después al laboratorio clínico para proceder a su análisis.

El frotis

Para obtener muestras de la piel o de las mucosas de la persona enferma, el método llamado "frotis" es el comúnmente más utilizado. Se realiza tanto para detectar la presencia de bacterias, virus u hongos como para el diagnóstico y reconocimiento precoz del cáncer.
El médico, ayudándose de un portaalgodón esterilizado, toma pequeñas muestras del tejido superficial de una zona inflamada de la piel o de la mucosa. En el laboratorio se dispone la muestra para su análisis y se comprueba si el cuadro celular es normal o si hay agentes patógenos; y, tratándose de bacterias, se indica a qué antibiótico reaccionan. Esos test duran, al menos, uno o dos días.

La biopsia

Los médicos llaman biopsia, tanto a la toma de una pequeña muestra de tejido del cuerpo como a la muestra en sí. Este procedimiento normalmente se utiliza en las patologías musculares de origen neurológico, en las afecciones renales, en el diagnóstico prenatal y para juzgar si un tumor es maligno o benigno. Los procedimientos empleados son muy diversos. El más frecuente consiste en utilizar una aguja hueca (→ Punción), que se acopla a distintos instrumentos especiales (tenazas, cepillos, sondas, lazos y similares). Después de que el médico haya puesto anestesia local en la zona designada para la punción, pincha con la aguja en la región cutánea correspondiente o en el órgano que se trata de analizar y toma una pequeña muestra de tejido. El proceso completo tiene una duración comparable a la extracción de sangre de una vena del brazo.
Si el tejido al que se pretende realizar la biopsia se encuentra en una zona muy profunda del cuerpo, puede ser necesario la anestesia total; por ejemplo, cuando se trata de analizar los ganglios linfáticos.
La intervención puede hacerse a nivel ambulatorio, pero el paciente tiene entonces que guardar después reposo durante unas horas y que alguien le acompañe de vuelta a casa.
Si existe la sospecha de que el tumor diagnosticado sea de carácter maligno, el médico propone al paciente hacer lo que se conoce con el nombre de "análisis inmediato" de una incisión realizada en el curso de una operación. Si el paciente da su consentimiento, durante la intervención quirúrgica se toma una muestra de tejido y se analiza en el acto. Del resultado obtenido del análisis, depende la decisión sobre la envergadura de la operación. Este procedimiento tiene como objetivo evitar la necesidad de una segunda intervención.

La punción

Se llama punción a una forma determinada de biopsia en la que se toma una muestra de tejido con una aguja hueca, es decir, con una especie de inyección. Este procedimiento es muy apropiado para órganos "blandos" como el hígado, pero también para sacar muestras de líquidos. Su uso es muy apropiado en distintas terapias como, por ejemplo, para eliminar acumulaciones de líquido en las articulaciones hinchadas.
Asimismo, este método permite inyectar en el organismo medicamentos de una terapia determinada. En la actualidad, las punciones se suelen controlar mediante ultrasonidos.

Sonografía (ecografía)

Hoy en día, la sonografía (del latín *sonus*: "sonido") es un procedimiento inseparable de cualquier método analítico técnico. Las imágenes que el médico ve representadas en el monitor se forman mediante ultrasonidos, cuya frecuencia supera el umbral de percepción del oído humano. La palabra "ultrasonido" también ha dado su nombre habitual al método de reconocimiento. El médico dirige las ondas sonoras a través del cuerpo, ayudándose de una cabeza sonora que mueve –de un lado a otro– en la zona del organismo que desea reconocer. Cada vez que las ondas inciden en un órgano, éste las refleja en forma de eco, de mayor o menor intensidad, según la constitución de los tejidos.
Un aparato receptor situado en la cabeza sónica conduce las ondas sonoras reflejadas hasta un ordenador, que las "convierte" en imágenes y las visualiza en un monitor. Para lograr la conducción óptima de las ondas sonoras, se extiende un gel especial por la zona del cuerpo que se desea examinar.

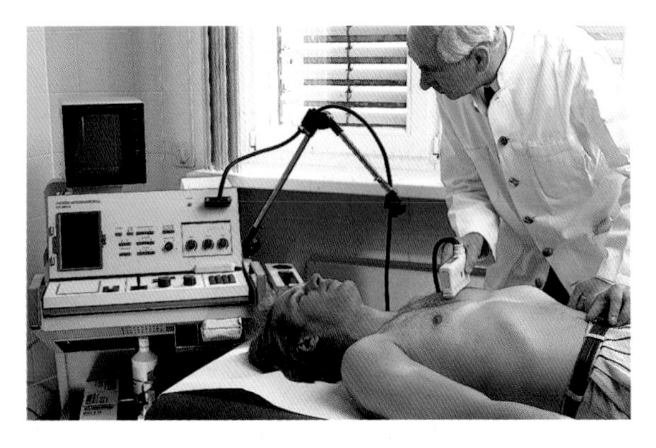

La forma y el tamaño del corazón se pueden visualizar en una pantalla, de manera indolora, mediante ultrasonidos.

La exploración por ultrasonidos sólo se pueden utilizar para examinar los tejidos blandos y los líquidos del organismo. Por este motivo, la sonografía es especialmente idónea para el examen de órganos y de los vasos sanguíneos. Desde hace mucho tiempo viene desempeñando un papel muy destacado como método de diagnóstico, tanto en los reconocimientos ginecológicos como en el de los de bebés aún no nacidos.
La sonografía, conocida en Medicina con el término familiar de "ecografía", es completamente indolora y puede aplicase sin miedo a que produzca ninguna reacción o contraindicación.

ECG y EEG

Tanto la electrocardiografía como la electroencefalografía se basan en el mismo principio, aunque su uso respectivo se destine a examinar órganos tan distintos como son el corazón y el cerebro. Para realizar su función específica, las células cardíacas y las cerebrales se intercambian información mediante flujos débiles de corrientes eléctricas que ellas mismas emiten.
De este modo, pueden coordinar su trabajo. Estas corrientes también se perciben en la superficie de la piel, donde –con ayuda de unas plaquitas de metal llamadas electrodos– son "interceptadas" y desviadas hasta un aparato especial. Los electrodos están conectados a este aparato, que muestra las corrientes en forma de curvas y zigzagueos. Las imágenes obtenidas constituyen –respectivamente– el electrocardiograma (ECG) y el electroencefalograma (EEG), y la forma de las curvas indican la existencia de trastornos funcionales o enfermedades.
Los electrodos para realizar un ECG se colocan en el tórax, sobre el corazón y, según la clase del ECG, también en brazos y piernas; para el EEG, se colocan en la cabeza. Para la mejor conducción de las corrientes eléctricas desde la superficie de la piel a los electrodos, las plaquitas metálicas se humedecen o se untan con un gel conductor. Estas pruebas son completamente indoloras, y no suponen peligro alguno para el paciente, ya que las intensidades de las corrientes son muy bajas.

El electrocardiograma (ECG)

El electrocardiograma es una de las pruebas rutinarias de los reconocimientos periódicos realizados en cualquier consulta médica. Existen tres clases distintas básicas, que muestran la actividad del corazón en condiciones distintas. Son las siguientes: el ECG en reposo, el ECG de resistencia y el ECG de larga duración.
En el caso del primero, el paciente permanece tendido en una camilla, lo más relajado posible, durante la realización del mismo; el segundo tiene como objetivo medir la resistencia, para lo cual el paciente debe mantenerse en movimiento y pedalear sobre una bicicleta estática, que aumenta progresivamente la resistencia de la pedalada (también se realiza caminando sobre una cinta sinfín); el de larga duración se realiza con ayuda de un pequeño aparato, que el paciente lleva sujeto al cuerpo durante 24 horas (también por la noche). Cada patología específica del corazón exige modificaciones en la realización del ECG.

El electroencefalograma (EEG)

Cuando se visualizan las corrientes eléctricas que se forman continuamente en el cerebro, los resultados que se obtienen son diferentes según los ojos del paciente permanezcan abiertos o cerrados.

El estado de relajación con los ojos cerrados revela la subida y bajada de las ondas eléctricas del cerebro con relativa regularidad (*ondas alfa*). Si los ojos permanecen abiertos, es decir, cuando el cerebro reacciona ante cualquier estímulo externo, las curvas son mucho más estrechas y zigzagueantes (*ondas beta*); mientras que, comparativamente hablando, las ondas durante el sueño son más abiertas y anchas (*ondas delta*). Otro tipo son las llamadas *ondas theta*, que se forman y son específicas del cerebro infantil.

En las diversas patologías que afectan al cerebro, por ejemplo en una epilepsia o en un tumor cerebral, aparecen alteraciones típicas de las ondas eléctricas cerebrales, que indican la causa que ocasiona una patología determinada.

La endoscopia

La endoscopia (del griego *endon*: "dentro" y *skopein*: "examinar") es un moderno método de reconocimiento que hoy día ocupa un lugar predominante en el establecimiento de la diagnosis. Con ayuda de este procedimiento, el médico puede observar el interior de las cavidades corporales y, con ello, la mayoría de los distintos órganos del cuerpo.

Tal es el caso, por ejemplo, de las vías respiratorias (→ Broncoscopia), del esófago (→ Endoscopia esofágica o esofagoscopia), del estómago (→ Gastroscopia), del intestino (→ Enteroscopia) o de las vías urinarias (→ Cistoscopia y renoscopia). También pueden examinarse de este modo el tórax (*toracoscopia*) y la cavidad abdominal (*laparoscopia*).

La endoscopia desempeña un papel destacado para determinar el alcance de las afecciones articulares. Durante la endoscopia, también es posible tomar muestras de los tejidos.

Pero la endoscopia no es sólo un método de reconocimiento importante, pues también se utiliza para aplicar la terapia, para planificar las intervenciones quirúrgicas y en los postoperatorios. Así, por ejemplo, hoy día con ayuda del → endoscopio se pueden realizar operaciones "incruentas" o muy poco invasivas, donde antes era inevitable el empleo del bisturí. Lo moderado de este procedimiento "no invasivo" permite extirpar, por ejemplo, el apéndice, la vesícula biliar enferma o, incluso, las varices.

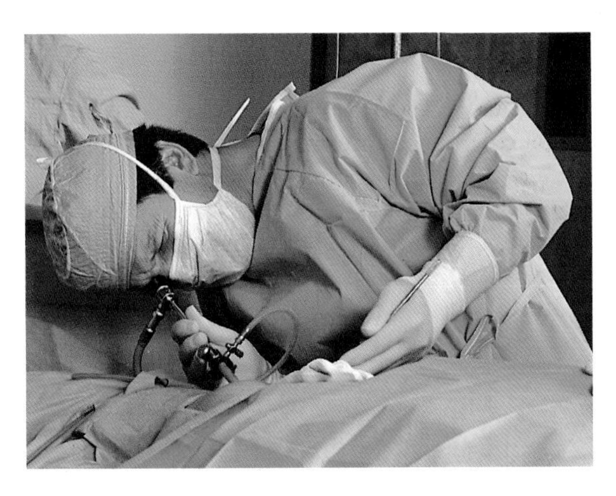

Para efectuar un diagnóstico o realizar una intervención, el endoscopio permite ver directamente el interior del cuerpo.

El endoscopio

Con el fin de lograr el máximo beneficio con la menor intervención posible se utiliza el endoscopio, bien de forma rígida o bien como tubo flexible. Por muy buenas razones, generalmente ésta última opción es la más utilizada, pues su flexibilidad hace que se adapte mucho mejor a las curvas e irregularidades que presenta el cuerpo humano. El endoscopio rígido sólo se emplea en órganos de fácil acceso o en los vasos sanguíneos. La longitud y el grosor del tubo varían según el órgano que se examine, pero nunca es más grueso que el dedo pulgar.

Por su interior discurren tres diminutos canales. El extremo de uno de ellos va provisto de una minicámara, que sirve para tomar y transmitir imágenes de la zona objeto del examen. Tanto la imagen como la luz se envían a través de un cable de fibra óptica, que permite disponer de luz en el interior del cuerpo a través del segundo canal. Por el tercero de los canales, que se destina para realizar el trabajo quirúrgico, se pueden introducir instrumentos auxiliares, como por ejemplo pinzas para extraer cuerpos extraños, agujas para inyectar medicamentos y tenazas o lazos para amputar tejidos.

A pesar de todo la endoscopia aún tiene sus limitaciones, pues el ya diminuto tamaño de los instrumentos necesarios requiere una mayor reducción. Pero como la investigación científica y técnica progresan con gran rapidez, nada es imposible.

La radioscopia

La radioscopia es el procedimiento más antiguo y conocido para obtener imágenes del interior del cuerpo humano desde el exterior. Se basa en una especie de radiación –muy "dura"– descubierta en el año 1895 por Wilhelm C. Röntgen, físico de Würzburg. Este descubrimiento fue de suma importancia para la Medicina, tanto que su principio sigue vigente hoy día.

Después de atravesar el cuerpo, los rayos ennegrecen o impresionan unas placas fotográficas o películas; incluso, se hacen visibles en una pantalla fluorescente sensible a las radiaciones. Las imágenes del interior del cuerpo se obtienen en negativo, es decir, blanco sobre negro (¡no negro sobre blanco!), pues los distintos órganos y tejidos absorben la radiación en mayor o menor intensidad. Así, por ejemplo, la mayor densidad de los huesos hace que absorben mucha radiación y, por eso, aparecen en blanco; por el contrario, los tejidos musculares lo hacen en negro debido a su mayor permeabilidad a la radiación.

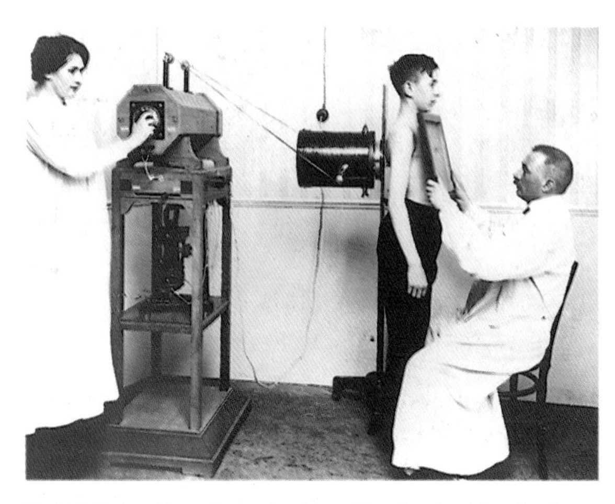

En 1906 las radiografías se hacían sujetando el médico la placa delante del tórax del paciente.

La radiación también atraviesa directamente los órganos que contienen en su interior aire, como los pulmones, por lo que en la película aparecen representados en negro. Pero si el aire que llenan está comprimido a causa, por ejemplo, de un encharcamiento o debido a alguna calcificación, el reflejo que produce en la película es de un tono claro.

Para realizar el examen de partes blandas se utilizan rayos menos "duros". Las imágenes de los órganos huecos y de los vasos sanguíneos, sólo se pueden obtener sirviéndose de un → contraste impermeable a la radiación como ayuda.

Al poco de descubrir la nueva radiación, fue el propio Röntgen quien comprobó que su utilización en grandes dosis albergaba un gran peligro. Así, el exceso de radiación hizo que los radiólogos comenzaron a sufrir quemaduras en sus manos, que se extendieron por la piel de todo el cuerpo, y también se demostró que se podían producir alteraciones en la masa genética. Sin embargo, este problema se solventó y hoy día la radiación de los modernos aparatos de rayos X es insignificante, por lo que los riesgos de este método se han reducido considerablemente. De todas formas, la radioscopia sólo debe utilizarse en aquellos casos que sea imposible obtener resultados fiables con otros métodos que no empleen radiaciones.

Reconocimientos con contraste

La radioscopia con contraste se utiliza fundamentalmente para visualizar la forma y el funcionamiento de las cavidades del cuerpo, órganos huecos y vasos sanguíneos. Este es el motivo principal por el que se utiliza el llamado contraste, ya que es una sustancia impermeable a las radiaciones. En caso de reconocimientos gastrointestinales, por ejemplo, puede administrarse por vía oral; y, en otros casos, tiene que ser inyectado, como en los reconocimientos de los vasos sanguíneos (→ Angiografía; → Catéter cardíaco) o de los conductos biliares (→ ERCP). Normalmente los compuestos se eliminan al poco tiempo por la orina o con las heces, pero su empleo depende de la naturaleza del órgano. Si la persona enferma es alérgica, debe hacerle saber esta circunstancia al médico, pues los contrastes pueden producir alergia.

En su trayecto a través de los órganos digestivo y excretor, el contraste llega hasta el órgano que se pretende examinar y, en ese momento, se realizan las radiografías pertinentes. Este mismo principio también es válido para el examen de los vasos sanguíneos.

Con el llamado "procedimiento de doble contraste", se logra un contraste muy especial en el aparato digestivo. Para ello, el paciente tendrá que ingerir, además del contraste normal, un comprimido efervescente o una bebida muy gaseosa. Las burbujas de aire se depositan entonces en las paredes del aparato digestivo, y permiten hacer una valoración exacta de la mucosa de éste. También, cuando se trate de aclarar o de establecer el diagnóstico de la alteraciones del intestino grueso, se podrá insuflar un poco de aire a través del ano.

La tomografía computarizada

En la tomografía computarizada –TC en abreviatura–, la computadora procesa los datos de la radioscopia. Para ello, se hacen radiografías de todo el cuerpo, o de una parte, desde distintos ángulos de vista. La computadora confronta toda esta información y proporciona una imagen sectorial: el llamado "tomograma" (del griego *tomé*: "sección" y *gramma*: "escritura"). De este modo se puede dividir ópticamente el cuerpo humano en "secciones circulares", y detectar así hasta la más mínima alteración de los órganos. Para hacer las radiografías se introduce al paciente en un tubo hiperdimensional. El proceso dura, por lo general, unos 20 minutos como máximo.
La tomografía computarizada juega un papel esencial en las patologías del cerebro. Con la ayuda de una radiografía de un estrato del cráneo (craneotomografía computarizada, abreviada CTC), se pueden descubrir las causas que originaron un ataque epiléptico o la detección de zonas inflamadas del cerebro.

La resonancia magnética nuclear

Desde el año 1977 existe un proceso de diagnosis muy similar en su funcionamiento a la tomografía computarizada, pero que trabaja sin rayos X: la resonancia magnética nuclear (RMN). En ella se mide la concentración y distribución en el cuerpo de los átomos de hidrógeno y de sus núcleos atómicos, respectivamente. Esto es posible debido a que el agua conforma el cuerpo humano en más de un 70%. Para realizar la medición, el paciente tiene que permanecer alrededor de media hora dentro de un tubo de grandes dimensiones en el que se forman campos electromagnéticos de gran intensidad, lo que estimula los núcleos atómicos del hidrógeno y les hace emitir sus propios impulsos electromagnéticos; esta llamada "resonancia nuclear" la capta un aparato receptor, que procesa una computadora y transforma en imágenes de la zona reconocida.
Esta técnica es muy apropiada para explorar el cerebro, la médula espinal, los discos intervertebrales o los espacios internos de las articulaciones. Hasta ahora no se conocen efectos secundarios, aunque muchos pacientes se quejan de la sensación de claustrofobia que sienten durante su permanencia dentro del tubo.

La escintigrafía

Entre los numerosos campos de aplicación de la escintigrafía se cuentan el examen de órganos y partes del cuerpo humano tan importantes como son: el tiroides, los huesos, el corazón y los pulmones.
Para su realización se aprovecha la efímera radiactividad de distintas sustancias, que se inyectan o ingieren en el organismo. Con este fin se seleccionan aquellas sustancias que tienden a concentrarse en algunas zonas o áreas del cuerpo, como es el caso del yodo, que se concentra sobre todo en la glándula tiroides.
La radiactividad que emiten se percibe con ayuda de una cámara fotográfica especial. La imagen o escintigrama que se obtiene muestra la distribución de la sustancia radiactiva en el órgano y proporciona información sobre su estado y funcionamiento.
La carga radiactiva de una escintigrafía es mínima, y la excreción de las sustancias del organismo tiene lugar al poco tiempo a través de la orina y las heces.

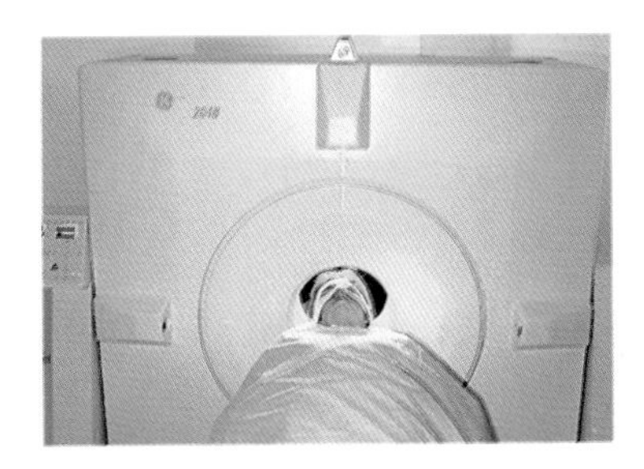

La llamada TEP resulta especialmente indicada para la observación del cerebro.

La tomografía por emisión de positrones (TEP)

La tomografía por emisión de positrones, cuya abreviatura es TEP, supone una innovación tecnológica de la escintigrafía más avanzada. Para su realización también se basa en sustancias de radiactividad efímera, que solamente se concentran en zonas del organismo donde existe una gran actividad metabólica.
Al descomponerse las sustancias se libera energía, que puede ser medida con aparatos especiales y transformada en imágenes con ayuda de una computadora. La distribución de la energía dentro de un órgano permite sacar conclusiones sobre la actividad metabólica y, como consecuencia, sobre el estado general de salud del órgano en cuestión.
La TEP ocupa un lugar destacado en la diagnosis de las enfermedades cerebrales y, al igual que ocurre en la escintigrafía, la carga radiactiva es muy reducida.

Posibilidades de la terapia

El objetivo primero y más importante de cualquier tratamiento médico es la curación total de la enfermedad. Por desgracia esto no siempre es posible en la práctica, ya sea porque se trata de una enfermedad crónica o, en el peor de los casos, incurable o irreversible; también, porque quizá se catalogue como una "enfermedad de desgaste natural como consecuencia de la edad", como pueden ser las de los huesos, que afectan a las articulaciones y discos intervertebrales al perder elasticidad y movilidad con la edad, la "diabetes senil", la hipertensión y muchas más. La Medicina se ve muy limitada en estos casos y entonces hay que ser muy prudentes a la hora de marcarse unos objetivos, que no pueden ser otros que tratar de aliviar las afecciones e impedimentos y que la enfermedad no progrese o, al menos, que no degenere en otras patologías.

Muchos caminos, pero una sola meta

El médico puede elegir entre numerosas formas de terapia, pero, en el fondo, todas ellas pertenecen a uno de los dos grupos clásicos:

• Los procedimientos conservadores, que defienden la unidad del cuerpo (del latín *conservare*: "proteger", "conservar") y cuyos tratamientos son exclusivamente de aplicación "externa".

• Los procedimientos quirúrgicos, que, como su propio nombre indica, pretenden curar o aliviar una enfermedad mediante la realización de intervenciones quirúrgicas (del griego *cheirurgeia*: "manipulación") que interesan el interior del cuerpo.

Sin embargo, gracias al progreso de la Medicina y al avance de la técnica, la frontera entre las terapias conservadoras y las quirúrgicas es cada vez más difusa. También la alta tecnología médica hace que la terapia ofrezca perspectivas inéditas. Médicos y pacientes luchan al unísono porque las operaciones "no resulten traumáticas", es decir, donde el inevitable corte o destrucción de los tejidos enfermos sea lo menos invasiva posible y se pueda llegar hasta el interior del cuerpo sin que ello suponga una agresión excesiva o se tenga que sajar.

Procedimientos como la litotricia con ondas de choque, en la que es posible destruir cálculos renales desde el exterior mediante ultrasonidos, los distintos tratamientos endoscópicos o últimamente también la radioterapia, imprescindible para el tratamiento del cáncer, reúnen las ventajas de ambos grupos de terapias. Por un lado, garantizan la integridad del cuerpo y, por otro, intervienen radicalmente en el interior del cuerpo para cortar la enfermedad de raíz en el sentido literal de la palabra. En la mayoría de los casos, las cargas física y psíquica de tal intervención son mucho menores y, por otra parte, se reduce considerablemente el tiempo de recuperación del paciente tras la operación.

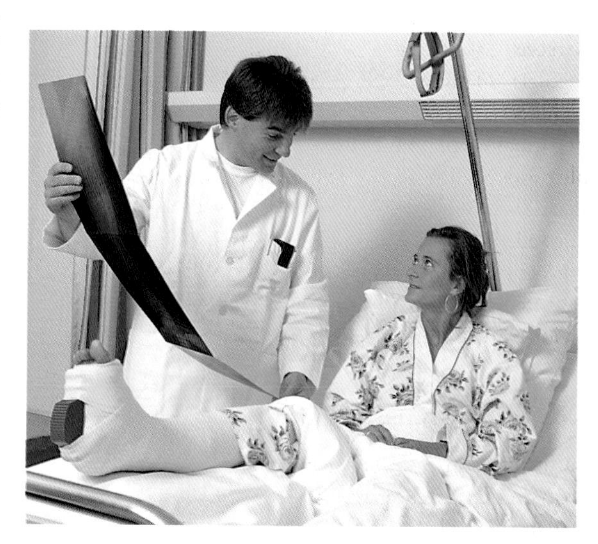

La curación es más favorable cuando existe una mutua colaboración en el tratamiento entre médico y paciente.

La colaboración activa del paciente

Para que una terapia "surta efecto" y el paciente note mejoría, suele ser necesario esperar a que pase algún tiempo. Pero puede suceder que un tratamiento de reconocida eficacia no dé los resultados esperados. En este caso, el médico optará por otra terapia alternativa que produzca los efectos deseados en el paciente; o tal vez le proponga la adopción de otras medidas más contundentes, como puede ser una intervención quirúrgica, medida que se procuraba evitar en un principio.

Las condiciones más importantes que deben concurrir para que el tratamiento sea adecuado son, sin duda, el establecimiento exacto del diagnóstico por parte del

médico y la elección de la terapia o del tratamiento más apropiado para cada caso.
Pero tan importante como todos estos condicionantes es el esfuerzo personal y actitud que debe adoptar cada uno de los pacientes a nivel individual. Aparte de la responsabilidad de observar los síntomas y afecciones con la mayor atención posible, para poder describírselos con todo detalle al médico, la persona enferma también debe asumir el papel esencial de colaboración activa en la terapia. No se trata de procurar que el paciente "se cure a sí mismo", pero sí de invitarle a que se enfrente a la enfermedad con integridad y de forma consciente, que se informe sobre ella y que siga la terapia propuesta por el médico, sobre todo en caso de que sea necesaria una operación.
Fundamentalmente, y concretando, se trata de que la persona enferma asuma la obligación de tomar con regularidad los medicamentos prescritos por el médico, que ponga el máximo interés en el tratamiento terapéutico que se le imponga y que siga lo más fielmente posible todos los consejos médicos para llevar una vida más sana. Si el enfermo tiene dudas sobre si el tratamiento que se le ha impuesto es el más adecuado, lo más oportuno es dialogar con el médico sobre ello para, después de intercambiar impresiones, tratar de encontrar la mejor solución posible de común acuerdo.

Las clases de tratamiento

La mayor parte de los tratamientos médicos se realizan a nivel ambulatorio, es decir, la persona enferma regresa a su casa el mismo día del reconocimiento y del tratamiento.
También suele darse este tipo de tratamiento en los casos de pequeñas intervenciones. Por el contrario, el llamado tratamiento estacionario requiere la permanencia del enfermo en una clínica u hospital. En muchos casos, el médico y el paciente deciden conjuntamente el tipo de tratamiento. Esta circunstancia depende, por un lado, de la gravedad de la patología y, por otro, de las condiciones familiares y domésticas, es decir, de si los familiares se hacen cargo del enfermo para dispensarle los cuidados precisos y, también, de si la vivienda reúne las condiciones precisas para ello.

La terapia conservadora

La terapia conservadora se subdivide en dos clases de procedimientos curativos: los propios de la medicina académica y los llamados alternativos.
La medicina académica es la medicina reconocida universalmente, la que se enseña en las universidades –basada en el tratamiento conservador tradicional–, que tiene como objetivo la curación mediante la administración de medicamentos obtenidos de sustancias químicas y la aplicación de las diversas variantes de los procedimientos curativos complementarios, entre los que se cuentan desde la gimnasia terapéutica hasta la termoterapia y la terapia nutricional. A todo ello se suman los medios de ayuda ortopédicos, que actúan sobre aquellas partes del cuerpo que han de permanecer en reposo debido a la enfermedad o por lesión y que estimulan su funcionamiento. Hoy día, también está adquiriendo una importancia cada vez mayor la → terapia de alta tecnología. En la práctica médica cotidiana se han reducido extraordinariamente los límites entre la medicina académica y la natural. Entre los motivos principales se cuentan, por un lado, el que muchos médicos también recetan o prescriben medicamentos vegetales cuando lo consideran oportuno y, por otro, a que la mayoría de los procedimientos curativos complementarios empleados en la medicina académica proceden o tienen su origen en los de la medicina natural.
Durante los últimos años han extendido su aplicación y se han hecho muy populares entre la población los métodos conservadores tradicionales propios de la medicina alternativa, entre los que se cuentan escuelas médicas como la homeopatía, la medicina china y el ayurveda hindú; pero, también, formas de tratamiento como la terapia neural. Por otro lado, muchos médicos se han dedicado a adquirir una formación adicional en procedimientos alternativos, que también practican los llamados paramédicos.

Terapias de alta tecnología

El desarrollo e investigación tecnológica han hecho posible la fabricación de aparatos especializados, que permiten la realización de reconocimientos cada vez más exactos y cuyo ámbito de aplicación hace que los tratamientos sean un éxito.
La medicina intensiva sería impensable sin la tecnología, aparatos y procedimientos técnicos que forman parte de la medicina desde hace mucho tiempo y salvan numerosas vidas a diario. Piénsese tan sólo en la diálisis, o en los aparatos cada vez más sofisticados para el tratamiento de oclusiones de los vasos sanguíneos.

La cirugía como medio de curación

Precisamente es en la cirugía donde más se notan los progresos de la Medicina en las últimas décadas. Desde un punto de vista médico, el trasplante de órganos resulta ya algo habitual y cotidiano; incluso la reimplantación de miembros ha pasado de casos aislados a casi generalizarse su práctica. A diario se realizan miles de operaciones de huesos astillados, amígdalas purulentas, varices y muchas otras de distinta naturaleza. Prácticamente no existe ningún órgano que carezca de terapia mediante una operación, aspecto éste muy importante también en el tratamiento del cáncer.
La especialización y los avances de los distintos campos de la Medicina ha hecho que la mayor parte de las intervenciones quirúrgicas tengan que ser realizadas por médicos especialistas de las distintas ramas. Así hay que tener en cuenta que, por ejemplo, el neurocirujano solamente se ocupa de las lesiones y patologías del cerebro, de la médula espinal y de los nervios, mientras que el ginecólogo se dedica a tratar exclusivamente los padecimientos o enfermedades propias de las mujeres.

La operación

En caso de que con la aplicación de una terapia conservadora no se consiga la mejoría de las afecciones del enfermo a corto plazo, o que no exista un tratamiento conservador adecuado, el médico someterá a la consideración del interesado la posibilidad de una operación. La persona enferma siempre debe, en última instancia, decidir sobre esta cuestión, incluso en caso de urgencia. Ante la normativa legal, cualquier intervención es una lesión corporal que sólo es punible en caso de que se realice sin el consentimiento expreso por parte del paciente. El médico tiene la obligación y el deber de proporcionarle toda la información concerniente a su salud, para que pueda tomar una decisión en consecuencia a su situación.
Durante el transcurso de esta charla informativa también pueden estar e intervenir los familiares, sobre todo si se trata de una operación que suponga cierto riesgo. Además de asesorar con toda claridad, el médico podrá disipar al paciente todas sus dudas y preocupaciones.

Lo que debe saber sobre la operación

El requisito indispensable para tomar una decisión es que el médico explique y describa exactamente al paciente cuál es la enfermedad que padece y la evolución prevista con el paso del tiempo.
También le explicará las consecuencias que acarrea prescindir de la operación, así como las que supone acceder a que se lleve a cabo. Asimismo es importante que le proporcione toda clase de explicaciones sobre la intervención en sí: ¿Qué es lo que le harán? ¿Cómo transcurrirá la operación? ¿Cuál es el tiempo estimado para la convalecencia? ¿Será necesario un tratamiento posterior? ¿Cuáles son los riesgos que existen?

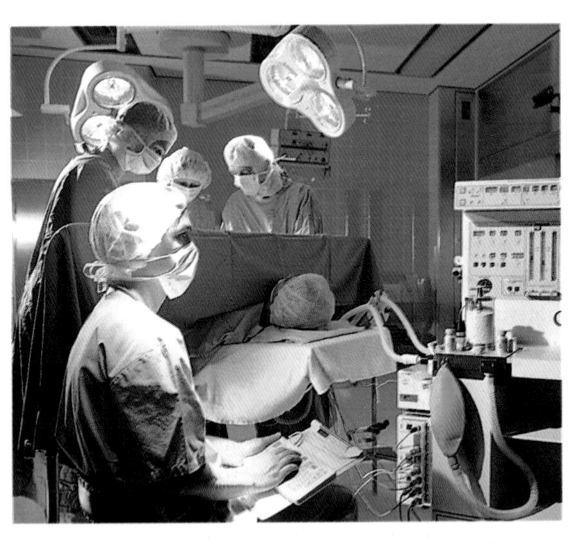

Durante la operación, el anestesista vigila todas las constantes del organismo del paciente.

Riesgos y efectos posteriores

Toda intervención quirúrgica lleva implícito un riesgo para el cuerpo. El que este riesgo sea mayor o menor depende de muchos factores. Entre otros, de la gravedad misma de la enfermedad –de la que también depende la envergadura de la operación–, del estado general de salud y de la posible existencia de dolencias crónicas; y, como es lógico, de la edad del paciente. Pero asimismo de la calidad de los cuidados médicos que reciba el paciente, es decir, de la profesionalidad del cirujano y del personal sanitario, así como del equipamiento técnico de que disponga el hospital.
Entre las obligaciones y los deberes del médico se cuenta la de informar sobre las complicaciones y las consecuencias que supone la intervención. El paciente debe sopesar los riesgos y las ventajas que comporta esta alternativa para, después de un tiempo de reflexión, decidirse por una u otra opción.

La intervención quirúrgica

Los preparativos

Si el paciente finalmente opta por operarse, será necesario que antes reciba un tratamiento ambulatorio o estacionario preparatorio según sea su caso (→ La operación ambulatoria; → Estancia en el hospital).

En cualquier caso, corresponde al médico que se va a encargar de la intervención quirúrgica realizarle un reconocimiento físico completo, destinado a determinar sus valores sanguíneos actuales y los cardíacos. También, en algunos casos, puede ser necesario que le hagan unas radiografías del corazón y los pulmones.

Poco antes de la operación, el anestesista mantendrá una conversación con el paciente durante la que le informará de su estado general de salud, de las posibles patologías concomitantes y de los medicamentos que le han prescrito y tomado hasta la fecha actual. También le recetará un calmante suave para que tome la noche anterior a la operación y por la mañana del día siguiente, respectivamente.

Antes de cada operación, ya sea ambulatoria o en el hospital, se toman las siguientes medidas generales:

- Las comidas del día anterior han de ser ligeras, y seis horas antes –como mínimo– no se puede beber nada.
- El intestino se debe evacuar con ayuda de un laxante o mediante la aplicación de un enema.
- El cuerpo se ha de limpiar y asear a fondo.
- El día anterior, irse pronto a la cama recién mudada.

En el quirófano

Para evitar cualquier posible foco infeccioso o de contagio, el quirófano tiene que ser sometido a una asepsia total y esterilizado por completo. El equipo médico y sanitario llevan puesto un traje especial y protegidas sus bocas y cabello.

Al paciente también se le pone una especie de camisón, y con una especie de gorro se le cubre el pelo.

Nada más llegar a la sala de operaciones, el anestesista tiene preparado todo para proceder a la narcosis. Sobre el tórax del paciente se sujetan los electrodos de un ECG, que permite al equipo médico controlar la actividad cardíaca durante la operación; también se le pone un clip en el lóbulo de la oreja, para medir si la cantidad de oxígeno en la sangre es suficiente. Una vez se ha procedido a la anestesia del paciente, se le conduce hasta el quirófano propiamente dicho.

A continuación se desinfecta la piel de la zona que interesa la operación, se cubre al paciente en la camilla con sábanas estériles y se comienza la operación después de que el cirujano, la enfermera de quirófano y el resto del equipo se han puesto sendas batas y guantes estériles.

Si la operación se realiza con ayuda de un endoscopio, sólo se precisa realizar una pequeña incisión. Pero si la intervención es convencional la cosa cambia, pues entonces hay que "abrir", como usualmente dicen los médicos, toda la región corporal enferma. Mientras tanto, el anestesista permanece a la cabecera del enfermo controlando el efecto de la anestesia y las constantes corporales con ayuda de los aparatos correspondientes.

Después de la operación

Tras la operación, una vez han pasado los efectos de la anestesia, lo más importante es que la persona enferma descanse y que la cuiden, ya sea en el hospital o en la propia casa si la operación ha sido efectuada en el ambulatorio. El enfermo se recupera de este modo de las incomodidades que supone la anestesia y de la propia intervención, además de permanecer convaleciente hasta la total curación de las cicatrices que le ha ocasionado la intervención quirúrgica.

Para evitar posibles dolores se le prescribirán medicamentos, y pasará los correspondientes reconocimientos periódicos con el fin de comprobar si la herida sigue sangrando o si ha curado bien.

Los casos de urgencia

Las operaciones previamente planificadas tienen la seguridad de desarrollarse según la estrategia establecida con anterioridad.

Pero la cosa cambia radicalmente cuando se trata de un caso de urgencia, por ejemplo debido a una oclusión intestinal. Entonces no existe más alternativa que la operación, que tiene que realizarse a la mayor brevedad posible para salvar la vida del paciente. En estos casos tampoco el médico puede operar sin el consentimiento del paciente, pero dadas las extraordinarias circunstancias es seguro que nadie se negará a darlo.

Si por alguna razón (de tipo religioso, moral, etcétera) algún familiar se opusiera a la operación, el médico tiene que actuar como si el paciente le hubiese dado su consentimiento –a pesar de estar inconsciente– debido a su código ético y la normativa legal. En caso contrario, podría ser acusado de un delito de negación de auxilio.

La anestesia

Cuando en Medicina se habla de anestesia, además de la insensibilidad al dolor y ante los estímulos externos nos estamos refiriendo también a una rama de esta ciencia que se ocupa de la narcosis propiamente dicha (anestesia local o total), así como del tratamiento para evitar precisamente el dolor. El especialista que trata todas estas cuestiones es el anestesista.
La misión de este especialista consiste en hacer que el paciente no padezca dolor durante un período de tiempo limitado, aparte de ocuparse que en el transcurso de la operación se mantenga la efectividad de la anestesia dentro de unos parámetros normales y controlar las constantes del paciente para que el organismo mantenga todas sus funciones vitales. Según la intervención de que se trate, el anestesista procura la insensibilidad al dolor sólo en la región corporal afectada (→ Anestesia local) o en todo el cuerpo (→ Anestesia total).

Operaciones sin dolor

Antes de que en el siglo XIX se descubriera la narcosis, lo normal era que durante las operaciones el paciente tuviera que ser atado fuertemente a la camilla o sujetado por varios hombres. De esto no se escapaba ni siquiera quien, dándoselas de héroe, pretendía soportar los dolores sin necesidad de ningún tipo de atadura o sujeción, pues el dolor desencadena en las personas reacciones automáticas que tienen como finalidad la protección contra cualquier ataque exterior. Entre estas reacciones de autodefensa se encuentran los reflejos, como movimientos defensivos, tensiones musculares o, también, la lógica reacción de pretender la huida.
Así pues, para que cualquier tipo de agresión corporal –y teniendo en cuenta que una operación, aunque sea deseada, también es una agresión– sea soportable, tenemos que ser insensibilizados al dolor. Esta insensibilidad se consigue mediante la aplicación de la anestesia total o local, sin la cual no existiría la cirugía moderna.

La anestesia local

También llamada zonal, la anestesia local tiene la ventaja sobre la general o total de el paciente permanece consciente durante la intervención quirúrgica y puede moverse, lo que hace que el cuerpo soporte menos cargas. Para ello, se interrumpe la comunicación entre los centros receptores del dolor y la médula espinal y el cerebro, respectivamente. Como resultado, el centro del dolor del cerebro no recibe información alguna de lo que sucede en la zona anestesiada y el paciente se muestra insensible a este dolor.

Anestesia local

Según la zona en la que se aplique, las formas de anestesia local son diversas:

• **Anestesia superficial.** Casi siempre se aplica en forma de aerosol, normalmente en los ojos o en las mucosas; así, por ejemplo, en la faringe para reprimir el reflejo de la deglución durante una endoscopia de esófago o amígdalas.

• **Anestesia por infiltración.** En este tipo de anestesia el anestésico se inyecta, en forma de abanico, en el área de la piel afectada o alrededor de la misma. Aunque mayormente su empleo se destina a sanar heridas, también es posible su aplicación en el caso de operaciones de hernia inguinal.

• **Anestesia troncular.** También llamada bloqueo nervioso periférico, el anestésico se inyecta en las proximidades de un gran nervio, con lo que toda la zona de influencia del mismo queda desconectada del sistema nervioso central y, por lo tanto, insensibilizada al dolor. Este procedimiento se utiliza frecuentemente en operaciones de dedos de manos y pies o, incluso, en los tratamientos odontológicos e intervenciones de tiroides.

• **Anestesia en vena.** En operaciones de manos y pies, el anestésico también se puede inyectar en una vena. Para ello, la única condición que se requiere es que la vena no contenga sangre, por lo que hay que ligar antes el brazo o la pierna con el fin de que el medicamento no llegue hasta el cerebro a través de la circulación sanguínea.

Las anestesias espinal y epidural

Una forma especial de anestesia local es la anestesia espinal, que se utiliza en intervenciones en el vientre y como ayuda en el parto. En la anestesia espinal se inyecta el anestésico en el espacio de la médula espinal que contiene el líquido raquídeo. De este modo, los nervios situados por debajo de la inyección sufren la influencia de la anestesia.
De igual modo actúa la anestesia epidural, en la que el anestésico en vez de inyectarse en el líquido raquídeo se hace en el espacio comprendido entre la vértebra y la capa protectora que la envuelve (*duramadre*). Se aplica en operaciones de más de tres horas de duración.

La anestesia general

La anestesia total o general tiene como objetivo que el paciente permanezca inconsciente, sumido en un sueño profundo, donde los reflejos ante cualquier estímulo externo y la sensibilidad al dolor quedan desconectados del sistema nervioso central y los músculos relajados durante el tiempo previsto de duración de la intervención quirúrgica.

Debido al riesgo (controlado) que representa, sólo se recomienda su aplicación en aquellos casos estrictamente necesarios. En la composición del anestésico se combinan diferentes analgésicos, dependiendo de la patología en cuestión, que se aspiran luego en forma de vapores o gases a través de una mascarilla o bien se inyectan por vía intravenosa.

En todas las operaciones cuyo tiempo previsto de duración sobrepase la media hora, una vez dormido el paciente se le introduce por la tráquea un tubo para poder suministrarle los anestésicos así como aire durante la operación.

Riesgos y efectos posteriores

Toda intervención grave que necesite de anestesia supone un riesgo para el organismo. Los riesgos que esto puede traer consigo dependen básicamente de tres factores concretos: de la edad, del estado general de salud del paciente y de la duración de la operación. Resulta lógico que durante una operación el cuerpo se debilite en mayor medida cuanto más avanzada sea la edad de la persona, lo mismo que las facultades de resistencia y de recuperación se mostrarán mucho más limitadas si existen patologías cardiovasculares, debilitamiento de los órganos respiratorios o patologías metabólicas como la diabetes.

Pero esto en modo alguno significa que no sea posible la anestesia si el paciente padece alguna patología previa. En principio, los modernos métodos de anestesia pueden aplicarse a cualquier persona, incluso a lactantes y personas mayores.

De los efectos posteriores que puedan aparecer, sólo están exentos los procedimientos sencillos; así, la anestesia local simple desaparece a las pocas horas de realizada la operación sin causar afección alguna. Otra consideración distinta merecen las anestesias espinal y total o general, que pueden producir dolores de cabeza, náuseas y vómitos transitorios. Si el paciente es alérgico, durante la entrevista previa con el anestesista antes de la operación debe decírselo. Todas las formas de → anestesia local pueden producir reacciones alérgicas.

La medicina intensiva

Después de operaciones graves o en patologías que pueden dar lugar a trastornos o ataques que llegan incluso a ser mortales, los cuidados y la asistencia médica habituales no son suficientes. En estos casos el paciente debe permanecer en una Unidad de Vigilancia Intensiva (UVI), donde hay muchos médicos, enfermeras y cuidadores pendientes y donde las constantes de las funciones más importantes del cuerpo se visualizan mediante modernos aparatos tecnológicos, lo que permite adoptar medidas terapéuticas inmediatas en caso de empeoramiento del estado de salud.

En cambio, la Unidad de Cuidados Intensivos (UCI) sólo está prevista para el cuidado transitorio de las personas recién operadas. En realidad, se suele hablar indistintamente de UCI y de UVI.

La dirección de estas unidades casi siempre está a cargo de especialistas en medicina intensiva, conocidos como intensivistas.

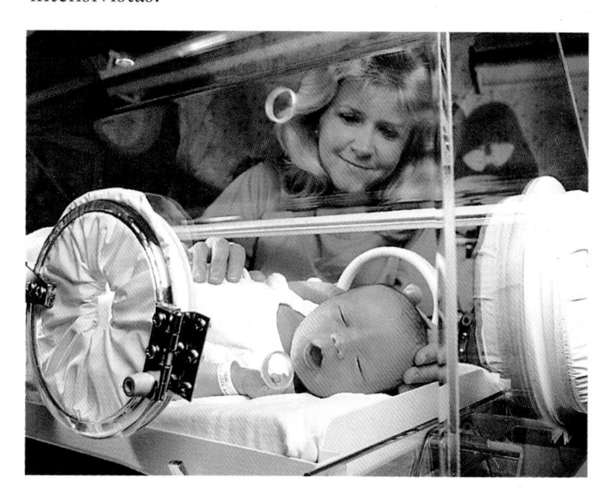

Los bebés prematuros pasan a la incubadora hasta que adquieran fuerza para enfrentarse al mundo "exterior".

La unidad para niños prematuros

Los niños que no están en condiciones de subsistir por haber nacido poco desarrollados, disponen de una unidad especial donde poder hacerlo. Allí se les pone en una incubadora, que les mantiene calientes, y, si es preciso, se les pone respiración artificial.

Al igual que con los adultos, se les vigila con aparatos para comprobar su actividad cardíaca, la circulación y la respiración. La alimentación se realiza mediante una sonda gástrica, hasta que puedan beber por sí solos.

Medicamentos: principios activos para la salud

Píldoras, supositorios, polvos, tinturas, pomadas y aceites son las formas más diversas de medicamentos que, desde los tiempos del antiguo Egipto, suponen el instrumento más importante de la humanidad para curar enfermedades y aliviar afecciones, prevenirlas o diagnosticarlas. Al principio, los conocimientos sobre la acción de los diferentes medicamentos se basaba sólo en la medicina experimental. El médico griego Galeno (130-210), considerado el "padre de la teoría de la farmacología", y especialmente Paracelso (1493-1541), comenzaron a profundizar en el conocimiento de cada uno de los principios activos de los medicamentos.

A finales del siglo XIX todavía se preparaban en las boticas casi todas las medicinas, hechas mayormente con hierbas secas o recién cortadas. Pero por aquel tiempo comenzaron a surgir unos pocos laboratorios farmacéuticos, donde los principios activos de los diferentes productos naturales se extraían de forma químicamente pura. A excepción de las medicinas naturales, la mayoría de los medicamentos actualmente se obtienen mediante la "sintetización" de principios activos, es decir, compuestos químicos producidos siguiendo el ejemplo de la naturaleza o, también, de composición completamente nueva.

La eficacia tanto de los remedios caseros como de los medicamentos, depende de la dosis precisa y de la forma de tomarlos.

¿Tabletas o gotas?

Una sustancia química sólo se convierte en medicamento eficaz cuando se elabora de un modo concreto. La forma elegida –tableta, pomada, emulsión o gotas– depende, ante todo, de dónde y cómo vaya a ser aplicado el medicamento. Así, se tiene que algunos medicamentos actúan mejor si se frota con ellos la zona enferma, mientras que otros tienen que administrarse por vía oral o mediante inyectables para que la circulación sanguínea los transporte hasta el lugar que requiere su acción. Los medicamentos líquidos pasan a la sangre con más rapidez que los sólidos.

Medicamentos de acción retardada

Pero en ciertas ocasiones es deseable que el principio activo actúe de manera retardada (lentamente), por lo que en estos casos el médico prescribirá al paciente medicamentos de forma sólida (grageas o cápsulas, por ejemplo). Estos preparados, llamados de liberación retardada, están formados por diversas capas de distinto grosor, que se disuelven en el intestino una tras otra. Por eso hay que tragarlos enteros, es decir, sin masticar. Así se puede reducir el número de tomas diarias.

También se pueden conseguir efectos a largo plazo mediante un emplasto que cuente con una reserva de principio activo, como en el caso del emplasto hormonal, que se adhiere a la piel y va liberando la medicina de una manera lenta pero constante.

Excipientes

La dosis activa de muchas sustancias tan sólo suele ser de unos pocos miligramos. Resulta tan pequeña que la mayor parte del medicamento se compone de sustancias de relleno (*excipientes*), que son las que le dan el tamaño utilizable. Entre estos excipientes se cuentan, por ejemplo, la lactosa, el alcohol, el agua o las grasas duras en los supositorios. También se añaden conservantes, que garantizan la inalterabilidad.

El control de los medicamentos

La búsqueda de principios activos nuevos y de acción cada vez más eficaz, es la tarea principal y más importante de la investigación farmacológica. Sin embargo, la mayoría de los fármacos presentes en el mercado son simples variantes de medicamentos ya probados.

Antes de que un medicamento se considere válido para su administración y pueda ser comercializado tiene que pasar, a lo largo de varios años, por una serie de procesos de desarrollo prescritos por la Ley.

Las distintas fases

La prueba preclínica tiene como misión comprobar en el laboratorio, con cultivos de células o en experimentación con animales, si una sustancia causa el efecto deseado y no resulta tóxica si su uso se prolonga durante cierto tiempo, si daña a la masa genética, si produce algún tipo de cáncer o malformaciones y, también, cómo la asimila, distribuye y excreta el organismo.

Por término medio, sólo una de cada mil sustancias produce los resultados esperados y consigue pasar hasta la siguiente fase de la prueba clínica. Durante la primera fase se comprueba, en voluntarios, si los efectos observados hasta entonces en las pruebas realizadas en el laboratorio, se producen también en las personas. Durante la segunda fase se prueba la sustancia en pacientes seleccionados que padecen la enfermedad que se quiere combatir. Si los resultados son positivos y los efectos secundarios tolerables, se procede a probar el medicamento en una muestra que comprenda un número mayor de pacientes y a compararlo con otras posibilidades de tratamiento.

Para poder realizar esta prueba es condición indispensable contar con el consentimiento expreso del paciente y, al mismo tiempo, mantenerle al corriente de los efectos secundarios y riesgos conocidos.

La autorización

De cada diez sustancias sometidas a control, sólo una de ellas llega al proceso final para obtener la autorización. En este punto, es preciso demostrar que el medicamento produce los efectos deseados y no ofrece peligro (¡no que sea inocuo!). Sólo entonces recibe un nombre comercial y entra en el mercado.

A pesar de la autorización, el nuevo producto seguirá siendo objeto de vigilancia para comprobar las reacciones que produce en la práctica.

Derecho de patente y genéricos

Si una empresa farmacéutica considera que ha descubierto un principio activo que promete tener éxito, lo primero que hace es solicitar de inmediato una patente que garantice los derechos de comercialización exclusivos durante 20 años. Pero sólo podrá disfrutar de estos derechos después de haber pasado el largo (varios años) y complicado proceso de control del medicamento.

Una vez que la protección de la patente ha prescrito, las demás empresas de la industria farmacéutica puede elaborar medicamentos similares con este principio activo. Al producirse varios de estos productos, llamados "genéricos", el precio en el mercado es mucho más barato, ya que no se soportan los costes de investigación y desarrollo.

La calidad de los medicamentos

La fabricación de medicamentos obliga a la industria farmacéutica a cumplir estrictas normas de calidad. Las materias primas y los productos acabados han de pasar meticulosos exámenes.

Además, en los libros se hacen constar las materias primas básicas y cada una de las fases de producción. De este modo, si más tarde se observa alguna deficiencia se podrán retirar del mercado los medicamentos defectuosos con tan sólo verificar la fecha de fabricación y el número correspondiente de la partida. Las partidas están compuestas por los productos de diferentes lotes fabricados en idénticas condiciones.

El placebo, un pseudomedicamento

Se llaman "placebos" a aquellas sustancias farmacéuticas que no contienen ningún principio activo; son pseudomedicamentos, pues en su composición sólo entra almidón, azúcar, grasa o agua, es decir, la "envoltura" o capa externa que constituye el fármaco. Sin embargo, a pesar de no contener ningún principio activo, puede producir sorprendentes efectos curativos, sobre todo en el tratamiento del dolor. La explicación a este curioso fenómeno, aún no ha sido encontrado por las ciencias naturales. Se supone que al tomar un placebo las fuerzas autocurativas del cuerpo se movilizan, lo que juega un papel esencial en cualquier tratamiento. Pero, para conseguir esto, es condición indispensable que el paciente tenga confianza y crea en el poder curativo de la medicina que toma.

La receta médica

Para que una receta tenga el carácter de documento oficial, ha de llevar el membrete del médico así como su sello y firma. Sin embargo, no todos los medicamentos necesitan receta. Según cada país, el seguro social asume una parte de los gastos de los medicamentos que necesitan de receta para su consumo y administración. Por cada medicamento el paciente ha de pagar un porcentaje, que varía según el medicamento de que se trate. Normalmente el coste de los medicamentos recetados por médicos privados tiene que ser abonado íntegramente por el paciente, a no ser que el seguro privado o la mutualidad corra con los gastos de la medicación. En estos casos, el paciente debe pedir la factura a su farmacéutico por la cantidad abonada y presentarla después en las oficinas de la entidad correspondiente.

Receta médica obligatoria

La legislación depende de cada país, pero por lo general se suele distinguir entre medicamentos de venta exclusiva en farmacias y los de venta libre. Entre los primeros, los hay que no necesitan receta para su adquisición y otros, por el contrario, que están sujetos a la obligatoriedad de la misma.

Los medicamentos que necesitan la prescripción y control médico precisan receta, ya que hay que contar con los efectos secundarios incluso para las dosis prescritas. Esta circunstancia es válida para los medicamentos de reciente creación que contengan un principio activo nuevo, aunque, después de un plazo de varios años, pueden ser eximidos de la obligatoriedad de la receta.

Estupefacientes

Los estupefacientes son sustancias que crean adicción, por lo que su prescripción y consumo están sujetos a normas de control especiales. Necesariamente tienen que prescribirse en una receta numerada, y sólo deben recetarse cuando no hay otro método para lograr los efectos deseados. Este requisito y el riesgo de la adicción hace que muchos médicos se abstengan de recetar analgésicos morfínicos, a pesar de que podrían aliviar en gran medida los dolores que sufren las personas con graves enfermedades. Sin embargo, la dependencia apenas se da cuando se utilizan como es debido. Esta es la razón por la que se están haciendo grandes esfuerzos para reducir la rigidez de las normas.

La mejor forma de tomar los comprimidos y las cápsulas es con un gran vaso de agua.

El prospecto explicativo

Cada medicamento va acompañado de un prospecto; en el apartado "composición" se indica el principio activo de que se trata y qué cantidad contiene, así como los excipientes que lo acompañan. En el apartado "indicaciones" aparece una descripción sucinta de las afecciones y enfermedades contra las que el medicamento resulta eficaz. Por su parte, las "contraindicaciones" informan sobre las circunstancias en que no está recomendado el uso del medicamento. Si ocurre que alguno de estos medicamentos afecte al paciente, se debe consultar siempre con el médico.

> ¡En caso de que, al tomar un medicamento, note alguna molestia de las referidas como"posibles" en el prospecto, antes de dejarlo de tomar por propia cuenta consulte antes con su médico (puede hacerlo por teléfono) sobre los efectos secundarios!

El prospecto contiene datos importantes sobre la posología y la manera de aplicación del medicamento. Estas indicaciones se tendrán en cuenta cuando el médico no haya establecido otras pautas de comportamiento.

Efectos no deseados

El prospecto tiene un apartado especial dedicado a los "posibles efectos secundarios" del medicamento. Tales efectos se entienden como las reacciones adversas del organismo al medicamento, que pueden aparecer junto con los pretendidos beneficios.

Por razones jurídicas, las distintas empresas de la industria farmacéutica procuran establecer con todo detalle la lista completa de los posibles efectos secundarios, lo que muchas veces parece dar la impresión de que un medicamento tenga más efectos dañinos que beneficiosos. Sin embargo, lo cierto es que estos efectos no deseados aparecen en muy pocos casos. El concepto "raro" que en ciertas ocasiones se indica en el prospecto significa una incidencia de efectos no deseados en un porcentaje de un uno por ciento, mientras que el de "muy raro" lo es en un uno por mil.

Efectos recíprocos

Si una persona toma varios medicamentos al mismo tiempo, puede ser que los principios activos de cada uno influyan sobre los demás. En el apartado del prospecto titulado "interacciones", se da amplia información sobre la forma de utilizar el medicamento.
Sin embargo, el aumento del efecto por la acción de un segundo preparado complementario puede ser el previsto en el marco de la terapia. La potenciación de los efectos por la toma de dos medicamentos normalmente se debe a las diversas prescripciones de los médicos de distinta especialidad, que no contrastan entre ellos la información.

> **!** Cuando esté en tratamiento con varios médicos al mismo tiempo, debe informar a cada uno de ellos de los medicamentos que está tomando!

La confianza en el médico

Toneladas de medicamentos van a parar cada año a la basura, muchos de ellos en envases que ni siquiera han sido abiertos. Una de las razones por lo que esto sucede suele ser la indicación de "posibles → efectos secundarios"; la otra, porque la mejoría de las afecciones no ha sido lo bastante efectiva o, al revés, que se ha interrumpido el tratamiento nada más que han desaparecido los síntomas. Todos estos temas es preciso comentarlos con el médico antes de comenzar a tomar los medicamentos. El tratamiento que impone el médico pretende la curación, por lo que es deseable y necesario que el paciente colabore.
Cuando el médico extienda la receta, se puede aprovechar para preguntar las siguientes cuestiones:

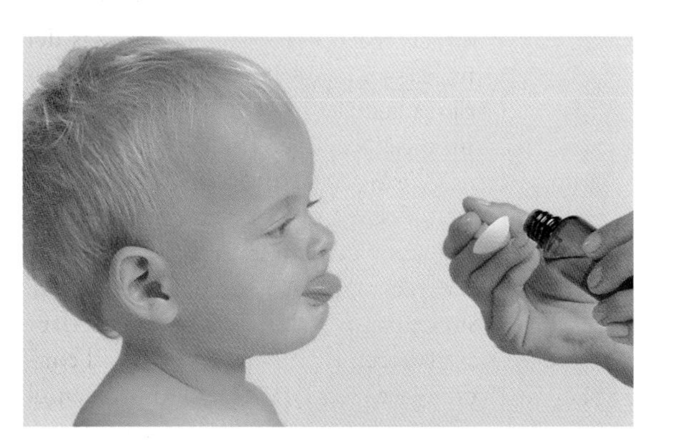

Los niños pequeños tienen sus propios medicamentos, cuya dosificación debe adaptarse a su peso y edad.

- ¿Qué efectos produce el medicamento y cuánto tiempo habrá que esperar para advertirlos?
- ¿Qué efectos secundarios se pueden esperar? ¿Serán muy intensos y serios, o sólo pasajeros?
- ¿Cuál es la dosis y cómo hay que tomar el medicamento?

Medicamentos durante el embarazo y la lactancia

Las mujeres embarazadas y las que están dando el pecho a su bebé no deben tomar medicamentos más que en caso de necesidad, pero siempre después de haber consultado con el médico (→ ¡Cuidado con los medicamentos y los tóxicos!).
Como la mayoría de los principios activos pueden pasar a la circulación sanguínea del niño a través de la placenta o de la leche materna, el peligro de malformaciones y de defectos orgánicos es mucho más grande durante los tres primeros meses del embarazo. Sin embargo, de los numerosos medicamentos que existen sólo un reducido número de ellos han demostrado la posibilidad de causar daños al niño aún no nacido. Sobre todo, se debe prescindir de tomar aquellos medicamentos de reciente aparición en el mercado, ya que, por lo general, no pueden garantizar la ausencia de riesgos a largo plazo.
En todas las patologías que pudieran afectar a la madre, el médico sopesa en primer lugar la relación beneficio-riesgo y, después, decide la conveniencia o no de prescribir la administración de medicamentos. También hay que sopesar el potencial daño al que se expone el niño en caso de que se prescinda de la terapia medicamentosa prescrita.

Medicamentos infantiles

Según la edad que tenga el niño o bebé, el cuerpo se transforma y excreta los medicamentos de distinta forma que en los adultos.
Por éste y otros motivos los medicamentos de los niños son específicos, requieren dosis muy pequeñas en su administración y ofrecen aromas especiales muy del gusto infantil.
Esta es la razón por la que se debe prescindir de dar al niño "medicamentos propios de adultos" como, por ejemplo, ácido acetilsalicílico (→ Analgésicos), sin consultar antes con el médico.

Grupo de medicamentos más importantes de la A a la Z

Analgésicos

Analgésicos que no necesitan receta

El dolor es una señal de aviso del cuerpo, que en ningún caso debe reprimirse aprisa y corriendo. El ácido acetilsalicílico (AAS), el paracetamol y el ibuprofeno alivian los dolores ligeros y medianos, evitan inflamaciones y actúan sobre el sistema nervioso central; también, pueden bajar la fiebre. Tanto el uso del ácido acetilsalicílico como del ibuprofeno deben evitarse cuando se tiene propensión a las hemorragias y a las úlceras gastrointestinales; si tienen infecciones febriles, los niños tampoco deben tomar AAS.
Pero, aunque los analgésicos sean poco fuertes, pueden producir a su vez dolores de cabeza permanentes, lo que lleva consigo el peligro de dependencia. Los preparados con cafeína potencian este efecto.

Morfina y analgésicos morfínicos

Para aliviar los dolores muy intensos o las dolencias crónicas no suele haber más solución que emplear remedios de acción muy fuerte, como la morfina o la codeína, así como compuestos sintéticos similares. Actúan sobre el cerebro y la médula espinal, donde activan un sistema endógeno de bloqueo del dolor. Sus efectos se potencian en combinación con analgésicos antiinflamatorios o → antidepresivos.
Pero hay que tener en cuenta que, al principio, pueden producir náuseas, vómitos y somnolencia y, más tarde, estreñimiento y problemas para orinar; y, si se administran en dosis altas, respiración entrecortada.
Salvo algunas excepciones, las morfinas tienen la consideración de estupefacientes. Aunque suelen crear adicción en caso de uso abusivo e inadecuado, prácticamente nunca lo hacen si en los tratamientos se utilizan a las dosis prescritas por el médico con fines terapéuticos para evitar el dolor.

Antibióticos

El antibiótico es un concepto general de un principio activo que entra en la composición de múltiples medicamentos y se emplea, sobre todo, en la lucha contra los agentes patógenos bacterianos.
Estas sustancias se extraen de los seres vivos presentes en la naturaleza, por ejemplo de los mohos, pero también pueden fabricarse como producto sintético. Dos son las clases más características de antibióticos: los *bacteriostáticos*, como la sulfonamida, que sólo evitan que las bacterias sigan creciendo, y los *bactericidas*, como la penicilina, que las elimina. Pero estas sustancias tienen el inconveniente de que no distinguen entre bacterias beneficiosas para el cuerpo y bacterias dañinas, por lo que también suelen atacar a las floras vaginal e intestinal; como consecuencia, provocan diarrea, flatos o micosis en el intestino y en la vagina.
¡También pueden neutralizar los efectos de la píldora anticonceptiva!

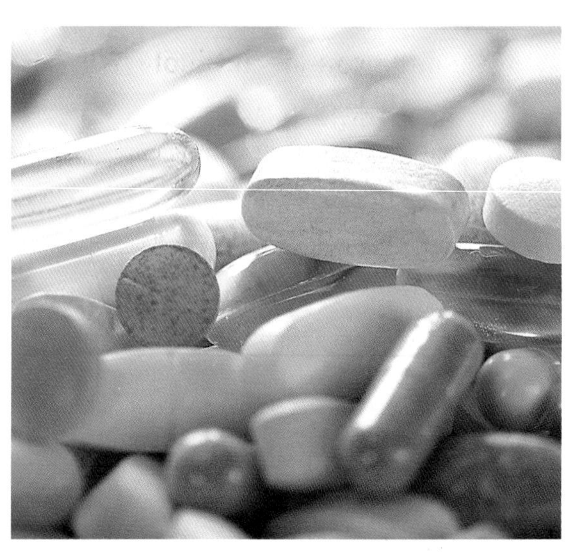

No tome cualquier medicamento. En caso de afección, lea primero el prospecto y, en caso de duda, consulte a su médico.

Bacterias resistentes

Algunas bacterias producen síntomas específicos, por lo que para prescribir el antibiótico más adecuado el médico tiene que ordenar previamente un análisis de laboratorio; otras, tienen que ser identificadas. Las bacterias no siempre reaccionan a cualquier antibiótico.
Naturalmente, esta resistencia puede ser hereditaria, debida, por ejemplo, al inadecuado o insuficiente tratamiento con antibióticos en los tratamientos contra las bacterias. Pero su origen también puede estar en los antibióticos presentes en la carne que se consume.
Los *antibióticos de amplio espectro*, como la tetraciclina, actúan –al contrario que los *antibióticos de vía estrecha*, como la penicilina, que sólo son efectivos contra unas pocas bacterias concretas– sobre un gran número de agentes patógenos distintos.

¡Cuidado con los antibióticos!

- Aunque ya hayan remitido las afecciones, no tome nunca un antibiótico sin consultar antes con su médico. Para que la curación sea completa, es preciso continuar la terapia incluso después de haber cesado las afecciones!
- Pregunte a su médico sobre la posibilidad de prevenir los diferentes tipo de micosis.
- Si ya ha padecido en alguna ocasión una reacción alérgica a un antibiótico, informe de esta circunstancia a su médico y lleve siempre consigo la "cartilla de alergias" con las correspondientes indicaciones acerca de las que padece.

Antihistamínicos

Cuando se producen reacciones inflamatorias y alérgicas, el cuerpo libera histamina. Los antihistamínicos son sustancias que debilitan los efectos de la histamina o que los hacen desaparecer por completo. Su efecto secundario más frecuente es el cansancio, por eso los antihistamínicos se emplean también como somníferos. Hay que tener mucho cuidado con la toma simultánea de tranquilizantes, psicofármacos y alcohol. En los casos de constipados, estornudos y prurito de tipo alérgico se suele utilizar una nueva generación de antihistamínicos que no producen tanto cansancio.

Antirresfriados

El refranero popular asegura que «un resfriado dura siete días sin medicamentos y una semana con ellos». Y tiene mucha razón, pues hasta ahora no se conoce ningún medicamento realmente eficaz contra las infecciones gripales, que es como llaman los médicos a los resfriados producidos por virus.
Lo que sí hay es una serie de medicamentos –la mayor parte de los cuales se pueden adquirir sin receta–, que prometen un rápido alivio de las molestias del resfriado. En la preparación de los combinados suele entrar en su composición un analgésico suave, vitamina C, un principio activo contra el constipado y, tal vez, cafeína. De todas formas, siempre que las afecciones no desaparezcan en un plazo de 10 días consulte con su médico.

Constipado

El constipado es uno de los síntomas típicos que acompañan al resfriado, pero también puede indicar una reacción alérgica (→ Fiebre del heno). Los medicamentos contra el constipado inhiben la circulación sanguínea de la mucosa nasal, con lo cual evitan la hinchazón y reducen las secreciones. Administrados en forma de gotas, apenas producen efectos secundarios siempre que, como es lógico, se apliquen en dosis pequeñas y durante un corto período de tiempo. Al cesar los efectos del medicamento se produce un aumento considerable del riego sanguíneo y de las secreciones, lo que estimula la utilización de nuevo del medicamento.
El peligro de dependencia es grande, y el uso prolongado del medicamento puede producir daños permanentes en la mucosa.

Fiebre

La fiebre es una reacción natural del cuerpo, que tiene como objetivo defenderse y ayudar a combatir los agentes patógenos. Los medicamentos para bajar la fiebre, conocidos vulgarmente como *antipiréticos*, como el ácido acetilsalicílico y el paracetamol, también actúan contra los dolores de cabeza y de los miembros (→ Analgésicos).
Antes de procurar rebajar la fiebre de los niños con ácido acetilsalicílico, consulte con su médico si tiene alguna duda.

Dolores de garganta y problemas de deglución

Las sustancias que contienen las tabletas para chupar producen en dosis continuadas el adormecimiento de la mucosa bucal por algún tiempo, dejando sentir así sus efectos analgésicos. Pero, cuidado: ¡sus principios activos pueden producir alergias!
Los medicamentos para gargarismos son antibacterianos, pero pueden causar daños en la flora bucal. La alternativa son los medicamentos que contienen principios activos vegetales, como las tabletas de salvia. En caso de que tome tabletas que contengan antibióticos, ¡consulte antes con su médico!

Tos

La tos es un reflejo involuntario que, además de servir para expulsar cuerpos extraños, desatasca las vías respiratorias de la secreción acumulada. La desagradable tos seca o irritante se combate con los llamados *antitusivos*, medicamentos que contienen principios activos como codeína y noscapina. Su acción bloquea el reflejo tusígeno del cerebro, evita los accesos de tos y produce un alivio general. Para su adquisición, se necesita receta. La codeína puede crear farmacodependencia.

Cuando la tos vaya acompañada de expectoración, debe evitarse tomar cualquier tipo de antitusivo. En estos casos es mejor la ingestión de *expectorantes* como la acetilcisteína, que diluyen la mucosidad y facilitan la expulsión al toser. No obstante, los mismos efectos es factible conseguirlos con remedios caseros como son las infusiones de plantas medicinales y la aplicación de cataplasmas calientes en el pecho.

Citostáticos

Los *citostáticos* son principios activos que tienen la propiedad de atacar a las células, sobre todo a las que se multiplican con demasiada rapidez. Desempeñan un papel esencial en el tratamiento de las enfermedades de tipo canceroso.

Un campo de aplicación muy especial es la medicina de los trasplantes, pues entre las propiedades de los cistostáticos se cuenta la de reprimir el sistema inmunológico para que no se produzca una reacción de rechazo del órgano trasplantado.

Cortisona (glucocorticoides)

Las cápsulas suprarrenales del cuerpo forman numerosas hormonas en su corteza, entre ellas los llamados *corticoides*. El cortisol (hidrocortisona) es una de las hormonas más importantes de este grupo. Los glucocorticoides, designados en el lenguaje popular como "cortisona", son los principios activos más apropiados para el tratamiento de reacciones inflamatorias graves de origen no infeccioso. Aunque sólo sea de manera transitoria, la cortisona es capaz de inhibir este doloroso medio de defensa del sistema inmunológico. Usualmente se utiliza con gran éxito en patologías de origen reumático , eccemas o alergias.

Pero este remedio milagroso que tantos dolores quitaba a las personas en otros tiempos, hoy día se ha desprestigiado debido a sus efectos secundarios. Aunque esto no sea totalmente cierto, ya que la cortisona no produce efecto alguno en tratamientos de corta duración, en algunos casos los resultados llegan a ser ciertamente graves. Los efectos secundarios que revisten gravedad se ciernen sobre todo en los tratamientos de larga duración, que pueden ocasionar, por ejemplo, debilitamiento inmunológico, atrofia ósea o el llamado síndrome de Cushing; y, en los casos de aplicaciones externas, enrojecimiento de la piel. En la actualidad, para combatir los efectos secundarios se apuesta especialmente por dosis de cortisona bajas y muy ajustadas a cada circunstancia particular.

¡Cuidado con la cortisona!

¡

- La dosis diaria tómela siempre por las mañanas, antes de las ocho, porque de este modo el trastorno que ocasiona en la producción endógena del corticoide es mínimo!
- No mezcle la cortisona con otros productos que tengan diferentes principios activos.
- Si es posible, emplee preparados de cortisona de uso tópico, es decir, en aerosol o como pomada.
- En caso de que la aplicación sea en forma de aerosol, enjuáguese bien la boca después de la aplicación; por el contrario, si es pomada lo que se aplica, úntela siempre en capas muy finas.
- Ponga fin al tratamiento con cortisona cuándo y cómo se lo indique el médico, pues quizá sea necesario reducir la dosis poco a poco.
- La cortisona no tiene propiedades curativas: sólo sirve para aliviar síntomas agudos o muy difíciles de tratar de otro modo.

Diuréticos

Se conocen por *diuréticos* a los agentes o medicamentos que hacen que se excrete una mayor cantidad de orina. Con ellos se evitan las retenciones de líquidos, la tensión arterial disminuye y se

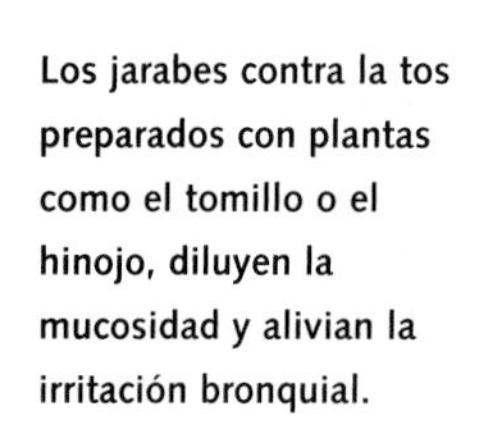

Los jarabes contra la tos preparados con plantas como el tomillo o el hinojo, diluyen la mucosidad y alivian la irritación bronquial.

y se estimula la acción cardíaca. Sin embargo, también pueden ocasionar la eliminación de sales importantes, que necesariamente han de reponerse. Cuando los riñones no trabajan lo suficiente, los diuréticos permiten expulsar grandes cantidades de líquido en poco tiempo.
No obstante, su uso a largo plazo fomenta una mayor propensión al colapso y a la formación de coágulos de sangre. Los *diuréticos tiazídicos* eliminan líquidos más lentamente, y están indicados para tratamientos de larga duración; por ejemplo, en los casos de insuficiencia cardíaca e hipertensión.

Laxantes

Los *laxantes* contienen sustancias que estimulan la mucosa intestinal y la musculatura del intestino, además de ablandar las heces y esponjarlas. Las sales de Glauber y amarga, así como las sustancias activas de las hojas y frutos del sen, de la corteza del arraclán o de las raíces del ruibarbo favorecen la evacuación de las deposiciones en gran parte del intestino grueso.
Pero, al poco tiempo, el intestino vuelve a llenarse para la próxima deposición, motivo por el cual la sensación de estreñimiento reaparece... ¡y vuelta a tomar laxantes! Este círculo vicioso se agrava con la pérdida de agua y minerales, producida por el uso prolongado de los laxantes. El salvado de trigo y la linaza aumentan la cantidad de deposiciones al incrementarse el volumen del bolo que forman al absorber líquido, lo cual obliga al intestino a trabajar. Aunque a corto plazo es un buen método, hay que recordar que es preciso tomar mucho líquido al mismo tiempo. Los laxantes sólo deben ingerirse cuando realmente sea necesario y, en cualquier caso, por poco tiempo. Una alimentación rica en fibras siempre es la mejor solución.

Los laxantes son aconsejables

- Antes de una operación en la región abdominal.
- Cuando se va a realizar un reconocimiento del aparato gastrointestinal.
- En caso de afecciones dolorosas del recto.
- Si es necesario evitar las presiones abdominales; por ejemplo, después de una intervención quirúrgica o de haber sufrido un infarto de miocardio o de un ataque de apoplejía.

Para los olvidadizos, existen diferentes métodos para tomar los medicamentos a la hora prescrita.

Psicofármacos

Tranquilizantes

Nerviosismo, estrés y angustia suele ser el resultado de cargas excesivas y de situaciones vitales no superadas. En estos casos los *tranquilizantes* suponen una gran ayuda, pero en ningún caso deben representar una solución definitiva; antes bien, serán un alivio pasajero y ficticio, porque estos medicamentos crean adicción en unas pocas semanas. La interrupción brusca del tratamiento suele producir graves trastornos del sueño y una angustia aun mayor. La deshabituación tiene que hacerse, pues, paso a paso. Esta es la razón por la que los tranquilizantes sólo son aptos para tratamientos cortos, aunque también sirvan para combatir la angustia que se siente ante dolencias físicas como el infarto de miocardio. El grupo de principios activos más importante lo forman las *benzodiacepinas*. La diferente intensidad de las muchas que hay, hace que la duración de sus efectos también sea variable. Los preparados de efecto rápido se utilizan como somníferos.

Antidepresivos

Para los distintos estados de ánimo de una depresión existen diferentes medicamentos: mientras unos estimulan los impulsos, otros ponen la lucidez necesaria en el estado de ánimo. Entre estos últimos se cuenta, como remedio fitoterapéutico de eficacia reconocida, el hipericón, también llamado hipérico, corazoncillo o hierba de San Juan. Para el tratamiento de fases maníacas se utilizan sales de litio y neurolépticos.
Los *antidepresivos* tienen la propiedad de normalizar el estado de ánimo y el estímulo, si bien necesitan una o dos semanas para surtir el efecto deseado. También se utilizan en el tratamiento del dolor, y para evitar que empeoren las dolencias de la carga psíquica que esto supone. Los antidepresivos no crean adicción, pero dan lugar a efectos indeseados, como sequedad de boca, estreñimiento, pulso acelerado y, en el caso del hipericón, sensibilidad a la luz.

Neurolépticos

Los *neurolépticos* son medicamentos que se usan en el tratamiento de estados maníacos, es decir, en casos de gran excitación donde la realidad se percibe distorsionada. Su acción calmante y tranquilizante hace posible que las personas con enfermedades esquizofrénicas lleven una vida sin miedos ni obsesiones martirizantes. Durante los primeros días del tratamiento pueden aparecer contracciones musculares en cara, ojos y lengua, y hasta es posible que también síntomas semejantes a los de la enfermedad de Parkinson, como temblores o lentitud de movimientos.
Todos los efectos secundarios se tratan con medicamentos, y desaparecen al cesar el tratamiento.

Somníferos

Para el tratamiento de los trastornos del sueño se prescriben *tranquilizantes* o → antidepresivos. También se emplean antihistamínicos, que no necesitan receta y producen el mismo resultado de los somníferos al aprovechar terapéuticamente el efecto secundario de cansancio que provocan. En principio, nadie debe tomar somníferos durante mucho tiempo. Los que siguen al abandonar su uso, hacen que se duerma intranquilo y con sueños frecuentes.

Tónicos cardíacos

Antagonistas del calcio

Las sustancias denominadas *antagonistas del calcio* tienen la propiedad de relajar el corazón y los vasos sanguíneos, reducen la tensión arterial y disminuyen el consumo de oxígeno. Su uso puede efectos indeseados, como los típicos de una bajada de tensión: mareos, dolores cardíacos y palpitaciones, así como enrojecimientos faciales y retención de líquidos en las piernas.

Betabloqueantes

Para que las órdenes del cerebro lleguen a la distintas regiones del cuerpo, las células disponen de "estaciones receptoras" o receptores. Los llamados *betarreceptores* desempeñan un papel importante en la regulación de la tensión arterial y en el desempeño de la función cardíaca. Cuando se les paraliza con medicamentos, el corazón queda sumido en una especie de "punto muerto", con lo cual necesita menos oxígeno y la tensión arterial disminuye.
Los *betabloqueantes* están indicados en el tratamiento de la hipertensión arterial, de las enfermedades coronarias y de ciertos trastornos del ritmo cardíaco. Al comenzar a tomarlos pueden aparecer síntomas de diarrea, cansancio y trastornos del sueño. Después de la administración prolongada de betabloqueantes, el tratamiento se debe interrumpir de manera progresiva, pues en caso contrario se puede desencadenar una reacción desmedida que provoque nerviosismo, sudores y palpitaciones fuertes.

Digitálicos (glucósidos cardíacos)

Plantas como la digital, la escila o el lirio de los valles contienen sustancias estimulantes del músculo cardíaco: los llamados *glucósidos*. Su administración hace que el corazón lata más despacio y con más fuerza, y que bombee mejor la sangre para lograr una buena circulación sanguínea.
En estos casos lo importante es la dosis, porque la más mínima sobredosis basta para que aparezcan claros síntomas de intoxicación, entre los que se cuentan la irregularidad de los latidos, o su lentitud, vómitos, diarrea y la típica "visión coloreada", que hace parecer que todo se halla inmerso en una luz entre verde y rojiza. ¡En cuanto se adviertan los primeros síntomas, se debe suprimir la medicación y pedir consejo al médico!

Inhibidores de la Enzima Conversora de la Angiotensina (IECA)

La acción de los llamados IECA hace que los vasos sanguíneos se dilaten y que la tensión arterial se reduzca. La prescripción de estos inhibidores se suele realizar junto con diuréticos o betabloqueantes.
Pero el tratamiento puede producir algunos efectos secundarios, como tos irritante, dolores de cabeza, mareos y trastornos gástricos.

Nitratos

Los *nitratos* se utilizan en las terapias de la angina de pecho y, a veces, también para la insuficiencia cardíaca. Se trata de un grupo especial de principios activos vasodilatadores, como la nitroglicerina.
Su efecto principal es mejorar el riego sanguíneo y hacer que el corazón trabaje más relajado, por lo que, al tener que bombear con menor intensidad necesita menos oxígeno para realizar su cometido.
Dado que el organismo se habitúa fácilmente a los nitratos si se toman con regularidad, conviene descansar "a diario" en las tomas (por ejemplo, a la noche). Los nitratos se comercializan en forma de cápsulas masticables, o en aerosol para la angina de pecho; su efecto es casi inmediato.

Muchas afecciones cotidianas se combaten eficazmente con tisanas y medicamentos a base de hierbas medicinales.

Fitoterapia

Los medicamentos con principios activos extraídos de plantas están de plena actualidad desde que, debido a sus efectos secundarios, las medicinas tradicionales han quedado en entredicho. Hoy día se recurre de nuevo a los poderes curativos de la naturaleza, a las hierbas medicinales, que alivian muchas afecciones leves sin causar traumas y sin producir efectos secundarios desagradables. Son los remedios caseros, que se vienen utilizando desde siempre en forma de infusiones o tisanas, para friegas y para inhalaciones, o en gotas.

El mismo fin con otros medios

La fitoterapia, cuyos conocimientos sobre el poder curativo de las plantas se basan en la experiencia práctica y en la tradición, está muy arraigada en la medicina popular. Conocimientos que se amplían y se enriquecen de continuo gracias a la investigación moderna, y que han sido incorporados con gran éxito a la medicina académica desde hace mucho tiempo.
La fitoterapia es una terapéutica que no está considera como una medicina alternativa, sino que su concepto se fundamenta en el mismo poder curativo de la medicina académica. A diferencia de la homeopatía, que confía en sustancias afines, combate las enfermedades con antídotos. Así pues, la fitoterapia se caracteriza por el uso preferente de las plantas como medio de curación de las enfermedades. Pero como la mayoría de sus seguidores son conscientes de la limitación de estos poderes curativos, cuando se trata de enfermedades que revisten cierta gravedad por lo general no dudan en combinar esta terapia con los principios activos químicos de la medicina tradicional.

La acción de las plantas medicinales

La acción de las plantas se debe a los diversos principios activos que se forman y acumulan en ellas en el transcurso de su crecimiento, como son los aceites esenciales, los taninos, el ácido salicílico y muchos más. Incluso las fibras, pese a no tener ningún poder curativo, desempeñan un papel muy importante a la hora de asimilar el cuerpo los principios activos. Pero aún hoy en día, muchas plantas medicinales tradicionales se resisten a revelar todos los secretos de sus principios activos; así, por ejemplo, la conocida y eficaz valeriana.

De la "droga" al medicamento

Para, mediante su elaboración y tratamiento, poder transformar cualquier planta medicinal en medicamento suele ser necesario secarla antes. Por esto se ha hablado siempre de "droga" (del neerlandés *droog*: "seco") en la jerga farmacéutica. Una vez secada la planta, los principios activos de la misma se extraen mediante cocción, destilación, infusión o extracto. Solamente una pequeña parte de los medicamentos se fabrican por prensado de las plantas frescas.
Los medicamentos vegetales se utilizan contra toda clase de afecciones, pero especialmente en las patologías del aparato digestivo, de las vías respiratorias y de los trastornos psicovegetativos.

Selección meticulosa

El enriquecimiento de los principios activos de las plantas depende fundamentalmente de muchos factores externos, como la época del año, la región y el clima. Es posible, por lo tanto, que una planta medicinal sea mucho "más valiosa" para su aprovechamiento terapéutico en verano que en invierno. Para garantizar siempre la homogeneidad en el grado de calidad y de los principios activos, hay que elegir bien el momento de la cosecha y procurar que la transformación se realice con el máximo cuidado. Siempre que sea posible, para la mezcla de las plantas se elegirán las de la misma especie, procedentes de zonas de cultivo diferentes y cosechadas en distintas estaciones del año.

Terapias naturales clásicas

Con el nombre de terapias naturales clásicas se conocen los tratamientos terapéuticos empleados usualmente por el médico en el marco de aplicación de la llamada "terapia conservadora". La característica más destacada de estos tratamientos es que casi nunca son exclusivos, sino que combinan su terapia con la acción de los medicamentos o en relación con una intervención quirúrgica.

Fundamentos de una terapia conservadora

Las terapias conservadoras clásicas basan su acción o comprenden las **terapias físicas** siguientes:
- Tratamiento con calor o frío (*termoterapia*).
- Tratamiento con inhalaciones.
- Hidroterapia.
- Fototerapia.
- Masajes, cinesiterapia y quiropráctica.
- Balneoterapia.
- Climatoterapia.
- Electroterapia.

También, métodos de gimnasia como el entrenamiento autógeno y la relajación muscular progresiva, además de terapias nutricionales, forman parte o complementan las terapias naturales clásicas. Muchos de estos tratamientos terapéuticos se utilizan fundamentalmente en la prevención de la salud y en la rehabilitación de las personas enfermas, y algunos de ellos los puede practicar el paciente solo –sin necesidad de ayuda– después de haber aprendido el método.

¿Qué paga el seguro de enfermedad?

Generalmente, los costes que ocasionan los tratamientos terapéuticos los asume –por completo o en parte– el seguro social de enfermedad. Eso sí, la única condición que debe darse es que hayan sido impuestos por el médico o exista un informe médico del que se desprenda que el tratamiento es necesario para lograr la recuperación total del enfermo.

En algunos países, incluso los organismos sanitarios asumen un porcentaje de los costes de los tratamientos indicados en los balnearios. Como el seguro social tiene estipulados las condiciones y casos en los que se hace cargo de los gastos, lo mejor es informarse debidamente antes de comenzar la terapia. En ciertos casos, los seguros privados de enfermedad también asumen el coste de estos tratamientos, pero en cualquier caso lo mejor es confirmar antes este punto.

Terapias físicas

El concepto de "terapias físicas" comprende toda una serie de procedimientos cuyo fin es el de producir los deseados efectos curativos que contribuyen al restablecimiento del cuerpo enfermo. Para ello, se recurre a la aplicación de medios físicos como presión y movimiento, agua, calor, frío, luz o electricidad.

Calor y frío (termoterapia)

Se conoce o entiende por termoterapia a la utilización del frío y del calor, en todas sus formas, con fines de uso terapéuticos. Uno de los elementos conductores de calor y de frío más adecuado es el agua, por eso muchas formas de aplicación de la termoterapia se incluyen dentro de la llamada hidroterapia.
La acción del calor y del frío puede utilizarse con plenas garantías en las afecciones cardiovasculares, respiratorias y cutáneas, así como para el fortalecimiento del sistema inmunológico y el tratamiento de problemas de tipo muscular y dolores corporales.
También, con su ayuda, se puede mejorar notablemente el estado físico.

Realización del tratamiento

La termoterapia consiste en enfriar el cuerpo mediante frío (*crioterapia*) o en calentarlo, en todas sus formas, especialmente por medio de la administración de agua caliente (*hidrotermoterapia*). De entre las numerosas aplicaciones de la crioterapia, destaca la aplicación de hielo en determinadas zonas del cuerpo, o tratar todo él con hidrógeno líquido o anhídrido carbónico.
Por su parte, la hidrotermoterapia incluye la utilización del agua caliente a través de baños, duchas o envolturas y recubrimientos; también, la aplicación del calor en la termoterapia incluye los rayos infrarrojos, energía eléctrica transformada en calor (*manta eléctrica*), calor de alta frecuencia y recubrimientos con musgos, tierras medicinales, hierbas o incluso papillas.
La aplicación del tratamiento lo realizan expertos fisioterapeutas, bien durante la estancia en un balneario o bien a nivel ambulatorio. Normalmente se desarrolla en sesiones periódicas, durante un largo período de tiempo previamente establecido, para así que sus efectos se dejan sentir y sean duraderos.
La termoterapia está contraindicada en muchos casos como, por ejemplo, en patologías cardiovasculares graves, en ciertas afecciones cutáneas o cuando se sospeche el padecimiento de una patología cancerosa.

Tratamiento en casa

Existe una gran cantidad de aplicaciones de termoterapia que permiten su práctica en casa por parte del propio paciente, pues los aparatos necesarios para llevarla a cabo no suponen generalmente un gran desembolso económico y supone una gran comodidad.
En cualquier caso, antes de adoptar decisión alguna al respecto se debe consultar con el médico para que prescriba el tratamiento y siga su desarrollo.
Más información sobre este particular lo puede encontrar en las páginas 722 (→ Aplicaciones del agua fría y caliente) y 736 (→ Envolturas, compresas, recubrimientos) de este mismo libro.

Tratamiento con inhalaciones

Esta terapia basa sus efectos en la aspiración (inhalación) de pequeñísimas gotas que, pulverizadas, contienen principios activos que previamente disueltos en ella para procurar su acción.
De este modo, las mucosas de las vías respiratorias se limpian, se elimina la mucosidad, baja la hinchazón y se atajan las inflamaciones. Así se pueden tratar, por ejemplo, constipados, sinusitis, bronquitis, asma y otras muchas enfermedades de esta o parecida etiología.

Realización del tratamiento

Las inhalaciones pueden hacerse con diversos aparatos. Según la patología, como inhalantes se utilizan medicamentos, sustancias vegetales y sales.
Las sesiones duran de 10 a 15 minutos, que se realizan periódicamente y a lo largo de varios días o semanas. Dependiendo del tipo de inhalante utilizado, puede haber algunas contraindicaciones.

Tratamiento en casa

El tratamiento también se puede seguir en la propia casa, con la ayuda de inhaladores sencillos.
Pero más fácil aún resulta la inhalación directa del vapor, que desprenden las infusiones de plantas preparadas previamente en una olla o cazuela.

Hidroterapia

El uso del agua para muchas aplicaciones terapéuticas es muy apropiado, por ser un buen conductor tanto del calor como del frío, la presión y la electricidad. La hidroterapia se aplica, sobre todo, en forma de baños, duchas, lavados, lavados a presión, abluciones, envueltas y recubrimientos, saunas y baños de vapor.
Según el modo de empleo y las zonas del cuerpo sometidas a tratamiento, el agua tiene efectos curativos distintos. En principio, su acción sobre el organismo es de mayor intensidad cuanto más se aleja su temperatura de la corporal en más o menos. La influencia del estímulo del agua sobre la piel siempre va unida a un "efecto profundo" sobre todo el organismo, con lo cual se armonizan las funciones del cuerpo y se fortalece el poder de autocuración.
Los tratamientos con agua pueden utilizarse para la estimulación general de la circulación sanguínea, del metabolismo y del sistema inmunológico, así como en los distintos tipos de afecciones y por varices, trastornos circulatorios y dolencias cardíacas, trastornos neurovegetativos, patologías de las vías respiratorias, dolores de cabeza, además de toda una serie de infecciones, inflamaciones y procesos reumáticos.
Las contraindicaciones del tratamiento varían de unas afecciones a otras.

La terapia de Kneipp

Cuando se habla de hidroterapia, casi siempre nos referimos a las aplicaciones de Kneipp. Aunque Sebastián Kneipp (1821-1897) no fue el descubridor de los poderes curativos que posee el agua, sí fue el primero en elaborar una terapia segura, que comprobó y perfeccionó a lo largo de varias décadas.
Menos conocido es que daba también gran importancia al efecto curativo de la plantas, al ejercicio o actividad física, a una alimentación sana y al "orden" psíquico del ser humano, puntos que constituyen, junto con la terapia o aplicación del agua, las cinco "columnas" en las que se fundamenta la terapia que predicaba.
Al principio, Kneipp fue perseguido por la Iglesia y la Medicina debido a sus prácticas; pero, a pesar de todo, consiguió a lo largo de su vida hacer que la localidad de Bad Wörishofen fuese un balneario muy visitado. La eficacia de sus métodos terapéuticos está reconocida científicamente desde hace mucho tiempo, y la hidroterapia de Kneipp, así llamada en su honor, se ha convertido en un "clásico" de las terapias naturales.

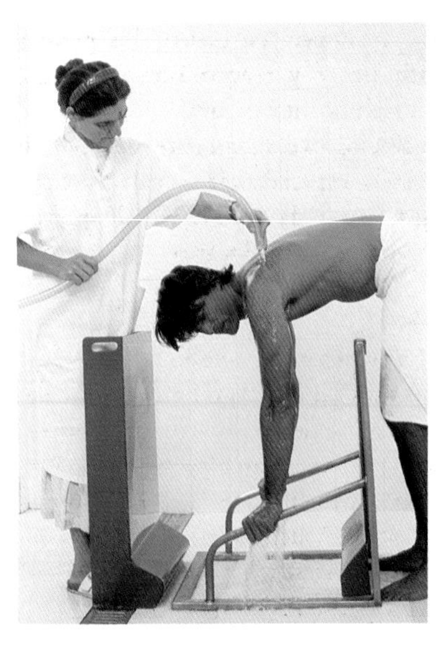

Entre los múltiples usos del agua que comprende la hidroterapia, se incluye la del chorro de agua a presión. Terapia que corresponde a uno de los cinco principios en los que se basa la "hidroterapia curativa de Kneipp".

La cura de Kneipp

• **Tratamiento con agua.** Sebastián Kneipp desarrolló más de cien aplicaciones diferentes del agua. De cada tipo de afección dependerá el que durante su tratamiento se utilicen como terapia duchas, baños, abluciones, envueltas o recubrimientos.
• **Tratamiento con plantas.** Las más diversas sustancias vegetales tienen múltiples aplicaciones en forma de infusiones, aditivos para el baño o inhalantes. Sus efectos beneficiosos se dejan sentir especialmente en dolencias crónicas como, por ejemplo, en patologías cardiovasculares, en trastornos digestivos y en afecciones reumáticas y psíquicas.
• **Terapia nutricional.** Kneipp descubrió muy pronto los efectos nocivos y negativos que, en el estado normal de salud, producen los malos hábitos alimentarios. Como medida de prevención, recomendaba la adopción de una dieta alimentaria "sencilla y natural". Este es el motivo principal por el que la alimentación integral equilibrada forme parte integrante de cualesquiera de las terapias de Kneipp.
• **Cinesiterapia.** El tratamiento de las enfermedades gracias al entrenamiento de resistencia, el fortalecimiento de los músculos y la estimulación de órganos concretos mediante el ejercicio y los masajes, forman parte del programa terapéutico de Kneipp.
• **Terapia del orden.** El sacerdote Kneipp estaba convencido de que una persona no podía estar sana del todo si "no estaba bien consigo mismo y con el mundo que le rodeaba". La terapia del orden consiste, según

opinión de Kneipp, en poner "en orden" los pensamientos y los sentimientos y reencontrarse consigo mismo para seguir un ritmo vital natural.
La hidroterapia de Kneipp necesariamente requiere su aplicación en una clínica especializada en esta materia, administrada, dirigida y seguida en su desarrollo por el personal médico y sanitario del balneario.

Tratamiento en casa

No obstante lo dicho en el párrafo anterior, existen una serie de hidroterapias cuya aplicación es susceptible de realizarse en la casa del enfermo o en instalaciones especiales de baños y saunas. Las páginas 722 a 727 recogen información sobre la forma de ponerlas en práctica. Por otra parte, después de la hidroterapia, lo más conveniente es seguir los consejos que sobre los principios vitales dejó sentado Kneipp.

Fototerapia

Además de la *luz* visible al ojo humano, la *radiación solar* también emite luz infrarroja, que genera calor, y *luz ultravioleta*, que produce, entre otras cosas, el bronceado de nuestra piel por exposición. Estas tres clases de luz se utilizan conjuntamente, o por separado, en la aplicación de la terapia física para el tratamiento de numerosas afecciones.

Luz solar (helioterapia)

La manera más natural de fototerapia es la que utiliza la luz solar. La cantidad de radiación depende de la hora del día y de la estación del año, de la meteorología, de la contaminación medioambiental y de la altitud del lugar. La intensidad de la luz solar es muy fuerte en la montaña y al nivel del mar, zonas climáticas ambas que ofrecen condiciones idóneas para la helioterapia.
Para que la radiación solar no produzca efectos nocivos, el médico establecerá la duración máxima de los baños de sol. La aplicación de la helioterapia está indicada generalmente para los casos de raquitismo, de osteoporosis, de debilitamiento inmunológico, de heridas de mala curación y de tumores, neurodermitis, acné y psoriasis. Por el contrario, está contraindicada cuando las afecciones son inflamaciones cutáneas agudas, alergia al sol, infecciones agudas, patologías cardiovasculares graves y artritis aguda, entre otras muchas de distinta naturaleza.
El tratamiento con luz solar tiene que aplicarse dentro del marco de una climatoterapia.

Rayos infrarrojos

El tratamiento por infrarrojos combina fototerapia y termoterapia. Su aplicación se lleva a cabo con fuentes de luz artificial, que emiten energía térmica (*rayos infrarrojos*). Entre otros campos de aplicación, los más habituales son: inflamaciones crónicas (*sinusitis*), diversas patologías del aparato locomotor y brotes frecuentes de furúnculos. Los rayos infrarrojos en ningún caso se deben aplicar en el tratamiento de inflamaciones agudas, glaucoma y patologías cutáneas por sensibilidad a la luz. La terapia se suele llevar a cabo en la consulta del médico o fisioterapeuta y, por lo general, es preciso repetir las sesiones varias veces para lograr mitigar o curar la enfermedad. Para continuar el tratamiento en casa, se pueden adquirir lámparas de rayos infrarrojos en comercios especializados.

El método más indicado para aliviar muchas afecciones crónicas es la radiación mediante rayos infrarrojos.

Rayos ultravioleta

Los rayos ultravioleta provocan en el organismo una serie de reacciones llamadas fotoquímicas, cuyos efectos pueden ser de distinta naturaleza: positivos en unos casos y negativos en otros. Entre los distintos tipos de rayos ultravioleta se distinguen los UV-A1, UV-A2, UV-B y UV-C. Desde el punto de vista terapéutico, los rayos UV-C son los más efectivos. El tratamiento con rayos ultravioletas se aplica, sobre todo, en los casos de debilitamiento inmunológico, falta de vitamina B, raquitismo, osteoporosis, heridas con mala curación y tumores, así como en enfermedades cutáneas de distinta naturaleza como, por ejemplo, psoriasis, acné y neurodermitis. La radiación ultravioleta puede aplicarse en todo el cuerpo o bien en determinadas zonas.
El empleo de rayos ultravioleta está contraindicado en el tratamiento de algunas enfermedades tales como infecciones cutáneas agudas, alergia al sol, infecciones agudas, patologías cardiovasculares graves, artritis aguda y otras muchas más.

Masajes

La influencia positiva de los masajes se manifiesta, sobre todo, en el estado de tensión de la piel y de la musculatura. Al tiempo que producen el relajamiento psíquico, físicamente mejoran el riego de la circulación sanguínea y el fortalecimiento corporal debido a la mayor aportación de nutrientes.
Algunos masajes especiales favorecen el flujo linfático (→ Drenaje linfático) o, incluso, actúan sobre determinados órganos a través de los llamados arcos reflejos (→ Masaje de las zonas reflejas; → Masaje del tejido conjuntivo).

Masajes clásicos

Este tipo de masajes centra su atención en actuar directamente sobre la musculatura. Durante la aplicación del masaje se utilizan maniobras clásicas como el roce, la fricción, el amasamiento, la percusión y la vibración. La periodicidad de este tipo de masajes suele ser de dos a tres veces por semana, en sesiones de 12 a 15 minutos (25 minutos, en el caso de masajes de zonas extensas).
El masaje clásico está indicado en aquellos casos de inflexibilidad muscular, dolores de espalda, patologías reumáticas, parálisis y después de haber sufrido una lesión o una intervención quirúrgica en el aparato locomotor. Y está contraindicado totalmente cuando existe la sospecha de cáncer, pues el tratamiento puede favorecer y estimular el crecimiento de un tumor. Tampoco es aconsejable su aplicación en aquellos casos de patologías febriles, trastornos circulatorios e inflamaciones. Los masajes deben darlos masajistas profesionales, casi siempre en una clínica fisioterapéutica o en un balneario. Pero también se pueden aprender algunas de estas técnicas y ponerlas en práctica en casa con su pareja.

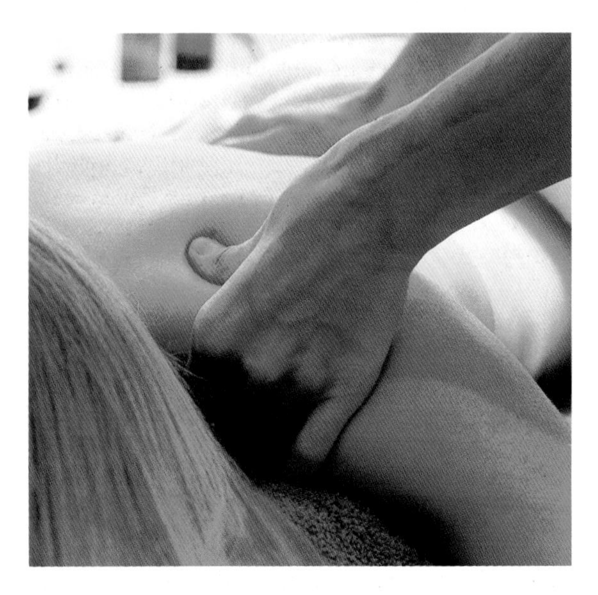

Un buen masaje relaja la musculatura agarrotada y, también, reduce las tensiones psíquicas.

Masaje de las zonas reflejas (reflexoterapia)

El masaje de las zonas reflejas parte del supuesto de que la superficie de la piel de ciertas partes del cuerpo está interconectada con determinadas áreas del mismo, a veces muy alejadas de ellas. La reflexoterapia tiene como fin influir, a través de las llamadas zonas reflejas de la piel, sobre las funciones deterioradas de los órganos. El masaje suele darse en manos o pies; también, en el tejido conjuntivo y el colon, aunque en estos casos se aplica de diferente manera.
Otras formas de terapia, como la acupuntura, la acupresión y la terapia neural, aprovechan igualmente las relaciones reflejas que se dan entre la piel y las diferentes funciones físicas. Existen muchas teorías al respecto sobre los mecanismos de acción del masaje de las zonas reflejas, lo que además de la regeneración de algunos órganos produce asimismo un aumento del bienestar psíquico; pero, hasta ahora, no se ha encontrado una explicación satisfactoria y convincente de las susodichas relaciones.
El masaje de las zonas reflejas está indicado para muchas clases de afecciones, pero, sobre todo, para procurar el alivio de los dolores. Debe evitar masajear zonas afectadas por patologías de tipo cutáneo y venoso, como también en aquellos casos que concurran infecciones graves, patologías reumáticas agudas, procesos inflamatorios de las venas o del sistema linfático, embarazos de riesgo y en pacientes con problemas cardíacos que lleven implantado un marcapasos.

Realización del tratamiento

El tratamiento puede actuar directamente sobre algunas áreas cutáneas concretas, por ejemplo sobre los pies, pero también es posible extender su acción a todas las zonas reflejas. En cualquier caso, la relajación psíquica y el bienestar general son las consecuencias inmediatas agradables que se desprenden de su aplicación. En el masaje se emplean técnicas especiales, en las que un dedo –el pulgar, por lo general– presiona la piel y los tejidos con suavidad y delicadeza.

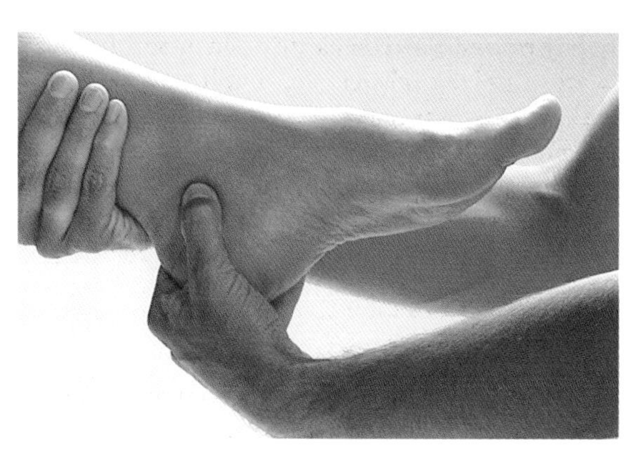

El masaje de las zonas reflexógenas de los pies, influye positivamente en las regiones más diversas del cuerpo.

Para el tratamiento de las zonas reflejas del pie se necesitan entre seis y doce sesiones, de 20 a 25 minutos de duración. La aplicación de los masajes casi siempre corre a cuenta de un fisioterapeuta especializado. Sin embargo, los masajes también pueden darse en casa, en pareja, después de haber aprendido previamente las principales técnicas básicas; pero, para fortalecer el bienestar general y como autoayuda en caso de enfermedad, deben ceñirse exclusivamente a las zonas reflejas.

Masaje conjuntivo

Este masaje que actúa sobre el tejido conjuntivo subcutáneo. Según el principio del masaje de las zonas reflejas, a través de la aplicación en distintas zonas del tejido conjuntivo es posible influir sobre las funciones de los órganos internos, para estimular los mecanismos de regulación del sistema nervioso vegetativo, normalizar la tensión muscular y del tejido conjuntivo, mejorar la circulación y aliviar los dolores. Los campos de actuación son, entre otros, estados dolorosos como migrañas, trastornos de la menstruación, patologías reumáticas, trastornos circulatorios de las piernas y los funcionales de los órganos internos. Debe evitarse su aplicación durante la menstruación y en los casos de patologías agudas, tumores malignos y patologías psíquicas graves.

El masaje se aplica, utilizando técnicas especiales (deslizamiento superficial del tejido subcutáneo mediante tirones más o menos fuertes dados con los pulgares y yemas de los dedos), en sesiones de 10 a 30 minutos cada una. El tratamiento del masaje conjuntivo necesariamente tiene que ser realizado por un masajista especializado, pues no admite su realización en casa por otra persona sin la adecuada preparación.

Masaje del colon

Este método consiste en masajear, uno tras otro y según el principio del masaje de las zonas reflejas, cinco puntos concretos del intestino grueso (colon) con el fin de influir sobre los órganos abdominales y sobre el intestino grueso. Sus campos de acción son: el intestino irritado, el estreñimiento crónico, las afecciones de los conductos biliares y otras afecciones de los órganos digestivos. Está contraindicado en los casos de inflamaciones y tumores en el abdomen. El masaje necesariamente tiene que darlo un masajista especializado, en sesiones de una por día hasta completar de seis a doce. El tratamiento no es posible continuarlo en casa, ni personalmente ni por otra persona sin cualificar.

Drenaje linfático

El sistema linfático juega un papel esencial en la defensa endógena contra las enfermedades. Una de sus tareas es evacuar agentes patógenos, impurezas metabólicas y cuerpos extraños de los tejidos a través del líquido linfático (*linfa*). Los ganglios linfáticos –una especie de "estaciones de filtración" biológicas– tienen como principal misión la de proceder a la depuración de la linfa e incorporar a la circulación sanguínea toda una serie de sustancias que se eliminan a través del hígado y de los riñones, los dos órganos del organismo encargados de su desintoxicación. Mediante el drenaje linfático se estimula el flujo linfático, con lo cual se evita, por un lado, la retención de líquidos en los tejidos y, por otro, se acelera la eliminación de sustancias nocivas.

El drenaje linfático puede utilizarse en casos de patologías reumáticas, enfermedades neurológicas y afecciones cutáneas y para conseguir el fortalecimiento del sistema inmunológico. Está contraindicado en aquellos casos que existe algún tumor maligno, una inflamación aguda o una trombosis.

Los diferentes grupos de ganglios linfáticos que afectan a una dolencia determinada, como los del cuello, las axilas o los de la región inguinal, se masajean con técnicas especiales a base, casi siempre, de realizar presión al tiempo que se imprimen movimientos giratorios. Estos masajes sólo los puede dar un fisioterapeuta, bajo la vigilancia del médico: el tratamiento se repite durante varias sesiones y se lleva a cabo en una clínica fisioterapéutica en el marco de una cura. Como autoayuda, el paciente puede aprender las sencillas técnicas del drenaje linfático, pero siempre las debe poner en práctica por indicación del médico y sólo en caso de que se trate de afecciones leves.

Los ejercicios físicos realizados con grandes balones de gimnasia son muy divertidos y, también, pueden practicarse en casa.

Cinesiterapia

La cinesiterapia es una terapéutica que, mediante una serie de métodos propios del entrenamiento físico –como son terapias deportivas diversas y ejercicios de gimnasia terapéutica–, pretende recobrar la movilidad perdida del cuerpo o de una de sus partes.
Las distintas formas de cinesiterapia tienen aplicación en la prevención sanitaria y en el tratamiento de determinados trastornos o patologías, así como en la recuperación y rehabilitación después de una intervención quirúrgica o de haber sufrido un accidente. Entre sus campos de acción se cuentan las patologías cardiovasculares, los trastornos psicosomáticos y neurológicos y las patologías del aparato locomotor.
El éxito de la cinesiterapia depende, fundamentalmente, de que tanto el esfuerzo físico que requieren los ejercicios propuestos como el entrenamiento en sí vayan aumentando su dificultad en consonancia con los avances, y de que cada tratamiento se adapte por completo al estado general de salud de la persona enferma, a su capacidad de rendimiento individual y a los fines terapéuticos que persigue el tratamiento prescrito por el médico.
Según la clase de terapia que exija la rehabilitación, el tratamiento estará dirigido por entrenadores deportivos, terapeutas deportivos, monitores de gimnasia terapéutica o ergoterapeutas. En la mayoría de los casos, la recuperación requiere un tratamiento regular por un largo período de tiempo. Para seguir practicando en casa más tarde, muchos ejercicios y entrenamientos pueden aprenderse en cursos o durante la terapia.

Prevención sanitaria por el ejercicio

Para procurar la prevención de la salud es imprescindible la realización periódica de un entrenamiento que se adapte a las peculiaridades de cada persona.
Las páginas 698 a 708 recogen los ejercicios más recomendables, como precalentamiento antes de la práctica del deporte, así como el entrenamiento de resistencia y ejercicios y gimnasia de mantenimiento.
Aparte de lo reseñado, también contribuyen al mantenimiento de la salud y el bienestar otros programas de ejercicios que, a su vez, sirven para conocer mejor nuestro cuerpo. Más adelante se incluyen informaciones detalladas sobre cada una de las técnicas básicas de entrenamiento: ejercicios respiratorios, relajación muscular progresiva, método de Feldenkrais y yoga.

Gimnasia terapéutica

Para lograr su objetivo, la gimnasia terapéutica comprende una gran variedad de ejercicios, que sirven para fortalecer y restablecer el funcionamiento normal de la musculatura y del aparato locomotor. Su destino está enfocado a conseguir la prevención de cualquier tipo

Fundamentos del movimiento

Cada movimiento que se efectúa, es un proceso muy complicado que viene determinado por:
- **La coordinación.** Es la acción conjunta combinada del sistema nervioso central (cerebro y médula espinal) y de los músculos del organismo.
- **La flexibilidad.** Supone la facilidad de movimiento de las articulaciones y la elasticidad de la piel, los tendones y los músculos que intervienen en la motilidad de las susodichas articulaciones.
- **De la fuerza.** La tensión muscular que se puede ejercer en una postura dada cuando una fuerza opone resistencia en sentido contrario y, también, la necesaria para realizar un proceso locomotor.
- **La resistencia.** Consiste en la facultad de mantener en tensión un músculo durante cierto tiempo.
- **La rapidez.** Es la capacidad de reacción al realizar un determinado movimiento.

Coordinación, flexibilidad, fuerza y resistencia son los fines de la gimnasia terapéutica, que puede estar enfocada hacia la recuperación de una o varias de estas cualidades. Sin embargo, la rapidez no desempeña un papel destacado en los movimientos.

de lesión o postura viciada que pueda reducir la movilidad o motilidad de una parte del organismo, así como para la recuperación después de haber sufrido una larga enfermedad o la rehabilitación tras un accidente que pueda dejar algún tipo de secuela; también, para el tratamiento de patologías reumáticas concretas o para aliviar los dolores. Pero, siempre hay que tener en cuenta que los ejercicios de gimnasia terapéutica están contraindicados en aquellos casos que existan o se den fracturas óseas o que exista artritis.

El agua es el medio idóneo para la práctica de ejercicios activos, muy apropiados para el entrenamiento de músculos y articulaciones.

Realización del tratamiento

Los ejercicios se dividen en dos tipos: *activos* y *pasivos*. Entre los primeros se pueden citar los que realiza el paciente siguiendo las indicaciones del monitor. A su vez, pueden realizarse libremente y bien en contra de una resistencia, ya sea de manera continua o a intervalos regulares de tiempo.

Los ejercicios pasivos son los que dirige el monitor, es decir, mueve la articulación o articulaciones sin el concurso del paciente. Por lo general, los ejercicios de esta clase se utilizan en los casos de enfermedades como parálisis sectorial o artritis reumática.

Todo tratamiento que incluya ejercicios de gimnasia terapéutica exige siempre una serie de sesiones periódicas durante largo tiempo (por lo general, una o varias a la semana), ya sea individualmente o bien en grupos reducidos, pero siempre bajo la atenta dirección de un monitor especializado en la materia.

Después de haberlos aprendido y practicado a fondo, entre una sesión y otra, o al completar el tratamiento, la mayoría de los ejercicios activos de la gimnasia terapéutica pueden y deben realizarse en casa.

Quiropráctica (quiropraxia)

La quiropraxia, conocida como "terapia manual" y "medicina manual", es la corrección de la causa de un trastorno del sistema nervioso –especialmente subluxaciones vertebrales– mediante la manipulación de ciertos órganos. Su meta es poner remedio a las afecciones propias del aparato locomotor.

Sus campos de acción son las disfunciones o bloqueos reversibles de las articulaciones. Para determinar las medidas terapéuticas más apropiadas para corregir la anomalía que ocasiona el trastorno, es preciso que el médico establezca un diagnóstico que incluya la prescripción de la génesis de la afección.

Para poder eliminar la causa que origina la disfunción, hay que aclarar las siguientes cuestiones: ¿Qué clase de disfunción es? ¿Es congénita o adquirida? ¿En qué parte del cuerpo se localiza (en las articulaciones vertebrales o en las de los miembros)? ¿Cuáles son las causas (un accidente, una postura viciada crónica, un síntoma de desgaste) que las han provocado? ¿Desde cuándo existe la disfunción? ¿Cuáles son su alcance y gravedad (cuántas direcciones están inmovilizadas de las seis en las que se puede mover la articulación)?

La quiropráctica se puede aplicar cuando existan dolores de cabeza y nuca, migrañas, zumbidos de oídos y dolores de muelas y mandíbulas. No obstante, está contraindicada en casos de hernia discal, lesión reciente u osteoporosis muy extendida. En cualquier caso, consulte con su médico.

Realización del tratamiento

Se distinguen dos técnicas distintas en el tratamiento quiropráctico:

• La llamada manipulación, que es un movimiento rápido y corto realizado con poca fuerza. Realizada antes de cada tratamiento, consiste ésta en el ligero tirón –denominado "tirón de prueba"– que el terapeuta da para comprobar si el movimiento es el naturalmente previsto. La manipulación se realiza, siempre, según la dirección natural del movimiento de la articulación.

• La movilización, en cambio, tiene como objetivo restablecer la movilidad de la articulación mediante la realización de ejercicios pasivos. Esta técnica casi siempre se aplica en la dirección en que hay impedimento para mover la articulación.

La terapia tiene que realizarla un médico que, además, tenga la titulación de "quiropráctico". El autotratamiento no es posible: consulte con su médico.

Balneoterapia

Por balneoterapia se entiende el tratamiento realizado con aguas medicinales o con los *peloides* medicinales (término propuesto para designar a los barros, o sustancias semejantes al barro, medicinales), como el musgo y el fango. Generalmente la terapia se lleva a cabo durante un período de estancia prolongada en un balneario, y tiene como finalidad el restablecimiento general de la salud. Junto a los medios curativos antes mencionados, se aplican también técnicas de hidroterapia y termoterapia. La zona climática del balneario desempeña un papel de especial relevancia en la recuperación de la salud del enfermo.

Agua medicinal

Los manantiales de aguas medicinales son aquéllos cuyas aguas tienen un alto contenido en sustancias minerales, disponen de otros componentes activos como ácido carbónico o radón, o su temperatura supera los 20 °C (*fuentes termales*). Las aguas medicinales se aplican para la curación en forma de dietas hídricas, baños e inhalaciones. Según su composición, las aguas medicinales se emplean en diversas posologías:

- **Aguas cloruradas** (*aguas salobres*) muestran especialmente sus efectos curativos en los casos de asma (*inhalaciones*), patologías gastrointestinales (*dieta hídrica*) y patologías cardiovasculares (*baños*).
- **Aguas sulfatadas**, combaten eficazmente las patologías de tipo gastrointestinal (*dieta hídrica*).
- **Aguas hidrocarbonatadas** están indicadas para la hipertensión y las afecciones cardiovasculares (*baños*).
- **Aguas con radón** (*manantiales radiactivos*) se usan en las patologías inflamatorias y degenerativas de las articulaciones (*baños, dieta hídrica, inhalaciones*).
- **Aguas sulfurosas** son idóneas para las patologías de las articulaciones, así como en los casos de acné, psoriasis y neurodermitis (*baños*).
- **Aguas termales**, en patologías del aparato locomotor.

Agua de mar (talasoterapia)

Por su contenido en sal, el agua de mar puede considerarse que tiene propiedades medicinales. Puesto que el tratamiento sólo es posible llevarlo a cabo en balnearios, es decir, en zonas climáticas determinadas, la *talasoterapia* –nombre científico del tratamiento con agua de mar– también forma parte de las climatoterapias. Los campos de aplicación de la talasoterapia son: bronquitis, hipotensión y patologías cutáneas como acné, eccema crónico, psoriasis, neurodermitis y estados de agotamiento.

Peloides medicinales

Los peloides medicinales –musgo, fango, cal, tierra medicinal, arcilla, barro– son sustancias granulosas muy finas que, mezcladas con agua, surgen debido a procesos geológicos y biológicos. Casi siempre se aplican, como baños y recubrimientos, en patologías y lesiones del aparato locomotor, trastornos circulatorios, enfermedades de la mujer e inflamaciones crónicas de la región abdominal. Entre las contraindicaciones se cuentan los eccemas de gran extensión, las patologías febriles y las afecciones cardiovasculares graves.

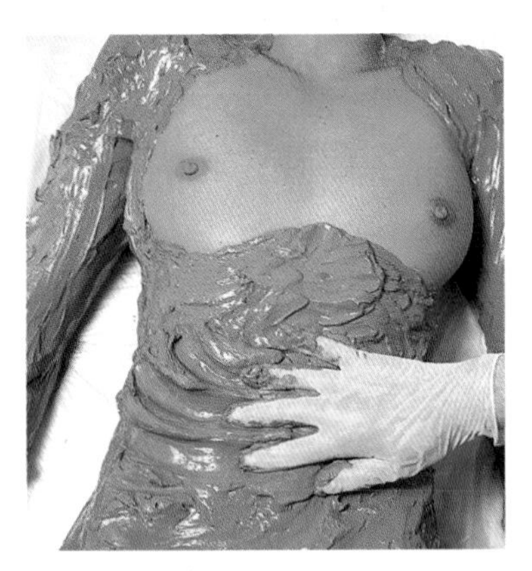

A pesar de que resulten un tanto mucilaginosos o pringosos, los baños de lodo o de fango pueden aliviar muchas afecciones.

Tratamiento en casa

La mayoría de los tratamientos balneoterapéuticos tienen que realizarse necesariamente en los balnearios. Sin embargo, algunos tipos de agua medicinal, así como los recubrimientos de fango, musgo y tierra medicinal pueden adquirirse en el comercio.

Climatoterapia

Esta terapia es una forma de tratamiento muy natural (en el sentido estricto de la palabra) y completa, pues utiliza las especiales condiciones de clima y meteorología de un lugar determinado con fines terapéuticos. Como es lógico, no se puede precisar con exactitud el límite que determina el mayor efecto reparador de unas vacaciones en una preciosa zona rural de los que proporciona una cura en un balneario.

La posibilidad de aplicar una climatoterapia en un balneario depende esencialmente de:

- La humedad, el movimiento y el calentamiento del aire del lugar donde se encuentre.

- La radiación solar (intensidad y duración).
- El enriquecimiento del aire con aromas o sustancias naturales, así como la pureza del aire.
- Las influencias meteorológicas y la estación del año.

En casi todos los países del planeta existen zonas climáticas especialmente aptas para el aprovechamiento terapéutico: montañas altas y medianas, paisajes de bosques y colinas, costas marítimas...

Estancia en alta montaña

En altitudes de más de 1 000 metros, la radiación solar es mucho más intensa que en la llanura o la meseta, incluso a temperaturas relativamente bajas. La nieve suele potenciar el efecto de la luz solar, por lo que estas zonas son idóneas para la helioterapia.

La contaminación medioambiental es mucho más reducida que en las grandes ciudades y centros urbanos. El bajo contenido en oxígeno del aire favorece la estimulación de la respiración que, junto con la pureza del mismo, influye muy favorablemente sobre el sistema respiratorio de las personas que padecen enfermedades de las vías respiratorias.

Por este motivo, algunos países de elevados sistemas montañosos cuentan con sanatorios antituberculosos en cumbres de gran altitud. La climatoterapia en la alta montaña está indicada en casos de hipertensión o hipotensión, asma, bronquitis, neurodermitis y psoriasis, así como después de haber sufrido un infarto de miocardio o un ataque de apoplejía.

La cura en la alta montaña está contraindicada en otros casos, entre los que se cuentan las patologías cardíacas y las afecciones cutáneas por sensibilidad a la luz.

Montañas de media altura, paisajes de bosques y colinas

Este tipo de paisajes se caracterizan por poseer un clima benigno y muy llevadero, pues la pureza del aire y lo moderado de sus temperaturas producen efectos climatoterapéuticos.

Las curas en montañas de altura media y con paisajes de bosques y colinas, además de para conservar la salud en general también resultan idóneas durante una convalecencia o durante la rehabilitación después de haber sufrido una enfermedad grave o en caso de padecer patologías cardiovasculares, reumáticas o de las vías respiratorias. No se conoce ninguna contraindicación.

Climatoterapia en la costa marítima

Una peculiaridad de las zonas litorales y maritímas es el alto contenido en sal que contiene su aire. Además, el mar aumenta los efectos de la intensidad de la radiación solar. Es, pues, resulta un ambiente ideal para llevar a cabo una buena cura de helioterapia. Por otra parte, la contaminación del aire también es mucho menor que la que se suele dar en las zonas más alejadas de la costa.

La cura en la costa permite combinar perfectamente climatoterapia y → balneoterapia con la utilización del agua de mar. Además, algunos balnearios ofrecen además de otrsos servicios muy diversos los baños o recubrimientos de lodo.

La estancia en los balnearios situados junto al mar siempre es recomendable en los casos de inflamaciones crónicas de mucosas, patologías de las vías respiratorias, patologías cardiovasculares y afecciones cutáneas como neurodermitis, psoriasis y acné.

La adopción de este tipo de terapia no conoce ninguna contraindicación.

Las zonas costeras de muchos países se caracterizan por ser lugares muy apropiados para la realización de una terapia de clima marítimo, siendo una de sus principales características el alto grado de salinidad de sus aguas, que las hace especialmente recomendables para todo tipo de patologías cutáneas. Especialmente interesantes son aquellos mares que, debido a su especial situación geográfica o debido a la excesiva evaporación que se produce y a las escasas corrientes, presentan una elevada salinidad.

Sumergirse en las tranquilas aguas del Mar Muerto, conocido por su extrema salinidad, alivia muchas dolencias de tipo cutáneo.

Electroterapia

Al igual que ocurre con otros procedimientos en el campo de las terapias físicas, la electroterapia no tiene tras de sí un pasado forjado en el éxito y la experiencia. Pero lo cierto es que muchas personas consideran que es la medicina del futuro. Con el paso de los años, y después de muchas experiencias, se sabe que la electricidad desempeña un papel esencial en la obtención de cualquier tipo de información del cuerpo. Las señales eléctricas desencadenan procesos mentales complicados y permiten percibir un dolor o mover un músculo. Como es natural, la electricidad actúa de forma muy diferente en la vida diaria de las personas. Cada aparato técnico que funciona con corriente eléctrica, desde la calculadora hasta el radiodespertador o la computadora, forma lo que se llama un campo magnético, cuyos efectos ambientales sobre el cuerpo humano no se han investigado todavía con todo detalle, pero que sin duda están presentes y se manifiestan de algún modo.

En el siglo XIX ya se hicieron los primeros experimentos para utilizar la corriente eléctrica con fines terapéuticos, pero no es hasta el siglo XX cuando la investigación sobre los efectos que produce la corriente eléctrica sobre el cuerpo humano y sus alrededores progresa sobremanera; y, así, se desarrollan innovadoras técnicas de diagnosis, que incluyen en su método la medición de procesos eléctricos en el cuerpo, y una serie de procedimientos electroterapéuticos de gran interés.

Una serie de experimentos dieron como resultado que la aplicación puntual de corrientes eléctricas puede favorecer el retroceso de tumores malignos y de las metástasis, fortalecer el sistema inmunológico, alterar las propiedades de la circulación sanguínea, contribuir a la curación de fracturas y aliviar los dolores.

Además de las citadas, la electroterapia tiene hoy en día otras muchas aplicaciones, por ejemplo en los campos del tratamiento del dolor, de los trastornos circulatorios, de las patologías del aparato locomotor, de las parálisis y de la debilidad muscular.

Realización del tratamiento

Para el tratamiento de la electroterapia se suelen colocar los electrodos directamente sobre la piel; en muy raras ocasiones, la corriente eléctrica se conduce a través de agua o aceite (→ Baño Stanger; → Ultrasonoterapia). Las corrientes utilizadas son de distintas frecuencias (la frecuencia se mide en hercios, que son las oscilaciones por segundo):

- Las de **baja frecuencia** (inferiores a 1 kilohercio) se usan para la terapia con corriente continua (→ Baño Stanger), para la → electrogimnasia y para la → neuroestimulación eléctrica transcutánea.
- Las de **frecuencia media** (alrededor de 1 kilohercio) se utilizan en procedimientos con corriente de interferencia y en procedimientos de amplificación.
- Las de **alta frecuencia** tienen aplicaciones diversas, como en la → terapia con onda corta (300 kilohercios) y en la terapia con ondas decimétricas y microondas.
- **Corriente de Tesla**, es un flujo de electricidad alterna de alta frecuencia, utilizado en electroterapia; es de voltaje medio.
- **Corriente de D'Arsonval**, es un flujo eléctrico alternante de alta frecuencia, bajo voltaje y alto amperaje, que se utiliza en electroterapia. El uso de este tipo de corriente se denomina *arsonvalización*.

A veces, la electroterapia produce un ligero "cosquilleo"sobre las zonas de la piel donde se han aplicado los electrodos.

Electroterapia estimulante

La electroterapia estimulante se utiliza por lo general para tratar el dolor, estimular la circulación y fortalecer la musculatura corporal.

Entre los diferentes métodos hay que distinguir el procedimiento Träbert, que utiliza corriente eléctrica ultraestimulante y que también se conoce con el nombre de "electromasaje estimulante", y la electrogimnasia, que emplea corriente estimulante para el tratamiento del debilitamiento muscular.

Electromasaje estimulante

El tratamiento con corriente ultraestimulante se realiza a lo largo de varios días seguidos, en sesiones diarias de 15 minutos de duración. Debe sentirse una "sensación

eléctrica" suave y vibrante debajo de los electrodos, pero sin que se produzcan contracciones musculares.
Entre sus campos de aplicación se cuentan los dolores agudos o crónicos, los trastornos circulatorios, la artrosis, los magullamientos, las distensiones y los anquilosamientos de las articulaciones.
El tratamiento con corriente ultraestimulante está contraindicado en personas que lleven marcapasos o sean sensibles a la corriente eléctrica.

Electrogimnasia

En el tratamiento de la electrogimnasia se emplea corriente estimulante para fortalecer los músculos debilitados (a causa de la inactividad prolongada).
Durante su aplicación, los músculos reciben impulsos eléctricos de intensidad variable, que les incitan a contraerse y, con ello, a "entrenarse".
Esta forma de electroterapia en ningún caso debe aplicarse cuando los músculos padezcan algún tipo de inflamación, o cuando ya no reaccionan a los estímulos que les envía el sistema nervioso.
El tratamiento suele requerir de diez a veinte sesiones de 10 a 15 minutos diarios cada una, y ha de ser realizado por especialistas. El autotratamiento o el realizado por persona sin especialización no es posible.

Baño Stanger

En los baños hidroeléctricos, cabe la posibilidad de sumergir todo el cuerpo en agua (*baño Stanger*), o sólo los brazos y las piernas (*baños celulares*). Los electrodos se colocan en la cabecera y los pies de una bañera de plástico y, también, en ambos lados. Variando su polaridad, la corriente puede circular en dirección transversal, longitudinal o diagonal. Entre los campos de aplicación se cuentan los dolores de columna vertebral, las patologías del sistema nervioso periférico, los trastornos circulatorios arteriales y los trastornos de origen neurovegetativo. El baño Stanger está contraindicado en aquellas personas que tengan implantado un marcapasos.

Neuroestimulación eléctrica transcutánea

Los campos de aplicación de la Neuroestimulación Eléctrica Transcutánea (NET) son los dolores agudos o crónicos, por ejemplo, después de una operación, de un accidente o en patalogías de tipo reumático. En este procedimiento, que también utiliza corriente estimulante, los electrodos se colocan directamente sobre el nervio principal de la zona dolorida, o bien en un punto de acupuntura. El tratamiento incluye varias sesiones diarias. La NET también se puede realizar en casa con ayuda de aparatos especiales a pilas. Este procedimiento está contraindicado en personas que lleven implantado marcapasos.
El tratamiento de la neuroestimulación eléctrica transcutánea debe ser realizado por fisioterapeutas especializados en este tipo de tratamientos.

Terapia con onda corta

Este tipo de terapia trabaja con ondas eléctricas de alta frecuencia, generadoras de calor. Según sea la distancia entre los electrodos y la intensidad de la corriente, el paciente sentirá un efecto térmico de mayor o menor intensidad. Lo normal es que las patologías agudas necesiten de seis a doce sesiones, a razón de una diaria de 5 minutos de duración. Las patologías crónicas necesitan sesiones de 20 minutos de duración, pero nunca en un número mayor de tres a la semana.
Entre los campos de aplicación se cuentan patologías inflamatorias, distensiones musculares, dolores en general y el tratamiento posterior de lesiones.
Esta terapia está contraindicada en lactantes, personas que porten un marcapasos y cuando exista peligro de que el intenso calentamiento del cuerpo empeore alguna patología ya existente. El tratamiento siempre debe estar dirigido y controlado por médicos especializados; la terapia como autoayuda en ningún caso es posible.

Ultrasonoterapia

El ultrasonido (sonido cuya frecuencia de onda supera el límite auditivo) normalmente se genera por la transformación de vibraciones eléctricas en mecánicas. La ultrasonoterapia tiene como misión la transmisión de estas vibraciones sonoras a la piel y al tejido subcutáneo a través de otro elemento que hace de transmisor (aceite o agua), por lo que el paciente siente vibraciones y calor. Este tratamiento produce efectos similares a los de un masaje, sobre todo en lo referente a la relajación y laxación de la musculatura corporal.
Entre sus campos de aplicación se cuentan las patologías crónicas del aparato locomotor y el tratamiento de lesiones. El tratamiento dura pocos minutos, y debe repetirse en el transcurso de varios días. La aplicación y control del tratamiento corresponde a médicos especializados. No es posible el autotratamiento.
La ultrasonoterapia está contraindicada en niños lactantes y en personas portadoras de un marcapasos.

Métodos que incluyen ejercicios

Los tratamientos que consisten en repetir regularmente técnicas físicas o psíquicas producen efectos vigorizantes, relajantes y beneficiosos sobre el estado general de salud. Son susceptibles de aplicarse sin recurrir a ningún medio auxiliar y como complemento a cualquier proceso curativo, pero sobre todo en las patologías cuya aparición está provocada por tensiones físicas y psíquicas. Estas técnicas se pueden aprender, bajo la supervisión y dirección de profesores y terapeutas especializados, para su posterior práctica personal en casa. Técnicas como el → entrenamiento autógeno y la → relajación muscular progresiva, poco conocidas aún en muchos países, están muy extendidas y reconocidas por su eficacia en el ámbito anglosajón. En el capítulo de autoayuda (→ Cómo relajar el cuerpo y el espíritu) se incluye información sobre otros métodos.

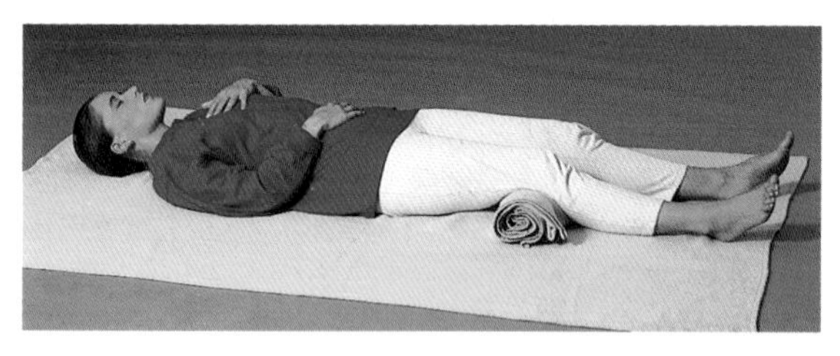

Quien domine el entrenamiento autógeno, podrá conseguir una completa relajación física y psíquica en cualquier momento.

El entrenamiento autógeno

Basándose en observaciones realizadas en personas hipnotizadas, el psiquiatra alemán J. H. Schultz desarrolló la técnica de la "autorrelajación progresiva". Comprobó experimentalmente que algunas personas eran capaces de generar (de ahí el término "autógeno") el estado de adormecimiento que aparece cuando se está bajo hipnosis, unido a sensaciones de calor y una agradable pasividad.

A partir de los conocimientos adquiridos, desarrolló un sistema de ejercicios mentales que fue recopilado en un libro que publicó en el año 1932 con el título de *Entrenamiento autógeno. Autorrelajación concentrable*. Desde entonces muchas personas utilizan el entrenamiento autógeno no sólo para su relajación física y psíquica, sino también para aliviar afecciones del cuerpo y de la psique.

Entre los diversos efectos que el entrenamiento autógeno causa, figuran los siguientes:

- Relaja psíquicamente y produce una sensación de profunda laxitud, que lleva a una "relajación total".
- Produce un bienestar físico y armoniza las funciones del sistema nervioso vegetativo del organismo.
- Mejora las facultades de dormir y de recuperarse.
- Elimina sentimientos negativos, tales como la angustia y la inquietud interior.
- Sensibiliza ante percepciones físicas.
- Fortalece la facultad de autocontrol.

La técnica del entrenamiento autógeno se puede aprender en grupos o individualmente. Para obtener éxito, hay que practicarlo con regularidad. La mayoría de los ejercicios se hacen tendidos, y muy pocos sentados con apoyo lumbar. Primero hay que conseguir un estado de reposo absoluto, para luego pronunciar frases estereotipadas que sirven para autoinfluirse positivamente.

Relajación muscular progresiva

El médico americano Edmund Jacobson desarrolló este procedimiento, que coincide en el tiempo con el entrenamiento autógeno. Sin embargo, a diferencia de éste, la técnica de la relajación muscular progresiva es más fácil y rápida de aprender.

Con este método se llega a la relajación física y psíquica por el "atajo" de la tensión muscular. Así, en cada ejercicio se tensan lo máximo posible uno o varios grupos de músculos, de 2 a 4 segundos; luego, se disminuye la tensión y se sigue el rastro de las reacciones físicas en reposo durante al menos 30 segundos.

En grupos o individualmente, la relajación muscular progresiva puede aprenderse en unas pocas sesiones dirigidas y controladas por médicos terapeutas especializados. Al igual que en el entrenamiento autógeno, para obtener el éxito en este caso también es condición indispensable la constancia para realizar los ejercicios con regularidad.

La mayoría de ellos pueden practicarse en casi cualquier situación de la vida cotidiana, lo que supone una ventaja frente a muchas otras técnicas de relajación. Con la relajación muscular progresiva se consiguen buenos efectos curativos, tanto pasajeros como duraderos, sobre todo en los estados de angustia.

Terapias nutricionales

Si bien una alimentación adecuada no es ningún "curalotodo", lo cierto es que nunca se puede valorar en toda su plenitud la influencia que tiene sobre la salud:

- En una prevención responsable, uno de los pilares más importantes es la adopción de una dieta integral y equilibrada (→ El placer de la comida sana).
- Si bien es cierto que una dieta especial no puede curar ciertas patologías crónicas, como la diabetes mellitus o la gota, también es verdad que puede influir en ellas de manera muy positiva.
- En el marco de una cura, los ayunos curativos o terapias nutricionales especiales permiten tratar algunas enfermedades propias de la "modernidad".

Ayuno curativo

Los ayunos curativos suelen terminar con té, zumos, agua mineral y consomé de verduras. Al segundo día de ayuno es cuando aparece la sensación de hambre. Es normal que, debido a la desintoxicación del cuerpo, se noten olores desagradables en deposiciones, sudor y respiración. Son fases importantes el comienzo (*día de exoneración*) y el final del período de ayuno (*días de reconstitución*). Ejercicio, aire fresco, descanso suficiente y terapias físicas acentúan los efectos.
Entre las aplicaciones del ayuno curativo se cuentan el sobrepeso, la gota, el reuma, las patologías hepáticas, la hipertensión y las patologías cutáneas de naturaleza crónica. También se puede seguir una cura de ayuno en un balneario, bajo vigilancia médica.

La cura de Mayr

El médico austríaco Franz Xavier Mayr (1875-1965) denominó al intestino «el sistema radicular de la planta hombre». De acuerdo con esta definición, dedujo que muchas patologías se debían a una mala alimentación y a la sobrecarga continuada del aparato digestivo.
Las curas de Mayr necesariamente tienen que llevarse a cabo en clínicas especializadas, pues requieren el control y dirección de personal médico.
La dieta consiste en bollitos duros que se toman con algo de leche, masticándolos y ensalivándolos bien. Entre las comidas incluye beber muchas infusiones y agua mineral, además de soluciones de sal amarga para limpiar el intestino.
También contribuyen a bajar el peso corporal y a mejorar el riego sanguíneo del tránsito intestinal, los baños, masajes, programas de gimnasia y drenajes linfáticos. Entre las aplicaciones más usuales de la llamada cura de Mayr se cuentan las afecciones cardiovasculares, la hipertensión y el sobrepeso corporal.

Según F. X. Mayr, para mantener limpio el intestino y sentirse como un niño, en la dieta no pueden faltar los panecillos secos y la leche.

La cura de Schroth

A principios del siglo XIX, el naturalista y médico alemán Johann Schroth (1800-1856) desarrolló la cura que lleva su nombre. Esta terapia tiene como objetivo principal regenerar y depurar el cuerpo. Su punto central es una dieta hidriática, con la que se pretende eliminar los residuos nocivos del metabolismo.
Días secos y *días hídricos*, de regular y total intensidad, se alternan entre sí a ritmo muy estricto. A la cura de Schroth se le dio el apodo de "ayuno alegre", pues los días hídricos permite beber vino blanco en abundancia. Mediante la aplicación de los llamados recubrimientos de Schroth, salmueras húmedas y frías, se pretende estimular la producción calorífica del propio cuerpo y poner en marcha los procesos curativos del metabolismo. Dada su complejidad, este tipo de cura obligatoriamente ha de efectuarse en clínicas especializadas. Entre sus aplicaciones se cuenta el sobrepeso corporal, las dolencias reumáticas, las patologías cardiovasculares y las afecciones cutáneas.

Psicoterapia
Ayuda para el cuerpo y la mente

En el sentido literal de la palabra, psicoterapia tiene el significado concreto de "cuidado del alma" o "curación de los padecimientos del alma". Aunque siempre ha existido y sigue existiendo en todos los pueblos y culturas distintas formas de ver y entender la psicoterapia en el transcurso del tiempo, los puntos de vista en cuanto a sentimientos y conductas que se deben cambiar, o las causas que las originan y el "tratamiento correspondiente", varían inexorablemente y son bien diferentes unas de otras.

En nuestro ámbito cultural se creyó, también durante mucho tiempo, en la influencia de numerosas fuerzas externas que influían poderosamente sobre la vida espiritual; así, hombres de ciencia, sabios y sacerdotes se preocuparon siempre y tuvieron "remedios" a mano de todo tipo para procurar la curación del alma. Con la investigación científica moderna aumentó el conocimiento sobre el cuerpo humano, y hoy día se admite como dogma que el padecimiento psíquico es un síntoma de enfermedad física. A finales del siglo XIX, el neurólogo Sigmund Freud expuso una teoría revolucionaria que puso en práctica más tarde. En efecto, vio cómo las causas de la alteración de sentimientos y comportamientos estaban en el propio ser humano y no en el mundo exterior, pero partió de la base de que no había que buscarlas en el cuerpo, sino en la propia alma y, más concretamente, en los conflictos reprimidos casi siempre durante la primera infancia, de los que la persona no es consciente en absoluto y mucho menos a partir de una edad. Basándose en esta hipótesis, elaboró el primer procedimiento psicoterapéutico propiamente dicho: el psicoanálisis, que él mismo y muchos de sus alumnos continuaron desarrollando durante varias décadas más.

En competencia con el psicoanálisis

Tomando como base la llamada teoría del aprendizaje, surgida en EE UU a principios del siglo XX, mediado este mismo siglo se elabora la terapia del comportamiento, que primero se concentra exclusivamente en la conducta humana contemplada desde una perspectiva exterior para, luego, en las últimas décadas, incluir también su "mundo interior", es decir, los contenidos íntimos son propios e inherentes al ser humano como pensamientos, fantasías e ideas.

Desde el punto de vista de la terapia del comportamiento, las actuaciones problemáticas se aprenden en el transcurso de la vida y, por lo tanto, se pueden "desaprender" de nuevo en el curso de una terapia.

Próxima la mitad del siglo XX, se desarrolla la llamada psicología humanística, que muy pronto se convierte en la "tercera fuerza" de la psicoterapia y adquiere gran importancia en poco tiempo tantro en el ámbito puramente médico como fuera de él. Según sus principios, los trastornos psíquicos surgen cuando quedan bloqueadas las fuerzas naturales que mueven al ser humano a realizarse a sí mismo. Para poder percibir nuevos sentimientos y necesidades, la terapia pretende romper los bloqueos naturales que causan los trastornos.

Mediado el siglo XX, surgen diversas terapias llamadas de orientación sistémica (→ Terapias de familia o de pareja), en las que ya no se trata al enfermo aisladamente, sino que la terapia se extiende también a la pareja y a todos los miembros de la familia, es decir, a todo el "sistema" de influencias mutuas. Según este concepto, las causas se encuentran tanto en el interior de la persona como fuera de ella. Las terapias sistémicas se extendieron mucho en el último tercio del siglo XX, sobre todo en el espacio europeo.

Ante el gran interés despertado por los tratamientos psíquicos, y siguiendo la tendencia de las psicoterapias anteriormente mencionadas, durante las tres últimas décadas se han desarrollado innumerables procedimientos curativos que se han ido afianzando en el tiempo. El conductismo (*behaviorismo*) es una escuela de psicología relacionada con datos observables, tangibles y mensurables, como la conducta y las actividades humanas, pero con exclusión de las ideas y las emociones como fenómenos puramente subjetivos.

Métodos psicoterapéuticos y fines que persiguen

Según la tendencia, en psicoterapia se emplean métodos psicológicos diversos. Pero, todos ellos persiguen un mismo fin: cambiar situaciones, formas de comportamiento o puntos de vista que pueden influir perniciosamente en el bienestar personal o alterar la relación existente con el propio entorno.

Así, por ejemplo, el terapeuta puede descubrir conflictos, sentimientos y recuerdos reprimidos en una conversación mantenida con su cliente. La sinceridad al manifestar abiertamente todos los pensamientos, también los desagradables –la llamada asociación libre (→ Psicoanálisis)–, puede servir para desechar todo tipo de fantasías y sacar a la luz vivencias y comportamientos que forman parte de la vida real.

La primera condición para que el tratamiento psicoterapéutico sea un éxito es que la persona afectada coopere de una forma totalmente activa en la propia terapia, ya que sólo así podrá cambiar su forma de ser y de actuar al saber lo que realmente quiere.

Una segunda condición, no menos importante, es la relación de confianza con su terapeuta. Como todas las terapias suponen casi siempre un largo camino en el que se pone en marcha un proceso de aprendizaje capaz de cambiar comportamientos y maneras de pensar, lo esencial es recorrerlo colaborando pacientemente.

En cualquier caso, la psicoterapia pretende aliviar dolencias psíquicas y físicas, restablecer la salud de la psique y favorecer la maduración y el desarrollo de la propia personalidad.

¿Cuándo es aconsejable la psicoterapia?

Las razones que impulsan a una persona a comenzar una psicoterapia son de diversa índole. Van desde el descontento personal, hasta importantes problemas psíquicos que ya no le permiten llevar una vida normal; o, incluso, afecciones de tipo físico como hipertensión, trastornos del ritmo cardíaco, dolores de cabeza crónicos o tumores gastrointestinales. La terapia suele aplicarse a nivel ambulatorio, aunque en casos graves el tratamiento psicoterapéutico exige su aplicación en una clínica.

Pero hasta adoptar la decisión de comenzar una terapia suelen pasar varios años, pues a muchas personas les resulta difícil sincerarse con un psicoterapeuta. Hasta hay quien considera un fracaso personal tener que recurrir a la ayuda de un profesional para solucionar sus problemas psíquicos. Pero, precisamente esta vía, abre a menudo posibilidades de desarrollo y saneamiento de la personalidad inesperadas.

Elección del terapeuta

Una vez la persona reconoce la incapacidad de conseguir por sí misma el alivio a sus padecimientos y toma la determinación de pedir ayuda exterior, viene el problema de elegir el tratamiento adecuado y el terapeuta que mayores garantías de éxito ofrezca. A ser posible, lo más recomendable es pedir consejo al médico de cabecera quien, tras establecer el diagnóstico, remitirá al paciente al especialista más apropiado; así, puede ser un psiquiatra, psicólogo, neurólogo o un psicoterapeuta elegido de entre varios y que incluye su seguro de enfermedad; o, quizá, cualquier otro de prestigio y que le han recomendado por su "buen hacer" y resultados. En cualquier caso, según de quien dependa la asistencia, se deberá solicitar la cita para confirmar día y hora. También se puede solicitar información en los organismos sanitarios, mutuas, colegios médicos, seguros de enfermedad, institutos de formación psicoterapéutica, centros de asesoramiento, asociaciones de vecinos, servicios sociales, grupos de autoayuda y teléfonos de la esperanza. También es de gran importancia prestar atención a la "sintonía" personal, pues no toda persona que necesita ayuda se entiende bien con un terapeuta determinado –por muy bueno que sea–, y viceversa.

Quién puede ejercer como terapeuta

En la mayoría de los países occidentales pueden ejercer la psicoterapia los médicos titulados en psicología, psiquiatría y psicoterapeutas, así como aquellas personas que tengan una formación psicoterapéutica específica con conocimientos de Medicina o Psicología cuya formación esté reconocida y avalada oficialmente para ejercer la profesión con las garantías legales. A su vez, estos profesionales se agrupan en asociaciones o colegios.
Este criterio no es internacional, sino que varía en función del país de que se trate. Así, por ejemplo, en algunos países pueden ejercer la psicoterapia los médicos, psicólogos, practicantes paramédicos y personal médico y sanitario en posesión de una titulación que les autoriza oficialmente. También puede trabajar como terapeuta quien haya realizado estudios académicos reconocidos y que, además, esté inscrito en la lista del comité asesor de psicoterapia.
Por otra parte, existe un reglamento con unas reglas fijas para regular el ejercicio de la actividad psicoterapéutica que los propios interesados proponen a las autoridades sanitarias para su aprobación y entrada en vigor que obliga a todos. De todos modos, la norma que debe imperar es la de informarse sobre la cualificación del psicoterapeuta, máxime si las personas que desarrollan esta profesión carecen de los conocimientos de Medicina o Psicología imprescindibles para el ejercicio de la actividad.

La terapia adecuada

No se puede decir de una manera global cuál es el procedimiento más adecuado ante una dolencia. Y esto es así porque la eficacia del método depende, en gran medida, de los gustos de cada paciente.
Antes, el psicoanálisis estaba considerado como el método más eficaz en el tratamiento de los trastornos de la personalidad, patologías psicosomáticas y psicosis; por su parte, la terapia del comportamiento lo era en los ataques de pánico, estados de ansiedad y fobias.
Sin embargo, los procedimientos han experimentado un desarrollo progresivo. Expertos en la materia consideran que las terapias sistémicas son igual de eficaces, aunque no hay todavía ningún resultado que pueda confirmar tal aseveración. Lo mismo cabe decir de la psicología humanística.

Los costes de la psicoterapia que asume el seguro social o el seguro privado

Al igual que ocurría con los gastos de enfermedades generales, los gastos de esta terapia depende en gran medida de la clase de seguro o seguros que la persona tenga contratados y de sí asumen todos los gastos o sólo una parte proporcional. Tratándose del seguro social, los gastos por lo general corren de cuenta –en su totalidad o en un gran porcentaje– de los organismos sanitarios. Por el contrario, si el seguro es privado o se trata de una mutua, hay que leer con detenimiento la póliza para comprobar en ella todos los apartados y cláusulas que rigen la misma y, por lo tanto, el riesgo que asumen las compañías y cuál las personas contratantes. Sin embargo, tratándose de los costes de las psicoterapias lo mejor es preguntar en las oficinas de los seguros si asumen los costes o no, bajo qué condiciones, qué tipos y qué psicoterapeutas tienen contratados con ellos la asistencia psicoterapéutica.
Generalmente, en una gran parte de países, la mayoría de las psicoterapias son costeadas, en su totalidad, por los propios pacientes.

Formas de psicoterapia

Psicoanálisis

Sigmund Freud (1856-1939), neurólogo, psiquiatra y psicólogo, es el fundador del psicoanálisis. Para ello, partió de la base de que los trastornos psíquicos tienen su origen en conflictos de la infancia temprana, de los que el ser humano ya no suele ser consciente a pesar de que siguen estando presentes.
El psicoanálisis pretende sacar a la luz aquellos conflictos y experiencias reprimidas que causan el padecimiento, de manera que la persona afectada pueda reconstruirlos para analizarlos a fondo con ayuda del analista.

Psicoterapia analítica

El núcleo de la psicoterapia analítica está constituido por la "asociación libre", es decir, todo aquello que pasa por la mente de la persona y que debe expresar aunque le resulte desagradable o le dé vergüenza; también, los sueños que suele tener. El psicoanálisis parte de la base de que así salen a la luz recuerdos, pensamientos y fantasías inconscientes, que influyen en el comportamiento y las vivencias actuales.
Por ejemplo, en el curso de un psicoanálisis y gracias a la asociación libre, una persona que tiene un miedo atroz a salir de casa –sin fundamento aparente– esto le permite recordar que, durante su infancia, le advertían una y otra vez de los peligros que constantemente le acechaban y que, por este motivo, teme ausentarse de su domicilio.
Hablar sobre temas conflictivos, relacionados con sentimientos de culpabilidad y de vergüenza, suele crear grandes problemas a la persona afectada; esto es así, porque se ponen en evidencia las llamadas resistencias. Pero trabajar estos temas y tratar de sacar a la luz contenidos reprimidos es, precisamente, una de las tareas u objetivos principales del psicoanalista.
La característica esencial del psicoanálisis es la llamada transmisión.
Consiste ésta en que el afectado intenta, en el curso de la terapia, rememorar sentimientos procedentes de las relaciones que mantuvo en su infancia (casi siempre con la madre o el padre) y que relata o refiere al analista. La terapia comprende entre 160 y 240 horas como máximo, y dura de uno a tres años; las sesiones o citas tienen lugar de dos a tres veces a la semana, durante el tiempo estimado de tratamiento.

Psicoterapia analítica de corta duración

La finalidad principal de la psicoterapia de corta duración es la de solucionar un problema actual en un corto espacio de tiempo, es decir, se pretende encontrar lo antes posible la solución a un problema planteado. Este tipo de terapia está especialmente indicada cuando el trastorno ha sido relativamente perfilado, como por ejemplo en los casos de fracaso escolar, y la persona afectada en seguida se identifica y entabla una relación amistosa con el terapeuta. En esta forma de terapia también se trabaja con las llamadas resistencias. La psicoterapia de corta duración tiene un tiempo estimado de 15 a 25 horas de tratamiento en varias sesiones.

Terapia de grupo psicoanalítica

El grupo de terapia psicoanalítica reúne alrededor de 10 personas, una vez a la semana –durante dos horas–, que dirige uno o dos terapeutas. Los terapeutas proponen un tema de actualidad al grupo, que los participantes debaten expresando los conflictos que les provoca. El grupo permite la posibilidad de hacer convivir a personas con similares problemas, y ver cómo los solucionan; de este modo, el miedo va desapareciendo progresivamente y da paso a un aumento de confianza.

Tras escuchar con atención todos los pensamientos y sentimientos del cliente tumbado en el diván, el psicoanalista establece la terapia.

Muchas personas sienten pánico con sólo imaginarse que tienen que pasar a través de un túnel.

Terapia cognitiva del comportamiento

El año pasado, el señor B subía solo en el ascensor de su casa y éste se detuvo debido a un fallo eléctrico, lo que le obligó a permanecer encerrado durante unos minutos. Después de este suceso, que le ocasionó una sensación de profundo miedo, el señor B se pone nervioso y siente terror cada vez que tiene que subir en un ascensor, incluso antes de entrar. Un hecho tan habitual y corriente como éste se convirtió para él en una situación ante la que reacciona, casi automáticamente, con nerviosismo; además, en su interior surgen pensamientos que le infunden espanto, temor y angustia. De esta manera, el señor B se niega a utilizar el ascensor siempre que puede.

Este ejemplo es bien ilustrativo del concepto básico de la terapia del comportamiento, según la cual, la conducta "se aprende" a lo largo de la vida de las personas y, por lo tanto, puede ser "desaprendida" de nuevo con la aplicación de la correspondiente terapia.

El comportamiento problemático –"miedo al ascensor"– se manifiesta en tres campos: expresión corporal (palpitaciones, sudores, temblores, miedo), pensamientos y sentimientos («Va a pasar algo terrible», «Tengo que salir de aquí») y en comportamientos concretos (negarse a entrar, subir por la escalera). El campo de los pensamientos y sentimientos se llama campo cognitivo.

El tratamiento terapéutico comienza con las sesiones en las que el terapeuta pretende averiguar la causa del trastorno en las conversaciones que mantiene con el paciente. Para ello pueden emplearse varios métodos, como el "procedimiento expositivo", que tiene como misión desencadenar en el afectado sentimientos que le obliguen a enfrentarse sin miedos a la situación que dio origen al trastorno. Entre las técnicas de tratamiento más conocidas se cuenta la insensibilización sistemática, que no es más que la combinación de relajación y confrontación ante la situación desencadenante del trastorno. Al principio las acciones sólo tienen lugar en la imaginación del paciente, para pasar luego a la acción y hacer que se enfrente con la situación en la realidad.

La idea fundamental de la terapia del comportamiento es la "autogestión", es decir, contribuir a que el paciente sea capaz de hacer frente en el futuro al problema sin necesidad de pedir ayuda. Por lo general, la terapia del comportamiento suele durar entre 45 y 80 horas.

Terapia emotiva racional

Según la Terapia Emotiva Racional (TER), los trastornos psíquicos surgen al tener puntos de vista negativos y modelos de pensamiento muy arraigados.

Ideas que forjan una determinada postura debido a la forma y manera en que las personas acostumbramos a pensar de nosotras mismas, con afirmaciones tales como: «Yo seguiré valiendo mucho mientras sea competente, capaz y eficiente» o «Tengo que ser querido por todos».

En este tipo de terapia, el paciente aprende a sustituir sus ideas por modelos de pensamiento que se ajustan a la realidad, es decir, algo así como mentalizarse de que «no tengo que ser perfecto, para que me aprecien». De este modo, la persona cambia su manera de comportarse. La terapia emotiva racional está considerada como una tendencia psicoterapéutica independiente de todas las demás, aunque también se incluye dentro de las técnicas de la terapia del comportamiento de orientación cognitiva.

Terapias de la psicología humanística

La idea fundamental de todas las terapias de la psicología humanística es que cada persona "mantenga un cierto orden" según su forma de ser, es decir, que se den todas las condiciones para que pueda vivir contento integrado dentro de una comunidad. Según las teorías de la psicología humanística, el descontento y las dolencias físicas y psíquicas tienen su origen en los bloqueos que se producen a causa de las influencias ambientales desfavorables, que inhiben la tendencia natural del ser humano por alcanzar la felicidad y el desarrollo de su personalidad. Las terapias de la psicología humanística pretenden fomentar, en el transcurso de un proceso evolutivo consciente, el "crecimiento" del ser humano, el desarrollo de sus posibilidades y la creación de unas condiciones adecuadas en un marco que le permitan realizarse libremente.

Diálogo terapéutico

La terapia basada en el diálogo entre paciente y terapeuta fue desarrollada por Carl Rogers (1902-1987). Como primer condicionante antepone la realación mutua de confianza y sinceridad, es decir, el terapeuta adopta una actitud muy natural y neutral, para tratar de ganarse la confianza del cliente hablándole con toda sinceridad y apasionamiento; de este modo, favorece el que se exprese y exponga sus problemas sin miedo y con claridad. Así se pone en marcha el proceso de la terapia, que favorece el que el cliente amplíe y complete sus vivencias personales y modos de conducta.
Durante la terapia el paciente aprende a valorarse mejor, a prestar más atención a sus propias vivencias, a conocerse en profundidad y a aceptarse tal como es. Frente a su postura inicial, poco a poco irá aceptando la actitud que el terapeuta le insta a adoptar. Al contrario que ocurre en la terapia del comportamiento, en esta ocasión las afecciones no se tratan directamente.
Lo más característico de esta terapia es la técnica del terapeuta, pues resume con claridad y precisión lo que el propio cliente le acaba de relatar, pero sin dejar entrever todavía de qué se trata.
De ese modo se pretende obligar de algún modo a que sea el propio cliente quien aclare lo que le pasa, para así resolver sus problemas.
El diálogo terapéutico no es una terapia de carácter grupal, sino individual. Sobre el tiempo que suele durar el tratamiento, no existen datos fiables al respecto, pues está en función de cada caso en particular.

Morfoterapia

La morfoterapia fue creada por Fritz Perls (1893-1970). Consiste en trabajar "el hoy y el ahora", es decir, se ocupa del comportamiento actual y de los sentimientos que inexorablemente lleva inherentes. Perls parte de la base de que los mecanismos de defensas, adquiridos a lo largo de la vida, impiden muchas veces a las personas tener conciencia de sus sentimientos y de vivirlos. Para la morfoterapia el pasado y la historia de toda la vida sólo tienen importancia si, de alguna manera, influyen en las vivencias inmediatas.
El cliente no debe fijarse más que en los sentimientos y pensamientos que tiene en el momento actual, en el presente. Si, por ejemplo, está sentado en la consulta con los brazos cruzados, como si tuviera miedo de sufrir alguna agresión que le lesionara, el terapeuta se fijará en este comportamiento, pero no le dará ninguna interpretación si no tiene argumentos. Será el propio cliente quien descubra el significado de su actitud. El fin que persigue la morfoterapia es estimular al paciente y hacer que se deje llevar por sus propios sentimientos, sin evitarlos por muy desagradables que éstos sean.
La morfoterapia utiliza una serie de técnicas y juegos para cumplir sus objetivos. Se ofrece como terapia individual, pero también en grupos, en pareja y en familia. El trabajo individual ante el grupo es una característica muy peculiar de esta forma de terapia.

La "silla vacía"

La técnica más conocida de la morfoterapia es la llamada de la "silla vacía". Se utiliza cuando, por ejemplo, un paciente cuyos padres han muerto se comporta como si estuvieran vivos todavía y, al no asimilar la realidad, su conducta está condicionada por esta triste circunstancia que tanto le afecta. Para hacer que "entre en la realidad", tiene que separarse de ellos definitivamente.
La técnica consiste en imaginarse que sus padres están sentados en unas sillas vacías, y en mantener con ellos una conversación como si verdaderamente estuvieran presentes. La fantasía no sólo hace posible "sustituir" personas ausentes por una silla vacía, sino que es un método que también permite imaginarnos componentes de la propia personalidad de la persona como miedo, culpa o vergüenza.

La "silla vacía" es una técnica de morfoterapia que pretende simbolizar este objeto con la persona ausente, para así hacer "volver" a la realidad a la persona enferma.

Terapias de pareja o de familia

De entre las múltiples clases de terapias destacan las del comportamiento, morfoterapias y terapias de psicología profunda destinadas a familias y parejas. Desde hace décadas, estas formas de terapia conocidas como de "orientación sistémica" gozan de gran popularidad en muchos países. Estas terapias parten de la base de que la enfermedad de una persona hay que considerarla como la manifestación sintomática o afección que afecta a la unidad familiar o a la pareja, ya que el comportamiento de un miembro influye en todos los demás. El afectado y el resto de los componentes de la familia en ningún caso son víctimas ni culpables, sino que forman parte de un sistema que determina el comportamiento de todos los participantes.

La terapia común ayuda a todos los miembros de la familia a mantener un trato más abierto y considerado entre ellos.

El cliente no acude solo a la terapia, sino que va en compañía de toda su familia o de su pareja. Como la patología está considerada como un trastorno de las relaciones dentro de la unidad familiar, los terapeutas (dos casi siempre) dirigen su atención a la convivencia entre los distintos miembros del clan. De este modo, se puede descubrir con relativa facilidad cuál es la relación que provoca y consolida el padecimiento.

Dentro de muchas familias, el resto de sus componentes siempre califican a alguno de sus miembros con imputaciones de "oveja negra" o "ser el culpable de todo". A esta persona –casi siempre un hijo indeseado– se le hace responsable de todos los problemas y conflictos cotidianos, aunque las causas reales sean bien distintas y nada tengan que ver, y hasta se le obliga a desempeñar el papel correspondiente. En la terapia de familia, todos los participantes tienen la posibilidad de comprender mejor los efectos que ocasiona su comportamiento y de aprender a comportarse en grupo de distinta manera. El tratamiento dura de dos a diez sesiones, relativamente cortas en comparación con otras formas de terapia.

Otros procedimientos

Hipnoterapia

Desde las últimas décadas del siglo XX, existe una gran afición por la hipnoterapia en el ámbito europeo. Pero en esta extensa área geográfica (al contrario que en la sociedad norteamericana) no se aplica como terapia aislada, sino como una cualificación más dentro de una terapia del comportamiento, de la terapia basada en el diálogo o de la morfoterapia.

La hipnoterapia moderna se caracteriza, además de por los estados de trance y relajación, por la llamada "orientación de recursos", o sea, la suposición, procedente de la terapia humanística, de que el ser humano dispone de la experiencia y de los medios necesarios para solucionar los muchos problemas que se le plantean en las diferentes etapas de su vida. Descubrir estos "recursos" y aprovecharlos es la meta del trabajo terapéutico. En este sentido, los estados de trance son de gran utilidad, ya que permiten el acceder de inmediato y profundizar en los sentimientos más recónditos y fantasías que tiene el cliente.

Si bien es cierto que el empleo de la hipnosis en espectáculos públicos y artículos sensacionalistas sobre este tema han extendido la creencia de que la persona hipnotizada queda a merced por completo de la voluntad del hipnotizador, la realidad terapéutica es bien distinta, ya que en ella la persona hipnotizada mantiene el control de su voluntad en todo momento, sobre todo porque se precisa su colaboración activa en la búsqueda de los llamados "recursos".

Dado los riesgos que encierra, la hipnoterapia debe ser asunto exclusivo de especialistas con experiencia. Por este motivo, se recomienda informarse a fondo sobre la cualificación profesional del terapeuta, especialmente en aquellos casos de trastornos graves como es la psicosis. Información al respecto se puede obtener en los organismos sanitarios oficiales, colegios médicos e instituciones de reconocido prestigio y garantía sanitaria.

Psicoterapia imaginativa catatímica

En la Psicoterapia Imaginativa Catatímica (PIK), creada por Hanscarl Leuner, se trabaja con los sueños diurnos del paciente. El término "catatímico" viene a significar "conforme a los sentimientos" e "imaginativo", como "propio de la imaginación". Catatimia no es más que la existencia de un complejo en el inconsciente de la mente, muy cargado de afecto o sentimiento, lo que produce un pronunciado efecto en la conciencia. En esta terapia se hace preciso que el cliente reconozca el simbolismo de las imágenes catatímicas vividas, es decir, las dimensiones de sus imágenes interiores, que sepa relacionarlas con un momento pasado de su vida y que pueda recrearlas mediante el diálogo mantenido con su terapeuta. La psicoterapia imaginativa catatímica es una de las terapias de corta duración y de las llamadas de intervención crítica para niños, jóvenes y adultos, que suelen tener éxito en unas pocas sesiones (unas 20 ó 30). La combinación de una PIK con una morfoterapia y procedimientos de psicología profunda, es decir, psicoanálisis, está muy extendida.

Programación neurolingüística (PNL)

La Programación NeuroLingüística (PNL), creada por el psicólogo y experto en informática Richard Bandler y el lingüista John Grindler, es un programa de entrenamiento psíquico reconocido en las últimas décadas del siglo XX como una forma de terapia de múltiples aplicaciones. La idea inicial fue el desarrollo de una especie de procedimiento integral, que surgió de la cooperación de cuatro terapeutas de gran éxito. Pero, de momento, la programación neurolingüística no deja de ser un mero compendio de cuatro técnicas diferentes.

La programación neurolingüística parte de la base de que las posibilidades de desarrollo de la personalidad están bloqueadas en muchas personas. Para cambiar esta circunstancia, habría que influir en determinados estados psíquicos (*neuro*) con ayuda del lenguaje (*lingüística*), es decir, habría que "desprogramar" las posturas negativas para convertirlas en positivas. Un procedimiento como éste, siempre requiere la aplicación de un gran número de técnicas combinadas que varían según el caso de que se trate.

Para la práctica de la programación neurolingüística no se necesita la titulación de terapeuta, pero sí es necesario que las personas que utilizan esta técnica tengan una buena formación terapéutica. La programación neurolingüística se realiza siempre en sesiones individuales.

Prácticas esotérico-espirituales

El apogeo en el último tercio del siglo XX de estas prácticas, hizo que aumentara la demanda de tratamiento psicoterapéutico. La búsqueda de la felicidad individual y de la armonía interior y con la naturaleza, junto con la nueva espiritualidad nacida en EE UU y Europa, consiguió que alcanzaran gran popularidad las ideologías esotéricas y las filosofías orientales.

A menudo se mezclaron técnicas psicoterapéuticas clásicas con prácticas religiosas de otras culturas, lo que hizo que muchas perdieran su significado original al ser arrancadas de su ambiente y pasar a ser un simple ornato espiritual que no suponía nada serio.

Trazar una línea que establezca la división entre lo que es terapia y lo que es culto, puede significar una misión imposible; no obstante, hay que tener en cuenta que muchos de los procedimientos se caracterizan por su nula eficacia. Los precios de los seminarios o sesiones suelen ser muy elevados.

En cualquier caso, tampoco se puede "meter en un mismo saco" a todos los esoterismos espirituales, aunque se supone que la mayoría de ellos no resultan aptos para el tratamiento de los trastornos psíquicos.

La elección del terapeuta

La elección del terapeuta siempre resulta difícil. Para elegir al mejor, lo más apropiado es tener paciencia, pues no siempre el primero que nos recomiendan es el mejor y más apropiado al caso. Tampoco es aconsejable fiarse de los anuncios en periódicos y revistas, pues a veces ocultan ofertas poco serias, al prohibir las normas internas de corporaciones o colectivos a sus médicos, psicólogos y practicantes paramédicos anunciar sus actividades terapéuticas en los medios de comunicación.

Hay que tener cuidado con los procedimientos esotérico-espirituales, ya que la falta de formación profesional posibilita el que algunos terapeutas que aplican el tratamiento no sean capaces de reconocer o atajar una crisis psíquica ya existente o, incluso, la que se pueda manifestar durante el desarrollo de la terapia que pretende solucionar los trastornos.

En cualquier caso, infórmese de todos los aspectos con espíritu crítico, examine meticulosamente los detalles particulares de cada oferta y busque ayuda terapéutica lo antes posible.

Medicina alternativa

Ideas y metas

A primera vista, los muchos procedimientos que forman parte de la "medicina alternativa" no tienen casi nada que ver unos con otros. Así, para curar unos emplean plantas medicinales; otros, la corriente eléctrica y, por último, los hay que emplean enzimas o dietas especiales como terapia. Pero si se comparan las teorías o principios que cada uno de ellos tiene tras de sí, se encuentran coincidencias muy interesantes y curiosas:

- La salud no está considera en general como una ausencia de enfermedad sin más, sino más bien como una expresión del equilibrio reinante, de la profunda armonía que existe entre cuerpo y mente (*psique*).
- La enfermedad se entiende como síntoma el síntoma inequívoco de que el tan preciado equilibrio de algún modo se ha alterado. Pero también puede ser un "indicador" que señale el camino hacia una vida mejor al procurar la prevención de otras muchas enfermedades.
- La idea fundamental de la terapia es que la enfermedad sólo se puede comprender si se la considera como un conjunto de acontecimientos físicos, psíquicos y mentales que concurren en el ser humano, y que únicamente es posible la curación si se tiene la capacidad para influir en el conjunto de los susodichos acontecimientos. Por este motivo, también se suele utilizar la denominación "medicina integral" para designarla.

La medicina académica actual parte de otros supuestos diferentes, aunque cada vez está más arraigada la teoría que postula el considerar al organismo humano como un "sistema reticulado". Entre la línea que establece la demarcación entre las medicinas académica y alternativa, existe toda una serie de posibilidades que dan cabida a múltiples "frentes" y caminos que hoy por hoy parecen infranqueables para el conocimiento humano. Pero esto no quiere decir, en modo alguno, que las citadas "alternativas" sean contrarias y contrapuestas a la lógica y el saber actuales; simplemente, significa que son desconocidas o bien que falta la experimentación necesaria para llevarlas a la práctica. Son muchos los que quieren ver en la medicina alternativa una "medicina complementaria", si bien hay que entender este término como lo que se completa mutuamente. El paciente que busca curación tiene la facultad de poder elegir

entre la medicina académica y la alternativa, considerada ésta última como charlatanería y curanderismo, por unos, y como una profesión de fe, remedio y milagro, por otros muchos; a veces, incluso el último refugio y esperanza ante situaciones irreversibles.
En este sentido, con independencia del diagnóstico que establezca la ciencia y de los costes que suponga para el seguro o para el propio enfermo, cada cual deberá tomar personalmente una decisión al respecto. En todo caso, lo más aconsejable y razonable es no dejarse impresionar nunca por nombres de actualidad o que "suenen mucho", sino confiar en el propio juicio y en el consejo de nuestros familiares y allegados más cercanos. Por otra parte, tampoco hay que cohibirse y realizar siempre todas aquellas preguntas que se consideren necesarias para obtener una completa información, por muy tontas o ingenuas que puedan parecer.

Los orígenes de la medicina alternativa

Con tan sólo fijarnos en cada uno de los procedimientos curativos alternativos a la medicina académica, salta inmediatamente a la vista que entre ellos mismos existen grandes diferencias en cuanto aspectos tan básicos y significativos como son: antigüedad, origen y testimonios de su eficacia. Así, la medicina tradicional china y las enseñanzas del ayurveda, son la obra de generaciones y generaciones de sabios y expertos en las artes médicas orientales que nos remiten a la historia ancestral de varios miles de años.
De otro lado, a la medicina popular europea tradicional debemos procedimientos curativos tan efectivos y populares como las sangrías, las ventosas, la terapia con sanguijuelas y los emplastos de cantaridina (principio activo contenido en la cantárida, insecto coleóptero empleado como vejigatorio).
Otros procedimientos se deben al esfuerzo y creación de algunas personas, que los convirtieron en terapia al comprobar sus efectos curativos y utilidad, como la homeopatía, que surgió con enorme fuerza a principios del siglo XIX , la terapia de flores de Bach o, en la primera mitad del siglo XX, la medicina antroposófica.
Animados por la profusión de nuevos conocimientos que sobre el cuerpo humano se fueron divulgando, y fascinados por las posibilidades cada vez más patentes y cercanas de tratamiento, cada vez más modernos e innovadores, tanto científicos naturistas como todos aquellos otros que tradicionalmente venían practicando las artes curativas se embarcaron también en este quehacer y pronto desarrollaron nuevos métodos curativos que originaron algunos tan conocidos y de vital importancia como la autohemoterapia, la oxigenoterapia, la enzimoterapia, la dirección simbiótica y la terapia con biorresonancia.

La medicina naturista

Hoy día, en el momento que se habla de la "medicina naturista" casi de manera automática se relaciona con la medicina no traumática y el tratamiento sin los indeseables efectos secundarios. Pero, lo cierto es que no siempre tiene por qué ser así. Con la misma fijación que en el caso anterior, también se tiene la falsa creencia que la "medicina alternativa" es una "medicina naturista", cosa que tampoco es necesariamente verdadera.
Muchos métodos de la medicina alternativa emplean en la terapia principios activos vegetales, animales y minerales. Otros, por el contrario, favorecen o estimulan procesos fisiológicos naturales. Pero, del mismo modo, también los hay que trabajan con medios muy poco "naturales" de por sí. Y, por otra parte, hay que tener en cuenta que en la actualidad el médico naturista ya no puede prescindir de la alta tecnología para realizar su trabajo.

Los costes que asumen el seguro social y los seguros privados de enfermedad

En general, casi ninguno de los tratamientos que corresponden a la medicina alternativa suelen entrar entre las llamadas prestaciones médicas asumibles tanto por el seguro social como por los seguros privados o los correspondientes a las mutuas.
Actualmente se investiga experimentalmente, mediante pruebas científicas de total validez, sobre la "credibilidad" de alguno de los métodos más extendidos y de reconocida eficacia, como es el caso, por ejemplo, de la acupuntura. Esto puede significar que, en un futuro inmediato, tratamientos cuyo coste no se hacen cargo hoy en día los seguros de enfermedad y que tiene que pagar el paciente de su propio bolsillo, puedan ser prescritos y costeados por los citados seguros. No obstante, la norma que generalmente se debe seguir en estos casos es preguntar en los organismos correspondientes u oficinas, en persona o telefónicamente, sobre si el seguro corre a cargo con estos gastos o no.

Los distintos métodos terapéuticos

Homeopatía

A principios del siglo XIX, el médico alemán Samuel Christian Friedrich Hahnemann (1755-1843) estableció la teoría sobre la homeopatía, sistema médico y terapéutico que se funda en los siguientes principios:

- Ley de los semejantes (*similia similibus curantur*). Las enfermedades se curan con aquellas sustancias que producen efectos semejantes a los síntomas de la enfermedad que se trata de combatir.
- Dinamismo de las dosis infinitesimales. Las drogas producen tanto más efecto, cuanto más diluidas.
- Individualización del enfermo y del medicamento.

En 1790 experimentó en sí mismo que la quina, utilizada en el tratamiento de la malaria, producía en una persona sana los mismos síntomas de la enfermedad. Numerosos experimentos posteriores con sustancias vegetales, animales y minerales que experimentó personalmente y en otros voluntarios, demostraron repetidamente que producían síntomas similares a los que curaban como medicamento en enfermos. Hahnemann formuló la regla siguiente: «Para conseguir una curación sin traumas, rápida, segura y duradera de cualquier enfermedad, elija una medicina capaz de producir dolencias similares a las que se pretende curar».
Hipócrates (460-377 a. de C.), al igual que Paracelso (1493-1541), ya opinaba que entre enfermedad y medicina tenía que haber una relación de similitud. Hahnemann tuvo el gran mérito de desarrollar un sistema terapéutico muy amplio a partir de este conocimiento. Su llamada regla de similitud es el principio conductor de la homeopatía o, en su significado literal, terapia de la "enfermedad similar". Terapia que está en franca contradicción con la alopatía, que es el tratamiento medicamentoso aplicado en la medicina académica y que emplea medicamentos que producen síntomas contrarios a los que manifiesta la enfermedad.

Fabricación de los medicamentos homeopáticos

La fabricación de medicinas homeopáticas emplea el proceso llamado de potenciación. Consiste éste en disolver las sustancias correspondientes, vertidas en pequeñas cantidades, hasta que desaparezcan de la vista casi por completo.
Por ejemplo, se mezcla 1 gota de belladona, el principio activo de la planta del mismo nombre, con 9 gotas de alcohol y se agita 10 veces. La dilución así obtenida tiene la llamada potencia D1. Si se toma 1 gota de esa dilución, se mezcla de nuevo con 9 gotas de alcohol y se vuelve a agitar 10 veces, se obtiene la belladona de potencia D2. Para pasar de una potencia a otra superior, se repite el proceso sucesivamente. Comprimidos, polvos y cápsulas se fabrican siguiendo el principio referido. En este caso, se mezcla una parte de la sustancia original con 9 partes de lactosa y la mezcla se tritura en un mortero. Además de las llamadas potencias D con la dilución 1:10, hay también potencias C (dilución 1:100) y potencias Q o LM.
Al principio, Hahnemann realizó tratamientos con diluciones sencillas de las sustancias que utilizaba normalmente; comprobó así que podía aumentar

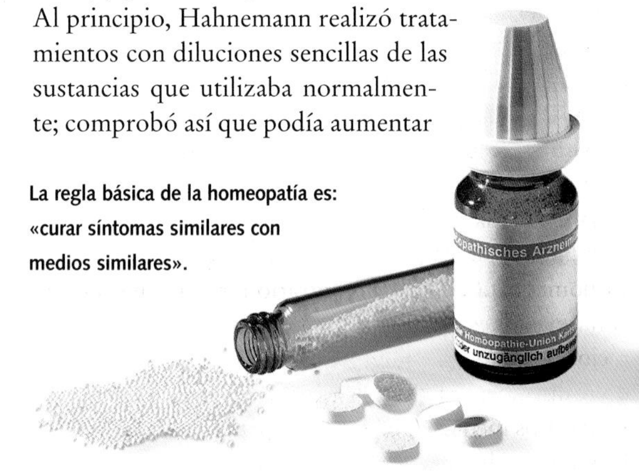

La regla básica de la homeopatía es: «curar síntomas similares con medios similares».

sus efectos mediante el proceso de potenciación. Supuestamente esto le sirvió para descubrir un método en el que el vehículo disolvente quedaba impregnado no ya de la sustancia misma, sino de su información y energía que, a su vez, transmitía al cuerpo.

Hechos que los homeópatas dan por supuesto

El médico o practicante paramédico formado en la homeopatía clásica actúa según principios globales. Así, considera que el cuerpo, el alma y la mente forman una unidad inseparable. Por eso acostumbra a recetar un mismo medicamento para toda una serie de afecciones, que al lego pueden parecerle no tener nada que ver unas con otras, pero que efectivamente se encuentran interrelacionadas entre sí. El fin de la homeopatía no es sólo tratar los síntomas, sino más bien restablecer el

equilibrio interior. La tarea de cualquier terapia homeopática no es, pues, combatir la enfermedad, sino potenciar las fuerzas naturales del enfermo para posibilitar su autocuración.
En opinión del homeópata, si sólo se tratan los síntomas, el trastorno busca pronto otro camino y su acción se pone pronto otra vez de manifiesto.
Antes de comenzar el tratamiento, el homeópata clásico mantiene una extensa conversación con el enfermo. Además de preguntarle sobre las afecciones propiamente dichas, también se interesará por aquellos otros aspectos que le permitan hacerse una idea de la personalidad y situación vital del paciente. Las pruebas de laboratorio y los procedimientos técnicos de diagnosis no desempeñan un papel esencial en el diagnóstico.

El tratamiento homeopático

La homeopatía se caracteriza por emplear siempre sustancias diferentes contra una misma afección, para lo que busca una medicina apropiada a la personalidad del paciente y al cuadro general de las afecciones que presenta. Las sustancias tampoco tienen un efecto único, sino que cada una de ellas se aplica en el tratamiento de patologías distintas. Dicho de otro modo, la elección de la medicina no depende únicamente de la patología, sino también de la personalidad del paciente.
El homeópata clásico es contrario a recetar mezclas o combinaciones de medicamentos (los llamados "complejos"), por lo que siempre prescribe un solo preparado realizado a base de una única sustancia o, a veces, de varias. Los medicamentos homeopáticos se elaboran en forma de solución, grageas, bolitas, inyecciones o en polvo. La frecuencia, dosis y tiempo con qué han de aplicarse está en función de la potencia del medicamento y de la clase de la patología. En algunos casos el uso de un medicamento homeopático puede producir lo que se llama un empeoramiento inicial, es decir, la intensificación de las afecciones. Esta reacción indica que se ha elegido el medicamento adecuado. En la mayoría de los casos, este empeoramiento suele durar poco tiempo.

Los componentes básicos de los medicamentos homeopáticos son sustancias de origen vegetal, animal o mineral.

Campos de aplicación

La homeopatía constituye un sistema terapéutico tan amplio y diverso como el de la medicina tradicional. Hoy día se utiliza sobre todo en patologías crónicas, enfermedades infecciosas y patologías psicosomáticas. Los medicamentos homeopáticos también son muy eficaces en el campo de la pediatría

Contraindicaciones

En caso de padecer una alergia (por ejemplo, al veneno de abeja), el medicamento correspondiente (*apis*) no se debe suministrar en potencias de las llamadas de alta concentración, aunque no existe peligro alguno a partir de la potencia D12.
El tratamiento homeopático está contraindicado en casos de diabetes mellitus del tipo I, en estados patológicos graves que requieran una terapia rápida y eficaz y en patologías que no admitan un empeoramiento inicial, pero también cuando el cuerpo no está en condiciones de reaccionar ante los medicamentos homeopáticos debido a la edad, por motivos de incompatibilidad con patologías anteriores o por la toma anterior de otros medicamentos.

Tratamiento en casa

En principio, el propio interesado puede tratarse con medicamentos homeopáticos. Pero se advierte muy seriamente de emplear este método terapéutico a la ligera y de arriesgarse con toda clase de experimentos; para poder realizar un diagnóstico correcto y elegir el tratamiento adecuado se necesita una amplia formación médica, consultar muchos libros y, sobre todo, tener una gran experiencia.
De todos modos, siempre puede seguir un curso para adquirir los conocimientos básicos precisos que le permitan tratar afecciones muy leves. Pero, como siempre, lo más indicado y necesario es pedir asesoramiento a un especialista y, mucho más, si el tratamiento es de trastornos crónicos o de una afección grave.

Terapia de las flores de Bach

Edward Bach, médico inglés, escribió la siguiente frase: «La enfermedad no es crueldad o castigo, es un correctivo nada más; un instrumento del que se vale el alma para indicarnos sus faltas (...) y devolvernos al camino de la Verdad y de la Luz del que nunca deberíamos habernos apartado».

Pretende con ella hacer comprensible a los demás el sentido y la finalidad de la terapia de las flores, que personalmente estableció después de muchos años de investigación y de experimentos. En este sentido, se pretende contemplar aquí, de forma muy somera, cuál era la imagen que tenía del ser humano y de su misión a lo largo de la vida.

Bach estaba plenamente convencido del origen divino del hombre; y tanto la salud como la felicidad eran para él la máxima expresión de la armonía entre el ser humano y la voluntad divina. Desde su particular punto de vista, la relación entre la esencia divina del hombre y su comportamiento cotidiano no podía romperse en ningún caso, aunque pudiera caer en el olvido en el transcurso de la vida.

Bach consideraba que la tarea vital de cada persona consistía en desarrollar aquellas cualidades que le permitiesen caminar por la vida en armonía con los deseos y metas de otras personas, para, de este modo, adaptarse mejor a las exigencias y situaciones diarias.

Además de prevenir algunas enfermedades, las esencias de flores tienen la propiedad de influir muy positivamente en los estados de ánimo.

Cómo surgen las enfermedades

Basándose en las ideas que tenía, Bach expuso su teoría sobre el surgimiento de las enfermedades: el hombre, alejado de su origen divino como estaba, desarrolló "caracteres negativos" (estados de ánimo negativos) como angustia, desesperanza, codicia, carencia de metas, instransigencia y egoísmo, que a su vez le condujeron con el tiempo a padecer "síntomas negativos" tales como desasosiego, irritabilidad, desesperación y otros sentimientos que predominan aún en lo más íntimo de su ser sin haber sido aclarados.

Según Bach, los caracteres negativos son los verdaderos causantes del padecimiento de las diversas enfermedades; incluso, pueden ser el síntoma inequívoco de que se está gestando una enfermedad. Por el contrario, desde su punto de vista la salud se puede conservar si se fomentan caracteres positivos como, por ejemplo, valor para vivir, generosidad y sosiego. Después de esta reflexión, llegó a la conclusión de que es factible prevenir los diferentes estados de ánimo negativos y enfermedades con tan sólo mejorar nuestro carácter y nuestra forma de ser.

El poder curativo de las flores

Pero, en contra de lo que pudiera pensarse, Bach no cultivó el camino de la psicoterapia, sino que siguió el camino del efecto curativo que procuran las esencias florales. Para tomar tal decisión influyó mucho en su parecer las enseñanzas de la homeopatía clásica, pues vio cómo su terapia era una forma de ampliarla.

En un principio, Bach centró su atención en tan sólo tres plantas silvestres con cuyas esencias florales pensaba que podía influir sobre los caracteres negativos. A continuación fueron otras 35 más, para cuya elección se dejó llevar esencialmente por su intuición. Consideró que los principios activos de esas plantas bastaban para tratar todos los caracteres negativos del ser humano. Así, por ejemplo, la esencia de haya común modera las actitudes hipercríticas e intolerantes, la de mostaza silvestre levanta el ánimo en casos de profunda tristeza sin razón aparente y la de roble ayuda a que las personas con excesiva fuerza de voluntad reconozcan sus propias limitaciones.

Esoterismo y conocimientos médicos

Hasta ahora no existe ninguna prueba científica que avale la eficacia del poder curativo de las flores de Bach. Las investigaciones más recientes tampoco han encontrado ningún principio activo en las esencias.
Por lo tanto, la decisión de seguir un tratamiento con flores de Bach debe estar basado, más que en la confianza que pueda ofrecer una explicación científica, en las opiniones de un experto terapeuta y, sobre todo, en la confianza personal que se tenga en ello.

Fabricación de las esencias florales

Las esencias de flores generalmente se fabrican siguiendo dos procesos desarrollados por Edward Bach. En el llamado "método solar", se cosechan las flores de las plantas en un día soleado y sin nubes, se ponen en un recipiente de cristal con agua hirviendo y se dejan al sol, de 3 a 4 horas, en un lugar lo más cerca posible de donde se han recogido. Cuando las flores comienzan a marchitarse, se retiran con sumo cuidado utilizando las ramas de la misma planta. Al líquido obtenido se le añade, de inmediato, alcohol para su conservación. Más tarde se rebaja la mezcla con agua en la proporción 1:20, y se envasa en botellas de reserva (*stock bottles*).
Este método no es utilizable con las plantas de floración temprana. En estos casos se emplea el llamado "método de cocción", que consiste en cocer flores y ramas de las plantas en un recipiente esmaltado hasta que las flores se marchitan; luego, se trata el líquido una vez ha enfriado como en el método solar.

Tratamiento con flores de Bach

Las posibilidades de aplicación de la terapia con flores de Bach se centran, sobre todo, en la prevención. Como apoyo, el tratamiento puede servir incluso cuando ya se ha desarrollado una patología crónica o aguda. Pero cuando realmente demuestra toda su eficacia es en los casos que se dan cambios orgánicos. La terapia con flores de Bach suele aplicarse por médicos y practicantes paramédicos, pero también por personas sin ninguna formación terapéutica. Desde el punto de vista de la terapia con flores de Bach lo importante es el estado anímico de la persona, pues los trastornos físicos quedan relegados a un segundo término.
Con tal decisión se corre el riesgo de que síntomas físicos o enfermedades físicas no reconocibles externamente con facilidad, sean infravaloradas o pasadas por alto en el curso de la terapia.
Siempre que haya alguna afección física, se debe consultar antes con el médico para que aclare el trastorno físico de que se trate o establezca el diagnóstico de la enfermedad correspondiente.
Las flores de Bach se pueden adquirir por separado o mezcladas previamente para una terapia determinada; todas ellas admiten la posibilidad de combinarse a voluntad. Las esencias se venden en farmacias y herboristerías, en botellas de reserva. La dosis media es de 4 gotas por dosis, que se aplican cuatro veces al día (no tomarlas nunca después de las comidas).
Las gotas se echan en un vaso mezcladas con agua, que se debe beber despacio y a tragos pequeños. Pero también se pueden verter en una cuchara, o directamente sobre la lengua, dejándolas un momento en la boca antes de tragarlas. Las flores de Bach también suelen emplearse en baños y envolturas, o aplicarse directamente sobre la piel.

Una mezcla especial de flores para casos de urgencia es el "Rescue", que contiene cinco flores de Bach diferentes.

Contraindicaciones

De la terapia con flores de Bach no se conocen efectos secundarios o contraindicaciones; tampoco existe peligro alguno por sobredosis. Pero lo que en ningún caso debe hacerse es tomar las flores de Bach al mismo tiempo que las medicinas homeopáticas de potencias altas.

Tratamiento en casa

La terapia con flores de Bach es muy apropiada para el autotratamiento. Pero antes de adoptarlo, es imprescindible tener conocimientos al respecto y aprender la técnica en un curso o trabajar en su preparación con un asesor o especialista serio.
Por supuesto, cualquier autotratamiento en este caso también requiere cumplir la norma básica de consultar con el médico o especialista en caso de que exista alguna afección física y, en ningún caso, intentar curarla uno mismo "a ciegas".

La medicina china

La milenaria medicina tradicional china se diferencia de la "académica" en su concepto del hombre, los métodos de reconocimiento y tratamiento, los puntos de vista de la enfermedad y el papel del médico. Pero no son incompatibles y pueden complementarse.

Una ideología propia

La Medicina Tradicional China (MTC) incluye muchas teorías sobre las relaciones de la vida y el lugar del ser humano en el mundo. El taoísmo, de donde nació la idea del Yin y del Yang, y las enseñanzas de Confucio influyeron en el contenido espiritual de la medicina tradicional china. Así, la idea del Yin y del Yang, las dos partes de que se compone todo, constituye el núcleo de la cosmología china. Yin es el principio negativo o femenino, inmanente en lo misterioso, blando, oscuro, húmedo, frío, pasivo e inconsciente. Yang es la fuerza positiva o masculina, que actúa en lo luminoso, duro, claro, seco, caliente, activo y consciente. Pero Yin y Yang no son fuerzas "contrarias" que pretendan "destruirse", Yin y Yang son inseparables, y juntos forman el Todo. Si se altera de alguna forma su armonía, si se perturba su equilibrio, puede surgir una enfermedad. Las fuerzas capaces de romper la armonía pueden ser internas o externas.

De la interacción del Yin y del Yang surge el Qi, la energía vital de la que se compone todo el cosmos. Qi presenta en el hombre cinco formas distintas, cinco sustancias básicas, cada una de las cuales representa un aspecto diferente del "Ser". El hombre está sano cuando esta energía vital fluye libremente por todo su organismo, pero enferma si le falta en algún momento o queda bloqueada por alguna causa. Qi fluye a través del cuerpo siguiendo trayectorias determinadas, los meridianos, sobre los que se puede influir con estímulos externos, como es el caso de la acupuntura.

Métodos terapéuticos

En la medicina tradicional china, los aparatos técnicos no se utilizan en la diagnosis. Los métodos utilizados para reconocer al enfermo son los sentidos: hacer preguntas, observar, escuchar, oler y palpar.

Una vez que el resultado es seguro, el tratamiento tiene por objeto procurar el restablecimiento del equilibrio perdido entre las fuerzas del cuerpo: se presta apoyo a lo débil y se retira a lo excesivamente fuerte.

Se describen varios métodos de tratamiento:

Las agujas de acupuntura, el cigarro de moxa, las ventosas y las hierbas medicinales forman parte de los tratamientos chinos.

- Terapia medicamentosa.
- Acupuntura y tratamiento con moxa.
- Masaje con tuina.
- Qigong medicinal y gimnasia de los meridianos.
- Dietética y forma de vida.

La *terapia medicamentosa tradicional* utiliza sustancias de origen vegetal, animal y mineral, que se pueden administrar como medicinas y que se obtienen por cocción, en forma de tabletas, pomadas, parches, tinturas, extractos y baños.

El *masaje con tuina* trabaja puntos de acupuntura especiales y las zonas enfermas del cuerpo.

El *Qigong* comprende ejercicios respiratorios y movimientos que pretenden o buscan la circulación del Qi, la considerada como "energía vital".

La *gimnasia de los meridianos* reduce la contracción de los músculos mediante tensiones y distensiones suaves. Para los chinos, la transición del tratamiento dietético al medicamentoso se da con fluidez y equilibrio; la cantidad adecuada, así como la temperatura precisa para cada alimento y cada proceso de elaboración constituyen las reglas básicas de la *alimentación*.

Acupuntura

La acupuntura es el método terapéutico más conocido en Occidente. Parte del supuesto de que el Qi, la energía vital, fluye a través de los conductos que atraviesan el cuerpo como una red.

De estos conductos, doce son los llamados meridianos principales, seis de los cuales pertenecen al Yin y los otros seis al Yang. Junto a los doce meridianos principales hay ocho llamados secundarios, que se llenan cuando circula demasiada energía vital por aquéllos.

Tratamiento con acupuntura

En los meridianos se encuentran una serie de puntos de acupuntura, a través de los cuales se puede influir en los órganos del cuerpo mediante los cinco procedimientos de este método: con agujas de diferentes grosores y de distintos metales, mediante calentamiento con las llamadas mechas de moxa (hierba artemisa seca), con microsangrías, con percusiones y con ventosas.
El efecto del tratamiento depende del punto de acupuntura elegido y del procedimiento que se use en la terapia. Los meridianos pueden fortalecerse o debilitarse según el restablecimiento del equilibrio de fuerzas que exija el propio cuerpo.
El tratamiento de acupuntura que se practica en Occidente sólo utiliza agujas. Cada sesión suele durar de 20 a 25 minutos, y se requieren varias para completar el tratamiento. Aunque se sienten los pinchazos de las agujas, el método es completamente indoloro.
La acupuntura tiene aplicación en muchas enfermedades que, para su curación, necesitan activar las fuerzas autocurativas del cuerpo. En los países occidentales su aplicación más usual es en casos de dolor, trastornos neurovegetativos y enfermedades psicosomáticas.
Este tratamiento está contraindicado en casos de trastornos de la percepción de estímulos (patologías de los nervios periféricos), trastornos de coagulación y enfermedades físicas. Algunos puntos de acupuntura no deben trabajarse durante en el embarazo y la menstruación. La acupuntura tiene que ser realizada por un médico o practicante paramédico experto en esta disciplina. El autotratamiento no es posible.

Acupresura

La acupresura tienen su origen en la medicina tradicional china. Respecto a lo que acontece en el cuerpo y a la posibilidad de influir sobre el mismo, parte de idénticos supuestos que la acupuntura. En la acupresura no se utilizan agujas, sino que se trabaja mediante la presión y fricción que se ejerce con los dedos sobre los puntos de los meridianos.
La acupresura tiene su aplicación más característica en el tratamiento de trastornos de la sensibilidad, en afecciones leves y como medida preventiva para la conservación de la salud. Debe descartarse por completo cuando existan zonas cutáneas enfermas y en los casos de afecciones cardiovasculares graves. La acupresión tiene que realizarla un médico, practicante paramédico o terapeuta especializado. Las técnicas de manipulación pueden aprenderse fácilmente, para aplicarlas después como autotratamiento.

Los doce meridianos

- Meridiano del corazón (9 puntos): de la axila al auricular.
- Meridiano del intestino delgado (19 puntos): del auricular a la oreja.
- Meridiano de la vejiga (67 puntos): del ojo al dedo pequeño del pie.
- Meridiano de los riñones (27 puntos): de la planta del pie a la clavícula.
- Meridiano de la "coraza" del corazón (9 puntos): de la quinta costilla a la mayor.
- Meridiano triple recalentador, asociado a las funciones respiratoria, digestiva y genital (23 puntos): desde el anular a la oreja.
- Meridiano de la vesícula biliar (44 puntos): desde la mejilla al tercer dedo del pie.
- Meridiano del hígado (15 puntos): desde el dedo gordo del pie a la novena costilla.
- Meridiano de los pulmones (11puntos): desde el espacio intercostal entre la tercera y la cuarta costilla al pulgar.
- Meridiano del intestino grueso (20 puntos): del índice a la nariz.
- Meridiano del estómago (45 puntos): desde la frente al segundo dedo del pie.
- Meridiano del bazo y del páncreas (21 puntos): desde el dedo gordo del pie a la undécima costilla.

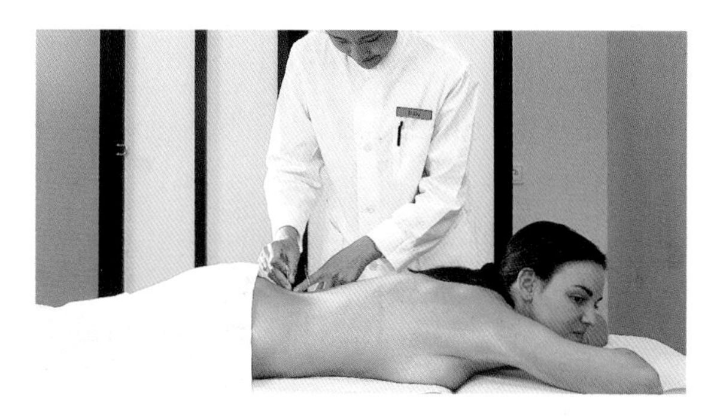

La acupuntura estimula con agujas puntos muy concretos del cuerpo, para así conseguir el alivio de ciertas dolencias.

Ayurveda

El momento en el que surgió el método hindú del ayurveda no se conoce, pero está considerado como uno de los procedimientos curativos más antiguos del mundo. La traducción de la palabra *ayurveda* significa "conocimiento de la vida sana". Así pues, su nombre explica cuál es su idea fundamental, es decir, busca la conservación de la salud y no la curación de las enfermedades.
Pero el ayurveda no es equiparable al "mantenimiento de la salud" tal como se entiende en Occidente, sino que debe interpretarse como la sabiduría espiritual arraigada en la ideología hindú, que basa sus ideas en que sólo puede mantenerse sano quien se preocupa de la salud del alma, de la mente y del cuerpo. Aquél que procura profundizar en el sentido de la existencia, será capaz de vivir en armonía consigo mismo y con el mundo. La enfermedad aparece como señal que avisa al ser humano por su ignorancia al prestar tan poca atención a su propia naturaleza, que le lleva por el buen camino. El ayurveda pregona que hay cinco "pilares del Ser": tierra, agua, fuego, aire y éter. Luz y éter son el principio del movimiento (*vata*), fuego y agua el principio de la transformación (*pitta*), y tierra y agua el principio de la formación (*kapha*). Estos principios son las tres energías vitales (*doshas*), que influyen en cada persona. Saber cuáles de estas energías son débiles o fuertes muestra al ser humano el camino que debe seguir en la vida según sus propias fuerzas y debilidades, para preservar así la salud y actuar correctamente frente a las enfermedades.

La «ducha» de aceite caliente es un tratamiento del ayurveda, ciencia de origen hindú beneficiosa para cuerpo y alma

Tratamiento

Cuando se adopta un tratamiento ayurvédico, al principio hay que establecer la determinación del tipo de *dosha* al que hay que adaptar la forma de energía y la posterior forma de vida. El ayurveda puede ser un medio muy adecuado para preservar la salud, pero también tiene múltiples aplicaciones en dolencias psicosomáticas, así como en patologías metabólicas, cutáneas y cardiovasculares; y, también, en trastornos de tipo gastrointestinal. Pero la medicina ayurvédica tiene unos límites, que terminan allí donde son necesarias las intervenciones quirúrgicas o la ayuda inmediata de cualquier clase.
La cura de ayurveda es posible su realización en un centro de salud, hospital o clínica especializadas. En este procedimiento curativo ocupa un lugar destacado la terapia purificadora (*panchakarma*), mediante la cual se pretende eliminar sustancias aquellas (*ama*) que producen enfermedades en el cuerpo y en el alma.
Esta terapia tiene tres fases características: primero, se disuelve el "ama" del cuerpo con una dieta a base de sustancias oleosas y diuréticas. El tratamiento intensivo siguiente sirve para eliminar las sustancias impuras por medio de unos masajes especiales, recubrimientos, enemas y aplicaciones de agua. Para terminar, el paciente recibe asesoramiento necesario sobre cuestiones de salud y alimentación.

El ayurveda en la vida diaria

La terapia no es más que una de las partes que compone el ayurveda pues, según los principios que lo inspiran, tan importante o más es la forma de vida que se lleve. También aquí hay que tener en cuenta la mezcla de *doshas* personal.
Los pilares de la forma de vida del ayurveda, tal como se ha propagado en Occidente son:

- Una alimentación personalizada de acuerdo al tipo de dosha de cada uno. La dietética hindú conoce seis clases de gustos (*rasas*): dulce, ácido, salado, picante, amargo y agrio; y, también, seis cualidades alimentarias (*gunas*): ligera, pesada, oleosa, seca, fría y muy caliente. Según el tipo de dosha, así será la combinación saludable de rasas y gunas
- Armonía con las horas del día y las estaciones del año, así como un plan de vida interior natural.
- Empleo de aceites esenciales.
- Ejercicios de yoga físicos y respiratorios.
- Meditación.

La alimentación del ayurveda se adecua a cada tipo de dosha, jugando las especias un papel muy importante.

Medicina antroposófica

La antroposofía fue fundada por Rudolf Steiner a principios del siglo XX. Es, por así decirlo, la ciencia del conocimiento de la naturaleza humana o estado anímico. Se basa en algunas ramas de la Filosofía y de las Ciencias Naturales, que combinan pensamientos religiosos y esotéricos de culturas occidentales y orientales. Su máxima expresión la ha encontrado en la manera de manifestarse en el arte, en la educación (escuelas y guarderías infantiles), en la agricultura alternativa (dinámico-biológica), en la religión (comunidades cristianas) y en muchos otros campos de la vida.

La medicina antroposófica, basada en la antroposofía, surgió a principios del siglo XX impulsada por Steiner. No se concibe como antagonista de la medicina académica, sino como una ampliación.

Por aquella época ya se fundaron diversas clínicas especializadas que practicaban este tipo de medicina, así como dos empresas antroposóficas para la fabricación de medicamentos.

Los miembros esenciales del hombre

Según la particular visión que del mundo tenía Rudolf Steiner, la medicina antroposófica que surgió de su creación considera al ser humano como un ser vivo con cuatro miembros:

- Un cuerpo físico (*el cuerpo visible*).
- Un cuerpo etéreo (*las fuerzas vitales*).
- Un cuerpo astral (*el alma*).
- El "yo" (*espíritu*).

Cuando la armonía de estos cuatro miembros esenciales se ve alterada por alguna circunstancias, el ser humano enferma. Desde el punto de vista de la medicina antroposófica, la terapia significa reconstruir la armonía de los distintos miembros esenciales con ayuda de las fuerzas curativas naturales.

Tratamiento

El tratamiento antroposófico puede realizarse tanto en la consulta de un médico especializado, como en un hospital o clínica que realice este tipo de terapia.

Los métodos terapéuticos necesarios de la medicina antroposófica, son:

- Empleo de medicinas de origen mineral, vegetal y animal. Aunque éstas no están pensadas para combatir una enfermedad en especial, sino para hacer que los órganos humanos reaccionen y se adapten al modelo original mediante el fortalecimiento o debilitamiento de los miembros esenciales que lo componen.

La idea fundamental en la que se basa es que los elementos o sustancias de procedencia mineral, vegetal y animal son capaces de influir en el ser humano porque, en el fondo, lo único que los diferencia respecto de éste es en el número de miembros esenciales. Así tenemos que los minerales poseen un solo cuerpo físico, mientras que los elementos de origen vegetal combinan un cuerpo físico y otro etéreo. Lo que hace diferentes a los seres humanos de los animales es el "yo", pues según la idea antroposófica estos últimos también tienen alma (*cuerpo astral*).

En la producción de medicamentos antroposóficos se emplean métodos especiales, procedimientos que prescinden, siempre que es posible, de cualquier método químico-sintético. Medicamentos que, muchos de ellos, también se utilizan en la medicina académica.

- Diálogo terapéutico. La dimensión anímica y espiritual del ser humano se incluye en el proceso curativo mediante la psicoterapia de orientación antroposófica.
- El arte como terapia. Se incluyen como terapias la pintura, la música y la creación plástica.
- Euritmia terapéutica. Según el método del lenguaje de las formas desarrollado por el propio Rudolf Steiner, tanto las palabras como los sonidos y las melodías se convierten en movimiento y danza.

Los tratamientos de la medicina antroposófica se aplican en los casos de alergias, enfermedades de los órganos digestivos, así como en patologías reumáticas, cutáneas, psíquicas y en la canceroterapia. La posibilidad de realizar el autotratamiento depende de la patología.

Procedimientos compensatorios

Antes de la implantación en el mundo occidental de la medicina naturista, la patología humoral –parte de la Medicina que estudia los humores del cuerpo– era el modelo explicativo dominante en la ciencia de aquella época. Se suponía que la deficiente composición y las impurezas de los humores eran la causa principal de las enfermedades y que, para lograr su curación, había que depurar estos humores o compensar sus deficiencias.
Muchos métodos empleados por la medicina alternativa actual se basan en la patología humoral, que utilizan para recobrar la salud del enfermo mediante la aplicación de procedimientos compensatorios tradicionales o de nuevo desarrollo.

Sangrías

La sangría es una de las prácticas terapéuticas compensatorias de mayor auge y divulgación desde la Antigüedad, y especialmente utilizada en la medicina del primer tercio del siglo XIX.
Empleada en la historia de todos los pueblos y culturas, aparece como el medio terapéutico más reconocido debido a la inmediatez de sus resultados. Pero con el paso del tiempo el procedimiento se desacreditó, debido en gran parte al uso indebido o erróneo que se hizo de su aplicación. Afortunadamente hoy día este tipo de terapia ha sido recuperada y de nuevo está de plena actualidad al volver a utilizarse en casos muy concretos.
Al extraer sangre del cuerpo mediante la aplicación de una sangría, pasa líquido del tejido circundante a los vasos sanguíneos. De este modo, la sangre se diluye y el tejido se descongestiona.
La sangre se extrae con una cánula, en cantidad de 100 a 150 mililitros, 1 ó 2 veces por semana según la edad y el estado de salud general que tenga el paciente.
Entre los campos de aplicación más usuales de este procedimiento se pueden citar las patologías cardiovasculares y las enfermedades pulmonares y metabólicas. La eficacia de la llamada microsangría está demostrada en el tratamiento de las venas varicosas o varices. Para su aplicación, el pinchazo se da en una de las venas de las piernas, por ejemplo, en las situadas en las corvas.

Ventosas

Este método terapéutico es también muy eficaz por lo que, al igual que el anterior, se viene usando desde la Antigüedad con notable éxito. Con las ventosas sangrantes, de similar modo a como ocurre en el caso de la sangría, la sangre se consigue diluir al extraerla de una zona concreta del cuerpo, con lo cual se ejerce también cierta influencia sobre la energía y el metabolismo del propio organismo; la aplicación de ventosas en determinadas zonas del cuerpo (casi siempre en la espalda) permite actuar sobre un órgano determinado o sobre el campo de acción de varios órganos, lo mismo que sucede con el masaje de las zonas reflejas.

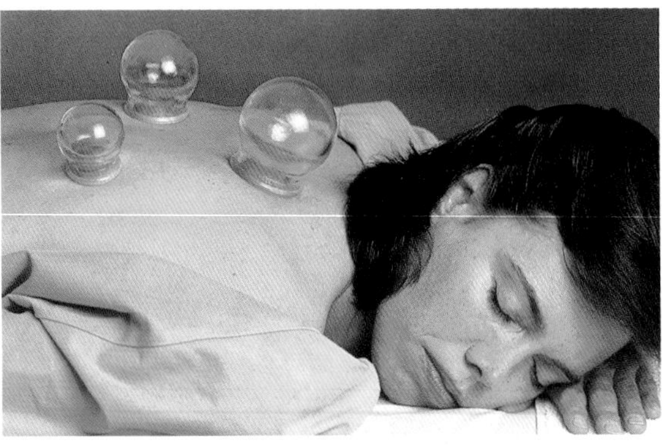

Las ventosas se colocan en puntos concretos que producen efectos beneficiosos sobre otras regiones del cuerpo.

Del mismo modo, las ventosas también estimulan el funcionamiento del sistema inmunológico y mejoran el metabolismo del tejido conjuntivo de la zona que recibe el tratamiento.
Para la aplicación de las ventosas sangrantes se realiza una incisión o se pincha la piel de la zona elegida; luego, se calienta el vaso un poco con una llama y se coloca la ventosa. El vacío producido hace que la sangre vaya saliendo poco a poco de las zonas lesionadas o pinchadas. La ventosa se retira una vez esté llena de sangre en un tercio de su capacidad (a los 5 ó 10 minutos, aproximadamente). También se puede hacer una buena combinación con ventosas sangrientas y ventosas secas (no sangrientas), que actúan sobre determinadas zonas de la piel, pero sin extraer sangre del cuerpo. Por lo demás, los efectos de las ventosas secas son muy similares a los de las ventosas sangrientas.
Las ventosas se aplican en gran número de trastornos o patologías, pero sobre todo en el tratamiento del dolor. Entre las contraindicaciones que tienen se cuentan, por ejemplo, los casos de inflamaciones cutáneas, las alteraciones cutáneas de origen alérgico y los problemas de coagulación sanguínea. Las ventosas sólo pueden aplicarlas los médicos y practicantes paramédicos. El autotratamiento no es posible.

Terapia con sanguijuelas

Las sanguijuelas se utilizan como medio terapéutico desde tiempos remotos, pero la aplicación sin medida, sin realizar antes un diagnóstico serio, ha provocado que, pasada esta primera época de auge, se desacreditaran del mismo modo que las sangrías; hoy en día, esta terapia se aplica sólo en casos muy concretos.
El efecto de una terapia con sanguijuelas es el mismo que el de una → sangría, pero muy lenta y suave. Además, estos animalitos –de una longitud de 5 a 10 centímetros– segregan con la saliva diferentes sustancias, entre ellas la hirudina, que inhiben la coagulación de la sangre y tienen un efecto antibiótico.
Según los casos, se pueden poner hasta 12 sanguijuelas sobre zonas cutáneas muy concretas y limpias. Una sanguijuela se sacia con unos 10 mililitros de sangre y, al cabo de 10 ó 15 minutos, se desprende por sí sola. La hemorragia prosigue después. La succión no duele, porque el animal segrega una sustancia que inhibe el dolor, pero sí se nota el primer contacto. En ningún caso se deben arrancar las sanguijuelas de un modo violento, pues se pueden producir lesiones cutáneas.
Entre los campos de aplicación de las sanguijuelas se cuentan las patologías venosas, infecciones, artrosis de los miembros y patologías oculares. El deterioro de la coagulación sanguínea y las patologías cutáneas son algunas de sus contraindicaciones. La terapia es aconsejable que sea aplicada por médicos o por practicantes paramédicos; pero, también, el paciente puede ponerse personalmente las sanguijuelas después de recibir la debida instrucción.

Procedimiento Baunscheidt (baunscheidtismo)

Desarrollado por el mecánico e inventor alemán Carl Baunscheidt (1809-1874), este método se encuentra dentro de los llamados "postulantes". Básicamente consiste en, previamente provocada una lesión, la producción de enrojecimientos, pústulas purulentas y ampollas en zonas concretas de la piel. Entre los efectos del procedimiento Baunscheidt se cuentan el aumento de riego sanguíneo en la piel, el fortalecimiento del metabolismo en aquellos órganos internos relacionados reflexivamente con las zonas cutáneas tratadas, la estimulación del sistema linfático, la activación general de las funciones orgánicas y la influencia sobre las glándulas hormonales de la región tratada. La piel se trabaja con ayuda de un instrumento punzante especial; luego, se frota con un irritante cutáneo para, finalmente, proceder a vendarla. La primera vez pueden producirse grandes supuraciones y sensación de gran malestar, lo que denota la reacción favorable del organismo. Generalmente se forman pústulas claras o purulentas del tamaño de un guisante, o ampollas que revientan y se secan al cabo de unos días. Mientras dura el tratamiento pueden desencadenarse alergias, dolores y fuertes efectos secundarios; sin embargo, no suelen producirse cicatrices.
Según su inventor, este procedimiento pretende alejar del cuerpo todo lo que pueda causarle algún tipo de trastorno; entre los campos de aplicación en los que ha quedado demostrada su eficacia se cuentan las enfermedades del aparato locomotor, la propensión a las infecciones en general y los trastornos de los órganos abdominales. Su empleo está contraindicado en los casos de alergias y en las patologías autoinmunológicas; tampoco debe aplicarse directamente si existen inflamaciones u otras alteraciones cutáneas. Antes de aplicar el tratamiento, consulte con su médico sobre los posibles riesgos y consecuencias. El autotratamiento no es posible.
Contra este método han surgido críticas por considerar que el aceite de crotón, presente en algunas pomadas de Baunscheidt, puede tener efectos cancerígenos.

Parche de cantáridas

El parche de cantáridas ya se utilizaba en la Antigüedad con fines terapéuticos; su forma de actuar es similar a la de las → ventosas. La irritación cutánea que produce el parche, cuyo extracto se obtiene de un escarabajo llamado cantárida, causa una quemadura artificial de segundo grado. Unas cuatro horas después de la aplicación, se nota un ardor desagradable en la piel. Algunos de los posibles efectos secundarios son: trastornos del sueño y dolores en la vesícula y en los conductos urinarios. Al cabo de unas 12 horas suele formarse una ampolla, que se pinchará con cuidado para reventarla. La herida se debe tratar y cambiarle las vendas con frecuencia. Hasta que la herida esté curada del todo, pueden pasar cuatro semanas.
Entre los campos de aplicación se cuentan las afecciones de la columna vertebral, los dolores de las patologías cancerosas y el dolor de articulaciones. Debe evitarse aplicar las pomadas sobre alteraciones cutáneas, articulaciones inflamadas, heridas y mucosas. El tratamiento siempre correrá a cargo de médicos y practicantes paramédicos. El autotratamiento no es posible.

Autohemoterapia

La autohemoterapia, o tratamiento con la sangre de uno mismo, forma parte de las llamadas "terapias irritantes". Consisten estos procedimientos en la activación de las fuerzas naturales de autocuración del organismo mediante una irritación de carácter externo. Otras terapias de naturaleza irritante son, por ejemplo, la acupuntura, las ventosas y la homeopatía. En la autohemoterapia, la sangre extraída al propio paciente se le inyecta de nuevo para así conseguir el fortalecimiento del metabolismo y del sistema inmunológico, con lo cual también se potencia la autocuración del cuerpo.

Tratamiento

El tratamiento consiste en la extracción de sangre de una vena del brazo en pequeñas cantidades, para inyectarla a continuación debajo de la piel o, a veces, incluso en el tejido muscular. De este modo, se supone que el cambio operado en la estructura proteínica de la sangre es mínimo, pero suficiente como para que el cuerpo la considere como algo extraño al ser inyectada de nuevo, lo que estimula el sistema defensivo endógeno. Para su éxito, es muy importante tanto la cantidad de sangre extraída como el distanciamiento entre los diversos tratamientos.

La autohemoterapia puede llevarse a cabo con sangre no tratada o, también, con sangre sometida a una elaboración especial. Así, es posible, por ejemplo, enriquecerla con productos homeopáticos o con → ozono; o, incluso, mediante la irradiación con luz ultravioleta. Los campos de aplicación del tratamiento son los que afectan a infecciones agudas y crónicas, patologías reumáticas, trastornos de la producción de sangre, alergias, enfermedades cutáneas diversas, trastornos circulatorios, así como la estimulación general del sistema inmunológico. Y entre las contraindicaciones figuran las trombosis o los trastornos de la coagulación sanguínea. Durante el tratamiento pueden aparecer importantes efectos secundarios, como mareos, palpitaciones, náuseas o dolores, que si bien se consideran una reacción normal del cuerpo a la terapia, no por eso dejan de limitar mucho el bienestar de la persona afectada. Los críticos con la autohemoterapia alertan sobre el peligro que se corre de contraer una septicemia o de sufrir un shock al someterse a un tratamiento de este tipo.

Esta terapia necesariamente tiene que ser aplicada por médicos o por personal paramédico especializado. El autotratamiento no es posible.

Oxigenoterapia

La respiración del oxígeno presente en el aire es de vital importancia, pues sin su presencia el organismo es incapaz de transformar los nutrientes.

El suministro de oxígeno jamás puede interrumpirse durante más de unos pocos minutos.

Todas las formas de oxigenoterapia se basan en el reconocimiento –relativamente nuevo– de que un suministro de oxígeno deficiente además de influir negativamente en el bienestar personal, también contribuye a la aparición de numerosas enfermedades de todo tipo. Las razones de esta deficiencia son de muy diversa índole; entre ellas se cuentan como más frecuentes la falta de ejercicio, así como las infecciones y las cargas de origen psíquico. Afecta, de manera muy especial, a las personas de edad avanzada.

La oxigenoterapia tiene como principal finalidad mejorar el estado general del paciente y su capacidad de rendimiento, así como aliviar las afecciones que aparecen en las patologías cardiovasculares, de las vías respiratorias y de toda una serie de enfermedades. Sin embargo está contraindicada en aquellos casos que existan trastornos de la respiración, hipertensión, reacciones de tipo alérgico, epilepsia e hiperfunción tiroidea.

Se distinguen tres formas de terapia:

- **Oxigenoterapia de regeneración**. Consiste en la respiración artificial a presión, que aporta oxígeno y se realiza con un inhalador en sesiones de unos 15 minutos cada una; este tratamiento requiere la combinación con la inhalación que se indica a continuación.
- **Oxigenoterapia de inhalación**. Terapia que permite el suministro de oxígeno con una máscara o sonda. Cada sesión dura unas 2 horas. Es muy recomendable su aplicación con la combinación de sauna, ejercicio o balneoterapia.
- **Oxigenoterapia de varios pasos**. Empleo terapéutico del oxígeno según Manfred von Ardenne. Este procedimiento se estructura en tres pasos, que se suceden a lo largo de cada sesión: primero se suministran medicamentos (casi siempre, vitamina B), para aumentar la capacidad de admisión de oxígeno del cuerpo; luego, se inhala oxígeno y, a continuación, se estimula la circulación sanguínea mediante ejercicios físicos y aplicaciones de calor o masajes.

La → ozonoterapia es una forma especial de oxigenoterapia. Estas terapias exigen en su realización la participación de médicos especialistas. El autotratamiento no es posible en ningún caso.

Ozonoterapia

La mayoría de la población conoce el concepto de ozono –la forma de oxígeno más rica en energía– debido al agujero que de este gas existe en la atmósfera terrestre, y por la información que del tiempo se da todos los veranos sobre la excesiva cantidad de gases nocivos para la salud que contiene el aire.
Sin embargo, los defensores de la ozonoterapia parten de la base de que este gas también posee efectos curativos, puesto que puede matar agentes patógenos, mejorar el estado del metabolismo, actuar como inhibidor de inflamaciones y activar la circulación sanguínea. La ozonoterapia presenta formas muy diversas; por ejemplo, en una → autohemoterapia con ozono –la llamada terapia de oxidación hematógena (TOH)– se puede enriquecer la sangre extraída del paciente con una mezcla de ozono y oxígeno e inyectársela de nuevo por vía intramuscular. También se puede mezclar agua y ozono para beber, lavar y utilizar en enemas. El ozono cura heridas abiertas, y permite inyectarse bajo la piel sin que se mezcle con la sangre.
Los campos de aplicación más importantes de la ozonoterapia son: las infecciones y las patologías vasculares. No obstante la terapia está contraindicada, entre otros casos, durante el embarazo, después de haber superado un infarto reciente, en los casos de hiperfunción tiroidea, en las patologías cancerosas y cuando no exista una propensión a sufrir ataques epilépticos. Si penetra o invade las vías respiratorias, el ozono causa efectos nocivos. La aplicación de la terapia debe estar dirigida por un médico especialista en la materia. El autotratamiento no es posible.

La pepsina, que juega un importante papel en la digestión, se muestra aquí cristalizada y vista al microscopio.

Enzimoterapia

Los enzimas son sustancias proteínicas que producen las células vivas y que actúan como catalizador acelerando numerosos procesos químicos en el organismo o, incluso, los hacen posible.
Como se desprende de su definición, los enzimas están conformados por moléculas proteínicas endógenas, es decir, que se forman en las células. Cada enzima cumple una misión especial y determinada en el cuerpo. Unas proporcionan a las células todas las sustancias que necesitan para vivir; otras, dividen en trozos microscópicos los nutrientes que llegan o, incluso, se ocupan del suministro de oxígeno a todo el cuerpo. Desde tiempos remotos, la medicina popular ha utilizado –sin conocimiento de su composición química– sustancias animales y vegetales que contienen enzimas. Desde hace décadas se vienen investigando los efectos que producen en el cuerpo humano los enzimas de plantas, mamíferos y hongos.

Tratamiento

Actualmente muchos enzimas se utilizan con fines terapéuticos; así, por ejemplo, se emplean para aumentar las defensas del organismo, en el tratamiento de heridas e inflamaciones, en lesiones y enfermedades del aparato locomotor, en infecciones víricas, para el tratamiento contra el dolor y como terapia complementaria en casos de cáncer.
Los enzimas en ningún caso deben utilizarse cuando existan trastornos de la coagulación sanguínea, alergias o disfunciones graves de hígado y riñones. En algunos casos, pueden aparecer reacciones alérgicas como consecuencia de una enzimoterapia.
Los enzimas pueden inyectarse por vía intramuscular o bien tomarse en forma de grageas, tabletas o cápsulas. Los preparados enzimáticos se emplean para combatir diversas afecciones. La terapia siempre será llevada a cabo por médicos o practicantes paramédicos, especialistas en la materia. La duración de la terapia siempre está en función de la gravedad de la patología.
El autotratamiento con enzimas es posible, pero antes se debe acudir a un especialista para informarse sobre las posibilidades de utilización y para que dirija la terapia. La toma de enzimas como sobrealimentación –por ejemplo, los enzimas de frutos tropicales como piña, papaya y kiwi– sólo es posible hasta cierto punto, ya que las proteínas soportan mal los cambios de temperatura y el almacenamiento.

Terapia neural

Como suele ocurrir con relativa frecuencia, la terapia neural es producto de la mera casualidad. En 1925, el médico Ferdinand Huneke inyectó a su hermana Katha, que sufría frecuentes ataques de migraña, un anestésico local (medicamento que bloquea parcialmente, en una zona limitada del cuerpo, la conducción de estímulos a los nervios). Pero en lugar de poner la inyección en una vena como era preceptivo, se la puso en un músculo por error. Y así, para su sorpresa, los dolores desaparecieron al instante.

Entonces, los hermanos Ferdinand y Walter Huneke partieron de la hipótesis de que era posible la curación de enfermedades crónicas de zonas perturbadas –como cicatrices o inflamaciones– y desarrollaron un nuevo procedimiento terapéutico. Suponían que estas zonas podían tratarse mediante inyecciones de un anestésico local (por lo general, procaína). El efecto del tratamiento podía limitarse solamente al sitio inyectado, pero también extenderse a un órgano alejado o, incluso, afectar a todo el organismo.

Entre tanto, la experiencia ha servido para adquirir muchos conocimientos sobre la terapia neural, pero aún no se ha hallado una explicación plausible sobre los principios que rigen la actuación del tratamiento. Sólo se sabe que los anestésicos locales alivian los dolores e inhiben las inflamaciones, y que los conductos de los estímulos del cuerpo situados sobre la zona pinchada reaccionan igual que con un masaje de las zonas reflexivas o con la acupuntura.

Tratamiento

La inyección se pone en la piel o debajo de ella, en las arterias o en las venas. La elección del sitio es de suma importancia. Esta terapia actúa como anestesia local (directamente sobre la zona perturbada), o bien como terapia segmentada (sobre un conducto de estímulos situado encima de los órganos internos). Sus campos de aplicación principales son: los dolores agudos y las inflamaciones; pero, también, patologías crónicas y afecciones neurovegetativas. El anestésico no debe aplicarse en casos de alergia ni en infecciones o enfermedades inmunológicas.

La aplicación de la terapia neural siempre debe estar dirigida por médicos especialistas en la materia. El autotratamiento no es posible. Antes del tratamiento, el médico tiene la obligación de informar al paciente sobre los riesgos que comporta la terapia.

Dirección simbiótica

El ser humano y los microorganismos forman una simbiosis natural. Miles de millones de estos "convecinos" contribuyen al mantenimiento de la salud del cuerpo. Se sabe que los microorganismos que viven en el aparato digestivo constituyen una parte importante del llamado sistema inmunológico.

Una dieta alimentaria equivocada, la ingestión de determinados medicamentos, el estrés físico y psíquico, las patologías gastrointestinales y muchos otros padecimientos y afecciones pueden alterar en gran medida la denominada flora intestinal. "Falsos" microorganismos, como la *Candida albicans* pueden anidar y formar grandes colonias capaces de producir en los seres humanos numerosas afecciones y enfermedades.

La dirección simbiótica (también conocida como "terapia microbiológica") tiene como finalidad restablecer, mediante el suministro de cultivos bacterianos concretos, el equilibrio de la flora intestinal. Antes de comenzar la terapia, se hace necesaria siempre la realización de sendos análisis de heces y de orina.

Entre los campos de aplicación de la dirección simbiótica se cuentan las patologías gastrointestinales y las enfermedades infecciosas crónicas (sobre todo, las que afectan a las vías respiratorias). Esta aplicación de la dirección simbiótica también se emplea para la reconstrucción de la flora intestinal, especialmente después de haberse sometido a algún tratamiento con antibióticos. No se conoce ningún tipo de contraindicación.

Tratamiento

La dirección simbiótica consta de tres fases fundamentales para su total efectividad:

- La primera se encarga de eliminar los microorganismos y de conseguir la actividad de los órganos digestivos mediante la ingestión de medicamentos para, luego, tomar los cultivos bacterianos que restablezcan el equilibrio normal de la flora intestinal.
- La segunda consiste en adoptar una dieta alimentaria que active el metabolismo y deje sin alimentos básicos a las bacterias que provocan la afección.
- La tercera y última trata de llevar una alimentación integral y equilibrada.

El tratamiento viene a durar unas 12 semanas, y puede repetirse si es necesario, pero siempre tiene que ser prescrito y realizado por médicos y practicantes paramédicos especialistas. La terapia no admite ningún tipo de autotratamiento.

Biorresonancia terapéutica

La Biorresonancia Terapéutica (BRT) fue creada por el médico Franz Morell y el ingeniero Erich Rasche en los años setenta. Este procedimiento primero se llamó "terapia Mora", según las dos primeras sílabas de cada uno de los apellidos de sus creadores, luego pasó a denominarse biocomunicación y, por último, en el año 1987 fue bautizado con el nombre con el que actualmente se la conoce en todas partes.

"El tratamiento energético" parte de la hipótesis de que en el cuerpo hay ondas electromagnéticas inarmónicas, que producen enfermedades y las acompañan. Para transformarlas (invertirlas) y devolverlas después al cuerpo como "ondas terapéuticas"; ondas que para poder ser captadas es necesario disponer de un aparato electrónico especial. De la misma manera se pueden amplificar ondas armónicas debilitadas.

La biorresonancia terapéutica tiene aplicación en casi todos los campos de la Medicina, pero, sobre todo, en los casos de alergia. Hasta ahora no se conoce ninguna contraindicación ni efectos secundarios. En patologías alérgicas graves puede darse, al principio de la terapia, un claro empeoramiento.

Tratamiento

Las ondas electromagnéticas se captan por medio de electrodos sujetos al cuerpo del paciente, que luego se transmiten al aparato de biorresonancia terapéutica y, una vez transformadas, se devuelven de nuevo al cuerpo. Los 20 minutos que suele durar cada sesión, transcurren sin que el paciente note la más mínima reacción física. Antes de la aplicación de la terapia (→ El tratamiento de biorresonancia, en el candelero de la crítica), el terapeuta –que puede ser un médico o practicante paramédico– no realiza ninguna terapia especial.

Por regla general, la terapia tiene lugar una vez a la semana. Entre los diferentes tipos, se ha de distinguir entre la básica y la de carácter continuado o periódica. El autotratamiento no es posible

La multirresonancia terapéutica

La llamada *multirresonancia terapéutica* es una forma especial de la biorresonancia terapéutica, cuyo objetivo principal no trata de captar ni alterar ondas de tipo endógeno, sino el de transmitir al organismo informaciones sutiles procedentes de sustancias extrañas al propio cuerpo. En esta terapia se emplean ondas electromagnéticas con frecuencias de sonidos, metales, piedras preciosas y colores. Distingue o la componen los siguientes tipos: terapia básica, tratamiento del campo perturbado, terapia de los meridianos y tratamientos ya ensayados individualmente. El principio básico de este procedimiento es la aplicación y el apoyo de las ondas generadas por el propio cuerpo.

Este procedimiento también se le denomina o conoce vulgarmente con el nombre de "homeopatía electrónica", porque su forma de actuar y acción son muy similares al que se opera en la homeopatía.

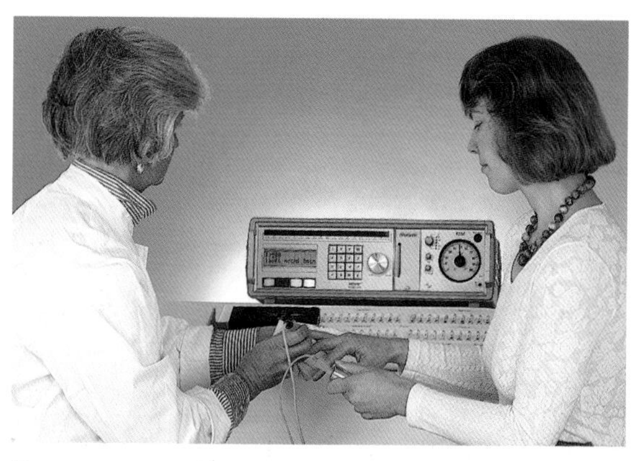

Biorresonancia en el tratamiento de alergias, que pretende detectar alergenos mediante mediciones en el dedo.

La biorresonancia terapéutica, en el fuego cruzado de la crítica

A menudo, la biorresonancia terapéutica ha sido acusada por unos de carecer de base científica y, por otros muchos, de pura charlatanería. Desde luego, no deja de ser significativo el que para esta especialidad no exista una formación específica que permita la cualificación terapéutica en una materia que corresponde al médico o al practicante paramédico especialista.

Los conocimientos necesarios se obtienen con la sola lectura del manual de instrucciones del aparato, donde, por otra parte, no se suele mencionar generalmente nada referente a las funciones del mismo.

Los críticos sostienen que el pretendido "cambio de polaridad de las ondas patógenas" es técnicamente imposible, y denuncian los términos pseudocientíficos que se emplean y que, además de poco serio, pueden crear cierta confusión y malestar entre los usuarios y potenciales usuarios.

Es cierto que cada poco se anuncian nuevos éxitos obtenidos con esta terapia, pero hasta ahora no existe prueba fehaciente alguna que los avale.

Autoayuda en casa

Sumario

Nuevos ímpetus para el cuerpo y la psique

Desarrollo de la propia personalidad

La psique es la fuerza motriz de los seres humanos, nuestro motor, lo que nos da vida. Para sentirse bien y mantenerse sanos, la vida sentimental de las personas necesita la misma consideración y los mismos cuidados que el resto del organismo.

Hay muchos caminos para alcanzar esa meta, pero lo realmente importante es que cada uno viva en armonía con su propia personalidad y utilice positivamente su especial predisposición y encanto en el trato con los demás. Como nadie es perfecto, de vez en cuando conviene autoexaminarse con detenimiento para comprobar personalmente los rasgos característicos de uno mismo. Todo el mundo tiene sus propias debilidades, pero, bien mirado, también se puede sacar provecho de ellas. Con esta autoobservación se puede comprobar y sentir cómo la vida puede resultar mucho más fácil y armoniosa si la personalidad de cada cual se desarrolla con plena libertad.

Quien se proponga alcanzar las metas siguientes, está creando las condiciones para aprovechar sus fuerzas psíquicas, planificar su vida de manera consciente y positiva y conseguir así más satisfacciones y un mayor bienestar:

- Siéntase seguro consigo mismo.
- Piense en positivo a diario.
- Haga realidad sus ilusiones.
- Aprenda de los sueños.
- Adopte una actitud positiva ante los distintos problemas que surjan.
- Enfréntese sin temor a la vida.

Siéntase seguro consigo mismo

Una de las condiciones más importantes para conseguir la salud psíquica es estar seguro de uno mismo.
Planteado así, esta cuestión parece más fácil de lo que en realidad es, pues hay que analizar detalladamente y tener en cuenta qué implica el que una persona se sienta segura consigo misma:

- Autoconvénzase de que no es más tonto, peor o más feo que el resto de las personas.
- Sea consciente de las propias fuerzas y debilidades.
- Manifieste lo que necesita, sienta y desee sin temor a ser rechazado, vituperado o despreciado.
- Muéstrese libre, relajado y lleno de vitalidad, al tiempo que actúa con decisión y habla con voz clara y firme frente a los demás.
- Trate a los demás con amabilidad y decisión.

Aprenda a estar seguro de sí mismo

Aunque la seguridad en uno mismo no se pueda adquirir de un día para otro, es posible alcanzarla en un breve espacio de tiempo si profundiza paso a paso en este sentimiento vital y positivo.
Los ejercicios siguientes ayudan y sirven de estímulo en el mantenimiento de la forma psíquica.
Lea bien los ejercicios y elija aquél que considere más urgente y apropiado en este momento. Propóngase realizar el citado ejercicio una vez al día, y concéntrese de lleno en la tarea.
Aunque los resultados no sean tan buenos como cabría esperar, alábese por los magníficos resultados obtenidos. Tenga en cuenta que, al menos, lo ha intentado. ¡Y la próxima vez le saldrá mejor!
No se desanime si alguna vez "vuelve a las andadas", es decir, observa que sigue el viejo modelo de conducta: ¡la práctica hace al maestro!

Alabe a los demás y acepte las alabanzas hacia su persona

La mayoría de las personas tienen grandes problemas en este aspecto. A casi todo el mundo le gusta que le alaben, pero suele resultarnos muy difícil aceptar las alabanzas de otras personas o ser nosotros quienes alabemos a los demás.

- Si alguien le hace algún cumplido, en lugar de quitarle importancia al asunto personalmente diciendo «no es para tanto», agradezca la alabanza sin más y añada... «me alegra que le/te guste».
- Si alguien de su círculo de amistades le hace un pequeño favor que –por lo frecuente– casi se da por supuesto, propóngase decirle: «Me alegra mucho que me hayas hecho... (...) Ya sabes que aunque a veces se me olvide darte las gracias, ¡siempre te estoy muy agradecido (o me alegro mucho) de que tengas esa deferencia hacia mi persona (o me hagas este favor)!»

Formule sus críticas y reproches con corrección

Es bueno criticar e incluso, a veces, necesario. Pero en algunos casos no es fácil exponer una crítica de modo correcto, pues casi siempre va dirigida a la persona y no al comportamiento: «¡Has vuelto a llegar tarde!» «¡Tú siempre llegas tarde!». Con reproches como éstos sólo se consigue que la persona afectada se sienta agredida y se ponga a la defensiva:

- En situaciones como ésta diga claramente qué es lo que le molesta del comportamiento en sí y por qué, pero en ningún caso critique a la persona que se comporta de este modo. Además, sea constructivo y hágase la siguiente propuesta para el futuro: «¡Me molesta tener que esperar tanto tiempo!» «Por favor, ¡la próxima vez sé puntual!»
- También es importante limitar la crítica a un punto concreto, sin subir el tono de voz, hacer mímica o convertir todo en un reproche global.

Reclame con corrección

A mucha gente le resulta muy difícil exponer sus justas reclamaciones. Un ejemplo típico es cuando, en un medio de transporte público, hay que pedir a otro viajero que nos ceda el asiento que tenemos reservado en el billete y que está utilizando en ese momento:

- En cuanto tenga oportunidad propóngase, por ejemplo cuando esté muy cansado, le duela una pierna o se sienta enfermo en el tren, el tranvía o el autobús, pedir amablemente a cualquier persona que le ceda el sitio. Es un ejercicio bastante difícil.
- También, puede entrar en un local y solicitar que le dejen llamar por teléfono.

Cuanto haya practicado estos ejercicios y hecho frente a las dificultades, tanto más fácil le resultará reclamar sus derechos con amabilidad pero con firmeza.
Nunca pretenda hacer valer sus derechos utilizando malas maneras. Muchas veces conseguirá imponer su criterio más fácilmente si despierta simpatía en los demás. Cuando quiera dirigirse a alguien, mírele a los ojos y sonría.

Aprenda a decir "no"

Hay personas que hacen algunas cosas porque son incapaces de decir "no", no porque les guste o quieran hacerlas. Detrás de esto suele ocultarse el temor a que se enfaden quienes solicitan tales cosas. Así, con demasiada frecuencia se olvidan de las propias necesidades y los "dolores de cabeza" que puede acarrear el complacer y hacer caso a los demás por sistema sin pensar nunca en nosotros mismos:

• Antes de nada, debe pensar en lo que está dispuesto a hacer por sus amistades, y la próxima vez que alguien le pida algo y no quiera hacerlo sea sincero y dígale: «hoy no me apetece». No se invente ninguna disculpa ni ceda si la otra persona intenta convencerle («¡Yo también te hice un favor!») o se muestra dolido («¡Me había ilusionado tanto... y ahora...!»).

Piense positivamente

Imaginarse las consecuencias negativas por anticipado supone un autocastigo para quien así piensa: si, por ejemplo, alguien no deja de pensar en que su jefe está descontento con el trabajo que realiza, lo pasará tan mal como si realmente estuviera descontento.

Los sentimientos desagradables que despiertan estos pensamientos son semejantes a los producidos cuando alguien es objeto de una crítica despiadada. A menudo, estas ideas tan devaluadas que se producen en nuestra mente alcanzan tal gravedad en nuestra fantasía que incluso superan la realidad.

Pensar positivamente tiene mucho que ver con la seguridad personal. Una persona segura de sí misma piensa siempre en positivo, porque quiere lo mejor para ella y para los demás. Y esto puede conseguirse en buena medida con la práctica, para lo que ayudarán los ejercicios siguientes.

Ponga freno a los pensamientos negativos

Por lo general, evitar los pensamientos negativos o distraerlos sin más sirve de muy poco. Es mucho más efectivo «poner freno» a los pensamientos e interrumpir los sentimientos desagradables que van unidos a los susodichos pensamientos:

• Concéntrese primero en los pensamientos que han provocado los sentimientos desagradables. Intente recordar de inmediato cuál fue la situación concreta que desencadenó los pensamientos.

• En cuanto vuelva a tener este pensamiento, diga en voz alta o repita en su interior la palabra «¡Alto!». De esta manera, será consciente de lo que está pensando y detendrá la acción.

• A continuación, añada al «¡Alto!»: «¡ No tiene sentido pensar en ello!». Después, concentre su atención en lo que estaba haciendo con anterioridad.

• Cada vez que tenga el pensamiento, frénelo y concéntrese en otra cosa.

Alábese sus aspectos positivos

Para conseguir una autoconfianza que sea firme y sana, el autoelogio es muy importante. En los tiempos difíciles que corren se echa de menos cada vez más el elogio de otras personas, cuando éste es, precisamente, un sentimiento positivo que nos ayuda a seguir adelante.

• Si está contento con su comportamiento, su actitud y con su rendimiento personal, dígase a sí mismo: «Me alegro por mi éxito. Me he portado bien. Estoy orgulloso de mostrarme tan seguro!»

Motívese personalmente

Ante situaciones difíciles como una entrevista con el jefe, una conversación seria con su pareja o un examen importante, los pensamientos positivos le pueden ayudar mucho para afrontarlas.

Es importante saber que en nuestro cerebro sólo tienen cabida las imágenes y no las palabras, por lo que no puede concebir un "no". Si se dice a sí mismo, por ejemplo, «¡Hoy no voy a suspender el examen!», quedará en su subconsciente «¡Hoy voy a suspender el examen!», porque no hay imágenes del "no".

• Así pues, cuando se encuentre ante una situación personal difícil, es mejor que se diga a sí mismo: «¡Hoy estoy muy animado y he decidido dar este paso!», «¡Voy a tener un gran éxito!», «¡Voy a aprobar el examen!», u otra frase positiva cualquiera.

Haga realidad sus ilusiones

Las ilusiones son imágenes o ideas de metas que uno quisiera alcanzar. Toda persona lleva en su interior estas imágenes, que pueden ser provechosas y que, en muchos casos, pueden hacerse realidad. Pero el intento de modificar las propias ilusiones fracasa a menudo, porque se tiene miedo a los cambios necesarios y a las posibles dificultades. Hay que tener presente que cualquier cambio significa dejar a un lado costumbres y pensamientos muy queridos, y adoptar otros nuevos.

Si tiene confianza en su éxito y en su talento personal, todos sus deseos podrán llegar a hacerse realidad algún día.

Cómo modificar las ilusiones

Lo primero y más importante es que, personalmente, tenga una idea clara de los cambios que desea introducir en su vida. Pregúntese, pues, si está contento consigo mismo, si lo está con su vida social y profesional y, cómo no, con su pareja.
Supongamos que el descontento está provocado por la situación laboral. Su mayor deseo sería dar una nueva orientación a su vida profesional, pero dadas las circunstancias duda de que pueda lograrlo.

• Tómese el tiempo necesario para pensar cómo debería ser su nueva profesión y su nuevo puesto de trabajo, y cómo se ve personalmente en este puesto de trabajo. Pero abstráigase y no piense en las posibles dificultades que va a encontrarse para conseguirlo. Imagínese que está pintando un "cuadro positivo" y lleno de colorido ante la nueva situación.

• Siempre que esté descontento con su situación actual, intente plasmar su "situación ideal" en un cuadro imaginario. Llegará un día en que éste le resulte tan familiar, que el camino que ha de recorrer para hacer realidad su ilusión ya no le parecerá tan difícil y estará preparado para afrontar los "objetivos planteados" y dar el paso siguiente en esa dirección.

• Para mantener fija la idea que ha logrado plasmar en "su cuadro", puede transcribirla en forma de frase o palabra en un bonito papel y colgarlo en un lugar de la habitación para que pueda verlo a menudo.

• También puede pensar en quién puede ayudarle a alcanzar esta meta, así como dónde puede encontrar el mejor apoyo y asesoramiento. Hable con su pareja y con su familia para pensar en soluciones concretas que sean soportables por parte de todos, pero sin cejar en el empeño de alcanzar su meta.

Aprenda de los sueños

Muchas personas creen que no sueñan nunca, pero todo el mundo sueña por la noche. Los sueños son incluso una necesidad vital, pues a través de ellos se reviven de nuevo las vivencias que se han tenido durante el día. Por muy absurdos y caóticos que parezcan, los sueños reflejan siempre una fracción de aquellas cosas que quedan "pendientes", como conflictos reprimidos, problemas en el puesto de trabajo, deseos inconscientes y muchas otras cosas más.

Cómo se puede sacar provecho de los sueños

• Para que pueda revivir los sueños, al acostarse por la noche debe decirse a sí mismo repetidamente: «Esta noche voy a soñar, y mañana por la mañana recordaré todos mis sueños».

• En cuanto pueda recordar por la mañana lo que ha soñado, tómese unos minutos de tiempo para transmitir a su mente lo que recuerda con claridad como si lo estuviera viendo. Trate de experimentar la misma sensación que tenía en el sueño.

• Anote el contenido del sueño en un pequeño diario. Trate de establecer relaciones con los hechos de su vida cotidiana y, si le parece importante, hable de ello con su pareja, con su familia o con sus amistades.

¡Cuidado con las pesadillas!

Las personas que padecen pesadillas a menudo, hasta el punto de que muchas veces sienten verdadero pánico a dormirse y soñar, deben consultar cuanto antes con un terapeuta o médico especializado para que se ocupe de sus sueños, los interprete, le asesore y, en caso de que sea preciso, le prescriba una terapia!

Superación de las dificultades

Problemas o conflictos con otras personas, riñas o estrés son situaciones de las que no estamos libres ni en el trabajo ni en la vida privada; ni tan siquiera, cuando se disfruta de las vacaciones. Y crisis como el despido del puesto de trabajo, la separación de la pareja, un accidente o una enfermedad a menudo nos pillan desprevenidos. No importa que la crisis sea grande o pequeña, lo crucial es saber enfrentarse a ella, superarla y salir más fortalecidos que antes. Aquellas personas que consideren los problemas cotidianos como un reto para hacer mejor algo y aprender cosas nuevas, suelen tener más éxito en la superación de situaciones difíciles.

Cómo dominar las crisis

- Si tiene tendencia a reaccionar extremadamente ante situaciones excepcionales, ejercite la confianza consigo mismo y el pensamiento positivo. Esto será muy constructivo y le ayudará a establecer unos puntos de partida completamente nuevos.
- Los ejercicios de relajación periódicos le servirán para estar más tranquilo y distendido.
- Hable de sus problemas con su pareja, con sus amistades o con sus familiares, y pídales consejo y apoyo.

Hay que enfrentarse al miedo

El miedo es un sentimiento básico de importancia vital y un componente normal de nuestra vida, que nos hace huir para evitar un peligro o nos pone en guardia ante cualquier eventual agresión. Quien pretenda evitar las situaciones que infundan miedo o se obstine en reprimir sentimientos de angustia, no hará sino aumentar el propio miedo. Como el miedo es precisamente un sentimiento humano normal no se puede desterrar de nuestra vida, del mismo modo que tampoco es posible hacerlo con otros sentimientos básicos como el amor.

Superación de los miedos

El primer paso para superar el miedo consiste en aceptarlo, admitir conscientemente ese sentimiento de impotencia, indefensión y acorralamiento.

- En una situación de miedo ha de prestar especial atención a los pensamientos y sentimientos, y a las reacciones del cuerpo (sudores, palpitaciones, respiración rápida). Incluso es posible que se sienta paralizado y al borde de las fuerzas.
- Intente analizar las causas de su miedo. Si conoce las razones, este sentimiento le servirá para tratar a fondo las causas y, de este modo, aprender a reactivar su vida.

¡Cuando la situación es insoportable!

En caso de que una situación conflictiva o sus sentimientos de angustia sean superiores a sus fuerzas y se vea incapaz de abordarla solo, busque ayuda en asociaciones o grupos especializados, o sométase a una terapia! Tenga en cuenta siempre sus necesidades personales, pero también la gravedad de la angustia que padece.

Más armonía con flores de Bach y aceites esenciales

Las plantas tienen poderes que pueden servirle de gran ayuda en su desarrollo psíquico. Tanto las flores de Bach como los aceites esenciales de la aromaterapia, suelen ejercer una influencia muy positiva sobre el estado de ánimo.

Cinco flores de Bach muy potentes

Dulcarama (Madreselva)

Esta flor está especialmente indicada para aquellas personas que prefieren vivir más el pasado que el "aquí y ahora". El particular efecto de esta flor de Bach ayuda a recuperar el equilibrio al convertir la tristeza, la melancolía y la añoranza en estado psíquicos positivos. Los recuerdos adquieren otra dimensión y ello contribuye a aceptar el presente.

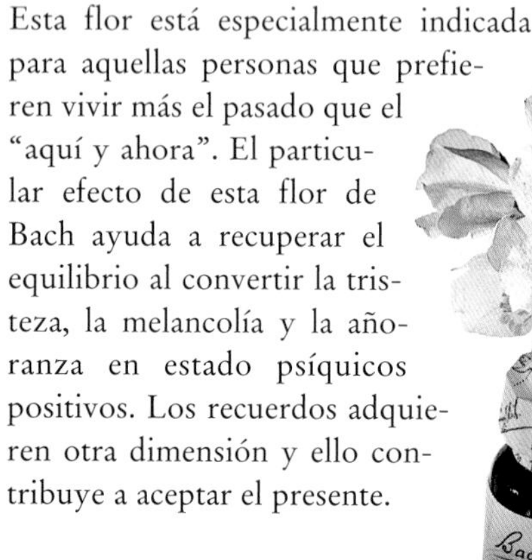

La terapia de las flores de Bach equilibra con su acción la psique.

Pino común, pino albar

La persona atormentada por una mala conciencia y sentimientos de culpabilidad, o que no puede perdonarse, necesita la fuerza equilibradora de esta flor de Bach. Sus efectos le ayudarán a aceptarse tal como es y a fortalecer su propia autoestima.

Acebo

Despierta en las personas un amor que lo abarca todo. Va bien para quienes tengan el corazón endurecido por la envidia, los celos o el rencor, aunque su deseo inconsciente y profundo sea el amor y el afecto.

Violeta palustre

Esta flor levanta el ánimo de las personas que se sienten a menudo solas y aisladas y no pueden hablar con nadie de sus sensaciones y experiencias. La violeta palustre ayuda a la integración social, a relacionarse con los demás y a sincerarse para así aceptar más fácilmente los sentimientos propios y los ajenos.

Estrella de Belén

Esta flor de Bach permite curar sentimientos heridos, recuerdos dolorosos y decepciones. Debido a sus peculiares características, se le llama también "quitapenas".

¡Dosificación correcta de las flores de Bach!

- Aunque en los envases de estas flores se dan datos específicos e instrucciones precisas sobre su dosis y uso, conviene pedir siempre consejo al médico o practicante paramédico, pues normalmente son muchos los factores que influyen en la dosificación, en la mezcla y en la duración de la ingesta o toma!
- Cuando tenga problemas de tipo psíquico, antes de adoptar una terapia determinada consulte siempre con su médico!

Aceites esenciales fuertes

Los aceites esenciales se pueden diluir directamente en el agua del baño o desplegar sus efectos en una lámpara aromática.

Jazmín

El embriagador aroma del jazmín anima y contribuye a sentirse fuerte y confiado en sí mismo.

Azahar, flor del limonero

Los suaves y burbujeantes aromas de los cítricos ayudan a relajar el espíritu y a liberarse del estrés que produce la actividad cotidiana.

Romero, moscatela

Para levantar el ánimo y sentirse eufórico, sólo hay que elegir uno de estos aromas reanimadores.

Los grupos de autoayuda son muy útiles

El lema que rige la actividad de un grupo de autoayuda es el de «prestar ayuda a cualquier persona siempre que ésta quiera y comience ella por ayudarse a sí misma». Ofertas de este tipo las hay hoy día en casi todos los ámbitos de la vida, para así ayudarse las personas afectadas entre sí y asistirse mutuamente. Incluso existe la posibilidad de establecer contacto con grupos de autoayuda a través de Internet.

Los grupos y asociaciones de este tipo pretenden romper el aislamiento individual y que cada persona eleve su propia autoestima y confianza en sí mismo. Los encuentros periódicos entre afectados contribuye a que surja ese sentimiento de solidaridad y comprensión, un consuelo que anima a iniciar nuevas actividades y a cambiar de comportamiento. A través de coloquios y charlas, los partícipes son conscientes de su propia situación y la de los demás participantes.

En estos grupos no hay director, por eso cada persona es un interlocutor válido para todos los demás y comparte sus sufrimientos y preocupaciones al ser los suyos propios. La capacidad de autoayuda es diferente en cada componente del grupo, por lo que cada uno encuentra dentro de los modelos del grupo aquél que personalmente se identifica con el suyo y que le ayudará a superar los problemas que viene padeciendo.

¡No exija demasiado!

- Si nota que el grupo de autoayuda ya no puede ayudarle más, no dude en consultar con un terapeuta o médico especializado. Esto, lejos de ser una señal de debilidad lo es de fortaleza, pues supone confesarse a sí mismo y a los demás que uno solo no puede hacer frente a una determinada situación! Durante la terapia, también podrá contar con el apoyo de un buen grupo.

Relajación de cuerpo y espíritu

Todas las personas necesitan mantener el equilibrio entre tensión y distensión. Para estar activo se precisa cierta tensión; para realizar grandes esfuerzos, alta tensión. Para disponer en un momento preciso de fuerzas físicas y psíquicas suficientes, el organismo moviliza entonces todas sus reservas de energía. Pero después de realizar cada una de estas actividades, el cuerpo necesita hacer una pausa para recuperarse, acumular nuevas fuerzas y realizar las "reparaciones" pertinentes.

Acumulación de nuevas energías

Desde el punto de vista fisiológico, estar relajado significa la cesación del estado de alarma que afecta al sistema nervioso. De este modo se recupera el equilibrio interior, los órganos trabajan con normalidad y el sistema inmunológico puede regenerarse y luchar contra las enfermedades de manera óptima. Cada vez que una persona se relaja sirve para que, físicamente, los músculos reparen los daños sufridos. En el campo psíquico-mental, la relajación periódica ayuda a combatir la angustia, la falta de autoconfianza y la frustración. Es la base del "crecimiento físico y psíquico", sólo así es posible la concentración, la creatividad y el aprendizaje.

Cómo actúan los ejercicios de relajación

Además de los períodos de descanso habituales, existen una serie de métodos especiales que permiten la relajación de una manera rápida y eficaz. De igual forma, los ejercicios que se exponen a continuación ayudan a modificar los efectos nocivos que causa el estrés en el comportamiento de las personas.
Mediante determinados métodos podrá:
• Complementar el efecto relajante que producen los medios normales como la siesta, la lectura, las vacaciones y otras actividades similares.

Relajamiento cotidiano

Tómese regularmente un tiempo para alejarse de la rutina diaria, y para retomar así nuevas fuerzas.

Muchas personas no son conscientes de que están en tensión permanente, sometidas constantemente a la presión de rendir al máximo, incluso durante su tiempo libre. Sólo prestan atención a su estado cuando aparece alguna dolencia o afección.
Sin embargo, todo el mundo puede relajarse un instante en el transcurso de la jornada laboral. Por lo tanto, se impone reservarse un tiempo determinado para desconectar y tranquilizarse un momento.
• A veces es suficiente con poner los pies en alto de vez en cuando y, siempre que sea posible, reposar un poco al mediodía.
• También es muy apropiado relajarse haciendo algo de ejercicio al aire libre; así, un paseo al atardecer o andar un poco a la hora de comer.
• Hay que organizar el tiempo libre para descansar. Evite estar sentado ante el televisor todo el tiempo, encienda unas velas, ponga música, lea un libro o juegue a alguna cosa solo o en compañía.
• Pasar algún fin de semana sin hacer nada. Llenar el tiempo libre según un plan previamente establecido, suele ser mucho menos apasionante que quedarse en casa, no hacer nada, dormir mucho y cuidarse.
• Un *hobby* también ayuda a descansar, ya se trate de una afición musical, manual o artística; así, puede tocar un instrumento musical, hacer bricolaje o, simplemente, pintar. Hay quien incluso le entretiene mucho escribir, a otras personas les encanta cocinar...

¿Qué método es el más adecuado?

Método	Cómo actúa	Peculiaridades
Ejercicios respiratorios (→ página 688)	Ayuda en situaciones de estrés, nerviosismo, y angustia, moviliza energías.	Tranquiliza en unos minutos.
Relajación muscular progresiva (→ página 689)	Reduce la tensión física, aumenta la consciencia del propio cuerpo, da nuevas energías.	También, para los ratos libres.
Entrenamiento autógeno (→ página 690)	Tranquiliza, equilibra, eficaz como tratamiento posterior de enfermedades psicosomáticas.	Para aventajados, efecto rápido.
Feldenkrais (→ página 691)	Descongestiona, combate el estrés, eficaz en crisis psíquicas, depresivas, posturas viciosas.	Para aventajados.
Yoga (→ página 692)	Restablece el equilibrio físico y psíquico, estimula el metabolismo, fortalece la circulación sanguínea y los órganos internos.	Para aventajados.
Meditación (→ página 693)	Relajación psíquica intensa, combate el estrés, aumenta la facultad de concentración.	Para aventajados, en ratos libres.
Tai-Chi y Qigong (→ página 694)	Alivia afecciones cotidianas, eficaz en las crisis psíquicas.	Para aventajados.
Los cinco tibetanos (→ página 696)	Mantienen sano y en forma, aumentan el bienestar y rendimiento físico.	Para todos los días.

- Ejercitarse, con sosiego y autoconfianza, en el tratamiento de los problemas que aparecen en la convivencia de pareja o en los conflictos laborales diarios.
- Contribuir positivamente en el proceso de curación en los casos de enfermedad.
- Formarse un concepto positivo del propio cuerpo, que le hará sentirse más optimista y tranquilo.

La selección siguiente proporciona una visión general de los procedimientos más conocidos. Cada método se acompaña de un ejercicio. La mayoría de ellos se pueden aprender en cursos especiales. Para elegir el procedimiento más adecuado, el médico tendrá en consideración su estado general y le aconsejará al respecto.

Relájese como es debido

- Procure relajarse periódicamente.
- Comience por convencerse diciéndose una palabra relajante, por ejemplo, "¡relájate!". Para la relajación interior, supone una ayuda psíquica inestimable.
- Antes de relajarse, procure que nadie le moleste y adopte una postura cómoda.
- Empiece siempre por relajar todos los músculos del cuerpo. Para ello, respire profundamente con suma tranquilidad y concéntrese en la palabra que haya elegido como relajante y repítala varias veces.

¡No espere milagros!

¡Antes de comenzar con la práctica de los ejercicios de relajación como método terapéutico, haga que su médico le realice un reconocimiento para asegurarse de que sus afecciones no tienen su origen en una patología orgánica seria!
Los ejercicios de relajación en ningún caso pueden ser sustitutivos de ninguna terapia, pues sólo son un complemento. No espere que los procedimientos de relajación hagan milagros. Su práctica no puede evitar que siga teniendo problemas personales, ni tampoco hará que las situaciones de estrés o de enfermedad desaparezcan por completo. Lo único que sí puede hacer es cambiar su postura interior frente a situaciones conflictivas.

Ejercicios respiratorios

En la mayoría de las personas, el nerviosismo, el estrés o la angustia provoca agitación si se respira al con el pecho en vez de hacerlo con el diafragma. Por sí mismo, esto es un reflejo muy beneficioso, pues la aceleración del ritmo respiratorio hace que llegue menos oxígeno a la sangre y se eleve el contenido de anhídrido carbónico, lo cual, a su vez, provoca la tensión muscular, mejora la percepción y reduce la sensibilidad al dolor. Estos procesos forman parte del programa congénito del estrés, que ayuda a superar aquellas situaciones calificadas como de "peligro inminente".

Pero si la agitación en el respirar se mantiene durante mucho tiempo, debido casi siempre al sometimiento a altas tensiones, entonces los órganos vitales como el corazón, el cerebro y lo músculos no reciben oxígeno suficiente. Las consecuencias más frecuentes son: cansancio, falta de concentración y problemas para dormir, debido a que una respiración tan agitada impide el descanso normal del cuerpo.

También pueden surgir problemas digestivos, o agravarse los ya existentes. En cambio, la respiración tórax-diafragma-abdomen masajea y estimula el diafragma con su suave movimiento. Así, aparte de estimular los movimientos del intestino, también activa los riegos sanguíneo y linfático en el abdomen.

Así actúa la respiración natural

Las claves de la relajación son: la espiración-inspiración regular y profunda, y la concentración de la persona en el proceso respiratorio.

• Si se respira conscientemente, enseguida se nota un efecto positivo y relajante: tres respiraciones profundas suelen ser suficientes para advertir los primeros síntomas de alivio frente al estrés.

• Los ejercicios respiratorios suponen una ayuda rápida y eficaz contra el estrés, pues interrumpen la reacción natural del organismo ante la situación que lo provoca: los nervios se relajan y la psique encuentra la tranquilidad para su recogimiento.

• Cuando inexcusablemente hay que enfrentarse a un problema inminente (antes de un examen, por ejemplo), respirar profundamente ayuda también a disipar los miedos y a movilizar las reservas de energía.

• La presión acompasada a que el diafragma somete al intestino cada vez que se tensa, ayuda asimismo en los trastornos digestivos, porque este masaje natural estimula los movimientos intestinales.

Forma correcta de realizar los ejercicios respiratorios

• Como norma general, en los ejercicios de relajación la inspiración se realiza a fondo por la nariz y por la boca (ésta última, ligeramente entreabierta). Los pelos de la nariz limpian el aire inspirado, al tiempo que éste se calienta y humedece de forma que los pulmones lo pueden tolerar mejor.

• Respirar con intensidad no significa, como generalmente se cree, acelerar la respiración o inspirar y espirar el aire lo más rápido posible. Esto puede provocar muy fácilmente la llamada "respiración jadeante" (*hiperventilación*), capaz de romper el equilibrio entre el contenido de ácidos y bases del cuerpo y producir mareos, hormigueo en manos y pies, contracciones musculares e incluso rigidez muscular. Para evitarlo la espiración se debe realizar con lentitud, pues debe durar el doble de tiempo que la inspiración.

• Después de cada espiración sigue una pausa natural, pues todos los músculos de la respiración están ahora relajados y en posición de reposo. Sólo cuando el centro respiratorio del cerebro da la orden de inspirar aire, recobran su actividad normal. De ahí lo importante que es respetar esta pausa en todos los ejercicios respiratorios, y esperar hasta que el propio cuerpo exija volver a inspirar. Así se consigue el relajamiento óptimo de los músculos respiratorios.

• Si los ejercicios respiratorios se realizan en una habitación, se debe ventilar bien antes, pues el aire viciado y cargado (por la calefacción) no tiene ningún valor tonificante. No obstante, tampoco conviene que la habitación esté muy fría.

• Se debe procurar que nadie moleste, así como vestir ropa cómoda y holgada, para que tanto cinturones como pantalones ceñidos o corsés no impidan la respiración y los ejercicios se puedan realizar sin dificultad.

Respiración frenoabdominal

► Tranquiliza en unos minutos

La forma más fácil para aprender a respirar con naturalidad es tenderse y procurar respirar con el abdomen.

1. Una vez tendido cómodamente sobre una colchoneta, las manos se dejan reposar a los lados del cuerpo o sobre el abdomen. Si es la primera vez que realiza este ejercicio, el poner las manos sobre el abdomen permite sentir mejor los movimientos ascendentes y descendentes de la respiración normal.

2. Luego, inspire por la nariz muy despacio. Deje que el aire circule por la tráquea hacia los pulmones y que continúe a través del abdomen hasta llegar al bajo vientre. El diafragma se dilata. Se nota en que el vientre se abomba, poco a poco, hacia arriba. No fuerce dicho abombamiento. Afloje sus músculos todo lo que pueda y relaje su mente: ¡respire!
También ayuda mucho seguir mentalmente el aire comosi se tratase de una "onda respiratoria", que imaginamos transcurre por el cuerpo de arriba a abajo.

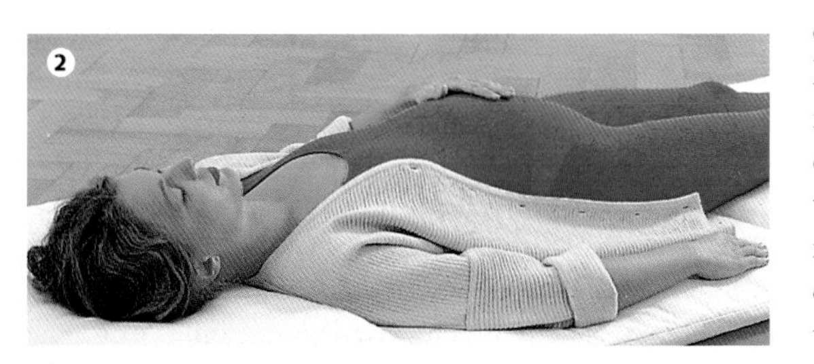

3. Haga después una espiración larga y lenta. La onda respiratoria parte ahora desde el bajo vientre, pasa por el abdomen, el tórax y la tráquea, sigue subiendo y sale por la boca ligeramente abierta. La pared abdominal vuelve a descender y retorna a su posición normal.

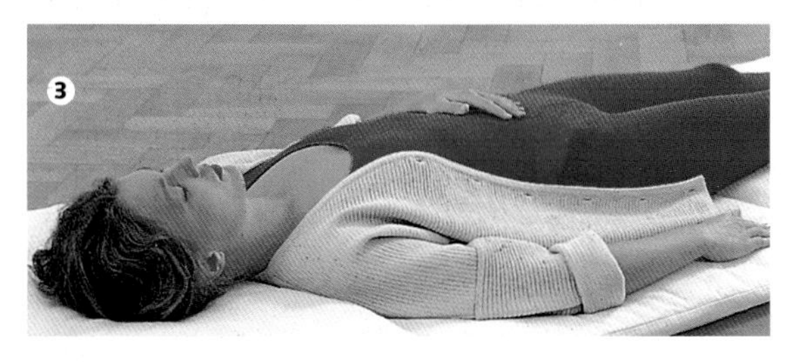

4. Esta espiración va seguida de una pequeña pausa, durante la que se sigue respirando sin que se dé cuenta. Cuando el cuerpo lo exija por propia necesidad, inspire de nuevo por la nariz.

Durante la práctica de esta técnica, al principio sólo se deben realizar de 5 a 10 respiraciones; luego, podrá aumentar su número hasta 20.
El ejercicio se dará por terminado cuando se advierta un hormigueo creciente en las manos o en los pies, o si se percibe una sensación de mareo. Respire con normalidad, levántese y muévase.

Relajación muscular progresiva

En los años treinta, el médico americano Edmund Jacobson observó cómo durante los reconocimientos que efectuaba a sus pacientes éstos tensaban siempre los músculos cuando sentían miedo. Supuso que una pequeña tensión muscular también contribuiría a disipar ese miedo, y sobre esta base desarrolló una terapia que llamó *progressive relaxation* (en castellano, "relajación progresiva"). En los casos de rehabilitación se utilizó este método con gran éxito, como terapia o tratamiento complementario. Con el tiempo su eficacia ha quedado demostrada, sobre todo en los casos de trastornos gástricos nerviosos, pero también en patologías intestinales inflamatorias como el Crohn o en úlceras de estómago. Entre sus muchos campos de aplicación, también se cuentan los estados de ansiedad.

Así actúa la relajación muscular progresiva

• Mediante una fuerte tensión y la repentina distensión de diferentes músculos, se puede conseguir una relajación física profunda.
• Sentir y experimentar estos estados físicos contrapuestos aumenta el conocimiento y la percepción de nuestro propio organismo. Percibimos más conscientemente el cuerpo, y la placentera sensación alternativa de tensión y distensión.
• La relajación muscular progresiva es mucho más beneficiosa si nunca antes, hasta ahora, había prestado especial atención a su cuerpo.
• Los ejercicios tienen como finalidad reducir –paso a paso– la tensión del cuerpo, para así lograr una relajación física intensa que influya de manera positiva sobre el equilibrio de la psique.

El método de relajación muscular progresiva comprende numerosos ejercicios, muy fáciles, que permiten su realización en casa solo o en pareja.
Alternativamente también son susceptibles de practicarse como ejercicios rápidos para los ratos libres, en la oficina o siempre que quiera relajarse y recobrar la energía perdida con rapidez. El siguiente, da una ligera idea de lo que es la relajación muscular progresiva.
En cualquier caso, si se desea practicar los ejercicios a diario se recomienda asistir a un curso para aprender y realizar bien el método.

Tensión - Distensión

► Para los ratos libres

Tómese 15 minutos de tiempo para realizar este ejercicio, y otros 10 minutos para descansar.
Grabe las instrucciones en una casete, prepárese y comience cuando esté listo.
Sin que nada le presione u oprima, tiéndase cómodamente en el suelo o sobre una colchoneta. Cierre los ojos y siga las instrucciones:

1. Manténgase tranquilo y relajado. Inspire y espire, inspire y espire tranquilamente. Al realizar la inspiración siguiente, cierre la mano derecha. ¡Muy fuerte! ¡Más fuerte todavía!
Ahora espire con fuerza, y relájese de nuevo. Abra la mano y déjela caer pesadamente. Sienta cómo la tensión desaparece poco a poco. Inspire y espire.

2. En la próxima inspiración, cierre la mano izquierda. ¡Muy fuerte! ¡Más fuerte todavía!
Después, espire con fuerza y relájese. Abra la mano y déjela caer pesadamente. Sienta cómo la tensión desaparece poco a poco. Inspire y espire tranquilo.

3. Ahora inspire y cierre las dos manos. ¡Apriete mucho los dedos! ¡Más todavía!
Después, espire con fuerza y relájese. Abra las manos y déjelas caer pesadamente. Sienta cómo la tensión desaparece poco a poco. Inspire y espire, inspire y espire (con tranquilidad). Ahora está relajado por completo.

4. Proceda de igual modo con las piernas. Primero, tense y relaje la derecha; luego, la izquierda y, después, ambas a la vez y los dedos de los pies.

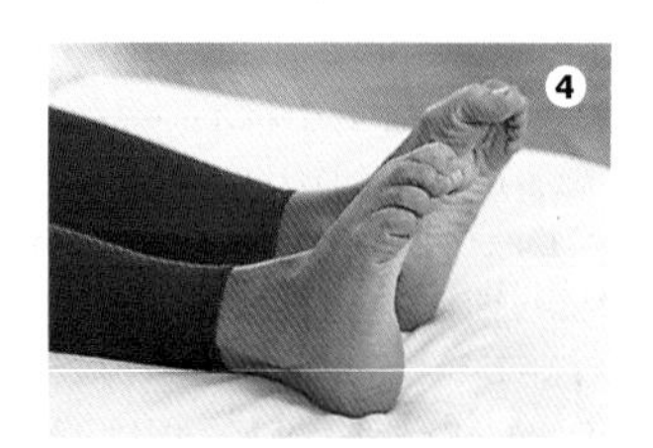

5. A continuación, cierre las dos manos y cuente hacia atrás de cinco a cero. Abra los ojos, estírese y, luego, estire lo más posible todo el cuerpo.

Entrenamiento autógeno

El entrenamiento autógeno es una de las técnicas de autorrelajación concentrada más conocidas, cuyo efecto se produce con fórmulas cortas y claras. Autógeno significa "generado por uno mismo", y el término entrenamiento indica intrínsecamente que su práctica exige mucho tiempo y una dedicación periódica.

Así actúa el entrenamiento autógeno

- Los ejercicios tienen carácter progresivo. Si se realizan con regularidad, producen tranquilidad y el equilibrio general del organismo.
- El entrenamiento autógeno beneficia especialmente a las personas que tienen un condicionamiento psíquico (enfermedades psicosomáticas).

Sienta el peso del cuerpo

► Actúa con rapidez

Este ejercicio es el primero del programa progresivo del entrenamiento autógeno.
Durante su práctica se aprende a sentir el peso del cuerpo, pues los músculos distendidos dejan notar su peso. Este ejercicio se puede hacer tendido o en la llamada "postura del cochero":

1. En la postura del cochero, los antebrazos se apoyan en las rodillas, la cabeza se inclinada hacia adelante y los hombros y la nuca están relajados. Cierre los ojos y respire acompasadamente, con toda tranquilidad.

2. Dígase, mentalmente y muy despacio, las frases siguientes. Repítalas tres veces sucesivas:
- «Estoy muy tranquilo y relajado».
- «Mi brazo derecho pesa mucho y está muy caliente». Concéntrese profundamente en su brazo derecho, y sienta cómo se calienta y pesa cada vez más.
- «Mi brazo izquierdo pesa mucho y está muy caliente». Sienta cómo su brazo izquierdo se calienta y pesa cada vez más.
- «Mis brazos pesan mucho y están muy calientes».

Haga lo mismo con la pierna derecha; también con la izquierda. Concéntrese luego en brazos y piernas.
• «Mis brazos y piernas pesan mucho y están muy calientes». Sienta los efectos.

3. Permanezca así relajado –sentado o tendido– durante 2 ó 3 minutos. Termine el ejercicio contando atrás de diez a uno, mantenga los brazos muy tensos, respire profundamente, abra los ojos y estírese.

El método Feldenkrais

En las situaciones de estrés es cuando más abandonamos nuestro cuerpo a los movimientos inconscientes, pues de otro modo podría quedarse rígido y llegar a bloquearse. Esta circunstancia suele dar lugar a contracciones musculares que impiden realizar los movimientos con cierta relajación y fluidez.
Rigidez y falta de flexibilidad en los movimientos es la reacción natural del cuerpo ante situaciones como éstas. Las crisis emocionales duraderas, los sentimientos de tristeza y las depresiones también repercuten en la actitud y movimientos corporales. El cuerpo queda a su libre albedrío y los movimientos se reducen.

Así actúa el método Feldenkrais

• Los ejercicios corporales que incluye este método pretenden la concienciación de la existencia del propio cuerpo, y despertar a su vez un sentimiento capaz de plantearse la adopción de nuevas actitudes.
• Al realizar los ejercicios se profundiza en el conocimiento de la estrecha relación que existe entre movimiento (*motricidad*) y psique, y a prestar atención a la postura que se debe adoptar ante situaciones de estrés. Este método está indicado, sobre todo, para personas que adoptan posturas viciadas.

Aprenda bien el entrenamiento autógeno y el método Feldenkrais

Para aprender bien el entrenamiento autógeno y el método Feldenkrais, se recomienda compaginar la información obtenida sobre el tema en libros y revistas especializadas con la participación y práctica periódica en grupos de entrenamiento (centros de salud, universidades, asociaciones) y la realizada en casa con ayuda de casetes especiales (de venta en librerías especializadas)!

Conózcase mejor a través del movimiento
El método Feldenkrais parte de los principios fundamentales siguientes:
• Uno se llama "consciencia por el movimiento". Consiste éste en enseñar a un grupo de personas a moverse y a observarse a sí mismas. Para ello, el profesor da instrucciones precisas sobre la forma de moverse y lo que hay que tener en cuenta para ello.
• El otro se denomina "integración funcional". Este método de enseñanza sin palabras provoca el que el cuerpo del alumno, mediante contactos suaves y casi imperceptibles, se mueva de manera diferente a la habitual. De este modo, además de reconocer modelos de conducta y de movimiento ya establecidos, también se amplían o se modifican.

Sienta los viejos modelos

▶ **Se hace enseguida**

Con este ejercicio tan corto y sencillo se puede sentir cómo ante situaciones nuevas se adoptan, de manera inconsciente e involuntaria, formas nuevas de moverse previamente aprendidas, sin pararse a pensar siquiera si tienen algún sentido.

1. Eleve su brazo derecho hasta la altura del hombro y manténgalo, extendido pero no rígido, en posición horizontal.

2. Al levantar el brazo tal vez note que pone su mano rígida, tal como le enseñaron que hiciera de niño cuando asistía a las clases de gimnasia, por lo que deberá corregir la posición.

3. Pruebe otras formas de levantar el brazo; por ejemplo, dejando la mano colgando o suelta.
¿Qué siente cuando prueba esta forma en particular u otras nuevas que se le ocurran personalmente?
Con el tiempo comprobará que es capaz de realizar una gran variedad de posiciones con múltiples posibilidades que le procurarán un gran alivio.

❸

Yoga

Tanto el yoga como la meditación tienen tras de sí una larga tradición. En los libros sagrados de la India, los llamados "Vedas", ya se recogen instrucciones precisas para realizar los ejercicios y se habla de su eficacia. Ambos métodos pretenden sentir la unión absoluta del cuerpo, el alma y la mente. Estado muy deseable en los actuales tiempos de actividad y de estrés.

El término "yoga" procede del sánscrito, el antiguo lenguaje culto de los brahmanes hindúes, que le da el significado de «concentrarse en sí mismo» o «recoger el espíritu».

Dentro del yoga se distinguen dos grandes ramas básicas: el llamado "Hatha Yoga", que se ocupa tan sólo de la disciplina del cuerpo, y el "Radscha Yoga" o "Yoga de la meditación", que ejercita el alma y la mente y les abre nuevos horizontes (→ Meditación).

En nuestras latitudes se enseña y practica, preferentemente, el Hatha Yoga. Comprende tres campos distintos: ejercicios respiratorios, medidas higiénicas (entre las que se cuentan la estimulación del metabolismo y una alimentación sana) y ejercicios físicos, los llamados *asanas* o posturas corporales.

Así actúa el yoga

- A diferencia de los ejercicios gimnásticos y de entrenamiento occidentales, con los que en muchos casos tan sólo se pretende alcanzar una estructura muscular bien formada mediante una serie rápida de tensiones musculares, los ejercicios físicos de yoga buscan más bien el relajamiento máximo de los músculos a través de movimientos lentos y concentrados.
- Además, estos ejercicios influyen en las funciones de los diferentes órganos internos y fortalecen la circulación sanguínea corporal.
- Al realizar todos los ejercicios de yoga lo importante es apoyarlos con una respiración consciente, que también produce una relajación física y mental.

Para la espalda y la movilidad: "el gato"

▶ **También para principiantes**

Este ejercicio consta de dos posturas corporales básicas, y sirve para estirar y descongestionar la musculatura de la espalda y de la columna vertebral.

Se utiliza para relajar y aliviar la tensión de los músculos de la espalda a lo largo de la región de la columna vertebral.

1. Póngase "a cuatro patas". Espire y arquee la espalda hacia arriba (*corcova*), dejando que la cabeza cuelgue relajadamente entre los brazos.

2. Al mismo tiempo que inspira, presione la espalda en dirección contraria para ponerla en forma de lordosis. Eche la cabeza hacia atrás un poco y dirija la vista hacia arriba, de forma que el tórax se dilate lo más posible.

Repita ambas posturas, despacio, de 3 a 4 veces. Mantenga siempre un ritmo respiratorio armónico.

¡No empiece por propia iniciativa!

! Al igual que ocurre con la Medicina, el yoga es todo un arte; por eso no se pueden aprender los ejercicios solamente con la información obtenida en libros y revistas especializadas, sino que el aprendizaje ha de estar dirigido por un experto en la materia que realice sus enseñanzas en grupos reducidos! Infórmese en las escuelas de yoga o diríjase a centros de salud y universidades, que también suelen impartir cursos. En cuanto haya aprendido a realizar los ejercicios correctamente, podrá repetirlos en casa solo.

Meditación

Las mejores ideas se nos suelen ocurrir a los seres humanos por las mañanas, después de un sueño saludable y reparador. Los conceptos más profundos se aclaran con más facilidad tras reflexionar con calma sobre el *dasein* (concepto filosófico con el que se designa el «ser-ahí» o el «ser-en-el-mundo»).
Esta forma de "actividad interior" es lo que se conoce como meditación (sumirse en una reflexión profunda), un método que sirve también para relajar la mente.

Así actúa la meditación

• Con la meditación, la mente aprende a protegerse de los riesgos procedentes del exterior y a concentrarse en un solo asunto y en un único pensamiento. De este modo, es posible sondear ámbitos de la consciencia que suelen permanecer ocultos o a los que se presta poca atención. Este estado se define como "el silencio perfecto de la consciencia".
• La relajación de la mente es muy importante para las personas estresadas, pues el origen de este padecimiento está principalmente en la cabeza.
• En el aspecto físico, durante la meditación también tienen lugar cambios positivos: la respiración se hace más profunda y la circulación sanguínea transporta más oxígeno.

Practique con regularidad

Para que el yoga y la meditación causen los efectos debidos, es preciso realizar su práctica con regularidad. Es mejor un cuarto de hora o media hora todos los días, que un largo entrenamiento una vez a la semana. Tómese el tiempo necesario para realizar cada postura de yoga o cada ejercicio de meditación.
Busque un sitio tranquilo y procure que nadie le moleste. Es preferible hacer unos pocos ejercicios a "plena conciencia", que hacer muchos con demasiada premura y sin concentración.

Meditación con una palabra

▶ Para los ratos libres

Una de las muchas técnicas de meditación es la que se realiza con una palabra (*mantra*). La repetición constante del mantra crea una disposición mental positiva, beneficiosa y relajante. Elija una palabra de contenido neutro, pero que sea "muy sonora". Por ejemplo, el término inglés *one* (pronúnciese *uan*) es muy apropiado para este fin.

1. Siéntese, en una silla o en el suelo, en actitud relajada y con las piernas cruzadas (ponga un cojín debajo). Lo importante es estar cómodamente sentado y con la columna vertebral derecha. Cierre los ojos y respire tranquilo y a ritmo acompasado.

2. Pronuncie varias veces –en voz alta, despacio y siguiendo un ritmo– la palabra que haya elegido.

3. Después de haber pronunciado la palabra tres veces por lo menos, dígala en un tono de voz cada vez más bajo hasta que casi se convierta en un susurro.

4. Repítase después varias veces la palabra interiormente: piense en ella pero no la pronuncie.
Al principio, hágalo durante 5 minutos; luego, alrededor de 15. En el transcurso del ejercicio, escuche relajadamente la palabra y sienta su armonía.

5. Deje fluir de nuevo, con normalidad, sus pensamientos cotidianos. Permanezca sentado, con los ojos cerrados, durante otros 2 ó 3 minutos.
Después de esta agradable sensación de bienestar, abra los ojos y aspire y espire profundamente unas cuantas veces hasta recuperar la normalidad. Muévase y estírese realizando movimientos muy suaves.

Meditar es desconectarse del mundo que nos rodea, dejando fluir los pensamientos con serenidad como el agua de un arroyo.

Meditación con un objeto

▶ Tranquiliza y reanima

La llamada «meditación visual» se realiza con los ojos abiertos, para lo que hay que concentrarse en un objeto cualquiera (jarrón, cuadro, tiesto de flores u otro que le guste y que se encuentre en la habitación).

1. Coloque el objeto ante sus ojos, a una distancia de un metro o metro y medio. Aleje las cosas que estén a su lado y otras que puedan estar situadas detrás, así evitará perder la concentración.

2. Siéntese, cómodo y erguido, delante mismo del objeto. Mírelo y no haga otra cosa que mirarlo, sin valorarlo, clasificarlo ni hacer otro tipo de suposiciones. Si le asalta algún pensamiento de este tipo u otro cualquiera, déjelo de lado y concéntrese. No mire fijamente al objeto, parpadee y recorra despacio con la vista todo el objeto.

3. Durante 7 ó 10 minutos, no pierda de vista el objeto; luego, desvíe su mirada hacia otro punto más lejano que encuentre en la habitación. También, puede alejarse del objeto mentalmente.

4. Pasados unos segundos, repita el ejercicio una y otra vez –mire al objeto, aparte la vista hacia otro lugar y vuelva a mirarlo– durante 5 minutos más o menos.

5. Cierre los ojos en este momento, permanezca sentado tranquilamente durante 1 ó 2 minutos y deje que su mente recobre los pensamientos cotidianos. Abra los ojos e inspire y espire a fondo unas cuantas veces, de modo que oiga bien su propia respiración.

Tai-Chi y Qigong

Estos dos procedimientos proceden de la ancestral Medicina Tradicional China (MTC). Su principal objetivo es, ante todo, mantener sanos tanto el cuerpo como la mente y, también, ayudarles a sobrellevar los problemas cotidianos.

Tai-Chi: armonía interna y externa

«Flexible como un niño, sano como un leñador y sereno como un sabio», así describe un proverbio chino las metas del Tai-Chi. Los ejercicios semejan una danza lenta y estimulante, y constituyen una especie de meditación en movimiento que ayuda a quien la ejercita a encontrar su armonía interna y externa.
Por este motivo los médicos chinos recomiendan el Tai-Chi (llamado a veces "Tai-Ji-Quan"), sobre todo como método de relajación y para mantener la armonía entre cuerpo, alma y mente.

Qigong: fuente de energía vital

La sílaba "Qi" significa algo así como "energía vital", esa fuerza esencial que todo ser humano lleva dentro de sí desde el comienzo y que le acompaña durante toda su existencia. En cambio, la sílaba "gong" significa "trabajo" o "ejercicio constante y competente". Por lo tanto, Qigong quiere decir "trabajar la energía vital".
El Qigong, basado en la filosofía de la vida, se compone fundamentalmente de ejercicios físicos, respiratorios y de meditación especiales. Estos diferentes ejercicios sirven para prevenir y tratar enfermedades, así como para aumentar el bienestar general, el afán emprendedor y las ganas de vivir.

Así actúa el Tai-chi y el Qigong

Los dos métodos aquí tratados ofrecen una gran variedad de ejercicios, muy eficaces en el vasto y complejo campo de la relajación.

- En primer lugar, los ejercicios se deben realizar siendo conscientes de lo que se está haciendo. Las posturas corporales exigidas en cada uno de ellos, permiten profundizar en los pensamientos y sentimientos de uno mismo, regular la respiración y percibir todas las sensaciones físicas relacionadas con el estiramiento y la relajación de los miembros.
- Esta experiencia corporal proporciona un total sentimiento de control y concentración, tan necesario en los tiempos o épocas de crisis psíquicas y físicas, donde muchas cosas se escapan de nuestras manos.

La vida interior

▶ Relaja en unos minutos

Este ejercicio de Qigong es la base de los restantes que incluye este procedimiento. La meta es ayudar a la persona que lo práctica a adoptar una postura positiva y agradable frente a sí mismo, frente a los demás y frente a cualquier acontecimiento que se presente en la vida.

1. Cierre los ojos y respire tranquilo y acompasado. Luego, frunza la frente y oblíguese al mismo tiempo a pensar en algo agradable durante cierto tiempo; de este modo, se supone que contendrá la respiración durante unos instantes.

2. Relaje después el semblante y alégrese interiormente. Este agradable sentimiento también puede tener su vivo reflejo o expresión de sonrisa en la cara. Respire de nuevo tranquilo y acompasado.

Cuando haya repetido el ejercicio unas cuantas veces, se dará cuenta de la importancia que tiene la alegría interior: el mero hecho de fruncir la frente bloquea la respiración y, con ello, también el Qi, la energía vital. Pero en cuanto se interioriza esta alegría, el espíritu se anima y se quita importancia a muchas situaciones conflictivas de la vida diaria.

El despertar del Qi

▶ Reanima enseguida

Muchas formas de Tai-Chi y Qigong comienzan con este ejercicio, cuyo fin es despertar y estimular al Qi, la fuerza vital y condición previa indispensable para la realización de todos los ejercicios restantes. Cada vez que se sienta desequilibrado o rígido, regenere su energía con la práctica de este ejercicio.

1. Adopte la posición inicial, es decir, póngase de pie, relajado y con las piernas abiertas el ancho de los hombros, las rodillas algo flexionadas, los brazos caídos y sueltos y las manos algo cerradas.

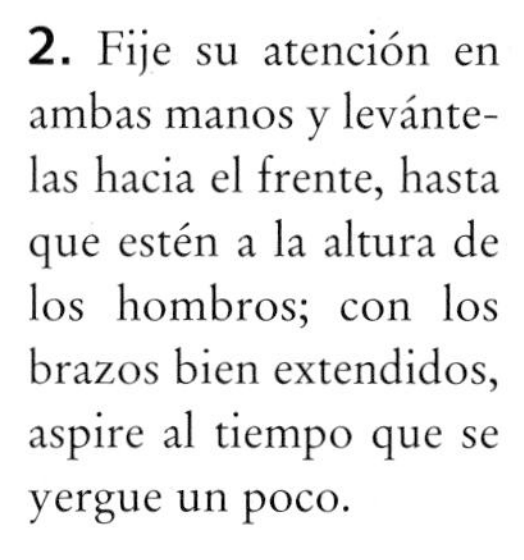

2. Fije su atención en ambas manos y levántelas hacia el frente, hasta que estén a la altura de los hombros; con los brazos bien extendidos, aspire al tiempo que se yergue un poco.

3. Baje los codos lentamente desde la posición anterior, y mantenga los antebrazos y las manos alineados.

4. En cuanto haya bajado del todo los codos y manténgalos pegados al cuerpo, baje también lentamente las manos y los antebrazos en un solo bloque. Vuelva después a la posición inicial, al tiempo que espira y dobla las rodillas de nuevo un poco para poder realizar el ejercicio otra vez.

Repita el ejercicio de 3 a 15 veces, mejor por las mañanas o por las tardes.

¡Practique bajo la dirección de un experto!

Para aprender el Tai-Chi y el Qigong lo mejor es hacerlo en cursos impartidos en universidades, centros de salud o asociaciones por profesionales con experiencia, pues se necesita mucha práctica para realizar los ejercicios con fluidez! Libros especializados y vídeos le ayudarán a centrarse para la práctica en casa. Si padece alguna enfermedad grave, consulte antes con su médico.

Los cinco tibetanos

Relativamente fáciles, los "cinco tibetanos" son unos ejercicios considerados como la "fuente de la juventud". Tal consideración se debe a que los monjes del Himalaya los practican con éxito desde hace miles de años para mantener su salud. Dejando a un lado que sean o no una panacea, lo cierto es que ejercen una influencia positiva sobre el cuerpo y sobre la psique.

Así actúan los cinco tibetanos

- La práctica de estos ejercicios facilita el acceso a energías no aprovechadas, y ayuda a mantener el bienestar general del cuerpo, el alma y la mente.
- Sin embargo, la meta principal de estos ejercicios es retrasar el envejecimiento. Realizados correcta y regularmente, los cinco tibetanos pueden ser la "pieza clave" que contribuya a preservar y conservar la juventud, la salud y la vitalidad de las personas.

Cómo hay que realizar los ejercicios

- Los "neófitos" deben empezar repitiendo tres veces cada uno de los ejercicios. Y, a medida que se vaya acostumbrando a la cadencia que marca el ritmo anterior, se aumenta el número poco a poco hasta conseguir repetir cada uno de los ejercicios 21 veces seguidas.
- Durante la práctica de los cinco ejercicios, preste atención al ritmo respiratorio, que debe ser el mismo en cada ejercicio. Para ayudarse en este objetivo mientras se ejecutan se puede poner, por ejemplo, alguna pieza de música con un ritmo determinado que facilite su realización. El aire de la respiración durante los ejercicios, se debe dirigir hacia el abdomen.
- El efecto beneficioso de estos ejercicios, hace muy aconsejable su práctica. ¡Comience el día con los "cinco tibetanos"!

¡Déjese aconsejar por un experto!

Quien sufra dolores de espalda (sobre todo en la región lumbar y en la nuca), le servirá de gran ayuda aprender y practicar los "cinco tibetanos" bajo la dirección y supervisión de un médico o un terapeuta!

Algunos libros especializados recogen variantes de estos ejercicios, que alivian los dolores de espalda y hacen mantener la postura correcta y equilibrada. Además, se pueden realizar durante el embarazo.

Manténgase en forma todo el día con los cinco tibetanos

▶ **Por las mañanas al levantarse**

Primer tibetano

1. Póngase de pie, abra las piernas un poco, extienda los brazos lateralmente –a la altura de los hombros– y ténselos completamente hasta la punta de los dedos.

2. Gire sobre su propio eje, a pasitos cortos, en la dirección de las agujas del reloj. Los principiantes girarán muy despacio. Para no marearse, antes de comenzar a girar fije la mirada en un punto determinado y no lo pierda de vista durante el mayor tiempo posible. Después de iniciar la segunda mitad del giro, vuelva a fijar la vista en él tan pronto como pueda. Mientras gira, preste especial atención a la respiración: espire e inspire tranquilamente y con regularidad durante todo el ejercicio.

1

Segundo tibetano

3. Tiéndase de espaldas en el suelo, con los brazos extendidos y pegados al cuerpo.

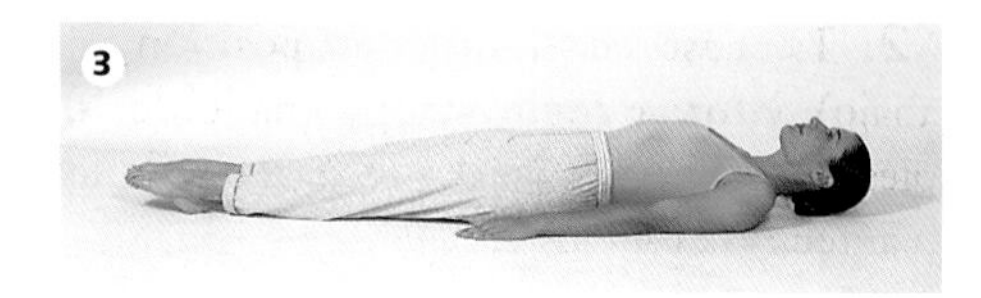

4. Junte y estire las piernas, levántelas hasta la vertical y, al mismo tiempo, tire del mentón hacia el pecho. Manténgase en esta postura unos segundos.

5. A continuación, baje las piernas y la cabeza al mismo tiempo hasta conseguir que reposen de nuevo sobre el suelo.

Tercer tibetano

6. Arrodíllese en el suelo con el tronco erguido. Ponga las manos a ambos lados de las nalgas, tire del mentón hacia el pecho poco a poco y mantenga la postura durante unos instantes.

7. Eche la cabeza hacia atrás lentamente y, al tiempo que inspira profundamente, hunda la espalda todo lo que pueda.

8. Mientras regresa poco a poco a la posición inicial, espire tranquilamente.

Cuarto tibetano

9. Siéntese en el suelo y estire las piernas; luego, apoye las manos al lado de ambas nalgas y tire del mentón hacia el pecho. Mantenga la espalda derecha y las palmas de las manos pegadas al suelo con las puntas de los dedos dirigidas hacia adelante.

10. Eche la cabeza hacia atrás y apoye fuertemente los pies en el suelo. Al mismo tiempo, haga fuerza hacia arriba con las pantorrillas, las nalgas y la espalda; mientras tanto, inspire y forme con su cuerpo un puente completamente recto.

11. A medida que retorna a la posición inicial, espire tranquilamente. ¡Evite realizar movimientos bruscos!

Quinto tibetano

12. Tiéndase en el suelo en posición prono (boca abajo), y forme con el cuerpo una lordosis; separe los pies un palmo el uno del otro, extienda los brazos y mantenga la cabeza recta.

13. Partiendo de esta posición inicial, levante las nalgas todo lo que pueda, de modo que el cuerpo forme un triángulo. Para finalizar, hunda la cabeza en el pecho e inspire.

14. Mientras retorna a la posición inicial, espire con tranquilidad.

Manténgase en forma mediante el ejercicio

El aparato locomotor –esqueleto, tendones, ligamentos, articulaciones, musculatura– es, como todo el organismo humano, robusto y sensible a la vez. Dentro de unos límites, tiene una gran capacidad de funcionamiento y, aunque no es un mecanismo técnicamente perfecto, es un aparato de precisión. Para mantener sano el organismo, es importante cuidar y entrenar el aparato locomotor. Esto significa que, a cualquier edad, se ha de cuidar y mover con moderación.

El deporte: fuente de energía para el cuerpo y la mente

Muchas de las enfermedades actuales, como trastornos cardiovasculares, obesidad o problemas de espalda, se deben a la falta de ejercicio o a unas costumbres monótonas y equivocadas. Permanecer sentado o de pie todo el día, sin moverse apenas, ejercita siempre los mismos músculos, mientras que el resto de los que componen el sistema locomotor no intervienen en absoluto o muy poco. Además, es poco frecuente que la actividad diaria sea tan intensa como para acabar "agotado por completo" al final de la jornada. En cambio, un entrenamiento con ejercicios moderados permite aumentar la masa muscular y, también, fortalecer la función cardiovascular y la resistencia. En un cuerpo entrenado, el metabolismo se activa y el suministro de oxígeno y nutrientes es mucho mejor.

Practicar deporte con moderación mantiene la movilidad de las articulaciones, pero el ejercicio también ayuda a combatir el estrés y a aumentar la facultad de relajación y regeneración del cuerpo, sin olvidar que nos hace ser conscientes de lo valioso que es.

Cuando se practican aquellos deportes más apropiados a las condiciones físicas personales, el cuerpo se convierte en una fuente de fuerza y energía muy beneficiosa en la vida diaria.

La actividad física correcta

• La actividad física adecuada significa mantener el cuerpo ágil y en forma con ejercicios variados y entretenidos, sin que esté sometido a un entrenamiento aburrido y monótono.

Los médicos deportivos aconsejan combinar –en proporción adecuada– resistencia, movilidad, fuerza y rapidez. Según los conocimientos más recientes de la medicina deportiva, es el método ideal para mantener la salud de los órganos internos y del aparato locomotor.

• Esto se consigue con la práctica de deportes que fomenten la flexibilidad del propio cuerpo, el empleo de los músculos y la mejora de las condiciones físicas, como la gimnasia, *stretching*, natación, *walking*.

• Deportes ideales para tener resistencia y fuer-

Participar del placer de realizar deporte en compañía, contribuye a mejorar la salud y aumenta la alegría de vivir.

za muscular son: ciclismo, *jogging*, remo y natación.

• El deporte tiene que ser ante todo divertido, y debe practicarse como un *hobby*. Por el contrario, si se practica un deporte cualquiera como obligación sólo por el mero hecho de que es necesario para la salud, la persona lo abandonará al poco tiempo o se agarrotará hasta el punto de sufrir alguna lesión.

• El deporte de alta competición, sea de la disciplina que sea, exige del cuerpo un alto grado de resistencia, fuerza muscular y energía.

De todas maneras, debe tenerse bien presente que muchos deportes no entrenan todos los músculos por igual, sino que exigen un esfuerzo mayor a grupos musculares muy concretos, a la columna vertebral, a los ligamentos y a determinadas articulaciones. Esto hace flaquear el sensible equilibrio del aparato locomotor y, frecuentemente, ocasiona sobrecargas viciosas de carácter extremo.

• Un programa de *fitness* moderado debe estar formado básicamente por:

1. Ejercicios de calentamiento (→ página 699).
2. Ejercicios de resistencia (→ página 701).
3. Ejercicios de fuerza (→ página 704).
4. Ejercicios de movimiento (→ página 706).

Calentamiento con "stretching"

El *stretching* es un buen método para mantener la elasticidad, la agilidad y la movilidad del aparato locomotor. Los siguientes ejercicios de estiramiento son ideales para el calentamiento del cuerpo, de modo que disminuya el riesgo de lesiones y queden descartadas las contracciones musculares. El *stretching* es apropiado para quienes tengan problemas de espalda y para las personas que quieran mejorar su aspecto físico.

El "stretching" en la práctica

Para el estiramiento de los músculos y de los miembros, hay que seguir la llamada "técnica S-H-R-S":

• Para empezar, estire sólo hasta sentir un ligero tirón (S: *Stretch*).

• Mantenga luego esta posición 20 segundos (H: *Hold*).

• Después, afloje un poco (R: *Release*) y, a continuación, concéntrese y estírese un poco más (S: *Strech*). ¡No balancee el cuerpo, ni tense y afloje o realice movimientos bruscos al estirarse!

• Los principiantes repetirán el ejercicio cinco veces; los más aventajados, hasta ocho veces o más.

El arco respiratorio relaja y afloja

► Por las mañanas al levantarse

1. Póngase de pie, con las piernas abiertas y ligeramente arqueadas. Apoyándose en los talones, gire los pies hacia los lados y mantenga las rodillas en la vertical con las articulaciones de los pies.

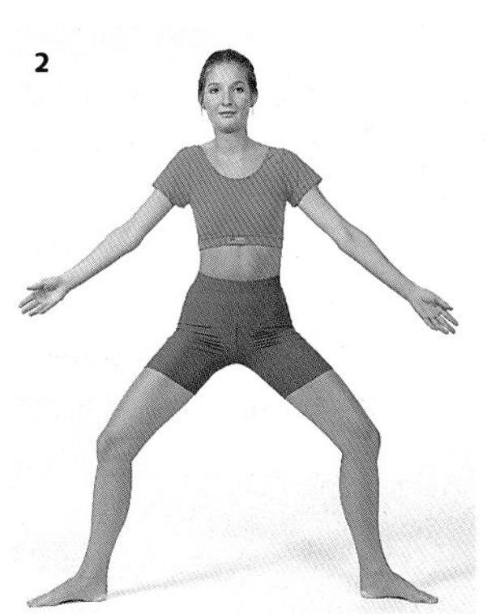

2. - 4. Eche las nalgas hacia atrás y, lateralmente, eleve despacio los brazos partiendo desde la pelvis.
Al mismo tiempo, estire las piernas e inspire con tranquilidad.

Giro de nuca, para nuca y tórax
▶ Relaja de inmediato

1. Tiéndase de espaldas con las manos colocadas detrás de la cabeza, a la altura de la nuca. Ponga las piernas en alto y procure que, durante todo el ejercicio, la región lumbar permanezca en contacto con el suelo.

2. Levante la cabeza despacio y tire del mentón hacia el pecho, hasta que note un ligero estiramiento de la columna vertebral. Respire con regularidad y mantenga la posición todo el tiempo que pueda.

3. Desarrolle el ejercicio lentamente, vértebra por vértebra, y eche la cabeza de nuevo para atrás.

1

2

La "ola", vela por una buena figura
▶ Por la mañana y por la tarde

1

2

3

1. Apóyese en la pared y abra las piernas; mantenga las rodillas en vertical respecto de los pies.

2. Doble el tronco a la altura de la pelvis y, para estirar la espalda, deslícelo hacia adelante horizontalmente. Durante el tiempo que dura el ejercicio, conserve las nalgas pegadas a la pared.

3. Mantenga derecha la espalda y eleve el tronco de nuevo.

La "posición de salida" estira piernas, caderas y glúteos
▶ Se necesita algo de práctica

1. Arrodíllese en el suelo sobre la pierna izquierda y adelante el pie derecho todo lo que pueda para conseguir su máximo estiramiento, de modo que la rodilla derecha no supere en ningún momento la articulación del pie.

2. Empuje la pelvis hacia adelante. Mantenga esta posición hasta que note que el estiramiento cede; después, siga presionando poco a poco, centímetro a centímetro.

3. Alterne la posición de las piernas.

❷

El "tornillo" para la parte inferior de la espalda

▶ Al levantarse por la mañana

1. Tiéndase en el suelo, extienda los brazos lateralmente todo lo que pueda, flexione las piernas y cruce la derecha sobre la izquierda.

2. Baje las piernas hacia la izquierda, poco a poco, hasta que la rodilla derecha toque el suelo. Al mismo tiempo, gire la cabeza hacia la derecha. Mantenga los hombros en el suelo. Permanezca en esta posición un rato y, después, vuelva a la posición inicial.

3. Alterne las piernas, y gire la cabeza y las piernas en dirección contraria a la de antes.

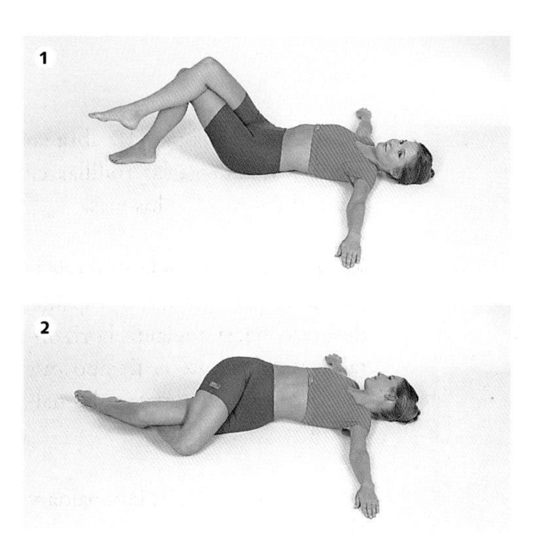

La "posición de la rana" estira piernas, espalda y glúteos

▶ Empiece con cuidado

1. Siéntese, encoja las piernas y apoye el tronco sobre los muslos sin llegar a encorvarse. Sujete ambos pies con las manos.

2. En esta posición, tire de los pies hacia adelante, poco a poco, hasta que note un ligero estiramiento en la cara interna de los muslos, en las pantorrillas y en la parte inferior de la espalda.

Entrenamiento de resistencia para una buena preparación física

Después de que con el *stretching* haya calentado y dado elasticidad al cuerpo, se impone un entrenamiento de resistencia que mejore la circulación sanguínea, el suministro de oxígeno y la capacidad respiratoria.
A continuación, se recogen diversos ejercicios y se apuntan varios deportes muy recomendables para su práctica regular con el fin de dar nuevos bríos al cuerpo y ponerlo en forma.

El entrenamiento de resistencia en la práctica

• Las condiciones físicas necesarias para practicar un deporte, no se pueden adquirir de la noche a la mañana. Entrénese, pues, con moderación y de acuerdo con sus actuales condiciones físicas.
• Para apoyar cada fase del ejercicio, respire correctamente durante el entrenamiento.
• Los principiantes comenzarán el entrenamiento en sesiones de 10 a 15 minutos, aumentando progresivamente este tiempo a medida que se lo permitan sus condiciones físicas. ¡Pero debe evitarse cualquier exceso!
• El aumento de pulsaciones hasta un determinado nivel, pondrá límite al esfuerzo físico. Como norma general, durante el entrenamiento el número de pulsaciones no ha de superar el resultado de restar a 170 ó 180 por minuto a la edad de la persona que realiza el ejercicio. Así, por ejemplo, el pulso de un joven de 20 años, cuyo rendimiento –según su edad– es del 50 al 70%, no debe superar las 150-160 pulsaciones, mientras que el pulso de las personas de entre 40 y 60 años debe estar comprendido, respectivamente, entre las 130-140 y 110-120 pulsaciones por minuto.
• Evite entrenarse nada más terminar de comer. También, tenga cuidado cuando el calor exterior sea excesivo (más de 25 °C). Del mismo modo, los altos niveles de ozono en los días cálidos suponen un riesgo para la salud. Así, lo mejor es entrenarse unas tres horas después de la comida, preferentemente durante las horas más frescas de la mañana o de la tarde.

Deportes que mejoran las condiciones físicas

Deporte	Efectos que produce	Advertencias
Andar y dar caminatas	Entrenamiento moderado, que mejora las condiciones físicas si se practica con regularidad y a paso ligero.	Menos eficaz si se camina despacio, no apropiado para calles asfaltadas, duras y rectas, ni cuando el aire está enrarecido.
Marcha	Buen entrenamiento físico; fortalece el corazón, la musculatura de las piernas y la respiración, activa la circulación sanguínea.	Véase arriba.
Jogging	Entrenamiento fuerte de la musculatura y las condiciones físicas.	¡Cuidado con las rodillas y articulaciones débiles! No corra sobre terreno duro.
Ciclismo	Fortalece la musculatura de las piernas, sin forzar demasiado las articulaciones de pies y piernas; también fortalece el corazón, y la circulación sanguínea.	Apto para personas con sobrepeso y con las articulaciones dañadas ¡Cuidado con los problemas de espalda!
Natación	Entrenamiento físico óptima; fortalece los músculos, la respiración y la función cardíaca; previene las varices.	¡Cuidado con las posturas viciosas y las lesiones de columna y ligamentos! ¡Evite quedarse frío!

Andar y dar caminatas: entrenamiento moderado

Andar y dar caminatas son las formas de actividad deportiva que menos esfuerzos requieren. Pero para entrenar las condiciones físicas no es suficiente con dar un largo paseo de vez en cuando. Es mucho más efectivo recorrer una distancia en un tiempo previsto con anterioridad –por ejemplo, de 3 a 3,5 kilómetros en media hora– y aumentar el esfuerzo poco a poco. Además, es importante que en el recorrido se alternen tramos llanos con subidas y bajadas de terreno poco pronunciadas, y exponerse lo menos posible al humo nocivo de escapes, polvo, ruido y demás elementos que componen la contaminación medio ambiental.
Dado que el aumento de la capacidad de rendimiento físico depende de los límites de resistencia personales, a título orientativo se recomienda:

- Dar 3 ó 4 caminatas semanales a "paso rápido".
- Empezar andando 10 minutos, subir después a 20 y acabar caminando 30 minutos cada sesión.

Marcha: beneficiosa y eficaz

Nacido en América, este deporte entrena todo el cuerpo mucho mejor que los paseos y, a su vez, presenta muchos menos riesgo de lesión en comparación con el *jogging*. En la marcha, además de la musculatura de las piernas, se ejercita también la de los brazos, que se mueven enérgicamente con cada paso que se da. Si se practica siguiendo unas pautas estrictas ya establecidas, activa igualmente el sistema cardiovascular:

- Los principiantes deben comenzar dando 110 pasos por minuto, que subirán poco a poco hasta llegar a un tope máximo de 130 a 140 pasos por minuto.
- Lo ideal es practicar marcha 2 ó 3 días por semana, a razón de 30 a 35 minutos por sesión.

La marcha deportiva o atlética consiste, literalmente, en "caminar a ritmo acelerado" sin correr.

"Jogging": para adquirir resistencia y fuerza muscular

En la carrera de resistencia se entrenan la fuerza muscular y la capacidad de resistencia del cuerpo. Pero, los principiantes deben atenerse a las siguientes normas:
• Repita 3 ó 4 veces las carreras a la semana, a ritmo constante; después del calentamiento seguirá, la primera semana, 1 minuto de carrera; 2 minutos, la segunda; 3 minutos, la tercera, y así sucesivamente
• Haga *jogging* 1 minuto más cada semana, hasta que pueda correr 30 minutos sin problemas en seis meses.

¡Tenga cuidado con sus articulaciones!

¡Los huesos y las articulaciones sufren mucho con el *jogging*! Para reducir el riesgo de lesiones, es preciso llevar buen calzado, correr preferentemente sobre suelos blandos y, antes, realizar un precalentamiento apropiado.

Ciclismo: refuerza las piernas

Andar regularmente en bicicleta, refuerza la musculatura de las piernas y la circulación sanguínea, así como el sistema respiratorio.
Debido a que los pies y las articulaciones de las piernas soportan menos carga durante su práctica, el ciclismo es un deporte muy indicado para personas con sobrepeso y lesiones en las articulaciones.
• Al principio, se pueden realizar en recorridos cortos, de unos 10 minutos, durante 3 ó 4 veces por semana.
• Tras 1 ó 2 semanas, alargue la duración hasta los 15 ó 20 minutos por sesión.
• Cuando lo consiga, puede aumentar y hacer entrenamientos semanales de 60 minutos o más.

Cuidado con las sobrecargas

¡Como deporte de resistencia, el ciclismo puede traer consigo posturas viciadas de la columna! Utilice una bicicleta que se adapte a la fisiología natural del aparato locomotor, como, por ejemplo, una "holandesa" (de venta en comercios del ramo). Para que las articulaciones de las rodillas sufran lo menos posible, regule el cambio de marchas para que ofrezca la resistencia adecuada.

Natación: ideal y versátil

La natación es un deporte ideal, cuya práctica no depende de la climatología (son habituales las piscinas climatizadas). Requiere el esfuerzo de todo el cuerpo, pues nadar periódicamente entrena la musculatura esquelética, fortalece la musculatura respiratoria, aumenta el volumen cardíaco y ayuda a prevenir las varices. Junto con el movimiento, la acción estimulante del agua produce efectos positivos sobre la salud.
Comience a nadar poco a poco, y vaya aumentando el entrenamiento progresivamente:
• Según sea la capacidad de resistencia personal, se puede comenzar a nadar de 3 a 4 días durante la primera semana, a razón de 3 a 8 minutos diarios.
• Dependiendo del nivel de resistencia alcanzado, en el transcurso de la segunda semana ya se puede aumentar el tiempo hasta los 10 ó 15 minutos.
• Si se cambia de estilo de natación, se consiguen resultados sorprendentes; por ejemplo, el estilo "braza" es idóneo para el entrenamiento de las articulaciones de hombros, caderas y rodillas, pero no debe utilizarse si existen lesiones vertebrales o de ligamentos, en cuyo caso es más apropiado nadar a "crol" o "de espaldas".
• Después de comer y tener el estómago lleno, es importante no meterse en el agua de inmediato. Conviene esperar hasta que pasen, al menos, dos horas desde que se ha comido.
• Antes de meterse en el agua y ponerse a nadar, dése una ducha con agua caliente y, después, nade con energía para no enfriarse.

La natación es un deporte muy completo, que permite entrenar todos los músculos del cuerpo.

Ejercicios de fuerza para mantener la figura

El entrenamiento de fuerza fortalece los músculos y aumenta la masa muscular.

Para conseguirlo, la masa se mueve ejerciendo fuerza contra una resistencia; por ejemplo, flexionando brazos y piernas en oposición al peso del propio cuerpo, o venciendo la resistencia de aparatos, como en la práctica del levantamiento de pesos.

Estudios de "fitness" y "body-building"

Además de ejercicios gimnásticos, en los estudios de *fitness* se suelen ofertar cursos de *body-building* (culturismo). Se realizan éstos con aparatos especiales, que entrenan determinados grupos musculares.

Pero el entrenamiento con aparatos se requiere un profundo conocimiento. Es, pues, muy importante que el gimnasio cuente con personal cualificado. Por lo tanto, antes de decantarse por un gimnasio de *fitness*, infórmese sobre los ejercicios y la cualificación del personal (médicos deportivos, monitores, profesores deportivos) y, luego, pida que le preparen un programa personalizado. Algunos gimnasios trabajan en colaboración con médicos deportivos, que recomiendan ejercicios especiales para aquellas zonas problemáticas del cuerpo; por ejemplo, una musculatura dorsal débil.

No obstante, también se puede fortalecer la musculatura en casa con la práctica de ejercicios sencillos, pesas ligeras y sencillos aparatos de mano. En estas dos páginas, se ofrecen algunas propuestas.

El entrenamiento de fuerza en la práctica

• Tanto si se entrena con aparatos, como si no, evite siempre los esfuerzos excesivos y los movimientos rápidos y bruscos, pues pueden ocasionar roturas de fibras musculares y desgarramientos. Aumente el número de los ejercicios poco a poco.

• Si se entrena con aparatos, el límite del esfuerzo queda establecido en el momento que no puede realizar con las pesas el mismo ejercicio entre ocho y 15 veces seguidas. Si lo puede repetir 20 veces seguidas, o más, significa que el esfuerzo realizado cada vez es demasiado pequeño; si, por el contrario, el ejercicio no es posible repetirlo por lo menos cinco veces seguidas, indica que el esfuerzo es demasiado grande.

• Adapte, pues, los pesos a su propia capacidad de resistencia; haga la prueba en una tienda de deportes.

Flexiones: fortalecen brazos y piernas

► **Aumentar progresivamente**

Para principiantes

1. Póngase a "cuatro patas" sobre el suelo, cruce los pies por detrás, apoye las manos de forma que los dedos se posicionen en dirección al frente y dispongan las rodillas apoyadas firmemente para resistir el peso del propio cuerpo.

2. Mantenga la espalda bien recta y baje el tronco lentamente. Al elevarse, no estire los codos del todo y mantenga la vista dirigida hacia abajo. Evite formar ningún tipo de lordosis, y no eche la cabeza hacia atrás.

3. Repita el ejercicio cinco veces, y vaya aumentando poco a poco hasta unas 15 veces.

Para iniciados

El ejercicio ofrece una mayor dificultad si se extienden las piernas y, también, si al mismo tiempo se separan los pies tanto como el ancho de las caderas.

Ejercicios con pesas

► Empiece despacio

En las tiendas de deportes venden manguitos especiales de distinto peso, que se sujetan con cremalleras a brazos y piernas. Así, oponen la resistencia de su peso al movimiento que se ejercita.

Entrenamiento de brazos

1. Coloque los manguitos en los brazos y póngase cómodo. Abra las piernas el mismo ancho de los hombros y, luego, extienda los brazos hacia atrás con las palmas de las manos mirando hacia el centro. Mueva los brazos, lentamente, hacia dentro y hacia afuera sin llegar a juntar las manos entre sí.

2. Gire hacia arriba las palmas de las manos; luego, levante y baje los brazos lentamente de ocho a 15 veces.

Entrenamiento de nalgas y piernas (I)

1. Sujete los manguitos lastrados a las piernas; luego, incline el cuerpo hacia adelante y apóyese en una silla o en el borde de una mesa.

2. Despacio y sin tomar impulso, levante las piernas alternativamente hasta la horizontal para, a continuación, bajarlas de nuevo muy lentamente. Repita el ejercicio de ocho a 15 veces.

Entrenamiento de nalgas y piernas (II)

1. Tiéndase de espaldas en el suelo con los brazos extendidos a ambos lados del cuerpo. Para apoyar bien la espalda, puede poner las manos debajo de las nalgas.

2. Después, levante una pierna tras otra y manténgalas verticalmente respecto del suelo.

3. Separe despacio ambas piernas hacia los lados, júntelas de nuevo y repita el ejercicio de ocho a 15 veces.

Mantenga la elasticidad con ejercicios dinámicos

Con los ejercicios siguientes se pueden mantener ágiles las articulaciones, los músculos, los ligamentos y los tendones, compensar los trabajos monótonos y favorecer aquellas zonas que le creen algún problema.

Estire y fortalezca la espalda

► **Ayuda en caso de agarrotamientos**

El giro de pelvis relaja y estira

1. Tiéndase de espaldas en el suelo. Levante las piernas, presione la parte inferior de la espalda y extienda los brazos a ambos lados del cuerpo.

2. Gire despacio la pierna izquierda hacia ese mismo lado y, luego, una la pierna derecha a la otra para tocar con ambas a la vez el suelo. El resto del cuerpo se mantiene en la posición inicial, pero con la cabeza girada hacia la derecha. Permanezca en esta posición un rato, respire y relájese.

3. Gire de nuevo las piernas lentamente, hasta recobrar la posición inicial. Repita ahora los mismos movimientos, pero hacia el otro lado. Hágalos de 3 a 5 veces.

El "limpiaparabrisas" fortalece la espalda

1. Tiéndase boca abajo, con las puntas de los pies y la frente apoyados en el suelo, y extienda los brazos hacia ambos lados del cuerpo.

2. Levante algo un brazo y llévelo despacio hasta la cabeza. Mientras lleva este brazo a su posición inicial (a un lado del cuerpo), eleve el otro brazo lentamente. Repita el ejercicio 10 veces en total.

Para fortalecer el abdomen

► **Ejercicio fácil**

La "bicicleta" fortalece los músculos de las piernas y del abdomen

1. Tiéndase de espaldas y sitúe las manos debajo de la cabeza. Para que la espalda esté siempre en contacto con el suelo, coloque un cojín o una toalla debajo de las nalgas y la región lumbar.

2. Eleve primero una pierna y, después, la otra. Luego, extienda ambas, estire los dedos de los pies y comience a pedalear despacio. Repita primero el ejercicio durante 1 minuto para, más tarde, subir hasta los 5 minutos.

"Hacer tijeras" fortalece la musculatura abdominal

1. Siéntese en el suelo, apoye los brazos detrás del cuerpo, extienda las piernas en alto y ábralas pasándolas alternativamente una sobre otra.

2. Durante la ejecución del ejercicio no contenga la respiración, respire con normalidad.

Mantenga la movilidad de los brazos

▶ Para principiantes

Fortalecimiento de hombros y brazos

1. Extienda y tense los brazos, cierre los puños y ponga el dorso de ambas manos mirando hacia arriba.

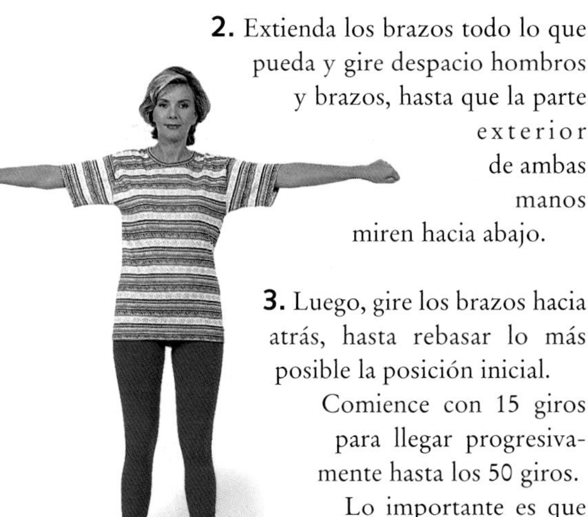

2. Extienda los brazos todo lo que pueda y gire despacio hombros y brazos, hasta que la parte exterior de ambas manos miren hacia abajo.

3. Luego, gire los brazos hacia atrás, hasta rebasar lo más posible la posición inicial. Comience con 15 giros para llegar progresivamente hasta los 50 giros. Lo importante es que manos, codos y hombros se mantengan en línea recta todo el ejercicio.

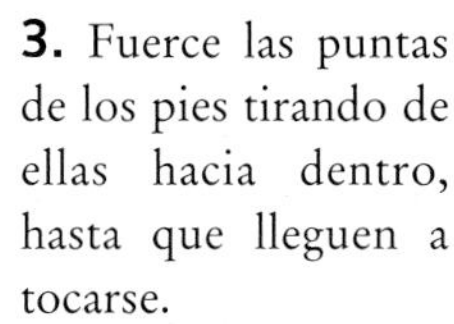

Endurezca sus piernas

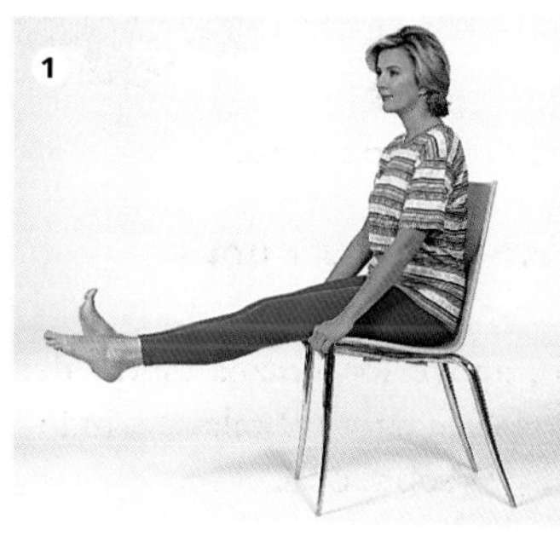

▶ Por la noche, antes de ir a la cama

Sentado

1. Extienda las piernas y levántelas del suelo hasta situarlas lo más cerca de la horizontal. Estire las puntas de los dedos hacia adelante, contrayéndolos con fuerza en dirección a la pantorrilla. Comience estirando y contrayendo los dedos de ambos pies al mismo tiempo (10 veces); luego, alterne un pie con el del otro lado (25 veces cada uno).

2. Describa primero pequeños círculos con ambos pies y, después, alterne cada pie por separado realizando un giro hacia dentro y otro hacia fuera. Repita 25 veces el ejercicio con cada pie.

3. A continuación, encoja los dedos de los pies con fuerza y cuente hasta 10. Estire los dedos y encójalos de nuevo. Repita el ejercicio 10 veces.

De pie

1. Apóyese con una mano en una silla, flexione las rodillas un poco y mantenga las plantas de los pies en el suelo.

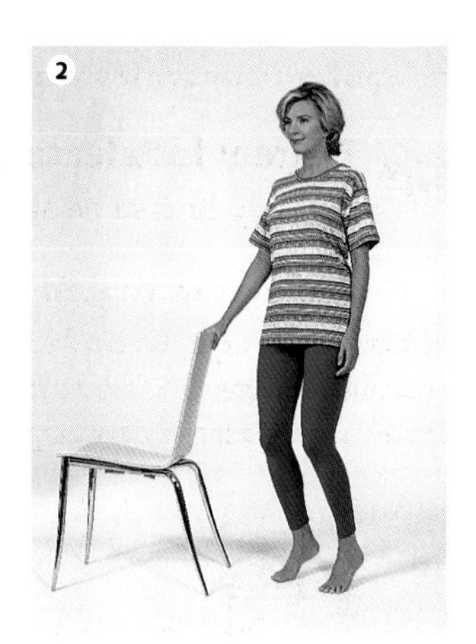

2. Póngase de puntillas poco a poco, al tiempo que dobla las rodillas un poco más. Haga presión con los pies hacia arriba y hacia abajo, alternativamente y con rapidez. Repita 15 veces.

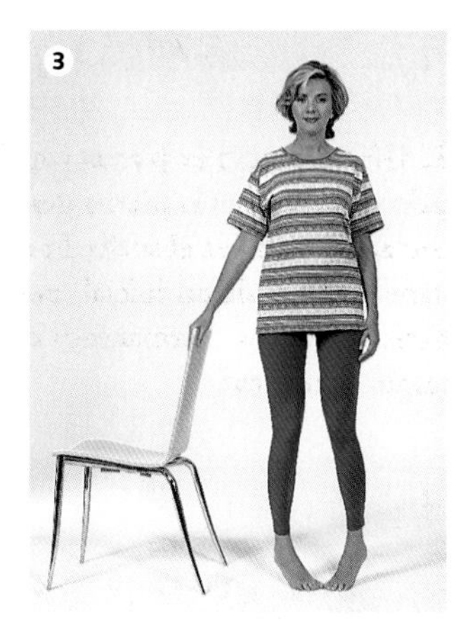

3. Fuerce las puntas de los pies tirando de ellas hacia dentro, hasta que lleguen a tocarse.
Después, póngase de puntillas, presione las rodillas y tire de los talones hacia fuera con fuerza. Repita el ejercicio 15 veces seguidas.

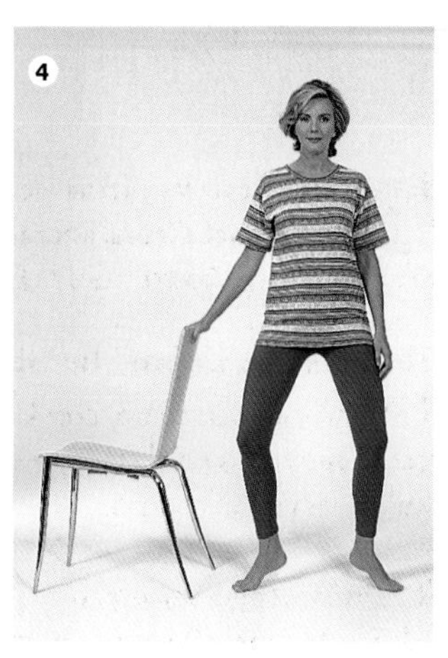

4. Separe los pies el ancho de las caderas y dirija las puntas hacia fuera. Doble las rodillas, póngase de puntillas al mismo tiempo y manténgase así un rato. Desde la posición de puntillas, presione luego las rodillas lentamente todo lo posible y vuelva a posar los pies en el suelo.

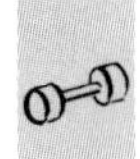

Ejercicios isométricos en casa y en la oficina

► **En ratos libres**

Los ejercicios isométricos apenas si requieren esfuerzo y su realización casi siempre pasa inadvertida, pero resultan muy eficaces. Son apropiados para realizar en la oficina, en los descansos durante los viajes en automóvil o mientras se espera al autobús.

Para fortalecer la musculatura abdominal y en contra del estreñimiento

1. Siéntese relajado y erguido. Durante 5 segundos, haga fuerza con la pared abdominal hacia dentro y, mientras tanto, respire tranquilamente.

2. Relaje los músculos abdominales y relájese en general. Después, vuelva a presionar con la pared abdominal hacia dentro y siga respirando tranquilamente, Repita el ejercicio cinco veces.

Para brazos y tronco

1. Apóyese en el respaldo de una silla o sillón, cruce las manos por detrás de la cabeza y eche el tronco hacia atrás todo lo que pueda.

2. Estire los brazos hacia atrás todo lo que pueda e intente, al mismo tiempo, soltar las manos ejerciendo resistencia con los dedos entrelazados.

3. Siga tirando durante 5 segundos, a la vez que respira tranquilamente. Después, relájese y repita el ejercicio dos veces más.

Masaje: amasamientos y rozamientos

Tanto antes como después de practicar deporte, el masaje siempre resulta muy aconsejable, bien para preparar los músculos o bien para aliviarlos después de haber realizado un gran esfuerzo. También sirve como *fitness,* para así relajar y flexibilizar los músculos.

Además de lo citado anteriormente, la eficacia del masaje está demostrada en el tratamiento terapéutico de muchas afecciones cotidianas de todo tipo como, por ejemplo, dolores de espalda y de cabeza, trastornos de la circulación sanguínea, estados de agotamiento y de estrés, etcécera.

Dentro del marco de la rehabilitación, el masaje se utiliza fundamentalmente después de accidentes o intervenciones quirúrgicas, y suele producir un beneficio considerable en el proceso de curación.

Así actúa el masaje

La acción del masaje es múltiple y muy variada, por lo que tiene diversas aplicaciones médicas:

- Aumenta el riego sanguíneo de los tejidos del organismo y descongestiona zonas venosas y linfáticas (*drenaje linfático*).
- La terapia con masajes estimula las células y, por lo tanto, su metabolismo.
- Hace que los músculos tensos se relajen, los adormecidos recobren su tensión normal y los cansados se recuperan mucho más pronto.
- Sirve como posible solución en los casos de cicatrizaciones y adherencias de tejidos, que suelen formarse debido a lesiones y operaciones.
- Reanima los músculos debilitados por la falta de ejercicio, como consecuencia, por ejemplo, de haber estado mucho tiempo en cama por una enfermedad.
- La aplicación de masajes especiales (masaje del tejido conjuntivo y de las zonas reflejas) influye –a través de la piel, el tejido subcutáneo y la musculatura– muy positivamente sobre las posibles disfunciones de los órganos internos del cuerpo.
- Produce relajación psíquica y equilibrio mental.

Forma correcta de dar masajes

El médico prescribe normalmente los masajes para combatir una serie de afecciones. Estos masajes terapéuticos corren a cargo de personal especializado. Pero también se los puede dar su pareja en casa o, incluso, el automasaje también es muy placentero.

Masaje con aceite

En la aplicación del masaje dado antes o después de un baño o ducha por el otro miembro de la pareja, pero también en los casos que se practica el automasaje, se recomienda utilizar siempre un aceite que tonifique la piel. El aceite suaviza las manos, cuida la piel e incrementa la acción propia del masaje. Los aceites esenciales reaniman y tranquilizan, y hasta pueden aliviar muchas afecciones como, por ejemplo, los resfriados, o fortalecer el sistema inmunológico.

- Para la piel conviene utilizar un aceite neutro, como el aceite de sésamo, de coco o de almendras dulces (de venta en farmacias, droguerías, tiendas de dietética y naturistas, herboristerías), al que se puede añadir aceites esenciales.
- Antes de empezar con el masaje, prepare algunas toallas sobre las que pueda sentarse o tenderse.
- Procure que la habitación esté a una temperatura agradable, y que durante el masaje no le moleste nadie. Dé siempre los masajes con las manos calientes, teniendo cuidado con las uñas para no autolesionarse ni lesionar al otro miembro de la pareja.
- Dé los masajes siempre en dirección al corazón, pero a partir de una zona alejada de este órgano.

Masaje en seco

También puede dar un masaje suave seco a todo el cuerpo, preferiblemente por las mañanas, para lo que debe utilizarse o hacerse con una toalla o con unos guantes de seda cruda.

Los masajes secos, además de activar la circulación sanguínea y el metabolismo corporal, tienen la propiedad añadida de dar consistencia al tejido conjunto y de suavizar y devolver la tersura a la piel.

¡Atención!: ¡Prohibido dar masajes!

¡A pesar de que el masaje terapéutico es de gran utilidad en muchas afecciones, está contraindicado en algunas patologías! Los masajes están prohibidos en los casos de inflamaciones y lesiones agudas, fiebre, trombosis, cáncer y enfermedades cardíacas. Por principio, tampoco deben darse cuando exista un embarazo con factores de riesgo.

¡En caso de afecciones repetitivas de causa desconocida, antes de comenzar con los masajes consulte con su médico!

Masaje relajante en pareja

► Para el disfrute mutuo

La principal característica del masaje dado en pareja es el placer que supone abandonarse al delicado contacto de unas manos cariñosas. Pero para que el masaje en pareja resulte una experiencia altamente agradable y relajante, primero hay que conocer las técnicas básicas más importantes. A medida que uno de los miembros de la pareja realiza las distintas manipulaciones del masaje, el otro le indicará dónde le sienta mejor y cuándo debe masajear más fuerte o con mayor suavidad. Luego, se intercambian los papeles para buscar aquellas zonas de la pareja donde esté más tensa.

Rozamientos

Suponen la ligera presión de unas manos cálidas y algo aceitosas acariciando, en sentido ascendente, la región muscular desde el borde de la pelvis hasta la base de la nuca; luego, en dirección contraria, desde los hombros hasta la posición inicial. Repetir tres veces.

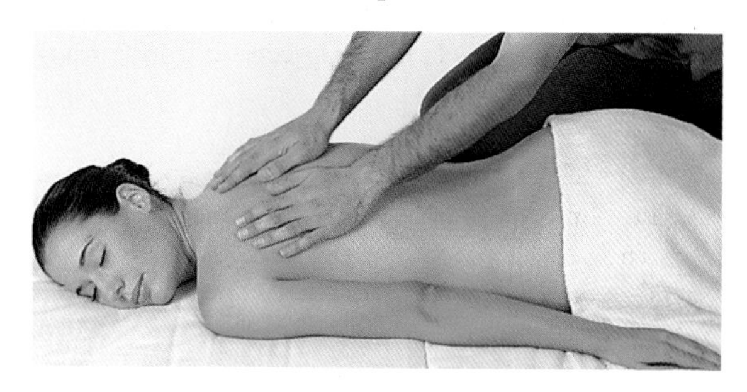

Amasamientos

Se aprieta, enrolla y golpea el tejido muscular como si estuviera amasando pan. Las zonas carnosas del cuerpo, como nalgas y muslos, se amasan con ambas manos. Con las puntas de los dedos se amasan aquellas partes menos carnosas del cuerpo, como son el tejido muscular de la espalda (una sola vez, desde los muslos hasta la base de la nuca).

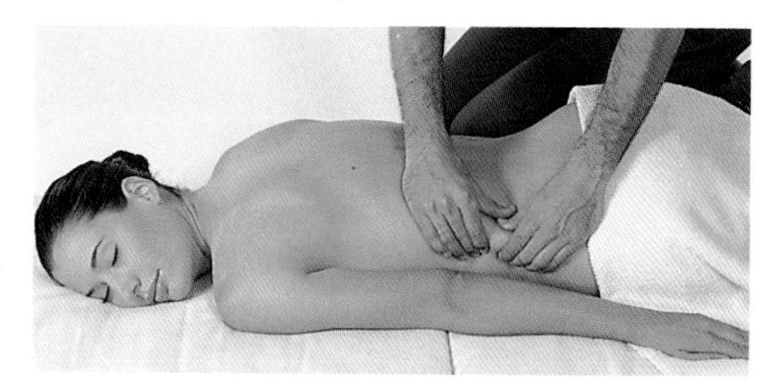

Fricciones

Con la base de los dedos pulgares de ambas manos (*eminencias tenares*), partiendo desde el borde inferior de la pelvis hasta la base de la nuca, frote la piel describiendo círculos pequeños o espirales.
Deslice luego las manos hacia abajo, hasta la posición inicial, y repita las fricciones tres veces.

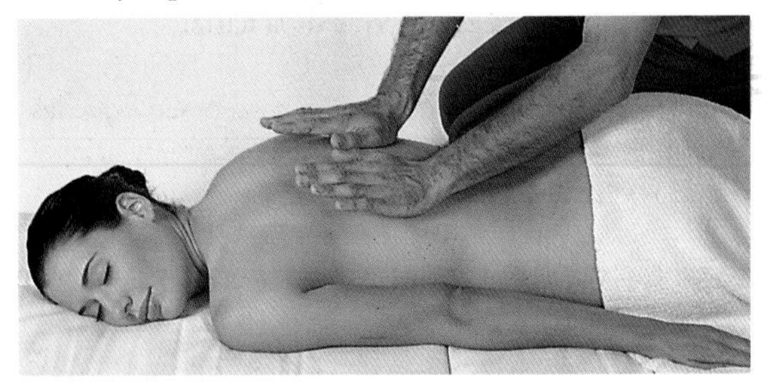

Percusiones

Para aplicar esta técnica hay que tener un tacto muy sensible. Golpee delicadamente el tejido muscular, suavemente, con las puntas de los dedos de ambas manos, en sentido ascendente, desde el borde de la pelvis hasta la base de la nuca.
Deslice luego las manos hacia abajo, hasta la posición inicial, y repita la percusión tres veces.

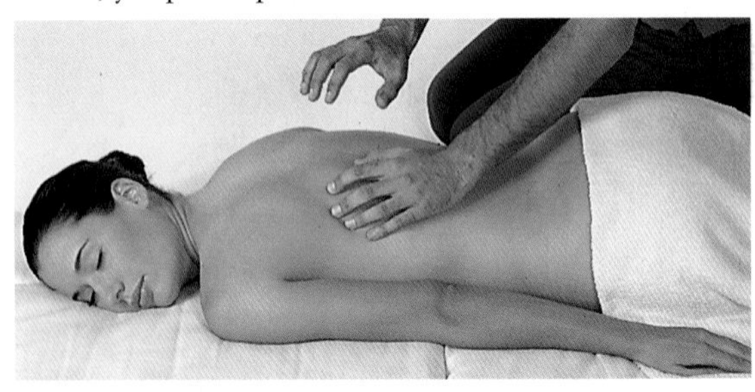

Vibraciones

Con las palmas de las manos, o con las yemas de los dedos, realice movimientos vibratorios pequeños y rápidos. Masajee desde la pelvis hasta la base de la nuca, en dirección al corazón, y repítalo tres veces.

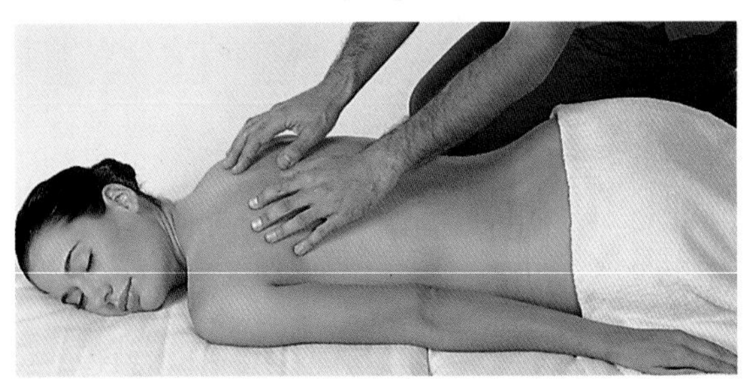

Automasaje relajante

▶ Relaja de inmediato

Aunque el masaje con las manos de uno no relaja tanto como el dado por el otro miembro de la pareja, produce efectos muy positivos sobre el estado general del cuerpo. El automasaje por las mañanas es una buena manera de prepararse para iniciar la jornada de trabajo, porque da energía; y, por las tardes, alivia el estado de tensión general y tranquiliza. También es muy apropiado para realzar la belleza y cuidar el cuerpo, pues mejora el aspecto de la piel y relaja las facciones de la cara.

Relajación de hombros y nuca

La persona que está mucho tiempo sentado, se mueve poco y pasa horas y horas casi sin cambiar de postura, suele percatarse de su postura viciada cuando siente un agarrotamiento doloroso en los músculos de la nuca y de los hombros. La tensión de estas zonas se puede eliminar con unos pocos masajes.

1. Frote y presione, masajeando con fuerza el tejido muscular que va desde el arranque del cabello en la nuca hasta los codos. Repita el masaje tres veces.

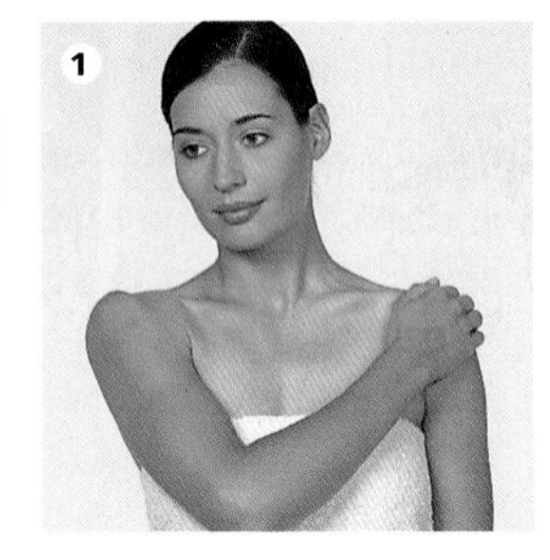

2. Friccione con las puntas de los dedos desde el arranque del pelo en la nuca hasta ambos hombros, describiendo pequeñas espirales sobre la piel.

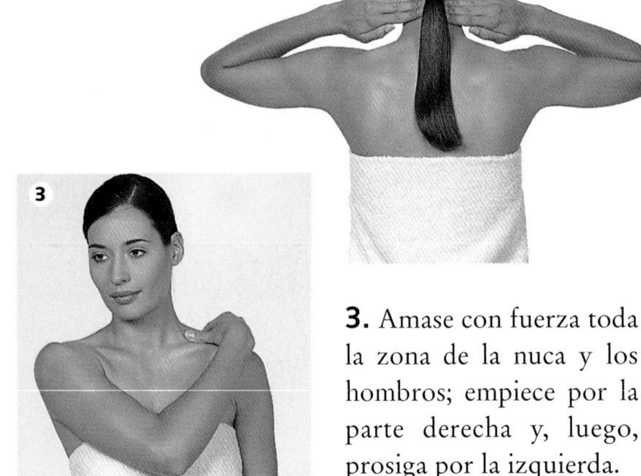

3. Amase con fuerza toda la zona de la nuca y los hombros; empiece por la parte derecha y, luego, prosiga por la izquierda.

4. Luego, con ambas manos, masajee la zona de los hombros. Repita el masaje tres veces.

Masaje para alegrar la cara

Además de atenuar los rasgos físicos faciales, un masaje facial suave ayuda a borrar esas indeseadas huellas que deja normalmente en la cara tanto el estrés, como las preocupaciones y los enfados.

1. Relaje las facciones de la cara. Ahueque las manos y cúbrase la cara con ellas, dejando al descubierto la nariz.

2. Elimine las tensiones de la cara. Acarícielа, con ambas manos, desde el arranque del pelo.

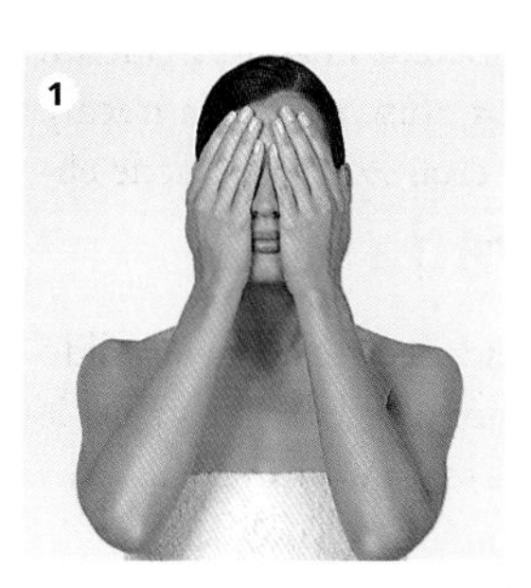

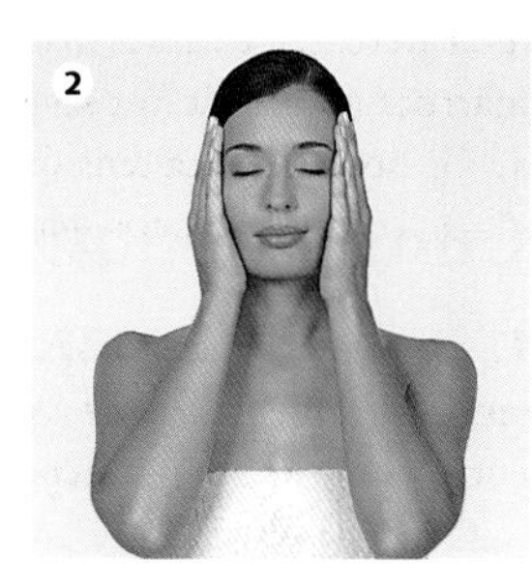

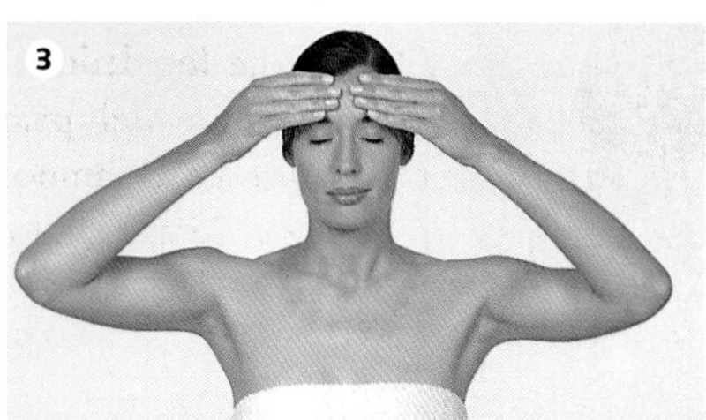

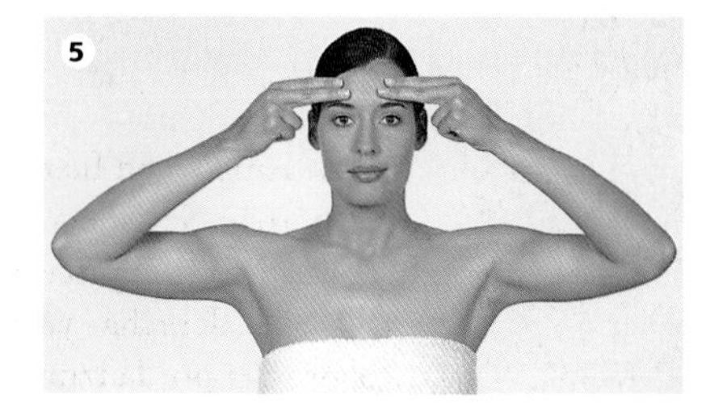

3. Estire la piel de la frente, suavemente con las manos. Coloque las palmas de las manos sobre la frente, con las puntas de los dedos unidas entre sí y tocándose; luego, sepárelas deslizándolas hacia las sienes.

4. Borre el gesto de preocupación de su cara. Para ello, coloque las puntas de los dedos índice y medio de ambas manos sobre el arranque de la nariz.

5. Haga desaparecer el ceño pronunciado. Coloque las puntas de los dedos medio e índice sobre sus cejas y deslícelos hasta las sienes.

Reanime sus ojos cansados

De esta manera, podrá relajar sus ojos cansados y agotados (será más cómodo y efectivo si unta sus dedos con una crema especial).

1. Cierre los ojos, junte los dedos índice y medio de cada mano y roce con ellos los arcos de las cejas. Repita el ejercicio cinco veces como mínimo.

2. A continuación, roce las mejillas y deslice los dedos hacia afuera ejerciendo algo de presión hasta los oídos. Repita el ejercicio tres veces.

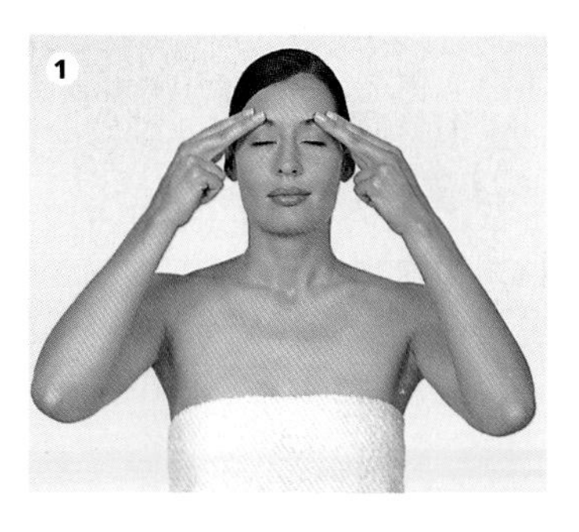

El placer de la comida sana

Dice un viejo proverbio que: «Comer y beber mantienen la unión entre cuerpo y alma». Quiere esto significar no sólo la importancia que tiene la nutrición en el desarrollo de los seres vivos, sino también la relación que existe entre alimentación y bienestar. La comida no es sólo el sustento del organismo para atender a la necesidad de vivir, es asimismo una experiencia sensorial. La variedad de alimentos, sus colores y aromas incrementan las ganas y el placer de comer. Para mantenerse sano y en forma no es preciso hacer una cura de hambre o seguir la última dieta, basta con adoptar una alimentación integral variada. Pero no se trata sólo de saber qué se come, qué se debe comer y cuánto se debe comer, sino también de cómo se debe comer.

Comer sano no quiere decir que se tengan que contar las calorías que se ingieren a diario, ni ir a la compra con una tabla de valores nutricionales. Para conseguir este propósito, nada mejor que seguir las sencillas reglas básicas que se exponen a continuación.

El equilibrio en la alimentación

Quiere esto decir, hacer comidas muy variadas –en cuanto a preparación y contenido– y comer un poco de todo. ¡Se trata de lograr una combinación correcta! De este modo, podrá disfrutar de muchas cosas de las que se había privado hasta ahora por miedo a perder la salud y la buena figura.

Los alimentos naturales y la comida recién preparada, degustada en un distendido ambiente familiar, además de saludable es una costumbre muy recomendable y divertida.

La alimentación integral

Opte en su compra por alimentos integrales –frutos de temporada frescos y, sobre todo, cereales integrales y productos caseros–, y prepárelos de la forma más natural y vistosa que pueda.

Disfrutar de la comida

Para que una alimentación sea sana, no basta con elegir y preparar bien los alimentos. También es decisivo la actitud ante la comida.

Comer saludablemente es mucho más que alimentarse, también es uno de los pequeños placeres que nos ofrece la vida. Placer que, precisamente, contribuye al mantenimiento de nuestra salud.

Comida equilibrada

El organismo necesita las sustancias que le proporciona la alimentación para obtener energía, crecer, mantener y renovar los tejidos del cuerpo; también, para regular los importantes procesos fisiológicos que tienen lugar en su interior. Los hidratos de carbono, las grasas y las proteínas son sustancias nutritivas que suministran energía. Pero el cuerpo necesita a diario minerales, vitaminas, oligoelementos, fibras y agua, además de sustancias aromáticas que estimulen el apetito mediante el olor y el sabor.

Todas estas sustancias se encuentran en los alimentos, en diferentes proporciones. De ahí la importancia que tiene para la salud combinar los alimentos en una dieta correcta y variada.

La pirámide alimentaria

Comer equilibradamente significa saber combinar una serie de alimentos que contengan los nutrientes necesarios en cantidad suficiente para el organismo.

Esto se consigue mediante una dieta muy variada, pero teniendo en cuenta también la cantidad de comida y la forma de prepararla.

La pirámide alimentaria de la página siguiente nos muestra la combinación ideal de los distintos grupos de alimentos. Los cereales, las verduras y las frutas deben ser los principales componentes básicos de toda alimentación, mientras que el azúcar y las grasas deben desempeñar un papel secundario y se han de consumir con moderación.

1. Estos alimentos se pueden consumir en gran cantidad: 40% de cereales y patatas
Los cereales y las patatas son la base de la alimentación ideal. Esto quiere decir que hay que comer a diario pan, pasta o arroz integrales y todos aquellos platos en cuya composición estén presentes los cereales.

2. De esto se puede consumir todo lo que se quiera: 35% de productos vegetales
Productos vegetales tales como verduras, lechuga, legumbres, hierbas y aceite de oliva fresco deben formar la tercera parte del menú. Las frutas y verduras frescas aportan valiosas vitaminas y contribuyen al fortalecimiento del sistema autodefensivo del cuerpo.

3. Los siguientes productos se pueden tomar de de vez en cuando: 20% de productos animales
Los productos animales es mejor consumirlos con moderación. En una dieta correcta debe entrar tan sólo un 20% de leche, queso, yogur, huevos, carne, aves, embutidos y pescado. También conviene tomar un cuarto de litro de leche, pues aporta calorías.

4. Con los siguientes productos hay que ser muy cometido: 5% de condimentos
Grasas, alimentos grasos (por ejemplo, patatas fritas) y dulces (tartas de nata, chocolate, etcétera) tan sólo deben representar el 5% de la dieta alimentaria que se adopte a diario.

¿Qué se debe comer y en qué cantidad?

La tabla de esta misma página, puede ser de gran utilidad para confeccionar y planificar el menú diario. Los datos que se ofrecen, tan sólo son a título orientativo. Para conocer más a fondo los propios hábitos alimentarios, puede ocuparse en anotar durante un tiempo –por ejemplo, una semana– el consumo diario que hace de cada alimento y, después, comparar el resultado obtenido con los valores que figuran en la susodicha tabla. Cuanto más variado sea el menú, tanto mayor será el placer de una comida auténticamente sana.

¿Qué se puede comer a diario y en qué cantidad?

Con estas cantidades –elegidas y preparadas con poca grasa– y según las cantidades indicadas, el cuerpo tendrá todo lo necesario para mantenerse sano y estar en forma y en plenas facultades físicas.

El menú diario

Cantidad	Alimentos
Hidratos de carbono	
200–250 g	Pan (mejor integral) (4 ó 5 rebanadas)
40 g	Copos de cereales, muesli (4 ó 5 cucharadas)
250 g	Verduras y ensaladas (dos raciones, por lo menos)
250 g	Patatas cocidas
80 g	Arroz (natural, seco) o pasta (integral, seca)
250 g	Fruta (3 ó 4 piezas, aproximadamente)
Alimentos que contienen proteínas y grasas	
1/4 l	Leche (2 vasos); puede tomar más si la tolera, en cuyo caso es mejor desnatada
150 g	Yogur o requesón (1 envase)
30 g	Queso (2 ó 3 rebanadas)
150 g	Aves, carne magra, pescado o embutido
Grasas	
5–10 g	Grasa de untar: mantequilla o margarina no endurecida (margarina dietética)
10–15 g	Grasa de cocinar: aceite vegetal de buena calidad (de oliva, de girasol)
Líquido	
Hasta 2 l	Agua del grifo, agua mineral, tisana de frutos o zumo de frutas mezclado con agua

Todo depende de la preparación

Para que los alimentos sigan conteniendo la mayor cantidad de sustancias al cocerlos, se deben preparar con sumo cuidado. Si, por ejemplo, se dejan a remojo las verduras durante mucho tiempo o se cuecen demasiado, no sólo pierden gran parte de su propio sabor, sino también nutrientes muy valiosos para el organismo. Siempre que sea posible, los alimentos se deben servir a la mesa frescos. Muchas de las vitaminas que las verduras pierden, tiene su origen en que se almacenan durante mucho tiempo o en malas condiciones.

Preparación correcta

- Algunas verduras como el brécol, la coliflor y las zanahorias quedan algo "crujientes" después de rehogarlas. Pero antes que en agua, es más sano cocerlas al vapor. En las tiendas de electrodomésticos, en los supermercados y en las grandes superficies se venden accesorios para las ollas, o cacerolas especiales en las que las verduras, o las patatas, se cuecen sin entrar en contacto directo con el agua.
- La preparación de ensaladas y dietas crudas se puede realizar en el mismo momento de su consumo, para que así no pierdan la vitaminas y los minerales.
- La carne se guisa mejor en su propio jugo, que es posible hacer en ollas especiales para este menester; por ejemplo, la olla romana. Con ello también se evita gran parte del aditamento de grasa.

Utilice hierbas frescas para sazonar la comida, así necesitará echar muy poca cantidad de sal.

La bebida también forma parte de la alimentación

Beba mucho, pues el cuerpo necesita de 2 a 3 litros de líquido diarios. Casi un litro lo obtiene de los alimentos; el resto –de litro y medio a dos litros– hay que procurárselo a través de la bebida. De todos modos, no se trata tan sólo de beber lo suficiente, sino de beber lo más adecuado.

Infusiones

Aunque no hay nada contra el café, a quien mucha gente considera idóneo para dar ánimo, lo que sí se debe hacer es tomarlo con moderación (dos o tres tazas al día). El exceso de café aumenta la acidez del estómago, lo que puede lesionar la mucosa gástrica.
También el té negro contiene cafeína, que en grandes cantidades produce cierta paralización gastrointestinal con efectos astringentes. Las infusiones de frutas y de hierbas son muy recomendables para quitar la sed. Pero, para evitar la habituación y las irritaciones, se debe alternar su consumo.

Bebidas refrescantes

Entre las bebidas refrescantes más populares se cuentan la limonada y las colas. Además de anhídrido carbónico, colorantes y muchos aditivos artificiales, estas "golosinas líquidas" contienen gran cantidad de azúcar. El consumo de refrescos de cola, para apagar la sed, requiere mucha moderación (¡contienen cafeína!).

Zumos de frutas

Por principio, los zumos de frutas tienen que ser de la mejor calidad (cien por cien zumo de fruta sin azúcar). Si se mezclan con agua en la proporción de una parte de zumo por dos de agua (mineral), quitan muy bien la sed.

Agua

Según el manantial de donde provenga, el agua mineral natural contiene distintas cantidades de minerales y oligoelementos, por eso es una bebida muy sana para quitar la sed (¡pero se debe comprobar que el contenido de sal sea muy bajo!).
El agua de suministro urbano contiene minerales diferentes en cada población, pues depende de su procedencia y de la situación geográfica.
Pero también entran en su composición elementos negativos, como pueden ser el cloro y los nitratos. Para conocer la calidad del agua de su localidad, lo mejor es informarse en el servicio de aguas al que pertenece sobre su composición y valores. Por su composición, el agua mineral sólo está recomendada en caso de prescripción facultativa.

Bebidas alcohólicas

Ya se trate de vino o cerveza, de güisqui o licores, ¡ninguna bebida alcohólica quita la sed! Al contrario, para poder asimilar el contenido de alcohol, el cuerpo consume más líquido. Por lo tanto, ¡cuando beba alcohol, beba también agua!

Las bebidas más apropiadas para quitar la sed son las tisanas de hierbas y los zumos de frutas.

Complejos vitamínicos y complejos minerales

Hoy día cada vez esta más en boga el consumo de píldoras, ante el temor de que la comida normal no aporte la cantidad necesaria de vitaminas y minerales. Mucha gente mucho dinero en "complejos vitamínicos" que compensen la carencia de estas sustancias.
Sin embargo, los nutrólogos advierten de que si se lleva una dieta variada estos preparados no sólo son innecesarios, sino que incluso pueden ser perjudiciales para la salud tomados en dosis altas.
Si tiene la sensación de que su organismo recibe pocas vitaminas o minerales con la alimentación, consulte con su médico. Es mejor adoptar una dieta, que tomar vitaminas y sustancias minerales artificiales.

Disfrute integralmente

Muchas personas asocian la cocina integral con una dieta basada en los cereales, insípida, ordinaria, difícil de preparar y muy poco apetitosa.
Pero si realmente probaran algunas de las muchas y sabrosas recetas, descubrirían que los productos integrales, los platos de verdura y las ensaladas crudas y crujientes saben muy bien y al organismo le sienta incluso mejor todavía.
Además de fibras, que facilitan la digestión y sacian pronto, los cereales integrales contienen todos los nutrientes importantes que se necesitan. Y las vitaminas y minerales son fuente inagotable de energía.

Cuadro sinóptico de las dietéticas

La mayor preocupación por la salud y el aumento de enfermedades debidas a una incorrecta alimentación, ha motivado el que mucha gente adopte una determinada dietética u otra cualquiera que le recomiendan. Hay quien prescinde por completo de los alimentos de origen animal, mientras que otros no comen más que alimentos vegetales y, a ser posible, crudos. Es indudable que algunas de estas formas de alimentación tienen sus ventajas, pero lo más frecuente es que vayan acompañadas de graves inconvenientes. Por lo tanto, antes de decidirse por una dieta u otra lo más correcto es consultar con el médico e informarse.
Aquí sólo podemos hacer una exposición escueta de los pros y de los contras de algunas de las dietéticas más conocidas. La mayoría de los expertos en nutrición consideran que una dieta mixta, tan natural como sea posible, es la forma de alimentación reconocida como mejor y más sana.

Macrobiótica

Esta forma de alimentación tiene su origen en el budismo zen japonés. La comida se compone fundamentalmente de cereales integrales, legumbres, verduras y fruta. También permite tomar pequeñas cantidades de pescado, pero prohibe por completo los productos lácteos, la carne, el azúcar y las conservas, así como el café y el té.
Desde el punto de vista científico, la macrobiótica sólo es apta para adultos, pues resulta poco variada para los niños y existe el peligro de desnutrición.

Dieta cruda

Los defensores de esta tendencia tienen el convencimiento de que, la mayoría de enfermedades que afectan al ser humano, tienen su fundamento en la cocción de los alimentos. Por este motivo, recomienda comer todo crudo. Esto significa no comer nada de pan, ni carne asada, ni pasta o patatas. A la larga, toda persona que se alimenta siguiendo una dieta cruda padece trastornos carenciales, de diferente intensidad pues el cuerpo recibe poca cantidad tanto de proteínas, calcio y hierro, como de algunas vitaminas (complejo B). La alimentación basada en una dieta cruda, no es apropiada para el organismo infantil.

Vegetarianismo

Dentro de esta forma de alimentación, existen tres tendencias: los *ovolactovegetarianos*, que comen tan sólo vegetales, productos lácteos y huevos; los *lactovegetarianos*, conocedores sólo de productos vegetales y lácteos; y, los *vegetarianos* puros, cuya alimentación se ciñe exclusivamente a los productos de naturaleza vegetal.
Una alimentación vegetariana, que incluya huevos y productos lácteos, puede ser muy completa y saludable. Para que la dieta vegetariana pura constituya una alimentación equilibrada, es preciso lograr una combinación de alimentos vegetales precisa. El vegetarianismo puro causa en los niños problemas carenciales y trastornos del crecimiento.

Alimentación integral

Da preferencia a los alimentos de origen vegetal procedentes, a ser posible, de la agricultura sometida a control biológico. La condimentación de la comida se reduce a lo imprescindible. El menú integral ideal está formado por productos integrales, patatas, verduras crudas y rehogadas, productos lácteos y el consumo moderado de pescado y carne. En el marco de una dieta mixta equilibrada, la mejor forma de alimentación para adultos y niños es incluir en ella muchos alimentos integrales.

Algunos productos de la cocina integral

• Harina integral recién molida, pan integral y bollos integrales sin aditivos ni conservantes, pasta integral, arroz natural, alforfón, productos de harina de soja.
• Bollería y masas realizadas con harina integral.
• Fruta y verduras frescas de temporada.
• Miel de abeja recién recolectada del panal, melaza de arce, zumos de manzana y de pera.
• Grasas naturales (como mantequilla y nata) y aceites vegetales naturales prensados en frío.

Los alimentos empleados en la cocina integral deben proceder, siempre que sea posible, de explotaciones agrícolas de naturaleza biológica, dinámico-biológica u orgánico-biológica, es decir, que no utilizan para obtener su producción abonos minerales o productos químicos. La fertilización del suelo es muy variada, y los cereales y verduras conseguidos son más ricos y valiosos en nutrientes que los productos obtenidos por métodos convencionales. En la cría de animales se sigue el proceso natural de cada especie. Sin embargo, hoy día son muchos los fraudes que se cometen con la etiqueta "bio". Antes de comprar, preste atención a las indicaciones mencionadas.

Póngase en forma y comience el día con un buen desayuno de muesli, de granos frescos o de cereales, pan integral, fruta fresca y leche.

El cambio de alimentación

Cambiar la manera de alimentarse, ya sea por propia voluntad o debido a problemas de salud, no se puede improvisar de la noche a la mañana. Tampoco sería saludable, porque alterar la dieta exige un período de adaptación para que –poco a poco– tanto el propio estómago y el sistema digestivo como la propia consciencia cambien sus hábitos de forma progresiva. Vaya, pues, paso a paso y sin prisas:
• Para acostumbrarse, no es cuestión de comenzar a comer de inmediato pan de harina integral poco molida, con muchos granos enteros. Puede hacerlo comiendo al principio, simplemente, bollitos integrales hechos con harina de trigo o espelta muy molida.
• Prepare el muesli con copos de avena integrales, frutos secos, fruta fresca, nueces, leche o yogur.
• Coma carne dos o tres veces como máximo a la semana, pero no como plato principal del menú diario, sino más bien como guarnición.
• Para comer entre horas, opte antes por la fruta y las verduras crudas que por los dulces o la bollería elaborada con harina refinada.
• Si todavía no le gustan los platos integrales, mezcle harina integral muy molida con harina refinada. Esta mezcla casa muy bien y va de maravilla, sobre todo, para los platos de harina.
En caso de que su ritmo de vida habitual le impida ir al mercado a diario para comprar productos frescos, o en su entorno no haya posibilidad de adquirir productos biológicos a un precio razonable:
• Siempre que pueda, coma alimentos frescos; mientras tanto, sustituya las conservas por ultracongelados. Algunas empresas de producción o distribución de alimentos biológicos, también disponen de servicio a domicilio.
• Si no le queda más remedio que comer el menú de un restaurante de comida rápida, burguer o similar, prepárese la comida del mediodía a base de ensaladas acompañadas, por ejemplo, de carne de pavo o queso de oveja para untar.

Disfrute con la comida

En la sociedad moderna actual, muchas personas consideran la comida como una obligación penosa más que como una "acción placentera" cuyo objeto es reponer las fuerzas gastadas durante la jornada y proporcionar relajamiento y alegría al cuerpo.
Comer tranquilamente, masticar despacio y saborear cada bocado son algunas de las condiciones indispensables que, aparte de redundar en favor de la salud, constituyen todo un placer para los sentidos.
Cocinar en compañía, invitar a comer a las amistades y realizar y probar recetas nuevas son otras tantas actividades que sirven para afianzar la amistad y fomentar las relaciones sociales.
En cambio, las dietas y normas alimentarias estrictas frecuentemente desencadenan actitudes de repulsa hacia la comida. Y, como consecuencia, surgen trastornos alimentarios, afecciones gastrointestinales y problemas de sobrepeso corporal.
Estos problemas también suelen aparecer cuando se come tan deprisa que ni siquiera hay tiempo para fijarse en lo que se come, sin horarios establecidos, siempre corriendo para ingerir de vez en cuando algo y, luego, tomar por la noche una "opípara cena".
Mientras tanto, los nutrólogos han comprobado que si se disfruta con la comida es posible mantener un peso natural y adecuado a la estatura y la edad.

Cómo convertir la comida en un placer

• Olvídese de muchas de las reglas de alimentación aprendidas hasta ahora. Es mejor que se guíe por el siguiente lema: «está permitido tomar todo, lo que realmente importa es la dosis».
• ¡Inspírese en diversas cocinas! Sobre todo en la española, la francesa y la italiana, que ofrecen una gran variedad de platos de fácil preparación, sabrosos y saludables. Para ello, le pueden servir de gran ayuda unos buenos libros de cocina o realizar un curso de cocina.
• Dé importancia a una mesa bien puesta y presente los platos de manera que "se coman con los ojos", incluso en aquellos casos que no esté acompañado para comer.
• Cree un ambiente tranquilo y relajado para comer. El estrés también perjudica la digestión. Evite, pues, trabajar, telefonear o ver la televisión durante las comidas. ¡Concéntrese de lleno en el placer de comer!
• Descubra el sabor especial de un plato determinado. Para que los platos conserven su propio sabor, sea muy comedido a la hora de usar la sal y la pimienta. En cambio, sea generoso con las hierbas frescas que, además de aportar vitaminas y sustancias minerales, dan un sabor especial a las comidas.
• El placer aumenta la alegría de vivir, y esta particularidad es muy importante a la hora de la propia valoración personal. Convénzase a sí mismo de que no está prohibido comer con ganas, y que disfrutar de la comida redunda en favor de la salud. ¡El bienestar y el placer en el comer es un asunto personal!
• Déjese agasajar de vez en cuando con una buena comida. Vaya a comer a un buen restaurante, acepte la invitación de sus amigos o visite a su familia para disfrutar de una buena "comida casera".
• Siempre que pueda, trate de reposar durante unos minutos y relájese después de cada comida. Esto le ayudará a realizar la digestión y le servirá para reponer las energías perdidas.

Cuando la comida se convierte en un problema

Comer en exceso o demasiado poco puede convertirse en un problema psíquico muy grave, capaz de producir a su vez importantes daños de tipo físico.
La propia alimentación también causa, en ocasiones, múltiples patologías; así, por ejemplo, muchos aditivos artificiales, y también algunos componentes naturales, son el origen de ciertas alergias a los alimentos. Los tóxicos ambientales, presentes en algunos tipos de alimentos, dañan al organismo y debilitan el sistema inmunológico.

Preste atención a la procedencia de los alimentos

El hecho de que se preocupe por su salud física y psíquica general ya es, de por sí, un factor de protección importante. Pero no basta con ello, por lo que es preciso evitar un sinfín de influencias nocivas alimentándose de la forma más consciente y segura posible.
En primer lugar, compre la carne y el pescado en tiendas que aseguren la procedencia y calidad de sus productos. Consuma mucha fruta y verduras; pero, sobre todo, cereales integrales (pan, bollos) procedentes de cultivos biológicos.
Compruebe que los alimentos que prepara para niños, mujeres embarazadas –o que estén criando a su bebé dando el pecho– y personas enfermas no están contaminados en absoluto y son naturales.

Tóxicos ambientales en los alimentos

Alimentos muy contaminados

Destierre de su menú diario:

• Vísceras de vaca y de cerdo (riñones, hígado y sesos), ya que pueden contener metales pesados que resultan perjudiciales para la salud (sobre todo, cadmio).

• Vísceras de animales de caza, como liebres y ciervos, que suelen contener metales pesados (sobre todo, cadmio y mercurio).

• Hongos silvestres, como champiñones y setas recolectados directamente del bosque, que potencialmente contienen metales pesados (sobre todo, cadmio y mercurio).

Alimentos contaminados

Evite comer, o cómalos muy pocas veces:

• Hígado de ternera (que acumula metales pesados y hormonas).

• Pescados provenientes de los mares del Norte, Báltico o Mediterráneo, ya que pueden contener metales pesados y mercurio)*.

• Pescado de aguas estancadas y ríos contaminados que arrastran metales pesados*.

* Son recomendables los pescados del Atlántico y el Pacífico. Infórmese en la pescadería sobre la procedencia del pescado, o lea las indicaciones del envase si se trata de pescado congelado.

Dietas y curas de adelgazamiento

La extrema delgadez de las modelos que aparecen en las pasarelas, los medios de comunicación y la publicidad, han desvirtuado el ideal que se tenía de lo que era una figura esbelta. Así, muchas personas siguen una dieta incluso sin que haya señal alguna de sobrepeso. Pero una dieta, por muy estricta que sea, sólo reduce el número de células adiposas del cuerpo, pero no las elimina del todo y, en cuanto se vuelve a comer con normalidad, se reproducen con más fuerza todavía. Con la dieta, el metabolismo administra las calorías de manera ahorrativa, lo que provoca un aumento de peso más rápido cuando se finaliza ésta. El miedo a estar demasiado obeso, a no representar el ideal de belleza impuesto por la moda, el prestarle demasiada atención a dietas y comidas, suele ser el comienzo de peligrosos trastornos nutricionales como la anorexia y la bulimia.

Adelgazar sin perder la salud

• Antes de intentar adelgazar, cada persona ha de tener presente su constitución física congénita. Puesto que al mundo se viene con una carga genética concreta, es absurdo intentar que el cuerpo adopte una forma que no se corresponda en absoluto con su constitución. Para calcular si se está demasiado gordo o demasiado delgado, se suele tomar como base el llamado "índice volumétrico de Broca", mucho más realista que el antiguo y rígido peso considerado como ideal.

• Aunque algunas dietas lo anuncian, no se puede adelgazar de la noche a la mañana. El cuerpo ha necesitado un tiempo para alcanzar su peso actual, y de nuevo necesita tiempo si se quiere perder parte de ese peso. En cualquier caso, lo más saludable y duradero es adelgazar poco a poco, de uno a tres kilos al mes.

• Deje de pensar en lo que ha de hacer o lo que no debe hacer, y olvídese de las medidas ideales del cuerpo.

• En los grupos de autoayuda, asociaciones y organismos sanitarios, las personas con problemas de obesidad pueden cambiar impresiones y encontrar apoyo psicológico.

• Si lleva una dieta alimentaria equilibrada y pobre en grasas, y realiza ejercicio físico con regularidad, comprobará que su peso se acercará paulatinamente al considerado como normal.

¡El buen humor favorece la conservación de la salud! Tenga en cuenta el peso de la balanza, pero también su propio bienestar.

Alimentación sana para niños

Para los adultos, el fin primordial de la alimentación es reponer las energías gastadas, mientras que para los niños lo son las necesidades que tienen de crecimiento y desarrollo. También, el concepto que se tenga de la alimentación en su entorno inmediato desempeña un papel importante en su desarrollo psíquico.
Por lo tanto, es muy importante dar a los niños una alimentación saludable; pero no lo es menos inculcarles desde pequeños la idea de que comer no es una obligación, sino algo muy natural.

La dieta del bebé paso a paso

En los primeros meses

Para los recién nacidos y los bebés, la leche materna sigue siendo el mejor alimento. Contiene todos los nutrientes principales –como minerales, proteínas y grasas– en la proporción ideal para los lactantes. Además, procura al bebé los anticuerpos que no es capaz de generar por sí solo hasta pasados los seis primeros meses; éstos, le protegen de muchas enfermedades y reducen la propensión a las alergias.
Durante la lactancia es muy importante que la madre lleve una dieta equilibrada. Dado que cada bebé tiene unas necesidades físicas y psíquicas específicas, lo mejor es darle de mamar según las necesidades y evitar la adopción de un horario rígido. De este modo, considerará la comida como una satisfacción positiva y no como una obligación o amenaza.

Cuando el bebé mama, se siente caliente y protegido; y, además, la leche materna le procura una protección del todo natural.

Sobrealimentación en el primer año

Entre los cuatro y los seis meses de edad, los bebés ya pueden tolerar la sobrealimentación siempre que, naturalmente, se aumente la dieta paso a paso; así, el aparato digestivo del niño se puede adaptar sin problemas a las nuevas dosis.

- Para comenzar la nueva dieta van bien las zanahorias cocidas y los plátanos aplastados con el tenedor, que pueden tomarse junto con la leche o el biberón.
- Cuando el bebé se haya acostumbrado a esta dieta, puede probar a darle papillas de patatas y zanahorias; y, más tarde, otras combinaciones de verduras y patatas. También puede mezclar la papilla de verduras con un puré muy fino de carne o yema de huevo; hasta el primer año, no se le debe dar al niño clara de huevo, pues suele provocar alergias.

La toma de leche del mediodía, es mejor sustituirla por una papilla de verduras. Sin embargo, a los lactantes les suele gustar la leche materna como "postre".

- Una cena compuesta por papilla y leche (use papillas especiales para bebés) contribuirá, de momento, a que el niño duerma más tiempo por la noche. Lo mejor es comenzar con una sola especie, por ejemplo arroz o avena, y seguir después con el trigo. Para contribuir a evitar las alergias, acostumbre al niño poco a poco a las distintas especies de cereales.
- Al bebé se le pueden dar tanto las papillas realizadas en casa cociendo los ingredientes (*frescos*), como papillas preparadas (*potitos*), pues ambas son igual de sanas, ya que la fabricación de alimentos para bebés está sujeta a criterios de calidad muy estrictos.
- Entre los seis y nueve meses, las madres que dar de mamar a su bebé pueden sustituir la leche materna por leche entera maternizada.
- Cuando los niños están echando los dientes, les gusta masticar cosas duras. Si su bebé ya puede sentarse y no se atraganta con trozos pequeños, le puede dar una corteza de pan o pan integral tostado.
- Al principio, los niños digieren con dificultad las verduras crudas, excepto las zanahorias (picadas crudas, son ideales para iniciar una dieta cruda); pero la fruta cruda es de fácil digestión y les proporciona muchas vitaminas importantes.
- Bebidas muy sanas para el niño son: la leche entera, el agua y los zumos de fruta mezclados con agua.

A partir de los dos años, la alimentación del niño puede incluir una dieta integral equilibrada similar a la de las personas adultas.

Cómo hacer que los niños coman bien

Desde el principio, procure acostumbrar a su hijo a que vea la comida como una experiencia grata para los sentidos. Reprender al niño constantemente o prohibirle muchas cosas durante las comidas, además de quitarle las ganas de comer, también supone privarle del placer sensorial de la comida.
Del mismo modo se comportará si los padres insisten en que se coma todo lo que tiene en el plato y, como consecuencia, al poco tiempo ya no sabrá distinguir si tiene o no apetito, por lo que considerará la comida como una simple lucha por el poder. Si a su hijo no le gusta ninguna comida, intente mantener la calma. Ofrézcaselo reiteradamente de vez en cuando, ya que en un ambiente distinto o con una receta diferente puede llegar a gustarle un tiempo después.

Platos equilibrados que gustan a los niños

- Patatas y cereales (a ser posible, integrales), verduras y frutas, leche, productos lácteos, carne y pescado necesariamente tienen que formar parte integrante del menú que conforma la dieta alimentaria del niño.
- La leche suministra al niño el calcio suficiente. En caso de que no le guste la leche sola, ofrézcale un batido de leche con cacao y fruta fresca, yogur o requesón con mermelada o miel.
- Para abastecerse de hierro, el niño necesita carne; pero procura darle pocas salchichas y fiambres, ya que tienen exceso de grasa, sal y aditivos. El pescado, sobre todo el marino, como el abadejo y el bacalao, suministra minerales importantes y yodo (elemento éste cuya falta puede producir bocio y trastornos en el crecimiento y desarrollo); también, como medida preventiva, es muy apropiado usar en la cocina sal común yodada.
- Los niños suelen ser muy quisquillosos con las verduras y las ensaladas. Un surtido variado de ensaladas les ayudará a elegir las de su preferencia sin grandes discusiones. Para ponerlas cocidas se realizará una selección, aunque los purés de verduras generalmente les gusta más. Muchos padres han tenido una experiencia positiva al ofrecer a sus hijos una dieta cruda de "untar"; para ello, corte en tiras o lonchas las verduras crudas y, antes de cada bocado, úntelas en una salsa de yogur o de requesón con hierbas (aunque a los niños les divierte más comerlas con la mano).

Sugerencias de menús para todo el día

• Desayuno

Muesli de copos de cereales, fruta (seca o fresca), nueces y mucha leche (mejor que los cereales sin azúcar, para comenzar el día); o muesli de granos frescos (puestos los granos de cereales a remojo en agua la noche anterior); pan integral tostado, bollos –también integrales– y mermelada de nueces que no contenga aditivos (de venta en tiendas naturistas y de dietética o herboristerías).

• Comida del mediodía

Carne magra tierna (pavo, pollo o vaca); pescado una o dos veces a la semana, además de patatas, pasta (de mijo), arroz u otros cereales, mucha verdura y ensaladas de diversos tipos o una dieta cruda para untar con salsa. Como guarnición para la carne: setas (champiñones u hongos), huevos, leche, requesón, queso y legumbres (especialmente, guisantes).

• Cena

Sopa de verduras, verdura y avena tostadas, queso (fresco), panecillos integrales, papilla de leche (realizada con cereales integrales y endulzada con miel, o zumo de manzana o de pera sin diluir), patatas con requesón o huevos.

• Para tomar entre horas

En lugar de chocolate, mejor fruta –manzana o albaricoque– cortada en rodajas–, o copos de muesli tostados y mezclados con yogur. Como tentempié, pan integral con pastel de verduras, o queso de untar, una zanahoria y una manzana.

• Para beber

Zumo de frutas diluido con agua mineral, infusiones de frutas sin azúcar o agua mineral sin gas. Evite las limonadas o los zumos de frutas sin diluir.

Remedios caseros acreditados

Aplicaciones del agua fría y caliente

El agua se cuenta entre los remedios caseros más antiguos. Se aplica externamente, en forma de baños, lavados y duchas; y, de forma interna, como tratamiento hidroterápico. Hipócrates (460 a 377 a. de C.) ya conocía el poder curativo del agua y sometía a los enfermos a tratamientos hidroterápicos.

El kneippismo es un sistema de tratamientos con agua, que desarrolló Sebastián Kneipp (1821 a 1897). Además de la hidroterapia (curación con agua), entre los tratamientos terapéuticos clásicos se cuentan la cinesiterapia (*curación con gimnasia*), la fitoterapia (*curación con hierbas medicinales*), la dietética (*curación con dietas*) y la terapia del orden (*relajación, tratamiento del estrés*). Además, la hidroterapia incluye más de 100 aplicaciones distintas. Bajo supervisión médica, en balnearios y estaciones hidrotermales se realizan curas de hidroterapia y dietas hídricas.

Siguiendo los métodos de Sebastián Kneipp, personalmente se pueden realizar estas curas en casa de manera simplificada. Las aplicaciones concretas y continuadas del agua fortalecen el sistema inmunológico y mejoran el estado general de salud y bienestar. También, el efecto estimulante del agua fría y caliente aumenta la capacidad de resistencia. Del mismo modo, el agua tiene empleo terapéutico como autoayuda y como remedio rápido en problemas de salud. Según la temperatura y la forma de aplicación, el agua produce efectos relajantes o estimulantes e influye positivamente sobre las diferentes funciones fisiológicas y sobre la psique.

En las páginas siguientes se describen las hidroterapias más importantes que es posible realizar personalmente. La tabla de la página siguiente ofrece una visión general de las aplicaciones más apropiadas para cada afección, así como los efectos que produce.

Aplicaciones del agua y sus efectos

Aplicaciones	Efectos	Observaciones
Lavados (Lavado completo o parcial) (→ página 724)	Estimulan levemente el riego sanguíneo, la respiración, la circulación y la función immunológica; ayudan en el nerviosismo y en patologías febriles.	¡En caso de fiebre, no hacer lavados completos! !Cuidado con los trastornos circulatorios!
Duchas (Duchas frías, duchas alternativas frías y calientes) (→ página 725)	Fortalecen y estimulan el riego sanguíneo, el metabolismo y el sistema nervioso; ayudan en inflamaciones y contracturas musculares dolorosas.	
Duchas frías en los brazos (→ página 725)	Reaniman, refrescan y estimulan la circulación y la función cardíaca; mejoran la respiración.	¡Evitar si existen patologías coronarias!
Duchas frías en las rodillas (→ página 725)	Descongestionan, tranquilizan, endurecen, ayudan en dolores de cabeza por trastornos vasculares; mejoran el riego sanguíneo de las piernas (efecto antivaricoso), y facilitan la digestión.	¡Abstenerse de esta ducha si se tiene sensación de frío corporal, dolores de ciática, infecciones de las vías urinarias y durante la menstruación!
Baño caliente completo (→ página 726)	Tranquiliza, relaja en el estrés, y alivia las contracturas musculares y las agujetas.	¡No aplicar en caso de inflamaciones cutáneas y venosas, varices, tensión arterial (baja o alta), afecciones cardíacas y patologías febriles!!
Baño de asiento frío (→ Página 726)	Activa el riego sanguíneo, ayuda en caso de hemorroides, eccemas anales, estreñimiento, insomnio, y afecciones del bajo vientre.	¡Prohibido el baño en casos de retención vascular, arterial o venosa graves, y si hay inflamaciones en la zona de tratamiento mencionadas o en las piernas!
Baño de asiento caliente (→ página 726)	Activa el riego sanguíneo, cura la incisión perineal después del parto, las fisuras anales, el prurito anal, las afecciones de próstata y las cistitis.	¡Como en el supuesto del baño de asiento frío!
Baño de pies frío (→ página 726)	Regula el balance térmico, activa el riego sanguíneo, tranquiliza y estabiliza la circulación; ayuda en hemorragias nasales y pies cansados.	¡¡Consultar antes con el médico si se padecen afecciones venosas o cardiovasculares!
Baño de pies caliente (→ página 726)	Termorregulador y tranquilizante, ayuda en caso de estrés y pies fríos.	¡Como en el baño de pies fríos!
Baños de pies progresivos (→ página 726)	Ayudan en resfriados acompañados de fiebres.	¡Como en el baño de pies fríos! Con afecciones venosas, sólo hasta los tobillos!
Sauna, baño de vapor (→ página 727)	Mejora el riego sanguíneo, elimina toxinas y fortalece el sistema inmunológico y la circulación.	¡Queda prohibida la sauna si existen problemas cardiocirculatorios, epilepsia, cáncer, arteriosclerosis, reuma y patologías tiroideas!

Hidroterapia doméstica

En principio, todas las aplicaciones del agua tienen como fin común fortalecer la facultad de autocuración del cuerpo del modo más natural posible. Esto se consigue con aplicaciones de agua fría, de agua caliente o bien alternando la caliente y la fría.
El agua fría estimula el metabolismo y la circulación, activa el sistema inmunológico y ayuda en caso de que existan inflamaciones agudas; el agua caliente relaja y tranquiliza, activa el riego sanguíneo y produce efectos antiespasmódicos y curativos en inflamaciones de múltiple etiología y consideración.
La aplicación alternativa de agua fría y caliente, también mejora la función circulatoria y de los órganos internos. El entrenamiento vascular da resistencia al cuerpo frente a las influencias externas medioambientales. El agua provoca estímulos de muy diversa índole en la piel, hace que los conductos nerviosos los transmitan hasta la médula espinal y que, a su vez, influyan en los órganos internos del cuerpo a través de vías nerviosas específicas.

Forma correcta de aplicar el agua

• Las salas donde se vayan a efectuar las aplicaciones deberán tener una temperatura ambiental de 22 a 24 °C, y se evitarán las corrientes de aire. Antes de una aplicación con agua fría, calentar el cuerpo con ejercicios gimnásticos. ¡No eche nunca agua fría sobre la piel fría!

¡En casa: sólo aplicaciones sencillas!

¡Aunque "sólo" sea agua el elemento que se utiliza, no se debe menospreciar su efecto y los posibles efectos secundarios! De hecho, todas las aplicaciones que producen efectos intensos necesitan la prescripción previa del médico y necesariamente tienen que ser realizadas por personal especializado. Por lo tanto, la autoayuda doméstica sólo debe considerar la posibilidad de realizar aplicaciones sencillas.

¡Si siente frío o tirita durante las aplicaciones, si se marea o sufre palpitaciones, interrumpa el tratamiento de inmediato y guarde reposo en cama hasta que desaparezcan por completo las molestias producidas! Si a pesar de todo persisten los síntomas, avise a su médico cuanto antes.

• Para realizar las aplicaciones frías, suele bastar el agua fría de la traída; para las calientes y las calientes-frías, se necesita disponer de un termómetro.
• No se seque después de un lavado parcial, en caso de una ducha de brazos y rodillas o si se ha bañado los pies y brazos. Simplemente, escurra el agua del cuerpo frotando con las manos; luego, abríguese (¡póngase unos calcetines calientes!) y muévase.
• Después de la mayoría de las aplicaciones (excepto tras una ducha estimulante de brazos, por ejemplo), el cuerpo necesita cierto tiempo para recuperarse. Guarde, por lo tanto, reposo en cama durante media hora o una hora después de la aplicación del agua.

Los lavados reaniman

Junto con el cepillado en seco, los lavados con agua fría se cuentan entre las formas de hidroterapia más suaves. Normalmente resultan más efectivos por la mañana; después, acuéstese de 30 a 60 minutos, o haga mucho ejercicio (según la condición física); por ejemplo, gimnasia matinal.
Si le resulta muy penoso realizar el tratamiento completo del cuerpo (a causa de la fiebre, por ejemplo), frótese sólo de la cintura para arriba, o para abajo; o bien sólo los brazos (lavado parcial).

El lavado completo reanima

Aparte de reanimar sin esfuerzo alguno, el lavado completo fortalece el organismo contra resfriados y enfermedades infecciosas.

Cómo se procede

• Doble un paño grande (o un guante de tocador), sumérjalo en agua fría y retuérzalo bien.
• Empiece frotando el dorso de la mano derecha, siga luego a lo largo de la cara externa del brazo –en dirección al hombro–, baje por la cara interna del brazo hasta la palma de la mano y vuelva a subir de nuevo por la cara interna del brazo hasta la axila.
• Lave después –con una toalla recién humedecida– el cuello, el hombro derecho y el costado del mismo lado en dirección a las nalgas, suba por la parte derecha del abdomen y finalice en la mitad de ese lado del tórax. Trate la mitad izquierda de la misma manera.
• A continuación, lave las piernas. Comience por el pie derecho, desde el empeine hasta las nalgas; luego, continúe otra vez hacia abajo por la cara interna de la pierna. Para terminar, lave o duche las plantas de los pies.

Las duchas frías endurecen

Las duchas de Kneipp deben su acción y poder curativo a la irritación térmica y mecánica que produce el agua al caer sobre la piel, que la calienta y enrojece a simple vista. Si se dan dos o tres duchas al día, los efectos que sobre el organismo se procuran son óptimos.
Lo primero que hay que hacer es desmontar la alcachofa de la ducha. A su vez, se pueden enroscar unos tubos especiales que es posible adquirir en los comercios especializados del ramo e, incluso, en supermercados y grandes superficies comerciales.
Para que el agua caiga sobre el cuerpo a la presión debida, la boca de la manguera se debe mantener a un palmo de distancia por encima de la cabeza. El agua deberá cubrir por completo la parte del cuerpo que se está tratando.

Duchas frías en los brazos

Las duchas frías fortalecen poco a poco y producen un gran estímulo sobre todo el organismo. Es un medio de reanimación ideal, que permite su aplicación en cualquier momento y sitio donde se disponga de agua corriente.

Cómo se procede

• Partiendo del dorso de la mano derecha, dirija el chorro de agua por encima del brazo en dirección al hombro y, para que el brazo se cubra por completo con la ducha de agua, manténgalo allí alrededor de 10 segundos sin moverlo.
• Después, dirija el chorro por debajo de la axila y vaya desplazándolo por debajo del brazo hasta llegar otra vez de nuevo a la mano.
• Repita el proceso y trate su brazo izquierdo de la misma manera.

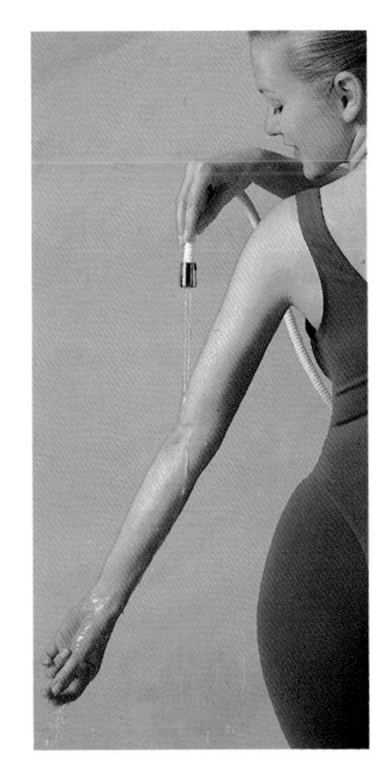

Comience duchando la cara externa del brazo, desde el dorso de la mano hasta el hombro; luego prosiga por la parte interna, de arriba abajo.

Duchas frías en las rodillas, para piernas cansadas

Las duchas frías en las rodillas ayudan especialmente en caso de dolores de cabeza de origen vascular y activan el riego sanguíneo de las piernas, motivo por el que van bien para las varices. Pero siempre han de tenerse en cuenta las contraindicaciones.

Cómo se procede

Aunque pueden darse personalmente, los efectos de las duchas en las rodillas son mucho más beneficiosos cuando quien las da es otra persona:
• Comience por los dedos del pie derecho y dirija el chorro por encima y por debajo del empeine. Repita la operación tres veces seguidas.
• Por la cara externa de la pantorrilla, desplace después el chorro hasta llegar a la corva, y, allí, deje correr el agua por la pierna (¡flujo de agua!). A continuación, por la cara interna de la pantorrilla, lleve el chorro hacia abajo hasta llegar de nuevo al pie. De seguido, como antes, riegue también el pie y la pantorrilla correspondientes al lado izquierdo.
• Dirija otra vez el chorro al pie derecho y vaya subiéndolo por la cara interna de la espinilla –sin regarla directamente– hasta llegar a la rótula. Mantenga allí la manguera un rato (¡flujo de agua!). Vuelva a desplazar el chorro hacia abajo, a lo largo de la cara externa de la espinilla, hasta finalizar en el pie. Luego, como antes, riegue la pantorrilla izquierda por delante.
• En vez de secarse, escurra el agua frotando con las manos; a continuación, póngase unos calcetines de lana y descanse de 20 a 30 minutos. Tenga cuidado de no quedarse frío. Si no le resulta muy fatigoso, para calentarse de nuevo también puede caminar.

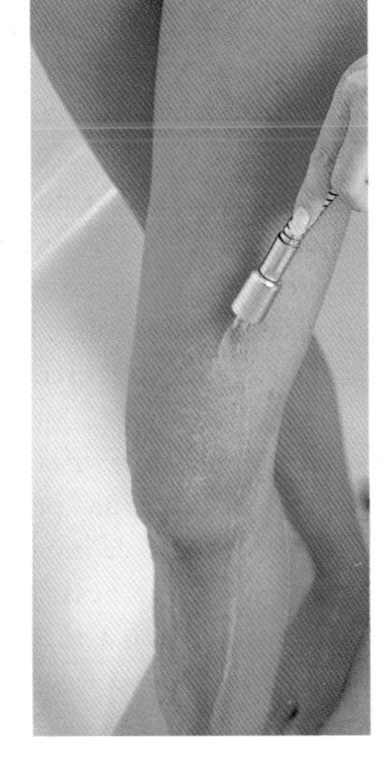

Al ducharse evite, al llegar a las rodillas, dirigir el chorro de agua directamente sobre la tibia, pues aparte de ser ineficaz puede causarle dolores.

Los baños relajan y curan

El efecto curativo se intensifica, sobre todo en los baños parciales o completos –tanto calientes, como fríos-calientes, muy calientes o a temperatura progresiva–, si en el agua se vierten aceites de baño con extractos de plantas que protegen la piel.

El baño completo es tranquilizante

Además de en las agujetas, ayuda en otros casos (¡tenga en cuenta las contraindicaciones!). Aplíqueselo cuando no pueda dormir; o cuando esté nervioso o fatigado.

Cómo se procede

- Evite meterse en la bañera con el estómago lleno.
- La temperatura ideal del agua es de 35 a 38 °C (¡utilice el termómetro para comprobarla!).
- Apoye la cabeza cómodamente en un cojín impermeable. El agua caliente debe cubrir todo el cuerpo por completo, hasta los hombros.
- Permanezca en la bañera de 10 a 20 minutos, como máximo. Después, dúchese con agua templada.
- Una vez que se ha dado el baño completo, repose en la cama de media hora a tres cuartos de hora. Si su piel tiende a resecarse, cuando haya reposado puede darse un aceite cosmético.

Baños de asiento para el bajo vientre

Los baños de asiento sirven para tratar determinadas afecciones de la región pélvica, abdominal, genital y anal. Y si además se les adiciona manzanilla, son muy apropiados para curar las heridas del culito de los niños y lactantes.

Cómo se procede

- Compre una palangana especial para baños de asiento (de venta en comercios especializados), o meta en la bañera una banqueta de plástico pequeña y ponga las piernas encima. Procure que el agua le llegue hasta cubrir el ombligo.
- Baño de asiento frío: la temperatura del agua debe estar entre 15 y 18 °C. Métase en la bañera poco a poco, y permanezca en ella de 6 a 10 segundos; luego, séquese bien y descanse en la cama.
- Baño de asiento caliente: la temperatura del agua debe estar entre 32 y 37 °C. Para curar las heridas de una cesárea, añada aceite de lavándula (espliego); y, para los trastornos de vejiga y riñones, un aditivo de limón.

Los baños de pies influyen en todo el cuerpo

Los baños de pies (*pediluvios*) regulan el equilibrio térmico del cuerpo, estabilizan la circulación sanguínea y tranquilizan.

Cómo se procede

- Puede emplear una bañera especial para pediluvios (de venta en comercios especializados), una palangana de paredes altas o, incluso, un balde.
- Baño frío de pies: eche agua fría en el recipiente y meta los pies poco a poco. Haga que el agua le cubra hasta un palmo por debajo de la rodilla.

Permanezca en esta posición de 15 segundos a 2 minutos, hasta que advierta la primera sensación de frío en los pies o note un frío cortante. luego, en vez de secarse, escurra el agua con las manos; a continuación, vístase, póngase unos calcetines calientes y acuéstese en la cama o manténgase en actividad sin sentarse o pararse.

Los pediluvios calientes son un buen remedio en los casos de pies fríos y si cuesta trabajo dormir.

- Baño caliente de pies: el agua debe estar a una temperatura de 37 a 39 °C. Mantenga los pies dentro del recipiente hasta que el agua comience a enfriarse. Lave un poco los pies con agua templada y, a continuación, séquelos frotándolos bien.
- Baño de pies progresivo: la temperatura inicial del agua debe ser de 34 °C. Deje después que corra durante unos 20 minutos, para que se caliente cada vez más hasta alcanzar los 41 °C.

Mantenga los pies dentro del agua unos minutos más, séquelos de seguido y póngase unos calcetines calientes para reposar de 15 a 30 minutos.

Sauna y baño de vapor

La sauna y el baño de vapor son baños sudoríficos de acreditadas propiedades, pues además de estimular el metabolismo y la circulación sanguínea, ayudan a prevenir las enfermedades en general.

Sauna: sudor sano

El efecto de la sauna se basa en dos factores fundamentales: el calentamiento y el enfriamiento. En una habitación especialmente acondicionada donde reina una temperatura ambiental que oscila entre los 40 °C del suelo y los 90 °C del techo, se calienta el cuerpo hasta hacer que comience a sudar copiosamente.

Después de haber sudado durante un tiempo, el cuerpo se refresca primero al aire libre y, a continuación, se le aplica agua fría (ducha, piscina, se frota con nieve o se mete en agua helada).

Cómo se procede

- El baño de sauna consta de dos procesos (tres como máximo), que duran de 12 a 20 minutos cada uno. Alrededor de unos 6 a 10 minutos se emplean para sudar, según la resistencia individual, y otro tanto para refrescar el cuerpo.
- Primero, siéntese sobre una toalla en el banco inferior de la cabina. Una vez pasados 2 ó 3 minutos, pase al banco intermedio y tiéndase; finalmente, sitúese en el nivel superior, donde la temperatura es máxima. Antes de salir de la cabina, siéntese de nuevo en el banco de abajo y espere de 2 a 3 minutos hasta que se enfríe un poco.
- Tras abandonar la cabina, manténgase en movimiento al aire libre durante unos minutos. Luego, échese agua fría por encima con la manguera o un caldero, póngase bajo el chorro de la ducha o métase en la piscina (¡solamente si no tiene problemas circulatorios!) y, para finalizar, dése un baño de pies caliente.
- Entre un proceso y otro conviene guardar un tiempo de reposo de 15 a 20 minutos. Abríguese bien, para que no se quede frío mientras reposa.
- Recuerde que después de un baño de sauna es importante beber mucha agua (¡pero no entre un proceso y otro!). Lo mejor es beber agua mineral, pero, desde luego, ¡en ningún caso alcohol!
- No lleve a la sauna a niños menores de cuatro años. Los ya mayores, deje que suden un tiempo prudencial mientras se encuentren a gusto.

El baño de vapor: agradable para la piel

Si no soporta el ambiente caliente y húmedo de la sauna, es posible que le sienta mejor un baño de vapor. El agua en forma de vapor muy caliente revitaliza el cuerpo, activa el riego sanguíneo y aligera la carga de bombeo que soporta el corazón.

Cómo se procede

Puede permanecer en la habitación especial de vaporización, donde existe una temperatura de unos 50 °C, mientras se encuentre bien (durante un tiempo estimado de 15 a 20 minutos). Refrésquese al salir y, después, repose al igual que en el caso de la sauna.

Los servicios de sauna están muy extendidos en gimnasios, piscinas y hoteles, pero también la sauna doméstica es cada vez más frecuente.

Las plantas medicinales, los medicamentos de la naturaleza

La medicina naturista conoce un gran número de procedimientos curativos, que hacen posible fomentar la salud de forma natural. Fortalecen la capacidad de autocuración y previenen contra muchas enfermedades. El amplio conocimiento de los distintos efectos terapéuticos de las plantas y hierbas, permite curar y aliviar muchas patologías.

Como todo arte médico, tiene sus raíces en la llamada *fitoterapia* (del griego *phyton*: "planta" y *therapeia*: "tratamiento"). Entre las plantas medicinales se cuentan muchas hierbas, pero también árboles y arbustos, frutos, hojas y bulbos.

Plantas medicinales para uso doméstico

Muchas plantas se vienen utilizando, desde hace generaciones, como remedios caseros de reconocida eficacia. Hay plantas medicinales tanto de uso interno como externo, para preparar infusiones, para realizar aceites que se añaden a los baños o se emplean para dar fricciones y masajes, o como tinturas para tratamientos internos, y hasta pueden adquirirse medicamentos vegetales. La aromaterapia, como medio para aumentar el bienestar general, cada vez goza de mayor predicamento. Con las plantas medicinales se pueden tratar patologías leves como resfriados y afecciones gastrointestinales, cutáneas o abdominales; así mismo numerosas dolencias de tipo psicovegetativo, como pueden ser los estados de ansiedad y de tensión, así como los trastornos del sueño.

Las flores de tilo (izquierda), caléndula (arriba) y espliego (derecha) son plantas medicinales muy conocidas debido a sus múltiples aplicaciones.

Uso correcto de las plantas medicinales

El que las plantas medicinales y los fitofármacos sean de origen vegetal, no quiere decir que siempre sean inofensivos. De hecho, cualquier planta o medicamento de origen vegetal puede producir en las personas efectos secundarios no deseados. Por este motivo, es importante que los tratamientos se realicen con sumo cuidado y teniendo siempre pleno conocimiento de causa.

> **¡Cuidado con los autotratamientos!**
>
> **¡** Recuerde siempre, por principio, que las posibilidades de llevar a cabo un autotratamiento son limitadas y que el diagnóstico, prescripción de la terapia y tratamiento de las enfermedades debe dejarse en manos del médico!

- Cuando quiera utilizar plantas medicinales para aliviar o curar esas ligeras pero molestas afecciones cotidianas, no debe contentarse sólo con informarse sobre el efecto terapéutico de las mismas, sino también sobre los posibles efectos secundarios y las peculiaridades que les son propias. Esto es más necesario todavía con aquellas plantas medicinales que se pueden adquirir sin receta en farmacias, tiendas de dietética, herboristerías, droguerías y hasta en supermercados.
- Tenga siempre presente el período de empleo de las plantas medicinales, pues si se prolonga demasiado tiempo puede producir efectos indeseados. El uso prolongado de un fitofármaco, o de cualquier medicamento, también puede producir efectos secundarios. Además, se corre el peligro de que el cuerpo se habitúe a la sustancia activa.
- Aténgase siempre a la dosificación previamente prescrita. Una misma planta puede curar a dosis baja, pero causar efectos nocivos si la dosis es demasiado alta o no es la prescrita o recomendada en cada caso particular.

Tisanas de plantas

Las tisanas son la forma más sencilla de utilizar plantas medicinales con fines terapéuticos. Según sea la planta, su preparación admite diferentes maneras bien distintas. En la página 730 se exponen las plantas medicinales más apropiadas para las distintas dolencias.

Fácil de preparar y muy eficaz

Infusión

Cualquier tisana de hojas, flores o semillas la puede preparar como si se tratara de una infusión:

- Vierta agua hirviendo sobre las partes de la planta y deje reposar la infusión de 5 a 12 minutos (dependiendo de qué clase, a veces se necesita dejarla más tiempo).
- Cuele la tisana y, después, tómela muy caliente y a sorbos, según la dosis prescrita por el médico o recomendada, una o varias veces al día.

Cocción

Las sustancias activas de determinadas partes de las plantas, sólo pasan al agua caliente después de permanecer un rato prolongado expuestas al fuego:

- Desmenuce las partes y póngalas en agua fría.
- A continuación, hierva el agua durante unos 15 minutos y déjala 5 minutos en ebullición.
- Apague el fuego y después, deje reposar la tisana otros 10 minutos antes de colarla.

Preparación en frío

El método de preparación en frío se utiliza con plantas cuyas sustancias activas se destruyen si se exponen con anterioridad a su consumo al fuego:

- Ponga la planta a remojo en agua fría durante 3 a 12 horas (a veces hasta 24). Remueva de vez en cuando.
- Cuele la preparación y caliéntela un poco (¡sin hervir!) antes de tomarla.

Mezclas de tisanas acreditadas

Beba infusiones y tisanas dos o tres veces al día, a tragos cortos y endulzadas con miel.

Todos los ingredientes de las recetas de esta página se venden en las farmacias, tiendas naturistas, de dietética o herboristerías. Las cantidades indicadas se pueden mezclar y empaquetar. Es importante almacenar las hierbas en un sitio oscuro y seco, lejos de la calefacción o de la campana de la cocina. Para su conservación, lo mejor es emplear envases de cristal marrón oscuro de cierre hermético, o latas que cierren bien; los envases de plástico no son apropiados.

Tisana para la tos (mucosidad viscosa y persistente)

20 g de frutos de hinojo
10 g de raíces de prímula
10 g de flores de caléndula
10 g de hojas de llantén menor
10 g de hojas de toronjil
Verter 1/4 de litro de agua hirviendo sobre 2 cucharadas de la mezcla, dejarla reposar 10 minutos y, después, colarla y beber una taza tres veces al día.

Tisana antiestrés (tranquilizante)

10 g de frutos de lúpulo
10 g de valeriana
30 g de menta piperita
Verter una taza de agua hirviendo sobre una cucharada de la mezcla, dejarla reposar 10 minutos, colar y, luego, tomar una taza tres veces al día.

Tisana de hierbas (contra el estreñimiento)

10 g de raíces de altea (malvavisco)
10 g de polipodio
15 g de corteza de frángula
15 g de ruibarbo
Verter 1 cucharada de la mezcla en una taza de agua fría y hervirla un poco; dejarla reposar de 1 a 2 horas y, después, colarla; tomarla templada por las mañanas.

Hierbas y plantas medicinales para tisanas

Planta medicinal	En qué ayuda	Preparación/Peculiaridades
Abedul (*Betula pendula*) Yemas	Estreñimiento agudo.	Infusión.
Anís (*Pimpinella anisum*) Frutos	Tos (acción expectorante), problemas de lactancia, estimula el corazón.	Infusión.
Árnica (*Arnica montana*) Flores	Inflamación de garganta (gargarismos), conjuntivitis, orzuelo.	Infusión para gargarismos y baños de ojos.
Eufrasia (*Euphrasia officinalis*) Hierba	Intranquilidad, congoja, trastornos del sueño.	Infusión como baño de ojos o para compresas.
Frángula, arraclán (*Rhamnus frangula*) Corteza	Inapetencia, flatos, trastornos gástricos, patologías de las vías respiratorias, resfriados.	¡El uso prolongado pueda dañar el intestino!
Hinojo (*Foeniculum vulgare*) Frutos	Derrames, afecciones menstruales, afecciones gastrointestinales, trastornos del metabolismo.	Infusión (también para niños). La tisana de hinojo fomenta la producción de leche en la lactancia.
Lúpulo (*Humulus lupulus*) Frutos, flores	Flatos, espasmos gástricos, vesiculares e intestinales, heridas pequeñas (desinfecta), afecciones menstruales, menopausia.	Infusión. ¡Demasiado lúpulo puede producir cansancio o trastornos de la menstruación!
Manzanilla (*Matricaria camomilla*) Capítulos florales	Indigestión, infecciones gastrointestinales, inflamaciones de las vías respiratorias, dolores de cabeza, reuma.	Infusión. ¡Posibles reacciones al azuleno de la manzanilla! ¡No se debe tomar mucho tiempo seguido!
Menta piperita (*Mentha piperita*) Capítulos florales	Catarro gastrointestinal, inflamación de la mucosa bucal, anginas, sudores, destete.	Infusión. ¡El uso prolongado irrita la mucosa y la reseca!
Pie de león, alquimila (*Alchemilla vulgaris*). Hierba	Resfriados (acción sudorífera), nefritis, reuma, gota, trastornos digestivos, gripe.	Infusión. ¡Respete la dosis!
Salvia (*Salvia officinalis*) Hojas	Tos (acción expectorante y antiespasmódica), las hojas son balsámicas y carminativas.	Infusión para beber y hacer gargarismos. ¡Respete la dosis! ¡No usar con demasiada frecuencia!
Saúco (*Sambucus niger*) Hojas, flores, bayas, raíces, corteza	Nerviosismo, trastornos del sueño, afecciones de la menopausia (regula el balance hormonal).	Infusión de flores: resfriado, fiebre; de hojas: padecimientos de riñones o vesícula, digestión.
Tomillo (*Thymus vulgaris*) Hojas	Tos convulsiva (acción expectorante), tos ferina, asma bronquial, constipado, reuma.	Infusión.
Valeriana (*Valeriana officinalis*) Raíces	Padecimientos de riñones y vesícula, gota, reuma, combate la irritabilidad, insomnio, nerviosismo.	Infusión.

Plantas medicinales para baños

Tanto en forma de aplicaciones de Kneipp (→ página 726) como para uso doméstico, los baños procuran mucho bienestar al cuerpo y a la psique. Algunos aditivos (→ tabla de la página 632) potencian considerablemente los efectos de los baños.

Mientras la tisana influye en el organismo por dentro, la acción terapéutica de las plantas se manifiesta por fuera a través de la piel y de los órganos respiratorios. La dilatación vascular producida por el calor húmedo permite que la piel absorba las esencias liberadas en el agua. La absorción interna de los extractos de plantas medicinales produce efectos similares en la sangre. Y a todo esto hay que añadir los efectos beneficiosos que producen los baños en la psique.

En los baños es posible añadir plantas medicinales en forma de aceites esenciales (→ página 735), o aceites de baño ya preparados (de venta en farmacia, tiendas naturistas y herboristerías); también, infusiones preparadas personalmente. Las sustancias activas de las plantas pasan al agua y, según sus efectos, pueden relajar o reanimar, aliviar y curar. Representan un buen remedio para resfriados, tos, inflamaciones, problemas reumáticos, nerviosismo, estrés, trastornos del sueño y en los casos de cansancio.

Antes del baño conviene poner a mano bastantes toallas, un termómetro y los preparados medicinales apropiados.

Forma correcta de darse un baño con hierbas medicinales

• La temperatura ideal para darse un baño con hierbas medicinales es de 36 a 37 °C (¡utilice el termómetro!); o entre 38 y 40 °C, si el baño tiene como objeto el tratamiento del reuma o del resfriado.

¡Contraindicaciones!

! Los padecimienos de artritis agudas no toleran la aplicación de mucho calor, por lo que en estos casos se recomienda que el baño no dure más de un cuarto de hora! Esta clase de baños, puede tener contraindicaciones (→ página 723).

! Si no tolera bien los baños completos, dése un baño parcial en el que sólo sumerja la parte inferior del cuerpo en el agua hasta que le cubra el ombligo (→ página 726)!

• Las hierbas medicinales se pueden preparar como infusión, para lo que sólo hay que verterlas directamente en un recipiente a medida que sale el agua muy caliente del grifo o verterla previamente calentada. Así, las sustancias activas de las plantas se mezclan mucho mejor. Después del vertido, compruebe la temperatura del agua con un termómetro.

• Otro procedimiento muy socorrido es el que utiliza una bolsa de tela, que se llena con hierbas secas y, después, se pone en contacto directo con el chorro de agua para mantenerla a remojo unos minutos (los que hagan falta). La mezcla de hierbas se puede realizar personalmente.

• Las esencias de plantas medicinales se vierten sin más en agua muy caliente. La película de grasa que forman los aceites de baño sobre la piel, sirve para protegerla y regenerarla.

• La duración del baño depende de su bienestar, pero también de su constitución y de sus afecciones. En cualquier caso, no permanezca en la bañera más de 20 minutos, pues lo importante es que no se quede frío durante el baño.

• Séquese bien después y, bien abrigado, repose alrededor de media hora o más. Nada más bañarse, evite la exposición a las corrientes de aire.

Aditamentos beneficiosos para baños

Aditamentos	En qué ayuda	Modo de uso/dosis*
Acículas de abeto común	Nerviosismo, trastornos circulatorios y metabólicos, bronquitis (acción expectorante).	Aceite de baño preparado según prescripción.
Equiseto, cola de caballo	Padecimiento de riñones y vesícula, heridas de mala curación.	Infusión (→ página 729) con 150 g de equiseto en 1 l de agua.
Eucalipto	Resfriado (acción expectorante), reuma.	Aceite de baño preparado según prescripción.
Flores de heno	Trastornos metabólicos, afecciones reumáticas, lumbago, ciática, alivia dolores e inhibe las inflamaciones.	Extracto preparado/según indicaciones; o cocción (→ página 729) de 500 g de flores de heno en 5 l de agua.
Lavándula, espliego	Estados de tensión y estrés, somnífero, trastornos circulatorios, antiespasmódico, sudorífico, sedante y antiséptico.	Aceite de baño preparado según prescripción; o cocción (→ página 729) de 100 g de lavanda en 1 l de agua.
Manzanilla	Heridas de mala curación (inhibe las inflamaciones), problemas cutáneos, y resfriados (alivia la irritación).	Aceite de baño preparado según prescripción; o cocción (→ página 729) de 100 g de manzanilla en 1 l de agua.
Melisa	Estados de ligera excitación, tensiones.	Aceite de baño preparado según prescripción.
Romero	Trastornos circulatorios, cansancio (acción muy estimulante).	Aceite de baño preparado según prescripción.
Sal marina	Actividad metabólica baja, afecciones cutáneas, alergias, anemia, reuma muscular y de articulaciones.	2 a 3 Kg de sal marina para un baño completo (300 l de agua).
Tomillo	Bronquitis, tos (acción expectorante), asma y espasmos.	Aceite de baño preparado según prescripción; o infusión (→ página 729) a base de 100 g de tomillo en 1 l de agua.
Valeriana	Nerviosismo, trastornos del sueño.	Aceite de baño preparado según prescripción.

* Las cantidades indicadas se refieren a baños completos; para baños parciales, reducir la dosis según la cantidad de agua.

Plantas medicinales para inhalar

La inhalación de vapor de agua caliente es uno de los remedios caseros más acreditados. Con los consiguientes aditamentos, el baño de vapor facial puede servir como cosmético o para curar resfriados.

Baño de vapor para problemas faciales

Si su piel tiene impurezas y el riego sanguíneo es deficiente, un baño de vapor facial con una tisana de manzanilla o de salvia le hará mejorar su aspecto y aliviar las inflamaciones.

Cómo se procede

- Eche en 1 litro de agua la cantidad de planta medicinal que corresponda (→ tabla de la página 730), y llévela a ebullición. Ponga después el recipiente sobre la mesa. Como medida protectora, coloque sobre el recipiente abierto una rejilla de madera –o dos cucharas de cocina– que le ayuden a regular la intensidad del vapor, disponga la tapadera encima y desplácela lo que haga falta para que salga la cantidad necesaria de vapor.
- Siéntese a la mesa e inclínese sobre el recipiente. Cubra la cabeza, los hombros y el recipiente con una toalla grande e inhale el vapor.
- Realice el baño de vapor de 8 a 10 minutos y, para concluir, lávese la cara con agua fresca.

Inhalación

Las inhalaciones periódicas producen un gran alivio en los casos de resfriados y de sinusitis. El vapor de agua muy caliente contribuye a licuar la mucosidad viscosa, descongestiona la nariz y calma la tos persistente. Por su parte, las hierbas eliminan eficazmente las inflamaciones de las regiones bucal y faríngea.

Cómo se procede

- Proceda como si se tratará de un baño de vapor facial, y añada una mezcla inhalatoria (→ abajo).
- Haga inspiraciones y espiraciones profundas. Si tiene constipado, inspire por la nariz y espire por la boca; en caso de bronquitis, inspire y espire por la boca.
- Haga inhalaciones de hasta 10 minutos; repítalas de 3 a 6 veces al día. A continuación, seque la cara con un guante de tocador y evite exponerse al aire libre después de cada inhalación.

Mezclas de plantas medicinales para inhalaciones

- **Para constipados con mucosidad viscosa**

(también para bebés y párvulos)
Verter 1 litro de agua hirviendo sobre 3 cucharadas de flores de manzanilla e inhalar.

- **Para la sinusitis**

20 g de flores de manzanilla
10 g de tomillo
10 g de hojas de salvia
Verter 1 litro de agua hirviendo sobre 3 cucharadas de mezcla y, después, inhalar.

Inhalaciones para bebés y párvulos

Las inhalaciones de vapor de agua caliente también son muy apropiadas para descongestionar la nariz, o dejar libres las vías respiratorias de bebés y párvulos. Eche agua hirviendo en el lavabo, siente al niño en el regazo, extienda una toalla grande por encima y deje que inhale el vapor durante un tiempo.
Si su hijo padece una enfermedad crónica de las vías respiratorias, el médico le puede prescribir pulverizaciones con unos aparatos especiales de aire caliente y frío. Entérese si la seguridad social, la mutua o el seguro privado de enfermedad se hace cargo de los gastos que origina este tratamiento.

Friegas con aceites medicinales

Los aceites de hierbas también se utilizan, como tratamiento externo, en inflamaciones agudas, pues tienen efectos refrescantes. Son muy apropiados para aplicar como apósitos en los casos de inflamaciones cutáneas, el tratamiento de heridas y las congelamientos leves, para dar friegas y como lubricante en los masajes.

Mixturas para hacer en casa

Muchos procedimientos para preparar las plantas medicinales son muy complicados, pero algunos aceites de plantas medicinales admiten hacerlo personalmente en casa. A continuación, se describe uno muy sencillo y apropiado para el uso doméstico.

Aceite curativo de extractos vegetales

Aceite vegetal	En qué ayuda
Hipérico, corazoncillo	Dolores articulares, gota, lumbago, luxaciones, torceduras, quemaduras solares, aseo diario de la piel (alivia irritación), antiséptico, hemostático.
Lavándula	Luxaciones, aplastamientos, quemaduras (tratamiento posterior).
Romero	Dolores articulares reumáticos, torceduras, heridas, eccemas.

Cómo se procede

- Además de hierbas frescas, para preparar un aceite cutáneo necesita 50 ml de extracto vegetal de aceite de almendras, de oliva o de aguacate (de venta en farmacias). De seguido se deja secar todo ello, superficialmente, durante 2 ó 3 días (las hierbas frescas se enrancian pronto).
- Ponga 50 ml de aceite vegetal en un frasco y añada 1 cucharada de plantas secas. Para que se conserve más tiempo, agregue también 2 cucharadas de aceite de germen de soja o de trigo. La vitamina E de estos aceites hace que aumente el plazo de caducidad.
- Cierre bien el frasco y consérvelo en un sitio oscuro y fresco de 4 a 6 semanas. Antes de emplearlo para uso externo, pase el aceite por un colador.
- Aparte de oler mal, el aceite rancio carece de utilidad al producir su uso reacciones cutáneas. Para aprovecharlo mejor, prepare de cada vez cantidades más bien pequeñas (50 ml).

Tinturas: gotas eficaces

Las tinturas pueden ser acuosas, alcohólicas... En Medicina una tintura es una solución de una o varias sustancias medicinales en alcohol o éter, preparada en frío por disolución, maceración o lixiviación. Son muy eficaces para uso interno, y se toman mezclando unas gotas con agua. Antes de iniciar un autotratamiento, consulte con su médico para evitar la aparición de afecciones o reacciones alérgicas, o el posible agravamiento de alguna patología crónica.

Tinturas para uso interno

Planta medicinal	En qué ayuda	Dosificación
Genciana	Inapetencia, trastornos digestivos.	1 cucharada en 1 vaso de agua.
Hipérico	Depresiones, y problemas gástricos estabiliza los nervios y la circulación.	10 gotas en 1/2 vaso de agua.
Valeriana	Nerviosismo, insomnio.	1 cucharada en 1 vaso de agua.

Tinturas elaboradas personalmente

Cómo se procede

- Adquiera alcohol de 96 grados o alcohol vínico (de venta en farmacias). Vierta 1 litro de alcohol en una botella y añada 200 a 250 gramos de plantas secas y desmenuzadas. Tape bien la botella con un corcho.
- Ponga la botella en un sitio fresco y protegido de la luz. Déjela allí 10 días, por lo menos; durante este tiempo, agítela con fuerza de vez en cuando.
- Cuele después la tintura y llene con ella un frasco oscuro que tenga cierre a rosca y cuentagotas (de venta en farmacias). Para aumentar el sabor y el efecto de la tintura, vuélvala a filtrar más tarde y manténgala de 6 a 8 semanas más en un sitio oscuro y seco.

Realice personalmente sus propias mezclas de tinturas.

Aromaterapia para su bienestar

La aromaterapia es una rama perteneciente a la Medicina naturista. Como terapia utiliza medicamentos realizados con aceites esenciales, es decir, gotas microscópicas de aceite que se forman en las glándulas oleíferas internas o externas del tejido de las plantas. Los aceites esenciales representan la energía concentrada de las sustancias presentes en el reino vegetal.

Cómo actúan los aceites esenciales

La experiencia en el campo de la aromaterapia ha demostrado que los trastornos de salud de índole psíquica son los más indicados para el tratamiento con aceites esenciales. Parece ser que el sistema nervioso y las glándulas hormonales, sus íntimas colaboradoras, son muy susceptibles ante cualesquiera de los impulsos regularizadores y estabilizadores producidos por las sustancias aromáticas.

Los aceites esenciales influyen sobre el organismo a través del olfato (inhalaciones) y de la piel (aceites para masajes y baños, compresas, apósitos), pero también mediante el uso interno de las esencias a las dosis terapéuticas prescritas.

Uso correcto de los aceites aromáticos

- Los aceites esenciales se pueden adquirir en farmacias, herboristerías, droguerías y tiendas de dietética y tiendas naturistas. Cuando vaya a comprarlos, fíjese bien que sean de origen vegetal puro y no productos de tipo sintético.
- Sin antes haberlos diluido, absténgase de aplicar aceites esenciales sobre la piel. De todas formas, se esparcen mucho mejor si se mezclan con una sustancia portadora (aceite vegetal o nata batida dulce).
- Los aceites esenciales son muy activos; por este motivo, debe prestar mucha atención a la dosis prescrita y a limitar su uso a cortos períodos de tiempo.

¡En la autoayuda, sólo tiene cabida el uso externo!

! Los tratamientos terapéuticos con aromas siempre han de ser dirigidos por personal especializado, sobre todo en casos de uso interno de aceites esenciales → en la autoayuda solamente procede su empleo de modo externo!

Esencias para mejorar el ambiente

La calidad del aire de los espacios cerrados y habitaciones se puede mejorar, de forma considerable, mediante el empleo de una lámpara aromática; además, de paso, se inhalan los beneficiosos aromas.

Cómo se procede

- En el agua que previamente se ha echado en el platillo de la lámpara, se vierten, gota a gota, las esencias de las plantas. Luego, se remueve la mezcla bien.
- Las cantidades que se indican en la tabla siguienye están calculadas para una habitación media de unos 20 metros cuadrados de superficie. Dependiendo de si la habitación o sala es más o menos grande, aumente o disminuya respectivamente la cantidad de gotas en proporción al tamaño del recinto.

Esencias para lámpara aromática

Mezcla	Cómo actúa
5 gotas de esencia de bergamota 5 gotas de esencia de geráneos	Anima, refresca.
3 gotas de esencia de geráneos 1 gota de esencia de rosas 5 gotas de esencia de cedro	Estabiliza, armoniza.
7 gotas de neroli (flor de azahar) 5 gotas de esencia de lavándula	Tranquiliza, ayuda a conciliar el sueño.

Además de refrescar y tranquilizar, los aceites para lámparas mejoran las condiciones ambientales.

Esencias como aditivo de baño

Como los aceites esenciales tienen la particularidad o propiedad de no mezclarse con el agua, para conseguir realizar la preparación se necesita incorporar una sustancia portadora o catalizadora que permita la acción, como nata batida dulce, leche, yogur, suero lácteo, miel o un aceite vegetal.

Aditamentos de baño beneficiosos

Mezcla	Cómo actúa
Baño vespertino: Revolver y mezclar con nata batida: 10 gotas de esencia de sándalo 5 gotas de nerolo	Tranquiliza, relaja.
Baño matinal: Revolver y mezclar en 4 cucharadas de leche o de nata batida dulce: 8 gotas de esencia de rosmarino 5 gotas de esencia de limón	Refresca, anima.
Baño para el cuidado de la piel: Mezcle y revuelva en 4 cucharadas de nata batida dulce y 2 cucharadas de miel: 8 gotas de esencia de rosas 8 gotas de esencia de manzanilla	Tranquiliza y cuida la piel seca y sensible.

Aceites aromáticos para masajes

Los aceites esenciales despliegan sus efectos curativos al penetrar ligeramente en la piel por absorción.
Para dar masajes con ellos hay que diluirlos en aceite vegetal que, además de servir como sustancia portadora, lubrica la piel para que los roces o fricciones del masaje no resulten desagradables para quien los recibe.

Cómo se procede

- En 50 ml de aceite (por ejemplo, aceite de almendras), vierta poco a poco la mezcla indicada; luego, agítela bien con fuerza para lograr una mezcla homogénea.

Aceites para masajes

Mezcla	Cómo actúa
8 gotas de esencia de lavándula 2 gotas de esencia de geráneos 8 gotas de esencia de sándalo	Tranquiliza, relaja.
4 gotas de esencia de limón 4 gotas de esencia de enebro 2 gotas de esencia de rosmarino 2 gotas de esencia de lavándula	Reanima, activa el riego sanguíneo.

Envolturas, compresas, recubrimientos

Envolturas, apósitos, recubrimientos y compresas son remedios de efecto rápido indicadas para afecciones de muy diverso tipo, como fiebre, infecciones o inflamaciones locales. Alivian los dolores, tranquilizan y eliminan las hinchazones. Tienen tal consideración las aplicaciones con paños húmedos, casi siempre con aditamentos de tisanas o tinturas de plantas medicinales o, incluso, con papillas de origen vegetal. También permiten el tratamiento de pequeñas patologías infantiles.

Envolturas frías y calientes

Como su propio nombre indica, una envoltura consiste en "envolver" con paños determinadas partes del cuerpo o zonas grandes del mismo.

- Las envolturas frías alivian el calor, armonizan las funciones del sistema nervioso vegetativo, activan la circulación y el metabolismo y bajan la fiebre.
- Las envolturas calientes se utilizan, sobre todo, cuando se observan los primeros síntomas de resfriado, como escalofríos o pies fríos. Las envolturas con agua caliente o muy caliente con su calor, dilatan los vasos sanguíneos y facilitan la eliminación de toxinas a través del sudor. Además, alivian los dolores corporales y relajan los músculos previamente contracturados.

Cómo ayudan las envolturas frías y calientes

Envoltura	Clase de ayuda
Envoltura fría del cuello (→ pág. 736)	Faringitis, laringitis e inflamaciones de garganta.
Envoltura fría del tórax (→ pág. 737)	Bronquitis, pulmonía y pleuresía con fiebre.
Envoltura muy caliente del abdomen (→ pági. 737)	Resfriado, tos crónica y asma bronquial.
Envoltura caliente del abdomen (→ pág. 738)	Trastornos gastrointestinales, espasmos, flatos.
Envoltura fría de las pantorrillas (→ pág. 738)	Fiebre, trastornos de flebitis, calambres en las rodillas.
Envoltura fría de las piernas (→ pág. 738)	Flebitis.

Forma correcta de aplicar envolturas

- Para realizar cada envoltura se necesitan tres paños: uno de tela grande o pequeña –según el uso–, como paño mojado, otro algo más grande y poroso (de lana), que sirve de paño intermedio, y un paño de franela o manta de lana, cuyo fin es dar calor.

La envoltura se realiza como sigue:

- Pliegue el paño de tela, empápelo de agua fría o caliente, escúrralo –con mayor o menor fuerza– y envuelva con él la parte del cuerpo afectada.
- Ponga encima el paño intermedio seco, que deberá rebasar unos cuantos centímetros el ancho del paño de tela, y cubra todo.
- Por último, coloque encima el paño de lana o envuelva la zona del cuerpo en cuestión con la manta.

Envolturas frías contra los dolores de garganta

Las envolturas frías aplicadas en el cuello alivian los dolores de garganta, la faringitis y las inflamaciones de los ganglios linfáticos. Pero están contraindicadas en los casos de resfriados y contra las subidas de fiebre.

Cómo se procede

- Sumerja una tela de unos 70 centímetros en agua fría. A continuación, escúrrala un poco y pliéguela hasta reducir su tamaño al ancho de una mano. Así doblada, póngala alrededor del cuello sin que apriete.
- Ponga encima una toalla seca y plegada y, también, una bufanda de lana.
- La duración de la aplicación es de una hora como máximo. En cuanto se caliente, renueve la envoltura. Se puede poner varias al día.

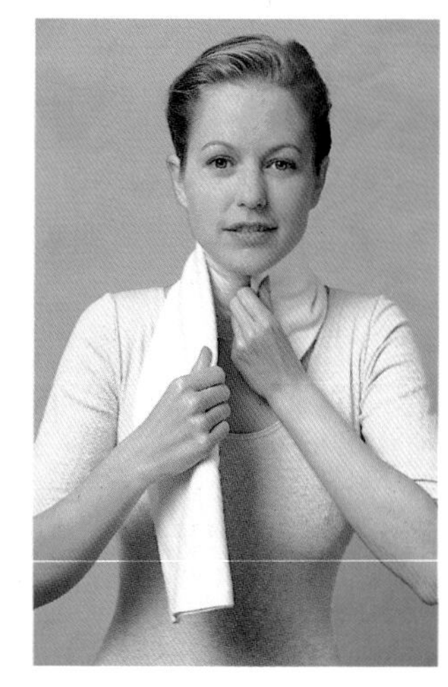

La envoltura del cuello se realiza rápidamente y de forma muy sencilla.

Envolturas frías, para los bronquios

La aplicación en el tórax de una envoltura fría, es un eficaz complemento del tratamiento o terapia en los caos de inflamación de las vías respiratorias o los bronquios. Si el paciente tiene escalofríos o siente frío está contraindicada su aplicación.

Cómo se procede

• Extienda una manta de lana sobre la cama, ponga encima la toalla seca y, sobre ella, coloque a su vez la tela húmeda (de una anchura inferior al de la toalla).

• Tiéndase sobre los paños, de modo que la envoltura comprenda la zona que incluye desde las axilas hasta el arco costal inferior. Envuelva el tronco con los paños. Procure no apretarlos demasiado, para así poder respirar con normalidad.

• La duración de la aplicación es de aproximadamente de unos 45 ó 60 minutos. Si la envoltura no está lo suficientemente caliente, o al cabo de 10 minutos siente escalofríos por todo el cuerpo, quítesela inmediatamente.

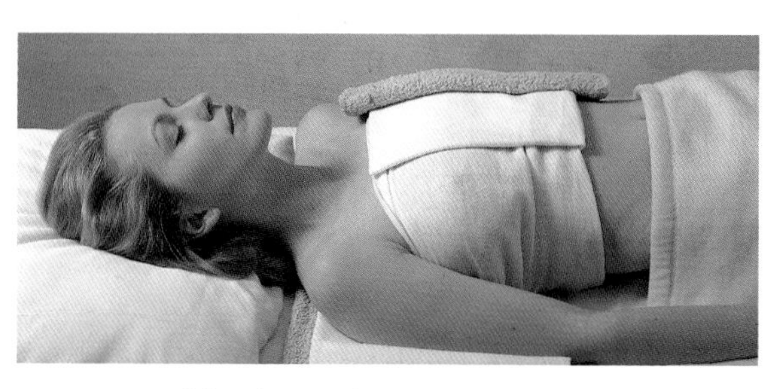

Los paños no deben formar pliegues, pues una parte del efecto calórico se pierde por los huecos.

Envolturas muy calientes para la tos

La aplicación en el tórax de envolturas muy calientes, produce un ligero efecto expectorante que alivia la tos irritante fuerte. Si existe fiebre, hay que descartar su empleo por completo.

Cómo se procede

• Caliente 2 litros de agua y, antes de que rompa a hervir, retire la cazuela del fuego y ponga en ella el paño de tela. Con ayuda de una cuchara de cocina, sáquelo al poco rato, déjelo enfriar un poco y retuérzalo (use guantes).

• Compruebe la temperatura del paño con el antebrazo y, luego, proceda de igual manera que en el caso de la aplicación de la envoltura fría.

Los aditamentos aumentan el efecto

Envoltura fría del tórax con requesón o limón

La aplicación en el tórax de una envoltura fría con requesón o zumo de limón, tiene propiedades expectorantes y anticongestivas. También están indicadas para los casos de bronquitis persistentes en los niños.

• Pliegue el paño de tela una sola vez y unte la parte interior con requesón, poco graso y a temperatura ambiente. La capa de requesón debe tener un centímetro de grosor y el mismo ancho y largo que el tórax. Ponga encima una segunda tela plegada transversalmente, que cubra la capa de requesón.

• Recubra el tórax con la envoltura de requesón y proceda como se ha indicado anteriormente.

• En lugar de requesón, puede utilizar zumo de limón recién exprimido. Para ello, impregne el paño de tela con zumo y envuelva el tórax con él.

• Ambas envolturas pueden mantenerse durante un tiempo aproximado de 40 ó 60 minutos; si se toleran bien, una hora y media como máximo.

Envoltura caliente del tórax con patatas

Las patatas son un extraordinario aditamento para la aplicación de envolturas calientes en el tórax, pues conservan el calor mucho más tiempo.

Este tipo de envolturas también están muy indicadas en el caso de los niños. Pero, como pueden producirse quemaduras leves con cierta facilidad, hay que seguir las instrucciones al pie de la letra.

• Pele unas patatas, póngalas después a cocer unos minutos en una cacerola y, por último, déjelas enfriar aparte unos instantes. Aplástelas a continuación bien con un tenedor, y extienda la masa todavía caliente (¡pero no excesivamente!) por el centro de la tela. Pliegue ésta de forma que la masa de las patatas se extienda por igual y no se desparrame sin control.

• Antes de aplicar la envoltura, presione con su mano durante 1 minuto y compruebe si la temperatura es soportable.

• La duración de la aplicación es de unos 20 minutos en niños y 30 minutos en adultos.

Envolturas calientes para el estómago y el intestino

La aplicación de envolturas calientes en el abdomen supone un importante complemento en la terapia de los trastornos de tipo gastrointestinal, flatos y espasmos. También están indicadas para aliviar los casos de dolor intestinal en los niños.

Cómo se procede

- Al igual que para la aplicación de la envoltura abdominal, sólo que esta vez más abajo, extienda sobre la cama primero un paño de lana y, luego, la toalla seca.
- Empape el paño en un recipiente con agua muy caliente, sáquelo con ayuda de un cucharón y deje que enfríe durante unos instantes. Exprímalo bien, compruebe su temperatura y colóquelo sobre los otros paños secos dispuestos previamente.
- Tiéndase de espaldas sobre el paño mojado y envuélvalo alrededor del abdomen; a continuación, haga lo mismo con la toalla seca y, sobre todo ello, disponga también el paño de franela o de lana.
- El tiempo de aplicación es de unos 20 ó 30 minutos, mientras note que la envoltura está caliente.

Manzanilla: un tranquilizante natural

La manzanilla, utilizada como aditamento en envolturas, aumenta el efecto tranquilizante y antiespasmódico de la aplicación caliente sobre el abdomen.

Cómo se procede

- Prepare una infusión de flores de manzanilla siguiendo el proceso usual (→ página 729), y empape bien el paño con ella mientras aún se mantenga muy caliente.
- Pliegue el paño una sola vez, en sentido longitudinal, y prepare la envoltura procediendo de igual modo que hizo con anterioridad. Para aumentar el efecto más todavía, coloque sobre el paño intermedio un calentador a medio llenar con la infusión y, después, eche encima también la manta de lana.
- El tiempo estimado de la aplicación es de unos 20 minutos. Si es necesario, puede repetir la aplicación de la envoltura de manzanilla una vez haya transcurrido un tiempo de al menos una hora.

Para combatir la fiebre de niños y adultos, las envolturas frías en las pantorrillas son un remedio eficaz

La aplicación de envolturas frías en las pantorrillas se utiliza mayormente por su efecto antipirético, pero también en los trastornos del sueño o en patologías y afecciones como las flebitis.

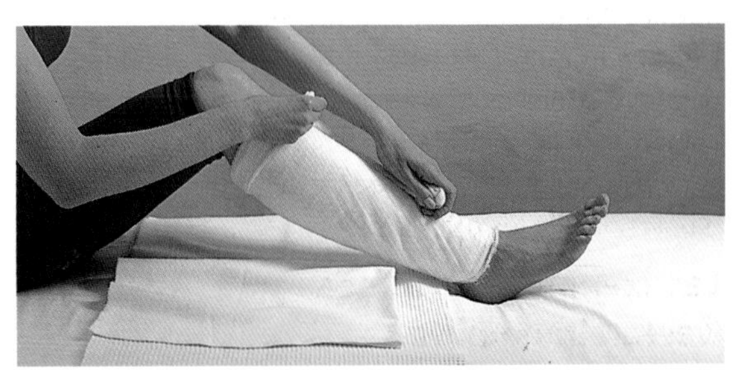

Si a pesar de la aplicación de compresas en las pantorrillas no baja la fiebre, ¡avise a su médico!

Cómo se procede

- Pliegue el lienzo dos veces a lo largo, empápelo de agua fría, retuérzalo bien hasta que no gotee y póngalo alrededor de la pantorrilla.
- Envuelva encima una toalla seca y, encima de ésta, ponga a su vez un paño de lana.
- Envuelva la otra pantorrilla de la misma manera.
- El tiempo de la aplicación es de unos 20 minutos, o cuando sienta que la envoltura ya está fría. Una vez haya finalizado, quite la envoltura y frote las piernas. Tras pasar una hora, puede repetir el proceso de nuevo.

Aplicación de envolturas frías para las venas de las piernas

La aplicación de envolturas frías con vinagre y fango en las piernas, alivian los dolores de estos miembros y los ocasionados por la flebitis.

Cómo se procede

- Mezcle 1 litro de agua con 1/4 de litro de vinagre. Diluya el fango (de venta en farmacias, herboristerías, droguerías y tiendas naturistas) en la mezcla, revuelva bien y sumerja el paño en esta especie de papilla.
- Escúrralo y envuelva las zonas enfermas. Después, coloque también la toalla seca y el paño de lana.
- El tiempo de aplicación estimado es de media hora. Se puede repetir varias veces al día.

Las compresas alivian zonas concretas del cuerpo

Al contrario que ocurre con las envolturas, con los apósitos se dobla convenientemente el paño húmedo interno para, en vez de envolver toda la parte afectada del cuerpo, colocarlo sobre una zona determinada del mismo. Por lo tanto, los apósitos tienen un efecto más restringido que el de las envolturas. No obstante, los otros dos paños secos sí envuelven la parte afectada. La compresa es la forma de apósito más pequeña, que sólo sirve para tratar zonas pequeñas del cuerpo (por ejemplo, la zona de los ojos y de la frente).

Las compresas húmedas y frescas tranquilizan

La aplicación de compresas húmedas y frescas bajan las hinchazones producidas por golpes y tranquilizan en casos de excitación nerviosa (por ejemplo, como compresas cardíacas o frontales).

Cómo se procede

- Para la aplicación de una compresa se necesita un paño que se pueda doblar, tantas veces como sea necesario, para adaptarlo de la mejor manera posible a la parte del cuerpo que se desea tratar (zona de la frente o del corazón).
- Empape este paño con agua fría, escúrralo bien y colóquelo sobre la piel. Después, envuelva el lienzo húmedo con un paño de fieltro seco más grande.
- En cuanto se haya calentado, vuelva a empapar el lienzo con agua fría y colóquelo como antes.
- El tiempo de aplicación es el preciso mientras el tratamiento resulte agradable (sobre todo, en el caso de las compresas cardíacas).

Las compresas empapadas en extractos de hierbas tranquilizan y son eficaces para golpes y torceduras.

Cebolla curativa, también para niños

Los vapores de la cebolla son muy saludables y producen efectos curativos en casos de inflamación de garganta, bronquitis y otitis.
Trocee dos cebollas y disponga los trozos sobre un paño humedecido. Dóblelo de forma que las cebollas no entren en contacto con la piel, sino que se mantengan en el interior del paño. Aplique las cebollas como aditamento de apósitos y de envolturas (→ página 736).

Compresas de hierbas para bajar hinchazones

Las compresas con aditamentos de plantas medicinales resultan de gran eficacia en el tratamiento de pequeñas zonas del cuerpo. Con esencia de árnica, por ejemplo, se hace posible reducir las hinchazones causadas como consecuencia de golpes y contusiones.

Cómo se procede

- Compre esencia de árnica en la farmacia y dilúyala en agua: 1 parte de árnica por 9 de agua templada.
- Sumerja un paño en la mezcla, escúrralo un poco y póngalo sobre la parte del cuerpo afectada. Envuelva alrededor de la compresa otro paño seco y cámbiela cuando sea necesario.
- Como la compresa está a la misma temperatura que el cuerpo, el tiempo de aplicación se limita al de permanencia sobre la piel hasta que baje la hinchazón.

Compresas oculares para ojos cansados

Un buen remedio para los casos de ojos enrojecidos y cansados es la aplicación de compresas templadas impregnadas en tisana de eufrasia.

Cómo se procede

- Prepare una infusión con hojas de eufrasia secas (1 cucharadita por cada taza de agua) y déjela enfriar.
- Cuando el líquido se haya templado, sumerja dos compresas de gasa en la tisana, póngalas sobre los ojos y manténgalas así de 5 a 10 minutos.

Compresas de vapor muy calientes, para los espasmos

El vapor muy caliente alivia los espasmos persistentes (por ejemplo, espasmos de estómago o de la menstruación) y los dolores en la región estomacal.

Cómo se procede

• Mantenga el paño en agua hirviendo unos minutos, sáquelo con un cucharón y escúrralo con unos guantes.
• Para evitar quemaduras, envuelva el paño con una tela de franela y colóquelo sobre el estómago o el abdomen todo lo caliente que pueda resistir. Envuelva todo con un paño seco y, luego, con un paño de lana.
• El tiempo de aplicación es el que tardan en enfriarse las compresas. Como máximo, aplíquese compresas de vapor muy calientes 2 ó 3 veces al día.

Apósitos calientes con hierbas o papillas

Los apósitos de hierbas y las llamadas "cataplasmas" eliminan las inflamaciones y quitan los espasmos. Antes de su aplicación, pida consejo a un médico especialista sobre esta terapia en su caso.

Bolsa de flores de heno: reacción térmica curativa

Además de calor, las flores de heno producen una reacción curativa en la piel. Esto permite eliminar mejor las toxinas y curar las inflamaciones más deprisa. En caso de inflamación de las vías respiratorias (bronquitis, tos irritante) y de los órganos digestivos, en afecciones cutáneas y en problemas reumáticos de origen muscular o articular, ponga una bolsa de flores de heno muy caliente. Sin embargo, su aplicación está contraindicada en inflamaciones agudas e inflamaciones de la piel.

Cómo se procede

• En farmacias y en tiendas naturistas y de dietética se venden apósitos de flores de heno listos para su uso, que han de utilizarse según las instrucciones.
• Ponga sobre un colador la bolsa de heno que ha preparado previamente (→ recuadro) y, para que se caliente al vapor, manténgala suspendida sobre agua hirviendo alrededor de 15 ó 20 minutos.
• Retire la bolsa con una pinza de la ropa (¡cuidado con las quemaduras!) y aplástela con las manos previamente protegidas. Deje que se enfríe hasta 40 °C (pruebe con la cara posterior del antebrazo) y, después, dispóngala sobre la zona del cuerpo que desea tratar. Los dos paños secos se colocan encima.
• El tiempo de aplicación se estima en una hora, cuando se retira la bolsa con las flores de heno. Repose en cama una hora más y, a continuación, lave con agua fría la zona tratada.

Bolsa de flores de heno hecha por uno mismo

Si desea preparar personalmente una bolsa con flores de heno, confeccione un saquito de tela de 20 por 30 centímetros y póngale una cremallera.
Llene las dos terceras partes del interior del saquito con flores de heno (de venta en farmacias, tiendas naturistas y herboristerías) y, como máximo, utilice el mismo relleno de 5 a 7 veces. Para evitar el peligro de que críe el saquito moho, cada vez que lo utilice séquelo bien enseguida.

Cataplasmas de alholva o linaza

La alholva y la linaza son dos ingredientes con los que es posible realizar un tratamiento eficaz contra las inflamaciones del aparato gastrointestinal, los espasmos gastrointestinales y los trastornos derivados del ciclo menstrual. También, tienen la propiedad característica de estimular el riego sanguíneo de las zonas afectadas en el organismo.

Cómo se procede

• Compre la alhova o linaza ya molidas en la farmacia, tienda naturista o herboristería. Ponga de 5 a 8 cucharadas de semillas en una cacerola pequeña o recipiente con agua fría, según la amplitud de la zona que desee tratar, revuelva bien la preparación y, sin dejar de remover, lleve el agua y los demás ingredientes a ebullición.
• En cuanto se haya formado un masa consistente, eche una capa de un dedo de grosor en el interior del paño, doble éste en forma de sobre de carta y colóquelo sobre el cuerpo con los dobleces hacia arriba. Ponga encima los dos paños secos.
• El tiempo de aplicación estimado de la cataplasma es el que tarda el paño en enfriarse. Si hace falta, según sea el tipo y características de la dolencia la aplicación se puede repetir de 2 a 4 veces al día.

Para preparar una cataplasma pliegue un paño como si se tratara de un sobre de cartas.

Recubrimientos que calientan y curan

Los recubrimientos forman parte de las aplicaciones más frecuentes en las curas de baños, especialmente en los masajes. En su composición se utiliza musgo, tierra medicinal, barro o fango (*peloides*). Estos ingredientes son idóneos para recubrir el cuerpo, se adaptan a su fisonomía y le mantienen caliente mucho tiempo. Sirven para eliminar tensiones, agarrotamientos y aliviar todo tipo de dolores. Principalmente se emplean contra los dolores de espalda producidos por contracturas musculares, pero también en el tratamiento del reuma, espasmos menstruales y lesiones deportivas.

Compresas de fango

Cómo se procede

• En las farmacias, tiendas naturistas y herboristerías venden compresas de fango listas para su uso. Según la prescripción o indicaciones, una vez caliente la compresa se aplica sobre la parte del cuerpo afectada.
• Para evitar pérdidas de calor, envuelva todo el cuerpo con un paño y una manta de lana grandes.
• El tiempo de aplicación estimado es el que tarda el recubrimiento en enfriarse. Después, se debe reposar durante una hora en cama.

¡Cuidado con los recubrimientos!

¡Para personas enfermas del corazón o con problemas circulatorios, los recubrimientos calientes pueden resultar fatigosos, por lo que antes se debe consultar siempre con el médico!

¡La aplicación de recubrimientos está contraindicada en personas que tengan reducida la sensibilidad frente al dolor (por ejemplo, diabéticos) o que padezcan trastornos circulatorios masivos (por ejemplo, claudicación intermitente de las piernas)!

Recubrimiento de musgo

Cómo se procede

• Los recubrimientos de musgo también se venden en farmacias, tiendas naturistas y herboristerías. Mezcle el contenido del envase con agua y revuelva hasta obtener una masa. Caliéntela después, al baño María, hasta alcanzar los 45 °C (utilice un termómetro). Para comprobar si la temperatura es soportable, acerque la palma de la mano con cuidado a la pasta.
• Cuando la temperatura sea agradable, unte la zona dolorida con una capa de masa de 3 centímetros de grosor, cúbrala con papel aceitado, envuélvala con un paño por encima y, para terminar, arrópela por completo con una manta de lana caliente.
• Deje que el recubrimiento actúe durante media hora; después, quítelo con agua templada. Para finalizar, guarde cama obligatoriamente durante una hora.

Los rayos infrarrojos calientan y relajan

En cualquier tienda de electrodomésticos, comercio especializado o grandes superficies se puede adquirir una lámpara de rayos infrarrojos. Las radiaciones que ésta emite producen un efecto calorífico en el cuerpo, que alivia los dolores y los estados espasmódicos.
Se emplean como ayuda en los casos de inflamaciones reumáticas crónicas, en los dolores de la región de la cabeza (donde es difícil aplicar envolturas y recubrimientos), así como en los casos de sinusitis y otitis medias. Además, sirven de calentamiento durante el tratamiento con masajes y calman las tensiones musculares y los dolores de espalda.

Cómo se procede

• Coloque la lámpara frente a la zona del cuerpo afectada, a la distancia recomendada que se indica en las instrucciones de manejo.
• El tiempo de aplicación, durante el que debe permanecer sentado delante de la lámpara, es de 20 minutos como máximo. Nada más terminar el tratamiento, evite exponerse al aire libre o a cualquier clase de corriente.
• El tratamiento de los dolores de espalda por medio de irradiaciones caloríficas secas no se tolera bien. Si antes cubre la zona afectada con un paño húmedo caliente y pone la lámpara aun más cerca, le resultará más agradable.

¡No utilizar en inflamaciones agudas!

¡Las inflamaciones agudas en ningún caso deben tratarse con calor. Si se hiciera caso omiso de esta advertencia, la intensidad de los dolores aumentaría después del tratamiento!

Un enfermo en casa

Diagnóstico precoz y tratamiento a tiempo

Las enfermedades se curan mejor y más rápido si se diagnostican y se tratan en su fase inicial. Incluso, si se adoptan las medidas preventivas oportunas, es posible no padecer apenas ninguna dolencia.

Como el cuerpo suele advertir muy pronto de los posibles desórdenes, nadie mejor que la propia persona para sentir o evaluar su propio bienestar físico y psíquico. La facultad de advertir a tiempo si se encuentra bien o si algo "no funciona" como es debido resulta así de vital importancia. Esto le ayuda a fortalecer su propia salud y, también, a reconocer los primeros síntomas de una enfermedad que podría evitarse a tiempo.

Evaluar el estado físico y psíquico de todos los sentidos –vista, oído, olfato, gusto y tacto– le permitirá reconocer a tiempo patologías graves muy concretas y, en primera instancia, las cancerosas. Pero aunque sólo se trate de pequeñas molestias cotidianas, le servirá de gran ayuda si trata con consideración y atiende los avisos que le envía su cuerpo. Entonces podrá percibir, con suma claridad, qué cosas le van bien o cuáles le molestan y le sientan mal. Sin embargo, por miedo a posibles consecuencias, muchas personas no tienen en cuenta los avisos que les manda su propio cuerpo.

Pero en el mantenimiento de la salud física y psíquica es muy importante tomarse en serio estos diferentes avisos y sentirse "como en casa" e identificado con el propio cuerpo. Si presta especial atención a los cambios físicos y psíquicos que observa, podrá evitar el padecimiento de muchas afecciones y de esta menera prevenir toda clase de enfermedades. Pero, para ello, es preciso que aprenda a confiar de nuevo en las sensaciones que experimenta y siente. No hace falta ser un profesional para, a través de los sentidos, saber interpretar lo que pasa en su cuerpo y en su psique.

Los síntomas que manifiesta el cuerpo

Cuando una persona se exige demasiado, el organismo reacciona mandándole señales de alarma muy claras. Las patologías serias se manifiestan también a través de numerosos cambios físicos y psíquicos, que a veces transcurren tan solapadamente que no nos percatamos de ellos por lo rápido que aparecen y desaparecen, como, por ejemplo, los síntomas de determinadas patologías de tipo canceroso. Esto hace muy importante que, independientemente de los síntomas o señales con que la enfermedad se manifiesta, se tomen en serio las reacciones físicas y los estados psíquicos que se experimentan.

¡Consulte con su médico a tiempo!

¡A veces se pueden reconocer fácilmente las propias afecciones, por lo que se hace necesario tomar alguna medida cuanto antes! Lo que en ningún caso se debe hacer es tratar de averiguar durante semanas, el origen de esas afecciones. Cuando no sepa qué hacer o no pueda dar solución a sus problemas con los medios más elementales, acuda sin dudarlo a la consulta de su médico.

Ordene sus problemas diarios

Si, por ejemplo, desde hace tiempo tiene la sensación de "no estar a la altura de las circunstancias" o de "estar fuera de quicio", tómese tiempo y recapacite sobre lo sucedido en los últimos días o semanas. Esta situación puede estar provocada por algo que le molestó en su día y que está reprimiendo; o, tal vez, porque ha dejado a un lado su dieta alimentaria o, quizá, ha desatendido la actividad física.

Pero aunque se sienta enfermo o tenga síntomas como dolores de cabeza o insomnio, si se autoexplora siempre encontrará alguna pista que le indique qué es lo que le pasa. Incluso es posible que la falta de descanso y esparcimiento, haya provocado que el cuerpo reaccione con estas afecciones ante un estado de estrés tan persistente. O tal vez su afán por la perfección le haya sometido a una situación tal de estrés y tensión continua, que se manifieste ahora en forma de dolores de espalda o de cabeza. En las páginas 722 a 741, se incluye todo tipo de información sobre el autotratamiento de las afecciones cotidianas y patologías leves.

¡Síntomas que pueden ser indicio de una patología seria!

¡La fiebre y los dolores de !cabeza muy fuertes, repentinos y frecuentes pueden significar el padecimiento de una patología seria! Otras señales de alarma suelen ser estados físicos y psíquicos, que, sin tener relación con la fiebre ni con los dolores, aparecen de improviso y persisten con una intensidad inhabitual. Entre ellos se cuentan:

- Decaimiento, cansancio, abatimiento.
- Rendimiento muy bajo, que dificulta o impide el desarrollo de las actividades habituales.
- Mareos o pérdidas de conocimiento repentinos.
- Pérdida de peso ostensible (sin seguir una dieta).
- Sangre en la orina o en las heces.
- Intensa coloración amarillenta de la piel.
- Olor corporal muy diferente al considerado como habitual; halitosis.
- Conductas extrañas que no encajan con el comportamiento normal del afectado.

¡Siempre que observe estos síntomas u otros similares, consulte cuanto antes con su médico!

¡En las páginas 744 y 745 se recogen varias indicaciones que hacen posible reconocer los cambios externos visibles que apuntan a un cáncer de piel, de testículos o de mama!

Diagnóstico precoz del cáncer

Afortunadamente, el cáncer ha dejado de ser una sentencia de muerte. El diagnóstico precoz y el tratamiento permiten curar muchas patologías cancerosas. Este es el fin que persiguen las "medidas preventivas", que se adoptan tanto para el cáncer de mama en mujeres jóvenes, o el de matriz y de intestino grueso en mujeres de mediana edad, como para el de próstata en hombres de mediana o avanzada edad.

La autoobservación permite evitar que algunos tumores de cánceres frecuentes se desarrollen en el cuerpo sin darnos cuenta. Si cada uno autoexplora su propio cuerpo periódicamente y observa el de su pareja o el de los otros componentes de la familia, la detección a tiempo de los cambios experimentados será posible, sobre todo en los casos de cáncer de piel y de mama en las mujeres y el de testículo en los hombres jóvenes.

Observe las alteraciones cutáneas

Desnudo por completo, examine periódicamente con minuciosidad todas las partes de su propio cuerpo y, también, las de su pareja. Lo ideal es considerar esto como una parte esencial del aseo personal e inspeccionar a diario, por ejemplo después del baño o de la ducha, la piel, los lunares y las manchas pigmentadas.
La llamada regla ABCD ha demostrado reiteradamente su eficacia en el reconocimiento del cáncer cutáneo maligno (→ Melanoma):

- A ("asimetría"): la pigmentación no es circular ni ovalada, sino que se extiende más hacia un lado.
- B ("borde"): la pigmentación es irregular; el borde se muestra "deshilachado".
- C ("color"): la pigmentación tiene coloración irregular, que va desde marrón oscuro a negro, pasando por gris apizarrado o demasiado oscuro para el tipo de piel.
- D ("diámetro"): tiene más de 5 mm.

¡Consulte siempre con el médico!

Con la simple observación de la pigmentación, no se pueden reconocer todas las alteraciones ni valorar muchas de las peculiaridades!
Por este motivo, siempre que observe alguno de los cambios arriba mencionados o no esté seguro del todo, es necesario que consulte sin demora de tiempo con un dermatólogo.

Autoexamínese los testículos

Los testículos son una parte del cuerpo muy sensible a las alteraciones, sobre todo su contenido. Pero esto no quiere decir que cualquier tipo de alteración signifique el padecimiento de un cáncer.
El cáncer de testículo es el tumor más frecuente en hombres jóvenes, pero también en este caso los éxitos en el tratamiento son muy grandes si el diagnóstico se realiza a tiempo. Por este motivo es muy importante que, entre los 20 y los 40 años de edad, se efectúen reconocimientos médicos regulares cada tres meses más o menos; además, una vez al mes, se debe realizar la autoexploración mediante palpación. Para ello es preciso desarrollar una sensibilidad muy especial, que sólo se consigue con la práctica. Convierta, pues, en una costumbre palparse los testículos después de ducharse, que es cuando el escroto se halla laxo. Explore los testículos uno tras otro para, de este modo, compararlos entre sí y constatar posibles diferencias.

¡Acuda inmediatamente al médico!

Tan pronto como perciba algún cambio, bultos o durezas en los testículos, o cuando los bultos crezcan sin producir dolor, acuda lo antes posible a la consulta de su médico de cabecera!

Forma correcta de examinarse

- Comience examinándose el testículo izquierdo. Para ello, sujételo con la mano del mismo lado y, sin frotar la piel, pálpelo con cuidado por todas partes sin realizar presión alguna.
- Repita la operación con el testículo derecho.

Inspección de los pechos

Cuanto antes se establezca el diagnóstico del cáncer de mama, mayores serán las probabilidades de curación. Por supuesto, siempre hay que tener en cuenta que los nódulos u otras alteraciones que a veces aparecen en el tejido del pecho no siempre son de origen canceroso. Por otra parte, además de cambiar a lo largo del ciclo menstrual, los pechos también sufren modificaciones en otras fases de la vida.

¡Vaya al médico sin demora!

En cuanto observe cambios en la forma y el tamaño de los pechos, durezas o hinchazones en los ganglios, o note que los pezones han cambiado de forma y color, se han retraído o segregado líquido, consulte sin pérdida de tiempo con su ginecólogo!

En ningún caso retrase la visita al médico debido a un miedo que, en muchos casos, carece de fundamento. Muchas alteraciones son inofensivas, pero también debe de tener en cuenta que muchos de los procesos malignos requieren de operaciones sencillas y se atajan mucho mejor si están en su estado inicial que ya muy avanzados!

Si se autoexamina los pechos con frecuencia, los típicos cambios que se operan en el tejido durante la regla no le intranquilizarán. En caso de que no esté segura, pida consulta a su ginecólogo para que le instruya y le explique los síntomas!

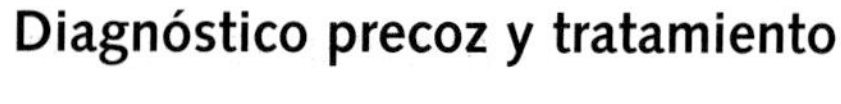

Forma correcta de examinarse

La autoexploración es uno de los métodos más importantes en el diagnóstico precoz del cáncer de mama. Palpe sus pechos una vez al mes. La época mejor para ello es, antes de la menopausia, la segunda semana después del período, cuando el tejido está blando y no presenta irregularidades. Antes de la regla suelen aparecer endurecimientos, que desaparecen después de la menstruación. A partir de la menopausia, márquese una fecha para la autoexploración cada 4 ó 5 semanas. Palpe los pechos sin presionar y, luego, compárelos uno con otro.

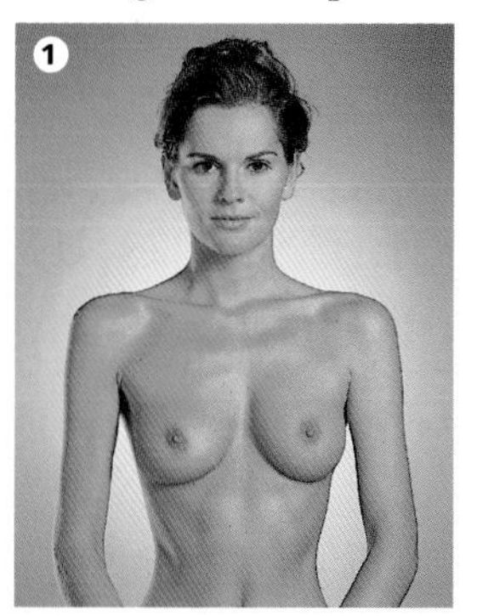

1. Colóquese ante un espejo con los brazos caídos y relajados. Examine primero un pecho y, luego, el otro. Fíjese en el tamaño, la forma, el color de la piel y los posibles cambios que advierte en cada uno. Examine y compruebe los pezones; del mismo modo, observe su forma y color.

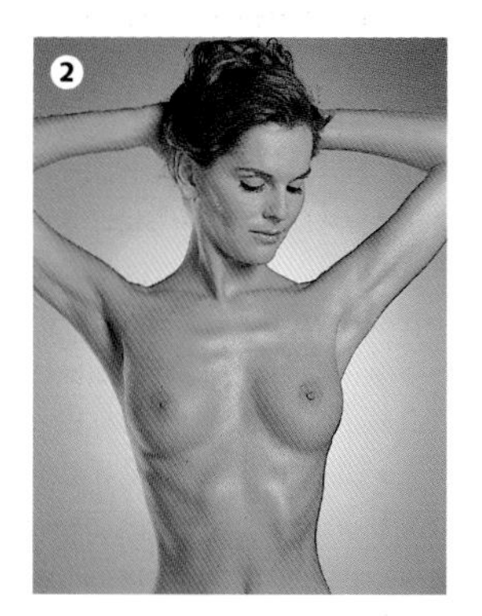

2. Levante ahora los dos brazos a la vez y coloque las manos tras la cabeza. Observe de nuevo la forma y el tamaño de los pechos. Compruebe si la piel de los pechos ha sufrido algún tipo de cambio o si se han retraído los pezones.

3. Gírese y póngase un poco de lado, de manera que pueda observar sus pechos primero por la derecha y, a continuación, por la izquierda. Fíjese en posibles alteraciones de la forma, el tamaño y de la piel.

4. Mantenga en alto el brazo izquierdo y extienda el derecho hasta poner la mano sobre el pecho izquierdo. Con cuidado y sin hacer una presión excesiva, palpe suavemente el tejido del pecho con todos los dedos de la mano en busca de posibles bultos o durezas. Autoexplórese despacio, palpando con cuidado el lado interior y avanzando lentamente hacia el esternón; después, baje el brazo y examine seguidamente la parte inferior del pecho siguiendo el mismo procedimiento.

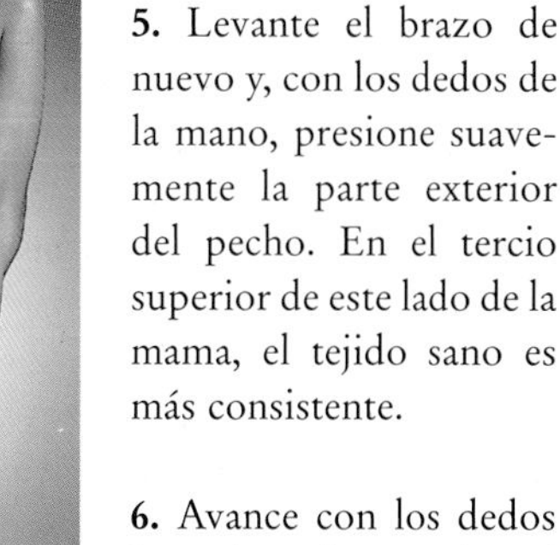

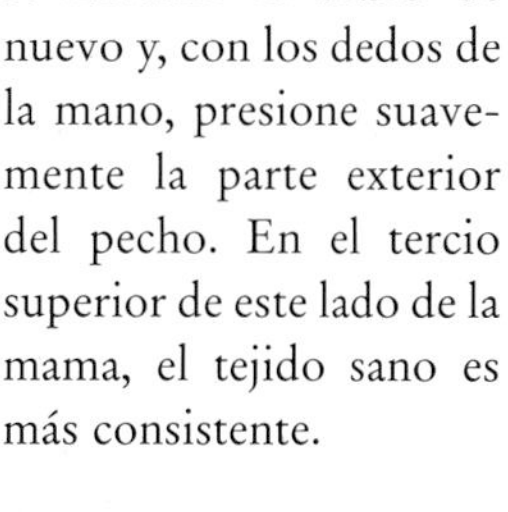

5. Levante el brazo de nuevo y, con los dedos de la mano, presione suavemente la parte exterior del pecho. En el tercio superior de este lado de la mama, el tejido sano es más consistente.

6. Avance con los dedos hasta la axila, y palpe el tejido de esta zona con cuidado en busca de nódulos e inflamaciones de los ganglios linfáticos.

7. Tome el pezón izquierdo entre los dedos índice y pulgar de la mano derecha y, con cuidado, apriete y observe si sale líquido. Si es así, fíjese cómo es para después comunicárselo al médico.

8. Repita el proceso anterior, poniendo la mano izquierda sobre el pecho y bajo la axila del lado derecho. Actúe con delicadeza.

9. Para terminar, tiéndase en el suelo apoyando la cabeza sobre un cojín. Doble ambos brazos y ponga, igual que antes, las manos detrás de la cabeza; luego, alterne uno y otro brazo y palpe los pechos con los dedos de la mano siguiendo el proceso descrito con anterioridad. Esta posición se emplea para descubrir algunos nódulos o durezas de difícil localización.

Remedios del botiquín doméstico

Ante la posibilidad de tener que curar dolencias y lesiones leves, es aconsejable y muy práctico que el botiquín de la casa cuente con algunas vendas y con los medicamentos de uso más corriente. Pero no todos los que pueden adquirirse sin receta médica son apropiados para el botiquín doméstico y para el autotratamiento. Por este motivo, en las páginas 748 a la 751 se ofrece una detallada relación de medicamentos, tanto de origen químico como vegetal, muy recomendables y de uso indispensable en el hogar.

En caso de duda, consulte a su médico sobre qué medicamentos o sustancias naturales --para preparar remedios caseros– le recomienda tener siempre en casa para el autotratamiento de dolencias tan concretas y cotidianas como, por ejemplo, resfriado, tos, gripe gastrointestinal, dolores de cabeza o pequeñas heridas de accidentes domésticos.

En el botiquín de la casa no deben faltar algunos medicamentos específicos y plantas medicinales (→ página 728 y ss.).

Casi la mitad de todos los medicamentos que se venden no necesitan receta médica y pueden tomarse sin control, lo que en ningún caso exime de la responsabilidad en todo lo referente a su aplicación y uso. Antes del autotratamiento o de la toma por algún miembro de la familia, es necesario informarse sobre la acción, los efectos secundarios y la forma de tomar el medicamento.

Cuidado con el autotratamiento

• La condición indispensable para adoptar cualquier clase de automedicación es visitar periódicamente al médico, para someterse a reconocimientos preventivos que testimonien el estado de salud general.

• Cuando con el tiempo se agrava una dolencia que en principio era breve, cuando aparecen afecciones que nunca antes había tenido o cuando las afecciones duran más de tres días debe consultar sin falta con su médico.

• Antes de tomar un medicamento, infórmese bien de las dolencias contra las que está indicado. Lea el prospecto con detenimiento y atención.

• Sopese la posibilidad de solucionar el problema sin necesidad de tomar medicamento alguno. Las tablas de la → página 750 y siguientes incluyen toda una serie de medicamentos, tanto químicos como vegetales, que no deben faltar en ningún botiquín doméstico; además, recoge propuestas de tratamientos alternativos.

• No permita que el presunto conocimiento y la experiencia a la que apelan los consejos siempre bienintencionados de sus familiares o amistades, le induzcan a tomar un determinado medicamento. Recuerde que, a veces, tras unos síntomas aparentemente inofensivos se ocultan peligrosas enfermedades.

• Preste atención a la fecha de caducidad (impresa en el envase) de los medicamentos, y anótela también en los sobrecitos de tabletas y en las etiquetas de los frascos u otros recipientes con tinta indeleble. Prohíbase por completo utilizar medicamentos caducados, o que presenten alguna alteración en su aspecto externo.

• Tome las tabletas o cápsulas con un vaso de agua, pero evite hacerlo con bebidas alcohólicas. En cualquier caso, siga las recomendaciones del prospecto respecto a la toma del medicamento y recuerde que una dosis más alta no implica necesariamente la mejoría inmediata del padecimiento que se sufre.

¡Cuidado con los medicamentos para niños!

¡Por precaución, los medicamentos deben mantenerse fuera del alcance de los niños! Independientemente del medicamento que se trate, evite dárselo a los niños si no es absolutamente necesario. En caso de duda, pregunte o consulte previamente con su pediatra. Recuerde que la utilización prolongada de medicamentos debilita el sistema inmunológico natural del organismo.

- Sin antes consultar con el pediatra, absténgase de administrar a los niños medicamentos destinados inicialmente a la curación de los adultos.
- Muéstrese también muy cauto con el empleo de tranquilizantes, estimulantes y cualquier otro tipo de psicofármacos.

Medicamentos y peligro de adicción

El abuso de los medicamentos ha aumentado de manera considerable en los últimos años, lo que a medio plazo es capaz de crear una adicción tanto física como psíquica de consecuencias fatales, tales como la intoxicación perniciosa del cuerpo, daños orgánicos muy graves y trastornos psíquicos que pueden conducir al suicidio. La adicción a los medicamentos es frecuente que no se delate de inmediato, pues su fácil transporte hace que pasen desapercibidos y que puedan tomarse en cualquier parte en un instante; como consecuencia, el tratamiento suele llegar demasiado tarde. La persona adicta no llama la atención por el olor (como sucede, por ejemplo, con el alcohol), ni por su aspecto externo o por su conducta. A ello hay que añadir también la buena aceptación que por lo general tienen los medicamentos en la sociedad, y lo proclive que es la publicidad a presentarlos como "remedios milagrosos".

Medicamentos que crean adicción

Si se toman a menudo, hay que tener en cuenta que medicamentos como los que se citan a continuación suelen crear adicción:

- Somníferos que contengan barbitúricos (la sobredosis produce pérdida de conocimiento y parálisis respiratoria, que puede resultar mortal; existe un alto peligro de suicidio).
- Tranquilizantes y somníferos con benzodiacepinas (estados de ansiedad, intranquilidad, insomnio, intoxicaciones).
- Estimulantes, anfetaminas y los inhibidores del apetito en dietas de adelgazamiento (reducción del rendimiento, insomnio, alucinaciones).
- Jarabes con codeína (suelen utilizarlos los heroinómanos como sucedáneo de esta droga).
- Laxantes, sobre todo con antraquinona (daños intestinales, pérdida de minerales y electrólitos, trastornos psíquicos y hormonales por alteración del balance de ácidos y bases).

Medicamentos para el botiquín doméstico

En las páginas siguientes se presenta una tabla con los medicamentos que, necesariamente, deben formar parte del botiquín doméstico.

Por lo general, no es recomendable tener grandes reservas, pues por una parte esto provoca el que a veces se tome un determinado medicamento "sólo porque está ahí", sin pararse a pensar si las afecciones pueden tener un tratamiento alternativo con remedios naturales, y, por otra, los que se compran en su mayor parte van a parar directamente al cubo de la basura (¡y las sustancias nocivas pasan a las aguas subterráneas!) o caducan antes de su utilización.

El armarito del botiquín doméstico

Los medicamentos tienen que conservarse, fuera del alcance de los niños, en un sitio fresco, seco y protegido de la luz. Por este motivo, se desaconseja guardarlos en el cuarto de baño o en la mesita de noche. Lo mejor es adquirir un "armarito", que se pueda cerrar con llave, y ponerlo a la altura de los ojos en la entrada de la vivienda o en el dormitorio. Coloque dentro todos los medicamentos que necesite para la automedicación, o los que le haya recetado el médico. Las plantas secas para tisanas y otros usos, pueden dejarse en la cocina.

Los envases, prospectos y medicamentos respectivos tienen que estar siempre juntos. Anote en el envase para quién, con qué fin y cuándo se ha comprado cada uno. Revise su botiquín cada poco, y retire los medicamentos caducados y los envases rotos.

En vez de tirar los medicamentos caducados a la basura, entréguelos en la farmacia (tienen la obligación de recogerlos) o deposítelos en los puntos de recogida de residuos especiales.

Medicamentos preparados y remedios caseros

Si son leves, las afecciones que se indican pueden recibir autotratamiento. En el índice de afecciones de la página 90, encontrará información pormenorizada. Los principios activos que se indican, pueden adquirirse como medicamentos ya preparados. Aunque la mayoría de estos preparados se fabrican en distintos laboratorios, sus efectos y la composición son similares. Después, se realiza una selección de los procedimientos curativos naturales de uso alternativo o adicional. Consulte los capítulos dedicados a la autoayuda.

Otras cosas que usted debe tener a mano

Pinzas, termómetro, esparadrapo continuo o tiritas de diferentes tamaños, toalla limpia, vendas de gasa, vendas elásticas, libro de primeros auxilios, así como el número de teléfono del servicio de socorro. En la página 776 y siguientes de este mismo libro, se recogen una serie de instrucciones para prestar los primeros auxilios en casos de urgencia.

Medicamentos apropiados para el botiquín doméstico

Afecciones	Principios activos de los medicamentos	Aplicación/Efectos ¡Téngalo en cuenta!	Remedios preparados alternativos*
Ronquera (→ página 246)	Dexpantenol (tabletas para chupar); pastillas de liquen de Islandia.	Tranquilizan la mucosa.	• Inhalación (→ página 732). • Gárgaras con 1/2 cucharada de salvia, 1 cucharada de manzanilla, y 1 cucharada de tomillo. • Envoltura caliente de patata alrededor del cuello (→ página 737).
Dolores de garganta (→ páginas 244, 254)	Gotas de alcanfor, aceite de menta, salvia.	Diluir en agua para hacer gárgaras.	• Leche muy caliente con miel (si se tolera). • Gárgaras con agua salada templada o té de salvia (1/2 cucharada) o de manzanilla (1 cucharada). • Envoltura de garganta (→ página 736).
Tos con mucosidad (→ página 119)	Jarabe para la tos con tusilago, prímula o liquen de Islandia; acetilcisteína (→ página 636) en tabletas o en polvo. —— Pomadas con alcanfor, eucaliptos y mentol.	La mucosidad se vuelve más fluida, se puede expectorar mejor. —— Para dar friegas en el pecho.	• Preparar un té con 1 cucharada de flores de tilo (¡Cuidado!: puede afectar a la circulación) o con 1 cucharada de tomillo o con 1 punta de cuchillo de raíces de prímula trituradas (→ Tés, pág 729). • Inhalaciones (→ página 732). • Envoltura muy caliente alrededor del cuello (→ página 737).
Tos seca (→ página 119)	Jarabe para la tos con tomillo o hiedra. —— Gotas con drosera y, si acaso, con aditamento de codeína (→ página 636).	Acción antiespasmódica. —— ¡La codeína crea adicción! No utilizar más que en casos de necesidad y, a ser posible, una sola vez (→ página 636).	• Inhalaciones (→ págiana 732) con 1 cucharada de tomillo. • Té de tomillo (1 cucharada) o infusión de drosera (1 cucharada); (→ página 729) . • Envoltura fría de requesón o limón (→ página 737) . • Envoltura muy caliente en el tórax (→ página 737).
Constipado, resfriado (→ páginas 182, 245)	Solución oleosa de esencia de menta y tomillo, en gotas o como inhalación.		• Inhalaciones (→ pagina 732) con 1/2 cucharada de salvia y 1 cucharada de tomillo.

*Preparar las cantidades indicadas para las tisanas con 1/8 de litro de agua hirviendo, dejar reposar 15 minutos y colar.

Afecciones	**Principios activos de los medicamentos**	**Aplicación/Efectos ¡Téngalo en cuenta!**	**Remedios preparados alternativos***
Constipado alérgico (→ página 524)	Antihistamínicos (→ página 635), en tabletas.	¡Producen cansancio! ¡Cuidado al conducir o trabajar con máquinas!	• Si es posible evite los alergenos (→ página 524).
Fiebre (→ página 106)	Ácido acetilsalicílico (→ página 636), en tabletas. —— Paracetamol (→ página 636), en supositorios o tabletas.	Disolver bien en mucha agua ¡No apto para los niños! —— También, para niños.	• Envoltura de pantorrillas (→ página 738). • Tisanas sudoríficas (!Cuidado!: pueden afectar a la circulación), preparadas con 2 cucharadas de saúco y 1 cucharada de flores de tilo si sube la fiebre (→ Tisana, pág. 729).
Aumento de las defensas	Dirección simbiótica, (→ página 553).		• Aplicaciones de Kneipp (→ página 722). • Sesiones de sauna (→ página 727).
Decaimiento, cansancio	Tabletas de sustancias minerales sin azúcar.		• Evitar el estrés y el exceso de trabajo (→ página 684). • Té y café con moderación • Deporte para la circulación sanguínea (→ página 698). • Hidroterapia (→ página 722). • Aromaterapia (→ página 734).
Trastornos del sueño, nerviosismo	Hidrato de cloral o antihistamínicos (→ página 635); hipericón, en tabletas o en grageas; tabletas o grageas con valeriana, melisa, menta y lúpulo.	¡Los somníferos producen somnolencia y no curan las causas! Pueden producir cansancio diurno y trastornos del sueño persistentes. ¡No tome benzodiacepinas porque pueden crearle adicción! (→ página 637)	• Sólo platos de fácil digestión por la noche. • No ver la televisión en la cama. • Hacer ejercicios de relajación antes de irse a la cama (→ página 686). • Té de valeriana (1 cucharada), de melisa (2 cucharadas) o de lúpulo (2 cucharadas), antes de ir a la cama, o 2 veces al día.
Dolores de cabeza (→ página 213)	Ácido acetilsalicílico (→ página 636), en tabletas o tabletas efervescentes.	Disolver bien en mucha agua. ¡No tomar antes ni después de una extracción de muelas!	• Cabeza: frotar las sienes con aceite de menta; poner calor si la musculatura de la nuca está tensa (→ páginas 438, 741); ejercicios de relajación (→ página 686).
Muelas (→ página 312)	Paracetamol (→ página 636), en supositorios o en tabletas; ibuprofeno (→ página 638), en tabletas.	En caso de padecer dolores abdominales o fuertes dolores, no todos estos medicamentos producen el efecto deseado. ¡Si se toman habitualmente, dañan el estómago y riñón!	• Muelas: compresas húmedas frías (→ página 739) en la mejilla; en caso de inflamación; masticar un clavo de especia entero en la parte dolorida.
Aparato locomotor	Capsaicina, en pomada o "parches calientes".	Generan calor al estimular el riego sanguíneo de la piel ¡No utilizar en el mismo lugar más de 2 días! ¡Evite el contacto con las mucosas!	• Espalda: baño caliente completo con flores de heno, acículas de picea (→ página 726); sauna (→ página 727); entrenamiento autógeno (→ página 690); relajación muscular progresiva (→ página 689); entrenamiento de la musculatura de la espalda (→ páginas 701, 706); infrarrojos (→ página 741).

*Preparar las cantidades indicadas para las tisanas con 1/8 de litro de agua hirviendo, dejar reposar 15 minutos y colar.

Medicamentos apropiados para el botiquín doméstico

Afecciones	Principios activos de los medicamentos	Aplicación/Efectos ¡Téngalo en cuenta!	Remedios preparados alternativos*
Dolores de vientre y estómago (→ página 96) **En el período** (→ página 382)	Butilescopolamina, en supositorios o tabletas (en caso de dolor de estómago consulte con su médico).	¡Vaya al médico en seguida si los dolores son más fuertes de lo normal o demasiado intensos o persisten a pesar de la medicación!	• Aplicar una botella caliente envuelta en un lienzo húmedo. • Envoltura caliente y húmeda con flores de heno (→ página 736), poner alrededor del abdomen.
Ardor de estómago, eructos (→ página 328)	Magaldrato.	¡Heces blandas!	• Varias comidas pequeñas al día. • Pasear para hacer la digestión. • Comer mucha fruta y verduras variadas. • Café cargado, te, alcohol. • Tomar leche (si se tolera). • Tisanas de manzanilla (1 cucharada) o de menta (1 cucharada); (→ Tisana, página 729).
Gastritis (→ página 334)	Silicato de aluminio y magnesio, o sucrafalto en tabletas o suspensión (sobres).	¡Estreñimiento: influido tal vez por tomar otros medicamentos al mismo tiempo!	
Flatos (→ página 342)	Dimeticona en tabletas.	Disminuyen los flatos al reducirse el tamaño de las burbujas de aire en el contenido gastrointestinal.	• Evitar berzas, frutos secos y cebollas. • Masajear el abdomen a lo largo del intestino grueso (→ página 338). • Tisana: 1 cucharada de comino y 2 de hinojo o 1 de anís.
Estreñimiento (→ página 342)	Linaza, salvado de trigo.	Estimulan la actividad intestinal al aumentar la cantidad de heces. ¡Tomar mucho líquido! para que no se formen coprolitos.	• Beber a diario 1 ó 2 litros de agua, tisanas de frutos, zumos diluidos. • Muchas fibras (en verduras, fruta, ensaladas, productos integrales). • Alimentos laxantes (frutas secas, ruibarbo).
	Té de hojas de sen, jarabe de ruibarbo, áloe.	¡Peligro de adicción! (→ página 571), tomar sólo a corto plazo; pérdida de electrolitos y minerales.	• Hacer ejercicio físico (→ página 698); dar masajes en la pared abdominal; ejercicios abdominales (→ página 706).
Diarrea (→ página 342)	Cápsulas con *Isaccharomyces boulardii*; mezcla salina; reacción simbiótica (→ página 553).	Niños: llévelos al médico en seguida. Adultos: si la diarrea es muy fuerte o dura más de dos días, acuda al médico.	• Eliminar el estrés, la ansiedad, y el exceso de trabajo (→ página 684). • Cataplasmas en el estómago (→ página 740). • Té de arándanos (1 cucharada).
Náuseas, vómitos (→ páginas 133, 332)	Metoclopramida, en tabletas o supositorios.	Reprime los síntomas, pero no elimina las causas. ¡En caso de vómitos fuertes y continuos, acuda inmediatamente al médico!	• Respirar a fondo, no contener los vómitos. • Beber cola a cucharadas; comer barritas saladas.
Mareos en los viajes (→ página 174)	Parche de escopolamina; preparados de jengibre.	Como medida preventiva.	• Mirar al horizonte, no leer, y, si es posible, conducir uno mismo. • Comida ligera; nada de alcohol.

*Preparar las cantidades indicadas para las tisanas con 1/8 de litro de agua hirviendo, dejar reposar 15 minutos y colar.

Afecciones	Principios activos de los medicamentos	Aplicación/Efectos ¡Téngalo en cuenta!	Remedios preparados alternativos*
Prurito, picaduras de mosquitos, alergias (→ página 518)	Dimetindeno (→ Antihistamínicos , página 635) en tabletas, pomada o gel. —— Estracto alcohólico de árnica.	Las tabletas producen cansancio: ¡cuidado al conducir! —— Para compresas.	• Poner la mitad de una cebolla, 1 hora, sobre la picadura. • Prensar hojas de jengibre y echar unas gotas de su jugo. • Poner compresas frías con tierra medicinal que contenga ácido acético (→ página 739). • Poner hielo o harina de patata. • Poner envolturas de leche en caso de picaduras de abeja o avispa.
Protección contra los mosquitos	Mezcla acuosa de aceite de limón, de cedro, de clavo y de menta. Velas de limón.	¡En lactantes y párvulos, no use triplenamina como protección contra los mosquitos!	• Llevar ropa larga y clara en el crepúsculo. • Poner un mosquitero en la cama y una tela metálica en la ventana.
Protección contra el sol	Productos antisolares con filtros UVA y UVB; si es posible, a prueba de agua.	Dése crema solar al menos media hora antes del baño. ¡Darse crema varias veces no significa prolongar la duración del baño solar!	• Proteger la cabeza (sombrero, pamela); llevar ropa ligera. • Entre las 11 y las 15 horas, no exponer a los niños al sol sin ropa.
Quemaduras del sol	Dimentindeno, en pomada o gel; pomadas con árnica o hamamelis.		• Duchas frías, compresas húmedas y frías (→ página 725, 739). • ¡Protección preventiva!
Heridas en la mucosa bucal, y en las encías	Toques con extracto de ruibarbo o tintura de mirra; tabletas de dexpantenol, para chupar. —— Esencia de caléndula.	Aplicar sobre las heridas sin diluir. —— Diluir en agua, para enjuagarse.	• No tomar zumos de frutas (ácidos). • Enjuagarse con tisanas calientes de salvia (1/2 cucharada) o de manzanilla (1 cucharada) o con agua de Ems salada. • Para hacer gárgaras varias veces al día, poner 2 cucharadas de corteza de roble en 1/2 l de agua hervida.
Heridas infectadas (→ páginas 783, 786)	Polividona (iodada) o merbromina (sin yodo, en gotas o aerosol).	No cicatrizan las heridas. ¡Ir al médico inmediatamente si las heridas están sucias y no se tiene protección antitetánica, o si han sido causadas por mordiscos de animales salvajes o silvestres (peligro de rabia)!	• Dejar sangrar las heridas.
Curación de heridas (→ página 430)	Dexpantenol o caléndula en pomada.	¡Consulte con el médico si las heridas curan mal!	• Cocer una cucharada de caléndula en 1/2 l de agua para compresas frías (→ página 739).
Torceduras, contusiones	Diclofenac, árnica o caléndula en pomada. —— Esencia de árnica.	¡No aplicar mucho tiempo! —— Para compresas.	• Tisanas de flores de árnica, para aplicar compresas frías (→ página 739).

*Preparar las cantidades indicadas para el tisanas con 1/8 de litro de agua hirviendo, dejar reposar 15 minutos y colar.

Convivir con la enfermedad

Para la mayoría de la personas, el padecimiento de una enfermedad es una experiencia negativa, un trastorno molesto que impide el normal desarrollo de su vida cotidiana. Sin embargo, caer enfermo supone una experiencia importante; sentir dolor, debilidad y sufrimiento quizá represente un nuevo planteamiento de la vida. A menudo, la enfermedad no es más que el modo que tiene el cuerpo de decirnos que algo hemos hecho mal y que debemos restablecer de nuevo el equilibrio roto debido a una conducta equivocada.

La enfermedad como "punto de partida"

Las enfermedades muchas veces nos brindan la oportunidad de reorganizar la vida y compensar al cuerpo y al espíritu por las insatisfacciones que les hemos hecho padecer durante largo tiempo. Si se aprende a convivir con la enfermedad y se adoptan unos cuidados mínimos, hasta las más grave tienen sus aspectos positivos. Así, a partir de entonces se viven más intensamente determinados aspectos de la vida, se disfruta con los detalles más insignificantes y se da una mayor importancia a cosas que antes parecían pequeñeces.
También, se aprecia en todo su valor cosas del entorno que pasaban inadvertidas, por ejemplo, un ramo de flores, la buena música o la naturaleza. O, incluso, se disfruta de nuevo con las comidas favoritas. Todo ello contribuye a desarrollar un sentimiento vital renovado, que proporciona una visión más positiva de la vida y hace vivirla con optimismo.

Los pensamientos positivos ayudan

Cuando alguien cae enfermo, es muy importante evitar el desánimo e inspirarle toda suerte de sentimientos positivos. Investigaciones realizadas han puesto de manifiesto que aquellas personas que no desfallecieron antes situaciones difíciles y se mantuvieron firmes ante una posible salida a la crisis, superaron éstas más rápidamente. Algunos procedimientos de apoyo contribuyen a dar fuerzas físicas y psíquicas a las personas enfermas, pues para recobrar su salud necesitan tener pensamientos y sentimientos positivos.
Pregunte a su médico o enfermera sobre la adopción de medidas específicas complementarias.

Los enfermos en casa

Los niños y las personas enfermas de edad, lo ideal es que reciban atención y cuidados en casa. Vivir en su propio ambiente y formar parte de la vida cotidiana de la familia les da confianza y seguridad, lo que es muy importante para recuperar la salud y aliviar los dolores. La decisión de que un paciente deba y pueda recibir atención y cuidados en su propio hogar o en el hospital, depende de varios factores:

- Por principio, será el médico quien decida si un paciente puede permanecer en casa o, por el contrario, ha de ser trasladado al hospital para recibir el tratamiento adecuado. Entre otros factores, tal decisión depende de la duración de la terapia, de la gravedad de la enfermedad y de la clase de impedimento.
- Muy importante es la cuestión de si los cuidados que precisa el paciente se los pueden dar en casa. Este aspecto está en función de las obligaciones profesionales de los miembros de la familia, de su experiencia en el cuidado de enfermos y de las posibilidades que ofrezca la propia vivienda. En caso de que la situación supere estas perspectivas, no se debe tener reparo en admitirlo. Muchas veces, es más beneficiosa la atención un tanto impersonalizada del hospital o centro asistencial que la más acogedora pero deficiente del hogar.
- Las sugerencias que se exponen a continuación pueden servir de gran ayuda para organizar más fácilmente la asistencia en casa. Según la edad y la enfermedad que padezca el enfermo, la situación y las necesidades son distintas. En caso de que se encargue de atender a una persona impedida o de edad, también le serán muy útiles las indicaciones de la página 758 y siguientes. Consulte con su médico, en los centros de salud locales o en el hospital para aclarar y recibir instrucciones en caso de situaciones especiales.

La habitación del enfermo

En principio, la decisión de tener al enfermo en la sala de estar o en su propia habitación depende del tipo de enfermedad que padezca. Preparar una habitación para su uso exclusivo, sólo es necesario cuando la enfermedad es de larga duración y el paciente tiene que guardar cama la mayor parte del tiempo; también, se debe procurar que sea alegre.

Pida consejo al médico

El médico le informará sobre la enfermedad, y le aconsejará y prescribirá lo más indicado.

Si se encarga de cuidar a un enfermo en su propia casa, es muy importante que pida información detallada a su médico y que éste visite al paciente periódicamente o, si es posible, que lo reconozca en la consulta cada cierto tiempo.

Preguntas que debe formular al médico

- ¿Debe haber claridad en la habitación, o es mejor que esté en penumbra?
- ¿Cuántas veces se debe levantar al paciente? ¿Durante cuánto tiempo?
- ¿Tiene algún alimento prohibido en las comidas? ¿Puede comer todo lo que le apetezca?
- ¿Cuánto puede o debe beber?
- ¿Hay que tomarle la fiebre? ¿Cada cuánto tiempo?
- ¿Qué cambios se deben tener en cuenta en el estado del paciente?
- ¿Hay que recoger muestras de vómitos, deposiciones, orina, etcétera, para su análisis?
- En caso de enfermedad contagiosa: ¿pueden venir a visitar al paciente otros niños o adultos? ¿Hay que adoptar alguna medida de precaución?
- ¿Cuánto tiempo deben durar las visitas?
- ¿Puede leer o ver la televisión el paciente?
- ¿Puede tener algún animal doméstico o de compañía (perro, gato, pájaro) junto a la cama?

Situación y amueblado de la habitación

- Si es posible, la habitación debe quedar cerca del cuarto de baño y no estar aislada del acontecer familiar.
- Debe tener claridad y una temperatura ambiental constante (unos 21 °C). Además, hay que ventilarla varias veces al día.
- Es importante que el mobiliario cuente, junto a la cama, con una mesita para guardar los objetos de uso corriente (gafas, medicamentos, pañuelos, útiles de aseo, lectura, fotos u otros similares); asimismo, dispondrá de una lámpara para leer y otra de noche fácilmente alcanzables en cualquier momento por la persona enferma. Es conveniente colocar junto a la cama un timbre, una campanilla o un aparato de escucha como los que se emplean para vigilar a los bebés.
- Procure también que la habitación disponga de un armario grande para guardar la ropa de cama, la de noche, la de día y los utensilios de aseo, así como una mesa (decorada alegremente con un florero o frutero) en la que se pueda servir la comida al enfermo en caso de que hiciese falta.
- Si el estado del paciente lo permite, ofrézcale la oportunidad de escuchar la radio, leer libros o, para variar, ver algún programa de televisión.

Higiene en la habitación del enfermo

Aunque hay una serie de normas de limpieza imprescindibles, lo cierto es que no hace falta adoptar unas medidas higiénicas específicas.
Tampoco se trata de limpiar todo en profundidad con desinfectantes o productos especiales, pretendiendo con ello proteger del peligro de infección al enfermo y a los familiares. Esto no suele ser necesario, ni siquiera en caso de enfermedad contagiosa. ¡Siempre que tenga alguna duda, pida consejo a su médico!

- Antes y después del contacto con el enfermo, lávese siempre las manos.
- Además de la habitación del enfermo, limpie también el resto de la vivienda con normalidad.
- Saque lo antes posible de la habitación del enfermo los utensilios de la comida, la ropa usada, los pañuelos, los pañales y toda clase de residuos.
- Ventile la habitación varias veces al día.
- Si el paciente tiene que guardar cama de modo permanente, cambie las sábanas a diario o cada dos días; también, si se ensucian por cualquier causa.
- Para el enfermo, use ropa de cama resistente a altas temperaturas y lávela a 95 °C.

La cama del enfermo

En caso de que se padezca una enfermedad de corta duración, basta con disponer de una cama normal. Pero si el enfermo tiene que guardar cama durante mucho tiempo, o de modo permanente, la cama ha de cumplir unos determinados requisitos o disponer de unos mecanismos que faciliten las acciones de acostarse y sentarse y, de este modo, resulte más fácil cuidarle.

Cómo convertir una cama normal en una cama para enfermos

• Coloque la cama en la habitación de forma que el acceso lateral y a los pies se realice con facilidad; a ser posible, sitúela mirando hacia la puerta y la ventana.
• Hacer la cama y cambiarla resulta mucho más fácil si el colchón está a una altura del suelo de entre 60 y 80 centímetros. Si la cama es demasiado baja, puede aumentar su altura poniendo unos tacos apropiados debajo de cada pata (¡asegúrese de que la estabilidad se mantiene!), o echando encima un segundo colchón.
• También es importante que disponga de una buena cabecera, que sirva de respaldo y permita sentarse en la cama con comodidad. Y para mantener los pies en alto, consiga algunos almohadones de diversas clases. Los puede confeccionar personalmente comprando en el comercio del ramo un relleno de espuma plástica a medida y, luego, cubriéndolos con una funda.
• Procure que la cama sea fácil de limpiar. Una funda de algodón para el colchón es más agradable que una de plástico, que sin duda hará sudar al enfermo. Los empapadores son muy prácticos.

Una cama especial para enfermos facilita su cuidado

Si el paciente tiene que guardar cama durante mucho tiempo, y necesita cuidados intensivos permanentes, lo más oportuno es adquirir una cama especial para enfermos, que facilita su cuidado y permite a éste acostarse y sentarse mejor que en una cama normal.
También es muy recomendable para la asistencia a largo plazo. Estas camas permiten su regulación en altura (un alivio para la espalda del cuidador), y la elevación independiente de la cabecera y de los pies. Disponen asimismo de ruedas, que es posible ajustarlas en distintas posiciones.
También son muy prácticos los colchones contra las úlceras por decúbito, que se forman en los pacientes cuando ya no se levantan y permanecen acostados de modo permanente.

El aseo del cuerpo

El cuerpo se debe lavar a diario, sobre todo si el paciente no se puede levantar y suda mucho. Especial atención y cuidado se debe poner en el lavado de las partes íntimas (para este menester, utilice exclusivamente guantes de látex) y de los dientes, aunque no se haya ingerido ninguna comida recientemente.
Ayude al enfermo en su aseo personal, sólo lo estrictamente necesario. La ayuda que muchas veces los familiares brindan a los enfermos sólo por compasión, convierte a éstos en personas completamente inútiles e incapaces de valerse por sí mismas. Como consecuencia, el cuidador tiene que realizar mucho más trabajo y el enfermo se siente como un niño desvalido. Dejemos, pues, que el enfermo realice solo todas aquellas tareas que pueda realizar personalmente.
Para cualquier paciente encamado es un estupendo ejercicio realizar alguna cosa más cada día. El aseo personal es un asunto muy íntimo, y solamente debe realizarlo otra persona cuando el enfermo no se valga por sí mismo.

El aseo personal correcto

• En una mesita de noche se pueden guardar los utensilios más importantes para cuidar del enfermo encamado: una palangana, jabón líquido (para que no se resbale de las manos), unos guantes de látex y una toalla de textura suave.
• Para que el paciente se pueda lavar con comodidad, conviene levantar el respaldo de la cama o poner un cojín grueso detrás de la espalda.
• Si resulta engorroso el empleo de una palangana para el aseo, déle al paciente una esponja previamente humedecida y deje que se lave solo.
• No eche mucho jabón, pues, aparte de que después no se quita bien, puede dañar la protección natural de la piel. Es mejor usar lociones especiales para lavados, o agua sola a una temperatura agradable.
• Para la limpieza de los dientes, puede resultar especialmente agradable un cepillo de dientes infantil suave. También, los dientes pueden frotarse con bastoncitos de algodón.
• Para mejorar la circulación sanguínea de las personas que deben permanecer mucho tiempo en la cama, conviene darle al cuerpo friegas a menudo con agua fresca; y, luego, seguir en seco con mucho cuidado. Las friegas con alcohol (de venta en farmacias, droguerías y supermercados) activan el riego sanguíneo, aunque favorecen la pérdida del calor corporal.

El cuidado de los niños enfermos

Entre las personas enfermas, los niños necesitan mucho más que los adultos ser cuidados en casa. Por el hecho de estar enfermos sienten miedo e inseguridad, sentimiento que se agudiza si se les cambia de ambiente. Necesitan sentirse seguros, y estar en casa arropado por su familia les ayuda mucho. Se ha de procurar, pues, que el niño no advierta la preocupación de los padres, por lo que se le ha de tratar con suma naturalidad y actuar mostrando total tranquilidad. Cuanto más cariñoso, comprensivo y tolerante se muestre con su hijo enfermo, tanto mejor y más pronto superará la enfermedad que padece. He aquí algunas sugerencias para el cuidado del niño enfermo.

Reposo en cama y ocupaciones

• A no ser que el médico le haya ordenado reposo absoluto, no obligue al niño a permanecer en la cama. Cuando no se sienta bien, él mismo pedirá irse a la cama para dormir un poco. Si está despabilado, deje que se levante aunque tenga algo de fiebre. Lo que sí está claro es que no se le puede sacar a la calle todavía. Procure que no pase frío, y que no haya corrientes de aire en la habitación.

• A los niños enfermos les gusta mucho que se les hagan compañía. Para no perderse nada de lo que pasa a su alrededor, les encanta que pongan su cuna donde puedan ver la actividad normal de la casa (cocina, sala de estar). Algunos donde más a gusto se encuentran es en la cama de sus padres.

• No obstante, dependiendo de la enfermedad, el niño tiene que reposar y dormir más de lo acostumbrado. Una cama con ruedas es ideal para los niños, pues así es posible desplazarla de un lugar a otro en función de la hora del día.

El niño enfermo necesita ánimos y que se le dé mucho cariño.

• Los animales de peluche, muñecas o juguetes preferidos son buenos compañeros del niño, pues le dan consuelo, tranquilidad y entretenimiento.

• Cuando obligatoriamente tiene que estar en la cama, además de tranquilidad el niño también necesita estar ocupado y entretenido. A los niños enfermos les gusta que los papás, los hermanos o el abuelito y la abuelita les cuenten historias o les lean cuentos. Para estas ocasiones sirven como un buen entretenimiento juegos infantiles como el “veo, veo”, o similares, que no requieren mucha concentración. Pintar con lápices no tóxicos y lavables, también ayuda a hacer más amena la permanencia en la cama.

• La televisión suele cansar mucho a los niños enfermos. Por lo tanto, es mejor ponerles casetes de música, canciones o relatos infantiles.

• Las personas que visiten a un niño enfermo, mejor que llevarle juguetes es que dediquen un tiempo a jugar con él o a contarle cuentos.

Comidas y bebidas para niños enfermos

• En la página 757 se incluye una serie de recetas muy apropiadas para la dieta de los adultos enfermos, que también suelen gustar a los niños.

• Si el niño tiene fiebre, es de suma importancia que beba mucho y no tanto que coma bastante. Al moverse menos las necesidades calóricas disminuyen, mientras que las de sales y minerales aumentan debido a la pérdida de líquido que provoca la fiebre. Por lo tanto, no le obligue a comer si no quiere. Puede proporcionarle calorías y líquido a un tiempo con tan sólo darle tisanas poco dulces, zumos de frutas –diluidos y sin azúcar– y caldos de carne poco grasos.

• Los alimentos más indicados son los pobres en grasa y ricos en hidratos de carbono: caldo con arroz, pasta, patatas, papilla de fruta o de verduras, compota, pan tostado, carne de ave (muy picada o colada, según la edad), bizcochos, barritas saladas, papilla con leche.

• Lo mejor es programar la ingesta de las diferentes comidas a lo largo de cinco tomas pequeñas al día. Los biberones más pequeños proporcionados en intervalos menores de tiempo, son muy del agrado de los lactantes.

La muda de la cama

Para mudar o cambiar la ropa de la cama de aquellas personas que deben permanecer en ella y no suelen levantarse, se requiere práctica. Para evitarse el cambiar la cama todos los días, puede seguir las instrucciones que siguen a continuación y ahorrarse así mucho trabajo. Para proteger el colchón, coloque bajo la sábana bajera empapadores; y, sobre ésta, en la zona comprendida entre los hombros y las nalgas, disponga las llamadas sábanas traveseras. Y si desea hacer la cama más fácilmente, las sábanas ajustables ayudan mucho en esta labor tan compleja.

Si el paciente está acostado

1. Para mudar la cama con el paciente acostado, suelte los cuatro lados de la sábana usada.

2. Sujete al enfermo por los hombros y las caderas y, a continuación, gírelo hacia el lado de la cama donde usted se encuentra. Previamente dobladas, eche la pierna de arriba hacia atrás y la de abajo hacia adelante. De este modo, el enfermo estará seguro.
No obstante, para tener la completa seguridad de que no se cae, ponga una silla pesada arrimada lo más posible al borde de la cama.

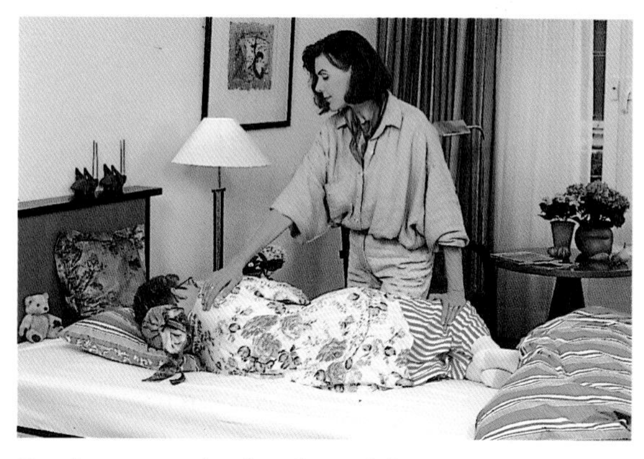

Cuando vaya a cambiar las sábanas de la cama, cuide de que al poner al enfermo de lado quede en una posición segura.

3. Pase la parte libre de la sábana sucia por debajo del cuerpo del enfermo, y extienda la sábana limpia sobre la superficie libre del colchón hasta ocupar la mitad de del espacio de la cama.

4. Gire de nuevo al enfermo, hasta situarlo sobre la mitad de la cama que cubre la sábana limpia.

5. Ahora ya puede retirar por completo la sábana sucia, y acabar de extender la nueva para sujetarla después. Procure que las sábanas no formen pliegues ni arrugas, y que el enfermo no quede acostado sobre botones, costuras o dobleces.

Si el paciente está sentado

En caso de que el paciente pueda sentarse, la muda se realiza del mismo modo pero ocupando la mitad de la cama a partir de los pies de la misma:

1. Una vez que el paciente esté erguido en posición de sentado, enrolle la sábana sucia desde la cabecera hasta la mitad de la cama.

2. Sujete la sábana limpia arriba y, luego, extiéndala hasta la mitad de la cama.

3. Tire de la sábana sucia por debajo de las nalgas del enfermo y, también, de la sábana limpia hacia abajo. La primera, para quitarla; la segunda, para extenderla y sujetarla en la parte inferior de la cama.

Comidas y bebidas

Cuando se está enfermo se suele perder el apetito por completo, o sólo apetece comer "de capricho". Si el médico no ha prescrito una dieta especial, la comida se puede adaptar a las necesidades del enfermo. Terapia que, desde luego, contribuye a la curación. Pero, si no tiene ganas, no le obligue a comer. Por el contrario, si siente hambre y quiere comer algo que no le vaya bien, procure sustituir el alimento por otro más indicado.

Beber es importante

Cuando se está enfermo, tomar líquidos es vital para el organismo. Aunque no se tenga sed, hay que beber mucho (1 1/2 litros diarios, salvo por prescripción facultativa en casos de enfermedades renales). Si la persona encamada aún no puede incorporarse, una pajita de plástico ayudará a que el enfermo beba.
Se recomienda beber tisanas de hierbas o de frutos, agua mineral sin gas y zumos de frutas rebajados con agua. Si el enfermo lo tolera, también leche o cacao.
Un remedio muy eficaz contra la diarrea es el té negro con azúcar y sal: preparar 1 litro de té y añadir 9 cucharadas de azúcar y 1 cucharada de sal. Bébase a sorbos a lo largo del día. En las páginas 729 y 748 puede encontrar otras tisanas especiales. En cualquier caso, pregunte siempre al médico qué es lo que puede beber.

Recetas para el menú del enfermo

El menú destinado a los enfermos debe ser muy digestivo y tener buen sabor. Cuando el enfermo aún no puede comer alimentos sólidos, o tiene poco apetito, lo ideal son caldos de todo tipo.
Pero si ya tiene ganas de comer, algunas de las cosas más aconsejables son: pan tostado, bizcochos, pan a la brasa (no recién hecho), arroz, puré de patatas, pasta, carne de pavo, verduras rehogadas (evitar las legumbres y demás alimentos flatulentos). En cuanto a los dulces y la carne, podrá comerlos pero siempre en pequeñas cantidades.

Caldo revitalizante

150 g de pecho de vaca o ternera,
1 zanahoria,
1/2 l de agua,
un poco de sal (también, sales de hierbas).

1. Cortar la carne en trozos pequeños y, después, trocear la zanahoria una vez limpia y lavada.
2. Echar la carne y la zanahoria en agua fría, poner todo a cocer a fuego lento y dejar de 1 a 1 1/2 horas; luego, colar y aderezar con un poco de sal.

Sopa de bizcochos

1 bizcocho (a ser posible integral),
1/2 litro de leche*,
1 pizca de sal,
1 yema de huevo (si se desea),
azúcar al gusto.

1. Partir el bizcocho en trocitos, ponerlos a cocer con leche, salarlos un poco y batir bien con la batidora.
2. Añadir la yema de huevo, revolver y echar azúcar.

Sopa blanca de copos de avena, de arroz o de granos verdes (muy digestiva)

60 g de copos de avena, de arroz o de granos verdes,
1 raíz de perejil pequeña,
1 cebolla,
1 a 1 1/2 l de agua,
1 pizca de sal,
10 a 20 g de mantequilla, algo de leche* o nata agria, perejil o ajo para refinar.

1. Lavar el arroz o los granos verdes, limpiar la raíz y cortarla en trozos pequeños; a continuación, echar todo en agua fría junto con la cebolla picada y, por último, añadir sal.
2. Cocer a fuego lento, hasta que la sopa quede cremosa y blanda.
El tiempo de cocción para el arroz y los granos verdes es de 30 a 60 minutos; para los copos de avena, de 5 a 10 minutos, según la calidad (prescindir de la raíz y la cebolla en la sopa de copos de avena).

Puré de sémola o de arroz

150 g de sémola o de arroz de grano redondo,
1 litro de leche*,
1 pizca de sal,
algo de zumo de limón,
canela, azúcar, vainilla en polvo a voluntad (o cocer el fruto seco),
20 g de mantequilla,
1 yema de huevo,
frutos frescos (según la estación del año).

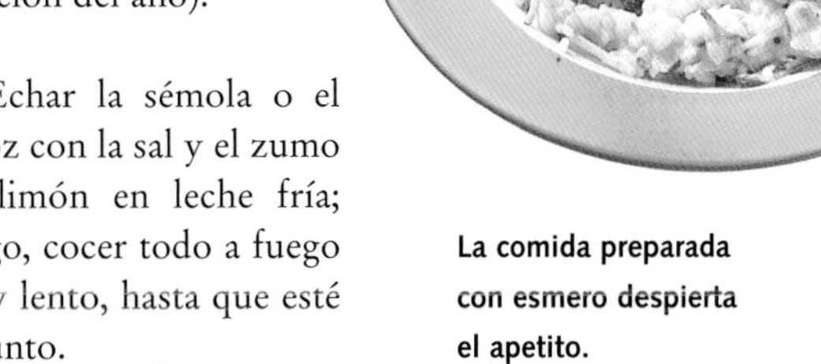

La comida preparada con esmero despierta el apetito.

1. Echar la sémola o el arroz con la sal y el zumo de limón en leche fría; luego, cocer todo a fuego muy lento, hasta que esté a punto.
2. Añadir la mantequilla y la yema de huevo, revolver bien y rociar con azúcar y canela.
El tiempo de cocción estimado para la sémola es, según el grano, de 5 a 10 minutos; y, para el arroz, de 15 a 20 minutos.

---

* No utilizar productos lácteos en caso de resfriado, pues incrementan la mucosidad.

La psique también necesita cuidados

Sócrates decía; «cuando el cuerpo sufre, el alma necesita tratamiento». Y, en mayor o menor medida, todos lo hemos experimentado en alguno de esos momentos en que la enfermedad se ha cernido sobre nosotros. Cuando la persona que cuida a un enfermo está atento a las necesidades de descanso o de actividad que necesita, y le presta toda su atención hablándole e intentando transmitirle ánimos mediante la comprensión, lo que hace es comunicarle su empatía al compartir sus sentimientos en unos momentos tan difíciles. Para el enfermo supone un gran alivio poder hablar con alguien y expresarle lo que siente, sus temores y todas sus preocupaciones.

Visitas y alicientes

- Las visitas de amigos o parientes son muy importantes para la mayoría de los enfermos, pero no necesariamente, ya que siempre hay quien no comparte este mismo anhelo. Antes de visitar a un enfermo, comuníquele su intención de hacerlo. De todas formas, lo aconsejable es programar las visitas para que tan sólo reciba a una persona por visita y día.
- Haga saber a los parientes y amigos que se abstengan de traer golosinas o bebidas alcohólicas, así como cualquier otra cosa que pueda resultar perjudicial para el enfermo. Las flores son un detalle de buen gusto que alegra la habitación, pero también se debe prescindir de ellas si ya tiene demasiadas o es alérgico.
- Lo más acertado y seguro es llevarle juegos, crucigramas, libros, revistas, es decir, pequeñas cosas que contribuyan a entretenerle y a mejorar su ánimo y bienestar.

Además de animar al enfermo, las visitas que recibe hacen que parezca no estar solo con su enfermedad.

Consejos para el cuidado del enfermo a largo plazo

Quien se ocupe de cuidar a un pariente o amigo durante mucho tiempo, tendrá que programarse bien para dispensarle los cuidados que necesita. El cuerpo de la persona que ha de permanecer mucho tiempo sin realizar el suficiente ejercicio físico, sufre una serie de fenómenos desagradables que es posible prevenir mediante la adopción de medidas específicas. Además, es importante que el cuidador disponga de ayuda en su tarea y que tenga tiempo libre que dedicarse a sí mismo.

Posición y cambio de postura

Si el paciente encamado permanece demasiado tiempo sin moverse, puede llegar a sentir una pesadez dolorosa o sufrir úlceras de decúbito. De esta manera, es necesario cambiarle de posición cada 2 ó 3 horas. Por ello, debe girarlo en primer lugar hacia el lado derecho, luego hacia el izquierdo y, finalmente, ponerlo de espaldas. Para evitar esta pesadez o presión dolorosa, utilice almohadones o cojines enrollados. Los talones, el coxis y los omóplatos son zonas muy sensibles.

Entrenamiento para moverse

Mientras el estado del paciente lo permita, en el programa diario deben incluirse una serie de ejercicios activos y pasivos. El fisioterapeuta del centro sanitario correspondiente le enseñará el modo de realizarlos con el enfermo. De todos modos, mientras la persona enferma todavía esté capacitada debe levantarse todos los días un rato y pasear o, al menos, permanecer sentado durante un tiempo

Ejercicios respiratorios para los pulmones

Cuando un enfermo guarda cama de modo permanente y respira superficialmente, es fácil que después de pasado mucho tiempo pueda contraer una neumonía. Como medida preventiva, para evitar este riesgo se recomienda realizar con regularidad un entrenamiento respiratorio. Entrenamiento que también es eficaz en los casos que se dan hinchazones y retenciones de líquido en las piernas.

Ejercicios respiratorios

Los ejercicios respiratorios realizados con regularidad hacen que el paciente inspire y espire profundamente y, sobre todo, que prolongue el tiempo de la espiración.

1. Consiga una pajita de plástico y un frasco pequeño de cristal, que mantendrá lleno de agua hasta la mitad.

2. El paciente deberá inspirar profundamente por la nariz y, después, insuflar con la pajita el aire en el frasco formando burbujas en el agua. Las burbujas se formarán todo el tiempo que se pueda. Realice tres sesiones al día y repita el ejercicio 10 veces en cada una. Para que el enfermo pueda soplar cómodamente, acostado o sentado, cuelgue un juego móvil o ponga sobre la cama una bola de algodón; después, haga que aspire a fondo y expulse el aire para mover los objetos.
Realice tres sesiones al día y repita el ejercicio 10 veces en cada una de ellas.

Incontinencia: un problema de aseo

La incontinencia es la emisión involuntaria o incapacidad de la persona para retener la orina y las deposiciones. Este es un problema que afecta a muchos ancianos y enfermos, que necesitan ser cuidados. En algunos casos puede servir de ayuda un entrenamiento regular preventivo, lo que hace posible controlar la vejiga y evitar el trastorno de la función muscular.

Medidas preventivas importantes

- Ir al cuarto de baño con frecuencia.
- Reducir el trayecto al cuarto de baño todo lo posible; vestir ropa que se desabroche con facilidad.
- A pesar de la incontinencia, beber mucha agua a menudo para evitar que el cuerpo se deshidrate.
- Mantener la piel seca todo lo posible, utilizando bragapañales y demás productos para la incontinencia (de venta en farmacias).
- Si el paciente se orina en la cama, limpiar la piel con preparados para aseo suaves y aplicar una crema que proteja la piel de irritaciones y escoceduras.

Entrenamiento contra la incontinencia

Para que el enfermo tenga consciencia de los músculos que regulan estas necesidades, cuando vaya a orinar o defecar debe fijarse que se pueden mover a voluntad y que se hallan situados en la base pélvica. Cuando orine, interrumpa el chorro varias veces. Al terminar, relaje y tense los músculos varias veces.

Entrenamiento para enfermos encamados

Para los pacientes que deben permanecer en cama, y que no pueden efectuar este entrenamiento, son apropiados los siguientes ejercicios:

1. El paciente se tiende de espaldas con las piernas estiradas, sujetos los talones por el cuidador con ambas manos, de forma que las plantas de los pies del enfermo presionen contra los antebrazos. Los pies deben formar un ángulo recto con las pantorrillas.

2. Mientras el cuidador realiza presión con sus manos mediante una ligera inclinación del tronco, el paciente espira y desliza con suavidad los pies hacia adelante en dirección a las canillas.

3. Durante la inspiración, el cuidador yergue su tronco lentamente para aliviar la presión. El ejercicio se puede repetir de 3 a 5 veces seguidas.

Otro ejercicio pasivo

1. El cuidador agarra los muslos del paciente, colocado de espaldas y con las piernas puesta la una sobre la otra.

2. Al espirar el paciente, el cuidador presiona con fuerza sobre los muslos juntos y permanece así hasta que termine la fase de respiración.

3. Con la inspiración, la presión del cuidador disminuye y el cuerpo del paciente se relaja. Repetir el ejercicio de 3 a 5 veces.

Para enfermos que pueden sentarse en la cama

1. Eleve la cabecera de la cama o sitúe bajo la espalda del paciente varios cojines. Con las piernas dobladas y los pies separados el ancho de las caderas, el enfermo hace que las rodillas se toquen repetidas veces sujetándolas con las manos por ambos lados.

2. Mientras espira, el paciente presiona las rodillas con las manos al tiempo que intenta separarlas.

3. Al espirar, se interrumpe la presión para que los músculos puedan relajarse. Repetir 5 veces seguidas.

Ayudas para cuidar enfermos a largo plazo

Si por cualquier causa debe cuidar de una persona enferma durante un tiempo prolongado o de modo permanente, quizá le asalten frecuentemente ciertas dudas que le harán preguntarse si será capaz de llevar a cabo esta tarea. Pero para facilitar la labor del cuidador y el trato con el enfermo de larga duración, existen toda una serie de posibilidades.

La más usual de entre ellas es repartir el trabajo entre todos los miembros de la familia, pero también se puede solicitar las ayudas correspondientes de los organismos sanitarios, asistentes sociales o voluntarios sociales, objetores, etcétera. También es muy importante realizar un curso de asistencia a enfermos.

"Ayuda" para la autoayuda

En los casos de asistencia a personas enfermas, también el cuidador ha de velar por su propia salud, dedicarse cierto tiempo y, a su vez, procurar no enfermar por cuidar a un enfermo. Además necesita poseer buenos conocimientos prácticos para, por ejemplo, dar la vuelta al enfermo en al cama sin hacerle daño.

Si el sacrificio es demasiado y se deja llevar por un exagerado sentido del deber, duerme poco, desatiende sus propias necesidades y se olvida de su vida social con la familia y los amigos, el agotamiento y la sobrecarga le afectarán en poco tiempo.

Para no llegar a ese extremo, debe tener en cuenta los siguientes aspectos:

Cómo recuperar fuerzas

- Acepte los ofrecimientos de ayuda por parte de otras personas. Actitud que en ningún caso significa tener menos cariño al paciente, sino el necesario desahogo a sus trabajosos quehaceres y, aunque tal vez proteste al principio, un cambio beneficioso para el propio enfermo. Precisamente las personas mayores son las que más se aferran a estas costumbres, pero también es importante romper de vez en cuando con ellas para que se sientan más ágiles física y psíquicamente al tener que habituarse a la situación nueva.
- Si no tiene parientes, amigos o familiares dispuestos a echarle una mano y de esta forma pueda tomarse unas vacaciones con su familia o simplemente disponer de tiempo libre que dedicarse, solicite ayuda a los diversos servicios de asistencia en los organismos sanitarios correspondientes.
- Salga de vez en cuando por las tardes, vaya a un concierto, al cine, a cenar o visite a sus amigos.
- Piense también en el resto de la familia; por muy unida que esté, no podrá mantenerse intacta si no le dedica apenas tiempo y la ignora por completo.
- Pensar en uno mismo de vez en cuando también redunda en beneficio del enfermo, pues recuperará fuerzas y después podrá atenderle mejor.

Ayuda de parientes, amigos y conocidos

Una familia que tiene que cuidar de un enfermo de larga duración, debe buscar con el interesado soluciones factibles y aceptables para todos los miembros de la misma. Lo fundamental es, después de reflexionar juntos sobre cuánto tiempo puede dedicar cada uno al cuidado del enfermo, repartir las cargas.

Es posible que un pariente lejano, que viva cerca, tenga más tiempo que un miembro perteneciente a la familia. También, las visitas periódicas de vecinos y amigos pueden contribuir mucho a hacer más llevadera la carga que soportan los familiares más próximos.

Los alicientes de los cursos de asistencia a enfermos

En estos cursos, que suelen impartirse gratuitamente por diversos organismos sanitarios oficiales, por instituciones benéficas o por clínicas, los participantes reciben consejos prácticos y tienen la oportunidad de aprender técnicas esenciales que facilitan el trato con personas encamadas.

En el programa de estos cursos se suelen incluir, por ejemplo, métodos para evitar en lo posible las úlceras de decúbito o cómo preparar corretamente la habitación y la cama del enfermo, qué cuadros patológicos deben conocerse y qué remedios y ayudas son más recomendables.

Apoyo psicológico

Pero además de los asuntos concernientes a la técnica asistencial de los enfermos, también se tocan muchos otros temas, como pueden ser los conflictos familiares que surgen a raíz de la nueva situación o el acompañamiento a las personas moribundas.

A través del contacto y el intercambio de experiencias con otros cuidadores, se dará cuenta de que sus problemas, preocupaciones e inseguridades también lo son de otras muchas personas. Las asociaciones y organizaciones de afectados, o las reuniones periódicas, pueden resultar de gran ayuda.

Servicio de asistencia y ayuda domiciliaria

En algunos casos, resulta del todo imposible el cuidado del enfermo en casa sin el apoyo de personal especializado en este menester. Esto afecta esencialmente al cuidado de los ancianos.
Entonces, lo mejor es que un asistente social les visite periódicamente en su propia casa. Instituciones benéficas –como, por ejemplo, Cáritas y Cruz Roja– y algunas organizaciones sin afán de lucro, ofrecen servicios de ayuda a domicilio. Puede encontrar información y asesoramiento en los centros religiosos y de asistencia social de su localidad.
Estas ayudas son distintas dependiendo de cada país, por lo que lo más apropiado es consultar con el médico de cabecera, servicios sociales del Ayuntamiento, etcétera. Los gastos de este tipo de servicios en algunas ocasiones corren a cargo del seguro social, mutuas laborales o, incluso, de los seguros privados de enfermedad. Consulte su caso particular. También existe la posibilidad de contratar a alguien que cuide del enfermo en casa durante las vacaciones.

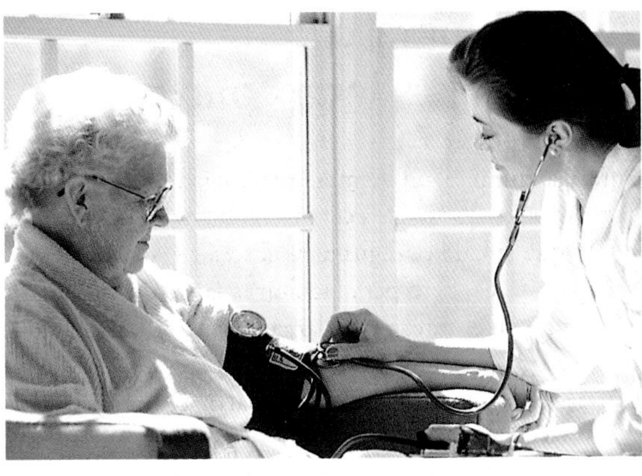
El servicio de asistencia social domiciliaria cuida de la salud del paciente.

Organización de la jornada de asistencia al enfermo

La programación diaria del ritmo es igual de importante tanto para la persona que necesita cuidados como para quien cuida de ella. La buena organización hace que todos los implicados pasen el día sin sobresaltos y sin necesidad de darse malos ratos, además de ofrecerles la posibilidad de que dispongan de tiempo suficiente para dedicarse a sí mismos. Por otra parte, el enfermo se siente integrado en el entorno familiar al advertir que se le dedica un tiempo en el transcurso del día y dentro del acontecer familiar.
El plan de asistencia que aquí se ofrece comprende la programación de los quehaceres más importantes para adaptar el día a sus deseos y necesidades.

Propuesta de programa diario

- Por la mañana

- Orinar, evacuar el vientre.
- Tomar la temperatura y la tensión arterial.
- Lavado completo del cuerpo y demás aseo personal, reposo en cama.
- Ventilar bien la habitación y, a continuación, hacer entrenamiento respiratorio (→ página 758).
- Desayuno.
- Si es necesario, limpieza a fondo de la habitación de la persona enferma.
- Descanso del enfermo en la cama.

- A media mañana

- Pequeño refrigerio o tomar alguna bebida.
- Hora de practicar medidas preventivas como, por ejemplo, entrenamiento locomotor.

- Al mediodía

- Orinar, prepararse para comer.
- Comida, cambio de sitio y siesta.

- A media tarde

- Pequeño refrigerio o tomar alguna bebida.
- Tiempo para visitas, conversaciones, juegos.
- Tomar la temperatura y tensión arterial, orinar, hacer la cama y ventilar.

- Por la noche

- Cena.
- Tiempo para conversar, hacer compañía al enfermo y leerle algo.
- Antes de irse a dormir, cambiar de sitio y preparar la cama para que duerma.
- Limpiar los dientes o la prótesis dental y orinar.

Vejez y final de la vida

El mantenimiento de la alegría de vivir

Las personas que se alegran porque al fin les llega la jubilación, primero la viven con auténtica felicidad, luego se sienten liberadas de la continua presión que el trabajo les ejercía a diario hasta ahora y, por fin, pueden disfrutar de ese "tiempo" que tanto han añorado durante muchos años. Pero, con el tiempo, estas "vacaciones permanentes" pueden resultar un tanto aburridas. Lo que hasta ahora constituía la jornada laboral, ha cambiado considerablemente. A muchas personas les cuesta encontrar un nuevo ritmo y desenvolverse con normalidad en este entorno. La relación de pareja necesita un nuevo planteamiento. Diferencias que apenas tenían importancia mientras se estaba en activo, suscitan ahora problemas continuos entre ambos miembros de la pareja. También hay que aprender a distribuir el tiempo libre, y readaptarse al cambio de situación económica. Tal vez sienta que ha disminuido su rendimiento físico e intelectual, y que ha de enfrentarse a problemas de salud cada vez más frecuentes. Las personas que basan su autoestima en la actividad profesional y apenas se han ocupado de otros asuntos que no sean los referentes a su profesión, son las que más conflictos suelen tener a la hora de jubilarse. La sensación de que "ya no necesiten a uno" hiere el concepto de autoestima que cada uno tiene de sí mismo. Por este motivo, para demostrar que siguen siendo útiles a la sociedad, muchos se vuelven hiperactivos. Otros, en cambio, se convierten en sujetos de carácter más bien pasivo y se despreocupan hasta de su manutención.

Sin embargo, hay muchas formas de aceptar la vejez, de vivirla positivamente y de organizar esta etapa de la vida. De este modo, lo principal es no perder la propia autoestima y mantener la alegría de vivir a pesar de las inevitables limitaciones que van surgiendo.

«He llegado a la jubilación. Y ahora ¿qué?»

Si quiere disfrutar plenamente de la jubilación, lo mejor es planearla desde mucho tiempo atrás antes de que llegue. Lo primero y fundamental es tener "las cuentas claras", es decir, merece la pena comprobar en el organismo recaudador correspondiente si las cotizaciones que sirven de base para la pensión están al día. Si descubre alguna anomalía en el pago de las cotizaciones, debe reclamar a su empresa o compañía los comprobantes que faltan. Si, a pesar de todo, se le plantean problemas debe exponerlos en los organismos competentes en materia laboral para que a través del ministerio en esta materia se encuentre solución a los mismos. Para obtener la información precisa respecto a su situación laboral, diríjase siempre al ministerio de trabajo.

Prepare bien la jubilación

Cuando la cotización al seguro social ha sido baja y prevé que su pensión quedará un tanto reducida, se puede elevar su nivel siempre y cuando se haya previsto con unos años de antelación. Para que al llegar a la jubilación el nivel de vida no se resienta demasiado, se puede contratar con una entidad algún plan de pensión o un seguro de vida que, mediante una cuota adicional mensual, ofrecen la capitalización de la aportación al final del tiempo establecido.

También son muy interesantes las inversiones en activos financieros que aseguren su capitalización, así como la compra de inmuebles, etcétera. Lo que en ningún caso es aconsejable es poner el dinero en una cuenta corriente o cartilla de ahorro, pues el dinero se descapitalizaría al final del período.

Pero aparte de la economía, también hay que planificar los *hobbys* y demás actividades con las que se pretende llenar el tiempo libre para su satisfacción personal. Si la familia y el trabajo lo permiten, antes de llegar a la jubilación comience ya a tener alguna afición o a practicar algún tipo de actividad de su interés. Reflexione sobre las cosas que le gustaría hacer y para las que no ha tenido tiempo hasta ahora.

Manténgase activo a diario

Afortunadamente, los jubilados disponen hoy día de una oferta casi ilimitada para llenar su tiempo de ocio.

Aprenda cosas nuevas y relaciónese socialmente

¿Le gustaría completar esos estudios que nunca pudo terminar en sus años jóvenes? O, tal vez, ¿prefiere comenzar otros nuevos? ¿Es su mayor deseo entrar en la Universidad? Actualmente son muchas las universidades y colegios que se dedican a impartir cursos especiales para personas mayores, entre los que se cuentan disciplinas tan variadas como Historia, Literatura, Arte o Filosofía. Pero, también, puede estudiar otras de tipo técnico o formación profesional. Además, cursar estudios le ofrece la posibilidad de tomar contacto con las generaciones más jóvenes.

Algunas entidades disponen de un amplio programa de formación, donde los interesados por la artesanía pueden aprender las técnicas más variadas, desde pintura en seda hasta orfebrería. Esta oferta se amplía con la asistencia a ponencias, conferencias o charlas-coloquio sobre temas de actualidad. Además, las instituciones benéfico-religiosas tienen una interesante oferta de todo tipo de actividades.

Ayude a los demás

Cada vez son más las personas mayores que no se contentan con el papel de "retirado". Su experiencia y conocimientos están muy solicitados e incluso son imprescindibles en muchos casos, sobre todo en los campos del saber y de la ciencia. También en el ámbito social, donde es muy apreciada su colaboración en asociaciones de todo tipo, desde las religiosas hasta las de carácter no gubernamental de todo tipo.

Últimamente algunas personas mayores promueven una serie de iniciativas, que se encargan del asesoramiento de los jóvenes en cuestiones fundamentales relativas, por ejemplo, a su situación profesional y personal.

Si le gusta la compañía de los niños, puede darse la satisfacción de cuidar de sus nietos o "hacer de abuelo" de otros.

La actividad intelectual hace más placentera la vida.

El deporte y el ejercicio ayudan a estar en forma

Desde el punto de vista médico, el ejercicio y la práctica del deporte es recomendable hasta en edad avanzada. Pero para que se fomente el bienestar, la agilidad y la autoestima es fundamental que el entrenamiento se adapte a las condiciones personales. En cualquier caso, consulte con su médico si quiere comenzar a practicar *jogging* o a jugar al *squash*. No se proponga alcanzar unas metas que requieran un esfuerzo excesivo, y si ya practica algún deporte procure cuidar su función cardiovascular. Tómese el pulso (pulsaciones máximas por término medio: 180 menos el número de años de edad). Así, por ejemplo, si tiene 60 años de edad, su pulso no debe sobrepasar las 120 pulsaciones por minuto. Pero el objetivo supremo es siempre el del bienestar personal: ¡el deporte ha de ser, ante todo, un entretenimiento! En cualquier caso, antes de comenzar a practicar deporte, consulte con su médico.
No obstante, asegúrese de incluir algunos ejercicios en el programa diario. Normalmente basta con sentarse de vez en cuando y girar las muñecas, luego los codos y, por fin, los hombros. Ejercicios tan simples como estrujar pelotas o desenroscar y enroscar tapones de botellas, mantienen ágiles los dedos y las manos.

Deportes apropiados para personas mayores

Se recomiendan, sobre todo, los siguientes deportes:
- Gimnasia.
- Natación.
- Senderismo, excursiones por la montaña.
- Dar paseos.
- Baile.
- Tenis.

¡El ejercicio físico y el deporte es todo un placer!

La practica del deporte en compañía es mucho más estimulante que si se realiza solo. Además, sea cual sea, siempre podrá inscribirse en un club especializado en una actividad física determinada: natación, tenis, senderismo, excursionismo por la montaña o, incluso, bailes de salón. Infórmese en los propios clubes deportivos, en la Cruz Roja o en las asociaciones benéficas y culturales.

Pareja y sexualidad

Hace tiempo, la manera de entender la sexualidad en los círculos culturales cristianos se asociaba siempre con el pecado y sólo se aceptaba en el marco del matrimonio como medio para la procreación. Algunas personas mayores todavía tienen este convencimiento y creencia, por lo que ni tan siquiera se atreven a reconocerse a sí mismas que también tienen de vez en cuando algún que otro deseo sexual. Por otro lado, esta misma creencia les hace sufrir mucho y hasta se avergüenzan de sí mismas a menudo por sentir impulsos sexuales que su conciencia les obliga a reprimir una y otra vez. Otras personas llegada esta edad reconocen que se sienten tan enamoradas como cuando eran jóvenes, pero que no se atreven a expresar estos sentimientos ni a hablar de ello abiertamente con otras personas por temor a la incomprensión.

Vivencia plena de la sexualidad en la vejez

Gracias al psicoanálisis y a la sexología se debe el reconocimiento de la dimensión psicofísica de la sexualidad, es decir, según los conocimientos de estas ciencias se puede afirmar que la sexualidad es expresión de la vitalidad. Forma parte de la carga genética que acompaña al ser humano durante toda su vida y ejerce una influencia decisiva en el desarrollo de la personalidad. Al igual que otro proceso físico cualquiera, al llegar a la vejez la sexualidad está sujeta a cambios.
Pero por esta causa no pierde, como fuente de alegría e intimidad o como demostración de afecto, nada de su justificación existencial. Los médicos más progresistas consideran que la actividad sexual durante la vejez no sólo es posible, sino también deseable. En caso de que tenga dolores o afecciones por los cambios que ha operado su cuerpo, busque ayuda consultando el caso con su médico o especialista correspondiente.
Naturalmente que cada uno debe decidir personalmente qué lugar ocupa la sexualidad durante la vejez en su escala de valores, y qué formas consideran apropiadas para la vida en pareja. Caben todas las posibilidades y se permite todo, desde la más tierna caricia hasta el acto sexual pasando por otro tipo de actividad. Pero, para ello, debe dejar volar su imaginación. De lo único que hay que olvidarse en la sexualidad es la obligación de "cumplir" con su pareja. Un sexólogo o en los centros de orientación familiar le informarán ampliamente sobre el tema de "la sexualidad en la vejez".

Cómo mantener vivo el amor

Dedíquense un tiempo en común

Lo principal es dedicarse un tiempo para compartir exclusivamente en pareja, pues amar a una persona implica prestarle toda la atención del mundo. Una de las cosas más clásicas, pero también de las más románticas, es salir a comer o cenar juntos.
De este modo, ambos componentes de la pareja no tienen más que brindarse toda clase de atenciones mutuas. Así, sin que nadie les moleste, podrán mantener esa conversación que venían aplazando desde hace mucho tiempo y que seguramente les sirva para lograr un acercamiento y cambio de opiniones tanto en el aspecto psíquico como en el físico.

Hagan muchos proyectos juntos

Traten siempre de descubrir sus nuevas coincidencias y preferencias. Compartir las mismas aficiones, hacer deporte juntos y tener amistades comunes rompe las barreras que levanta la incomprensión.

Halague a su pareja

Muestre a su pareja el cariño con pequeñas sorpresas. No hacen falta hacer grandes regalos. Basta, por ejemplo, con un ramo de flores o con pequeños regalos de vez en cuando, una mesa bien puesta con velas o una carta. Dígale a menudo cuánto significa para usted. Determinados gestos, también despiertan los propios sentimientos.

Mantener vivo el amor y la sexualidad en la vejez, fortalece a un tiempo la alegría de vivir y la salud.

Llegar a viejo con salud

En la Antigüedad vejez y enfermedad eran sinónimos. Esta creencia se mantuvo hasta los siglos XVIII y XIX. Pero la moderna medicina, que se ha ocupado científicamente del proceso de envejecimiento, ha intentado –especialmente desde principios del siglo XX– establecer esa sutil línea divisoria entre el envejecimiento propiamente dicho y las patologías que suelen aparecer durante la vejez. En este sentido, la medicina se ha distanciado de la opinión tradicional de que llegar a una edad muy avanzada es una enfermedad.

La vejez es una limitación, pero no una enfermedad

Los gerontólogos, investigadores y médicos que se han ocupado de la vejez y del envejecimiento de las personas no se ponen de acuerdo en la definición de qué fenómenos propios de la vejez pueden considerarse como enfermedad y cuáles no. Sólo está claro que la vejez suele ir acompañada de una serie de síntomas o limitación de las facultades físicas y mentales, pero sin que tenga que ser necesariamente así. Que una mujer de 70 años tenga limitada su movilidad por la osteoporosis no significa, de ningún modo, que esté enferma en el verdadero sentido de la palabra. Una persona de 76 años que ya no pueda hacer excursiones por la montaña, porque se lo impide el desgaste de las articulaciones de la rodilla, puede estar en perfectas condiciones para desarrollar su actividad en otros ámbitos de la vida; sin olvidar, claro está, que un anciano puede sentirse enfermo según sea su estado de ánimo. Si se acepta el envejecimiento como un proceso natural, podrán evitarse muchas afecciones. Cada persona puede hacer mucho por sí mismo para mantenerse sano y en forma también durante la etapa de la vejez.

Ayudas auditivas modernas

La sordera es una de las afecciones más frecuentes durante la vejez. Casi un 10% de las personas sexagenarias sufren una pérdida auditiva cercana al 24%, o más; porcentaje que se cifra en el 40%, o más, entre el 70% de los septuagenarios. Es la denominada "presbiacusia", y en su desarrollo inciden distintas causas.
Muchos ancianos son bastante remisos a ir al médico, pues tienen prejuicios y temen los posibles problemas con el audífono. Sin embargo, merece la pena consultar con el médico, con el otorrinolaringólogo o con un especialista en audífonos. La técnica moderna ofrece audífonos que pueden llevarse detrás de la oreja o que es posible colocar dentro del oído, lo que supone una gran comodidad respecto a los modelos antiguos.

Audífonos para todas las necesidades

- El surtido de audífonos para llevar detrás de la oreja es muy variada. Hay modelos con regulación automática del volumen; otros, hasta tienen volumen regulable y un dispositivo que evita las interferencias al telefonear. También existen en el mercado aparatos que se pueden ajustar con toda exactitud.
- El volumen de los audífonos pequeños para colocar dentro del oído es automático, mientras que el de los más grandes se regula a mano.
- Antes de decidirse por un modelo, recuerde que algunos comercios ofrecen la posibilidad de probar el aparato. Los precios oscilan mucho, pero un aparato de la mejor calidad es relativamente caro; por este motivo, conviene enterarse antes si el seguro social, la mutua laboral o el seguro privado de enfermedad se hace cargo de todos o de un porcentaje de los gastos.
- Las tiendas especializadas también ofertan una serie de accesorios como, por ejemplo, auriculares que llevan un receptor y reciben las señales de una emisora y que se conectan entre sí sin cable; ésta, a su vez, se conecta al televisor para evitar molestar a los vecinos con el volumen.

También hay aparatos similares para conversaciones normales, así como amplificadores telefónicos y teléfonos para sordos.

Ejercitar la memoria

En nuestra sociedad, los fallos de memoria tanto en los niños como en los adultos suelen considerarse algo normal; sin embargo, los de los ancianos generalmente se achacan a un déficit mental condicionado por la edad. Como consuelo hemos de decir que este juicio global es a todas luces injusto, pues estos procesos se desarrollan de forma bien distinta según el individuo de que se trate.
La memoria comienza en el llamado "registro sensorial", que recoge estímulos acústicos y visuales que transmite a la "memoria transitoria". Estas informaciones se procesan y se relacionan con las experiencias almacenadas en la "memoria permanente". La rapidez de acceso a esta memoria depende de la frecuencia y del uso que se haga de ella. El tiempo de acceso puede prolongarse más en las personas mayores, pero esta circunstancia también puede darse en los jóvenes. De todas formas, las perturbaciones del entorno irritan mucho más a las personas mayores que a las jóvenes, de ahí que un ambiente tranquilo y sin ruidos influya positivamente en la capacidad de aprendizaje de las personas de mayor edad. Aunque las personas muy mayores ya no suelen tener mucha confianza en sí mismas, su mayor experiencia supone una gran ventaja sobre los jóvenes en cuanto se refiere a la inventiva y a la búsqueda de soluciones creativas.
Además de conservar la capacidad de su memoria, si se entrena con regularidad también mantendrá el pensamiento matemático y lógico, así como el rendimiento intelectual general.

Ejercicios para el entrenamiento de la memoria

Los ejercicios siguientes puede realizarlos con el grupo de sus amigos, en familia o, incluso, cuando está solo.

Prueba de velocidad

Tome un artículo de un periódico y tache, por ejemplo, todas las letras "t" con la mayor velocidad posible. Compruebe cuántas se le han pasado por alto. Si repite este ejercicio a diario, pronto notará la mejoría.

Memoria a corto plazo

Tome, de una revista o un folleto, una foto que contenga muchos objetos reconocibles. Trate de fijarlos en su memoria durante 5 ó 10 segundos; después, aparte la vista de la imagen e intente recordar todos los objetos.

Revoltijo de letras

Confeccione una lista con nombres de animales de granja. A continuación, tome cada nombre y cambie el orden de las letras que forman el nombre.
Con las letras así desordenadas, el resto de los participantes en el juego ha de intentar componer de nuevo el nombre que formaban originalmente (por ejemplo, de ACVA: "vaca").

Revoltijo de refranes

El "revoltijo de refranes" es un juego que también resulta muy divertido. Primero se toman dos refranes, cuyas palabras se combinan entre sí formando uno solo de significado absurdo.
A partir de esta combinación, el resto de participantes ha de conseguir descifrar los dos refranes originales. Por ejemplo, los refranes «El que se pica, ajos come» y «Comer y rascar sólo es cuestión de empezar» se obtiene el siguiente revoltijo: «Al que se pica por comer ajos sólo es cuestión de empezar a rascar». Otro juego muy divertido, que sirve como ejercicio, es jugar a ver quién de entre varias personas sabe más refranes.
Pero la memoria, la agilidad mental y el poder de concentración también pueden desarrollarse leyendo libros, resolviendo crucigramas y jugando al ajedrez o a otros juegos de sociedad. Además, los juegos tienen la ventaja adicional de que fomentan las relaciones sociales y el intercambio de opiniones.
Si quiere aprender a entrenar y desarrollar la memoria, puede dirigirse a asociaciones y organizaciones culturales, universidades, colegios, centros de la tercera edad o residencias de ancianos.

Cómo mantener su calidad de vida más tiempo

Coma con regularidad

Las personas mayores, sobre todo si viven solas, suelen abandonarse un tanto y tienen pocas ganas de comer y de cocinar. A pesar de todo, procure comer con regularidad y realizar una comida caliente al menos una vez al día.

Duerma lo suficiente

El número de interrupciones durante el sueño aumenta en la vejez. Por este motivo, debe evitar tomar por la noche aquellas comidas o productos que produzcan insomnio de por sí, como café, té negro, vino blanco o comidas pesadas. Procure dormir de siete a ocho horas diarias.

Haga ejercicio todos los días, pero con moderación

Para prevenir mejor las patologías de tipo vascular y otras enfermedades, lo mejor es realizar de 30 a 60 minutos de ejercicio diario como pasear, andar en bicicleta, nadar o trabajar en el jardín. Pero, ¡sin realizar grandes esfuerzos!

Evite el sobrepeso

Al llegar a la edad adulta, se reduce de por sí la cantidad de calorías diarias que necesita el cuerpo. Por este motivo, debe comer menos y moverse más. Tenga en cuenta que el sobrepeso es perjudicial para la salud. Recuerde que el peso en ningún caso debe superar el 10% del considerado como normal, si se trata de mujeres, o el 20%, si se refiere a hombres.

Lleve una dieta rica en nutrientes

Si bien es cierto que en la vejez disminuye la cantidad de energía que necesita el cuerpo, no por ello disminuye la necesidad de minerales y vitaminas para su normal funcionamiento. Para evitar la desnutrición, lo más positivo es adoptar una dieta que contenga verduras y frutas, leche y productos integrales.

Tome líquidos en abundancia

A medida que se envejece, el organismo se reseca con mayor facilidad. Por lo tanto, beba por lo menos dos litros diarios de líquido, sobre todo agua mineral y tisanas de frutas y de hierbas.

Limite el consumo de alcohol

Beber vino tinto con moderación (un cuarto de litro al día), puede prevenir el riesgo de infarto de miocardio. Pero el consumo excesivo de alcohol, siempre representa un gran riesgo para la salud.

Evite fumar

Fumar mucho favorece la aparición de enfermedades cardiovasculares y aumenta el riesgo de cáncer de pulmón. ¡Procure dejar de fumar definitivamente!

La vivienda en la vejez

El 90% de los ancianos no quieren vivir en residencias; por eso, el 70% de las personas octogenarias o nonagenarias siguen residiendo en su vivienda habitual. Esto ha provocado el que cada vez haya más servicios dedicados a atender a los ancianos en casa con ayuda de la asistencia domiciliaria.

Además, actualmente se proyectan modelos de vivienda adaptados a las necesidades de los ancianos que quieren llevar una vida independiente y mantener sus relaciones sociales mientras puedan, aunque para ello necesitan cuidados y ayudas. Sin embargo, a muchos no les queda otra elección que una residencia de ancianos que les ofrezca cuidados y atención médica.

Antes de llegar a esta edad, asesórese con tiempo sobre las características y necesidades que ha de tener la vivienda a esta edad y, si es posible, adapte la suya, o, en caso contrario, analice las posibilidades para hacerse con una que disponga de ellas. Para informarse debidamente y encontrar una solución apropiada al caso, acude a los organismos oficiales en esta materia y a las asociaciones y centros de la tercera edad, donde los asistentes sociales le atenderán como es debido y brindarán su apoyo.

Las personas mayores necesitan cuidados, pero también mantener una relación social que les brinde grandes dosis de cariño.

Centros de la tercera edad

La persona que quiera pasar su vejez en una residencia de ancianos deberá solicitarlo con tiempo, pues estos centros siempre suelen tener grandes listas de espera. Antes de inscribirse, es importante visitar y considerar las distintas residencias que susciten su interés.

Pida información sobre el tamaño, la situación y el amueblado de la habitación, sobre las característica de las salas comunes y sobre los diferentes menús que componen las comidas; también, compruebe si cuenta con buenas comunicaciones. Por otro lado, es importante saber los gastos que representan la estancia, el personal con que cuenta la residencia y si periódicamente es objeto de inspección por la autoridad sanitaria correspondiente.

El contrato es similar al que se hace en los hoteles, pero los derechos y la libertad personal se restringen más. Por lo tanto, es de suma importancia que en las cláusulas se especifiquen los costes con todo detalle. En cualquier caso, asegúrese de no firmar cualquier contrato o reglamento que niegue el derecho a los residentes a tener su propia llave, recortando así su libertad en las entradas y las salidas.

Asilos de ancianos

Con los asilos de ancianos hay que tener mucho cuidado, pues los directores de estos centros acostumbran a reducir los gastos de plantilla para compensar el incremento de precios respecto de otros años, lo que en algunos casos empeora aún más la falta de personal.

Quien tenga que depender necesariamente de unos cuidados profesionales, es preciso que sopese la probabilidad de conseguir una vivienda en la que pueda recibir asistencia domiciliaria o ambulatoria y que, además, cuente con servicio de comidas y otras ayudas.

Residencias y viviendas para ancianos

Las viviendas para ancianos tienen la particularidad de que permiten que la persona viva en su propia casa. Se trata de pisos particulares, que pueden ser amueblados con los muebles propios. Pero, como siempre, antes de tomar una decisión procure informarse bien.

Las viviendas para ancianos se construyen adaptadas a las necesidades específicas de las personas mayores, ya sea en bloques o como chalecitos individuales o unifamiliares. Lo importante es que haya cerca un servicio de atención ambulatoria, por si se necesita atención en caso de enfermedad. Compruébelo antes de mudarse.

Viviendas compartidas e instalaciones comunitarias

Las viviendas compartidas para ancianos, es una moderna y práctica forma que ha surgido en algunos países y que permite vivir la vejez en compañía. Entre las considerables ventajas que ofrece esta alternativa, está la del reparto de los costes del mantenimiento entre todos los inquilinos.

Pero también pueden surgir inconvenientes, como en el caso de que uno de ellos caiga enfermo y necesite cuidados continuos de manera permanente. Muchas personas adquieren las participaciones en estas viviendas cuando aún son jóvenes. En centros de la tercera edad e instituciones benéficas le informarán sobre si en su país existe esta interesante opción.

Por su parte, en las instalaciones comunitarias viven juntos jóvenes, ancianos y personas que necesitan cuidados. Los miembros de esta "unidad de intereses comunes" se apoyan entre sí, tienen los mismos derechos y obligaciones y están unidos por una relación social que ejerce una influencia positiva en su estado de salud. Así, por ejemplo, un padre joven ayuda a limpiar las ventanas a una octogenaria y le hace los recados; a cambio, la "abuelita" cuida de su hijo de cinco años de vez en cuando y le da helados y golosinas.

Vivir en la casa propia

También hay personas que cuando llegan a esta edad desean permanecer en su casa de siempre, en la vivienda donde han tenido sus mejores vivencias y todo tipo de experiencias; y, cómo no, el lugar donde han vivido y han visto crecer a sus hijos. Pero, a veces, estas viviendas necesitan ser remozadas para adaptarlas a las nuevas condiciones que exige la edad de sus inquilinos, es decir, han de ser reformadas para que éstos puedan desenvolverse con normalidad.

Entonces, es preciso realizar un minucioso estudio en detalle, para que con los mínimos cambios se logre la máxima efectividad y satisfacción; sin embargo, en algunos casos se requieren obras de mayor envergadura, que afectan incluso a la estructura de la casa, como, por ejemplo, el ensanchamiento de las puertas, la reforma del cuarto de baño o la instalación de un ascensor en la caja de escalera del edificio para facilitar la subida a la vivienda. Todos estos cambios suponen, a veces, un desembolso económico importante, por lo que antes de acometerlos conviene enterarse si de alguna manera los cubre el seguro de accidentes o de responsabilidad civil –en su totalidad o en un porcentaje variable– o, incluso, existe alguna ayuda o subvención por parte de los organismos correspondientes de la Administración.

Cambios que puede introducir en su vivienda

En una vivienda de construcción antigua, la seguridad es el factor primordial. Para el cuarto de baño y los sanitarios, las casas de saneamiento suelen tener un gran surtido de accesorios. Las medidas que se indican a continuación, contribuyen a mejorar la seguridad y la comodidad de la vivienda:

- Cambie el revestimiento cerámico del suelo por otro que no resbale, sobre todo en escaleras, cuarto de baño y cocina. Las alfombras, procure que se adhieran bien al suelo y que sean antideslizantes.
- Suprima lo que pueda hacer tropezar, como los desniveles de las entradas de las puertas, o las alfombras muy gruesas o que forman pliegues. Sujete los cables sueltos, especialmente el del teléfono.
- Ponga más puntos de luz. Muy útiles son también las bandas fluorescentes colocadas en los escalones, sobre todo en el primero y en el último, y las luces de seguridad en el vestíbulo, baño y cocina.
- Para que cueste menos trabajo levantarse, las sillas o sillones demasiado bajos se pueden acolchar.
- Procure tener más libertad de movimientos y lleve los muebles innecesarios al sótano.
- Sitúe la cama en el dormitorio de forma que, en caso de emergencia, el personal sanitario tenga acceso por los cuatro costados.
- Ponga agarraderos en el baño o haga que le instalen una bañera más baja, o ducha, para entrar y salir más fácilmente. También es importante poner una alfombra antideslizante de resina en la bañera.
- Instale los muebles de cocina para que pueda alcanzar los cubiertos y la vajilla sentado. Hay un amplio surtido de utensilios, como sujeciones para cepillos de barrer y recogedores, cuchillos para pelar fijos o tablas de cortar antideslizantes.
- Para que se pueda mover con seguridad, hágase con un andador para moverse por casa.

Agonía y muerte: un tema tabú

En las últimas décadas, el tema de la agonía y la muerte ha sido relegado a un lugar en lo más profundo de la consciencia. Debido a las posibilidades de la medicina moderna, la muerte se ha convertido en un tema tabú entre los médicos y, también, entre los propios pacientes. Tanto las personas jóvenes, como las más mayores, evitan hacer cualquier tipo de comentario sobre la agonía. Nos da miedo hasta conversar con un enfermo terminal, porque esto nos hace ver nuestra propia fugacidad como seres vivos y reflexionar sobre lo que esperamos de la vida. Acompañar a una persona a punto de morir, significa afrontar una despedida, una pérdida y un sufrimiento.

Acompañamiento a una persona moribunda

Pero de todas las personas, la moribunda es, precisamente, quien más derecho tiene a que se tomen en serio sus sentimientos de dolor y de desesperación en esta última fase de su vida; y, también, a poder morir con dignidad. Que la persona que va a morir pueda expresar lo que siente y consiga hacerlo reconfortado, depende, en su mayor parte, del comportamiento de quienes le acompañen en este camino final.
Si los familiares le ocultan los propios miedos e inseguridades, sería una falta de sinceridad hacia el enfermo. Para la persona moribunda, las últimas horas significan una oportunidad única para tratar todos sus asuntos pendientes, de dejar a un lado las discordias y de zanjar de una vez viejos malentendidos y ofensas. Quien tenga el sentimiento de haber omitido algo importante en momento tan trascendental, no podrá estar tranquilo nunca.

El contacto físico da apoyo y consuelo

El contacto físico con el moribundo, desempeña al menos un papel tan importante como lo es la propia conversación. Los familiares y amigos no deben reprimir nunca sus muestras de cariño y afecto, y expresarlas mediante el contacto físico: acariciar al moribundo, tomar sus manos o darle masajes en los pies le transmiten el sentimiento de no estar solo en esta fase final. Aunque poco antes de la muerte la persona ya no está consciente, el comportamiento de los acompañantes debería ser el mismo que si pudiera ver, oír y sentir todo pues, a pesar de que el profano no note ninguna reacción, existen indicios de que incluso los pacientes en coma siguen teniendo una capacidad de percepción asombrosa. Sin embargo, tenga en cuenta que la función de la mayoría de los órganos sensoriales está muy limitada poco antes de morir; así, la visión y la audición se reducen tanto que es preciso acercarse mucho al enfermo y hablarle alto y claro. Los contactos también tienen que ser más intensos.
Como en la sociedad actual la agonía y muerte de las demás personas se toma como asunto ajeno, han surgido algunas organizaciones que se encargan de brindar ayuda y apoyo a los moribundos.

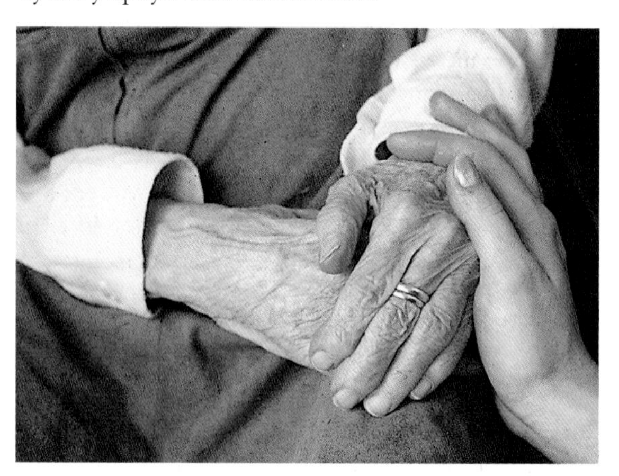

Para la persona próxima a morir, el "calor humano" es tan importante como escuchar y que le escuchen.

El hospicio: asistencia a moribundos y familiares

La palabra "hospicio" es un término de origen anglosajón, que en su concepto tiene el significado de "asistencia a los moribundos" en vez de el tradicional de "instalación". La fundadora de esta iniciativa fue la enfermera inglesa, asistente social y médico llamada Cicely Saunders. En el ámbito anglosajón pronto entraron en funcionamiento varios hospicios, que en la actualidad disponen de instalaciones estacionarias y servicios ambulatorios y cuyas direcciones es posible conseguir en asociaciones religiosas como Cáritas.

Generalmente, los equipos de los hospicios están compuestos por personal especializado, entre los que se cuentan médicos, asistentes sociales, capellanes y personal voluntario.
Si es necesario, también pueden incluir en su composición cinesiterapeutas, terapeutas ocupacionales o terapeutas artísticos, masajistas o psicólogos. La asistencia ambulatoria es gratuita; sin embargo, la asistencia estacionaria tiene unos honorarios mínimos.

Qué ofrecen los hospicios

La filosofía del hospicio considera que morir es una parte natural de la vida, y un proceso que ni debe ser reprimido ni prolongado artificialmente. Las metas de la asistencia siguen la línea que marca esta idea fundamental: al enfermo que va a morir se le cuida, el mayor tiempo posible, en casa, en su entorno habitual. Los cuidadores procuran evitar al paciente todos los dolores y afecciones posibles, pero, al mismo tiempo, intentan que se mantenga tan lúcido y consciente como su estado lo permita. Se le apoya en todas las cuestiones, tanto en las relativas a los posibles problemas existentes en el seno familiar, como en las creencias religiosas y el concepto que de la propia vida tenga. Pero además de al paciente, la asistencia también va dirigida a los familiares, que han de superar su pena e impotencia.

El momento adecuado para ponerse en contacto con un hospicio

El enfermo no ha de esperar a que la situación se haga insoportable para pedir consejo en un hospicio. Antes bien, convendría ponerse en contacto nada más que el médico le comunique el diagnóstico de que padece una enfermedad de carácter irreversible y le confirme que no es factible la aplicación de ninguna terapia. Si es posible, conviene que el paciente y los familiares se pongan de acuerdo con el hospicio para fijar una fecha para la consulta. Antes de que esto ocurra puede solicitar la aplicación de la terapia del dolor, enterarse de las direcciones de grupos de autoayuda o prepararse para la despedida en uno de los grupos abiertos del hospicio.

Ayuda a los familiares

Para los familiares, la asistencia al paciente que se le ha diagnosticado la muerte debido a su enfermedad, significa una carga tan pesada que a menudo supera sus propias fuerzas físicas y psíquicas. También es frecuente que los familiares que le cuidan no tengan tiempo para establecer ningún tipo de relación social y caigan fácilmente en el aislamiento. En todo caso, es muy importante que el cuidador busque ayuda de tipo financiera, asistencial y psíquica. Infórmese si el seguro social, la mutua o el seguro privado cubre las distintas prestaciones. A menudo, cabe la posibilidad de solicitar una combinación de prestaciones profesionales (asistencia ambulatoria) y subvenciones económicas. Otra forma de apoyo puede ser la que proporciona el hospicio, o participar en grupos de autoayuda.
Muchas personas que han acompañado a personas moribundas, relatan que sus temores iniciales al final derivaron en un sentimiento de compenetración y proximidad con el moribundo. Los ayudantes del hospicio califican de muy gratificante el mero hecho de poder transmitir a la persona agónica, en las últimas horas de su vida, el sentimiento de estar acompañado.

Ayuda activa y pasiva a moribundos

Cuando ya no se puede mantener con vida a una persona que padece una enfermedad irreversible si no es con ayuda de aparatos médicos, sus familiares tienen grandes problemas morales a la hora de decidirse por esta opción. Muchos consideran una cuestión de compasión y caridad no seguir prolongando la agonía. Pero, para el médico es muy difícil la decisión de prescindir de la ayuda pasiva. Así, por ejemplo, en algunos países sólo se puede tomar esta decisión, sin incurrir en delito, cuando los familiares presentan pruebas fehacientes de que su deseo coincide plenamente con la voluntad del paciente. De este modo, es mucho más fácil si el enfermo lo ha dejado dispuesto en sus últimas voluntades.
Desde su creación en 1980. la "Asociación para una muerte digna" viene apostando fuerte por la ayuda activa a las personas moribundas. Exigen, entre otras cosas, que ni la ayuda pasiva ni la activa sean punibles legalmente si el paciente lo desea. Pero, indudablemente, una ley así puede dar lugar a muchos abusos. Por este motivo, las leyes vigentes niegan la posibilidad de levantar el castigo en casos de ayuda activa.

La muerte de un ser querido

Cuando se logra que el compañero sentimental, un familiar o amigo muera en paz, dentro de la inmensa aflicción que se siente en ese momento también se experimenta un cierto consuelo.

Este sentimiento fue expresado, de manera muy gráfica, por un participante en un congreso de hospicios celebrado recientemente: «La aflicción por la muerte de un ser querido es como estar ante un puente hundido, en un paisaje gris cubierto con un cielo gris; es una parte de nuestro ser que llora mientras otra sangra; un vagar solo en medio de la niebla».

La muerte de un miembro de la pareja

Durante la vida en común de la pareja, entre ambos componentes surge una singular complicidad debido a sus innumerables vivencias. Se escuchan, hablan y trabajan juntos, se aman y, a veces, hasta se odian. Las parejas bien avenidas disfrutan juntas, comparten mesa y cama e intercambian pensamientos y sentimientos. Por todo ello es natural que surjan problemas entre ellos, pero esto no hace sino unirles más. Cuanto más unida haya vivido una pareja, tanto más grande será el dolor que sienta uno por la pérdida del otro.

Sentir aflicción no significa reprimir el dolor, sino vivirlo con plena conciencia de que se padece.

Cómo asumir la pérdida

La primera reacción ante la muerte del compañero de toda la vida es, en muchos casos, no querer admitirla. Sigue luego un tiempo de gran añoranza, en el que se mantiene vivo el recuerdo que tiene de su pareja. Prosigue después una fase de profundo abatimiento, que puede prolongarse por espacio de un año. Pasado este tiempo, la mayoría de los afectados se recuperan de la pérdida y vuelven a estar en condiciones de adaptarse activamente a la nueva situación.

No obstante, algunos necesitan un tiempo mayor para aceptar que la persona querida "se ha ido"; y estos son, precisamente, los que más ayuda necesitan. Si no hay amigos o parientes que compartan la pérdida, es aconsejable buscar ayuda consultando al psiquiatra y al psicólogo del centro de salud para poner orden en este caos sincerándose en las conversaciones mantenidas, o, si es necesario, aplicando incluso terapia medicamentosa; pero, también, se pueden practicar formas de expresión creativas como, por ejemplo, pintura, escultura, manualidades, etcétera.

El adiós a un hijo

Resulta del todo imposible expresar con palabras lo que sienten los padres ante la pérdida de un hijo. Tal vez pueda dar una idea de ello las dos últimas estrofas de la "Elegía por Steven", que Mascha Kaléko dedicó a la muerte de su hijo:

Aunque haya aprendido a inclinarme ante Ti,
Que tomas cruelmente lo que tardaste en dar.
Mientras mi corazón lata, en una tumba ha de estar.
Un monumento de puro silencio te erijo a Ti.

¡Ni una palabra! ¡Ni una sola palabra, compañero de
[aflicción!
Hojas marchitas dispersemos hacia allá.
No que yo llore, querido, debe llamar tu atención,
Sino que a veces ni lágrimas tenga ya.

Además, los padres que han perdido a un hijo suelen tener sentimientos de culpabilidad. De este modo, se reprochan a sí mismos y a su pareja el haber cometido errores y negligencia. Sin embargo, para encontrar la paz en medio de tanto duelo es imprescindible aprender a perdonarse a sí mismo y a los demás y, también, dejar a un lado la aflicción. Los padres que hayan perdido a un hijo, pueden encontrar apoyo y consejo en grupos de autoayuda y asociaciones de afectados.

Cómo tratar la aflicción

Dése tiempo

La aflicción es una herida psíquica, que necesita tiempo para curarse. Del mismo modo que de una lesión física sólo puede recuperarse si la acepta tal como es y la trata con sumo cuidado, para superar la aflicción es preciso que mantenga la serenidad.

Reconozca que la pérdida es inevitable

Porque se reaccione con sentimientos de culpabilidad o reproches contra todo el mundo, la pérdida de una persona no cambia nada en absoluto. Ni la rabia ni la depresión pueden evitar la aflicción. Sólo si se acepta la muerte como inevitable, la herida abierta pronto se convertirá en una cicatriz que ya no volverá a abrirse aunque su marca permanezca indeleble.

Diga adiós y asimile la pérdida

Decir adiós a alguien que se va para siempre, es algo que normalmente ocurre varias veces a lo largo de la vida de una persona. No tenga reparo en pedir ayuda, desahogarse con los amigos o buscar comprensión en asociaciones o grupos de autoayuda. Procure asimilar su aflicción dando alas a su creatividad, ya sea pintando, escribiendo o tocando algún instrumento.

Las enseñanzas de las grandes religiones de la humanidad también representan un consuelo y un refugio para muchas personas. La resurrección prometida por el cristianismo y la reencarnación que propugnan las filosofías orientales son una fuente de energía que ayuda a sobrellevar las desgracias.

El miedo a morir

El problema que se cierne sobre la muerte es el miedo que genera todo lo que la rodea. Miedo a lo desconocido y a todo lo que es inconcebible, pero también miedo al dolor, a quedar a merced y depender de la medicina, a tener que morir solo y sin acompañamiento... A todos estos miedos hay que añadir el miedo existencial que generan todas las cuestiones espirituales y, además, la preocupación por los familiares.
Según la formación y la personalidad o el carácter, cada uno decide cómo enfrentarse al tema que representa la "muerte". Pero sea cual sea la estrategia por la que se opte, tiene que tener en cuenta que lo esencial de la muerte es a menudo la agonía y todos los miedos inherentes que genera.

Prepare el final de su vida

Aunque se viviera muchas veces, jamás se aprendería a morir. Pero lo que sí se puede aprender en el transcurso de la vida es a prepararse para morir. En este sentido, lo más importante en el momento de despedirse de este mundo es sentirse acompañado por familiares y amigos y no estar solo.
Prepararse para el final significa poner en orden los propios asuntos y los familiares. Para ello es preciso, por un lado, hablar sinceramente con los miembros de la familia y, por otro, dejar bien claro las últimas voluntades. Cuanto más claro esté el testamento, menos polémicas generará. Si desea dejar en vida resuelto el problema de su propio entierro, contrate con una compañía de seguros una póliza que incluya este servicio, o bien formalice con una funeraria las prestaciones que desea, poniéndose de acuerdo en las condiciones y la forma de pago.

Disposición del paciente y últimas voluntades

La persona que ante la previsión de un desenlace fatal a consecuencia de una enfermedad, o por otros motivos, no desee que se le prolongue la agonía puede hacerlo constar en un documento público ante notario para que, en caso que surja algún inconveniente, sus familiares tengan prueba testimonial de sus deseos. Asimismo, también se puede dejar constancia de la forma que desea que sea su enterramiento, si quiere ser incinerado, si dona los órganos que puedan servir para trasplantes o, incluso, si dona su cuerpo para el estudio científico a universidades u otros organismos.
Para evitar conflictos entre sus herederos, el enfermo debería dejar constancia de sus últimas voluntades en un testamento redactado ante notario con los requisitos legales correspondientes. Asimismo, puede dejar un fideicomiso que encargue a una persona, o fiduciario, para que dé fe y en tiempo y forma determinados cumpla con su voluntad de testador de dejar su hacienda o bienes a una persona o personas determinadas o, incluso, que les haga llegar un dinero o inversión prefijada.

Primeros auxilios en casos de urgencia

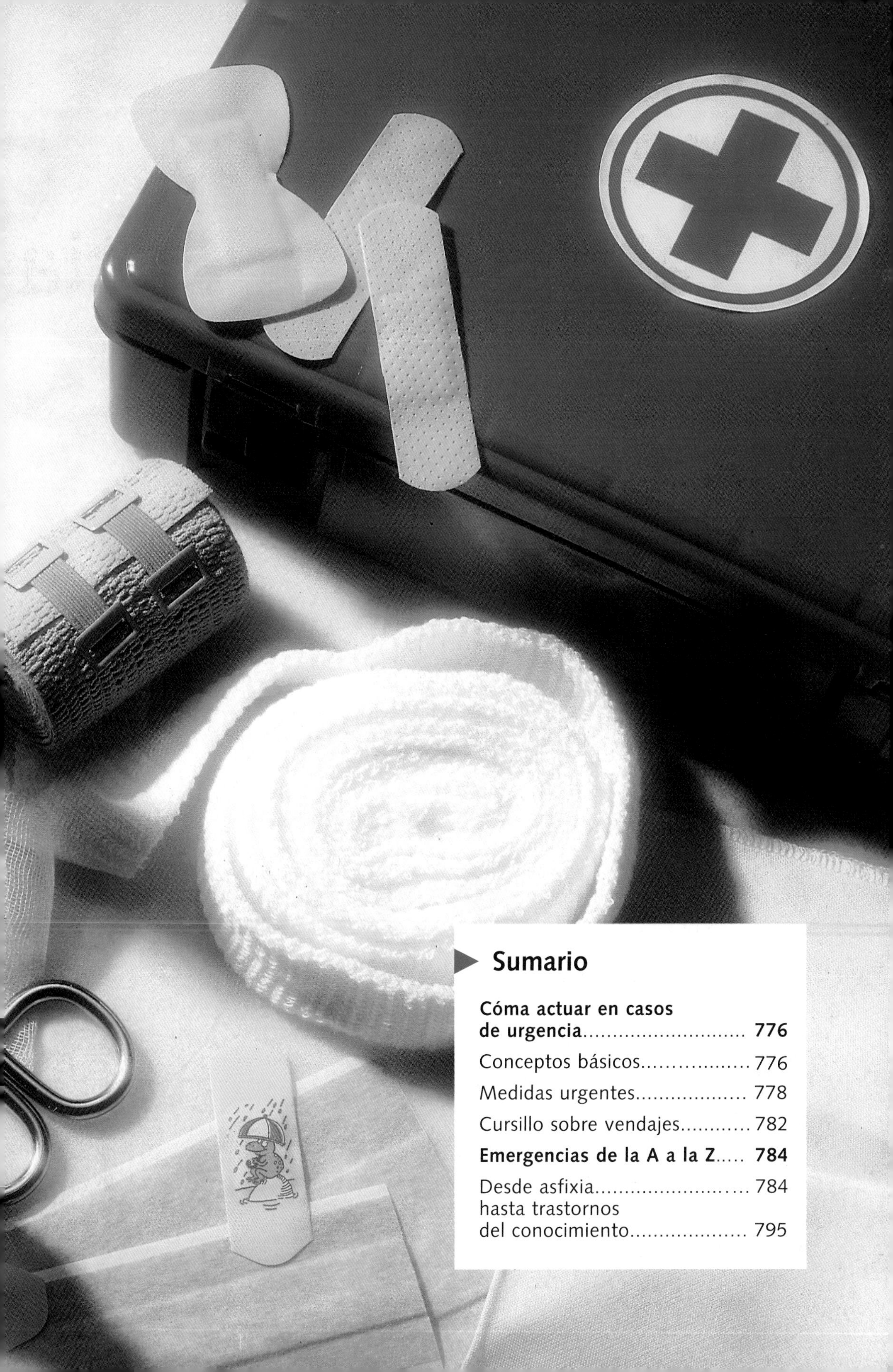

Sumario

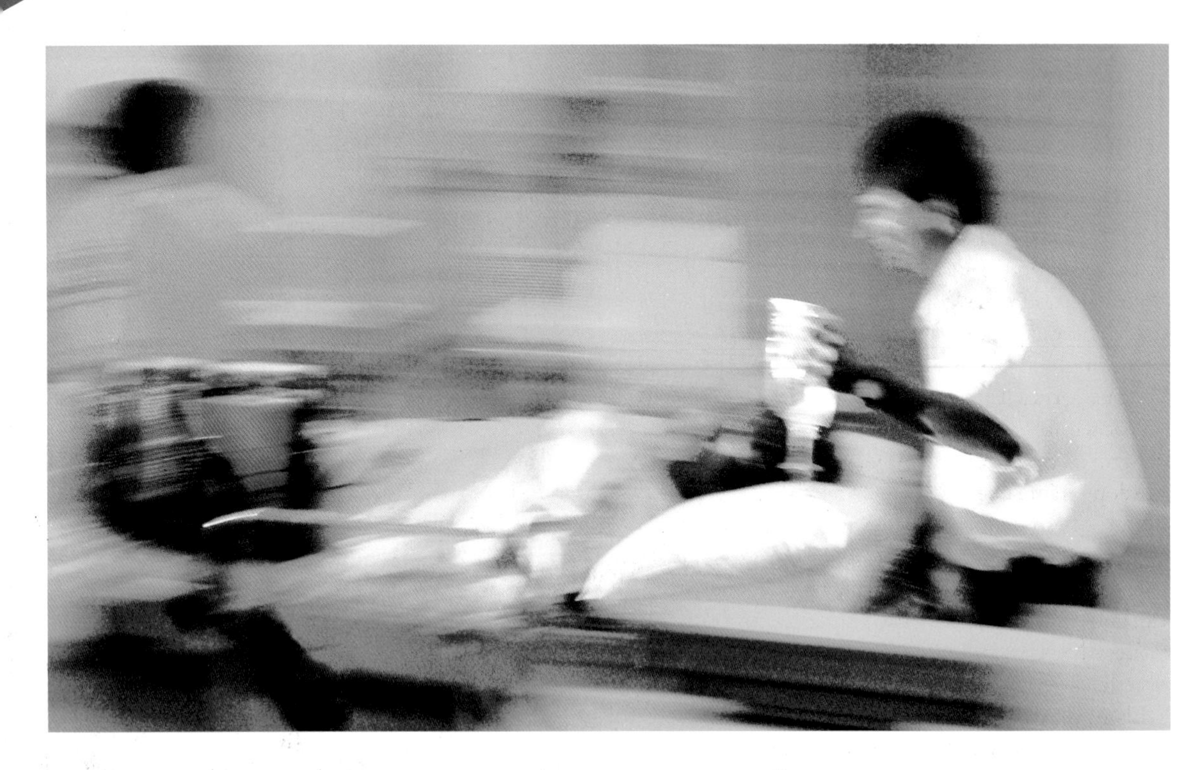

Actuación en casos de urgencia

Conceptos básicos para salvar vidas

Accidentes y casos de urgencia se dan en cualquier sitio: en casa, en la calle o en el puesto de trabajo. Ante semejante situación, hay que prestar ayuda para tratar de salvar la vida de quien está en peligro; y esto obliga a todos pues, aparte de ser un deber moral, también es una obligación tipificada legalmente. Por esto, «toda persona está obligada por ley a prestar ayuda de primeros auxilios siempre que esto no suponga un peligro para ella ni para la víctima; la omisión en la prestación de auxilio constituye un delito».

Aprendizaje en la prestación de primeros auxilios

En muchos casos, los primeros minutos son decisivos. Por esto, es aconsejable e importante informarse sobre la manera correcta de actuar.
Cuantos más conocimientos se tengan, tanto más eficaz será la ayuda.
Aprenda los principios básicos de los primeros auxilios y repase de vez en cuando sus conocimientos. La Cruz Roja y otras organizaciones humanitarias ofrecen cursos periódicos, donde además de aprender estos principios básicos y las medidas de urgencia más importantes, puede ponerlos en práctica bajo la dirección de un profesional.

Medidas preventivas de urgencia

- Recuerde que la eficacia de la vacuna contra el tétanos es de 10 años. En caso de que tenga más tiempo, renuévela cuanto antes.
- Si es un enfermo crónico, lleve siempre consigo los medicamentos que necesite y los documentos que acrediten su condición como la "cartilla de alergias" o el "carné de diabético".
- Lleve su documento de identidad en la cartera o el monedero, o una nota donde haga constar el número de teléfono al que se debe llamar en caso de urgencia.

Los principios de los primeros auxilios

Los primeros auxilios tienen como meta principal salvar a una persona de una situación de riesgo con grave peligro de muerte, para evitar el empeoramiento progresivo de su estado de salud y los dolores innecesarios hasta que llegue el médico o el servicio de urgencias. Pero, en todo lo que haga, recuerde siempre que lo que no debe hacer es exponerse también al mismo peligro o situación de riesgo que ha ocasionado las lesiones a la persona herida.

- Procure hacerse una idea de lo que ha pasado y de los peligros que amenazan la situación.
- Adopte rápidamente, pero sin precipitarse, las medidas urgentes necesarias. Esto quiere decir, según sea la situación, salvar al afectado del grave peligro en que se encuentra, asegurar la zona del accidente si es necesario, colocar bien al afectado, comprobar sus constantes vitales (consciencia, respiración, pulso) y, si es preciso, hacerle la respiración artificial de inmediato.
- Llame al teléfono de urgencias "después" de haber realizado lo que se indica en el punto anterior, a no ser que se encargue de hacerlo otro de los presentes.
- Mientras hace esto, tranquilice al afectado.
- Aunque se lo pida, no le dé nada de comer ni de beber; ni tan siquiera un cigarrillo.

Además de los teléfonos de urgencias provinciales, hay puestos de socorro regionales cuyo número figura en la guía telefónica. Anótelos y póngalos en una agenda junto a su teléfono.

Cuando hable con el puesto de socorro, mantenga la calma y recuerde que las informaciones más importantes que necesita saber son:

- ¿Dónde ha ocurrido el accidente?
- ¿Qué ha pasado?
- ¿A cuántas personas hay que atender?
- ¿Qué lesiones o síntomas tienen los afectados?

No cuelgue el teléfono, hasta saber si el puesto de socorro quiere hacerle alguna otra pregunta.

Desde hace algún tiempo, funcionan en varias comunidades autónomas teléfonos de urgencia centralizados, a los que se puede acceder, en caso necesario, para solicitar asistencia sanitaria, policial, contra incendios, etcétera. Algunas otras comunidades, sin embargo, carecen de este servicio, aunque previsiblemente su puesta en funcionamiento no se debe demorar en exceso para unificar estos servicios de ayuda.

Teléfonos de urgencia (España)

Policía local	092
Policía nacional	091
Guardia civil	062
Bomberos	080
Informac. toxicológica	915 620 420
Urgencias	061
En Madrid y Murcia	061
País Vasco	088
Cataluña	085
SAMUR (Madrid)	092
Galicia	900 444 222
Asturias, Cantabria y Ciudad Real	1006
Andalucía y Barcelona (ciudad)	112

Cuadro general de las emergencias más usuales

Medidas urgentes en el lugar del accidente

Según la emergencia de que se trate, las medidas que deben adoptarse en el lugar del accidente son distintas. En caso de que se trate de un accidente de tráfico, tendrá preferencia la seguridad general en al lugar del siniestro y poner a salvo al accidentado. Después, se comprobarán las constantes vitales de la persona herida (consciencia, respiración, pulso). Si es otro tipo de emergencia, habrá que comprobar si el afectado aún respira y funciona su sistema circulatorio.

La seguridad en el lugar del accidente

Debido al nerviosismo, en los accidentes de tráfico se suelen olvidar los coches que siguen circulando, o el que un incendio en el automóvil accidentado supone un peligro muy serio tanto para la víctima como para quien le presta los primeros auxilios. Por lo tanto, lo primero que se debe hacer es adoptar las medidas de seguridad oportunas en el lugar del accidente: coloque los triángulos de peligro bien visibles y a una distancia prudencial. Avise a los otros automovilistas (a los que vienen en dirección contraria y a los que circulan en la misma dirección), y pídales su colaboración. Si es de noche o no hay la suficiente luz, señale el lugar del accidente con una señal luminosa de emergencia y haga señales con una linterna. Si está funcionando, pare el motor del vehículo accidentado.

Ponga a salvo a los heridos

Tanto en un accidente de coche como en otra clase de emergencias, es de vital importancia retirar de la zona de peligro a los heridos que no puedan moverse. Una persona que se encuantre sentada en el coche sin conocimiento, no se le puede prestar ayuda ninguna. Además, en los accidentes graves siempre existe peligro de incendio o de explosión. Para poner a salvo a un herido, sólo hay que utilizar una técnica llamada “presa Rautek”. En caso de accidente de tráfico, lo primero que hay que hacer es abrir la puerta del coche y quitar al herido el cinturón de seguridad (cortándolo si es preciso). Si han quedado apresadas bajo los pedales, intente liberar las piernas del accidentado.

Gírelo poniéndolo de espaldas y colóquese detrás con las piernas abiertas. Pase entonces los brazos por debajo de las axilas de la víctima, y agárrela por un brazo doblado sobre el pecho en ángulo recto. Arrástrelo luego fuera del coche, manteniendo el tronco recto. Procure mantener recta la espalda, pues así realizará mucha más fuerza y no se hará daño.

La “presa Rautek” se emplea para retirar a un herido inconsciente de una zona de peligro.

Conduzca seguro

- Póngase siempre el cinturón de seguridad, incluso en trayectos cortos.
- Lleve para los niños un asiento infantil bien sujeto y adaptado a su edad.
- Ajuste bien los reposacabezas, poniéndolos a la altura de las orejas.
- Tenga cuidado con los ciclistas al bajarse del coche y al cambiar de dirección, y preste especial atención a las personas mayores y a los niños.
- En trayectos largos, descanse cada dos horas.

Advertencia: Como norma general, no intente nunca sacar a un herido de su vehículo. Al llegar el personal sanitario lo extraerá, previa inmovilización, para garantizar la estabilidad de las fracturas que pudiera tener. Si existe un riesgo inminente y no se puede esperar, pida ayuda a otra persona y saque a la víctima procurando que el eje cabeza-cuello-tronco no se mueva; sáquelo “en bloque”.

Las funciones vitales

Antes de empezar a prestar los primeros auxilios, es preciso saber en qué estado físico se encuentra el herido o enfermo. Para ello, hay que comprobar si aún conserva las constantes físicas vitales: si está consciente, si respira y si tiene pulso, es decir, si le funcionan el corazón y la circulación sanguínea.

¿Está consciente el afectado?

Si se encuentra con un herido, lo primero que tiene que hacer es comprobar si está consciente o no:
• Háblele.
• Si no reacciona, inténtelo de nuevo con un tono de voz mucho más alto (podría estar sordo) al tiempo que lo zarandea un poco por los hombros.

> ¡Si el afectado responde, pregúntele cómo se siente, si tiene dolores o si puede explicar qué es lo que le ha pasado! En cualquier caso, llame a urgencias si no tiene posibilidad de saber con seguridad cómo sobrevino la emergencia y, aunque ya haya pasado, siempre que se trate de un accidente, descarga eléctrica o pérdida de conocimiento.

¡Si el afectado no responde, compruebe la respiración inmediatamente!

¿Respira todavía?

Para saber si alguien respira todavía, hay varias maneras de comprobarlo:
• Ponga una mano abierta sobre el tórax, y compruebe si sube y baja a ritmo acompasado.
• Si acerca una oreja a la boca y a la nariz del afectado, es posible que pueda oír el ruido de la respiración o que sienta el aire de la espiración.
• La coloración azulada de labios y de la piel indica un trastorno respiratorio grave.

> ¡Si el afectado no respira, compruebe si tiene bloqueadas las vías respiratorias debido, por ejemplo, al retraimiento de la lengua en caso de que haya sufrido la pérdida de conocimiento o a la existencia de un cuerpo extraño! Para dejar libre la garganta, presione la mandíbula por fuera con el índice de una mano colocado entre los dientes (para no ser mordido) y, después, retire el obstáculo con los dedos de la otra mano. Compruebe la respiración. Si respira de nuevo, póngale inmediatamente en posición decúbito lateral estable.

¡Si tampoco respira ahora, tómele el pulso antes de adoptar cualquier otra medida!

¿Mantiene el pulso?

Para comprobar si el corazón late y se mantiene la circulación sanguínea, sólo hay que tomar el pulso. Si el herido o el enfermo reviste gravedad, tomar el pulso en las muñecas suele ser difícil por lo que, en caso de urgencia, se debe hacer siempre en el cuello.

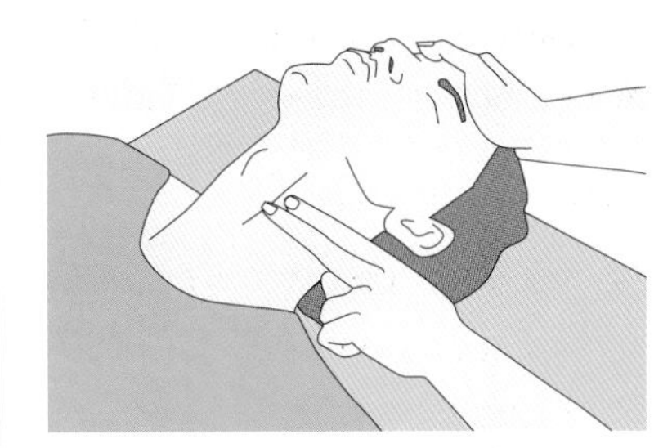

El pulso se percibe con mayor nitidez en el cuello, junto a la tráquea, que en la muñeca.

• Para ello, coloque dos dedos sobre la laringe, deslícelos a continuación hacia la cavidad situada al lado de la propia laringe y presione suavemente con ellos.
• Si no nota el pulso, pruebe en la otra parte del cuello procediendo del mismo modo.
• A los lactantes y niños pequeños se les toma el pulso en la cara interna del brazo.
• Las pupilas fijas y dilatadas, que no se contraen de modo involuntario ante la acción de la luz, indican la existencia de un paro cardíaco y circulatorio.

> ¡Aunque el afectado tenga un paro respiratorio, si siente su pulso puede hacerle la respiración artificial (→ página 780) pero prescindiendo de darle masajes cardíacos!

¡Si no siente el pulso, comience a darle masajes cardíacos inmediatamente!

¡Espere a que llegue el médico de urgencias!

El pánico hace que muchos familiares alarmados o personas inexpertas obren con premura al prestar los primeros auxilios y trasladen al enfermo al hospital para no perder tiempo. Pero esto puede resultar peligroso, bien porque pueden omitirse algunas medidas urgentes, bien porque en algunos casos el transporte requiere muchos cuidados. A no ser que el servicio de urgencias dé luz verde al transporte, espere a que llegue el médico o el sanitario.

La posición adecuada

Antes de adoptar otro tipo de medidas de auxilio vitales, como → la respiración artificial y → el masaje cardíaco, para prevenir dolores o impedir el empeoramiento del estado de salud del enfermo o del herido la condición más importante que se debe cumplir es colocarlo en la posición más adecuada.
La decisión de colocar al herido en una u otra posición depende de la clase de emergencia (disnea, dolores abdominales, lipotimia, etcétera); entre otros, los factores decisivos son: el estado de consciencia, la respiración y que el corazón se mantenga en funcionamiento haciendo posible que la circulación sanguínea cumpla con su vital cometido.
Para toda persona con perturbación o pérdida de conocimiento, que respire y cuyo corazón palpite, la posición de decúbito lateral estable es esencial; de este modo, se evita que se asfixie con su propia lengua, con la saliva, con la sangre o con los vómitos.

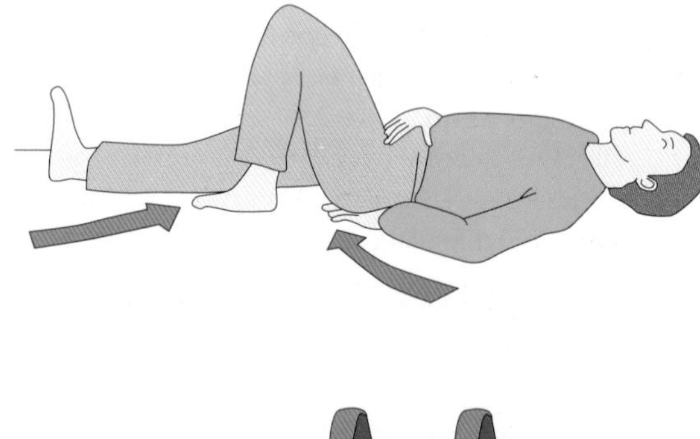

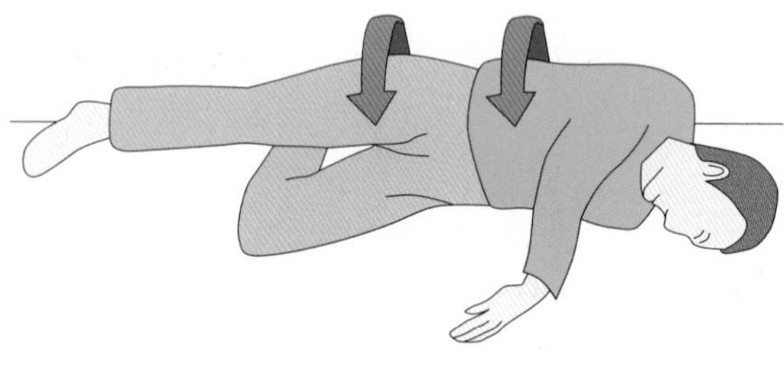

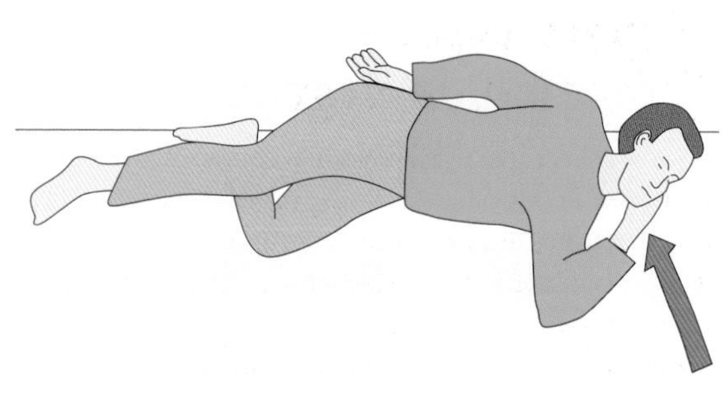

Una persona inconsciente debe ponerse en posición decúbito lateral estable, para dejar libres las vías respiratorias.

En caso de paro respiratorio o paro cardíaco, para poder hacerle la respiración artificial y darle masajes cardíacos, hay que tender de espaldas al afectado. Cuide siempre de que el enfermo o herido grave no se quede frío: abríguele bien.

Posición decúbito lateral estable

• Arrodíllese al lado de la persona que ha perdido la consciencia, haga que flexione la rodilla de la pierna del lado contrario y ponga el brazo del enfermo de ese mismo lado bajo las nalgas.
• Póngalo de lado; para ello, empuje el hombro y la cadera de su mismo lado hacia el contrario girando, con sumo cuidado, el cuerpo sobre el brazo de debajo.
• Para dar más estabilidad a la postura, doble el brazo que está debajo del cuerpo y ponga la mano en la mejilla, eche la cabeza hacia atrás y coloque el otro brazo de manera que guarde el equilibrio.
• Absténgase de poner ningún tipo de cojín debajo de la cabeza.

Insuflación de aire

El aire que espiramos todavía contiene suficiente oxígeno como para reanimar a otra persona. Para ello, basta con insuflar este aire en sus pulmones; la espiración la realiza la propia persona de manera involuntaria. El número de insuflaciones de aire por minuto depende de la edad de la persona a la que se trata de reanimar. Por lo general, cuanto menor sea la edad del paciente tanto más rápido respirará: adultos, de 12 a 16 veces por minuto; niños pequeños, 25 veces por término medido; lactantes, hasta 40 veces.

Respiración boca-nariz

Como normal general, el aire de la respiración se insufla en la nariz de la persona inconsciente. La respiración boca a boca sólo se debería realizar cuando la nariz tenga alguna herida o esté taponada; o cuando se trate de niños pequeños. Antes de comenzar es preciso comprobar que las vías respiratorias estén libres y, en caso contrario, despejarlas (→ ¿Respira todavía?).
• Para realizar la respiración artificial, hay que poner de espaldas al accidentado y echar su cabeza hacia atrás apoyando una mano en la frente, a la altura del límite donde comienza el cuero cabelludo.

• Al mismo tiempo, con la otra mano se sujeta la barbilla de modo que con el dedo pulgar se puedan cerrar los labios, mientras el resto de la mano presiona la mandíbula inferior contra la superior.
• Abra su boca del todo y póngala sobre la nariz del afectado, para insuflar el aire como por un embudo; en el caso de niños, proceda con sumo cuidado.

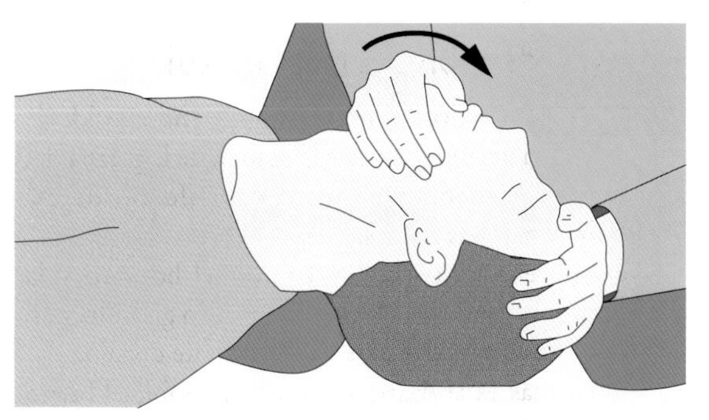

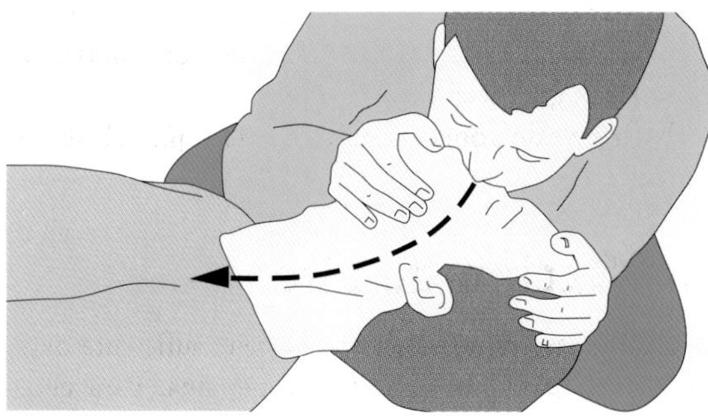

Para que en la respiración "boca a boca" el aire llegue a los pulmones, la cabeza del herido debe echarse hacia atrás.

• Adapte el ritmo de la reanimación a su propio ritmo respiratorio, y espere un poco entre una insuflación y otra. Si respira demasiado deprisa, el afectado recibirá muy poco oxígeno.
• Si quiere evitar el contacto directo con la boca del afectado, puede comprar en la farmacia una lámina especial para reanimaciones y guardarla en el maletín de primeros auxilios o en el botiquín doméstico.

> ¡Compruebe cada poco si el paciente ha empezado a respirar, y si el corazón le late todavía! Si puede tomarle el pulso en el cuello, continúe la reanimación hasta que la respiración se estabilice.

¡Si no siente el pulso, tendrá que proceder de inmediato a la reanimación mediante masajes cardíacos!

Masaje cardíaco

El masaje cardíaco tiene como objetivo ejercer una presión externa sobre el corazón, para así bombear la sangre a las arterias y permitir que continúe la circulación sanguínea. Aunque el corazón no lata, esto permite mantener la circulación sanguínea para que se realice un mínimo aporte de oxígeno a las células de todo el cuerpo. El masaje cardíaco se da siempre en combinación con la respiración artificial.
• Tienda al paciente sobre una base dura y plana y, luego, arrodíllese a su lado.
• El punto de presión se sitúa en los adultos a una distancia de dos dedos de ancho del extremo inferior del esternón, y en medio del esternón en los niños.
• Ponga en el lugar indicado la palma de una mano sobre la otra, de forma que pueda presionar sobre el mismo punto con ambas a la vez.
• A los niños de hasta dos años de edad se les da el masaje cardíaco con dos dedos, y a los niños mayores sólo con la palma de una mano.
• Presione el esternón con los brazos extendidos, dando impulsos cortos y rítmicos.
• Los adultos necesitan de 80 a 100 impulsos por minuto; los niños, 100 impulsos.

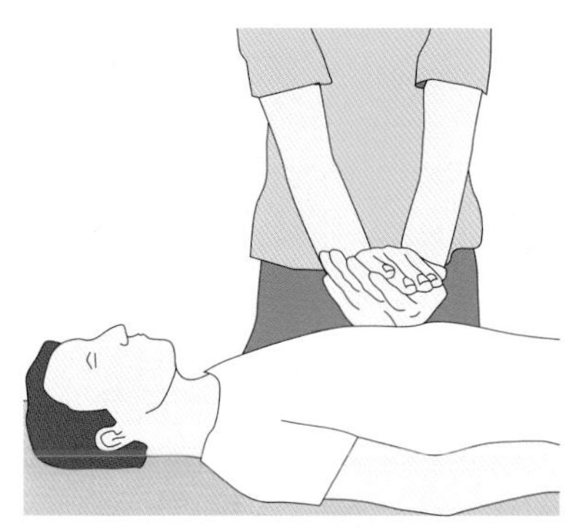

El masaje cardíaco se da sólo con la palma de la mano, dirigiendo los dedos hacia arriba y puesta la otra mano encima.

• Comience por insuflar aire dos veces seguidas y, después, dé 15 impulsos de masaje cardíaco. Si está solo, mantenga el ritmo 2:15.
• El masaje cardíaco resulta más fácil de realizar entre dos personas: una realiza la respiración artificial y, la otra, el masaje cardíaco propiamente dicho. Cambie el ritmo a 1:5, es decir, 1 insuflación de aire por cada 5 presiones sobre el corazón.
• Compruebe el pulso del afectado cada pocos minutos y, en cuanto note que el corazón comienza a latir, deje de dar masajes. Mientras tanto, continúe tal como se indica en los puntos anteriores.

Cursillo sobre vendajes

Por lo general, las emergencias que se pueden plantear en las que exista un grave peligro de muerte son muy pocas si se comparan con el número de pequeñas lesiones, cortaduras, erosiones, caídas y torceduras que suceden en el acontecer de la vida diaria.
Pero en estos casos también es preciso actuar de un modo correcto, pues, si no, es muy fácil que las lesiones pequeñas se conviertan en grandes: las heridas sin importancia están expuestas a infecciones, y una simple torcedura puede originar un esguince; por este motivo, es tan importante tratarlas correctamente al realizar los primeros auxilios.

La caja de las vendas

Tanto en el botiquín doméstico como en el del automóvil, para la cura de heridas y lesiones no pueden faltar las indispensables vendas y el esparadrapo. Una caja de vendas bien surtida es un elemento estandarizado imprescindible, que es preciso controlar y reponer periódicamente ante la posibilidad de que se produzca algún pequeño accidente.

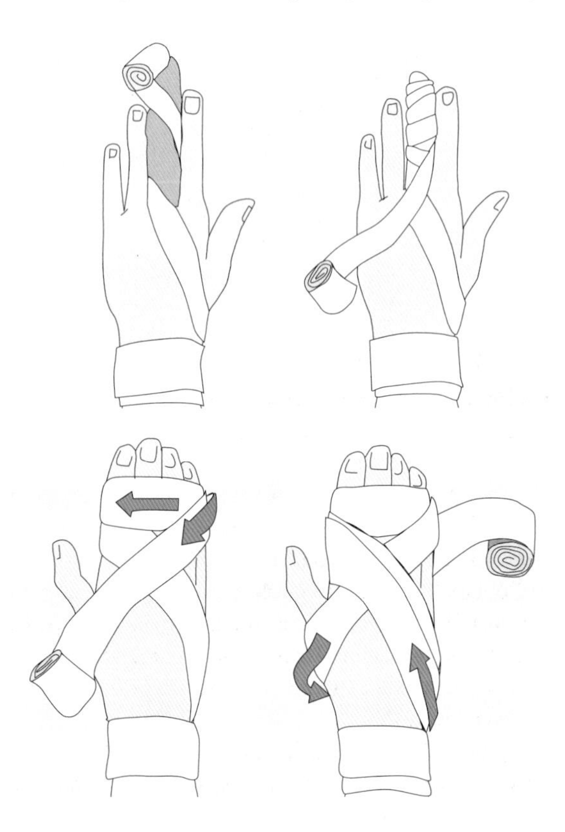

Para que no resbalen, los vendajes de los dedos y manos tienen que pasar siempre por la muñeca.

Composición de la caja de vendas del botiquín

- Un rollo de esparadrapo.
- Parches o tiritas de diversos tamaños para las heridas.
- Varios vendajes rápidos.
- Paquetitos de vendas de diversos tamaños.
- Compresas de gasa estériles.
- Vendas de gasa.
- Vendas elásticas de diversos tamaños.
- Paquetitos de vendas para quemaduras.
- Un paño grande para quemaduras.
- Dos paños triangulares.
- Imperdibles para las vendas.
- Tijeras para cortar vendas y pinzas.
- Pañuelos de usar y tirar.

No todos los parches son iguales

Cada clase de herida exige la utilización de un parche o de una tirita determinada que se adapte al caso: más o menos permeable al aire, con gasa o fibras artificiales, de una sola capa o de varias. El tamaño y la forma (rectangular, circular, ovalada) varían en función de la zona de aplicación, incluso los colores también son diferentes. Para los niños existen tiritas de distintas formas y de llamativos colores.
Las tiras adhesivas de que constan suelen estar hechas de caucho o de goma sintética. Aunque se adhieren bien, a veces las pieles delicadas no las toleran. Entonces se recomiendan los parches llamados hipoalergénicos, que llevan como sustancias adherentes poliacrilatos. Pero para curar las heridas no siempre es recomendable la utilización de tiritas. En este caso, pueden utilizarse compresas (capas de tela plegadas) o vendas. También las hay de diferentes colores y materiales, elásticas y no elásticas. La permeabilidad al aire depende del material y de la clase de tejido.
Con los llamados vendajes rápidos puede decirse que se logran dos objetivos a la vez, pues disponen de un almohadillado estéril y de una tira adhesiva que combinan entre sí perfectamente.

Vendas estériles y no estériles

Vendas las hay de dos clases: estériles y no estériles. La diferencia entre unas y otras está en que las primeras han sufrido un proceso mediante el cual están completamente libres de bacterias, virus y hongos, mientras que las segundas solamente garantizan la ausencia de gérmenes patógenos.
Por lo general, para las heridas pequeñas basta la aplicación de un recubrimiento no estéril sobre la zona afectada. Por este motivo, en caso de que no disponga en ese momento de otra cosa, para la cura de heridas también se suele utilizar una tela de lino o de algodón muy fina, recién lavada y planchada.
Las vendas estériles se presentan siempre en envases individuales, y tienen una fecha de caducidad a partir de la cual no es recomendable su uso al perder sus especiales condiciones. Por este motivo, conviene renovarlas de vez en cuando, especialmente las que se llevan en el automóvil.

Curación de heridas pequeñas

Para impedir que los agentes patógenos pasen a través de ella, cualquier herida abierta requiere la aplicación de un recubrimiento estéril. Evite tocar la herida, no la lave ni la cure con pomadas o polvos ni tampoco use "remedios caseros" (aceite, harina o similares). Si tiene que limpiar los alrededores de la herida, hágalo a partir de una distancia de 5 milímetros por lo menos. ¡No limpie personalmente ninguna herida sucia, pues el peligro de infección es muy grande! En estos casos, acuda necesariamente al médico. También es preciso hacerlo si hay hemorragias fuertes, pues tal vez se encuentre afectado algún vaso importante. ¡Recuerde que puede tener consecuencias fatales!
Cubra las heridas pequeñas con un parche o, si éste es demasiado pequeño, utilice una compresa apropiada y sujétela con un esparadrapo sin apretar. El algodón hidrófilo sólo sirve como almohadillado. ¡Evite ponerlo en contacto directo con la herida! Ponga siempre una gasa entre el algodón y la herida. Si es necesario, coloque una venda encima del apósito.
No olvide renovar periódicamente la vacunación antitetánica, pues el tétanos puede tener consecuencias mortales. La eficacia de esta vacunación es de 10 años, pasados los cuales ha de renovarse. En este sentido, ¡no importa que se trate de una herida pequeña o grande!

Vendajes fáciles de hacer

Según se trate de vendar una herida o de realizar un vendaje que sujete la parte o zona afectada, la venda será de celulosa o elástica respectivamente.
La venda ideal está compuesta por un material consistente que, al mismo tiempo, es elástico. No solamente es apropiada para estabilizar una articulación dislocada, sino que también tiene por objeto realizar un buen efecto compresivo y de masaje.

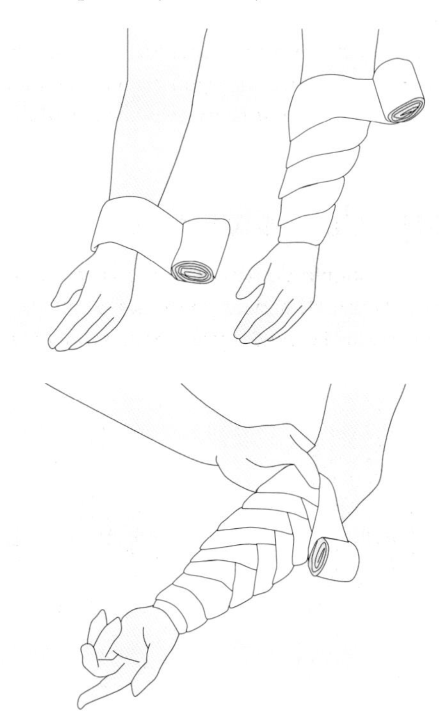

El vendaje de un brazo debe comenzar por la muñeca. El realizado "en espiga" (abajo), sujeta la zona lesionada.

La realización de un vendaje no es tarea difícil, si se tiene el material sanitario adecuado y se siguen las reglas básicas que se detallan a continuación:
• Comience a poner la venda a partir de un lugar un tanto alejado de la zona que quiere vendar y, después, enróllela si es posible en dirección al corazón.
• Para que quede un tanto fija, tense un poco la última vuelta de la venda.
• Según la clase de vendaje, enrolle la venda hacia arriba en forma de espiral o de espiga. Cada vuelta debe cubrir dos tercios de la anterior.
• El vendaje en ningún caso debe oprimir por estar demasiado apretado.

Ahogamiento

► Síntomas:

- ➜ reacción de angustia, golpear el agua a su alrededor con expresión de pánico;
- ➜ coloración pálida o azulada de labios y cara;
- ➜ tal vez, pérdida del conocimiento y paro respiratorio;
- ➜ tos con expectoración pulmonar o sanguinolenta.

El ahogamiento que más comúnmente precisa de auxilio es el que se produce por tragar agua. Supone la pérdida de la vida por asfixia, cuyas fases se suceden con gran rapidez. En un primer momento el afectado se "ahoga en seco", es decir, una pequeña cantidad de agua que entra en la región nasofaríngea provoca un espasmo en la glotis, lo que impide que la irrupción de agua llegue hasta los pulmones. Al paro respiratorio, sigue la pérdida del conocimiento. La posibilidad de que el agua entre en los pulmones se da cuando la musculatura de la laringe se relaja y la epiglotis se abre de nuevo. El agua dulce pasa rápidamente desde los pulmones a la circulación sanguínea, y provoca fibrilaciones ventriculares irregulares de hasta 500 latidos por minuto (→ Taquicardias) y paro cardíaco. El agua salada produce edema pulmonar y fallo cardíaco.

¡Cuidado con el agua!

La imprudencia es la causa principal de los ahogamientos por inmersión en el agua. Mucho más raro es que un nadador sufra un calambre o un ataque al corazón. Por lo tanto:

- Las personas que no sepan nadar o no tengan práctica en natación, deben mantenerse siempre en las zonas de seguridad cerca de la orilla.
- Preste atención a la señalización y a las advertencias de los vigilantes de la playa o de la piscina.
- Antes del baño, evite beber alcohol.
- No se tire al agua cuando esté muy acalorado o con el estómago lleno; antes de meterse en el agua, refrésquese poco a poco.
- Asegúrese de que los niños estén vigilados cuando permanezcan en el agua (también en estanques, piscinas o lagos de agua muy fría), y eduque a los más mayores para que tengan mucha precaución.
- ¡No pida nunca auxilio por hacer una broma!

Primeros auxilios

En caso de que se produzca un accidente en el agua, es muy importante saber medir las propias posibilidades. Intente el salvamento sólo si es un buen nadador seguro de sí mismo, o si dispone de medios de ayuda como un salvavidas o una lancha.

Si la persona que se está ahogando conserva aún el conocimiento:

Intente tranquilizarla desde lejos pues, de lo contrario, si presa del pánico se aferra y le impide moverse con libertad ambos corren el mismo peligro. Si el salvamento es a nado, agárrela fuertemente por detrás y por debajo de la barbilla, y arrástrele a nado hasta la orilla, de modo que su cara se mantenga fuera del agua.

> ¡Cuando esté en la orilla, evite dar palmadas en la espalda a la persona rescatada o presionarla de algún modo para tratar de que el agua salga de sus pulmones!
> Además de no servir para nada, porque así es imposible extraer el agua, esto perjudica al afectado y supone una pérdida de tiempo precioso.

Si la persona rescatada está consciente y respira:

Tranquilícela, colóquela en la posición de decúbito lateral estable y abríguela bien. No olvide ponerle debajo algo caliente y, si es posible, quítele la ropa mojada para que no pase frío.

Aunque parezca que se recupera, llévela al servicio de urgencias para que le hagan un reconocimiento, pues poco tiempo después pueden sobrevenir contracturas musculares o complicaciones cardiovasculares.

Si la persona rescatada está inconsciente:

Lo primero es comprobar si tiene respiración y pulso. En caso de que haya paro respiratorio, comience de inmediato con la respiración boca-nariz o boca a boca; y, si no tiene pulso, practíquele también el masaje cardíaco. Cuando están presentes más personas, se pueden repartir el trabajo y alguna de ellas llamar al servicio de urgencias. Prosiga con las medidas de reanimación hasta que llegue el médico.

En personas que se hayan ahogado hace tan sólo un tiempo, es aconsejable practicarles la reanimación cardiopulmonar, pues el llamado "reflejo de inmersión" tiene como consecuencia que el cuerpo sumergido en agua fría necesite mucho menos oxígeno de lo normal. De todas formas, siempre hay un gran peligro de subenfriamiento o hipotermia.

Asfixia/Atragantamiento por un cuerpo extraño

► Síntomas:
- ➜ dificultad para respirar, sensación de asfixia;
- ➜ miedo y esfuerzos desesperados por expectorar o vomitar algo;
- ➜ el afectado se echa las manos al cuello; coloración azulada de la piel y mucosas;
- ➜ tal vez, respiración poco perceptible pero muy áspera.

Cuando en las vías respiratorias se introduce algo que no sea aire, ya sea de tipo sólido o bien líquido, instantáneamente aparece el reflejo de la tos para intentar expulsar el "elemento extraño" y dejar libre el sistema respiratorio de todo obstáculo.
Los que más a menudo se atragantan suelen ser los niños y las personas con problemas de deglución. Guisantes, avellanas o espinas pueden tragarse e "ir por mal camino" con facilidad; pero también, en circunstancias especiales, el contenido del estómago (vómitos). Incluso, objetos como canicas, palillos u otros.
También hay peligro de asfixia cuando se hincha la garganta, ya sea por alguna enfermedad (→ Edema de epiglotis; → Epiglotitis) o debido a picaduras de insectos en la garganta, reacciones alérgicas (→ Edema angioneurótico) o lesiones en la cavidad bucofaríngea.
En el peor de los casos, puede llegar a producirse un paro cardio-respiratorio.

Primeros auxilios

¡Tranquilice a la persona afectada! Si la disnea se debe al atragantamiento, facilite la expectoración pasando los brazos hacia la parte delantera del cuerpo de la víctima para presioner con las manos sobre el abdomen, y ejercer bruscamente una presión hacia atrás. A los niños muy pequeños se les puede levantar en alto y ponerlos boca abajo asidos por las piernas; si ya son mayores, sitúelos sobre el regazo y déles la vuelta. El frío va bien para las hinchazones de la región faríngea (¡picaduras de insectos!), por eso conviene chupar cubitos de hielo o tomar helados.
¡Acuda al servicio de urgencias lo antes posible! Mientras llega el médico, compruebe el nivel de consciencia, la respiración y el pulso.
Si cesa las funciones respiratoria y cardíaca, practíquele la respiración artificial y, si es necesario, el masaje cardíaco.

Causticación

► Síntomas:
- ➜ causticación de la piel (→ quemaduras);
- ➜ resquemor doloroso en la boca;
- ➜ problemas de deglución;
- ➜ tal vez disnea, síntomas de *shock* o pérdida del conocimiento.

Beber por error líquidos cáusticos como, por ejemplo, lejía o ácidos, no solamente produce → intoxicaciones sino que, además, daña las mucosas de la boca, del esófago y del aparato gastrointestinal.
Las causticaciones externas causan en la piel los mismos síntomas que las → quemaduras y, del mismo modo, su curación se trata de igual manera; un líquido cáustico que caiga en los ojos puede, en el peor de los casos, ocasionar ceguera.

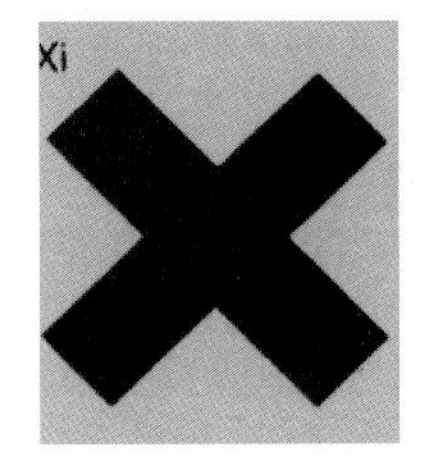

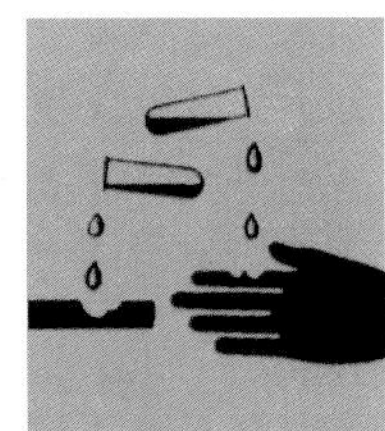

Símbolos oficiales de sustancias irritantes (izquierda) y cáusticas (derecha).

Primeros auxilios

¡Acuda al servicio de urgencias enseguida! ¡En ningún caso intente provocar el vómito!
Al vomitar el contenido del estómago, la mucosa sería atacada y dañada de nuevo al pasar por ella otra vez la sustancia nociva. Déle mucho líquido de beber al afectado, pero sólo agua o té que beberá a pequeños sorbos. El líquido rebaja la acción de la sustancia cáustica. Tranquilice al herido.
Si aparecen síntomas de *shock*, túmbelo con las piernas en alto hasta que llegue el médico o el personal del servicio de urgencias. Conserve el recipiente de la lejía o ácido que ha ingerido, para posteriormente identificar mejor la composición del contenido en el hospital.

Teléfonos de urgencia en caso de intoxicación

Madrid (España): 91 562 04 20

Descarga eléctrica/Rayo

▶ Síntomas:

➜ agarrotamiento, “quedarse pegado” a la fuente de energía eléctrica;
➜ dolores en el pecho taquicardias;
➜ mareos, obnubilación;
➜ alteraciones de la consciencia, pérdida del conocimiento;
➜ quemaduras en las zonas de entrada y salida de la corriente.

Aunque no sea de alta tensión, a partir de los 40 voltios la electricidad siempre puede resultar peligrosa y causar lesiones (¡la corriente doméstica es de 220 voltios!). El contacto con un objeto cargado eléctricamente, por ejemplo un cable defectuoso, hace que el cuerpo se integre en el circuito eléctrico y que se produzcan quemaduras de diversa consideración a la entrada y salida de la corriente; órganos, nervios y tejidos sufren los efectos a su paso a lo largo del cuerpo.
Las contracturas musculares producidas pueden causar el desgarro de los músculos y los tendones, pero el auténtico peligro de muerte que ocasiona la descarga eléctrica está en los graves trastornos del ritmo cardíaco que supone su exposición.
Entre otras cosas, los daños dependen de la intensidad de la corriente, de la resistencia que ofrezca el cuerpo a su paso y de la trayectoria. En este último caso, la mayor o menor conductibilidad eléctrica de nuestro cuerpo también desempeña un papel muy especial. Si estamos sobre una base húmeda o tocamos algo metálico la intensidad se cuadruplica, pero sobre todo si nuestra piel está húmeda o mojada.

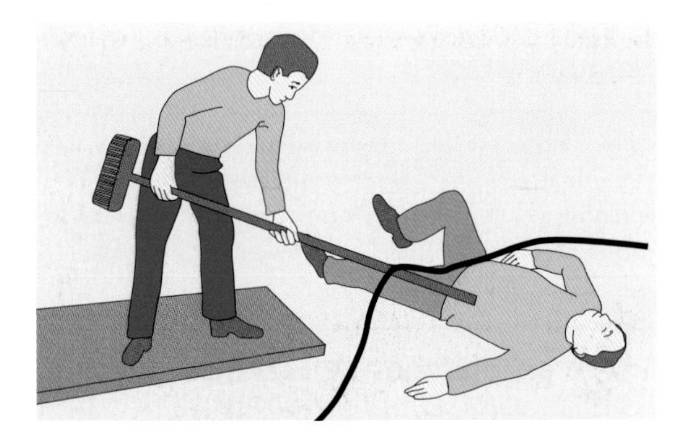

En caso de peligro de electrocución, aíslese sobre una tabla de madera y con el palo de una escoba retira el cable eléctrico.

Primeros auxilios

Si el accidente se produce en casa, como norma general lo primero es desconectar el interruptor de la corriente y, luego, interrumpir el circuito eléctrico retirando el enchufe. En caso de que no pueda, intente alejar al herido de la fuente de energía con un objeto que no sea conductor. Además, debe ponerse encima de una base aislante, como una alfombra de goma o una plancha de madera o vidrio. La compañía eléctrica se encargará de desconectar los cables de alta tensión.

! Antes de acercarse al accidentado, desconecte la fuente de energía eléctrica! ¡No se le ocurra tocarlo hasta entonces! Si se trata de una descarga de alta tensión, evite exponerse al peligro manteniéndose a una distancia de varios metros.

Si el accidentado está consciente, colóquelo con el tronco erguido, cubra las quemaduras con material sanitario esterilizado y avise al médico de urgencias. Tenga en cuenta que, pasadas varias horas, aún pueden aparecer complicaciones graves.
Si el accidentado está inconsciente, después de comprobar la respiración y el pulso colóquelo en la posición de decúbito lateral estable. En caso de que no tenga pulso ni respiración, comience con la respiración artificial y, si es necesario, con los masajes cardíacos. Llame lo antes posible al servicio de urgencias. El rayo es un caso especial de accidente por electricidad, en el que los primeros auxilios se prestan de forma inmediata al no representar ningún peligro tocar al accidentado.

Corriente de alta tensión.

¡Cuidado con la corriente eléctrica!

• Si tiene las manos mojadas o pisa el suelo humedecido, absténgase de utilizar ningún aparato (el teléfono tampoco).
• La limpieza de los aparatos eléctricos sólo deberealizarse tras haber sido desconectados de la red.
• Cuando realice determinados trabajos (taladrar, clavar puntas), tenga cuidado con los cables eléctricos empotrados en las paredes.
• No utilice nunca aparatos eléctricos defectuosos.

Disnea

▶ Síntomas:

➜ dificultad para respirar y sensación de asfixia repentinas;
➜ angustia, sudores copiosos, náuseas;
➜ tal vez, respiración entrecortada y sibilante;
➜ presión y ardor detrás del esternón, que puede afectar a la garganta, el abdomen o la espalda;
➜ coloración azulada de los labios o la piel.

Una disnea grave puede tener su origen en muchas causas. Entre ellas, atragantamiento con un cuerpo extraño (asfixia) o reacciones alérgicas e infecciones; pero, también, patologías de las vías respiratorias y del corazón (→ Angina de pecho/Infarto cardíaco; → Insuficiencia cardíaca aguda). La respiración excesivamente rápida, puede desencadenar una tetania.
En el peor de los casos, la disnea puede ir seguida de un paro respiratorio o cardíaco.

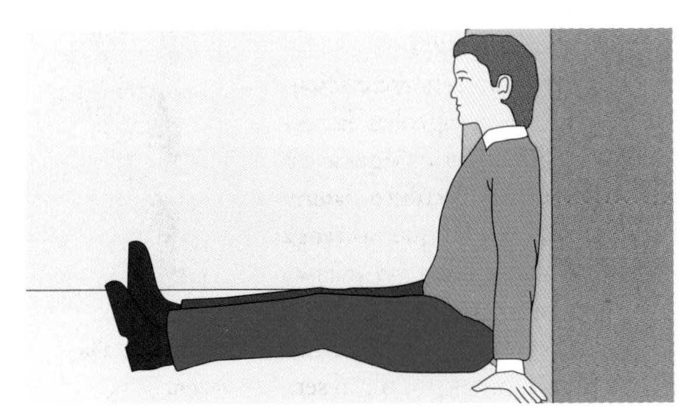

Si sufre una disnea no se acueste, siéntese erguido y con los brazos caídos para facilitar la respiración.

Primeros auxilios

Tranquilice al afectado, desabróchele la ropa ajustada y abra la ventana. Si tiene el tronco erguido, respirará mejor; y, si deja los brazos caídos, tanto mejor. Los asmáticos y los enfermos de angina de pecho tienen prescritos medicamentos de urgencia que han de tomar nada más que comienza el ataque. En caso de tetania, puede servir de ayuda aspirar y espirar en una bolsa. ¡Acuda al servicio de urgencias cuanto antes! Hasta que llegue el médico, compruebe la respiración y el pulso cada poco. Si fallan estos valores, comience a practicar la respiración artificial y a dar masajes cardíacos sin pérdida de tiempo.

Dolores abdominales/Cólico

▶ Síntomas:

➜ dolores repentinos sordos y punzantes o espasmos abdominales;
➜ vómitos, respiración superficial;
➜ tronco inclinado hacia adelante;
➜ pared abdominal tensa;
➜ tal vez, síntomas de *shock*.

Los dolores abdominales intensos y que no ceden son síntoma de muchas patologías. Las causas más frecuentes son: apendicitis aguda, cólico biliar, oclusión intestinal, pancreatitis o cólico nefrítico.
Si se presentan en combinación con sofocos y dolores pectorales, también pueden ser síntoma que haga prever un infarto cardíaco.
En las mujeres es posible que se trate desde un aborto hasta un embarazo tubárico, pasando por una amplia patología ginecológica.

Primeros auxilios

Una postura adecuada puede aliviar mucho los dolores. Para ello, tienda de espaldas al afectado con el tronco un poco elevado. Póngale un almohadillado de forma cilíndrica (un cojín o una manta enrollada) bajo ambas rodillas y abríguelo.
La postura y el calor relajan la pared abdominal. Si muestra síntomas de *shock*, colóquele las piernas en alto; si pierde el conocimiento, póngale en posición de decúbito lateral estable.
No le dé nada de beber o de comer y, por supuesto, ¡haga que se olvide del tabaco!
Si después de un rato, el dolor no se alivia y va a más, consulte cuanto antes con su médico de cabecera o de familia; y si el cuadro clínico se agrava, llame al servicio de urgencias.

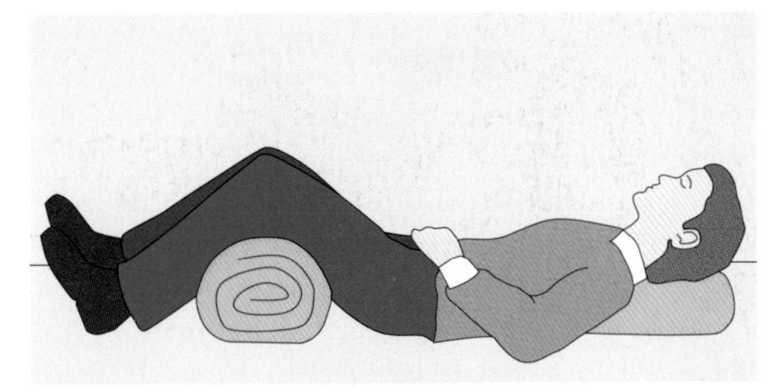

Algunos dolores abdominales se alivian adoptando la posición de decúbito supino con las piernas dobladas.

Extenuación por el calor/Insolación/ Golpe de calor

► Síntomas:

- *extenuación por el calor:* piel enrojecida, caliente y húmeda, mucha sed, dolores de cabeza, mareos, palpitaciones, lipotimia;
- *insolación:* cabeza muy caliente y roja, aunque la piel se mantiene fresca, rigidez de nuca, desasosiego, náuseas, mareos y tal vez lipotimia;
- *golpe de calor:* piel ardiente, seca y enrojecida, dolores de cabeza, mareos, náuseas, vómitos, respiración agitada, palpitaciones, lipotimia.

La extenuación por el calor se da como consecuencia de una gran pérdida de líquido (sudor, diarrea), o a la falta de líquido (beber poco) cuando hace mucho calor. La insolación se produce cuando la cabeza y la nuca están expuestas a la radiación solar durante mucho tiempo y sin protección. Los síntomas suelen aparecer con varias horas de retraso. En cuanto al golpe de calor, el cuerpo ya no está en condiciones de sudar y, por lo tanto, de poder enfriarse por sí mismo. Da lugar a una hipertermia con peligro de muerte. Niños y ancianos son los que más peligro corren.

¡Para proteger el cuerpo, los días de mucho calor póngase ropa de algodón ligera y suelta, un sombrero o pamela y, si acaso, un pañuelo que cubra la nuca! También, beba tres litros diarios por lo menos (tisanas, agua, zumos diluidos).

Primeros auxilios

Tienda al afectado a la sombra, en un sitio fresco, a ser posible con las piernas en alto y la cabeza un poco levantada. Desabroche la ropa ajustada para que quede suelta y sin opresión alguna. En caso de extenuación por el calor, puede tomar una bebida salada (media cucharadita de sal por litro). Si se sufre una insolación o golpe de calor importante, procede la refrigeración exterior mediante la aplicación de compresas frías en nuca, frente, piernas y brazos, frotamiento con trozos de hielo o cubitos y ventilación. Controle el nivel de consciencia, la respiración y el pulso. Si la persona afectada pierde el conocimiento, póngala en la posición de decúbito lateral estable. En cualquier caso, ¡acuda a su médico!

Fractura de huesos

► Síntomas:

- evidente posición defectuosa de la parte del cuerpo afectada o, a veces, movilidad anormal de la misma;
- hinchazón, dolores en el sitio de la fractura;
- en la llamada “fractura abierta”, un trozo de hueso sobresale por encima de la piel al desplazarse después de haberse roto.

La fractura de huesos no siempre resulta fácil de reconocer, sobre todo si los dolores al principio se manifiestan muy levemente y la parte del cuerpo afectada se puede mover como si no existiese la lesión o sin que se requieran grandes esfuerzos para ello. Sin embargo, la movilidad anormal o limitado es señal evidente de que existe algún tipo de fractura.

En los niños es relativamente frecuente que los huesos no se rompan del todo, sino que lo más usual es que se produzca una “fractura en tallo verde”. Consiste ésta en que el hueso en vez de romperse del todo se astilla a lo largo como si se tratara de una madera verde, pero manteniéndose en todo momento unido al periostio.

Hasta que llegue el médico, mantenga el brazo y el hombro en reposo mediante un cabestrillo hecho con un paño doblado en forma de triángulo.

El peligro que existe de que en las fracturas abiertas se produzca una infección es muy grande (→ Septicemia), aunque las fracturas de huesos cerradas son también muy peligrosas al correrse el riesgo de peligro de muerte en caso de que se lesione algún vaso sanguíneo que ocasione una gran pérdida de sangre. Consiste éste en la posibilidad de que se produzca un *shock* a causa de grandes hemorragias.

Primeros auxilios

Lo primero es llamar al servicio de urgencias. Cuando se produce una fractura, lo más importante es no mover la parte afectada. ¡No intente colocar un hueso roto! Lo que sí debe hacer es poner, muy delicadamente, un almohadillado de paños suaves por ambos lados y debajo de la fractura, pero manteniendo la posición. Para ello, puede utilizar una manta o ropa. Si se trata de una pierna, para su inmovilización puede utilizar una escoba o una rama; y, si es un brazo, basta con ponerlo en cabestrillo, es decir, colocar éste sobre una pañoleta doblada en forma de triángulo, anudada por sus extremos y pasada alrededor de la nuca.
Las heridas se deben cubrir con sumo cuidado, utilizando con este fin material esterilizado o una tela de lino o algodón recién lavada (→ Cura de heridas pequeñas). ¡No intente en ningún caso limpiar la herida abierta de la fractura!
Si existe la posibilidad de que el herido se haya roto alguna costilla, colóquelo con el tronco en alto (→ Disnea). Los síntomas de rotura de las costillas son: dolores intensos en el pecho, respiración superficial y tos con expectoración sanguinolenta. Si el accidentado está inconsciente, póngalo en decúbito lateral estable, ¡pero siempre sobre la parte dañada!
En las roturas producidas en la mandíbula, se corre el peligro de atragantarse con los dientes. Por lo tanto, si es posible, coloque al herido de manera que el tronco quede situado en alto.

Seguridad en casa y fuera de casa

A la cabeza de las estadísticas de siniestralidad se encuentran los accidentes en el hogar y los que ocasiona el tráfico, que frecuentemente se acompañan de fracturas de huesos y lesiones craneales. Adopte las precauciones pertinentes y evite, en lo posible, la posibilidad de sufrir un accidente. En el hogar elimine los "desniveles" con los que pueda tropezar (alfombras o cables), y, para llegar a sitios altos, en vez de una silla utilice una escalera de mano estable y que no resbale. En la ducha o en la bañera no olvide poner una alfombra antideslizante.
En cuanto a los vehículos, los de dos ruedas son el medio de transporte más peligroso. La máxima debe ser: «Ir con cuidado y prestar siempre atención». Recuerde, por su propia seguridad, que el casco protector es obligatorio incluso si se trata de andar en bicicleta.

Hemorragias

Además de por lesiones, las hemorragias se producen en otras muchas enfermedades que afectan a los vasos sanguíneos. Si la hemorragia se produce en el interior del cuerpo, la sangre invade el tejido adyacente y puede que se haga visible externamente en forma de hematoma; o, también, es posible que fluya hacia afuera a través de una abertura natural del cuerpo. Sin embargo, en las hemorragias externas la sangre fluye atravesando la piel hasta llegar a su superficie (→ Heridas sangrantes peligrosas; → Cursillo sobre vendajes).

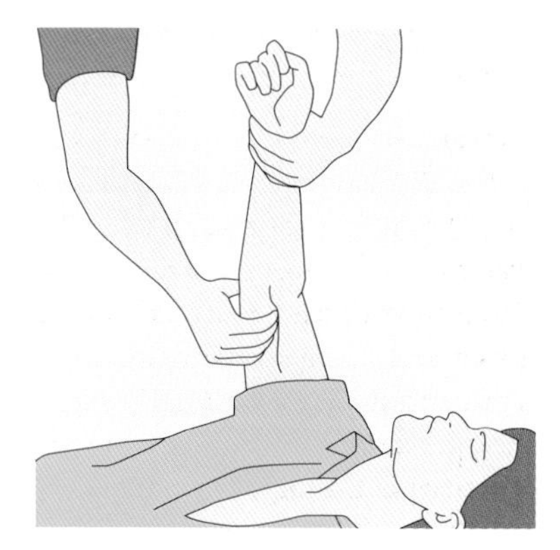

En caso de hemorragia muy fuerte, levante el brazo del herido en alto y presione la arteria humeral con los dedos.

Las hemorragias internas suelen tener causas orgánicas, por ejemplo hemorragias gastrointestinales, pero también pueden estar provocadas por lesiones, como las producidas en los accidentes de tráfico. Además de las hemorragias fuertes y visibles, también revisten el carácter de graves aquéllas que aun siendo de escasa cuantía se mantienen durante un largo período de tiempo, pues a la larga pueden ocasionar grandes pérdidas de hierro y, por ello, causar una anemia.

Heridas sangrantes peligrosas

▶ Síntomas:

- ➜ una o varias heridas, que sangran mucho;
- ➜ tal vez indicios de *shock*: palidez, mareos, piel húmeda y fría, respiración rápida y plana, lipotimia.

Siempre que alguna capa profunda de la piel resulta lesionada, se producen hemorragias. Entre las causas figuran: cortaduras, pinchazos, golpes o caídas graves en las que, por ejemplo, un hueso fracturado atraviesa la piel. Pero también algunos accidentes en los que se desgarran, del todo o en parte, miembros y músculos.

Las heridas que sangran mucho tienen que ser suturadas lo antes posible, pues, de lo contrario, se corre el riesgo de que se produzca el "desangramiento".
Una pérdida de sangre de 1 litro, puede incluso provocar un *schock* con peligro de muerte; y si son 2 los litros de sangre perdidos, para la mayoría de los adultos es mortal. Pérdidas de sangre de cantidades más pequeñas pueden representar una amenaza de muerte para los niños, pues por sus arterias circula mucha menos sangre que en los adultos.
Una hemorragia es siempre peligrosa:
- Si la sangre sale a borbotones de la herida.
- En caso de que dure mucho tiempo.
- Cuando se pierde mucha cantidad de sangre.

Primeros auxilios

El sangrado se puede frenar, o al menos disminuir, haciendo la suficiente presión desde fuera. Y, si las heridas sangran mucho, hay que hacerlo inmediatamente para evitar así el peligro de un *schok*. Para ello, ha de mantenerse en alto la parte del cuerpo lesionada y, luego, ejercer → presión con una gasa estéril o comprimir con un → vendaje compresivo.
Compruebe el nivel de consciencia, el ritmo de la respiración y el pulso y, en caso necesario, adopte otras medidas de primeros auxilios. ¡Acuda a urgencias lo antes posible!

Curación de heridas

- Si es posible, cubra las heridas abiertas con material sanitario estéril.
- Deje la herida tal como está, es decir, no la lave ni la desinfecte.
- Absténgase de tocar nunca, directamente con la mano, la herida ni la zona adyacente.
- Evite retirar los cuerpos extraños que puedan haber impactado.

Taponamiento de las heridas

Cuando una persona herida sangra en abundancia, para frenar la hemorragia se debe proceder al taponamiento de la herida utilizando material estéril para empapar la sangre y guantes de un solo uso.
Recuerde que, en caso de accidente, es muy recomendable tener en el botiquín una caja de vendas (→ Utensilios que debe haber en una caja de vendas).

Presión y compresión de la hemorragia

Para frenar la hemorragia de una herida use una venda de gasa o compresa y, luego, presione con fuerza sobre ella manteniéndose así durante unos minutos. Si no dispone de una venda estéril, en su lugar también puede utilizar un paño limpio.
Las hemorragias en brazos y piernas se pueden frenar presionando las arterias aferentes con los dedos como se indica a continuación. Si la herida es en el brazo, se presionará sobre su cara interna en el punto medio entre la axila y el codo. Mantenga siempre en alto el brazo herido con una mano y, con la otra, presione la arteria. En caso de que las lesiones sean en las piernas, se tomará el muslo y con los dedos pulgares de ambas manos se hará una fuerte presión sobre la ingle de la pierna afectada.
Cuando la hemorragia haya remitido, se aplicará sobre la herida un vendaje compresivo.

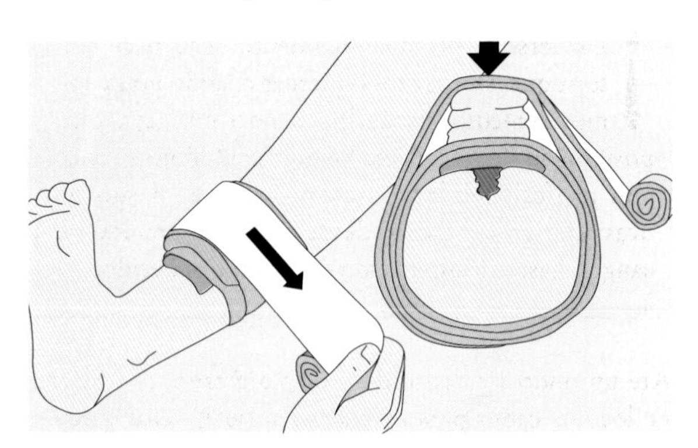

Coloque sobre la herida sangrante un almohadillado compresivo, y sujételo bien fuerte con una venda.

Vendaje compresivo

Después de haber presionado la herida unos minutos, cúbrala con un vendaje compresivo. Como almohadillado que a su vez sirva de compresión, se suelen utilizar uno o varios paquetitos de gasa hidrófila sin abrir o pañuelos de papel.
Una vez cubierta la herida con material esterilizado, ponga un almohadillado encima y envuelva todo con una venda de gasa, ténsela lo suficiente para que el almohadillado no pueda desplazarse (sin llegar a acortar la circulación sanguínea) y presione sobre la herida. Si hay algún cuerpo extraño pequeño incrustado en la herida, ponga un almohadillado encima a modo de anillo. Tenga cuidado de que el vendaje compresivo no oprima el citado objeto contra la herida. Luego, si es posible, mantenga en alto la parte del cuerpo herida.

¡En caso de que un trozo de intestino salga a través de una herida abdominal abierta, no intente nunca introducirlo de nuevo en el cuerpo ejerciendo presión! Si no es muy grande el trozo de intestino que sobresale, puede colocar encima un almohadillado en forma de anillo y taparlo después con un vendaje compresivo.

Ligadura de miembros (torniquetes)

Las ligaduras o torniquetes sólo es posible realizarlas en los brazos o en las piernas. Para hacerla, utilice un ligamento ancho doblando un paño en forma de triángulo o una camisa rasgada. Prescinda de utilizar cualquier objeto que pueda cortar o rasgar, como cordones de los zapatos o cinturones estrechos. La ligadura debe quitarse una vez transcurridas dos horas, por lo que siempre conviene anotar la hora en que se puso.

¡La persona profana solamente debe hacer un torniquete en brazos o piernas cuando no quede más remedio, es decir, cuando no haya otra posibilidad de frenar una hemorragia! Si no se hace con profesionalidad, se corre un gran riesgo de ocasionar graves daños: desde un estancamiento de sangre, hasta la amputación del miembro herido.

Ate un nudo alrededor del brazo afectado, tire fuerte de los dos cabos para realizar el apriete, líelos fuertemente alrededor del miembro y, para terminar, haga un nudo doble con ellos para que no se aflojen.
Para realizar una ligadura en el muslo puede servir de ayuda una varilla o bastón, que deslizará por debajo de un nudo flojo colocado previamente; después, le dará vueltas hasta que la ligadura quede bien apretada. A continuación, mantenga en alto el brazo o la pierna.

Miembros amputados

Los progresos de la cirugía moderna han hecho posible reimplantar los miembros amputados en accidentes. Por lo tanto, después de frenar la hemorragia y haber adoptado las medidas pertinentes es preciso pensar en su localización y conservación. Envuélvalos en una venda esterilizada y consérvelos en frío (nunca en contacto directo con agua u otros líquidos, ni ponerlos en hielo o en el congelador). Mételos en una bolsa de plástico resistente y, a su vez, póngala dentro de un recipiente (o de otra bolsa) con hielo.

Intoxicación

► Síntomas:

→ náuseas, vómitos, diarreas;
→ alteración del nivel de conciencia, hasta llegar a perderla;
→ disnea; tal vez accesos de tos;
→ síntomas de *shock*;
→ alteración de la piel.

La entrada en el cuerpo de sustancias tóxicas, además de por ingestión (beber detergentes, ácidos cáusticos o lejía, tabletas), también se produce a través de la respiración (vapores tóxicos) y de la piel (sustancias liposolubles como pesticidas, disolventes), a lo que hay que añadir las intoxicaciones alimentarias y por drogas; pero tampoco hay que olvidarse de los tóxicos estimulantes, como el alcohol, que pueden producir daños muy graves en el organismo.
Sin embargo, las intoxicaciones más frecuentes se producen por el mal uso de los medicamentos.
Según la clase de tóxicos ingeridos, las reacciones producidas pueden poner la vida en peligro por *shock*, depresión del sistema nervioso y por paro respiratorio o circulatorio.

Símbolos para sustancias poco tóxicas (izquierda) o muy tóxicas (derecha).

Primeros auxilios

Llame de inmediato al teléfono del servicio de urgencias toxicológicas. Tenga siempre en cuenta que el tiempo es de vital importancia para impedir que las sustancias tóxicas desplieguen toda su acción.
En caso de que se produzca una intoxicación, recuerde que una de las premisas fundamentales es no exponerse personalmente a los efectos de la intoxicación, sobre todo si se trata de tóxicos inhalables (vapores, gases) y de tóxicos por contacto que se absorben a través de la piel. Por este motivo, antes de tomar las primeras medidas de auxilio conviene aclarar que:

• Si hay gases o vapores en el ambiente, ¡tenga cuidado: muchos tóxicos que se aspiran no tienen olor!
• Si se trata de sustancias cáusticas o de tóxicos; estos últimos pueden ocasionar la muerte si se aspiran.

¡En las intoxicaciones causadas por escapes de gas, existe peligro de explosión! Si es este el caso, evite hacer fuego (cerillas, encendedores), no conecte ningún aparato eléctrico y absténgase de dar la luz eléctrica o de llamar al timbre de la puerta.

• Si se trata de un tóxico aspirable, ventile bien la habitación antes de atender al herido. Retire a la persona afectada de la zona de peligro (→ Presa Rautek), tranquilícela y abríguela. Compruebe después el grado de consciencia, y si tiene las constantes vitales como son respiración y pulso.
Si el herido no está consciente del todo, póngale lo antes posible en posición de decúbito lateral estable. Para poder determinar posteriormente en el laboratorio de que tipo de tóxico se trata, conserve lo vomitado por el herido, así como los restos del tóxico y el envase de medicamentos o sustancias tóxicas.
Después de que una persona haya sufrido la mordedura de un animal venenoso (una serpiente, por ejemplo), es preciso inyectarle sin pérdida de tiempo un antídoto y acudir al servicio de urgencias para que le realicen un tratamiento sintomático.

Indicaciones importantes

• **Tóxicos inhalantes** (humo, humo de los escapes de los coches, gases irritantes como amoníaco, lacrimógeno, de los silos). Haga que el herido respire profundamente, pero con calma, al aire libre. Horas después del accidente, aún pueden aparecer graves complicaciones pulmonares.
• **Tóxicos de contacto** (productos fitosanitarios, pesticidas). Quítese la ropa impregnada de tóxico y, después, lave la piel con agua fresca. Evite que la sustancia tóxica entre en contacto con partes sanas de la piel del herido o con su propia piel. Para protegerse, póngase guantes de usar y tirar.
• **Tóxicos ingeridos.** ¡No dé leche al herido! Si está seguro de que no se trata de sustancias cáusticas, hidrocarburos ni detergentes, intente provocar el vómito con agua salada templada (una cucharada de sal en un vaso de agua). ¡No dar a los niños!
• **Sustancias espumosas** (como los detergentes y los artículos de limpieza). ¡No provocar el vómito! ¡La espuma puede afectar a las vías respiratorias!

Lesión craneal

▶ Síntomas:

- a veces, heridas abiertas o brotes de sangre en la cabeza;
- sangre que brota del oído, nariz o boca;
- tarde o temprano dolores de cabeza, náuseas, vómitos, cansancio, aturdimiento;
- quizá, parálisis, falta de percepción sensorial;
- tal vez trastornos respiratorios, que ocasionalmente producen pérdida del conocimiento;

Las lesiones craneales se pueden producir por accidentes, por recibir un golpe en la cabeza o por sufrir una caída. Los motoristas y los ciclistas son los que más sufren este tipo de lesión. Según sea el impacto del golpe, puede producirse desde una conmoción cerebral hasta una fractura de cráneo, hemorragias en la región de las meninges o un edema cerebral.

Primeros auxilios

Aunque inmediatamente después de la caída el afectado se sienta bien y no quiera acudir al médico por las causas que sean, llame al servicio de urgencias inexcusablemente. Las heridas abiertas que se producen en la cabeza han de ser protegidas con material sanitario esterilizado. Incluso en las lesiones menos importantes, este tipo de heridas suelen sangrar mucho. Pero, en cualquier caso, ¡no intente frenar la hemorragia haciendo presión sobre la herida o sobre la cabeza!
Procure mover al herido lo menos posible. Si el nivel de consciencia está normalizado, colóquelo con el tronco levantado. Pero si sufre alteraciones de la consciencia, póngalo en posición decúbito lateral estable sobre la parte del cuerpo que no esté lesionada. Controle la respiración y el pulso y, si es preciso, comience a practicarle la respiración artificial y a darle masajes cardíacos sin pérdida de tiempo alguna.
A los motoristas heridos en ningún caso se les debe quitar el casco, pues esta operación requiere que la hagan dos personas expertas:
• Mientras el ayudante mantiene inmovilizadas las vértebras cervicales con cuidado, la otra persona abre el casco y, luego, sujeta suavemente el mentón y las cervicales con ambas manos.
• A continuación, la primera persona tira del casco muy lentamente para desplazarlo poco a poco hacia arriba y sacarlo finalmente.

Lesión de la columna vertebral

En los accidentes graves, siempre hay que tener en cuenta que la columna vertebral puede estar lesionada al romperse alguna vértebra debido al impacto. Las vértebras cervicales suelen ser las más afectadas en los accidentes de moto o de bicicleta. En estos casos, cualquier movimiento brusco o giro de cabeza del herido puede tener consecuencias muy graves.

Cuando el herido se queja de fuertes dolores de espalda, muestra trastornos sensitivos en brazos y piernas o, incluso, existe fuga de orina o de excrementos, es muy probable que sufra una lesión de columna vertebral. Si el afectado se mantiene consciente, no le cambie de postura a no ser que sea absolutamente necesario.

Si por el contrario el herido está inconsciente, es de vital importancia ponerlo en la posición de decúbito lateral estable. Procure girar el cuerpo en bloque (al unísono), con cuidado –es mejor hacerlo entre varias personas–, manteniendo en todo momento la estabilidad de la cabeza y el cuello.

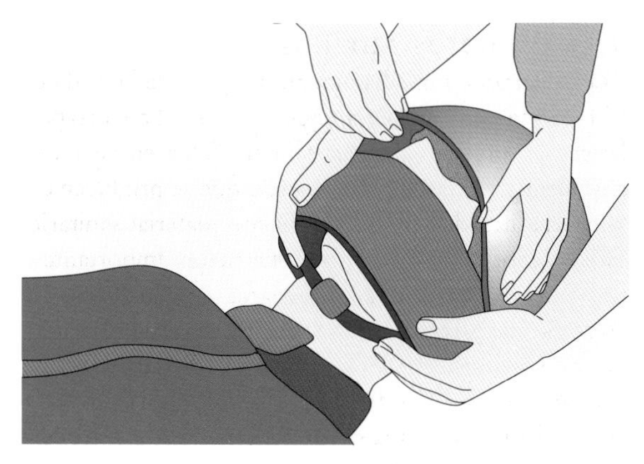

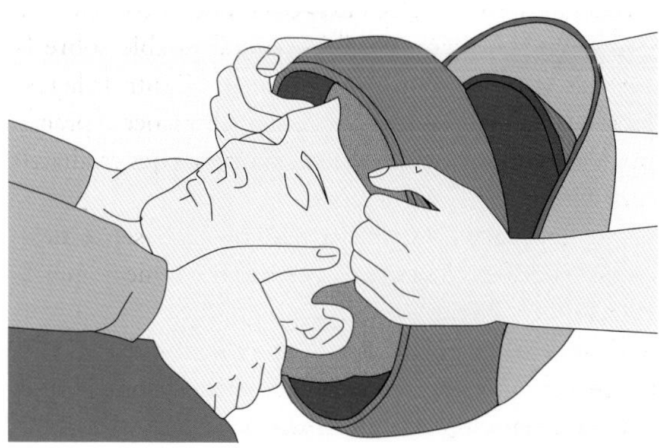

Para evitar daños mayores en la columna vertebral, u otras lesiones, el casco al accidentado sólo se le retirará entre dos personas con conocimientos médicos.

Pérdida del conocimiento/Lipotimia

▶ Síntomas:

- → *lipotimia:* pérdida del conocimiento momentánea, que se manifiesta con mareos, náuseas, sudores copiosos y vista nublada;
- → *pérdida del conocimiento:* estado de sueño profundo prolongado, en el que el afectado ya no reacciona a ningún estímulo externo.

La lipotimia se caracteriza por durar tan sólo de unos poco segundos a un minuto. La causa es la falta de oxígeno que se produce en el cerebro, lo que desencadena un riego sanguíneo deficitario pasajero. Puede tener causas muy simples, entre las que se cuentan, por ejemplo, el aire viciado en recintos cerrados o estar de pie durante mucho tiempo; pero, si se repite reiteradamente, hay que buscar necesariamente una explicación médica. La pérdida del conocimiento puede ser indicio del padecimiento de una patología grave, como por ejemplo del corazón y de la circulación sanguínea (→ Infarto cardíaco) o de los órganos respiratorios.

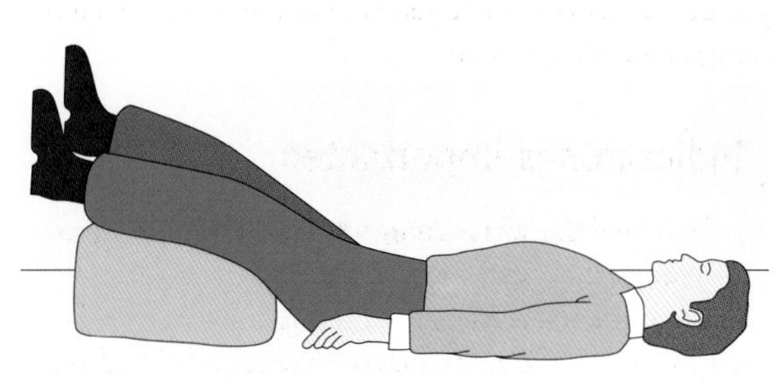

Para que la sangre fluya mejor al corazón, mantenga las piernas en alto por encima de la cabeza.

Primeros auxilios

En caso de lipotimia, poner las piernas del afectado en alto, desabrochar la ropa ajustada y abrir la ventana para que entre el aire. Al mismo tiempo, controlar, le respiración y el pulso.

Si el afectado no vuelve a reaccionar al cabo de un minuto, póngale en la posición de decúbito lateral estable y llame enseguida al servicio de urgencias. Hasta que llegue el médico, compruebe cada poco la respiración y el pulso. Si se interrumpen, comience de inmediato a practicarle la respiración artificial y, si es preciso, el masaje cardíaco.

Quemaduras/Escaldaduras

▶ Síntomas:
- ➜ enrojecimiento e hinchazón (primer grado);
- ➜ formación de ampollas (segundo grado);
- ➜ piel gris, blanca o negra que indica la destrucción de tejidos profundos;
- ➜ tal vez, síntomas de *shock* o pérdida del conocimiento.

Aparte de las altas temperaturas, también el calor moderado puede ocasionar daños en la piel si se expone a su acción el tiempo suficiente. Entre las causas que provocan las quemaduras se encuentran: radiaciones (solares, rayos X, rayos ultravioleta), superficies muy calientes (placas de la cocina, estufa), corriente eléctrica, llamas y rayos. Por su parte, el contacto con vapores y líquidos muy calientes puede ocasionar escaldaduras pero, también, según sea su composición química, → causticaciones y quemaduras. La gravedad de la lesión no sólo se mide por su grado, sino también por su extensión. La destrucción de una superficie de piel equiparable a la del tamaño de un brazo, puede causar un *shock* con peligro de muerte.

Primeros auxilios

Si una persona tiene su ropa ardiendo, échele agua para que se empape o sofoque las llamas con ayuda de una manta o, incluso, haciendo que el afectado ruede por el suelo. Retire sólo los trozos de ropa quemada que no se hayan pegado a la herida, y vierta agua fría sobre la herida durante un tiempo aproximado de 10 a 15 minutos. ¡Pero en ningún caso se le ocurra poner hielo!. Si esto no es posible, coloque sobre la herida paños de lino o de algodón limpios y mojados que cambiará a menudo. Tenga cuidado de que el afectado no se quede frío, y cubra las partes del cuerpo que no estén lesionadas. En caso de que el afectado sufra la pérdida del conocimiento, póngalo en posición decúbito lateral estable.

Si es posible, cubra las quemaduras con material sanitario esterilizado; o, en caso necesario, aplíqueles un paño de lino o de algodón recién lavado. Para tratar las quemaduras, evite utilizar siempre harina, polvos, pomadas, aceites o cosas semejantes.

Controle el nivel de consciencia, la respiración y el pulso; luego, llame al servicio de urgencias. Si es preciso, antes de que llegue el personal médico, comience con la respiración artificial y los masajes cardíacos.

Shock

▶ Síntomas:
- ➜ respiración superficial y agitada;
- ➜ piel fría, húmeda y pálida;
- ➜ escalofríos, frío en el cuerpo;
- ➜ pulso rápido y casi imperceptible;
- ➜ desasosiego, aturdimiento, impasibilidad;
- ➜ mareos, debilidad, lipotimia.

Desde el punto de vista médico, el *shock* no tiene nada que ver con la reacción psíquica tal como, por lo general, se entiende en la vida diaria.

El *shock* o, más concretamente el *shock circulatorio*, se desencadena por la reducción del riego sanguíneo en el cuerpo. Esto da lugar a que la sangre –y, con ello, el abastecimiento de oxígeno– se concentre primordialmente en los órganos vitales (corazón y cerebro) y, en como consecuencia, disminuya en los miembros y en el resto de los órganos (pulmones, riñones, hígado). Si el *shock* dura mucho tiempo, se produce la muerte de algunas células y tejidos y, en el peor de los casos, sobreviene la muerte del afectado.

Entre las causas posibles figuran: la gran pérdida de sangre (→ Hemorragias) y líquido, por ejemplo en patologías de tipo diarréico o quemaduras graves; pero, también, la fuerte reacción alérgica a las picaduras de los insectos o a un medicamento determinado (→ *Shock* anafiláctico).

El *shock* también puede sobrevenir como consecuencia de una septicemia, o debido a una insuficiencia cardíaca aguda.

Primeros auxilios

En los estados de *shock* se corre peligro de muerte, por este motivo es preciso actuar de manera inmediata. Si las lesiones lo permiten coloque al herido con las piernas en alto o, si está inconsciente, en la posición de decúbito lateral estable.

Controle el nivel de consciencia, así como la respiración y el pulso. ¡El peligro de paro respiratorio y circulatorio es muy grande en caso de *shock*! Si es preciso, comience a practicar la respiración artificial y, si también es necesario, con los masajes cardíacos. ¡Llame cuanto antes al servicio de urgencias!

Frene lo antes posible las hemorragias que pueda haber. Abrigue al herido, pero procure que no tenga demasiado calor. ¡No le dé nada en absoluto de beber, ni tampoco de comer!

Subenfriamiento (hipotermia)/ Congelación

► Síntomas:

➜ *Congelación:* piel pálida e insensible; después del calentamiento: enrojecimiento, hinchazón, picor, dolores en las partes afectadas (1.er grado); coloración violeta en la piel, formación de ampollas, dolores muy fuertes (2.° grado); piel blanquecina y frágil, que se vuelve de color azul oscuro después de ser calentada, insensible (3.er grado).

➜ *Subenfriamiento (hipotermia):* escalofríos, respiración superficial, perturbación del conocimiento y hasta pérdida total del mismo.

El subenfriamiento (hipotermia) es la bajada de la temperatura del cuerpo por debajo de los 35 °C. Por su parte, las congelaciones son los daños que produce el frío en zonas aisladas del cuerpo, sobre todo la nariz, los oídos y los dedos tanto de manos como de pies, y no suelen constituir una amenaza de muerte salvo en casos muy extremos.

Las congelaciones se producen por una larga exposición al frío sin protección del cuerpo.

El subenfriamiento (hipotermia) normalmente se padece por la acción del agua fría (naufragios, accidentes de baño, hundirse en el hielo), el frío de la montaña (accidentes de esquí, aludes de nieve) o después de haber sufrido un accidente en el que el herido permanece a la intemperie durante mucho tiempo sin moverse. Niños, ancianos y personas alcohólicas son los que más peligro corren.

Primeros auxilios

Proteja al enfermo del frío y trasládelo a un sitio caliente. Quítele con cuidado la ropa mojada, tiéndalo sobre una base caliente y, si está inconsciente, póngalo en posición decúbito lateral estable. Abríguelo con mantas o ropa seca. Las bebidas dulces calientes (¡sin alcohol!) favorecen el calentamiento, pero en ningún caso se las haga tomar si está inconsciente.

En aquellos casos de congelaciones de primer grado, es aconsejable mover –de modo activo o pasivo– las partes congeladas, ¡pero nunca aquéllas con congelaciones de mayor grado! Cubra las zonas congeladas con material sanitario estéril. Si padece subenfriamiento (hipotermia), mueva a la persona afectada lo menos posible. Controle sus constantes vitales como la respiración y el pulso, y llame a urgencias. Si es necesario, proceda a hacer la respiración artificial y a dar masajes cardíacos.

Trastornos del conocimiento

► Síntomas:

➜ turbación, incoherencia en el hablar;
➜ comportamiento extraño;
➜ obnubilación, hasta llegar a la pérdida del conocimiento;
➜ inquietud, nerviosismo y sudores ocasionales;
➜ tal vez, trastornos relacionados con la visión y con la deglución.
➜ trastornos sensitivos, quizá parálisis.
➜ movimientos involuntarios, espasmos.

Todo aquello que afecta a la función del cerebro, puede conducir a trastornos del conocimiento, pues en este órgano también tiene lugar lo que simplificadamente se conoce como consciencia.

Aparte de un estado crepuscular y de los cambios de personalidad, como aparecen en las patologías psíquicas, hay numerosas causas físicas que pueden ocasionar trastornos del conocimiento como pueden ser: lesiones (→ Lesión craneoencefálica), trastornos circulatorios y ataques de apoplejía, hemorragias, inflamacione y tumores cerebrales, epilepsia, hipertiroidismo (→ Crisis tirotóxica), alteración del nivel de glucemia (→ Estados hipoglucémicos) o intoxicaciones; y, también, el consumo de drogas y de alcohol. Cada trastorno del conocimiento puede conducir a distintos estadios de sueño y sopor, desde la mera somnolencia hasta un auténtico estado de coma.

Primeros auxilios

Los trastornos del conocimiento suponen siempre un aviso que hay que tomarse muy en serio. Por lo tanto, ¡acuda cuanto antes al servicio de urgencias!

Tenga siempre presente que, después de haber sufrido un accidente o una caída, la aparición de alteraciones de la consciencia como síntoma de una patología pueden aparecer con un retraso de horas o incluso días.

Hasta que llegue el médico, compruebe el nivel de consciencia, la respiración y el pulso cada poco. A las personas inconscientes, procure ponerlas en posición decúbito lateral estable.

Si cesan las funciones respiratoria o cardíaca, comience inmediatamente a practicar la respiración artificial y los masajes cardíacos.

Para consultar

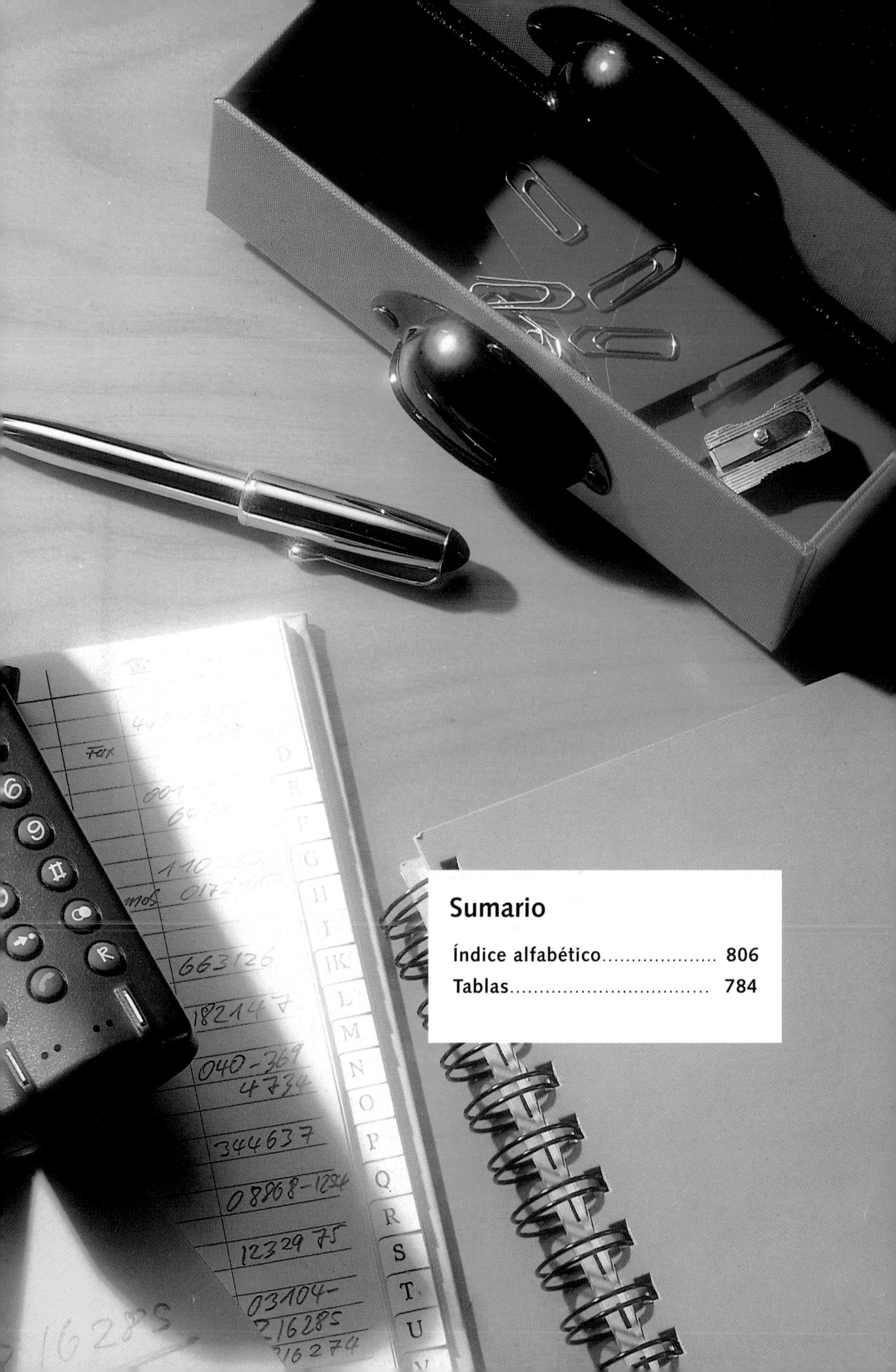

Sumario

A

B

F

J

K

L

M

Q